# Appré



« Ce livre, la *Bhagavad-gītā telle qu'elle est*, de
bhupāda, magnifiquement présenté, est d'une valeur inestimable, car l'Occident connaît mal ce courant majeur de l'hindouisme… On ne peut donc que recommander vivement la lecture d'un ouvrage qui mérite de maintes façons d'être tenu pour considérable. »

Jean Varenne
Professeur de sanskrit
Université d'Aix-en-Provence

« Que le lecteur soit ou non un adepte de la spiritualité indienne, la lecture de la *Bhagavad-gītā telle qu'elle est* lui sera extrêmement profitable, car elle lui fera comprendre la *Bhagavad-gītā* comme la comprend encore aujourd'hui la grande majorité des hindous. Pour beaucoup de ces lecteurs, ce sera le premier contact sérieux avec l'Inde plurimillénaire et toujours vivante. Les lecteurs de la langue française peuvent maintenant aborder un texte essentiel de l'Inde, à la fois sous l'angle grammatical et dans sa perspective spirituelle fondamentale. »

François Chenique
Licencié-ès-Lettres Classiques
Diplômé de l'Institut d'Études Politiques de Paris
Docteur-ès-Sciences Religieuses, sanskritiste

« L'œuvre entreprise par Swami Prabhupāda est à la fois considérable et précieuse, car en lisant ses traductions du *Śrīmad-Bhāgavatam* et de la *Bhagavad-gītā*, le spiritualiste et le sanskritiste sont assurés de posséder une nourriture spirituelle insurpassable et un instrument de travail incomparable qui permet d'avoir accès à la moelle du texte. La pensée authentique est ainsi restituée dans sa pureté primitive, sans apports subjectifs subséquents. »

André Chedel
Orientaliste

« Si l'ascétisme et l'idéal des apôtres que forme la *Bhagavad-gītā telle qu'elle est* étaient plus répandus et plus respectés, ils transformeraient le monde où nous vivons pour en faire un monde meilleur, plus fraternel. »

Paul Lesourd
Écrivain
Professeur honoraire de l'Université Catholique de Paris

« Bien que la *Bhagavad-gītā* ait été traduite de nombreuses fois, A. C. Bhaktivedanta Swami Prabhupāda, par son commentaire, donne une traduction d'une importance particulière. »

Dr. Stillson Judah
Professeur d'Histoire des Religions
Directeur de la Bibliothèque de l'Union des Théologiens Licenciés

« Bhaktivedanta Swami apporte à l'Occident un rappel salutaire, à savoir que notre culture effrénée à sens unique fait face à une crise qui peut l'amener à sa propre destruction car elle manque de l'intense profondeur d'une conscience métaphysique authentique. »

Thomas Merton
Théologien

« La *Bhagavad-gītā telle qu'elle est* de A. C. Bhaktivedanta Swami Prabhupāda est la bienvenue pour diverses raisons. Elle peut servir de texte d'étude de grande valeur aux étudiants. Elle nous permet d'écouter un philosophe talentueux expliquer un texte de profonde signification religieuse. Elle donne, pour le spécialiste, le sanskrit et sa translittération. Et finalement, pour le non-spécialiste, il y a une traduction et une attitude dévotionnelle qui ne peut qu'émouvoir le lecteur. Avoir amené un nombre toujours grandissant de lecteurs occidentaux à s'intéresser à la pensée védique classique est tout au crédit de Swami Bhaktivedanta. En ajoutant cette explication neuve et vivante d'un texte déjà connu de beaucoup, il a augmenté énormément notre compréhension de celui-ci. »

Prof. Edward C. Dimock
Langues et Civilisations de l'Asie du Sud
Université de Chicago

« La particularité de la présente édition de la *Bhagavad-gītā* repose sur le fait qu'elle ait été traduite par un représentant sincère de la tradition indienne de la *bhakti*. La plupart des traductions déjà existantes étaient, dans une large mesure, basées sur la tradition plus intellectuelle de l'Advaita ou écrites selon le point de vue de l'érudit occidental. Pourtant, la *bhakti* est une attitude religieuse très répandue en Inde. Elle évoque la conception personnelle de la dévotion et doit être davantage considérée, spécialement aujourd'hui. »

Joachim Finger
Docteur en Philosophie
Spécialiste en Ethnologie Religieuse, Schaffhausen

« Cette édition de la *Bhagavad-gītā* par A. C. Bhaktivedanta Swami Prabhupāda a permis à l'Occident – différant en cela de toute autre littérature – de découvrir la plus ancienne tradition spirituelle de l'Inde et a contribué à une plus grande compréhension des peuples dans le monde, compréhension plus que nécessaire aujourd'hui. »

Edmund Weber
Théologien
Directeur de l'Institut Scientifique Irénique
Université de Goethe à Francfort

गीतोपनिषद्

La

# BHAGAVAD-GĪTĀ

telle qu'elle est

Livres du même auteur

*La Bhagavad-gītā telle qu'elle est*
*Le Śrīmad-Bhāgavatam*
*Le Śrī Caitanya-caritāmṛta*
*Le Livre de Kṛṣṇa*
*L'Enseignement de Śrī Caitanya*
*Le Nectar de la dévotion*
*La Śrī Īśopaniṣad*
*L'Upadeśāmṛta*
*Par-delà la naissance et la mort*
*La Vie vient de la vie*
*Questions parfaites, Réponses parfaites*
*La Perfection du yoga*
*Introduction à la Bhagavad-gītā*

Autres livres

*Prabhupada : la vie et l'œuvre du fondateur*
*Gloire et Mystère de l'Inde*
*Un Goût supérieur*
*Science et Conscience*

De nombreux autres titres sont aussi disponibles en langue anglaise et plusieurs de ces ouvrages existent en plus de 87 langues.

Pour obtenir un catalogue complet des livres disponibles, adressez-vous au centre le plus proche ou à blservices.com

गीतोपनिषद्

# La BHAGAVAD-GĪTĀ telle qu'elle est

Deuxième édition
Revue et corrigée

Traduit de l'anglais

*Avec texte sanskrit original, translittération en caractères romains, traduction mot à mot, traduction littéraire et explications élaborées*

*par*


Śrī Śrīmad
A. C. Bhaktivedanta Swami Prabhupāda
Acharya-fondateur de l'International Society for Krishna Consciousness



THE BHAKTIVEDANTA BOOK TRUST

Les personnes qui voudraient avoir des renseignements
sont invitées à s'adresser à l'un de nos centres
(voir la liste à la fin du livre) ou à écrire à hkf@pamho.net

*La page couverture :*
Śrī Kṛṣṇa, Dieu, la Personne Suprême, conduit le char de
Son ami Arjuna sur le champ de bataille de Kurukṣetra.

Cet ouvrage a été traduit de l'anglais par Pierre Corbeil
(Viṣṇurāta dāsa), Pierre J. Assouline (Janārdradhī dāsa)
et Joëlle Verdier (Jyotirmayī devī dāsī), tous trois disciples
de Śrī Śrīmad A.C. Bhaktivedanta Swami Prabhupāda.

MIXTE
Papier issu de
sources responsables
FSC® C083411



Bhagavad-gītā As It Is (French)
FR-BG-2021-TEXT-R4

bbt.se
bbt.org
bbtmedia.com
krishna.com

ISBN 978-91-7149-753-6
Imprimé en 2021

Vous pouvez vous procurer ce livre
en format numérique et audio, gratuitement, sur
bbtmedia.com
Code: **EB16FR63281P**

*À*

*Śrīla Baladeva Vidyābhūṣaṇa*

*pour son* Govinda-bhāṣya,

*merveilleux commentaire*

*sur la philosophie du* Vedānta

# Situation historique de la Bhagavad-gītā

Bien que la *Bhagavad-gītā* soit largement publiée et lue comme un ouvrage à part entière, elle fait originellement partie du *Mahābhārata*, grande épopée historique des temps anciens rédigée en sanskrit et rapportant les évènements précurseurs de l'âge de Kali. C'est au commencement de cet âge, quelque cinquante siècles plus tôt, que le Seigneur, Kṛṣṇa, énonça la *Bhagavad-gītā* à Son dévot et ami intime, Arjuna.

Leur dialogue – l'un des plus grands que l'humanité ait connu au niveau philosophique et religieux – eut lieu juste avant qu'une guerre fratricide n'opposât les cent fils de Dhṛtarāṣṭra à leurs cousins, les fils de Pāṇḍu (les Pāṇḍavas).

Les deux frères, Dhṛtarāṣṭra et Pāṇḍu, nés dans la dynastie Kuru, étaient les descendants du roi Bharata qui jadis gouverna la terre, et dont vient le nom *Mahābhārata*. Dhṛtarāṣṭra, en tant que fils aîné, aurait dû hériter du trône impérial, mais en raison d'une cécité native, le pouvoir échut à son frère cadet, Pāṇḍu. Toutefois, comme ce dernier mourut prématurément, ses cinq jeunes fils – Yudhiṣṭhira, Bhīma, Arjuna, Nakula et Sahadeva – furent confiés à Dhṛtarāṣṭra, qui occupa le trône. Ainsi les fils de Dhṛtarāṣṭra et les cinq Pāṇḍavas grandirent-ils dans le même palais. Tous furent entraînés à l'art militaire par Droṇācārya, maître d'armes expert, et conseillés par l'aïeul révéré du clan, Bhīṣma.

Les fils de Dhṛtarāṣṭra, plus particulièrement Duryodhana, l'aîné, haïssaient et jalousaient les Pāṇḍavas. Quant au faible Dhṛtarāṣṭra, il désirait voir ses fils hériter du royaume à la place des fils de Pāṇḍu. Duryodhana, avec le consentement de son père, résolut alors de tuer les Pāṇḍavas, mais ses plans furent déjoués grâce à la protection bienveillante de Vidura, leur oncle, et de Kṛṣṇa, leur cousin.

Kṛṣṇa n'était pas un homme ordinaire, mais Dieu, la Personne Suprême, descendu sur terre. Dans Son rôle de prince d'une dynastie contemporaine, Il était le neveu de Kuntī (également appelée Pṛthā), épouse de Pāṇḍu et mère des Pāṇḍavas. En tant que parent et soutien de la religion, Kṛṣṇa favorisa les vertueux fils de Pāṇḍu et les protégea.

Finalement, le rusé Duryodhana réussit à défier les Pāṇḍavas au jeu. Au cours de ce tournoi truqué, Duryodhana et ses frères s'emparèrent de Draupadī, la chaste femme des Pāṇḍavas, et tentèrent de la dévêtir devant toute l'assemblée des rois et des princes. Ce n'est qu'en vertu de l'intervention de Kṛṣṇa qu'elle put éviter le déshonneur. Puis Duryodhana déposséda les Pāṇḍavas de leur royaume et les força à un exil de treize ans.

Ces treize années écoulées, les Pāṇḍavas demandèrent à bon droit de reprendre possession de leur royaume. Ce que Duryodhana refusa tout net. Comme un prince ne pouvait assumer de fonction ailleurs que dans le gouvernement, ils limitèrent leur requête à la souveraineté de cinq villages. Mais Dhṛtarāṣṭra les accabla de son mépris : jamais il ne leur accorderait fût-ce assez de terre pour planter une aiguille. Jusque-là, les Pāṇḍavas avaient toléré les insultes et montré une grande patience. À présent, la guerre semblait inévitable.

Comme les dirigeants du monde étaient partagés en deux camps, les uns s'étant ralliés aux fils de Dhṛtarāṣṭra, les autres aux Pāṇḍavas, Kṛṣṇa offrit d'être le messager des fils de Pāṇḍu. Il Se rendit à la cour de Dhṛtarāṣṭra pour tenter d'intervenir en faveur d'un règlement pacifique. Sa requête fut repoussée. La guerre aurait donc lieu.

Les Pāṇḍavas, purs dévots du Seigneur de la plus haute vertu morale, reconnaissaient en Kṛṣṇa, Dieu, la Personne Suprême, alors que les fils de Dhṛtarāṣṭra, dénués de piété, s'aveuglaient sur Sa nature divine. Kṛṣṇa offrit de participer à la bataille en respectant le désir de chacun des protagonistes. Il ne combattrait pas en personne, mais ordonnerait que Ses propres armées rallient un camp, tandis que Lui-même rejoindrait l'autre en tant que conseiller. Duryodhana opta pour les forces armées du Seigneur tandis que les Pāṇḍavas préférèrent avoir Kṛṣṇa à leurs côtés. C'est ainsi que Kṛṣṇa devint le conducteur du char d'Arjuna.

Le décor est à présent planté. Les armées déployées en ordre de bataille s'apprêtent à combattre. Kṛṣṇa, debout entre les lignes ennemies, donne à Arjuna Son enseignement divin : la *Bhagavad-gītā*.

## Situation historique de la Bhagavad-gītā

Notons brièvement que la plupart des traducteurs anglais de la *Bhagavad-gītā* ont presque toujours écarté la Personnalité de Kṛṣṇa et présenté l'ouvrage selon leurs propres conceptions philosophiques. Sous leur plume, l'histoire du *Mahābhārata* devint pure mythologie, et Kṛṣṇa, un procédé poétique pour présenter les idées de quelque génie anonyme, ou au mieux, un personnage historique mineur. Mais Kṛṣṇa, conformément à ce que dit l'ouvrage, est à la fois le but et la substance même de la *Bhagavad-gītā.*

Cette traduction - et le commentaire qui l'accompagne - se propose donc d'amener le lecteur à Kṛṣṇa, et non de l'éloigner de Lui. Kṛṣṇa étant le narrateur, mais aussi l'objet ultime de la *Bhagavad-gītā,* cette traduction présente ce grand ouvrage en en conservant les termes propres.

Les Éditeurs

# Avant-propos

Dans tous nos ouvrages – *Śrīmad-Bhāgavatam, Śrī Īśopaniṣad,* etc. – le verset sanskrit original est suivi de sa translittération, de sa traduction accompagnée des équivalences de chaque mot, puis d'une exégèse détaillée. Ainsi, non seulement l'Écrit garde-t-il son authenticité et son haut niveau d'érudition, mais encore la teneur du savoir étendu qu'il renferme devient-elle évidente et aisément accessible.

Nombre d'érudits et de dévots ayant émis le souhait de nous voir présenter ainsi la *Bhagavad-gītā* en une édition complète, nous nous efforçons aujourd'hui de répondre à leur requête en leur offrant ce grand livre qui contient l'essence du savoir et des commentaires en tous points conformes à la *paramparā,* donnant au Mouvement pour la Conscience de Kṛṣṇa de solides assises.

Ce mouvement est parfaitement authentique, historiquement bien ancré, naturel à l'âme et totalement spirituel car il s'appuie sur la *Bhagavad-gītā telle qu'elle est*. Il est en train de devenir très populaire dans le monde entier, notamment chez les jeunes, mais les générations plus anciennes commencent également à s'y intéresser. Ainsi, les parents et les grands-parents de nos disciples nous encouragent en devenant membres. Nombre de pères et de mères sont venus m'exprimer leur gratitude pour avoir répandu ce mouvement à travers le monde. Certains d'entre eux estiment même que c'est une grande chance pour l'Occident. Mais en vérité, la paternité de ce mouvement revient au Seigneur Lui-même, Kṛṣṇa, car c'est Lui qui le créa au début des temps et le fit parvenir jusqu'à nous grâce à une succession de maîtres. Si quelque mérite nous est attribué pour la fondation et la conduite de ce mouvement, il revient en fait à notre maître spirituel éternel, Oṁ Viṣṇupāda Paramahaṁsa Parivrājakācārya 108 Śrī Śrīmad Bhaktisiddhānta Sarasvatī Gosvāmī Mahārāja Prabhupāda.

Notre seul mérite personnel est d'avoir essayé de présenter la *Bhagavad-gītā* telle quelle, sans l'altérer. Car la presque totalité des éditions qui précédèrent la nôtre furent introduites en Occident sur la base de quelque ambition personnelle. En ce qui nous concerne, nous avons tenté, en présentant la *Bhagavad-gītā telle qu'elle est,* de transmettre le message de Kṛṣṇa, de Dieu, la Personne Suprême. Nous n'avons d'autre dessein que de faire connaître la volonté de Kṛṣṇa, plutôt que les spéculations de politiciens, savants ou philosophes, qui, en dépit d'un vaste savoir, n'ont guère connaissance de Kṛṣṇa. Lorsque dans la *Bhagavad-gītā,* Kṛṣṇa dit : *man-manā bhava mad-bhakto mad-yājī māṁ namaskuru,* nous ne prétendons pas, à l'instar des pseudo-érudits, que s'exprime ici l'Esprit universel qui réside en Kṛṣṇa et non Kṛṣṇa Lui-même. Kṛṣṇa étant absolu, il n'existe aucune différence entre Son nom, Sa forme, Ses attributs, Ses divertissements et Sa personne. Pour autant, cette nature absolue de Kṛṣṇa est très difficile à appréhender pour qui n'est pas Son dévot et n'appartient pas à la *paramparā* (succession disciplique de maîtres).

En général, les prétendus érudits, philosophes et *svāmīs,* ou même politiciens, qui commentent la *Bhagavad-gītā* ont une maigre compréhension de Kṛṣṇa et tentent de L'écarter ou de L'occulter. Śrī Caitanya nous met en garde contre ces commentaires non autorisés, connus en Inde sous le nom de *māyāvāda-bhāṣya.* Il explique clairement que quiconque essaie de comprendre la *Bhagavad-gītā* en se référant à la pensée *māyāvādī* commet une grossière erreur. Ainsi égaré, l'étudiant finit par se détourner de la voie spirituelle et n'est plus en mesure de retourner à Dieu, en son éternelle demeure.

En présentant la *Bhagavad-gītā telle qu'elle est,* nous n'avons pas d'autre motivation que d'offrir à l'étudiant encore conditionné une direction spirituelle qui le mènera au but que Kṛṣṇa propose aux êtres vivants, lorsqu'en chaque jour de Brahmā (c'est-à-dire chaque cycle de 8 600 000 000 d'années) Il descend sur notre planète. Cette destinée est parfaitement décrite dans la *Bhagavad-gītā* et nous devons la reconnaître comme telle, faute de quoi, on s'évertuera en vain à essayer de comprendre l'ouvrage, tout comme on cherchera vainement à connaître Celui qui l'énonça, Kṛṣṇa. Il y a des centaines de millions d'années, le Seigneur enseigna en tout premier lieu la *Bhagavad-gītā* au *deva* du soleil. C'est un fait qu'il faut accepter pour comprendre la signification historique de celle-ci sans faussement l'interpréter, sur la base de l'autorité de Kṛṣṇa. Interpréter la *Bhagavad-gītā* sans se référer à la volonté du Seigneur, c'est commettre la plus grande des offenses. Aussi, afin de se garder d'un tel outrage, on doit, comme le fit directement Arjuna, Son premier disciple, comprendre que Kṛṣṇa est Dieu, la Personne Suprême. Saisir ainsi le sens de la *Bhagavad-gītā* constitue la voie authentique, dont on peut affirmer qu'elle est la plus propice au bien-être de la société, car elle permet à l'homme de s'acquitter de la mission qui lui est échue en tant qu'être humain.

La voie de la conscience de Kṛṣṇa est essentielle pour la société humaine car elle offre d'atteindre la perfection de l'existence. Comment ? C'est ce qu'explique dans tous les détails la *Bhagavad-gītā*. Malheureusement, certains ergoteurs matérialistes se sont servis de la *Bhagavad-gītā* pour légitimer leurs vues démoniaques et détourner les hommes du juste entendement des principes de base de la vie. Or, chacun est tenu de connaître la grandeur de Dieu, de Kṛṣṇa, de même que la véritable position de l'être vivant. Il convient de savoir que l'être doit éternellement servir quelqu'un, et qu'à moins de servir Kṛṣṇa, il lui faut servir l'illusion, sous les diverses formes qu'engendre la combinaison des trois modes d'influence de la nature matérielle, et ainsi errer perpétuellement, prisonnier du cycle des morts et des renaissances, auquel même le *māyāvādī* - soi-disant libéré - reste soumis. Ce savoir est une grande science, qu'il est dans l'intérêt de tout homme d'assimiler.

En cet âge de Kali, la plupart des gens sont fascinés par l'énergie externe de Kṛṣṇa. Ils sont persuadés que s'ils parviennent à accroître les commodités matérielles de la vie, ils trouveront le bonheur. Ils mésestiment la puissante nature matérielle qui emprisonne les êtres dans ses lois rigoureuses. L'être vivant fait partie intégrante du Seigneur. C'est pourquoi il ne saurait trouver le bonheur autrement qu'en servant le Seigneur, autrement qu'en remplissant sa fonction originelle. Ensorcelé par l'illusion, il s'efforce pourtant d'accéder à ce bonheur en servant ses sens de diverses façons, et invariablement, il échoue car la plus haute perfection de l'existence consiste à servir les sens du Seigneur plutôt que les siens propres. Ce commandement du Seigneur est l'idée maîtresse de la *Bhagavad-gītā*. Il faut comprendre ce message essentiel que le Mouvement pour la Conscience de Kṛṣṇa s'efforce d'enseigner au monde. Du fait que nous n'altérons aucunement la *Bhagavad-gītā,* quiconque veut sincèrement tirer le meilleur parti de son étude doit recourir à notre mouvement. Alors parviendra-t-il, sous la conduite personnelle du Seigneur, à un entendement pratique des enseignements qu'elle contient. Nous souhaitons donc vivement que par l'étude du présent ouvrage, la *Bhagavad-gītā telle qu'elle est,* chacun puisse obtenir le plus grand des bienfaits. Même si un seul homme, grâce à elle, devient un pur dévot du Seigneur, nous considérerons que nos efforts ont été couronnés de succès.

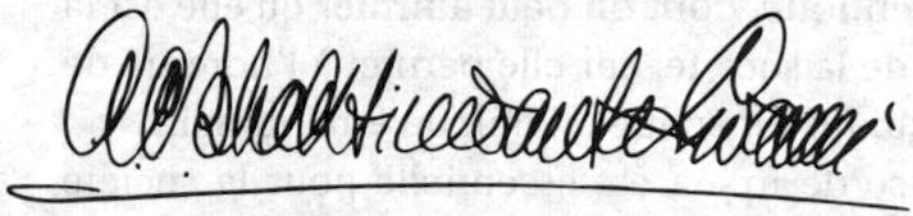

A. C. Bhaktivedanta Swami

12 Mai 1971
Sydney, Australie

# Introduction

*oṁ ajñāna-timirāndhasya, jñānāñjana-śalākayā*
*cakṣur unmīlitaṁ yena, tasmai śrī-gurave namaḥ*

*śrī-caitanya-mano-'bhīṣṭaṁ, sthāpitaṁ yena bhū-tale*
*svayaṁ rūpaḥ kadā mahyaṁ, dadāti sva-padāntikam*

J'étais plongé dans les plus profondes ténèbres de l'ignorance, mais avec le flambeau de la connaissance, mon maître spirituel m'a ouvert les yeux. Je lui rends mon hommage respectueux.

Quand donc Śrīla Rūpa Gosvāmī Prabhupāda, qui a institué ici-bas cette grande mission pour répondre au désir de Śrī Caitanya, m'accordera-t-il refuge sous ses pieds pareils-au-lotus ?

*vande 'haṁ śrī-guroḥ śrī-yuta-pada-kamalaṁ śrī-gurūn vaiṣṇavāṁś ca*
*śrī-rūpaṁ sāgrajātaṁ saha-gaṇa-raghunāthānvitaṁ taṁ sa-jīvam*
*sādvaitaṁ sāvadhūtaṁ parijana-sahitaṁ kṛṣṇa-caitanya-devaṁ*
*śrī-rādhā-kṛṣṇa-pādān saha-gaṇa-lalitā-śrī-viśākhānvitāṁś ca*

Je rends mon hommage respectueux aux pieds pareils-au-lotus de mon maître spirituel, de tous les précepteurs de la voie de la dévotion, et de tous les *vaiṣṇavas*. Mon hommage respectueux également aux pieds pareils-au-lotus de Śrīla Rūpa Gosvāmī et de son frère aîné Sanātana Gosvāmī, de même qu'à Raghunātha Dāsa, Raghunātha Bhaṭṭa, Gopāla Bhaṭṭa et Śrīla Jīva Gosvāmī. J'offre encore mon respectueux hommage à Śrī Kṛṣṇa Caitanya et à Śrī Nityānanda de même qu'à Śrī Advaita Prabhu, Gadādhara, Śrīvāsa et leurs autres compagnons. Et mon hommage enfin à Śrīmatī Rādhārāṇī et à Śrī Kṛṣṇa, comme à Leurs compagnes, Lalitā, Viśākhā et les autres *gopīs*.

*he kṛṣṇa karuṇā-sindho, dīna-bandho jagat-pate*
*gopeśa gopikā-kānta, rādhā-kānta namo 'stu te*

Ô Kṛṣṇa, océan de miséricorde, Toi l'ami des malheureux et le Seigneur de l'univers, Toi le maître des pâtres, l'amant de Rādhārāṇī et des *gopīs,* je Te rends mon hommage respectueux.

*tapta-kāñcana-gaurāṅgi, rādhe vṛndāvaneśvari*
*vṛṣabhānu-sute devi, praṇamāmi hari-priye*

Ô Rādhārāṇī, je T'offre mes respects, Toi la reine de Vṛndāvana dont la carnation est d'or en fusion. Ô Toi la fille du roi Vṛṣabhānu, si chère au Seigneur, Kṛṣṇa.

*vāñchā-kalpa-tarubhyaś ca, kṛpā-sindhubhya eva ca*
*patitānāṁ pāvanebhyo, vaiṣṇavebhyo namo namaḥ*

Sans fin, je rends mon hommage respectueux à tous les *vaiṣṇavas,* les dévots du Seigneur. Ils peuvent, comme l'arbre-à-souhaits, combler les désirs de chacun et débordent de compassion pour les âmes déchues.

*śrī-kṛṣṇa-caitanya, prabhu-nityānanda*
*śrī-advaita gadādhara, śrīvāsādi-gaura-bhakta-vṛnda*

Je rends mon hommage respectueux à Śrī Kṛṣṇa Caitanya, Prabhu Nityānanda, Śrī Advaita, Gadādhara, et à tous les dévots de Gaurāṅga menés par Śrīvāsa.

*hare kṛṣṇa hare kṛṣṇa, kṛṣṇa kṛṣṇa hare hare*
*hare rāma hare rāma, rāma rāma hare hare*

La *Bhagavad-gītā,* connue également sous le nom de *Gītopaniṣad* renferme l'essence du savoir védique. Elle est l'une des *Upaniṣads* les plus importantes. Il existe d'ailleurs de nombreux commentaires sur l'ouvrage, tellement même, qu'on pourrait s'interroger sur le bien-fondé d'une nouvelle publication. Voici donc ce qui m'a amené à produire la présente édition de ce livre.

Une dame m'a un jour prié de lui recommander une traduction de la *Bhagavad-gītā.* Bien qu'il y ait eu de multiples versions indiennes et occidentales de l'œuvre, je n'en ai trouvé aucune qui conserve rigoureusement au texte son intégrité originelle. Dans presque toutes, les commentateurs donnent leur opinion personnelle sans réellement rendre tel quel l'esprit de la *Bhagavad-gītā*. Or cet esprit, l'Écrit lui-même nous le révèle. Tout comme pour prendre un médicament il faut se référer à la posologie, il convient de recevoir la *Bhagavad-gītā* en observant les directives de Celui qui l'a énoncée. En effet, si nous souhaitons qu'un médicament soit efficace, nous ne le prendrons pas d'une manière fantaisiste, ou selon les recommandations d'un ami, mais bien plutôt nous en tiendrons-nous aux indications de la notice ou aux instructions du médecin. Il en est de même de l'étude de la *Bhagavad-gītā*.

Au fil des pages, l'identité de Kṛṣṇa s'affirme : Il est Bhagavān, Il est Dieu, la Personne Suprême. Certes, le mot *bhagavān* désigne parfois une éminente personnalité ou un puissant *deva*. Et il indique assurément ici que Kṛṣṇa est un personnage de grande importance. Mais il nous faut savoir que Kṛṣṇa est Dieu, la Personne Suprême, ainsi que le confirment tous les grands *ācāryas* (maîtres spirituels) tels que Śaṅkarācārya, Rāmānujācārya, Madhvācārya, Nimbārka Svāmī, Śrī Caitanya Mahāprabhu et beaucoup d'autres autorités de l'Inde versées dans le savoir védique. En outre, le Seigneur en personne établit Sa divinité suprême dans la *Bhagavad-gītā* elle-même, divinité que Lui reconnaissent la *Brahma-saṁhitā* et l'ensemble des *Purāṇas,* plus particulièrement le *Bhāgavata Purāṇa,* ou *Śrīmad-Bhāgavatam* (*kṛṣṇas tu bhagavān svayam*). Nous devons donc recevoir la *Bhagavad-gītā* conformément aux directives de Dieu Lui-même.

Dans le quatrième chapitre (4.1–3), le Seigneur dit :

*imaṁ vivasvate yogaṁ, proktavān aham avyayam*
*vivasvān manave prāha, manur ikṣvākave 'bravit*

*evaṁ paramparā-prāptam, imaṁ rājarṣayo viduḥ*
*sa kāleneha mahatā, yogo naṣṭaḥ parantapa*

*sa evāyaṁ mayā te 'dya, yogaḥ proktaḥ purātanaḥ*
*bhakto 'si me sakhā ceti, rahasyaṁ hy etad uttamam*

Il apprend à Arjuna que la connaissance du yoga dont il est question ici fut d'abord révélée au *deva* du soleil, qui la livra à Manu, lequel la communiqua à son tour à Ikṣvāku. Ainsi le yoga qu'enseigne la *Bhagavad-gītā* fut-il transmis par une filiation spirituelle, de maître à disciple. Or, comme avec le temps ce savoir s'est perdu, le Seigneur l'énonce à nouveau. Mais cette fois Il l'expose à Arjuna sur le champ de bataille de Kurukṣetra.

Kṛṣṇa explique à Arjuna qu'Il lui révèle ce savoir secret, suprême entre tous, parce qu'il est Son dévot et Son ami. La *Bhagavad-gītā* est donc un traité plus particulièrement destiné aux dévots du Seigneur. Il y a trois catégories de spiritualistes, les *jñānīs,* les *yogīs* et les *bhaktas,* c'est-à-dire respectivement, les philosophes impersonnalistes, les adeptes de la méditation et les dévots du Seigneur. Dans ces versets également, le Seigneur annonce à Arjuna qu'Il fait de lui le premier chaînon d'une nouvelle filiation spirituelle (*paramparā*) puisque l'ancienne est rompue. Le Seigneur souhaite donner naissance à une nouvelle lignée de maîtres chargés de transmettre sans l'altérer la connaissance autrefois rapportée par le *deva* du soleil à ses successeurs. Il désire aussi que cette connaissance se propage par l'intermédiaire d'Arjuna, qui doit devenir l'autorité en matière de compréhension de la *Bhagavad-gītā.* On voit donc que le Seigneur a tout spécialement choisi Arjuna pour divulguer Son enseignement parce qu'il est Son dévot, Son disciple immédiat et Son ami intime. Pour cette raison, celui qui désire vraiment comprendre la *Gītā* doit développer les mêmes qualités qu'Arjuna. Il doit être un dévot uni au Seigneur par une relation directe. Or ce n'est qu'en devenant un dévot du Seigneur qu'on établit un lien direct avec Lui.

Bien que le sujet soit fort complexe, on peut tout de même expliquer brièvement que la relation qui unit le dévot à Dieu, la Personne Suprême, revêt l'une de ces cinq formes :

1. la relation passive, ou neutre
2. la relation active, ou de service
3. la relation d'amitié
4. la relation parentale
5. la relation amoureuse.

Arjuna est uni au Seigneur par une relation d'amitié. Évidemment, un abîme sépare cette amitié de celle que nous connaissons dans le monde matériel. Cette amitié transcendantale n'est pas à la portée de tous. Car si chaque être est uni au Seigneur par une relation qui lui est personnelle, cette relation ne devient manifeste que lorsque l'être atteint la perfection du service de dévotion. Malheureusement, dans notre condition actuelle, non seulement avons-nous oublié le Seigneur Suprême, mais aussi la relation éternelle qui nous lie à Lui.

Les milliards et milliards d'êtres vivants sont tous individuellement unis à Dieu par une relation éternelle. Cette relation, ou constitution propre et singulière de l'être, est appelée *svarūpa*. Or, comme nous l'avons mentionné plus haut, c'est par le processus du service de dévotion que l'être recouvre sa nature parfaite et originelle. Cet état de perfection est techniquement nommé *svarūpa-siddhi*. En ce qui le concerne, Arjuna est un dévot du Seigneur uni à Lui par une relation d'amitié. Le dixième chapitre nous permet de comprendre comment Arjuna réagit face au message de la *Bhagavad-gītā* (10.12–14) :

*arjuna uvāca*
*paraṁ brahma paraṁ dhāma, pavitraṁ paramaṁ bhavān*
*puruṣaṁ śāśvataṁ divyam, ādi-devam ajaṁ vibhum*

*āhus tvām ṛṣayaḥ sarve, devarṣir nāradas tathā*
*asito devalo vyāsaḥ, svayaṁ caiva bravīṣi me*

*sarvam etad ṛtaṁ manye, yan māṁ vadasi keśava*
*na hi te bhagavan vyaktiṁ, vidur devā na dānavāḥ*

« Arjuna dit : Tu es Dieu, la Personne Suprême, l'ultime demeure, la Vérité Absolue. Tu es la Personne originelle, transcendantale et éternelle. Tu es le Non-né, le plus pur et le plus grand. Tous les grands sages, Nārada, Asita, Devala et Vyāsa le proclament, et Toi-même à présent me le révèles. Ô Kṛṣṇa, tout ce que Tu m'as dit est pour moi l'entière vérité. Ni les *devas* ni les démons ne peuvent connaître Ta personne, ô Seigneur. »

Après avoir reçu la *Bhagavad-gītā* du Seigneur en personne, Arjuna reconnaît en Kṛṣṇa le *paraṁ brahma,* le Brahman Suprême – les êtres distincts étant tous Brahman, tandis que Dieu est le Brahman Suprême. Les mots *paraṁ dhāma* Le désignent comme le repos, le séjour ultime de tout ce qui est ; *pavitram* signifie qu'Il est pur, exempt de toute souillure matérielle ; *puruṣam* indique qu'Il est le bénéficiaire suprême de tous les plaisirs ; *śāśvatam,* qu'Il est la Personne originelle ; *divyam,* qu'Il transcende la matière ; *ādi-devam,* qu'Il est Dieu, la Personne Suprême ; *ajam,* qu'Il est le Non-né ; et *vibhum,* le plus grand.

On pourrait croire que son amitié pour Kṛṣṇa incite Arjuna à prononcer des éloges flatteurs, mais pour dissiper tout soupçon du lecteur de la *Bhagavad-gītā,* Arjuna justifie ses louanges dans le verset suivant en précisant que si lui-même reconnaît en Kṛṣṇa, Dieu, la Personne Suprême, les autorités en matière de savoir védique que sont Nārada, Asita, Devala et Vyāsadeva, qui tous distribuent ce savoir reconnu des *ācāryas,* partagent son jugement. Non seulement Arjuna reconnaît-il l'absolue perfection des propos de Kṛṣṇa (*sarvam etad ṛtaṁ manye* – « Tout ce que Tu me dis, je l'accepte comme la vérité »), mais encore précise-t-il qu'il est très difficile de comprendre la personnalité du Seigneur que même les puissants *devas* ne peuvent connaître. Or, si même les êtres supérieurs à l'homme ne peuvent connaître Kṛṣṇa, comment un simple humain le pourrait-il sans devenir Son dévot ?

Il faut donc avoir une approche dévotionnelle de la *Bhagavad-gītā,* ne jamais se considérer l'égal de Kṛṣṇa et en aucun cas Le prendre pour une personne ordinaire ou même un très grand personnage. Kṛṣṇa est Dieu, la Personne Suprême. Que ce soit à la lumière de ces saints enseignements ou des paroles d'Arjuna qui s'efforce d'en saisir la portée, nous devons, ne serait-ce que théoriquement, accepter que Kṛṣṇa est Dieu. Cette acceptation soumise nous permettra de comprendre la *Bhagavad-gītā*. Inversement, lire sans une telle disposition d'esprit rendra la compréhension de l'ouvrage particulièrement ardue, car il s'agit d'un grand mystère.

Quel est, en définitive, le but de la *Bhagavad-gītā* ? L'être humain étant généralement confronté dans sa vie à mille difficultés, tout comme le fut Arjuna devant l'imminence de la bataille de Kurukṣetra, nous dirons que la *Bhagavad-gītā* se propose de libérer l'humanité de l'ignorance inhérente à l'existence matérielle. Arjuna s'abandonna à Kṛṣṇa, qui lui exposa alors la *Bhagavad-gītā*.

Comme Arjuna, à cause de notre existence matérielle, nous sommes en proie à de vives anxiétés. En fait, nous baignons dans une atmosphère de non-existence. Et pourtant, bien que nous soyons, pour une raison ou une autre, plongés pour l'heure dans cet *asat* – ce qui n'existe pas –, nous ne sommes pas faits pour vivre sous la menace du non-existant, car nous sommes éternels.

D'entre les êtres humains qui souffrent, seuls quelques-uns s'interrogent réellement sur leur condition intrinsèque, sur leur identité propre, sur la raison pour laquelle ils se sont retrouvés dans une situation aussi inconfortable. Or, à moins qu'il ne se demande pourquoi il souffre, à moins qu'il ne comprenne qu'il lui faut trouver un remède à ses maux, nul être humain ne peut être considéré digne de ce nom. L'humanité ne commence que lorsque de telles interrogations naissent dans l'esprit. Dans le *Brahma-sūtra,* on nomme cette recherche : *brahma-jijñāsā* (*athāto brahma-jijñāsā*). À moins que l'être humain ne s'enquière de la nature de l'Absolu, chacune de ses activités sera considérée comme un échec. Par conséquent, ceux qui s'essayent à trouver la cause de leurs souffrances, qui se demandent d'où ils viennent et où ils iront après la mort, sont à même d'étudier et de comprendre la *Bhagavad-gītā.* En outre, il faudra que l'étudiant sincère ait un grand respect pour Dieu, la Personne Suprême. Arjuna répondait parfaitement à tous ces critères.

Kṛṣṇa descend en ce monde spécifiquement pour rappeler à l'homme oublieux le but véritable de l'existence. Parmi les innombrables hommes qui s'éveilleront au vrai sens de la vie, un seul, peut-être, développera l'état d'esprit requis pour comprendre sa nature réelle; c'est pour lui que Kṛṣṇa énonce la *Bhagavad-gītā.*

Le tigre de l'ignorance nous dévore tous, mais dans Son infinie miséricorde pour les êtres vivants – et plus particulièrement pour les êtres humains –, le Seigneur fait de Son ami Arjuna Son disciple et expose la *Bhagavad-gītā.*

Notons que parce qu'il est le compagnon intime de Kṛṣṇa, Arjuna ne peut être sujet à l'ignorance. S'il en devient pourtant victime lors de la bataille de Kurukṣetra, c'est pour donner à Kṛṣṇa l'occasion de répondre aux questions qu'il se posera sur les problèmes de l'existence, et pour en faire bénéficier les futures générations. L'homme saura alors quelle ligne de conduite adopter pour atteindre la perfection de la vie humaine.

La *Bhagavad-gītā* nous amène à comprendre cinq vérités fondamentales, dont la première est la science de Dieu, et la seconde, la nature intrinsèque des êtres vivants. Dieu est l'*īśvara,* « Celui qui dirige », et les êtres distincts, les *jīvas,* « ceux qui sont dirigés ». Seul un insensé se croira libre et ne reconnaîtra pas sa position subordonnée. L'être est en tout point subordonné, au moins dans son existence conditionnée. Outre l'*īśvara* et les *jīvas,* la *Bhagavad-gītā* nous entretient de la *prakṛti* (la nature matérielle), du temps (la durée totale de l'univers, ou manifestation matérielle), et du karma (l'action) – la manifestation cosmique donnant lieu aux activités innombrables et variées des êtres. Nous devons donc puiser dans cet Écrit la connaissance de Dieu, des êtres, de la *prakṛti,* de la manifestation cosmique, et de la façon dont elle est régie par le temps, et de ce en quoi consiste l'activité des êtres distincts.

La *Bhagavad-gītā,* à partir de ces cinq sujets fondamentaux, va démontrer que Dieu est suprême entre tous les êtres – qu'on Le nomme Kṛṣṇa, Brahman, Paramātmā, Souverain Suprême ou tout autrement. Les êtres vivants ne partagent cette souveraineté qu'en qualité. Comme le montreront les derniers chapitres, la nature matérielle est subordonnée au Seigneur Suprême et fonctionne sous Sa direction. Kṛṣṇa n'affirme-t-Il pas : *mayādhyakṣeṇa prakṛtiḥ sūyate sa-carācaram* – « La nature matérielle opère sous Ma direction. » Voir les merveilles de l'univers devrait nous aider à comprendre que derrière la manifestation cosmique se trouve l'être qui a le contrôle de tout. Rien ne saurait exister qui ne soit régi par quelqu'un. Il serait puéril de nier l'existence de ce maître d'œuvre. Un enfant trouvera peut-être extraordinaire qu'une voiture roule d'elle-même, sans traction animale, mais l'adulte, lui, sait que la machine a un moteur, et au-delà, un conducteur. Le Seigneur Suprême est sans conteste le « conducteur » de tout ce qui existe.

Comme nous le verrons dans les derniers chapitres, le Seigneur enseigne que les *jīvas* (les âmes distinctes) sont d'infimes parcelles de Son Être et font partie intégrante de Lui. Tout comme les gouttes d'eau de l'océan sont salées comme lui, tout comme les paillettes d'or sont du même métal précieux que la mine aurifère dont elles proviennent, nous-mêmes possédons les qualités de l'*īśvara* suprême, Kṛṣṇa, Bhagavān, mais à un degré infime, car nous sommes de minuscules *īśvaras,* des *īśvaras* subordonnés, parties intégrantes de Sa personne. Si nous essayons de dominer la nature, comme nous essayons aujourd'hui de devenir maître de l'espace, c'est parce que cette propension à diriger qui est en nous se trouve en Kṛṣṇa. La *Bhagavad-gītā* précise que cette tendance à vouloir régir la nature matérielle ne fait pas de nous pour autant les maîtres suprêmes.

Qu'est-ce que la nature matérielle ? La *Gītā* explique que la nature matérielle est ce qu'on appelle la *prakṛti* inférieure tandis que les êtres animés forment la *prakṛti* supérieure. De toute façon, qu'elle soit inférieure ou supérieure, la *prakṛti* opère toujours sous la direction du Seigneur. Étant d'essence féminine, elle Lui est subordonnée comme une épouse à son mari ; elle dépend du Seigneur, Son maître.

Nous venons de voir que les entités vivantes et la nature matérielle sont toutes deux dominées, contrôlées par le Seigneur Suprême et que la *Bhagavad-gītā* range les êtres vivants, bien qu'ils fassent partie intégrante du Seigneur, dans la *prakṛti.* L'un des versets du septième chapitre l'indique clairement : *apareyam itas tv anyāṁ prakṛtiṁ viddhi me parām / jīva-bhūtām* – « La *prakṛti,* la nature matérielle, est Mon énergie inférieure, mais il existe, au-delà de cette nature, une autre *prakṛti,* l'être vivant ou *jīva-bhūtām.* »

Trois modes d'influence ou *guṇas,* la vertu, la passion et l'ignorance, sont inhérents à la nature matérielle. Ces *guṇas* se combinent tous sous le contrôle du temps éternel et sont à l'origine des activités, ou karma. Ces activités ont lieu depuis des temps immémoriaux et nous souffrons ou jouissons de leurs fruits. Ainsi de l'homme d'affaires, par exemple, qui a travaillé dur et intelligemment, et a gagné beaucoup d'argent. Il est heureux de jouir de sa fortune. Mais qu'il vienne à faire faillite, et il sera malheureux. Cette alternance de bonheur et de malheur consécutifs à nos actions est ce qu'on appelle le karma.

D'entre les cinq objets d'étude de la *Bhagavad-gītā,* l'*īśvara* (le Seigneur Suprême), le *jīva* (l'âme distincte), la *prakṛti* (la nature matérielle), le *kāla* (le temps éternel) et le karma (l'action), les quatre premiers existent éternellement. Les manifestations de la *prakṛti,* bien qu'elles soient de nature éphémère, ne sont pas fictives. Il y a bien certains philosophes qui assurent que la manifestation de la nature matérielle est fausse, mais la philosophie *vaiṣṇava,* la philosophie de la *Bhagavad-gītā,* affirme le contraire. La manifestation de l'univers matériel n'est pas fausse. Elle est réelle, mais temporaire. Elle ressemble au nuage qui traverse le ciel ou aux pluies dont se nourrissent les grains. Dès que le nuage s'éloigne ou que la saison des pluies s'achève, les récoltes se dessèchent. La nature matérielle suit un cours semblable : elle se manifeste, demeure un certain temps puis disparaît. Mais du fait que ce cycle se poursuit sans fin, la *prakṛti* est éternelle et bien réelle. Du reste, le Seigneur l'appelle : « Ma *prakṛti* ». Cette nature matérielle est une énergie séparée du Seigneur, tandis que l'être vivant constitue une énergie qui Lui est éternellement liée. Le Seigneur, les êtres, la nature matérielle et le temps sont donc tous éternels et intimement liés les uns aux autres. Seul le karma, dont les effets peuvent toutefois provenir d'actions très anciennes, n'est pas éternel. Ainsi souffrons-nous ou jouissons-nous des suites de nos actes depuis des temps immémoriaux. Nous pouvons cependant modifier les effets du karma, mais cette modification dépend du degré de perfection de notre savoir. En général, en dépit de l'étendue de nos activités, nous ignorons ce qu'il faut réellement faire pour échapper aux conséquences de nos actes. Mais tout cela sera expliqué dans la *Bhagavad-gītā.*

L'*īśvara,* le Seigneur, est la conscience suprême. Les *jīvas,* les êtres vivants, parce qu'ils font partie intégrante de la Personne Suprême, ont également une conscience. Nous avons vu que si l'être vivant et la nature matérielle sont tous deux *prakṛti,* énergie du Seigneur, seul le *jīva* est conscient. Et parce que sa conscience est analogue à celle du Seigneur, la *jīva-prakṛti* est considérée comme supérieure. Toutefois, même s'il atteint un degré de perfection très élevé, jamais l'être vivant ne deviendra suprêmement conscient. Toute théorie soutenant le contraire est mensongère. Le *jīva* est conscient, mais ne peut l'être suprêmement.

Le treizième chapitre de la *Bhagavad-gītā* établit clairement cette distinction entre le *jīva* et l'*īśvara* : tous deux sont *kṣetra-jñas,* conscients, mais le premier n'est conscient que de son propre corps, tandis que le second a une conscience qui s'étend à la totalité des êtres. Parce qu'Il vit dans son cœur sous la forme du Paramātmā, l'*īśvara* est conscient à chaque instant des conditions psychiques du *jīva* et le guide dans ses moindres désirs. Celui-ci oublie ce qu'il doit faire. Il choisit d'agir de telle ou telle façon, et se retrouve empêtré toujours davantage dans les rets du karma qu'il se crée. Il doit se réincarner, changer de corps vie après vie, comme on met ou enlève un vêtement, et subir les conséquences de ses actes. Il existe pourtant un moyen de changer cela : il suffit de se placer sous l'égide de la vertu et, avec un esprit sain, comprendre quelle sorte d'activité adopter. Ainsi, nos actes présents et les effets de nos actes passés seront modifiés. C'est pour cela que le karma n'est pas éternel, alors que l'*īśvara,* le *jīva,* la *prakṛti* et le temps le sont.

L'être vivant ressemble à l'*īśvara* dans la mesure où leurs consciences sont toutes deux transcendantales. La conscience n'est d'ailleurs pas générée par le contact avec la matière. La *Bhagavad-gītā* réfute la théorie selon laquelle la conscience se développerait sous certaines conditions d'agencement de la matière. Tout comme la lumière réfléchie par un verre teinté peut prendre une couleur différente, la conscience de l'être peut être réfléchie de façon pervertie en raison des circonstances matérielles ; ce qui n'est pas du tout le cas de la conscience du Seigneur. Kṛṣṇa Lui-même l'affirme : *mayādhyakṣeṇa prakṛtiḥ.* Même lorsqu'Il descend dans l'univers matériel, Sa conscience n'en est pas affectée. Si tel était le cas, Il serait indigne d'aborder des sujets transcendantaux comme Il le fait dans la *Bhagavad-gītā*. Il est impossible de parler du monde spirituel tant que la conscience subit l'influence malsaine de la matière. Le Seigneur n'est donc pas contaminé par elle, alors qu'en ce moment notre conscience l'est. La *Bhagavad-gītā* nous conseille de purifier cette conscience souillée par la nature matérielle afin de pouvoir agir selon la volonté de l'*īśvara* et de connaître le bonheur.

Il ne s'agit pas d'arrêter toute action, mais de purifier nos actes, qui prennent alors le nom de *bhakti*. Ces activités dans la *bhakti* peuvent sembler tout à fait ordinaires, mais elles sont en réalité exemptes de toute contamination. Le profane au maigre savoir ne verra aucune différence entre les actions du dévot du Seigneur et celles de l'homme du commun, mais c'est qu'il ignore que, comme ceux du Seigneur, les actes du dévot transcendent les trois *guṇas* et ne sont jamais souillés par une conscience impure.

Aussi longtemps que sa conscience est contaminée par la matière, on dit que l'être est conditionné. Il a une conception erronée de son vrai moi et croit être un produit de la nature matérielle. C'est ce qu'on appelle le faux ego. Celui qui s'identifie ainsi au corps ne peut comprendre ce qu'est sa véritable condition. La *Bhagavad-gītā* a donc été énoncée pour nous libérer de cette conception du soi fondée sur le corps. Arjuna y joue le rôle de l'être conditionné afin de recevoir du Seigneur cette connaissance.

Le premier devoir du spiritualiste est de s'affranchir de ce concept erroné du soi. Pour atteindre la libération, il faut d'abord comprendre que l'on n'est pas le corps physique. *Mukti,* la libération, signifie être libéré de la conscience matérielle. Le *Śrīmad-Bhāgavatam* nous donne cette définition : *muktir hitvānyathā-rūpaṁ svarūpeṇa vyavasthitiḥ* – *mukti* signifie être libéré de la conscience contaminée par le monde matériel et situé dans la pure conscience. Du reste, comme la *Bhagavad-gītā* n'a d'autre objet que de raviver la conscience pure de l'être, il est naturel qu'à la fin de l'ouvrage, Kṛṣṇa demande à Arjuna si sa conscience est maintenant purifiée. Avoir la conscience purifiée indique que l'on agit conformément aux instructions du Seigneur. Pour résumer, nous dirons que faisant partie intégrante de la Personne Suprême, nous sommes nous aussi conscients. Mais nous courons le risque d'être affectés par les *guṇas* inférieurs, quand le Seigneur, par contre, ne peut l'être en aucune façon. C'est là toute la différence entre Kṛṣṇa et les infimes âmes distinctes.

Interrogeons-nous à présent sur ce qu'est vraiment cette conscience. C'est la perception du moi, le fait d'avoir conscience d'exister, d'être « je suis ». Oui, mais qui suis-je ? Avec une conscience contaminée, « je suis » signifie « je suis le seigneur et le bénéficiaire de tout ce qui m'entoure ». Le monde matériel existe d'ailleurs parce que chaque être vivant pense en être le maître et le créateur.

La conscience matérielle repose sur cette double perception : « Je suis le créateur » et « je suis le bénéficiaire ». Mais en fait cela ne s'applique qu'à Kṛṣṇa, car l'être distinct, partie intégrante du Seigneur Suprême, n'est ni le créateur, ni le bénéficiaire, mais le collaborateur. Il est la créature qui contribue au plaisir du créateur. Son destin est de coopérer avec le divin, comme la pièce qui ne fonctionne qu'en parfaite harmonie avec la machine entière, ou la partie du corps qui est toujours solidaire du corps entier. Tout comme on nourrit l'arbre en arrosant ses racines, on entretient le corps en alimentant l'estomac. Les mains, les jambes, les yeux, ne peuvent jouir directement de la nourriture. Ils doivent d'abord l'acheminer vers l'estomac dont l'organisme dépend tout entier. Donc, puisque le Seigneur Suprême est le bénéficiaire et le créateur de tout, les êtres vivants subordonnés qui désirent connaître le vrai bonheur doivent agir pour Le satisfaire. La relation qui unit les êtres distincts au Seigneur ressemble en effet à celle qui unit le serviteur au maître. Quand le maître est pleinement satisfait, le serviteur l'est aussi. Aussi devons-nous nous efforcer de satisfaire le Seigneur, en dépit de notre tendance à vouloir profiter de l'univers matériel et à nous en croire les créateurs. Cette tendance existe en nous parce qu'à l'origine elle existe en Dieu, le véritable créateur de l'univers.

Nous verrons par conséquent dans la *Bhagavad-gītā* que le Tout complet – c'est-à-dire la Vérité Suprême et Absolue, Śrī Kṛṣṇa, Dieu la Personne Suprême – comprend : le maître suprême (*īśvara*), les êtres qu'Il domine (*jīvas*), la manifestation cosmique (*prakṛti*), le temps éternel (*kāla*) et l'action (karma). Tout ce qui existe n'est que la manifestation de Ses diverses énergies.

La *Bhagavad-gītā* explique également que le Brahman impersonnel est lui aussi subordonné à cette Personne Suprême et complète (*brahmaṇo hi pratiṣṭhāham*). Le *Brahma-sūtra* développe cette idée en comparant le Brahman aux rayons du soleil ; il est la lumière irradiant du Seigneur. La réalisation du Brahman impersonnel n'est donc qu'une réalisation incomplète de la Vérité Absolue, tout comme l'est celle du Paramātmā. On verra dans le quinzième chapitre que Dieu, la Personne Suprême, Puruṣottama, Se situe au-delà des deux. La Personne Suprême est dite *sac-cid-ānanda-vigraha,* ainsi que la décrivent les premiers mots de la *Brahma-saṁhitā* : *īśvaraḥ paramaḥ kṛṣṇaḥ sac-cid-ānanda-vigrahaḥ / anādir ādir govindaḥ sarva-kāraṇa-kāraṇam* – « Kṛṣṇa, Govinda, est la cause de toutes les causes. Il est la cause originelle et la forme même de l'éternité, de la connaissance et de la félicité. » Avec le Brahman impersonnel, on réalise Son éternité (*sat*). Avec le Paramātmā, Sa connaissance et Son éternité (*sat-cit*).

Mais en atteignant la réalisation de la Personne Suprême, Kṛṣṇa, on perçoit d'un coup l'ensemble de Ses attributs spirituels, soit le *sat,* le *cit* et l'*ānanda* (l'éternité, la connaissance et la félicité) dans la forme absolue (*vigraha*).

Ceux dont l'intelligence est limitée considèrent la Vérité Suprême comme impersonnelle. Mais Dieu est bien une personne, une personne transcendantale. Toutes les Écritures védiques le confirment. *Nityo nityānāṁ cetanaś cetanānām.* (*Kaṭha Upaniṣad* 2.2.13) De même que nous sommes des êtres individuels, dotés d'une personnalité propre, la Vérité Suprême et Absolue est une personne. La réalisation de la Personnalité de Dieu est la plus complète, car elle inclut tous les aspects transcendantaux de la Vérité Absolue, Sa forme y compris. Le Tout complet n'est pas sans forme, car s'Il l'était, s'Il était inférieur à Sa création, Il ne pourrait être le Tout complet qui doit nécessairement comprendre tant ce qui relève de notre expérience que ce qui dépasse notre entendement.

Ce Tout parfait, Kṛṣṇa, la Personne Suprême, possède de puissantes énergies (*parāsya śaktir vividhaiva śrūyate*) et la *Bhagavad-gītā* explique comment Il agit à travers elles. Le monde phénoménal dans lequel nous vivons est aussi complet en lui-même, car d'après la philosophie du *sāṅkhya,* les vingt-quatre éléments, dont l'univers est une manifestation transitoire, sont assemblés de façon à produire l'ensemble des ressources indispensables à son maintien et à sa subsistance. Rien ne manque, mais rien non plus n'est superflu. Cette manifestation est créée pour un temps déterminé par l'énergie du Tout suprême, puis détruite, toujours selon Son plan parfait. Pour ce qui est des êtres distincts, infimes unités également complètes, il leur est donné toute facilité pour connaître le Tout. S'ils ressentent le moindre manque, c'est à cause de leur connaissance imparfaite du Tout complet. À leur intention, la *Bhagavad-gītā* renferme la totalité du savoir védique.

La connaissance védique est complète, infaillible, et les hindous la reconnaissent comme telle. Un exemple peut nous aider à mieux comprendre ce point : d'après les préceptes védiques, la *smṛti,* quiconque touche aux excréments d'animaux doit immédiatement se purifier par un bain. Or, ces mêmes Écritures considèrent la bouse de vache comme un agent purificateur. Cela peut sembler pour le moins contradictoire, mais on l'accepte pourtant car on est assuré en suivant leur enseignement de ne pas se tromper. Or, il se trouve justement que la science moderne a démontré les vertus antiseptiques de la bouse de vache. Ainsi le savoir védique - dont la *Bhagavad-gītā* constitue l'essence - est-il parfait, car il se situe au-delà de l'erreur et de l'incertitude.

Cette connaissance n'est pas le fruit d'une simple recherche, car une recherche est toujours imparfaite puisque effectuée avec des sens imparfaits. Cette connaissance parfaite, dit la *Bhagavad-gītā,* nous vient d'une filiation de maîtres spirituels (*paramparā*), dont le premier chaînon est le maître suprême, le Seigneur Lui-même. C'est donc de cette façon que nous aussi devons la recevoir, à l'imitation d'Arjuna qui accueillit dans sa totalité, sans discuter, l'enseignement de Śrī Kṛṣṇa. Il ne s'agit pas d'accepter une partie de la *Bhagavad-gītā* et d'en rejeter une autre. Non. On doit recevoir ce message sans l'interpréter, sans rien supprimer, sans rien ajouter. Nous devons voir en ce texte sacré la plus parfaite expression du savoir védique, savoir d'origine transcendantale puisque le Seigneur Lui-même fut le premier à l'énoncer. Les paroles du Seigneur sont *apauruṣeya,* c'est-à-dire qu'on ne peut les comparer à celles des hommes conditionnés par la matière, assujettis à quatre imperfections majeures qui les empêchent de délivrer une connaissance parfaite et totale. Ces imperfections consistent à : 1) commettre des erreurs, 2) être victime de l'illusion, 3) avoir tendance à tromper autrui, 4) posséder des sens imparfaits.

Le savoir védique n'a pas été transmis par des êtres soumis à ces imperfections. Brahmā, le premier être créé, le reçut d'abord en son cœur, puis le communiqua à ses fils et disciples tel qu'il lui fut donné par le Seigneur. Dieu, étant *pūrṇam,* « absolument parfait », ne peut tomber sous le coup des lois de la nature matérielle. Aussi devons-nous faire preuve de suffisamment d'intelligence pour comprendre qu'Il est le créateur originel - Celui qui créa même Brahmā - et l'unique possesseur de tout ce qui existe dans l'univers. Dans le onzième chapitre, le Seigneur est appelé *prapitāmaha,* car Il est le créateur de Brahmā que l'on nomme *pitāmaha* (l'aïeul). Nous ne devons donc pas nous proclamer propriétaires de quoi que ce soit et devons nous contenter de la part qui nous est assignée par le Seigneur pour subvenir à nos besoins.

La *Bhagavad-gītā* nous apprend de quelle façon utiliser cette part qui nous est dévolue. Avant que la bataille ne commence, Arjuna, de son propre chef, décide de ne pas combattre car il lui serait impossible de jouir d'un royaume conquis au prix de la vie des siens. Cette décision repose sur son identification au corps et son désir de répondre à ses demandes. Il s'identifie à son enveloppe charnelle et considère que ceux qui s'y rattachent sont ses frères, ses beaux-frères, ses neveux, ses aïeux, etc. C'est pourquoi, afin de modifier sa façon de voir les choses, le Seigneur lui énonce la *Bhagavad-gītā*. Et finalement Arjuna décide de combattre suivant Ses directives : *kariṣye vacanaṁ tava* – « J'agirai selon Tes instructions. »

Les hommes ne doivent pas passer leur vie à se quereller comme chiens et chats. Ils doivent user de leur intelligence pour réaliser l'importance de la forme humaine et ne pas se comporter comme des animaux. L'être humain doit saisir le véritable sens de la vie, ainsi que l'indiquent les Écritures védiques et en particulier la *Bhagavad-gītā* qui en est l'essence. Ces écrits s'adressent aux hommes, non aux bêtes. Un animal peut en tuer un autre sans qu'il soit question de péché. Mais qu'un homme, par simple gourmandise, tue un animal et il se rend coupable de violation d'une des lois de la nature. La *Gītā* explique clairement que chacun agit et se nourrit en fonction des divers modes d'influence de la nature ; elle décrit en outre les actes et les aliments correspondant à la vertu, la passion et l'ignorance. Si nous tirons parti de tels enseignements, notre vie entière sera purifiée et nous pourrons dès lors atteindre l'ultime destination, au-delà de l'univers matériel temporaire, en un lieu appelé *sanātana-dhāma,* le royaume spirituel éternel (*yad gatvā na nivartante tad dhāma paramaṁ mama*).

Les lois du monde matériel veulent que tout naisse, subsiste quelque temps, se reproduise, dépérisse puis disparaisse. Nul corps n'y échappe, qu'il soit humain, animal ou végétal. Mais nous savons qu'au-delà de ce monde éphémère s'en trouve un autre de nature éternelle (*sanātana*). Le Seigneur et les *jīvas* sont d'ailleurs également décrits dans le onzième chapitre, comme étant *sanātanas.*

Du fait que le monde spirituel, la Personne Suprême et les êtres vivants sont tous de nature *sanātana,* une relation intime nous unit au Seigneur. La *Bhagavad-gītā* a pour but de nous aider à recouvrer notre fonction éternelle, le *sanātana-dharma.* Nous nous livrons pour le moment à des occupations temporelles de toutes sortes. Or, pour mener une vie pure, il nous faut purifier nos actes en délaissant ce qui est temporaire et en accomplissant ce qui est prescrit par le Seigneur Suprême.

Kṛṣṇa, Sa demeure absolue, les entités vivantes, sont tous *sanātanas,* et l'union des êtres et du Seigneur Suprême dans la demeure *sanātana* correspond à la perfection de la vie humaine. Le Seigneur est très bon envers les êtres vivants parce qu'ils sont Ses fils. Dans la *Bhagavad-gītā,* Kṛṣṇa déclare : *sarva-yoniṣu [...] ahaṁ bīja-pradaḥ pitā* – « Je suis le père de tous les êtres. »

Évidemment, il existe une multitude d'entités vivantes en raison de la variété de leur karma, mais Kṛṣṇa n'en demeure pas moins le père de toutes. Il descend en ce monde afin de rappeler à Lui les âmes déchues conditionnées par la matière et les ramener dans leur demeure éternelle où elles retrouvent leur fonction *sanātana* en la compagnie éternelle du Seigneur. Pour sauver ces âmes, Kṛṣṇa vient Lui-même dans Sa forme originelle ou en diverses autres formes, ou bien dépêche Ses serviteurs intimes – dans le rôle de Son fils, par exemple – ou Ses compagnons, Ses représentants qualifiés, les *ācāryas.*

Ainsi, le *sanātana-dharma* ne désigne pas une religion sectaire, mais la fonction éternelle de chaque être en relation avec le Seigneur. Śrīpāda Rāmānujācārya donne du mot *sanātana* la définition suivante : « Ce qui n'a ni commencement ni fin ». C'est en ces termes, en se basant sur l'autorité de ce grand sage, que nous en parlerons nous aussi. Par ailleurs, le mot français « religion » n'a pas exactement le même sens que *sanātana-dharma,* car il comporte l'idée d'une foi – et une foi peut changer. On peut appartenir à une certaine confession, puis l'abandonner pour en adopter une autre. Or, le *sanātana-dharma,* par définition, est immuable. On ne peut enlever à l'âme sa fonction éternelle, pas plus que sa liquidité à l'eau ou que sa chaleur au feu. Le *sanātana-dharma* est inhérent à l'être, éternellement. Nous acceptons la définition de Śrīpāda Rāmānujācārya, selon laquelle il n'a ni début ni fin. Il ne peut donc être sectaire, puisqu'il ne connaît aucune limite. Ceux qui se rangent derrière une croyance sectaire feront l'erreur de croire que le *sanātana-dharma* l'est aussi. Mais en réfléchissant profondément à la question, à la lumière de la science moderne, on réalisera que le *sanātana-dharma* est l'affaire de tous les êtres – non seulement l'affaire de toute l'humanité de cette planète, mais celle de tous les êtres de l'univers entier.

Il est possible de retrouver l'origine historique de toutes les religions, mais pas celle du *sanātana-dharma,* car il est pour chacun une réalité éternelle et immanente. Les Écritures révélées (*śāstras*) n'affirment-elles pas que l'être n'est astreint ni à la naissance ni à la mort ? L'âme ne naît ni ne meurt, dit la *Bhagavad-gītā*; éternelle et indestructible, elle survit à la mort du corps matériel temporaire.

La racine sanskrite du mot *sanātana-dharma* peut nous aider à comprendre ce qu'est vraiment la religion. Le mot *dharma* désigne la nature intrinsèque d'un objet donné. Chaleur et lumière, par exemple, ne peuvent être dissociées du feu; sans elles, le mot « feu » n'a plus aucun sens. Ainsi devons-nous découvrir la qualité essentielle de l'être, qualité qui toujours l'accompagne et constitue sa nature éternelle. Cette nature éternelle est sa religion éternelle.

Lorsque Sanātana Gosvāmī s'enquit auprès de Caitanya Mahāprabhu de la *svarūpa*, la condition intrinsèque de l'être vivant, celui-ci répondit que sa nature essentielle est de servir Dieu, la Personne Suprême. On voit sans peine, à la lumière de cette affirmation, que chaque être en sert un autre. C'est ainsi qu'il jouit de la vie. L'animal sert l'homme, comme un serviteur son maître. A sert B, qui sert C, lequel à son tour sert D, etc. L'ami sert l'ami, la mère son fils, l'épouse son mari et le mari sa femme... Tous les êtres vivants, sans exception, sont impliqués dans le service d'autrui. Lorsqu'un politicien présente son programme, c'est pour convaincre l'électorat de son aptitude à le servir. Et c'est dans l'espoir de recevoir ses précieux services que les électeurs lui accorderont leur suffrage. Le marchand sert ses clients, l'artisan sert l'homme d'affaires, l'homme d'affaires sert sa famille, laquelle à son tour sert l'État. Il y a, par conséquent, d'une façon ou d'une autre, une tendance naturelle et éternelle en chaque être qui l'incite à servir. Nul n'y échappe. Aussi peut-on dire en guise de conclusion que cette attitude de service est inhérente à l'être vivant, qu'elle constitue sa religion éternelle.

Pourtant, suivant les circonstances, l'époque et le lieu, les hommes professent une foi particulière (christianisme, hindouisme, islamisme, bouddhisme ou autre). Mais de telles désignations n'ont rien à voir avec le *sanātana-dharma*. Un hindou peut fort bien se convertir à l'islam, un musulman à l'hindouisme, ou un chrétien à telle ou telle autre religion sans que jamais ces changements n'affectent leur disposition éternelle à servir autrui. Le chrétien, l'hindou, le musulman seront toujours les serviteurs de quelqu'un. Professer le *sanātana-dharma* ne signifie donc pas épouser une confession religieuse particulière. Non. Professer le *sanātana-dharma* signifie servir, tout simplement.

En vérité, c'est une relation de service qui nous lie au Seigneur. Dieu est le bénéficiaire suprême, et nous sommes Ses serviteurs. Nous sommes créés pour Son plaisir. Aussi devons-nous concourir à Sa félicité éternelle pour connaître le bonheur. Nous ne saurions être heureux sans Lui, à l'instar des différentes parties du corps qui ne peuvent obtenir une quelconque satisfaction quand elles se refusent à contenter l'estomac. Il est impossible d'être heureux sans servir le Seigneur Suprême dans l'amour et la transcendance.

La *Bhagavad-gītā* réprouve le service ou l'adoration des *devas.* On peut lire à ce propos dans le septième chapitre, verset vingt :

*kāmais tais tair hṛta-jñānāḥ, prapadyante 'nya-devatāḥ*
*taṁ taṁ niyamam āsthāya, prakṛtyā niyatāḥ svayā*

« Ceux dont l'intelligence a été ravie par les désirs matériels s'abandonnent aux *devas* et suivent les divers rites cultuels correspondant à leur nature propre. » Il est dit ici sans détours que les hommes sont incités par la convoitise à rendre un culte aux *devas* plutôt qu'à Kṛṣṇa, le Seigneur Suprême. Encore une fois, précisons que notre usage du nom de Kṛṣṇa n'implique rien de sectaire ; *kṛṣṇa* signifie « la plus haute joie », et les Écritures confirment que le Seigneur Suprême est le réservoir de toute joie : *Ānanda-mayo 'bhyāsāt* (*Vedānta-sūtra* 1.1.12).

Les êtres distincts, à l'image du Seigneur, sont pleinement conscients et recherchent tous le bonheur. La Personne Suprême jouissant d'un bonheur éternel, les êtres distincts connaîtront un bonheur identique s'ils Le servent et vivent en Sa compagnie.

Le Seigneur descend en ce monde mortel pour y dévoiler Ses joyeux divertissements. Quand Il vivait à Vṛndāvana avec Ses amis pâtres et pastourelles, parmi les vaches et les villageois qui tous ne vivaient que pour Lui, chacune de Ses activités était empreinte de félicité.

Un jour, Kṛṣṇa dissuada Son père Nanda Mahārāja d'offrir un culte au *deva* Indra, car Il voulut instituer le fait qu'il n'est pas nécessaire d'adorer les *devas.* Seul le Seigneur Suprême doit être adoré puisque le but ultime de l'existence est de retourner auprès de Lui, en Sa demeure, demeure que la *Bhagavad-gītā* décrit au verset six du chapitre quinze :

*na tad bhāsayate sūryo, na śaśāṅko na pāvakaḥ*
*yad gatvā na nivartante, tad dhāma paramaṁ mama*

« Ce royaume suprême, le Mien, ni le soleil ni la lune, ni le feu ou l'électricité ne l'éclairent. Pour qui l'atteint, il n'est point de retour en ce monde. »

Ce verset nous dépeint le ciel éternel. Bien sûr, nous avons une conception matérielle du ciel, nous ne pouvons concevoir que celui que nous voyons, avec son soleil, sa lune, ses étoiles... Mais Kṛṣṇa affirme ici que le ciel éternel, le monde spirituel, n'a besoin ni du soleil, ni de la lune, de l'électricité, du feu ou de quelque autre énergie lumineuse pour l'éclairer, car il est illuminé par le *brahma-jyotir,* l'éclatante radiance qui émane de Son corps. Dire que nous peinons pour atteindre d'autres planètes, alors qu'il est si facile de concevoir la planète du Seigneur. On l'appelle Goloka et la *Brahma-saṁhitā* (5.37) la décrit de fort belle manière : *goloka eva nivasaty akhilātma-bhūtaḥ.*

Bien que le Seigneur réside éternellement dans Son royaume de Goloka, nous pouvons L'approcher, et pour nous y aider Il manifeste au monde Sa forme réelle, *sac-cid-ānanda-vigraha.* Il nous évite de nous perdre en conjectures sur ce que peut être Son apparence, en Se montrant à nous tel qu'Il est dans Sa forme de Śyāmasundara. Hélas, quand Il vient à nous semblable à un humain, qu'Il Se divertit en notre compagnie, les sots Le dénigrent. Sa descente en ce monde ne devrait pourtant pas nous amener à Le prendre pour un homme ordinaire. C'est grâce à Sa toute-puissance qu'Il nous révèle Sa forme véritable et nous montre Ses divertissements, les mêmes que ceux auxquels Il Se livre dans Son royaume.

Du royaume divin, Kṛṣṇaloka ou Goloka, émane le *brahmajyoti,* l'éblouissante lumière du monde transcendantal où baignent les planètes spirituelles de nature *ānanda-maya* et *cin-maya.* Le Seigneur affirme que « quiconque atteint le monde spirituel ne revient jamais plus dans l'univers matériel » – *na tad bhāsayate sūryo na śaśāṅko na pāvakaḥ / yad gatvā na nivartante tad dhāma paramaṁ mama.* Dans le monde matériel, même si nous atteignons la plus haute planète (Brahmaloka) – que dire donc de la lune –, nous retrouvons les contingences propres aux planètes matérielles, à savoir la naissance, la maladie, la vieillesse et la mort.

S'ils le désirent, les êtres vivants peuvent voyager d'une planète à l'autre, mais cela ne peut être accompli par des moyens mécaniques. Le processus est donné dans la *Gītā* : *yānti deva-vratā devān pitṝn yānti pitṛ-vratāḥ.* Les Écritures védiques nous apprennent que notre univers se divise en trois systèmes planétaires : le supérieur, l'intermédiaire et l'inférieur. Le soleil et la lune appartiennent au premier, la terre au second. Donc, pour atteindre les planètes supérieures (Devaloka ou Svargaloka), que ce soit la lune, le soleil ou autre, il suffit de rendre un culte au *deva* qui régit chacune d'elles.

La *Bhagavad-gītā* toutefois nous déconseille d'agir ainsi car quand bien même atteindrait-on la plus haute, Brahmaloka – voyage qui par des moyens mécaniques demanderait peut-être 40 000 ans, et qui vivrait assez vieux? – on sera toujours confronté à la naissance, la vieillesse, la maladie et la mort. Par contre, celui qui atteindra Kṛṣṇaloka ou toute autre planète du monde spirituel ne connaîtra plus les souffrances matérielles que nous venons d'énumérer. Rappelons qu'entre toutes les planètes du monde spirituel, la planète suprême est Goloka Vṛndāvana, ou Kṛṣṇaloka, la demeure primordiale de Dieu, la Personne Suprême et originelle. Ainsi la *Bhagavad-gītā* nous instruit-elle sur tous ces sujets et nous apprend comment quitter le monde de la matière pour entamer une vie véritablement heureuse dans le monde spirituel.

La véritable image de l'univers matériel nous est donnée dans le quinzième chapitre de la *Bhagavad-gītā* (15.1) :

*ūrdhva-mūlam adhaḥ-śākham, aśvatthaṁ prāhur avyayam*
*chandāṁsi yasya parṇāni, yas taṁ veda sa veda-vit*

Le monde matériel est ici comparé à un arbre dont les racines pointent vers le haut et les branches vers le bas. Nous connaissons des arbres dont les racines pointent vers le haut : il s'agit de ceux que l'on voit se refléter dans l'eau des lacs ou des rivières ; leurs racines sont tournées vers le haut et leurs branches vers le bas. De la même manière, le monde matériel est le reflet du monde spirituel, l'ombre de la réalité. Une ombre n'a ni substance ni réalité, mais elle indique qu'il existe par ailleurs un objet bien réel. S'il n'y a pas d'eau dans le désert, les mirages indiquent que l'eau existe pourtant. Ainsi en est-il du bonheur : on ne peut le trouver dans le monde matériel pas plus qu'on ne peut trouver d'eau dans le désert. Il existe toutefois bel et bien dans le monde spirituel.

Ce monde, Kṛṣṇa nous indique comment l'atteindre :

*nirmāna-mohā jita-saṅga-doṣā*
*adhyātma-nityā vinivṛtta-kāmāḥ*
*dvandvair vimuktāḥ sukha-duḥkha-saṁjñair*
*gacchanty amūḍhāḥ padam avyayaṁ tat*

(*B.g.* 15.5)

En nous affranchissant de l'illusion et du désir de prestige (*nirmāna-moha*), nous atteindrons le royaume éternel (*padam avyayam*). Ici-bas, chacun a tendance à rechercher des titres honorifiques : l'un veut le prestige de la noblesse, l'autre de la richesse, un autre du pouvoir, en devenant roi, président, etc. Être attaché à des désignations qui ne concernent que l'enveloppe corporelle traduit notre attachement au corps. Le premier pas dans la réalisation spirituelle sera donc de réaliser que nous sommes distincts du corps. Pour l'heure, nous sommes sous l'emprise des trois *guṇas,* mais le service de dévotion nous en libérera. Ce n'est qu'en nous attachant au service de dévotion du Seigneur que nous pourrons nous détacher des trois *guṇas.* L'attrait pour les distinctions honorifiques et l'attachement sont le fruit de la concupiscence et du désir de dominer la nature matérielle. Or nous retournerons au royaume éternel de Dieu, le *sanātana-dhāma,* qui jamais ne connaît la destruction, qu'à condition de se défaire de cette tendance. Seul l'atteindra celui qui sert le Seigneur Suprême et qui ne s'égare pas dans les faux plaisirs.

La *Bhagavad-gītā* (8.21) ajoute encore :

*avyakto 'kṣara ity uktas, tam āhuḥ paramāṁ gatim*
*yaṁ prāpya na nivartante, tad dhāma paramaṁ mama*

*Avyakta* signifie non manifesté. Il nous faut reconnaître que même le monde matériel n'est pas entièrement manifesté à nos yeux. Nos sens sont si imparfaits qu'il nous est impossible, par exemple, de voir toutes les étoiles du firmament. Les Écritures védiques donnent de nombreuses descriptions des différentes planètes, descriptions que nous sommes libres ou non d'accepter. Le *Śrīmad-Bhāgavatam,* tout particulièrement, décrit les planètes les plus importantes de l'univers ainsi que le monde spirituel qui se trouve au-delà de la sphère matérielle, un monde dit *avyakta,* non manifesté. On devrait avoir un profond désir d'atteindre ce royaume suprême, car celui qui l'atteint ne retourne pas dans le monde matériel.

Le verset cinq du chapitre huit nous explique comment atteindre la demeure du Seigneur :

*anta-kāle ca mām eva, smaran muktvā kalevaram*
*yaḥ prayāti sa mad-bhāvaṁ, yāti nāsty atra saṁśayaḥ*

« Celui qui, à la fin de sa vie, quitte son corps en pensant à Moi seul partage aussitôt Ma nature, n'en doute pas. » Celui qui à l'instant précis de la mort pense à la forme personnelle de Kṛṣṇa ira à Lui dans le monde spirituel. *Mad-bhāvam* désigne la nature absolue de l'Être Suprême et *sac-cid-ānanda-vigraha* Sa forme d'éternité, de connaissance et de félicité. Notre corps présent, au contraire, est *asat,* périssable et non pas éternel, et *acit,* plein d'ignorance et non de savoir, car non seulement ignorons-nous tout du monde spirituel, mais notre connaissance du monde matériel est elle-même incomplète. Il est *nirānanda,* siège de la souffrance et non de la joie, attendu que tous nos tourments ici-bas viennent de lui. Mais celui qui pense à Kṛṣṇa, à Dieu, au moment de la mort, obtient aussitôt un corps *sac-cid-ānanda.*

Nous revêtons ou abandonnons le corps matériel selon des lois bien précises. À notre mort, notre prochain corps est déterminé par des autorités supérieures en fonction des activités que nous avons accomplies dans cette vie. Suivant ce que furent nos actes passés, nous serons élevés ou rabaissés. Ainsi pouvons-nous dire que nous préparons dès aujourd'hui notre vie future. C'est pourquoi une existence qui vise l'élévation au royaume de Dieu nous garantit après la mort l'obtention d'un corps spirituel semblable à celui du Seigneur.

Comme nous l'avons déjà spécifié, il existe diverses catégories de spiritualistes : les *brahma-vādis,* les *paramātmā-vādīs* et les dévots du Seigneur. Nous avons vu également que l'on trouve dans le *brahmajyoti* – le ciel spirituel – une multitude de planètes spirituelles, en nombre infiniment plus grand que dans l'univers matériel. Ce dernier, malgré ses milliards d'univers, de planètes, de soleils et de lunes ne représente qu'un quart de l'entière création (*ekāṁśena sthito jagat*), car la plus grande partie se trouve dans le ciel spirituel. Celui qui désire se fondre dans l'existence du Brahman Suprême est transféré dans le *brahmajyoti* et atteint ainsi le ciel spirituel. Le dévot, qui désire la compagnie du Seigneur, est conduit sur l'une des innombrables planètes Vaikuṇṭhas où se trouvent Ses émanations plénières Nārāyaṇa, dotées de quatre bras et portant les noms de Pradyumna, Aniruddha, Govinda, etc.

Au moment de la mort, le spiritualiste pense soit au *brahmajyoti,* soit au Paramātmā, soit à la Personne Suprême, Śrī Kṛṣṇa. Dans un cas comme dans l'autre, il gagne le ciel spirituel. Mais seul le dévot, lequel est en contact personnel avec le Seigneur, se rend sur les planètes Vaikuṇṭhas ou sur Goloka Vṛndāvana. « N'en doute pas », dit Kṛṣṇa. Comme Arjuna qui déclare au Seigneur qu'il accepte tout ce qu'Il lui a dit, nous devons avoir foi dans les paroles de Kṛṣṇa, même si elles ne correspondent pas à ce que nous nous imaginons.

Ainsi, quand Kṛṣṇa affirme que quiconque se souvient de Lui à l'heure de la mort, en tant que Brahman, Paramātmā ou Bhagavān, pénètre le ciel spirituel, Ses paroles ne sauraient être mises en doute. La *Bhagavad-gītā* (8.6) explique comment il est possible d'entrer dans le royaume de Dieu simplement en pensant à Lui au moment de la mort.

*yaṁ yaṁ vāpi smaran bhāvaṁ, tyajaty ante kalevaram*
*taṁ tam evaiti kaunteya, sadā tad-bhāva-bhāvitaḥ*

« L'état de conscience dont on conserve le souvenir à l'instant de quitter le corps détermine la condition d'existence future. » Il faut d'abord bien comprendre que la nature matérielle est le déploiement de l'une des multiples énergies du Seigneur Suprême, lesquelles sont ainsi décrites dans le *Viṣṇu Purāṇa* (6.7.61) :

*viṣṇu-śaktiḥ parā proktā, kṣetra-jñākhyā tathā parā*
*avidyā-karma-saṁjñānyā, tṛtīyā śaktir iṣyate*

Les énergies du Seigneur sont innombrables et inconcevables, mais de grands érudits, qui furent à la fois de grands sages et des âmes libérées, les ont étudiées puis classées en trois groupes. Toutes sont autant d'aspects différents de la *viṣṇu-śakti,* la puissance du Seigneur, Viṣṇu. D'entre Ses puissances, l'énergie supérieure est désignée comme *parā,* purement spirituelle. Nous l'avons déjà mentionné, les êtres distincts appartiennent à cette énergie. Les autres énergies, ou énergies matérielles, sont soumises à l'ignorance. Ainsi, au moment de la mort, soit nous demeurons au cœur de l'énergie inférieure, le monde matériel, soit nous sommes transférés dans l'énergie supérieure, le monde spirituel.

Dans notre existence, nous pensons soit à l'énergie matérielle soit à l'énergie spirituelle. Mais comment transférer nos pensées du matériel au spirituel quand on sait qu'à l'heure actuelle la plupart des publications - journaux, romans, revues - encombrent notre esprit de pensées matérielles ? La réponse est simple : il faut tout simplement nous en détourner et porter notre attention sur les Écrits védiques comme les *Purāṇas,* écrits à cette fin par les grands sages. Ces recueils sacrés ne sont pas des œuvres imaginées. Ce sont tous des documents historiques. Un verset du *Caitanya-caritāmṛta* (*Madhya* 20.122) nous dit :

*māyā-mugdha jīvera nāhi svataḥ kṛṣṇa-jñāna*
*jīvere kṛpāya kailā kṛṣṇa veda-purāṇa*

Les âmes conditionnées ont oublié leur relation avec le Seigneur Suprême. Elles ne se préoccupent que des seules activités matérielles.

Aussi Kṛṣṇa-dvaipāyana Vyāsa leur donna-t-il un très grand nombre d'Écrits védiques pour qu'elles puissent s'intéresser au monde spirituel. Il divisa d'abord le Véda originel en quatre parties qu'il expliqua dans les *Purāṇas,* puis pour la masse des gens, il écrivit le *Mahābhārata* dont fait partie la *Bhagavad-gītā.* Il résuma ensuite l'ensemble de ces Écrits védiques dans le *Vedānta-sūtra,* et pour guider les générations à venir en fit un commentaire : le *Śrīmad-Bhāgavatam.* Nous devons toujours nous absorber dans la lecture de ces ouvrages, exactement comme les matérialistes se plongent dans les journaux, les magazines ou autres écrits. Ainsi serons-nous capables de nous souvenir du Seigneur à l'heure de notre mort. Lui-même recommande expressément cette voie, et par l'emploi du mot « inéluctablement » dans le verset sept du chapitre huit, Il garantit la pleine efficacité de la méthode.

*tasmāt sarveṣu kāleṣu, mām anusmara yudhya ca*
*mayy arpita-mano-buddhir, mām evaiṣyasy asaṁśayaḥ*

« Tu dois donc remplir ton devoir de guerrier en pensant constamment à Moi, en Ma forme personnelle de Kṛṣṇa. En Me dédiant tes actes, en concentrant sur Moi ton mental et ton intelligence, tu viendras à Moi inéluctablement. »

Kṛṣṇa ne conseille pas à Arjuna d'abandonner son devoir pour se souvenir de Lui. Non. Il ne propose jamais rien qui ne soit réalisable. Pour survivre en ce monde matériel, nous devons travailler. C'est d'ailleurs l'une des raisons pour laquelle la société humaine est divisée en quatre groupes – les *brāhmaṇas* (sages et érudits), les *kṣatriyas* (administrateurs et hommes de guerre), les *vaiśyas* (agriculteurs et commerçants) et les *śūdras* (ouvriers et artisans). Ouvriers, marchands, soldats, administrateurs ou fermiers, hommes de lettres, savants ou théologiens, tous doivent remplir leurs devoirs professionnels pour vivre. Kṛṣṇa ne souhaite donc pas qu'Arjuna délaisse ses devoirs, mais bien plutôt qu'il les accomplisse en pensant à Lui (*mām anusmara*). S'il ne s'applique pas dans sa lutte pour l'existence à penser au Seigneur, comment pourra-t-il se Le rappeler au moment de la mort ? Śrī Caitanya nous a donné le même conseil : *kīrtanīyaḥ sadā hariḥ.* On doit toujours chanter ou réciter les saints noms du Seigneur. Le nom du Seigneur et le Seigneur Lui-même n'étant pas différents, l'instruction que Kṛṣṇa donne à Arjuna « souviens-toi de Moi » et celle que donne Śrī Caitanya « chante constamment les noms de Kṛṣṇa » ne sont qu'une seule et même instruction. Kṛṣṇa et Ses saints noms sont une seule et même chose, car au niveau absolu, il n'y a aucune différence entre l'objet et le nom qui le désigne. C'est pourquoi il faut s'exercer à se souvenir constamment du Seigneur, à chaque heure du jour et de la nuit, par le chant ou la récitation assidue de Ses saints noms et le choix d'un mode de vie adapté.

Mais comment cela est-il possible ? Les *ācāryas* nous donnent cet exemple : quand une femme mariée s'attache à un autre homme que son époux, ou un homme à une autre femme, le sentiment qui les anime est puissant. Sous l'influence d'un tel attachement, on pensera constamment à l'être aimé. Tout en accomplissant ses tâches quotidiennes, l'épouse pensera toujours à cet instant où elle pourra rencontrer son amant, et soignera plus que jamais son travail pour que son mari ne soupçonne rien de sa liaison. De même devons-nous penser à chaque instant à l'objet suprême de l'amour, Kṛṣṇa, tout en remplissant aussi parfaitement que possible nos devoirs matériels. Il nous faut toutefois, pour y parvenir, développer un fort sentiment d'amour. Arjuna pensait constamment à Kṛṣṇa, et bien qu'il fût un guerrier, il était son compagnon de tous les instants. Le Seigneur ne lui conseille pas d'abandonner la lutte et de se retirer dans une forêt pour méditer. D'ailleurs, Arjuna s'était déclaré inapte à pratiquer un tel yoga après que Kṛṣṇa le lui eut décrit :

*arjuna uvāca*
*yo 'yaṁ yogas tvayā proktaḥ, sāmyena madhusūdana*
*etasyāhaṁ na paśyāmi, cañcalatvāt sthitiṁ sthirām*

« Arjuna dit : Ce yoga que Tu as décrit, ô Madhusūdana, me semble impraticable, car le mental est instable et capricieux. » (*B.g.* 6.33)

Et le Seigneur déclare :

*yoginām api sarveṣāṁ, mad-gatenāntar-ātmanā*
*śraddhāvān bhajate yo māṁ, sa me yukta-tamo mataḥ*

« Et de tous les *yogīs,* celui qui, avec une foi totale, demeure toujours en Moi et médite sur Moi en Me servant avec amour, celui-là est le plus grand et M'est le plus intimement lié. Tel est Mon avis. » (*B.g.* 6.47) Celui dont la pensée reste toujours fixée sur le Seigneur Suprême est donc à la fois le plus grand *yogī,* le plus grand *jñānī* et le plus grand dévot. Le Seigneur dit en outre à Arjuna qu'en tant que *kṣatriya,* il ne peut renoncer à son devoir de combattant, mais que s'il lutte en pensant au Seigneur, il sera capable de se souvenir de Lui au moment de la mort. Il faut pour cela s'abandonner complètement à Dieu en se consacrant à Son service d'amour transcendantal.

Nos actes ne relèvent pas seulement du corps, ils dépendent surtout du mental et de l'intelligence. Si nous fixons notre mental et notre intelligence sur le Seigneur Suprême, nos sens suivront et s'engageront à leur tour à Son service. Nos actes sembleront identiques, mais notre conscience aura changé. La *Bhagavad-gītā* nous enseigne comment absorber notre mental et notre intelligence dans la pensée du Seigneur, car une telle absorption mène au royaume de Dieu. Si le mental est dédié au service de Kṛṣṇa, les sens le seront automatiquement aussi. En l'absorption totale en Śrī Kṛṣṇa résident le secret et l'art de la *Bhagavad-gītā*.

L'homme moderne a fait d'énormes efforts pour atteindre la lune, mais il n'a guère œuvré pour son élévation spirituelle. C'est pourquoi, s'il lui reste cinquante ans à vivre, il doit utiliser ce court laps de temps à cultiver le souvenir de la Personne Suprême par la pratique du service de dévotion.

*śravaṇaṁ kīrtanaṁ viṣṇoḥ, smaraṇaṁ pāda-sevanam*
*arcanaṁ vandanaṁ dāsyaṁ, sakhyam ātma-nivedanam*
(*Śrīmad-Bhāgavatam* 7.5.23)

Ces neuf pratiques, dont la plus simple (*śravaṇam*) consiste à écouter le message de la *Bhagavad-gītā* des lèvres d'une âme réalisée, nous aideront à toujours absorber nos pensées en l'Être Suprême. Nous pourrons alors nous souvenir constamment de Lui et, en quittant notre corps de matière, obtenir un corps spirituel qui nous permettra de vivre auprès de Lui.

Le Seigneur dit encore :

*abhyāsa-yoga-yuktena, cetasā nānya-gāminā*
*paramaṁ puruṣaṁ divyaṁ, yāti pārthānucintayan*

« Celui qui médite sur Moi, la Personne Suprême, et toujours se souvient de Moi, sans jamais dévier, celui-là vient à Moi sans nul doute, ô Pārtha. » (*B.g.* 8.8) La méthode est simple. Il nous faut toutefois, pour l'apprendre, approcher une personne expérimentée, une personne qui la pratique déjà : *tad vijñānārthaṁ sa gurum evābhigacchet.* Le mental allant sans cesse d'un objet à l'autre, il faut s'exercer à le fixer sur la forme ou le nom du Seigneur Suprême, Śrī Kṛṣṇa. Le mental est instable et fébrile de nature, mais il peut trouver l'apaisement dans la vibration spirituelle. On doit donc méditer sur le *paramaṁ puruṣaṁ,* la Personne Suprême, dans le monde spirituel, et ainsi parvenir jusqu'à Lui.

La *Bhagavad-gītā* nous indique avec précision la voie à suivre et les moyens d'obtenir la réalisation suprême, le but ultime. Les portes de ce savoir sont ouvertes à tous. Les hommes de toute condition sociale ou culturelle peuvent approcher le Seigneur en pensant à Lui, car écouter ce qui se rapporte à Dieu ou simplement penser à Lui est accessible à tous. Kṛṣṇa dit en effet dans la *Bhagavad-gītā* (9.32–33) :

*māṁ hi pārtha vyapāśritya, ye 'pi syuḥ pāpa-yonayaḥ*
*striyo vaiśyās tathā śūdrās, te 'pi yānti parāṁ gatim*

*kiṁ punar brāhmaṇāḥ puṇyā, bhaktā rājarṣayas tathā*
*anityam asukhaṁ lokam, imaṁ prāpya bhajasva mām*

Le Seigneur affirme qu'un marchand, une femme, un ouvrier ou même un homme situé au plus bas échelon de l'humanité peuvent atteindre le Suprême. Il n'est pas indispensable d'être doté d'une intelligence supérieure, mais il faut par contre impérativement adopter les principes du *bhakti-yoga* et faire du Seigneur l'objectif premier, le but ultime de notre vie. Quiconque suivra les enseignements de la *Bhagavad-gītā* atteindra la perfection de l'existence et en aura définitivement résolu tous les problèmes. Telle est la substance, l'essence de la *Bhagavad-gītā.*

Nous dirons en guise de conclusion que la *Bhagavad-gītā* est un texte transcendantal qu'il faut lire avec le plus grand soin. *Gītā-śāstram idaṁ puṇyaṁ, yaḥ paṭhet prayataḥ pumān,* nous dit la *Gītā-māhātmya* (1). Celui qui suit sincèrement les instructions de la *Bhagavad-gītā* est délivré de toute souffrance et de toute angoisse. *Bhaya-śokādi-varjitaḥ* – il sera libéré de ses craintes dans cette vie et sa prochaine existence sera spirituelle.

La *Gītā-māhātmya* (2) ajoute :

*gītādhyāyana-śīlasya, prāṇāyama-parasya ca*
*naiva santi hi pāpāni, pūrva-janma-kṛtāni ca*

« Qui lit la *Bhagavad-gītā* avec sincérité et grand sérieux est affranchi, par la grâce du Seigneur, des conséquences de ses fautes passées. » Le Seigneur proclame dans le dernier chapitre de la *Bhagavad-gītā* (18.66) :

*sarva-dharmān parityajya, mām ekaṁ śaraṇaṁ vraja*
*ahaṁ tvāṁ sarva-pāpebhyo, mokṣayiṣyāmi mā śucaḥ*

« Laisse là toutes formes de pratique religieuse et abandonne-toi simplement à Moi. Je te délivrerai de toutes les suites de tes fautes. N'aie nulle crainte. » Ainsi, le Seigneur prend la responsabilité de celui qui s'abandonne à Lui et le libère des conséquences de ses fautes. Puis la *Gītā-māhātmya* (3) poursuit ainsi :

*mala-nirmocanaṁ puṁsāṁ, jala-snānaṁ dine dine*
*sakṛd gītāmṛta-snānaṁ, saṁsāra-mala-nāśanam*

« On peut se purifier en prenant un simple bain tous les jours, mais en se baignant, fût-ce une fois, dans les eaux sacrées pareilles au Gange de la *Bhagavad-gītā,* on se débarrasse d'un coup de toute impureté matérielle. »

*gītā su-gītā kartavyā, kim anyaiḥ śāstra-vistaraiḥ*
*yā svayaṁ padmanābhasya, mukha-padmād viniḥsṛtā*
(*Gītā-māhātmya* 4)

Dieu a personnellement exposé la *Bhagavad-gītā,* aussi n'est-il nullement nécessaire de lire d'autres Écrits védiques. La littérature védique est en effet si vaste que l'homme d'aujourd'hui, absorbé dans ses activités matérielles, ne peut la parcourir entièrement. Cela n'est de toute façon pas indispensable. Il est suffisant d'écouter ou de lire la *Bhagavad-gītā* avec attention et de manière régulière, car elle est l'essence de tous les Écrits védiques et a été énoncée par Dieu, la Personne Suprême.

*bhāratāmṛta-sarvasvaṁ, viṣṇu-vaktrād viniḥsṛtam*
*gītā-gaṅgodakaṁ pītvā, punar janma na vidyate*

« Si en buvant l'eau du Gange, on obtient le salut, que dire de ce qu'obtient celui qui boit les eaux sacrées de la *Bhagavad-gītā,* le nectar du *Mahābhārata* énoncé par Kṛṣṇa, le Viṣṇu originel » (*Gītā-māhātmya* 5) La *Bhagavad-gītā* émane des lèvres du Seigneur tandis que le Gange prend sa source à Ses pieds pareils-au-lotus. Il n'y a certes, aucune différence entre la bouche et les pieds du Seigneur, mais nous comprendrons aisément que la *Bhagavad-gītā* prévaut sur le Gange.

*sarvopaniṣado gāvo, dogdhā gopāla-nandanaḥ*
*pārtho vatsaḥ su-dhīr bhoktā, dugdhaṁ gītāmṛtaṁ mahat*

« On peut comparer cette *Gītopaniṣad,* la *Bhagavad-gītā,* l'essence de toutes les *Upaniṣads,* à une vache qui serait traite par le jeune pâtre Kṛṣṇa. Quant à Arjuna, il est semblable au jeune veau qui se nourrit de son lait. Les sages érudits et les purs dévots en boivent aussi le délectable lait. » (*Gītā-māhātmya* 6)

*ekaṁ śāstraṁ devakī-putra-gītam, eko devo devakī-putra eva*
*eko mantras tasya nāmāni yāni, karmāpy ekaṁ tasya devasya sevā*
(*Gītā-māhātmya* 7)

De nos jours, les gens souhaitent avoir une Écriture, un Dieu, une religion et une activité. Aussi ce verset dit-il, *ekaṁ śāstraṁ devakī-putra-gītam* : « Qu'il n'y ait qu'une Écriture pour le monde entier - la *Bhagavad-gītā.* » *Eko devo devakī-putra eva* : « Qu'il n'y ait qu'un Dieu - Kṛṣṇa. » *Eko mantras tasya nāmāni* : « Qu'il n'y ait qu'un hymne, un mantra, une prière - le chant de Son nom Hare Kṛṣṇa Hare Kṛṣṇa Kṛṣṇa Kṛṣṇa Hare Hare/Hare Rāma Hare Rāma Rāma Rāma Hare Hare. » *Karmāpy ekaṁ tasya devasya sevā :* « Qu'il n'y ait qu'une activité - le service de dévotion offert à Dieu, la Personne Suprême. »

## LA SUCCESSION DISCIPLIQUE

*Evaṁ paramparā-prāptam, imaṁ rājarṣayo viduḥ*

« Cette science suprême fut transmise à travers une succession disciplique, et les saints rois la reçurent ainsi. » (*Bhagavad-gītā* 4.2)

1. Kṛṣṇa
2. Brahmā
3. Nārada
4. Vyāsa
5. Madhva
6. Padmanābha
7. Nṛhari
8. Mādhava
9. Akṣobhya
10. Jayatīrtha
11. Jñānasindhu
12. Dayānidhi
13. Vidyānidhi
14. Rājendra
15. Jayadharma
16. Puruṣottama
17. Brahmaṇyatīrtha
18. Vyāsatīrtha
19. Lakṣmīpati
20. Mādhavendra Purī
21. Īśvara Purī (Nityānanda, Advaita)
22. Śrī Caitanya Mahāprabhu
23. Rūpa (Svarūpa, Sanātana)
24. Raghunātha, Jīva
25. Kṛṣṇadāsa
26. Narottama
27. Viśvanātha
28. (Baladeva) Jagannātha
29. Bhaktivinoda
30. Gaurakiśora
31. Bhaktisiddhānta Sarasvatī
32. A. C. Bhaktivedanta Swami Prabhupāda

PREMIER CHAPITRE

# Sur le champ de bataille de Kurukṣetra

1.1 धृतराष्ट्र उवाच
धर्मक्षेत्रे कुरुक्षेत्रे समवेता युयुत्सवः ।
मामकाः पाण्डवाश्चैव किमकुर्वत सञ्जय ॥ १ ॥

*dhṛtarāṣṭra uvāca*
*dharma-kṣetre kuru-kṣetre, samavetā yuyutsavaḥ*
*māmakāḥ pāṇḍavāś caiva, kim akurvata sañjaya*

*dhṛtarāṣṭraḥ uvāca :* le roi Dhṛtarāṣṭra dit ; *dharma-kṣetre :* au lieu de pèlerinage ; *kuru-kṣetre :* à l'endroit du nom de Kurukṣetra ; *samavetāḥ :* assemblés ; *yuyutsavaḥ :* désireux de combattre ; *māmakāḥ :* mon camp (mes fils) ; *pāṇḍavāḥ :* les fils de Pāṇḍu ; *ca :* et ; *eva :* certes ; *kim :* quoi ; *akurvata :* ont-ils fait ; *sañjaya :* ô Sañjaya.

**Dhṛtarāṣṭra dit : Ô Sañjaya, qu'ont fait mes fils et les fils de Pāṇḍu après s'être assemblés au lieu saint de Kurukṣetra pour se livrer bataille ?**

La *Bhagavad-gītā* est un texte sacré très répandu qui expose la science de Dieu. La *Gītā-māhātmya* – les gloires de la *Gītā* – tout en résumant l'ouvrage, recommande de l'étudier attentivement sous la direction d'une personne entièrement vouée à Śrī Kṛṣṇa. On doit en saisir la teneur sans y introduire ses propres idées. Du reste, par l'exemple d'Arjuna qui la reçut directement du Seigneur, la *Bhagavad-gītā* elle-même indique comment chacun peut avoir une compréhension claire de son enseignement. Celui qui a la chance d'appréhender ce savoir à travers la filiation spirituelle issue de Kṛṣṇa, sans aucune interprétation personnelle, acquerra une connaissance supérieure à celle obtenue par l'étude de tous les Écrits védiques ou de tous les textes sacrés du monde.

Outre le message de l'ensemble des Écritures révélées, on trouvera dans la *Bhagavad-gītā* des informations qu'on ne trouve nulle part ailleurs. De là son caractère exceptionnel. La *Bhagavad-gītā* nous livre la perfection de la science théiste, car elle fut directement énoncée par Dieu Lui-même, Śrī Kṛṣṇa. Les propos échangés entre Dhṛtarāṣṭra et Sañjaya, tels qu'ils sont rapportés dans le *Mahābhārata,* servent de support à cette grande philosophie. Le Seigneur, venu en personne sur notre planète pour guider les hommes, l'exposa sur le champ de bataille de Kurukṣetra, terre sacrée, lieu de pèlerinage depuis les temps immémoriaux de l'ère védique. Le mot *dharmakṣetra* – lieu où s'accomplissent les rites religieux – est d'ailleurs lourd de sens dans ce contexte, car c'est la Personne Suprême, Dieu Lui-même, qui Se trouve aux côtés d'Arjuna sur le champ de bataille de Kurukṣetra.

Dhṛtarāṣṭra, le père des Kurus, doute fort que ses fils aient une chance de remporter la victoire. Aussi demande-t-il à son secrétaire Sañjaya : « Qu'ont fait mes fils et les fils de Pāṇḍu ? » Il sait pertinemment que ses fils et ceux de son jeune frère Pāndu se sont rendus au champ de bataille de Kurukṣetra avec la ferme intention d'engager le combat. Sa question revêt donc une importance particulière. Il veut et s'assurer que frères et cousins ne sont parvenus à aucun compromis, et être rassuré sur le sort de ses fils. Il craint beaucoup l'influence du lieu sacré sur l'issue du combat, d'autant que les Védas le décrivent comme un lieu de culte même pour les habitants des cieux. Il sait donc très bien qu'en raison de leur vertu Arjuna et les fils de Pāṇḍu verront cette influence bénéfique jouer en leur faveur.

Par la grâce de son maître Vyāsa, Sañjaya a le privilège de voir le champ de bataille sans avoir à quitter le palais de Dhṛtarāṣṭra. Ce dernier, qui n'ignore rien de son pouvoir, lui demande de décrire ce qui se passe.

Dhṛtarāṣṭra dévoile ici ses pensées : bien que ses fils et les fils de Pāṇḍu (les Pāṇḍavas) appartiennent à la même famille, les siens seuls sont des Kurus, les autres devant être écartés de l'héritage royal. Nous voyons clairement quelle est la position de Dhṛtarāṣṭra vis-à-vis de ses neveux, les fils de Pāṇḍu. Il devient évident dès le début de cette narration que Duryodhana, le fils de Dhṛtarāṣṭra, et ses partisans seront balayés du champ sacré de Kurukṣetra où Se trouve Kṛṣṇa, le père de la religion. Ils en seront arrachés comme les mauvaises herbes d'une rizière, et les gens profondément religieux, conduits par Yudhiṣṭhira, verront leurs droits rétablis par la grâce du Seigneur. Tel est le sens des mots *dharma-kṣetre* et *kuru-kṣetre,* hormis leur importance historique et védique.

**1.2** सञ्जय उवाच
दृष्ट्वा तु पाण्डवानीकं व्यूढं दुर्योधनस्तदा ।
आचार्यमुपसङ्गम्य राजा वचनमब्रवीत् ॥ २ ॥

*sañjaya uvāca*
*dṛṣṭvā tu pāṇḍavānīkaṁ, vyūḍhaṁ duryodhanas tadā*
*ācāryam upasaṅgamya, rājā vacanam abravīt*

*sañjayaḥ uvāca :* Sañjaya dit ; *dṛṣṭvā :* après avoir vu ; *tu :* mais ; *pāṇḍava-anīkam :* les troupes des Pāṇḍavas ; *vyūḍham :* déployées en formation de combat ; *duryodhanaḥ :* le roi Duryodhana ; *tadā :* à ce moment ; *ācāryam :* le précepteur ; *upasaṅgamya :* s'approchant de ; *rājā :* le roi ; *vacanam :* ces paroles ; *abravīt :* dit.

**Sañjaya dit : Ô monarque, après avoir observé l'armée des fils de Pāṇḍu déployée en formation de combat, le roi Duryodhana s'approche de son précepteur et lui tient ces propos.**

Aveugle de naissance, Dhṛtarāṣṭra souffre malheureusement d'une autre infirmité : il est dépourvu de vision spirituelle. Il sait par ailleurs que ses fils sont spirituellement aussi aveugles que lui et qu'ils n'arriveront jamais à s'entendre avec les Pāṇḍavas dont la piété est native.

Comprenant que le roi déprimé l'interroge parce qu'il craint l'influence de la plaine sacrée sur l'issue de la bataille, Sañjaya lui certifie, pour le rassurer, que ses fils n'accepteront aucun compromis, même sous l'emprise du saint lieu. Duryodhana, lui dit-il, vient d'évaluer les forces militaires des Pāṇḍavas et se dirige à présent vers Droṇācārya, le chef de ses armées, pour lui décrire la situation.

Bien qu'il soit roi, Duryodhana, en habile politicien, va consulter le chef de ses troupes tant les choses sont sérieuses. Son vernis diplomatique ne peut cependant masquer la crainte que lui inspire le déploiement des armées des Pāṇḍavas.

**1.3** पश्यैतां पाण्डुपुत्राणामाचार्य महतीं चमूम् ।
व्यूढां द्रुपदपुत्रेण तव शिष्येण धीमता ॥ ३ ॥

*paśyaitāṁ pāṇḍu-putrāṇām, ācārya mahatīṁ camūm*
*vyūḍhāṁ drupada-putreṇa, tava śiṣyeṇa dhīmatā*

*paśya :* contemple ; *etām :* cette ; *pāṇḍu-putrāṇām :* des fils de Pāṇḍu ; *ācārya :* ô maître ; *mahatīm :* grande ; *camūm :* puissante armée ; *vyūḍhām :* organisée ; *drupada-putreṇa :* par le fils de Drupada ; *tava :* ton ; *śiṣyeṇa :* disciple ; *dhīmatā :* très intelligent.

**Contemple, ô mon maître, la puissante armée des fils de Pāṇḍu, admirablement organisée par ton brillant disciple, le fils de Drupada.**

Duryodhana fait adroitement ressortir les points faibles de Droṇācārya, le commandant en chef de ses armées. Il rappelle à ce grand *brāhmaṇa* sa querelle ancienne avec le roi Drupada (père de Draupadī, la femme d'Arjuna) qui, pour se venger, accomplit un grand sacrifice afin d'obtenir un fils capable de le tuer. Pourtant, bien qu'il en fût conscient, Droṇācārya accepta de s'occuper de l'éducation militaire de Dhṛṣṭadyumna, le fils de Drupada. *Brāhmaṇa* noble et généreux, il n'hésita pas à communiquer au jeune homme tous ses secrets dans l'art de combattre. Or Dhṛṣṭadyumna a maintenant rallié le camp des Pāṇḍavas et c'est lui qui a organisé les troupes selon l'art enseigné par Droṇācārya. Duryodhana lui rappelle donc son erreur pour qu'il soit désormais vigilant, sans faiblesse. Par cette remarque, il lui fait également comprendre qu'il ne devra pas non plus montrer d'indulgence aux Pāṇḍavas, qui furent eux aussi ses élèves affectueux, particulièrement Arjuna, son élève le plus cher et le plus brillant. Un manque de fermeté amènerait la défaite.

**1.4** अत्र शूरा महेष्वासा भीमार्जुनसमा युधि ।
युयुधानो विराटश्च द्रुपदश्च महारथः ॥ ४ ॥

*atra śūrā maheṣv-āsā, bhīmārjuna-samā yudhi*
*yuyudhāno virāṭaś ca, drupadaś ca mahā-rathaḥ*

*atra :* ici ; *śūrāḥ :* des héros ; *mahā-iṣu-āsāḥ :* de puissants archers ; *bhīma-arjuna :* à Bhīma et à Arjuna ; *samāḥ :* égaux ; *yudhi :* au combat ; *yuyudhānaḥ :* Yuyudhāna ; *virāṭaḥ :* Virāṭa ; *ca :* et ; *drupadaḥ :* Drupada ; *ca :* aussi ; *mahā-rathaḥ :* grands guerriers.

**Il y a dans cette armée nombre de vaillants archers, de grands guerriers comme Yuyudhāna, Virāṭa et Drupada, tous comparables à Bhīma et Arjuna.**

Face à la science militaire de Droṇācārya, Dhṛṣṭadyumna, en soi, ne représente pas un très grand obstacle, mais d'autres guerriers du parti adverse sont à craindre. Duryodhana pense que la victoire sera extrêmement difficile à obtenir, car chacun d'eux est aussi redoutable que Bhīma et Arjuna.

1.5 धृष्टकेतुश्चेकितानः काशिराजश्च वीर्यवान् ।
पुरुजित्कुन्तिभोजश्च शैब्यश्च नरपुङ्गवः ॥ ५ ॥

*dhṛṣṭaketuś cekitānaḥ, kāśirājaś ca vīryavān*
*purujit kuntibhojaś ca, śaibyaś ca nara-puṅgavaḥ*

*dhṛṣṭaketuḥ :* Dhṛṣṭaketu; *cekitānaḥ :* Cekitāna; *kāśirājaḥ :* Kāśirāja; *ca :* aussi; *vīrya-vān :* très puissants; *purujit :* Purujit; *kuntibhojaḥ :* Kuntibhoja; *ca :* et; *śaibyaḥ :* Śaibya; *ca :* et; *nara-puṅgavaḥ :* héros parmi les hommes.

**Il y a aussi de puissants héros comme Dhṛṣṭaketu, Cekitāna, Kāśirāja, Purujit, Kuntibhoja et Śaibya.**

1.6 युधामन्युश्च विक्रान्त उत्तमौजाश्च वीर्यवान् ।
सौभद्रो द्रौपदेयाश्च सर्व एव महारथाः ॥ ६ ॥

*yudhāmanyuś ca vikrānta, uttamaujāś ca vīryavān*
*saubhadro draupadeyāś ca, sarva eva mahā-rathāḥ*

*yudhāmanyuḥ :* Yudhāmanyu; *ca :* et; *vikrāntaḥ :* valeureux; *uttamaujāḥ :* Uttamaujā; *ca :* et; *vīrya-vān :* très puissant; *saubhadraḥ :* le fils de Subhadrā; *draupadeyāḥ :* les fils de Draupadī; *ca :* et; *sarve :* tous; *eva :* certes; *mahā-rathāḥ :* de grands combattants sur char.

**Il y a le valeureux Yudhāmanyu, le très puissant Uttamaujā, le fils de Subhadrā et les fils de Draupadī. Tous ces guerriers excellent au combat sur char.**

1.7 अस्माकं तु विशिष्टा ये तान्निबोध द्विजोत्तम ।
नायका मम सैन्यस्य संज्ञार्थं तान् ब्रवीमि ते ॥ ७ ॥

*asmākaṁ tu viśiṣṭā ye, tān nibodha dvijottama*
*nāyakā mama sainyasya, saṁjñārthaṁ tān bravīmi te*

*asmākam :* nos; *tu :* mais; *viśiṣṭāḥ :* particulièrement puissants; *ye :* qui; *tān :* eux; *nibodha :* prends note de, sois informé; *dvija-uttama :* ô meilleur des *brāhmaṇas*;

*nāyakāḥ :* capitaines ; *mama :* de mes ; *sainyasya :* soldats ; *saṁjñā-artham :* à titre d'information ; *tān :* eux ; *bravīmi :* je dis ; *te :* à toi.

**À présent, ô meilleur des brāhmaṇas, laisse-moi te dire quels chefs hautement qualifiés commandent mon armée.**

**1.8** भवान् भीष्मश्च कर्णश्च कृपश्च समितिंजयः ।
अश्वत्थामा विकर्णश्च सौमदत्तिस्तथैव च ॥ ८ ॥

*bhavān bhīṣmaś ca karṇaś ca, kṛpaś ca samitiṁ-jayaḥ*
*aśvatthāmā vikarṇaś ca, saumadattis tathaiva ca*

*bhavān :* ta grâce ; *bhīṣmaḥ :* Bhīṣma l'aïeul ; *ca :* aussi ; *karṇaḥ :* Karṇa ; *ca :* et ; *kṛpaḥ :* Kṛpa ; *ca :* et ; *samitiṁ-jayaḥ :* toujours victorieux au combat ; *aśvatthāmā :* Aśvatthāmā ; *vikarṇaḥ :* Vikarṇa ; *ca :* de même que ; *saumadattiḥ :* le fils de Somadatta ; *tathā :* ainsi que ; *eva :* certes ; *ca :* aussi.

**Il s'agit d'hommes de guerre qui, comme toi, comme Bhīṣma, Karṇa, Kṛpa, Aśvatthāmā, Vikarṇa et Bhūriśravā, le fils de Somadatta, furent toujours victorieux au combat.**

Duryodhana nomme ici les plus brillants héros de son armée, ceux qui dans tous leurs combats furent vainqueurs : Vikarṇa, frère de Duryodhana ; Aśvatthāmā, fils de Droṇācārya ; Saumadatti – qu'on appelle aussi Bhūriśravā – fils du roi des Bāhlīkas ; Karṇa, le demi-frère d'Arjuna, né de Kuntī avant son mariage avec le roi Pāṇḍu ; et Kṛpācārya, beau-frère de Droṇācārya, qui épousa sa sœur jumelle.

**1.9** अन्ये च बहवः शूरा मदर्थे त्यक्तजीविताः ।
नानाशस्त्रप्रहरणाः सर्वे युद्धविशारदाः ॥ ९ ॥

*anye ca bahavaḥ śūrā, mad-arthe tyakta-jīvitāḥ*
*nānā-śastra-praharaṇāḥ, sarve yuddha-viśāradāḥ*

*anye :* d'autres ; *ca :* aussi ; *bahavaḥ :* en grand nombre ; *śūrāḥ :* héros ; *mat-arthe :* pour moi ; *tyakta-jīvitāḥ :* prêts à risquer leur vie ; *nānā :* plusieurs ; *śastra :* armes ; *praharaṇāḥ :* dotés de ; *sarve :* eux tous ; *yuddha-viśāradāḥ :* rompus à l'art de la guerre.

**Beaucoup d'autres héros encore sont prêts à sacrifier leur vie pour moi, tous dotés d'armes diverses, tous rompus à l'art de la guerre.**

Les autres héros, Jayadratha, Kṛtavarmā, Śalya, etc., sont tous prêts à mourir pour Duryodhana. En d'autres termes, tous sont d'avance condamnés à périr sur le champ de bataille pour avoir rallié son parti, mais lui, fort de la puissance de ses partisans réunis, ne doute pas d'obtenir la victoire.

1.10 अपर्याप्तं तदस्माकं बलं भीष्माभिरक्षितम् ।
पर्याप्तं त्विदमेतेषां बलं भीमाभिरक्षितम् ॥१०॥

*aparyāptaṁ tad asmākaṁ, balaṁ bhīṣmābhirakṣitam*
*paryāptaṁ tv idam eteṣāṁ, balaṁ bhīmābhirakṣitam*

*aparyāptam :* incommensurable; *tat :* cette; *asmākam :* de nous; *balam :* force; *bhīṣma :* par Bhīṣma l'aïeul; *abhirakṣitam :* parfaitement protégée; *paryāptam :* limitée; *tu :* mais; *idam :* toute cette; *eteṣām :* des Pāṇḍavas; *balam :* force; *bhīma :* par Bhīma; *abhirakṣitam :* soigneusement protégée.

**Notre force est immense et nous sommes parfaitement protégés par Bhīṣma l'aïeul, tandis que la force des Pāṇḍavas, qui repose sur les soins attentifs de Bhīma, est limitée.**

Duryodhana compare ici ses forces à celles des Pāṇḍavas. Il croit sans mesure la puissance de son armée puisque Bhīṣma l'ancien, le plus expérimenté des généraux, la protège. En revanche, les armées des Pāṇḍavas sur qui veille Bhīma lui semblent vulnérables, car celui-ci, moins expérimenté, ne peut être comparé à Bhīṣma. Duryodhana, depuis toujours, hait Bhīma, car il sait qu'il est le seul qui puisse un jour le tuer. Ce qui ne l'empêche pas, simultanément, de croire en la victoire, parce qu'à ses côtés se trouve un général bien meilleur que lui – Bhīṣma.

1.11 अयनेषु च सर्वेषु यथाभागमवस्थिताः ।
भीष्ममेवाभिरक्षन्तु भवन्तः सर्व एव हि ॥११॥

*ayaneṣu ca sarveṣu, yathā-bhāgam avasthitāḥ*
*bhīṣmam evābhirakṣantu, bhavantaḥ sarva eva hi*

*ayaneṣu :* aux points stratégiques; *ca :* aussi; *sarveṣu :* partout; *yathā-bhāgam :* tels qu'assignés; *avasthitāḥ :* situés; *bhīṣmam :* à Bhīṣma l'aïeul; *eva :* certes; *abhirakṣantu :* devez donner votre appui; *bhavantaḥ :* vous; *sarve :* tous, respectivement; *eva hi :* certainement.

**Maintenant, depuis les différents points stratégiques de notre formation, donnez tous votre appui au vieux maître Bhīṣma.**

Duryodhana se rend compte à présent qu'en exaltant les prouesses de Bhīṣma, les autres combattants risquent de se sentir déconsidérés. Avec la diplomatie qui lui est coutumière, il tente de redresser la situation. Bhīṣma, comme il le souligne, est incontestablement le plus grand des héros, mais c'est un vieillard. Il faut que de tous côtés, on veille à sa protection. L'ennemi pourrait profiter de son plein engagement sur l'un des flancs de l'armée. Il importe que les héros gardent sans défaillance leur position stratégique pour ne donner à l'ennemi aucune chance de percer les lignes. Duryodhana est convaincu que la victoire des Kurus dépend de la présence de Bhīṣmadeva. Le roi ne doute d'ailleurs pas de son entière loyauté qui a déjà fait ses preuves, comme il ne doute pas non plus de celle de Droṇācārya. L'un et l'autre en effet ne dirent rien quand Draupadī, la femme d'Arjuna, fut dévêtue de force en la présence de tous les grands généraux, quand dans sa situation désespérée elle implora leur aide. Bien qu'il sache que les deux généraux éprouvent de l'affection pour les Pāṇḍavas, il espère fort les voir abandonner leurs sentiments comme ils le firent au cours de la partie de dés où Draupadī fut humiliée.

**1.12** तस्य सञ्जनयन् हर्षं कुरुवृद्धः पितामहः ।
सिंहनादं विनद्योच्चैः शङ्खं दध्मौ प्रतापवान् ॥१२॥

*tasya sañjanayan harṣaṁ, kuru-vṛddhaḥ pitāmahaḥ*
*siṁha-nādaṁ vinadyoccaiḥ, śaṅkhaṁ dadhmau pratāpavān*

*tasya :* sa ; *sañjanayan :* augmentant ; *harṣam :* joie ; *kuru-vṛddhaḥ :* l'aïeul de la dynastie des Kurus (Bhīṣma) ; *pitāmahaḥ :* le grand-père ; *siṁha-nādam :* un son tonitruant, semblable au rugissement d'un lion ; *vinadya :* émettant ; *uccaiḥ :* très fort ; *śaṅkham :* la conque ; *dadhmau :* souffla ; *pratāpa-vān :* le vaillant.

**À cet instant, Bhīṣma, l'illustre et vaillant aïeul de la dynastie des Kurus, grand-père des combattants, souffle très fort dans sa conque qui résonne comme le rugissement d'un lion et réjouit le cœur de Duryodhana.**

L'aïeul de la dynastie Kuru devine le sentiment caché de son petit-fils Duryodhana et ressent pour lui une compassion bien naturelle. Répondant à sa renommée de lion, il souffle impétueusement dans sa conque avec l'espoir de le réconforter. La façon dont il fait sonner la conque montre indirectement à son petit-fils abattu que bien qu'il n'ait aucune chance de victoire puisque le Seigneur Suprême, Kṛṣṇa, se trouve dans le camp adverse, il n'épargnera aucun effort, d'autant que son devoir lui commande de diriger les manœuvres.

**1.13**

ततः शङ्खाश्च भेर्यश्च पणवानकगोमुखाः ।
सहसैवाभ्यहन्यन्त स शब्दस्तुमुलोऽभवत् ॥१३॥

*tataḥ śaṅkhāś ca bheryaś ca, paṇavānaka-gomukhāḥ*
*sahasaivābhyahanyanta, sa śabdas tumulo 'bhavat*

*tataḥ :* ensuite ; *śaṅkhāḥ :* les conques ; *ca :* aussi ; *bheryaḥ :* les gros tambours ; *ca :* et ; *paṇava-ānaka :* les petits tambours et les timbales ; *go-mukhāḥ :* les cors ; *sahasā :* soudainement ; *eva :* certes ; *abhyahanyanta :* se firent entendre simultanément ; *saḥ :* ce ; *śabdaḥ :* son conjugué ; *tumulaḥ :* tumultueux ; *abhavat :* devint.

**Et soudain, les conques, les tambours, les bugles, les cors et les trompettes retentissent. Leurs vibrations confondues provoquent un grand tumulte.**

**1.14**

ततः श्वेतैर्हयैर्युक्ते महति स्यन्दने स्थितौ ।
माधवः पाण्डवश्चैव दिव्यौ शङ्खौ प्रदध्मतुः ॥१४॥

*tataḥ śvetair hayair yukte, mahati syandane sthitau*
*mādhavaḥ pāṇḍavaś caiva, divyau śaṅkhau pradadhmatuḥ*

*tataḥ :* ensuite ; *śvetaiḥ :* blancs ; *hayaiḥ :* par des chevaux ; *yukte :* tiré ; *mahati :* sur un grand ; *syandane :* char ; *sthitau :* situés ; *mādhavaḥ :* l'époux de la déesse de la fortune (Kṛṣṇa) ; *pāṇḍavaḥ :* le fils de Pāṇḍu (Arjuna) ; *ca :* aussi ; *eva :* certainement ; *divyau :* transcendantales ; *śaṅkhau :* les conques ; *pradadhmatuḥ :* firent résonner.

**Dans l'autre camp, debouts sur leur grand char que tirent des chevaux blancs, Kṛṣṇa et Arjuna soufflent dans leurs conques divines.**

Les conques de Kṛṣṇa et Arjuna sont dites divines et non celle de Bhīṣmadeva. En résonnant, ces conques transcendantales indiquent qu'il n'y a aucun espoir de victoire pour le camp des Kurus puisque Kṛṣṇa est aux côtés des Pāṇḍavas. *Jayas tu pāṇḍu-putrāṇāṁ yaṣāṁ pakṣe janārdanaḥ.* La victoire accompagne toujours ceux qui, à l'instar des fils de Pāṇḍu, ont le Seigneur pour allié.

Là où est le Seigneur se trouve aussi la déesse de la fortune qui ne quitte jamais son époux. Victoire et fortune attendent donc Arjuna comme l'atteste le son transcendant de la conque de Viṣṇu, Kṛṣṇa. En outre, le char dans lequel les deux amis sont assis est un cadeau qu'Arjuna a reçu d'Agni, le *deva* du feu. Autrement dit, le char peut se déplacer dans toutes les directions, partout dans les trois mondes.

1.15 पाञ्चजन्यं हृषीकेशो देवदत्तं धनञ्जयः ।
पौण्ड्रं दध्मौ महाशङ्खं भीमकर्मा वृकोदरः ॥१५॥

*pāñcajanyaṁ hṛṣīkeśo, devadattaṁ dhanañjayaḥ*
*pauṇḍraṁ dadhmau mahā-śaṅkhaṁ, bhīma-karmā vṛkodaraḥ*

*pāñcajanyam :* la conque nommée Pāñcajanya ; *hṛṣīka-īśaḥ :* Hṛṣīkeśa, ou Celui qui gouverne les sens de Ses dévots (Kṛṣṇa) ; *devadattam :* la conque nommée Devadatta ; *dhanam-jayaḥ :* Dhanañjaya, ou le conquérant des richesses (Arjuna) ; *pauṇḍram :* la conque nommée Pauṇḍra ; *dadhmau :* soufflèrent ; *mahā-śaṅkham :* la conque formidable ; *bhīma-karmā :* qui accomplit des tâches herculéennes ; *vṛka-udaraḥ :* le mangeur vorace (Bhīma).

**Kṛṣṇa souffle dans Sa conque, Pāñcajanya ; Arjuna dans la sienne, Devadatta ; et Bhīma, le mangeur vorace, auteur d'exploits surhumains, fait retentir la formidable Pauṇḍra.**

Kṛṣṇa est nommé Hṛṣīkeśa dans ce verset, car Il est le possesseur des sens de tous les êtres. Les philosophes impersonnalistes, incapables d'expliquer la présence des sens dans l'être vivant, se hâtent de l'en prétendre dépourvu et de conclure à son impersonnalité. Pourtant, comme les entités vivantes sont partie intégrante de Kṛṣṇa, leurs sens sont également partie intégrante de Ses sens. En réalité, Kṛṣṇa, sis en leur cœur, dirige leurs sens selon leur degré d'abandon à Sa personne. Dans le cas de Son pur dévot par exemple, Il les gouverne directement. Ainsi contrôle-t-Il directement, sur le champ de bataille de Kurukṣetra, les sens transcendants d'Arjuna. De là Son nom de Hṛṣīkeśa.

Le Seigneur a différents noms qui font chacun référence à l'une de Ses activités : Madhusūdana, entre autres, parce qu'Il a tué le démon Madhu ; Govinda, car Il est source de plaisir pour les vaches et les sens de tous les êtres ; Vāsudeva, attendu qu'Il apparut comme fils de Vasudeva ; Devakī-nandana, puisqu'Il prit Devakī pour mère ; Yaśodā-nandana, car Il offrit à Yaśodā l'opportunité de connaître Ses divertissements d'enfance au village de Vṛndāvana ; Pārtha-sārathi, parce qu'Il conduit le char de Son ami Arjuna, et Hṛṣīkeśa, pour les directives qu'Il lui donne.

Dans ce verset, Arjuna est nommé Dhanañjaya pour avoir aidé son frère aîné à amasser les richesses nécessaires à l'accomplissement de divers sacrifices, et Bhīma est nommé Vṛkodara en raison d'un appétit aussi extraordinaire que son pouvoir d'accomplir des tâches herculéennes telles que la mise à mort du démoniaque Hiḍimba.

À présent, les plus grands chefs de l'armée des Pāṇḍavas font retentir leurs conques à l'unisson de celle du Seigneur. Elles encouragent vivement les soldats. Le camp opposé, pour sa part, ne possède aucun de ces avantages et ne peut ni compter sur la présence du maître suprême, Kṛṣṇa, ni sur celle de la déesse de la fortune. Sa défaite est déjà écrite. Tel est le message envoyé par le son des conques.

**1.16–18**

अनन्तविजयं राजा कुन्तीपुत्रो युधिष्ठिरः ।
नकुलः सहदेवश्च सुघोषमणिपुष्पकौ ॥१६॥

काश्यश्च परमेष्वासः शिखण्डी च महारथः ।
धृष्टद्युम्नो विराटश्च सात्यकिश्चापराजितः ॥१७॥

द्रुपदो द्रौपदेयाश्च सर्वशः पृथिवीपते ।
सौभद्रश्च महाबाहुः शङ्खान्दध्मुः पृथक्पृथक् ॥१८॥

*anantavijayaṁ rājā, kuntī-putro yudhiṣṭhiraḥ*
*nakulaḥ sahadevaś ca, sughoṣa-maṇipuṣpakau*

*kāśyaś ca parameṣv-āsaḥ, śikhaṇḍī ca mahā-rathaḥ*
*dhṛṣṭadyumno virāṭaś ca, sātyakiś cāparājitaḥ*

*drupado draupadeyāś ca, sarvaśaḥ pṛthivī-pate*
*saubhadraś ca mahā-bāhuḥ, śaṅkhān dadhmuḥ pṛthak pṛthak*

*ananta-vijayam :* la conque nommée Anantavijaya ; *rājā :* le roi ; *kuntī-putraḥ :* fils de Kuntī ; *yudhiṣṭhiraḥ :* Yudhiṣṭhira ; *nakulaḥ :* Nakula ; *sahadevaḥ :* Sahadeva ; *ca :* et ; *sughoṣa-maṇipuṣpakau :* les conques nommées Sughoṣa et Maṇipuṣpaka ; *kāśyaḥ :* le roi de Kāśī (Vārāṇasī) ; *ca :* et ; *parama-iṣu-āsaḥ :* le grand archer ; *śikhaṇḍī :* Śikhaṇḍī ; *ca :* aussi ; *mahā-rathaḥ :* capable d'affronter seul des milliers de guerriers ; *dhṛṣṭa-dyumnaḥ :* Dhṛṣṭadyumna (le fils du roi Drupada) ; *virāṭaḥ :* Virāṭa (le prince qui avait donné refuge aux Pāṇḍavas alors qu'ils devaient vivre sous une autre identité) ; *ca :* aussi ; *sātyakiḥ :* Sātyaki (un autre nom de Yuyudhāna, le conducteur du char de Kṛṣṇa) ; *ca :* et ; *aparājitaḥ :* qui n'avait jamais été vaincu ; *drupadaḥ :* Drupada (le roi du Pāñcāla) ; *draupadeyāḥ :* les fils de Draupadī ; *ca :* aussi ; *sarvaśaḥ :* tous ; *pṛthivī-pate :* ô roi ; *saubhadraḥ :* le fils de Subhadrā (Abhimanyu) ; *ca :* aussi ; *mahā-bāhuḥ :* aux bras puissants ; *śaṅkhān :* dans les conques ; *dadhmuḥ :* soufflèrent ; *pṛthak pṛthak :* individuellement.

**Le roi Yudhiṣṭhira, fils de Kuntī, fait résonner sa conque, Anantavijaya. Nakula et Sahadeva soufflent dans Sughoṣa et Maṇipuṣpaka. Puis le roi de Kāśī, glorieux archer, l'illustre guerrier Śikhaṇḍī, Dhṛṣṭadyumna, Virāṭa, l'invincible Sātyaki, Drupada, les fils de**

**Draupadī, et d'autres encore, ô roi, comme le fils aux bras puissants de Subhadrā, font également sonner leur conque.**

Avec beaucoup de tact, Sañjaya fait comprendre à Dhṛtarāṣṭra que sa politique visant à tromper les fils de Pāṇḍu pour installer sur le trône ses propres fils est malavisée et fort peu louable. Certains signes indiquent d'ailleurs que la dynastie des Kurus sera décimée au cours de cette grande bataille. Les combattants sont tous condamnés, de Bhīṣma, l'aïeul, jusqu'à ses petits-fils comme Abhimanyu, et d'autres encore comme les rois des nombreux États du monde. Pour avoir encouragé la conduite de ses fils, le roi Dhṛtarāṣṭra est responsable de la catastrophe à venir.

**1.19** स घोषो धार्तराष्ट्राणां हृदयानि व्यदारयत् ।
नभश्च पृथिवीं चैव तुमुलोऽभ्यनुनादयन् ॥१९॥

*sa ghoṣo dhārtarāṣṭrāṇāṁ, hṛdayāni vyadārayat*
*nabhaś ca pṛthivīṁ caiva, tumulo 'bhyanunādayan*

*saḥ* : cette; *ghoṣaḥ* : vibration; *dhārtarāṣṭrāṇām* : des fils de Dhṛtarāṣṭra; *hṛdayāni* : les cœurs; *vyadārayat* : déchira; *nabhaḥ* : le ciel; *ca* : aussi; *pṛthivīm* : la surface de la terre; *ca* : aussi; *eva* : certes; *tumulaḥ* : assourdissante; *abhyanunādayan* : en résonnant.

**Le mugissement des conques devient bientôt assourdissant. Se répercutant au ciel et sur la terre, il déchire le cœur des fils de Dhṛtarāṣṭra.**

Il n'est dit nulle part que le son des conques de Bhīṣma et des partisans de Duryodhana ait suscité la moindre affliction dans le camp des Pāṇḍavas. En revanche, on voit bien dans ce verset que le rugissement des conques des Pāṇḍavas ébranle le courage des fils de Dhṛtarāṣṭra. Si les Pāṇḍavas peuvent inspirer tant de crainte au camp ennemi, c'est qu'ils ont confiance en Kṛṣṇa. Celui qui se réfugie auprès du Seigneur Suprême ne connaît plus la peur, même au sein des pires calamités.

**1.20** अथ व्यवस्थितान्दृष्ट्वा धार्तराष्ट्रान् कपिध्वजः ।
प्रवृत्ते शस्त्रसम्पाते धनुरुद्यम्य पाण्डवः ।
हृषीकेशं तदा वाक्यमिदमाह महीपते ॥२०॥

*atha vyavasthitān dṛṣṭvā, dhārtarāṣṭrān kapi-dhvajaḥ*
*pravṛtte śastra-sampāte, dhanur udyamya pāṇḍavaḥ*
*hṛṣīkeśaṁ tadā vākyam, idam āha mahī-pate*

*atha :* alors ; *vyavasthitān :* situé ; *dṛṣṭvā :* observant ; *dhārtarāṣṭrān :* les fils de Dhṛtarāṣṭra ; *kapi-dhvajaḥ :* celui dont Hanumān marquait l'étendard ; *pravṛtte :* alors qu'il s'apprêtait ; *śastra-sampāte :* à décocher ses flèches ; *dhanuḥ :* son arc ; *udyamya :* saisissant ; *pāṇḍavaḥ :* le fils de Pāṇḍu (Arjuna) ; *hṛṣīkeśam :* à Kṛṣṇa ; *tadā :* à ce moment ; *vākyam :* paroles ; *idam :* ces ; *āha :* dit ; *mahī-pate :* ô roi.

**Alors, assis sur son char dont l'étendard porte l'emblème d'Hanumān, Arjuna, le fils de Pāṇḍu, saisit son arc et s'apprête à décocher ses flèches. Toutefois, ô roi, après avoir observé les fils de Dhṛtarāṣṭra rangés en formation de combat, il se tourne vers Kṛṣṇa.**

Le combat est sur le point de s'engager. Comme nous l'avons vu, les fils de Dhṛtarāṣṭra sont plus ou moins démoralisés par le déploiement inattendu des forces des Pāṇḍavas guidées par le Seigneur Lui-même.

Un autre signe propice annonce la victoire prochaine des Pāṇḍavas : l'étendard d'Arjuna a pour emblème Hanumān. On sait qu'Hanumān, entièrement dévoué à Śrī Rāma, L'assista lors de Son combat victorieux contre Rāvaṇa. Aujourd'hui donc, Hanumān et Rāma sont présents sur le char d'Arjuna, prêts à l'aider. Kṛṣṇa est Rāma Lui-même, Rāma toujours accompagné d'Hanumān, Son serviteur éternel, et de Sītā, la déesse de la fortune, Sa compagne éternelle. Arjuna n'a par conséquent à redouter personne, d'autant que Kṛṣṇa, le maître des sens, lui donne des directives personnelles. Il a le meilleur conseiller militaire. Ces conditions favorables ont été arrangées par le Seigneur pour Son dévot, et sont les gages d'une victoire assurée.

**1.21–22**

अर्जुन उवाच
सेनयोरुभयोर्मध्ये रथं स्थापय मेऽच्युत ।
यावदेतान्निरीक्षेऽहं योद्धुकामानवस्थितान् ॥२१॥
कैर्मया सह योद्धव्यमस्मिन् रणसमुद्यमे ॥२२॥

*arjuna uvāca*
*senayor ubhayor madhye, rathaṁ sthāpaya me 'cyuta*
*yāvad etān nirīkṣe 'haṁ, yoddhu-kāmān avasthitān*
*kair mayā saha yoddhavyam, asmin raṇa-samudyame*

*arjunaḥ uvāca :* Arjuna dit ; *senayoḥ :* armées ; *ubhayoḥ :* des deux ; *madhye :* au milieu ; *ratham :* char ; *sthāpaya :* veuille placer ; *me :* mon ; *acyuta :* ô Infaillible ; *yāvat :* tant que ; *etān :* tous ceux ; *nirīkṣe :* puisse voir ; *aham :* je ; *yoddhu-kāmān :* désireux de combattre ; *avasthitān :* alignés sur le champ de bataille ; *kaiḥ :* contre qui ; *mayā :* par moi ; *saha :* ensemble ; *yoddhavyam :* combattre ; *asmin :* dans ce ; *raṇa :* conflit ; *samudyame :* au cours de l'engagement.

**Arjuna dit : Ô Toi l'Infaillible, je T'en prie, conduis mon char entre les deux armées, que je puisse voir qui est sur les lignes, qui désire combattre, qui je devrai affronter lors de ce jugement des armes.**

Bien qu'Il soit Dieu Lui-même, Kṛṣṇa S'est mis au service d'Arjuna, Son ami, de par Sa miséricorde immotivée. On Le nomme ici l'Infaillible, parce que Son affection pour Ses dévots ne faillit jamais. Il est l'Infaillible, car dans Son rôle de conducteur de char, Il obéit sans hésiter aux ordres d'Arjuna. Toutefois, bien qu'Il accepte cette position subordonnée, Sa suprématie n'est pas remise en cause. En toutes circonstances, Il demeure Hṛṣīkeśa, Dieu, la Personne Suprême, le maître des sens de tous les êtres. Les sentiments qu'échangent le Seigneur et Son serviteur sont très tendres et purement spirituels. Tout comme le dévot cherche toujours à servir le Seigneur, le Seigneur cherche toujours à servir Son dévot. Il éprouve plus de plaisir à voir Son dévot Lui donner des ordres qu'à commander Lui-même. Il est le maître absolu. Tous les êtres Lui sont subordonnés. Il n'y a personne au-dessus de Lui pour Le commander. Néanmoins, voir Son dévot Lui donner des ordres Le remplit d'une joie transcendantale. Cela, encore une fois, alors qu'Il est l'infaillible souverain en toute circonstance.

Arjuna est un pur dévot de Dieu. Il n'a donc pas le moindre désir de lutter contre ses proches. S'il y est contraint, c'est à cause de Duryodhana qui se refuse à toute négociation pacifique. Aussi désire-t-il absolument savoir quels chefs sont présents sur le champ de bataille. Ce n'est, évidemment, ni le moment ni l'heure de proposer un nouvel accord de paix. Toujours est-il qu'Arjuna veut voir leur visage et savoir à quel point ils tiennent à engager un combat aussi regrettable.

**1.23** योत्स्यमानानवेक्षेऽहं य एतेऽत्र समागताः ।
धार्तराष्ट्रस्य दुर्बुद्धेर्युद्धे प्रियचिकीर्षवः ॥२३॥

*yotsyamānān avekṣe 'haṁ, ya ete 'tra samāgatāḥ*
*dhārtarāṣṭrasya durbuddher, yuddhe priya-cikīrṣavaḥ*

*yotsyamānān :* ceux qui vont combattre; *avekṣe :* laisse voir; *aham :* moi; *ye :* qui; *ete :* ceux; *atra :* ici; *samāgatāḥ :* réunis; *dhārtarāṣṭrasya :* du fils de Dhṛtarāṣṭra; *durbuddheḥ :* malveillant; *yuddhe :* dans le combat; *priya :* le bien; *cikīrṣavaḥ :* souhaitant.

**Laisse-moi voir ceux qui sont venus ici se battre dans l'espoir de plaire au fils malveillant de Dhṛtarāṣṭra.**

Duryodhana nourrit depuis longtemps le désir d'usurper le royaume des Pāṇḍavas. Secret de polichinelle que son secret, car tout le monde connaît les plans maléfiques qu'il a échafaudés avec son père Dhṛtarāṣṭra. Ceux qui ont rallié son camp doivent donc être des individus de la même espèce. Arjuna veut les voir pour connaître leur identité sans qu'il soit pour autant question de proposer la paix. Il souhaite également estimer leur force, bien qu'avec Kṛṣṇa à ses côtés, il soit sûr de l'emporter.

**1.24** सञ्जय उवाच
एवमुक्तो हृषीकेशो गुडाकेशेन भारत ।
सेनयोरुभयोर्मध्ये स्थापयित्वा रथोत्तमम् ॥२४॥

*sañjaya uvāca*
*evam ukto hṛṣīkeśo, guḍākeśena bhārata*
*senayor ubhayor madhye, sthāpayitvā rathottamam*

*sañjayaḥ uvāca :* Sañjaya dit ; *evam :* ainsi ; *uktaḥ :* prié ; *hṛṣīkeśaḥ :* Śrī Kṛṣṇa ; *guḍākeśena :* par Arjuna ; *bhārata :* ô descendant de Bharata ; *senayoḥ :* armées ; *ubhayoḥ :* des deux ; *madhye :* au milieu ; *sthāpayitvā :* plaçant ; *ratha-uttamam :* le plus splendide des chars.

**Sañjaya dit : À la requête d'Arjuna, ô descendant de Bharata, Kṛṣṇa mène le char splendide entre les deux armées.**

Dans ce verset, Sañjaya appelle Arjuna « Guḍākeśa ». Ce nom vient de *guḍākā,* « sommeil », et désigne celui qui l'a vaincu. Le sommeil étant une forme d'ignorance, si l'on donne ce nom à Arjuna, c'est que son amitié pour Kṛṣṇa lui a non seulement permis de dominer le sommeil, mais également de vaincre l'ignorance. Parce qu'il se voue entièrement au Seigneur, il ne peut L'oublier, fût-ce un instant. Telle est la nature du dévot de Kṛṣṇa. Qu'il veille ou qu'il dorme, il pense constamment au nom de Kṛṣṇa, à Sa forme, à Ses attributs, à Ses divertissements. Comme il s'absorbe toujours en ces pensées, il conquiert le sommeil et l'ignorance. Voilà ce qu'est la conscience de Kṛṣṇa, le *samādhi*. Kṛṣṇa est Hṛṣīkeśa, le maître des sens et du mental de chaque être. Il sait donc pourquoi Arjuna veut placer son char entre les deux armées.

**1.25** भीष्मद्रोणप्रमुखतः सर्वेषां च महीक्षिताम् ।
उवाच पार्थ पश्यैतान् समवेतान् कुरूनिति ॥२५॥

*bhīṣma-droṇa-pramukhataḥ, sarveṣāṁ ca mahī-kṣitām*
*uvāca pārtha paśyaitān, samavetān kurūn iti*

*bhīṣma :* Bhīṣma l'aïeul ; *droṇa :* Droṇa, le précepteur ; *pramukhataḥ :* devant ; *sarveṣām :* tous ; *ca :* aussi ; *mahī-kṣitām :* les chefs du monde ; *uvāca :* dit ; *pārtha :* ô fils de Pṛthā ; *paśya :* regarde ; *etān :* eux tous ; *samavetān :* réunis ; *kurūn :* les membres de la dynastie Kuru ; *iti :* ainsi.

**Puis, devant Bhīṣma, Droṇa et les autres princes de ce monde, le Seigneur dit : « Regarde, Pārtha, l'assemblée de tous les Kurus. »**

Kṛṣṇa étant l'Âme Suprême sise en chaque être, Il sait ce qui préoccupe Arjuna. Dans ce contexte, le nom Hṛṣīkeśa indique que le Seigneur sait tout. Arjuna, lui, est appelé Pārtha, « fils de Pṛthā, ou Kuntī », car Kṛṣṇa, son ami, désire qu'il comprenne que s'Il a accepté de conduire son char, c'est parce qu'il est le fils de Sa tante Pṛthā, sœur de Son père Vasudeva. Mais pour quelle raison dit-Il à Arjuna de regarder les Kurus ? Arjuna voudrait-il refuser la lutte ? Ce n'est pas ce qu'attend Kṛṣṇa du fils de Sa tante Pṛthā. Aussi devance-t-Il ses pensées par une plaisanterie amicale.

1.26 तत्रापश्यत्स्थितान् पार्थः पितॄनथ पितामहान् ।
आचार्यान्मातुलान् भ्रातॄन् पुत्रान् पौत्रान् सखींस्तथा ।
श्वशुरान् सुहृदश्चैव सेनयोरुभयोरपि ॥२६॥

*tatrāpaśyat sthitān pārthaḥ, pitṝn atha pitāmahān*
*ācāryān mātulān bhrātṝn, putrān pautrān sakhīṁs tathā*
*śvaśurān suhṛdaś caiva, senayor ubhayor api*

*tatra :* là ; *apaśyat :* pouvait voir ; *sthitān :* présents ; *pārthaḥ :* Arjuna ; *pitṝn :* pères ; *atha :* aussi ; *pitāmahān :* grands-pères ; *ācāryān :* précepteurs ; *mātulān :* oncles maternels ; *bhrātṝn :* frères ; *putrān :* fils ; *pautrān :* petits-fils ; *sakhīn :* amis ; *tathā :* également ; *śvaśurān :* beaux-pères ; *suhṛdaḥ :* bienfaiteurs ; *ca :* aussi ; *eva :* certes ; *senayoḥ :* des armées ; *ubhayoḥ :* des deux camps ; *api :* y compris.

**Arjuna aperçoit alors dans les rangs des deux armées, ses pères, grands-pères, précepteurs, oncles maternels, frères, fils, petits-fils et amis, ainsi que ses beaux-pères et ses bienfaiteurs.**

Arjuna découvre sur le champ de bataille toutes sortes de parents et amis. Certains comme Bhūriśravā sont de la génération de son père. D'autres comme Droṇācārya et Kṛpācārya furent ses précepteurs. Sont également présents ses grands-parents, Bhīṣma et Somadatta, certains de ses oncles maternels comme Śalya et Śakuni, des frères comme Duryodhana, des fils comme Lakṣmaṇa, des amis comme Aśvatthāmā, et d'autres encore comme Kṛtavarmā, qui se sont toujours montrés bien disposés à son égard. Il découvre également dans les différents bataillons nombre de ses amis.

1.27 तान् समीक्ष्य स कौन्तेयः सर्वान् बन्धूनवस्थितान् ।
कृपया परयाविष्टो विषीदन्निदमब्रवीत् ॥२७॥

*tān samīkṣya sa kaunteyaḥ, sarvān bandhūn avasthitān*
*kṛpayā parayāviṣṭo, viṣīdann idam abravīt*

*tān :* eux tous; *samīkṣya :* après avoir vu; *saḥ :* il; *kaunteyaḥ :* le fils de Kuntī; *sarvān :* toutes sortes de; *bandhūn :* parents; *avasthitān :* présents; *kṛpayā :* par une compassion; *parayā :* de haut niveau; *āviṣṭaḥ :* envahi; *viṣīdan :* tout en s'affligeant; *idam :* ainsi; *abravīt :* parla.

**Lorsqu'il voit ceux à qui il est lié par différents degrés d'amitié ou de parenté, Arjuna, le fils de Kuntī, est saisi d'une grande compassion. Désemparé, il s'adresse au Seigneur.**

1.28 अर्जुन उवाच
दृष्ट्वेमं स्वजनं कृष्ण युयुत्सुं समुपस्थितम् ।
सीदन्ति मम गात्राणि मुखं च परिशुष्यति ॥२८॥

*arjuna uvāca*
*dṛṣṭvemaṁ sva-janaṁ kṛṣṇa, yuyutsuṁ samupasthitam*
*sīdanti mama gātrāṇi, mukhaṁ ca pariśuṣyati*

*arjunaḥ uvāca :* Arjuna dit; *dṛṣṭvā :* après avoir vu; *imam :* tous ses; *sva-janam :* proches; *kṛṣṇa :* ô Kṛṣṇa; *yuyutsum :* tous animés d'un sentiment belliqueux; *samupasthitam :* présents; *sīdanti :* tremblent; *mama :* mes; *gātrāṇi :* membres; *mukham :* bouche; *ca :* aussi; *pariśuṣyati :* se dessèche.

**Arjuna dit : Cher Kṛṣṇa, de voir les miens animés d'une flamme guerrière, mes membres tremblent et ma bouche se dessèche.**

L'être qui éprouve une dévotion véritable pour le Seigneur a toutes les qualités des saints et des *devas.* Inversement, l'être qui n'est pas illuminé par cet amour est dépourvu de telles qualités, quels que soient les mérites d'ordre matériel que lui ont conférés sa culture et son éducation. Maintenant qu'il a vu ses parents et amis sur le champ de bataille, Arjuna ressent une grande compassion pour eux qui ont décidé de lutter les uns contre les autres. Il éprouve depuis le début beaucoup de sympathie pour ses propres soldats, mais voilà qu'il s'apitoie sur le sort des guerriers du camp ennemi dont il prévoit la mort imminente. À cette pensée, ses membres tremblent et sa bouche se dessèche. Il s'étonne de les voir aussi belliqueux. Pratiquement tous ceux qui sont venus combattre sont du même sang que lui. Cela bouleverse un dévot aussi bienveillant qu'Arjuna, et bien qu'on ne le mentionne pas ici, il est facile d'imaginer que non seulement ses membres tremblent et sa bouche se dessèche, mais encore qu'il pleure de pitié. Ces symptômes ne sont certes pas des signes de faiblesse. Il s'agit plutôt de la tendresse de cœur d'un pur *bhakta*. Le *Śrīmad-Bhāgavatam* (5.18.12) dit à ce sujet :

*yasyāsti bhaktir bhagavaty akiñcanā*
*sarvair guṇais tatra samāsate surāḥ*
*harāv abhaktasya kuto mahad-guṇā*
*mano-rathenāsati dhāvato bahiḥ*

« L'homme qui éprouve une dévotion constante pour la Personne Suprême possède toutes les qualités des *devas.* Celui qui n'en ressent aucune, par contre, n'a que des atouts matériels de peu de prix, car il erre sur le plan mental et subit la fascination de l'énergie matérielle. »

**1.29** वेपथुश्च शरीरे मे रोमहर्षश्च जायते ।
गाण्डीवं स्रंसते हस्तात्त्वक्चैव परिदह्यते ॥२९॥

*vepathuś ca śarīre me, roma-harṣaś ca jāyate*
*gāṇḍīvaṁ sraṁsate hastāt, tvak caiva paridahyate*

*vepathuḥ :* le frémissement du corps ; *ca :* aussi ; *śarīre :* sur le corps ; *me :* de moi ; *roma-harṣaḥ :* le hérissement des poils ; *ca :* aussi ; *jāyate :* se produit ; *gāṇḍīvam :* l'arc d'Arjuna ; *sraṁsate :* glisse ; *hastāt :* de la main ; *tvak :* la peau ; *ca :* aussi ; *eva :* certes ; *paridahyate :* brûle.

**Tout mon corps frémit, mes poils se hérissent, mon arc Gāṇḍīva me tombe des mains et la peau me brûle.**

Le corps d'un homme frémit, ses poils se hérissent, en deux occasions bien précises : au cours d'une grande extase spirituelle ou à la suite d'une grande frayeur provoquée par des événements matériels.

La peur n'existe plus quand on a atteint la réalisation spirituelle. Les phénomènes qui affectent le corps d'Arjuna ont donc pour cause une crainte d'ordre matériel : la peur de la mort. D'autres symptômes rendent la chose plus évidente encore ; il est tellement tourmenté que son arc célèbre, Gāṇḍīva, lui glisse des mains, et parce que son cœur s'embrase, il éprouve une sensation de brûlure sur la peau. Ces symptômes ont pour origine une conception matérielle de la vie.

1.30 न च शक्नोम्यवस्थातुं भ्रमतीव च मे मनः ।
निमित्तानि च पश्यामि विपरीतानि केशव ॥३०॥

*na ca śaknomy avasthātuṁ, bhramatīva ca me manaḥ*
*nimittāni ca paśyāmi, viparītāni keśava*

*na :* non plus ; *ca :* aussi ; *śaknomi :* suis-je capable ; *avasthātum :* de demeurer ; *bhramati :* oubliant ; *iva :* comme ; *ca :* et ; *me :* mon ; *manaḥ :* mental ; *nimittāni :* les causes ; *ca :* aussi ; *paśyāmi :* je vois ; *viparītāni :* tout juste le contraire ; *keśava :* ô vainqueur du monstre Keśī (Kṛṣṇa).

**Je ne puis demeurer ici plus longtemps. Je ne suis plus maître de moi ; mon esprit s'égare. Ô Kṛṣṇa, vainqueur du monstre Keśī, je ne présage que de funestes événements.**

Arjuna est saisi d'une telle angoisse qu'il ne peut rester plus longtemps sur le champ de bataille. Son désarroi lui fait perdre la maîtrise de soi. Un trop grand attachement aux choses de ce monde plonge automatiquement l'homme dans une telle confusion. Le *Śrīmad-Bhāgavatam* (11.2.37) dit à ce propos : *bhayaṁ dvitīyābhiniveśataḥ syāt* – la peur et le déséquilibre mental envahissent celui qui se laisse trop affecter par les diverses circonstances de la vie matérielle.

Arjuna ne prévoit maintenant que des événements funestes. Il pense que même la victoire ne lui apportera aucune joie. L'emploi des termes *nimittāni viparītāni* est, à ce titre, plein d'enseignement ; il indique que le trouble dans lequel est plongé l'homme frustré dans ses espérances lui fait se demander : « Pourquoi suis-je ici ? » En général, chacun se préoccupe de soi et de son propre bien-être. Personne ne s'intéresse au Soi Suprême, à Dieu. Arjuna laisse entrevoir ici, de par la volonté de Kṛṣṇa, qu'il ignore quel est son véritable intérêt. C'est en servant Viṣṇu, Kṛṣṇa, que les véritables intérêts de chacun sont comblés. Dès que l'âme conditionnée oublie cela, elle souffre des misères matérielles. Arjuna pense que, vu la situation dans laquelle il se trouve, la victoire ne lui sera qu'une source de lamentation.

1.31 न च श्रेयोऽनुपश्यामि हत्वा स्वजनमाहवे ।
न काङ्क्षे विजयं कृष्ण न च राज्यं सुखानि च ॥३१॥

*na ca śreyo 'nupaśyāmi, hatvā sva-janam āhave*
*na kāṅkṣe vijayaṁ kṛṣṇa, na ca rājyaṁ sukhāni ca*

*na :* non plus ; *ca :* aussi ; *śreyaḥ :* un bienfait ; *anupaśyāmi :* je prévois ; *hatvā :* en tuant ; *sva-janam :* mes proches ; *āhave :* au combat ; *na :* non plus ; *kāṅkṣe :* je désire ; *vijayam :* la victoire ; *kṛṣṇa :* ô Kṛṣṇa ; *na :* non plus ; *ca :* aussi ; *rājyam :* un royaume ; *sukhāni :* les plaisirs qui s'y rattachent ; *ca :* aussi.

**Je ne vois pas quel bienfait je pourrais retirer de la mort de mes proches, et je n'aspire nullement, cher Kṛṣṇa, à la victoire, au royaume ou aux plaisirs qu'elle pourrait me procurer.**

Ignorant que leur intérêt est subordonné à celui de Viṣṇu – Kṛṣṇa – les êtres conditionnés cherchent à trouver le bonheur dans des relations fondées sur le corps. Cette conception de l'existence les aveugle tellement qu'ils en oublient la cause des joies matérielles.

Il semble qu'Arjuna n'a plus le moindre souvenir du code moral du *kṣatriya.* Il est dit pourtant que deux sortes d'hommes ont qualité pour aller habiter le soleil, cet astre puissant, resplendissant : le *kṣatriya* qui meurt sur le champ de bataille en combattant sur l'ordre direct du Seigneur et le *sannyāsī* qui consacre sa vie à la réalisation spirituelle. Or, Arjuna répugne à tuer ses ennemis – combien plus les membres de sa famille. Il pense que la disparition de ses proches lui enlèvera toute joie et se refuse à combattre, un peu comme celui qui n'a pas faim n'a aucune envie de cuisiner. Dans son désespoir, il préfère se retirer dans la solitude de la forêt. Pourtant, pour vivre, son statut de *kṣatriya* ne lui permet d'autre fonction que le gouvernement d'un royaume. Comme il ne possède aucune terre où régner, la seule façon d'en acquérir une est de se battre contre ses cousins et de reconquérir le royaume légué par son père. Mais c'est justement ce qu'il refuse de faire. Il pense donc n'avoir d'autre choix que de se retirer dans la forêt et y vivre dans l'isolement et la frustration.

1.32–35 किं नो राज्येन गोविन्द किं भोगैर्जीवितेन वा ।
येषामर्थे काङ्क्षितं नो राज्यं भोगाः सुखानि च ॥३२॥

त इमेऽवस्थिता युद्धे प्राणांस्त्यक्त्वा धनानि च ।
आचार्याः पितरः पुत्रास्तथैव च पितामहाः ॥३३॥

मातुलाः श्वशुराः पौत्राः श्यालाः सम्बन्धिनस्तथा ।
एतान्न हन्तुमिच्छामि घ्नतोऽपि मधुसूदन ॥३४॥

अपि त्रैलोक्यराज्यस्य हेतोः किं नु महीकृते ।
निहत्य धार्तराष्ट्रान्नः का प्रीतिः स्याज्जनार्दन ॥३५॥

*kiṁ no rājyena govinda, kiṁ bhogair jīvitena vā*
*yeṣām arthe kāṅkṣitaṁ no, rājyaṁ bhogāḥ sukhāni ca*

*ta ime 'vasthitā yuddhe, prāṇāṁs tyaktvā dhanāni ca*
*ācāryāḥ pitaraḥ putrās, tathaiva ca pitāmahāḥ*

*mātulāḥ śvaśurāḥ pautrāḥ, śyālāḥ sambandhinas tathā*
*etān na hantum icchāmi, ghnato 'pi madhusūdana*

*api trailokya-rājyasya, hetoḥ kiṁ nu mahī-kṛte*
*nihatya dhārtarāṣṭrān naḥ, kā prītiḥ syāj janārdana*

*kim :* à quoi servirait ; *naḥ :* à nous ; *rājyena :* le royaume ; *govinda :* ô Kṛṣṇa ; *kim :* à quoi ; *bhogaiḥ :* la jouissance ; *jīvitena :* la vie ; *vā :* ou ; *yeṣām :* de qui ; *arthe :* dans l'intérêt ; *kāṅkṣitam :* est désiré ; *naḥ :* par nous ; *rājyam :* le royaume ; *bhogāḥ :* les plaisirs matériels ; *sukhāni :* tout le bonheur du monde ; *ca :* aussi ; *te :* eux tous ; *ime :* ceux-ci ; *avasthitāḥ :* présents ; *yuddhe :* sur ce champ de bataille ; *prāṇān :* (leur) vie ; *tyaktvā :* abandonnant ; *dhanāni :* (leurs) richesses ; *ca :* aussi ; *ācāryāḥ :* précepteurs ; *pitaraḥ :* pères ; *putrāḥ :* fils ; *tathā :* ainsi que ; *eva :* certainement ; *ca :* aussi ; *pitāmahāḥ :* grands-pères ; *mātulāḥ :* oncles maternels ; *śvaśurāḥ :* beaux-pères ; *pautrāḥ :* petits-fils ; *śyālāḥ :* beaux-frères ; *sambandhinaḥ :* parents ; *tathā :* ainsi que ; *etān :* tous ceux-ci ; *na :* jamais ; *hantum :* tuer ; *icchāmi :* je ne désire ; *ghnataḥ :* être tué ; *api :* même ; *madhusūdana :* ô vainqueur du démon Madhu (Kṛṣṇa) ; *api :* même si ; *trailokya :* des trois mondes ; *rājyasya :* le royaume ; *hetoḥ :* en échange ; *kim nu :* que dire de ; *mahī-kṛte :* cette terre ; *nihatya :* en tuant ; *dhārtarāṣṭrān :* les fils de Dhṛtarāṣṭra ; *naḥ :* pour nous ; *kā :* quel ; *prītiḥ :* plaisir ; *syāt :* y aurait-il ; *janārdana :* ô soutien de tous les êtres.

**Ô Govinda, à quoi bon un royaume, le bonheur, la vie même, si ceux pour qui nous voulons ces bienfaits sont sur le champ de bataille ? Ô Madhusūdana, mes maîtres, mes fils, mes pères et grands-pères, mes oncles maternels, beaux-pères, petits-fils, beaux-frères et autres proches, sont tous prêts à sacrifier leurs biens et leur vie ; comment pourrais-je souhaiter leur mort, dussé-je par là survivre ? Ô soutien de tous les êtres, je ne peux me résoudre à les affronter, même si l'on me donne les trois mondes en échange, que dire alors de la terre. Quel plaisir obtiendrions-nous en exterminant les fils de Dhṛtarāṣṭra ?**

Arjuna nomme ici Kṛṣṇa « Govinda », car Il est source de plaisir pour les vaches et les sens de tous les êtres. Par ce nom, il laisse entendre que le Seigneur devrait comprendre ce qui satisferait ses sens. Mais Govinda n'existe pas pour la satisfaction de nos sens. Par contre, quand nous nous efforçons de réjouir Ses sens, les nôtres sont automatiquement comblés. Dans l'univers matériel, chacun essaye de contenter ses sens et attend de Dieu qu'Il pourvoie à leur satisfaction. Le Seigneur toutefois, répond à nos prières selon nos mérites et non selon nos souhaits. Mais si nous substituons à notre désir personnel celui de plaire à Govinda, Sa grâce comblera tous nos vœux.

L'affection profonde qu'Arjuna ressent pour les membres de sa famille et de sa communauté est partiellement due à la compassion naturelle qu'il éprouve pour eux. Il n'est donc pas prêt à se battre. D'une manière générale, tout le monde souhaite montrer son opulence à sa famille et à ses amis. Arjuna, en ce qui le concerne, craint de ne pas pouvoir la leur faire partager après la victoire s'ils meurent tous sur le champ de bataille. Ce calcul est typique de la vie matérielle. La vie spirituelle, elle, est bien différente. Désirant satisfaire les souhaits du Seigneur, le dévot accepte pour Son service toutes les opulences si telle est Sa volonté, et n'accepte pas le moindre centime dans le cas contraire.

Arjuna refuse de tuer ses proches. S'il faut absolument qu'ils périssent, il veut que Kṛṣṇa S'en charge Lui-même. Il ignore pour l'instant que Kṛṣṇa les a déjà tués avant même qu'ils ne se rangent sur le champ de bataille. Il ne s'agit pour lui que d'être Son instrument, comme le révéleront les prochains chapitres. Dévot du Seigneur de nature, Arjuna ne souhaite pas, malgré l'impiété de ses frères et cousins, exercer de représailles. Néanmoins, leur mort s'inscrit dans les plans du Seigneur, car si le dévot ne relève pas une injustice dont il est victime, le Seigneur, pour Sa part, ne tolère pas qu'on maltraite Son serviteur. Il pardonne qui L'offense personnellement, mais n'excuse jamais qui s'en prend à Ses dévots. Bien qu'Arjuna souhaite leur pardonner, le Seigneur, Lui, a décidé de tuer les impies.

**1.36** पापमेवाश्रयेदस्मान् हत्वैतानाततायिनः ।
तस्मान्नार्हा वयं हन्तुं धार्तराष्ट्रान् सबान्धवान् ।
स्वजनं हि कथं हत्वा सुखिनः स्याम माधव ॥३६॥

*pāpam evāśrayed asmān, hatvaitān ātatāyinaḥ*
*tasmān nārhā vayaṁ hantuṁ, dhārtarāṣṭrān sa-bāndhavān*
*sva-janaṁ hi kathaṁ hatvā, sukhinaḥ syāma mādhava*

*pāpam :* le vice ; *eva :* certes ; *āśrayet :* s'abattra ; *asmān :* sur nous ; *hatvā :* en tuant ; *etān :* tous ces ; *ātatāyinaḥ :* agresseurs ; *tasmāt :* par conséquent ; *na :* jamais ; *arhāḥ :* digne ; *vayam :* de nous ; *hantum :* de tuer ; *dhārtarāṣṭrān :* les fils de Dhṛtarāṣṭra ;

*sva-bāndhavān :* en même temps que des amis ; *sva-janam :* des proches ; *hi :* certes ; *katham :* comment ; *hatvā :* en tuant ; *sukhinaḥ :* heureux ; *syāma :* deviendrons-nous ; *mādhava :* ô époux de la déesse de la fortune (Kṛṣṇa).

**Nous serions en proie au péché si nous tuions de tels agresseurs. Il serait indigne de nous de faire périr les fils de Dhṛtarāṣṭra et nos amis. Quel en serait le profit, ô Kṛṣṇa, Toi l'époux de la déesse de la fortune ? Comment pourrions-nous être heureux après avoir donné la mort aux nôtres ?**

Les Védas recensent six catégories d'agresseurs : 1) celui qui empoisonne autrui ; 2) celui qui incendie une propriété ; 3) celui qui attaque autrui avec des armes meurtrières ; 4) celui qui s'empare des biens d'autrui ; 5) celui qui occupe la terre d'autrui ; 6) celui qui s'approprie la femme d'autrui.

Bien que l'homme du commun ait le droit de tuer de tels agresseurs, Arjuna, qui n'est pas un homme ordinaire, qui est d'une nature très vertueuse, souhaite agir saintement. Ce genre de sainteté toutefois, ne convient pas à un *kṣatriya.* Si le chef d'État qui se respecte doit avoir le caractère d'un saint, il ne doit pas pour autant être lâche. L'*avatāra* Rāmacandra, pour ne donner qu'un exemple, était si sage qu'aujourd'hui encore les gens voudraient vivre en Son royaume, le *rāma-rājya.* Jamais Il ne montra signe de couardise. Quand Rāvaṇa L'agressa en enlevant Sa femme, Sītā, Rāmacandra lui donna une leçon sans équivalent dans l'histoire du monde.

Arjuna doit évidemment tenir compte du caractère particulier de ses agresseurs. Il s'agit de son propre grand-père, de son précepteur, de ses amis, fils et petits-fils... Au vu de telles conditions, il ne lui semble pas qu'il faille prendre contre eux les mesures sévères prescrites pour les agresseurs ordinaires. D'autant que les Écritures enjoignent aux saints hommes de pardonner. En un mot, il lui semble plus important, conformément à la religion et à la sagesse, d'accorder le pardon plutôt que de tuer les membres de sa famille et ses compatriotes pour répondre simplement à des impératifs politiques. Leur mort n'amènerait qu'un bonheur temporaire. Les plaisirs de la royauté étant éphémères, devrait-il risquer sa vie et son salut éternel pour un si maigre profit ?

Arjuna donne à Kṛṣṇa le nom très révélateur de Mādhava, époux de la déesse de la fortune. Il veut faire remarquer à Kṛṣṇa que puisqu'Il est l'époux de la déesse de la fortune, Il ne devrait pas l'engager dans un combat qui sera finalement la cause de sa mauvaise fortune. Mais

Kṛṣṇa n'est jamais cause d'infortune pour quiconque, et certainement pas pour ceux qui Lui sont entièrement dévoués.

**1.37–38** यद्यप्येते न पश्यन्ति लोभोपहतचेतसः ।
कुलक्षयकृतं दोषं मित्रद्रोहे च पातकम् ॥३७॥
कथं न ज्ञेयमस्माभिः पापादस्मान्निवर्तितुम् ।
कुलक्षयकृतं दोषं प्रपश्यद्भिर्जनार्दन ॥३८॥

*yady apy ete na paśyanti, lobhopahata-cetasaḥ*
*kula-kṣaya-kṛtaṁ doṣaṁ, mitra-drohe ca pātakam*

*kathaṁ na jñeyam asmābhiḥ, pāpād asmān nivartitum*
*kula-kṣaya-kṛtaṁ doṣaṁ, prapaśyadbhir janārdana*

*yadi :* si ; *api :* même ; *ete :* ils ; *na :* ne pas ; *paśyanti :* voient ; *lobha :* par l'avidité ; *upahata :* subjugué ; *cetasaḥ :* leur cœur ; *kula-kṣaya :* en tuant la famille ; *kṛtam :* accomplie ; *doṣam :* faute ; *mitra-drohe :* en se querellant avec des amis ; *ca :* aussi ; *pātakam :* les conséquences du péché ; *katham :* pourquoi ; *na :* ne devrait pas ; *jñeyam :* être connu ; *asmābhiḥ :* de nous ; *pāpāt :* péchés ; *asmāt :* ces ; *nivartitum :* cesser ; *kula-kṣaya :* par la destruction d'une dynastie ; *kṛtam :* accompli ; *doṣam :* un crime ; *prapaśyadbhiḥ :* par ceux qui savent voir ; *janārdana :* ô Kṛṣṇa.

**Ô Janārdana, si, parce qu'ils ont le cœur rongé par l'avidité, ces hommes ne voient aucun mal à détruire leur famille ou à se quereller avec leurs amis, pourquoi nous, qui sommes conscients du crime que représente l'anéantissement d'une dynastie, devrions-nous commettre des actes aussi néfastes ?**

En principe, un *kṣatriya* ne peut refuser un défi, que ce soit pour un jeu ou pour un duel. Arjuna, défié par le camp de Duryodhana ne peut donc se dérober. Il pense néanmoins que ses rivaux n'entrevoient sûrement pas les conséquences désastreuses d'une telle provocation alors que lui les voit, et pour cela, ne peut envisager de combattre. Une obligation ne saurait nous lier que dans la mesure où les résultats sont positifs, sans quoi elle n'a pas lieu d'être. Après avoir pesé le pour et le contre, Arjuna finit par décider de ne pas livrer bataille.

**1.39** कुलक्षये प्रणश्यन्ति कुलधर्माः सनातनाः ।
धर्मे नष्टे कुलं कृत्स्नमधर्मोऽभिभवत्युत ॥३९॥

*kula-kṣaye praṇaśyanti, kula-dharmāḥ sanātanāḥ*
*dharme naṣṭe kulaṁ kṛtsnam, adharmo 'bhibhavaty uta*

*kula-kṣaye :* par la destruction de la famille; *praṇaśyanti :* sont anéanties; *kula-dharmāḥ :* les traditions familiales; *sanātanāḥ :* éternelles; *dharme :* la religion; *naṣṭe :* étant détruite; *kulam :* la famille; *kṛtsnam :* entière; *adharmaḥ :* l'irréligion; *abhibhavati :* transforme; *uta :* il est dit.

**La destruction d'une famille entraîne l'effondrement des traditions familiales éternelles, si bien que ses descendants sombrent dans l'irréligion.**

Le *varṇāśrama-dharma* comprend maints principes moraux qui permettent aux membres d'une famille de grandir en force et sagesse, de bien assimiler tout au long de leur vie les valeurs spirituelles. L'adhésion à ces principes purificateurs est à la charge des membres aînés de la famille. S'ils meurent, il est fort probable que ces principes soient négligés et que la descendance sombre dans l'irréligion, perdant ainsi tout espoir de libération spirituelle. On ne devrait donc tuer les anciens sous aucun prétexte.

1.40 अधर्माभिभवात्कृष्ण प्रदुष्यन्ति कुलस्त्रियः ।
स्त्रीषु दुष्टासु वार्ष्णेय जायते वर्णसङ्करः ॥४०॥

*adharmābhibhavāt kṛṣṇa, praduṣyanti kula-striyaḥ*
*strīṣu duṣṭāsu vārṣṇeya, jāyate varṇa-saṅkaraḥ*

*adharma :* l'irréligion; *abhibhavāt :* ayant pris le dessus; *kṛṣṇa :* ô Kṛṣṇa; *praduṣyanti :* se corrompent; *kula-striyaḥ :* les femmes de la famille; *strīṣu :* de la gent féminine; *duṣṭāsu :* du fait de cette dégradation; *vārṣṇeya :* ô descendant de Vṛṣṇi; *jāyate :* voit le jour; *varṇa-saṅkaraḥ :* une progéniture non désirée.

**Lorsque l'irréligion s'empare de la famille, ô Kṛṣṇa, ô descendant de Vṛṣṇi, les femmes se corrompent, et de leur dégradation, naît une progéniture non désirée.**

Une population saine est gage de paix, de prospérité et de progrès spirituel pour la société humaine. Les principes moraux du *varṇāśrama-dharma* sont conçus pour assurer une postérité majoritairement vertueuse qui garantira le progrès spirituel de toute la société. La pureté d'un peuple dépend de la chasteté et de la fidélité des femmes. Or, tout comme un enfant se laisse facilement tromper, une femme se laisse facilement corrompre. C'est pour cela que l'un et l'autre doivent être protégés par les aînés de la famille. Cāṇakya Paṇḍita disait que l'intelligence des femmes étant généralement de moindre vigueur, il est difficile de leur faire pleinement confiance. C'est pourquoi elles doivent toujours être engagées en des activités religieuses qui relèvent de la tradition familiale. Leur chasteté et leur dévotion leur permettent alors d'engendrer une descendance vertueuse, capable de participer au *varṇāśrama-dharma.* Mais, si l'on néglige ce système social, le commerce assidu entre hommes et femmes favorisera certainement les relations adultères et, par suite, l'apparition d'une population indésirable.

Des hommes irresponsables sont également à l'origine de l'adultère et provoquent eux aussi la naissance d'enfants non désirés qui envahissent la société en l'exposant aux guerres et aux épidémies.

**1.41** सङ्करो नरकायैव कुलघ्नानां कुलस्य च ।
पतन्ति पितरो ह्येषां लुप्तपिण्डोदकक्रियाः ॥४१॥

*saṅkaro narakāyaiva, kula-ghnānāṁ kulasya ca*
*patanti pitaro hy eṣāṁ, lupta-piṇḍodaka-kriyāḥ*

*saṅkaraḥ :* cette progéniture non désirée; *narakāya :* rend la vie infernale; *eva :* certes; *kula-ghnānām :* pour ceux qui détruisent la famille; *kulasya :* pour la famille; *ca :* aussi; *patanti :* tombent; *pitaraḥ :* les ancêtres; *hi :* certes; *eṣām :* à eux; *lupta :* interrompues; *piṇḍa :* d'offrandes de nourriture; *udaka :* et d'eau; *kriyāḥ :* les pratiques.

**L'accroissement du nombre de ces indésirables plonge la famille et ceux qui en ont détruit les traditions dans une existence infernale. Les ancêtres de ces familles dépravées choient, car on cesse de leur faire des oblations d'eau et de nourriture.**

Selon la tradition védique, ceux qui recherchent des bienfaits matériels doivent régulièrement faire des oblations d'eau et de nourriture aux ancêtres de la famille. Cette nourriture est d'abord offerte à Viṣṇu, puis les reliefs sanctifiés de l'offrande (*prasādam*) sont présentés aux ancêtres car le *prasādam* a le pouvoir de délivrer tout homme des conséquences de ses actes coupables. Il est possible en effet que nos ancêtres souffrent encore des conséquences de leurs péchés, que certains d'entre eux ne puissent obtenir un corps physique et soient obligés de vivre dans un corps subtil, comme des fantômes. Leur offrir ce *prasādam,* c'est leur permettre de sortir des conditions misérables dans lesquelles ils se trouvent. Il appartient à la tradition familiale de garantir cette assistance. Ceux qui ne se vouent pas pleinement à Dieu doivent impérativement exécuter ce rituel. Le dévot du Seigneur n'a pas ce devoir car il lui est donné, par la seule force de ses actes dévotionnels, de libérer des milliers d'ancêtres de toutes sortes de souffrances. Le *Śrīmad-Bhāgavatam* (11.5.41) dit à ce propos :

*devarṣi-bhūtāpta-nṛṇāṁ pitṝṇāṁ*
*na kiṅkaro nāyam ṛṇī ca rājan*
*sarvātmanā yaḥ śaraṇaṁ śaraṇyaṁ*
*gato mukundaṁ parihṛtya kartam*

« Celui qui a pris refuge aux pieds pareils-au-lotus de Mukunda, le pourvoyeur de la libération, qui s'est défait de tout engagement et suit sérieusement la voie de la dévotion, n'a plus ni devoirs ni obligations envers les *devas,* les sages, la famille, les ancêtres, l'humanité et les êtres en général. » Il lui suffit de servir Dieu, la Personne Suprême, pour s'en acquitter automatiquement.

**1.42** दोषैरेतैः कुलघ्नानां वर्णसङ्करकारकैः ।
उत्साद्यन्ते जातिधर्माः कुलधर्माश्च शाश्वताः ॥४२॥

*doṣair etaiḥ kula-ghnānāṁ, varṇa-saṅkara-kārakaiḥ*
*utsādyante jāti-dharmāḥ, kula-dharmāś ca śāśvatāḥ*

*doṣaiḥ :* fautes ; *etaiḥ :* par toutes ces ; *kula-ghnānām :* de ceux qui détruisent la famille ; *varṇa-saṅkara :* d'enfants non désirés ; *kārakaiḥ :* qui sont à l'origine ; *utsādyante :* sont anéantis ; *jāti-dharmāḥ :* les projets communautaires ; *kula-dharmāḥ :* les traditions familiales ; *ca :* aussi ; *śāśvatāḥ :* éternelles.

**Les actes néfastes de ceux qui détruisent les traditions familiales provoquent l'apparition d'enfants non désirés. Ils ruinent les projets communautaires et mettent un terme aux pratiques bénéfiques pour la famille.**

Les devoirs civiques que doivent remplir les hommes au sein des quatre ordres de la société ainsi que les activités qui visent au bien-être de la famille n'ont d'autre finalité, dans l'institution du *sanātana-dharma* (ou *varṇāśrama-dharma*), que de permettre à chacun d'atteindre l'ultime salut. Lorsque des dirigeants irresponsables brisent ces traditions, le bouleversement qui en résulte est tel que la société oublie le but de l'existence : Dieu. Ces dirigeants sont dits aveugles. Quant à ceux qui les suivent, ils sont sûrs d'aboutir au chaos.

**1.43** उत्सन्नकुलधर्माणां मनुष्याणां जनार्दन ।
नरके नियतं वासो भवतीत्यनुशुश्रुम ॥४३॥

*utsanna-kula-dharmāṇāṁ, manuṣyāṇāṁ janārdana*
*narake niyataṁ vāso, bhavatīty anuśuśruma*

*utsanna :* de ceux qui ont anéanti ; *kula-dharmāṇām :* les traditions familiales ; *manuṣyāṇām :* de ces hommes ; *janārdana :* ô Kṛṣṇa ; *narake :* en enfer ; *niyatam :* toujours ; *vāsaḥ :* la résidence ; *bhavati :* il advient ; *iti :* ainsi ; *anuśuśruma :* j'ai entendu par la lignée des maîtres du savoir.

**Je le tiens de la lignée des maîtres du savoir, ô Kṛṣṇa : ceux qui détruisent les traditions familiales vivent à jamais en enfer.**

Arjuna ne tire pas ses arguments de son expérience personnelle, mais de ce qu'il a entendu des lèvres d'autorités. La véritable connaissance s'acquiert de cette façon ; on ne peut l'obtenir que par l'intermédiaire d'une personne compétente qui en est déjà maître.

Les règles du *varṇāśrama-dharma* stipulent que l'homme doit s'acquitter avant sa mort d'un rite de pénitence (*prāyaścitta*) destiné à le purifier de tous ses actes coupables. Un pécheur doit donc particulièrement se plier à cette règle, car s'il y manque, ses actes déméritoires le forceront à vivre des vies misérables sur les planètes infernales.

**1.44** अहो बत महत्पापं कर्तुं व्यवसिता वयम् ।
यद्राज्यसुखलोभेन हन्तुं स्वजनमुद्यताः ॥४४॥

*aho bata mahat pāpaṁ, kartuṁ vyavasitā vayam*
*yad rājya-sukha-lobhena, hantuṁ sva-janam udyatāḥ*

*aho :* hélas ; *bata :* n'est-il pas étrange que ; *mahat :* de grands ; *pāpam :* péchés ; *kartum :* d'accomplir ; *vyavasitāḥ :* avons décidé ; *vayam :* nous ; *yat :* parce que ; *rājya-sukha-lobhena :* poussés par la soif des plaisirs de la royauté ; *hantum :* de tuer ; *sva-janam :* nos proches ; *udyatāḥ :* tentant.

**N'est-il pas étrange, hélas, que nous nous apprêtions à commettre de si grandes fautes ? Voilà que pour jouir des plaisirs de la royauté, nous sommes prêts à tuer les nôtres.**

Des mobiles égoïstes peuvent nous inciter à commettre de grands péchés, comme le meurtre d'un frère, d'un père ou d'une mère. L'histoire du monde en offre de nombreux exemples. Mais Arjuna est un dévot du Seigneur pieux et vertueux. Aussi est-il toujours conscient des principes moraux et il essaye d'éviter de tels actes.

**1.45** यदि मामप्रतीकारमशस्त्रं शस्त्रपाणयः ।
धार्तराष्ट्रा रणे हन्युस्तन्मे क्षेमतरं भवेत् ॥४५॥

*yadi mām apratīkāram, aśastraṁ śastra-pāṇayaḥ*
*dhārtarāṣṭrā raṇe hanyus, tan me kṣemataraṁ bhavet*

*yadi :* même si ; *mām :* moi ; *apratīkāram :* sans résistance ; *aśastram :* sans armes adéquates ; *śastra-pāṇayaḥ :* ceux qui ont les armes à la main ; *dhārtarāṣṭrāḥ :* les fils de Dhṛtarāṣṭra ; *raṇe :* sur le champ de bataille ; *hanyuḥ :* tuaient ; *tat :* cela ; *me :* pour moi ; *kṣema-taram :* mieux ; *bhavet :* serait.

**Mieux vaut pour moi mourir désarmé sur le champ de bataille, exposé aux armes des fils de Dhṛtarāṣṭra, sans opposer la moindre résistance.**

Le code militaire du *kṣatriya* interdit d'attaquer un ennemi désarmé ou qui refuse de lutter. Sans prendre en compte l'immense désir de se battre de l'ennemi, Arjuna décide de ne pas combattre, même si, désarmé, il se fait attaquer. Sa grande douceur de cœur lui dicte sa conduite. Elle atteste de son ardente dévotion pour le Seigneur.

**1.46** सञ्जय उवाच
एवमुक्त्वार्जुनः सङ्ख्ये रथोपस्थ उपाविशत् ।
विसृज्य सशरं चापं शोकसंविग्नमानसः ॥४६॥

*sañjaya uvāca*
*evam uktvārjunaḥ saṅkhye, rathopastha upāviśat*
*visṛjya sa-śaraṁ cāpaṁ, śoka-saṁvigna-mānasaḥ*

*sañjayaḥ uvāca :* Sañjaya dit ; *evam :* ainsi ; *uktvā :* parlant ; *arjunaḥ :* Arjuna ; *saṅkhye :* sur le champ de bataille ; *ratha :* du char ; *upasthe :* sur le siège ; *upāviśat :* se rassit ; *visṛjya :* repoussant ; *sa-śaram :* ainsi que les flèches ; *cāpam :* l'arc ; *śoka :* par l'affliction ; *saṁvigna :* accablé ; *mānasaḥ :* le mental.

**Sañjaya dit : Après avoir tenu ces propos, Arjuna pose son arc et ses flèches, puis s'asseoit, accablé de douleur.**

Alors qu'il observait l'armée ennemie, Arjuna se tenait debout sur son char. Mais une telle détresse l'accable maintenant qu'il s'assied et pose son arc et ses flèches. Un être aussi dévoué au Seigneur, possédant une telle tendresse de cœur, est digne de recevoir la connaissance spirituelle.

*Ainsi s'achèvent les teneurs et portées de Bhaktivedanta sur le premier chapitre de la* Śrīmad Bhagavad-gītā *traitant de la situation des deux armées sur le champ de bataille de Kurukṣetra.*

DEUXIÈME CHAPITRE

# Aperçu de la Bhagavad-gītā

2.1 सञ्जय उवाच
तं तथा कृपयाविष्टमश्रुपूर्णाकुलेक्षणम् ।
विषीदन्तमिदं वाक्यमुवाच मधुसूदनः ॥ १ ॥

*sañjaya uvāca*
*taṁ tathā kṛpayāviṣṭam, aśru-pūrṇākulekṣaṇam*
*viṣīdantam idaṁ vākyam, uvāca madhusūdanaḥ*

*sañjayaḥ uvāca :* Sañjaya dit ; *tam :* à lui (Arjuna) ; *tathā :* ainsi ; *kṛpayā :* de compassion ; *āviṣṭam :* submergé ; *aśru-pūrṇa-ākula :* pleins de larmes ; *īkṣaṇam :* les yeux ; *viṣīdantam :* se lamentant ; *idam :* ces ; *vākyam :* paroles ; *uvāca :* dit ; *madhu-sūdanaḥ :* Celui qui fit périr le démon Madhu.

**Sañjaya dit : Voyant la grande compassion d'Arjuna, ses yeux baignés de larmes et son esprit troublé, Madhusūdana, Kṛṣṇa, S'adresse à lui.**

La compassion que l'on ressent pour ce qui est matériel, les lamentations, les larmes, montrent que l'on ignore l'identité réelle de l'être vivant. Par contre, la compassion que l'on ressent pour l'âme éternelle est un signe de réalisation spirituelle.

L'emploi dans ce verset du nom « Madhusūdana » est particulièrement significatif, car tout comme Kṛṣṇa mit à mort jadis le démoniaque Madhu, Arjuna désire maintenant Le voir anéantir le démon de la confusion qui s'est emparé de lui au moment où il allait accomplir son devoir. En général, nul ne sait quel doit être le véritable objet de la compassion. Or, il ne sert à rien d'avoir de la compassion pour les vêtements d'un homme qui se noie, attendu qu'on ne peut sauver quelqu'un de l'océan de l'ignorance en sauvant simplement son vêtement - le corps matériel grossier. Toute personne qui ignore cela et s'apitoie sur l'enveloppe charnelle est appelée *śūdra* car elle s'afflige sans motif valable. Mais en ce qui le concerne, Arjuna est un *kṣatriya,* de sorte qu'un tel comportement est inattendu. Kṛṣṇa peut toutefois dissiper l'affliction de l'ignorant, et c'est dans ce but qu'Il énonce la *Bhagavad-gītā.*

Ce chapitre nous instruit sur la réalisation du soi grâce à son analyse du corps matériel et de l'âme spirituelle, telle qu'elle fut exposée par l'autorité suprême, Kṛṣṇa. Cette réalisation est accessible à qui est détaché des fruits de son labeur et dont la conscience de son identité véritable est fermement établie.

**2.2**

श्रीभगवानुवाच
कुतस्त्वा कश्मलमिदं विषमे समुपस्थितम् ।
अनार्यजुष्टमस्वर्ग्यमकीर्तिकरमर्जुन ॥ २ ॥

*śrī-bhagavān uvāca*
*kutas tvā kaśmalam idaṁ, viṣame samupasthitam*
*anārya-juṣṭam asvargyam, akīrti-karam arjuna*

*śrī-bhagavān uvāca :* Dieu, la Personne Suprême, dit ; *kutaḥ :* d'où ; *tvā :* en toi ; *kaśmalam :* souillure ; *idam :* une telle lamentation ; *viṣame :* en cette heure de crise ; *samupasthitam :* survenue ; *anārya :* êtres ignorant la valeur de la vie ; *juṣṭam :* le fait des ; *asvargyam :* qui ne conduit pas aux planètes supérieures ; *akīrti :* infamie ; *karam :* cause de ; *arjuna :* ô Arjuna.

**Dieu, la Personne Suprême, dit : Ô Arjuna, comment de telles impuretés ont-elles pu naître en toi ? Ces lamentations sont tout à fait indignes d'un homme conscient de la valeur de la vie. Elles ne conduisent pas aux planètes supérieures mais à l'infamie.**

Kṛṣṇa n'est autre que Dieu, la Personne Suprême. C'est pourquoi dans la *Bhagavad-gītā* Il porte le nom de Bhagavān, qui désigne l'aspect ultime de la Vérité Absolue. On distingue en effet trois phases dans la réalisation de la Vérité Absolue : le Brahman, l'Esprit impersonnel omniprésent ; le Paramātmā, l'aspect de Dieu localisé dans le cœur de chaque être vivant ; et Bhagavān, Dieu, la Personne Suprême, Śrī Kṛṣṇa. Le *Śrīmad-Bhāgavatam* (1.2.11) expose comme suit cette conception de la Vérité Absolue :

*vadanti tat tattva-vidas, tattvaṁ yaj jñānam advayam*
*brahmeti paramātmeti, bhagavān iti śabdyate*

« Le sage qui connaît pleinement la Vérité Absolue la réalise en trois phases. Ces trois aspects qui désignent une seule et même réalité ont pour nom Brahman, Paramātmā et Bhagavān. »

Pour illustrer ces trois aspects de Dieu, nous prendrons l'exemple du soleil qui présente lui aussi trois aspects différents : les rayons, la surface du globe et l'astre lui-même. Qui porte son étude sur les seuls rayons du soleil n'en reste qu'aux préliminaires, alors que celui qui en étudie la surface fait preuve d'une connaissance plus poussée. Quant à celui qui parvient à pénétrer au cœur même de l'astre, il possède la plus grande maîtrise du sujet. L'étudiant ordinaire qui se contente d'appréhender la seule lumière du soleil, son omniprésence dans l'univers et la nature impersonnelle de son rayonnement, peut être comparé au spiritualiste qui n'a pris conscience que de l'aspect Brahman de la Vérité Absolue, alors que l'étudiant plus instruit qui observe le disque solaire peut être comparé au spiritualiste ayant réalisé l'aspect Paramātmā. Quant à celui qui réussit à pénétrer au cœur de l'astre, on peut le comparer au spiritualiste qui a réalisé les traits personnels de la Vérité Suprême et Absolue (Bhagavān). Aussi, bien que tous s'absorbent dans l'étude d'un même sujet, les *bhaktas,* ceux qui ont réalisé l'aspect Bhagavān de la Vérité Absolue, s'avèrent être les spiritualistes les plus accomplis. Les rayons du soleil, le disque solaire et la réalité interne de l'astre sont indissociables, mais ceux qui étudient, chacun respectivement, l'un des aspects particuliers du soleil ne peuvent être rangés dans la même catégorie.

Le sens du mot Bhagavān nous est donné par le grand sage Parāśara Muni, le père de Vyāsadeva. L'Être Suprême est ainsi nommé car Il possède dans leur totalité, richesse, force, renommée, beauté, connaissance et renoncement parfaits. Bien qu'il y ait beaucoup de gens riches, puissants, beaux, célèbres, érudits ou détachés, aucun ne peut prétendre posséder dans leur intégralité l'ensemble de ces attributs. Seul Kṛṣṇa est en droit de les revendiquer car Il est Dieu, la Personne Suprême. Nul être vivant, que ce soit Brahmā, Śiva ou Nārāyaṇa, ne possède de telles opulences spirituelles. Brahmā conclut d'ailleurs lui-même dans la *Brahma-saṁhitā* (5.1) que Kṛṣṇa est Dieu, la Personne Suprême. Nul ne L'égale ou ne Lui est supérieur. Il est Bhagavān, le Seigneur originel, connu également sous le nom de Govinda. Il est la cause ultime de toutes les causes.

*īśvaraḥ paramaḥ kṛṣṇaḥ, sac-cid-ānanda-vigrahaḥ*
*anādir ādir govindaḥ, sarva-kāraṇa-kāraṇam*

« Nombreuses sont les personnalités qui possèdent les qualités de Bhagavān, mais Kṛṣṇa est la Personne Suprême, car nul ne peut Le surpasser. Il est Govinda, le Seigneur originel, la cause de toutes les causes, et Son corps éternel est toute connaissance et félicité. »

Le *Bhāgavatam* (1.3.28), qui recense un grand nombre de manifestations du Seigneur, affirme lui aussi que Kṛṣṇa est la Personne originelle Duquel émanent d'innombrables *avatāras* et Personnalités Divines :

*ete cāṁśa-kalāḥ puṁsaḥ, kṛṣṇas tu bhagavān svayam*
*indrāri-vyākulaṁ lokaṁ, mṛḍayanti yuge yuge*

« Toutes les manifestations divines énumérées ici sont des émanations plénières de Dieu, ou des émanations partielles de ces émanations plénières, mais Kṛṣṇa est Dieu Lui-même, la Personne Suprême. » Kṛṣṇa est donc la Personne Suprême et originelle, la Vérité Absolue, la source de l'Âme Suprême et du Brahman impersonnel.

Les lamentations d'Arjuna sur le sort de sa famille, alors qu'il jouit de la compagnie personnelle de Dieu, sont certes inconvenantes. Kṛṣṇa lui exprime d'ailleurs Sa surprise par le mot *kutaḥ,* « d'où ». On ne s'attend pas à ce qu'un homme qui appartient à la classe civilisée des *āryans* puisse manifester de telles impuretés. Sont *āryans* ceux qui connaissent la valeur de la vie et placent la réalisation spirituelle au fondement de leur société. Ceux qui, au contraire, ont une conception matérielle de la vie ignorent que le but de l'existence est de réaliser la Vérité Absolue, Viṣṇu, ou Bhagavān. Captivés par les charmes apparents du monde matériel, ils n'ont aucune idée de ce que peut être la libération. Ceux-là sont les non-*āryans.* Arjuna, un *kṣatriya,* manque à son devoir en refusant le combat : cette lâcheté est indigne d'un *āryan.* Se dérober au devoir ne favorise certainement pas le progrès spirituel et ne permet même pas d'obtenir la moindre distinction en ce monde. Kṛṣṇa n'approuve donc pas la prétendue compassion d'Arjuna pour ses proches.

**2.3** क्लैब्यं मा स्म गमः पार्थ नैतत्त्वय्युपपद्यते ।
क्षुद्रं हृदयदौर्बल्यं त्यक्त्वोत्तिष्ठ परन्तप ॥ ३ ॥

*klaibyaṁ mā sma gamaḥ pārtha, naitat tvayy upapadyate*
*kṣudraṁ hṛdaya-daurbalyaṁ, tyaktvottiṣṭha paran-tapa*

*klaibyam :* l'impuissance ; *mā sma :* ne pas ; *gamaḥ :* cède à ; *pārtha :* ô fils de Pṛthā ; *na :* jamais ; *etat :* ceci ; *tvayi :* à toi ; *upapadyate :* ne convient ; *kṣudram :* piètre ; *hṛdaya :* du cœur ; *daurbalyam :* la faiblesse ; *tyaktvā :* rejetant ; *uttiṣṭha :* lève-toi ; *param-tapa :* ô toi qui châties l'ennemi.

**Ô fils de Pṛthā, ne cède pas à cette impuissance avilissante qui ne te sied guère. Chasse de ton cœur cette piètre faiblesse et relève-toi, ô toi qui châties l'ennemi.**

En nommant Arjuna « fils de Pṛthā », Kṛṣṇa tient à souligner qu'ils sont tous deux unis par les liens du sang, puisque Pṛthā est la sœur de Vasudeva, Son père. Or, quand le fils d'un *kṣatriya* refuse le combat, ou quand le fils d'un *brāhmaṇa* agit de façon impie, on dit qu'ils n'ont de *kṣatriya* et de *brāhmaṇa* que le nom car ils se montrent indignes de leurs pères. Kṛṣṇa ne veut pas qu'Arjuna devienne le fils indigne d'un *kṣatriya*. Parce qu'il a l'immense privilège d'être l'ami le plus intime de Kṛṣṇa et de L'avoir comme conducteur de son char, Arjuna commettrait un acte infâme s'il renonçait au combat. Kṛṣṇa lui fait remarquer que son attitude va à l'encontre de sa nature. Arjuna aura beau objecter qu'il souhaite exercer sa magnanimité envers le très respectable Bhīṣma ou envers les siens, Kṛṣṇa n'y voit qu'une simple faiblesse de cœur. Comme cette générosité, cette prétendue non-violence n'est corroborée par aucune autorité, les hommes comme Arjuna doivent s'en défaire en suivant les directives du Seigneur, Kṛṣṇa.

**2.4** अर्जुन उवाच
कथं भीष्ममहं सङ्ख्ये द्रोणं च मधुसूदन ।
इषुभिः प्रतियोत्स्यामि पूजार्हावरिसूदन ॥ ४ ॥

*arjuna uvāca*
*kathaṁ bhīṣmam ahaṁ saṅkhye, droṇaṁ ca madhusūdana*
*iṣubhiḥ pratiyotsyāmi, pūjārhāv ari-sūdana*

*arjunaḥ uvāca :* Arjuna dit ; *katham :* comment ; *bhīṣmam :* Bhīṣma ; *aham :* je ; *saṅkhye :* au cours du combat ; *droṇam :* Droṇa ; *ca :* aussi ; *madhu-sūdana :* Toi qui tuas Madhu ; *iṣubhiḥ :* avec des flèches ; *pratiyotsyāmi :* contre-attaquerais ; *pūjā-arhau :* ceux qui sont dignes de vénération ; *ari-sūdana :* ô vainqueur des ennemis.

**Arjuna dit : Ô Toi qui toujours triomphes de l'ennemi, Toi qui tuas le démon Madhu, comment pourrais-je, au cours de la bataille, repousser de mes flèches des hommes comme Bhīṣma et Droṇa, dignes de ma vénération ?**

Des personnages aussi respectables que Bhīṣma, l'aïeul, et Droṇācārya, le précepteur, sont toujours dignes de vénération. On ne peut, même s'ils nous attaquent, répondre à leur offensive. En règle générale, on ne doit jamais s'opposer, fût-ce verbalement, à ses supérieurs. Même s'ils sont parfois un peu rudes dans leur manière d'agir, il ne faut jamais les traiter durement. Comment donc Arjuna pourrait-il désirer se défendre ? Kṛṣṇa lutterait-Il, Lui, contre Son grand-père, Ugrasena, ou contre Son précepteur, Sāndīpani Muni ? Tels sont certains des arguments qu'Arjuna présente à Kṛṣṇa.

2.5 गुरूनहत्वा हि महानुभावान् श्रेयो भोक्तुं भैक्ष्यमपीह लोके ।
हत्वार्थकामांस्तु गुरूनिहैव भुञ्जीय भोगान् रुधिरप्रदिग्धान् ॥ ५ ॥

*gurūn ahatvā hi mahānubhāvān*
*śreyo bhoktuṁ bhaikṣyam apīha loke*
*hatvārtha-kāmāṁs tu gurūn ihaiva*
*bhuñjīya bhogān rudhira-pradigdhān*

*gurūn* : les supérieurs ; *ahatvā* : ne pas tuer ; *hi* : certes ; *mahā-anubhāvān* : de grandes âmes ; *śreyaḥ* : il vaut mieux ; *bhoktum* : jouir de la vie ; *bhaikṣyam* : en mendiant ; *api* : même ; *iha* : en cette vie ; *loke* : en ce monde ; *hatvā* : en tuant ; *artha* : un gain ; *kāmān* : désirant ; *tu* : mais ; *gurūn* : les supérieurs ; *iha* : en ce monde ; *eva* : certes ; *bhuñjīya* : on doit jouir ; *bhogān* : d'objets de plaisir ; *rudhira* : sang ; *pradigdhān* : teintés de.

**Je préférerais mendier que vivre en ce monde au prix de la vie d'aussi nobles âmes que mes précepteurs. Même s'ils convoitent les biens de ce monde, ils n'en demeurent pas moins nos supérieurs. Leur mort entacherait de sang tous nos plaisirs.**

D'après les Écritures, un précepteur peut être rejeté s'il commet un acte abominable ou s'il perd son discernement. Or, Bhīṣma et Droṇa se sont crus obligés de rallier le parti de Duryodhana parce que ce dernier les soutenait financièrement. Mais ils n'auraient jamais dû accepter un tel compromis. Ils se sont rendus indignes du respect dévolu aux maîtres. Arjuna, cependant, continue à voir en eux ses supérieurs, si bien que pour lui, bénéficier à leur mort d'avantages matériels reviendrait à jouir de plaisirs entachés de sang.

2.6 न चैतद्विद्मः कतरन्नो गरीयो यद्वा जयेम यदि वा नो जयेयुः ।
यानेव हत्वा न जिजीविषामस्तेऽवस्थिताः प्रमुखे धार्तराष्ट्राः ॥ ६ ॥

*na caitad vidmaḥ kataran no garīyo*
*yad vā jayema yadi vā no jayeyuḥ*

*yān eva hatvā na jijīviṣāmas*
*te 'vasthitāḥ pramukhe dhārtarāṣṭrāḥ*

*na :* non plus ; *ca :* aussi ; *etat :* ce ; *vidmaḥ :* nous savons ; *katarat :* qui ; *naḥ :* pour nous ; *garīyaḥ :* mieux ; *yat vā :* soit que ; *jayema :* nous vainquions ; *yadi :* si ; *vā :* ou ; *naḥ :* nous ; *jayeyuḥ :* ils vainquent ; *yān :* ceux qui ; *eva :* certes ; *hatvā :* en tuant ; *na :* jamais ; *jijīviṣāmaḥ :* nous ne voudrions vivre ; *te :* eux tous ; *avasthitāḥ :* sont situés ; *pramukhe :* sur le front ; *dhārtarāṣṭrāḥ :* les fils de Dhṛtarāṣṭra.

**J'ignore s'il vaut mieux les vaincre ou être par eux vaincu. En tuant les fils de Dhṛtarāṣṭra, je perdrai le goût de vivre ; et pourtant, les voici maintenant alignés devant nous sur ce champ de bataille.**

Bien que le devoir du *kṣatriya* lui commande de se battre, Arjuna ne sait s'il faut risquer d'inutiles violences ou, au contraire, s'abstenir de lutter et vivre de mendicité – car à moins de vaincre ses ennemis, il n'aura aucun autre moyen de subsistance. Le succès n'est d'ailleurs pas acquis, puisque l'un et l'autre camp sont en mesure de l'emporter. Et même si la victoire attend ceux dont la cause est juste, quelle douleur de vivre sans les fils de Dhṛtarāṣṭra, morts au combat. La victoire ne serait finalement qu'une sorte de défaite. Ces réflexions d'Arjuna prouvent qu'il est non seulement un très grand dévot du Seigneur, mais encore quelqu'un de profondément éclairé et de parfaitement maître de son mental et de ses sens. Son désir de vivre de mendicité, alors qu'il est de sang royal, est une autre marque de son détachement. L'authenticité de sa vertu est bien réelle. Toutes ces qualités, jointes à sa foi dans les enseignements du Seigneur (son maître spirituel), le prouvent. Arjuna est donc parfaitement digne de la libération. À moins de se rendre maître des sens, on n'a aucune chance de s'élever au niveau de la connaissance ; et sans connaissance et dévotion, il est impossible d'accéder à la libération. Or, outre ses mérites exceptionnels en ce qui concerne ses relations matérielles, Arjuna possède toutes ces qualités spirituelles.

**2.7** कार्पण्यदोषोपहतस्वभावः पृच्छामि त्वां धर्मसम्मूढचेताः ।
यच्छ्रेयः स्यान्निश्चितं ब्रूहि तन्मे शिष्यस्तेऽहं शाधि मां त्वां प्रपन्नम् ॥ ७ ॥

*kārpaṇya-doṣopahata-svabhāvaḥ*
*pṛcchāmi tvāṁ dharma-sammūḍha-cetāḥ*
*yac chreyaḥ syān niścitaṁ brūhi tan me*
*śiṣyas te 'haṁ śādhi māṁ tvāṁ prapannam*

*kārpaṇya :* de l'avarice ; *doṣa :* par la faiblesse ; *upahata :* étant affligé ; *svabhāvaḥ :* caractéristiques ; *pṛcchāmi :* je demande ; *tvām :* à Toi ; *dharma :* le devoir (la religion) ;

*sammūḍha :* confus ; *cetāḥ :* dans le cœur ; *yat :* quoi ; *śreyaḥ :* le bien ultime ; *syāt :* peut être ; *niścitam :* en toute certitude ; *brūhi :* dis ; *tat :* cela ; *me :* à moi ; *śiṣyaḥ :* disciple ; *te :* Ton ; *aham :* je suis ; *śādhi :* instruis simplement ; *mām :* moi ; *tvām :* à Toi ; *prapannam :* soumis.

**Une défaillance mesquine m'a fait perdre mon sang-froid et me rend confus quant à mon devoir ; indique-moi donc précisément la meilleure voie à suivre. Je suis à présent Ton disciple et m'en remets entièrement à Toi. Veuille m'instruire, je T'en prie.**

Les voies de la nature sont telles que l'agencement complexe des actions matérielles nous plonge tous dans la perplexité. À chacun de nos pas surgissent de nouvelles incertitudes. Il est par conséquent indispensable d'approcher un maître spirituel authentique qui puisse nous guider vers le but de l'existence. Tous les Textes védiques nous recommandent l'approche d'un tel maître afin de nous sauver des dilemmes qui naissent malgré nous, comparables à ces feux de forêt qui jaillissent spontanément. Même si personne ne les souhaite, des incendies se déclarent, nous rendant perplexes. La vie en ce monde va toujours nous plonger, automatiquement et indépendamment de notre volonté, dans une certaine confusion. C'est pourquoi la sagesse védique nous invite à trouver une solution aux embarras de la vie et à acquérir cette science auprès d'un maître spirituel appartenant à une succession disciplique. Le disciple d'un maître spirituel authentique est censé acquérir une parfaite connaissance. Il est donc préférable, plutôt que de rester irrésolu, d'approcher un tel maître. Telle est la teneur de ce verset.

On pourrait se demander qui la nature matérielle peut-elle bien rendre perplexe ? Tout simplement celui qui ne résout pas les problèmes de l'existence. La *Bṛhad-āraṇyaka Upaniṣad* (3.8.10) le décrit en ces termes : *yo vā etad akṣaraṁ gārgy aviditvāsmāl̐ lokāt praiti sa kṛpaṇaḥ* – « Est tenu pour mesquin et avaricieux (*kṛpaṇa*), l'individu qui ne cherche pas à résoudre les problèmes de l'existence tel un être humain et quitte ce monde comme le ferait un chat ou un chien, sans avoir compris la science de la réalisation spirituelle. »

La forme humaine est un atout inestimable pour qui l'emploie à résoudre les problèmes de l'existence. Celui qui ne profite pas de cette opportunité est un *kṛpaṇa*. Le *brāhmaṇa,* par contre, se sert intelligemment de son corps pour apporter une solution à l'ensemble des problèmes de l'existence. *Ya etad akṣaraṁ gārgi viditvāsmāl̐ lokāt praiti sa brāhmaṇaḥ.* (*Bṛhad-āraṇyaka Upaniṣad* 3.8.10)

Les *kṛpaṇas* ont une conception purement matérielle de l'existence. Ils passent leur temps à éprouver des sentiments excessifs pour les membres de leur famille, leur société, leur patrie, etc. Ils s'attachent à leur femme, leurs enfants et leurs proches sur la base des liens de la chair. Les *kṛpaṇas* croient qu'ils peuvent préserver de la mort les membres de leur famille, ou que ceux-ci, ou même encore la société, le leur rendront en les protégeant à leur tour à l'instant de la mort. Cet attachement existe aussi chez les animaux, qui prennent également soin de leurs petits. Arjuna est intelligent ; il peut comprendre que son affection pour les membres de sa famille et son désir de les protéger de la mort sont à l'origine de sa perplexité. Bien qu'il ait conscience de son devoir de guerrier, une faiblesse mesquine l'empêche d'agir. C'est pourquoi il demande au maître spirituel suprême, Kṛṣṇa, de lui donner une solution définitive. Il se propose désormais d'être Son disciple et souhaite mettre un terme aux conversations amicales. Un maître et son disciple échangent toujours des propos sérieux. C'est donc avec beaucoup de sérieux qu'Arjuna veut s'adresser au maître spirituel qu'il s'est choisi. Kṛṣṇa est le maître spirituel originel, le premier à exposer la science de la *Bhagavad-gītā,* et Arjuna, le premier disciple qui la comprend.

Bien que la *Gītā* elle-même indique ce qui va permettre à Arjuna de saisir son message, certains commentateurs profanes, insensés, professent que ce n'est pas à la personne de Kṛṣṇa qu'il faut s'en remettre, mais plutôt au « non-né dont Kṛṣṇa n'est que la manifestation externe ». Il n'y a pas de différence entre les aspects interne et externe de Kṛṣṇa, aussi, quiconque pense pouvoir appréhender le message de la *Bhagavad-gītā* sans même connaître cette notion n'est qu'un insensé.

**2.8** न हि प्रपश्यामि ममापनुद्याद् यच्छोकमुच्छोषणमिन्द्रियाणाम् ।
अवाप्य भूमावसपत्नमृद्धं राज्यं सुराणामपि चाधिपत्यम् ॥ ८ ॥

*na hi prapaśyāmi mamāpanudyād*
*yac chokam ucchoṣaṇam indriyāṇām*
*avāpya bhūmāv asapatnam ṛddhaṁ*
*rājyaṁ surāṇām api cādhipatyam*

*na :* ne pas ; *hi :* certes ; *prapaśyāmi :* je vois ; *mama :* ma ; *apanudyāt :* peut écarter ; *yat :* ce qui ; *śokam :* lamentation ; *ucchoṣaṇam :* desséchant ; *indriyāṇām :* les sens ; *avāpya :* en obtenant ; *bhūmau :* sur la terre ; *asapatnam :* sans pareil ; *ṛddham :* prospère ; *rājyam :* un royaume ; *surāṇām :* des *devas* ; *api :* même ; *ca :* aussi ; *ādhipatyam :* la suprématie.

**Je ne vois pas comment dissiper cette douleur qui m'assaille. Je n'y parviendrai pas, même si je conquiers ici-bas un royaume prospère à nul autre pareil sur lequel régner tel un deva dans le ciel.**

Bien qu'Arjuna avance nombre d'arguments fondés sur sa connaissance des principes religieux et des codes moraux, il se montre incapable de résoudre son véritable problème sans l'aide de son maître spirituel, Kṛṣṇa. Il se rend compte que son prétendu savoir ne lui est d'aucun secours, qu'il ne peut chasser le désarroi qui l'accable. Seul un maître spirituel comme Kṛṣṇa pourra l'aider à sortir de sa confusion. Le savoir académique, l'érudition, les hautes fonctions, etc., ne nous permettent pas d'apporter une solution aux problèmes de la vie. Seul un maître spirituel comme Kṛṣṇa peut nous aider. En guise de conclusion, nous dirons que le maître spirituel authentique est celui qui est pleinement conscient de Kṛṣṇa et qui sait élucider l'ensemble des problèmes liés à l'existence en ce monde. Śrī Caitanya explique que le véritable maître spirituel est celui qui, indépendamment de sa position sociale, maîtrise la science de la conscience de Kṛṣṇa :

*kibā vipra, kibā nyāsī, śūdra kene naya*
*yei kṛṣṇa-tattva-vettā, sei 'guru' haya*

« Peu importe que l'on soit un *vipra* (érudit versé dans la sagesse védique), que l'on soit issu d'une humble famille ou que l'on ait adopté l'ordre du renoncement, si l'on est maître dans la science de Kṛṣṇa, on est de fait un maître spirituel authentique et accompli. »
(*Caitanya-caritāmṛta, Madhya* 8.128)

Ainsi, à moins de maîtriser la science de la conscience de Kṛṣṇa, nul ne peut être un maître spirituel digne de ce nom. Les Écrits védiques enseignent par ailleurs :

*ṣaṭ-karma-nipuṇo vipro, mantra-tantra-viśāradaḥ*
*avaiṣṇavo gurur na syād, vaiṣṇavaḥ śva-paco guruḥ*
(*Padma Purāṇa*)

« Même le *brāhmaṇa* érudit, expert dans tous les domaines du savoir védique, ne peut devenir maître spirituel s'il n'est pas un *vaiṣṇava* parfaitement versé dans la science de Kṛṣṇa. Par contre, le *vaiṣṇava,* l'être conscient de Kṛṣṇa, peut devenir maître spirituel même s'il est issu d'une humble catégorie sociale. »

L'accroissement des richesses et le développement économique ne peuvent nous aider à vaincre les problèmes de l'existence, à savoir la naissance, la maladie, la vieillesse et la mort. Il y a bien à travers le monde des États riches à l'économie florissante, où les citoyens vivent dans une grande aisance, mais les problèmes de l'existence y sont aussi présents qu'ailleurs. On cherche la paix par toute sorte de moyens, mais on ne connaîtra le vrai bonheur que lorsqu'on aura consulté Kṛṣṇa, ou la *Bhagavad-gītā* et le *Śrīmad-Bhāgavatam* qui renferment la science de Kṛṣṇa, par l'intermédiaire du représentant autorisé de Dieu, le dévot de Kṛṣṇa. Si l'essor économique et le confort matériel pouvaient dissiper les anxiétés que nous apportent les problèmes familiaux, sociaux, nationaux ou internationaux, Arjuna ne dirait pas qu'un royaume inégalé sur terre ou une suprématie comparable à celle des *devas* sur les planètes édéniques ne pourraient en rien apaiser sa douleur. Il cherche refuge dans la conscience de Kṛṣṇa, la voie qui conduit vraiment à la paix et à l'harmonie, plutôt que dans la richesse matérielle ou la domination du monde. À n'importe quel moment une catastrophe naturelle peut réduire à néant la prospérité de l'homme ou son empire sur la terre. Quand bien même parviendrait-on à se rendre sur une planète supérieure et à s'y établir comme on s'efforce maintenant de le faire avec la lune, l'on peut tout perdre en un instant. C'est ce que confirme la *Bhagavad-gītā* (9.21) par les mots : *kṣīṇe puṇye martya-lokaṁ viśanti* – « Quand il a consommé le fruit de ses actes pieux, l'homme retombe et passe d'un état de plaisir extrême à la plus basse des conditions. » Nombreux d'ailleurs sont les politiciens qui connaissent semblable déchéance. De telles chutes ne font que causer plus de lamentation encore.

Par conséquent, si nous voulons définitivement apaiser nos tourments, nous devons, à l'exemple d'Arjuna, nous en remettre à Kṛṣṇa. Arjuna demande à Kṛṣṇa de résoudre une fois pour toutes son problème, ce qui est le principe même de la conscience de Kṛṣṇa.

**2.9** सञ्जय उवाच
एवमुक्त्वा हृषीकेशं गुडाकेशः परन्तपः ।
न योत्स्य इति गोविन्दमुक्त्वा तूष्णीं बभूव ह ॥ ९ ॥

*sañjaya uvāca*
*evam uktvā hṛṣīkeśaṁ, guḍākeśaḥ paran-tapaḥ*
*na yotsya iti govindam, uktvā tūṣṇīṁ babhūva ha*

*sañjayaḥ uvāca :* Sañjaya dit ; *evam :* ainsi ; *uktvā :* parlant ; *hṛṣīkeśam :* à Kṛṣṇa, le maître des sens ; *guḍākeśaḥ :* Arjuna, maître dans l'art de vaincre l'ignorance ; *param-*

*tapaḥ* : celui qui châtie l'ennemi ; *na yotsye* : je ne combattrai pas ; *iti* : ainsi ; *govindam* : à Kṛṣṇa, source de plaisir pour les sens ; *uktvā* : disant ; *tūṣṇīm* : silencieux ; *babhūva* : devint ; *ha* : certes.

**Sañjaya dit : Ayant ainsi parlé, Arjuna, vainqueur de l'ennemi, dit à Kṛṣṇa : « Ô Govinda, je ne combattrai pas », puis se tait.**

Dhṛtarāṣṭra doit être bien heureux d'apprendre qu'au lieu de combattre, Arjuna s'apprête à quitter le champ de bataille pour vivre de mendicité, mais simultanément, Sañjaya lui ôte tout espoir quand il affirme qu'Arjuna est tout à fait capable d'anéantir ses ennemis (*paran-tapaḥ*). Bien que temporairement sous le coup d'un abattement irraisonné dû à l'affection qu'il porte à sa famille, Arjuna a su s'abandonner à Kṛṣṇa, le maître spirituel suprême, en devenant Son disciple. Cette attitude laisse présager que prendront bientôt fin les tourments que lui infligent ses attachements. Illuminé par la connaissance parfaite de la réalisation spirituelle, la conscience de Kṛṣṇa, il se battra jusqu'au bout. Dhṛtarāṣṭra verra donc ses espoirs s'évanouir.

**2.10**

तमुवाच हृषीकेशः प्रहसन्निव भारत ।
सेनयोरुभयोर्मध्ये विषीदन्तमिदं वचः ॥१०॥

*tam uvāca hṛṣīkeśaḥ, prahasann iva bhārata*
*senayor ubhayor madhye, viṣīdantam idaṁ vacaḥ*

*tam* : à lui ; *uvāca* : dit ; *hṛṣīkeśaḥ* : Kṛṣṇa, le maître des sens ; *prahasan* : en souriant ; *iva* : de cette façon ; *bhārata* : ô Dhṛtarāṣṭra, descendant de Bharata ; *senayoḥ* : des armées ; *ubhayoḥ* : des deux camps ; *madhye* : au milieu ; *viṣīdantam* : à celui qui est en proie à la lamentation ; *idam* : suivantes ; *vacaḥ* : les paroles.

**Ô descendant de Bharata, Kṛṣṇa, souriant, S'adresse alors, entre les deux armées, au malheureux Arjuna.**

Il s'agissait jusqu'ici du dialogue de deux amis intimes : Hṛṣīkeśa et Guḍākeśa. Comme tels, ils se trouvaient sur un pied d'égalité, mais à présent, l'un d'eux se fait volontairement l'élève de l'autre. Kṛṣṇa sourit parce que Son ami souhaite devenir Son disciple. En tant que Seigneur de tous les êtres, Sa position est toujours supérieure, mais Il accepte d'être l'ami, le fils, ou l'amant du dévot qui désire Le voir jouer un tel rôle. À partir du moment où Arjuna fait de Kṛṣṇa son maître spirituel, Celui-ci en assume tout de suite le rôle et parle comme un maître à un disciple, c'est-à-dire gravement. Notons que cet échange entre maître et disciple se déroule ouvertement devant les combattants des deux armées, de sorte que tous en bénéficient. Les enseignements de la *Bhagavad-gītā* ne sont pas réservés à une personne, une société ou une communauté en particulier, mais s'adressent à tous sans discrimination. Amis et ennemis y ont également droit.

**2.11** श्रीभगवानुवाच
अशोच्यानन्वशोचस्त्वं प्रज्ञावादांश्च भाषसे ।
गतासूनगतासूंश्च नानुशोचन्ति पण्डिताः ॥११॥

*śrī-bhagavān uvāca*
*aśocyān anvaśocas tvaṁ, prajñā-vādāṁś ca bhāṣase*
*gatāsūn agatāsūṁś ca, nānuśocanti paṇḍitāḥ*

*śrī-bhagavān uvāca :* Dieu, la Personne Suprême, dit ; *aśocyān :* ne justifiant pas l'affliction ; *anvaśocaḥ :* tu t'affliges ; *tvam :* toi ; *prajñā-vādān :* des paroles instruites ; *ca :* aussi ; *bhāṣase :* prononçant ; *gata :* perdue ; *asūn :* la vie ; *agata :* non perdue ; *asūn :* la vie ; *ca :* aussi ; *na :* jamais ; *anuśocanti :* ne pleurent ; *paṇḍitāḥ :* les sages.

**Dieu, la Personne Suprême, dit : Bien que tu tiennes de savants discours, tu t'affliges pour ce qui n'en vaut pas la peine. Les sages ne pleurent ni les vivants ni les morts.**

Le Seigneur assume donc le rôle du maître et réprimande Son disciple en le traitant indirectement de sot : « Tu parles comme un érudit, lui dit-Il, mais tu ignores que le véritable *paṇḍita* – celui qui connaît la nature et du corps et de l'âme – ne s'apitoie jamais sur la condition de l'enveloppe charnelle, qu'elle soit morte ou vivante. » Comme on le verra dans les chapitres ultérieurs, le véritable savoir consiste à connaître la matière et l'âme, et leur maître commun. Arjuna a fait valoir que les principes religieux doivent primer sur les considérations d'ordre politique ou social, mais il ne sait pas que la connaissance de la matière, de l'âme et de l'Être Suprême, importe davantage que la religiosité. Comme il n'a pas cette connaissance, il ne devrait pas se faire passer pour un grand érudit. C'est d'ailleurs ce manque de connaissance qui l'amène à s'affliger pour ce qui n'en vaut pas la peine. Le corps naît pour périr un jour ou l'autre ; il a donc moins d'importance que l'âme. Le vrai sage le sait et ne trouve aucune raison de se lamenter, quelles que soient les conditions dans lesquelles le corps se trouve.

**2.12** न त्वेवाहं जातु नासं न त्वं नेमे जनाधिपाः ।
न चैव न भविष्यामः सर्वे वयमतः परम् ॥१२॥

*na tv evāhaṁ jātu nāsaṁ, na tvaṁ neme janādhipāḥ*
*na caiva na bhaviṣyāmaḥ, sarve vayam ataḥ param*

*na* : jamais ; *tu* : mais ; *eva* : certainement ; *aham* : Je ; *jātu* : à aucun moment ; *na* : ne pas ; *āsam* : existais ; *na* : ne pas ; *tvam* : toi ; *na* : ne pas ; *ime* : tous ces ; *jana-adhipāḥ* : rois ; *na* : jamais ; *ca* : aussi ; *eva* : certainement ; *na* : ne pas ; *bhaviṣyāmaḥ* : existerons ; *sarve vayam* : nous tous ; *ataḥ param* : à l'avenir.

**Jamais ne fut le temps où nous n'existions, Moi, toi et tous ces rois, et jamais aucun de nous ne cessera d'être.**

Les Védas, plus particulièrement la *Kaṭha Upaniṣad* et la *Śvetāśvatara Upaniṣad,* enseignent que Dieu, la Personne Suprême, veille au maintien d'innombrables entités vivantes tout en tenant compte de leur condition respective, déterminée chacune par leurs actes et leurs conséquences. Il est également présent dans le cœur de tous à travers Ses émanations plénières. Seules les âmes saintes qui Le voient à l'intérieur et à l'extérieur de toute chose accèdent à la paix véritable, parfaite et éternelle.

*nityo nityānāṁ cetanaś cetanānām*
*eko bahūnāṁ yo vidadhāti kāmān*
*tam ātma-sthaṁ ye 'nupaśyanti dhīrās*
*teṣāṁ śāntiḥ śāśvatī netareṣām*
(*Kaṭha Upaniṣad* 2.2.13)

Cette vérité transmise à Arjuna s'adresse également à tous ceux qui, en ce monde, se targuent d'une haute érudition alors que leur connaissance accuse d'importantes lacunes. Le Seigneur affirme clairement que Lui-même, Arjuna, les rois réunis sur le champ de bataille, ont tous éternellement une individualité propre. Il assure en tout temps la protection de chacun, qu'il soit conditionné ou libéré. Dieu, la Personne Suprême, est l'être individuel par excellence, et Arjuna, Son compagnon éternel, mais aussi les rois assemblés là, sont tous également des personnes distinctes et éternelles. Ce n'est pas qu'ils n'existaient pas en tant qu'individus par le passé ou qu'ils ne le seront plus dans le futur. Leur individualité a toujours été et le sera toujours. Il n'y a donc pas lieu de s'apitoyer sur le sort de qui que ce soit.

Śrī Kṛṣṇa, l'autorité suprême, ne soutient pas dans ce verset la théorie *māyāvādī* qui prétend que l'âme individuelle, séparée à l'origine par le voile de *māyā,* l'illusion, se fond dans le Brahman impersonnel au moment de la libération, et perd ainsi son individualité. Il ne soutient pas non plus la théorie qui dit que l'individualité n'existe qu'à l'état conditionné. Il déclare au contraire sans détour, comme le font les *Upaniṣads,* que Lui-même, mais aussi tous les êtres, conservent éternellement leur individualité. Le bien-fondé de cette affirmation ne fait aucun doute car Kṛṣṇa n'est jamais en proie à l'illusion. Si l'individualité éternelle des êtres n'était un fait avéré, Kṛṣṇa ne la soulignerait pas avec autant d'insistance. Les *māyāvādīs* prétendent que l'individualité dont parle Kṛṣṇa n'est pas spirituelle mais matérielle. Or, si l'on admet que l'individualité soit matérielle, en quoi se distingue alors l'individualité de Kṛṣṇa ? Il affirme Lui-même qu'Il était un être individuel par le passé, et nous assure qu'Il le demeurera dans le futur. Non seulement Kṛṣṇa a-t-Il confirmé Son individualité de plusieurs façons, mais Il a également expliqué que le Brahman impersonnel Lui est subordonné. Par ailleurs, si on Le rabaisse au rang des âmes conditionnées, la *Bhagavad-gītā* ne peut plus être considérée comme une Écriture autorisée. Un homme ordinaire, soumis aux quatre imperfections inhérentes à la nature humaine, ne peut donner aucun enseignement digne d'être entendu. La *Bhagavad-gītā* surpasse tout écrit d'inspiration humaine et aucun ouvrage profane ne saurait lui être comparé. Si donc on considérait Kṛṣṇa comme un homme ordinaire, la *Gītā* perdrait toute sa valeur.

Les *māyāvādīs* soutiennent que la pluralité dont fait état le présent verset est purement conventionnelle et ne concerne que le corps. Or, dans les versets précédents, Kṛṣṇa a dénoncé une telle identification de l'être au corps. Comment, dès lors, pourrait-Il réintroduire ici une théorie se rapportant au corps ? Non, l'individualité a trait à la nature spirituelle, comme le confirment de grands *ācāryas* tel Rāmānuja.

La *Gītā* stipule de façon explicite en plusieurs endroits que seuls les dévots du Seigneur sont à même de comprendre l'individualité spirituelle. Par contre, les envieux qui jalousent la Personnalité Divine de Kṛṣṇa ne seront jamais en mesure d'accéder avec justesse à cette œuvre grandiose. La manière dont les non-dévots abordent les enseignements de la *Gītā* nous fait penser aux abeilles qui lèchent les pourtours d'un pot de miel, mais qui, parce qu'il est fermé, ne peuvent s'en délecter. Ainsi en est-il du mysticisme de la *Bhagavad-gītā* qui ne peut être compris et apprécié que des dévots du Seigneur. Comme on le verra au chapitre quatre, nul autre ne peut savourer ce nectar. En définitive, les envieux qui vont jusqu'à nier l'existence de Dieu ne peuvent pas même s'en approcher. Dès lors, l'interprétation *māyāvādī* de la *Gītā* s'avère être une présentation mensongère de la vérité. Śrī Caitanya nous a d'ailleurs interdit de lire tout commentaire *māyāvādī* et averti que quiconque adhérerait à ce genre de philosophie perdrait toute possibilité de percer le véritable mystère de la *Gītā*. Si l'individualité se limitait à l'univers empirique, le Seigneur n'aurait que faire de nous livrer Son enseignement. L'individualité des âmes distinctes et du Seigneur est une réalité éternelle, attestée, nous l'avons vu, par les Védas.

**2.13** देहिनोऽस्मिन् यथा देहे कौमारं यौवनं जरा ।
तथा देहान्तरप्राप्तिर्धीरस्तत्र न मुह्यति ॥१३॥

*dehino 'smin yathā dehe, kaumāraṁ yauvanaṁ jarā*
*tathā dehāntara-prāptir, dhīras tatra na muhyati*

*dehinaḥ :* de l'âme incarnée; *asmin :* dans ce; *yathā :* comme; *dehe :* dans le corps; *kaumāram :* l'enfance; *yauvanam :* la jeunesse; *jarā :* la vieillesse; *tathā :* de même; *deha-antara :* du changement de corps; *prāptiḥ :* l'accomplissement; *dhīraḥ :* l'homme réfléchi; *tatra :* à ce propos; *na :* jamais; *muhyati :* n'est déconcerté.

**Au moment de la mort, l'âme change de corps, tout comme elle est passée dans le précédent de l'enfance à la jeunesse, puis de la jeunesse à la vieillesse. Le sage n'est pas troublé par ce changement.**

Parce qu'il est une âme individuelle, l'être voit son corps changer à chaque instant, se manifestant tantôt sous la forme d'un enfant, tantôt sous celle d'un adolescent, d'un adulte ou d'un vieillard. L'âme spirituelle, elle, reste la même. Elle ne subit aucun changement. Et quand finalement, la mort arrive, elle transmigre dans un autre corps. Donc, puisque l'âme est assurée d'avoir un autre corps – matériel ou spirituel – dans une vie prochaine, Arjuna n'a aucune raison de s'apitoyer sur la mort éventuelle de Bhīṣma ou de Droṇa. Il devrait se réjouir au contraire de les voir échanger leur vieux corps contre un neuf et recouvrer ainsi l'énergie de leur jeunesse. Tout changement de corps nous apporte son lot de joies ou de souffrances, selon ce que furent nos actes passés. Bhīṣma et Droṇa, étant de nobles âmes, ne manqueront pas d'obtenir dans leur prochaine vie un corps spirituel, ou tout du moins un corps qui leur permettra d'avoir sur les planètes édéniques des plaisirs supérieurs. Aussi, qu'ils aillent ici ou là après leur mort, il n'y a nulle raison de s'inquiéter de leur destinée.

Est qualifié de *dhīra,* de réfléchi, celui qui connaît parfaitement la nature de l'âme distincte et de l'Âme Suprême et qui connaît également les natures matérielle et spirituelle. Il n'est pas troublé par les changements de corps.

La théorie *māyāvādī* sur l'unicité de l'âme spirituelle n'a aucun fondement puisque l'âme ne peut être divisée. Si l'Âme Suprême pouvait être sectionnée en une multitude d'âmes individuelles, Elle serait divisible et mutable, alors qu'en réalité, Elle est immuable. La *Gītā* dit que les parcelles de l'Être Suprême, les âmes distinctes, existent de toute éternité (*sanātana*) et sont *kṣaras,* susceptibles de tomber sous le joug de la nature matérielle. Toutefois les âmes individuelles conservent à jamais leur statut de parties distinctes, même après avoir atteint la libération spirituelle. Une fois délivrées de la matière, elles obtiennent de vivre éternellement auprès de Dieu, la Personne Suprême, dans la connaissance et la félicité absolues.

On pourrait appliquer à l'Âme Suprême - le Paramātmā présent en chaque être mais néanmoins différent de l'âme individuelle habitant chacun de ces corps - le principe de la réflexion. Lorsque le ciel se reflète dans l'eau, l'image réfléchie est aussi bien celle du soleil et de la lune que celle des étoiles. Les étoiles sont semblables aux âmes distinctes, et le soleil, ou la lune, à l'Âme Suprême. L'âme spirituelle infinitésimale est ici représentée par Arjuna, et l'Âme Suprême par Kṛṣṇa, Dieu en personne. Mais comme le montrera avec précision le début du quatrième chapitre, l'un et l'autre ne sont pas au même niveau. Si Arjuna était l'égal de Kṛṣṇa, ou si Kṛṣṇa n'était pas supérieur à Arjuna, leur relation de maître à disciple n'aurait aucun sens. S'ils étaient tous deux fourvoyés par l'énergie illusoire (*māyā*), il ne servirait à rien que l'un instruise l'autre - un tel enseignement serait sans valeur, car nul n'est un maître autorisé s'il se trouve sous l'emprise de *māyā*. Si donc l'on prend en compte ce qui vient d'être dit jusqu'ici, il devient facile d'admettre que Kṛṣṇa est le Seigneur Suprême, et qu'Il occupe une position supérieure à celle d'Arjuna, âme oublieuse égarée par *māyā*.

**2.14** मात्रास्पर्शास्तु कौन्तेय शीतोष्णसुखदुःखदाः ।
आगमापायिनोऽनित्यास्तांस्तितिक्षस्व भारत ॥१४॥

*mātrā-sparśās tu kaunteya, śītoṣṇa-sukha-duḥkha-dāḥ*
*āgamāpāyino 'nityās, tāṁs titikṣasva bhārata*

*mātrā-sparśāḥ :* des perceptions sensorielles ; *tu :* seulement ; *kaunteya :* ô fils de Kuntī ; *śīta :* l'hiver ; *uṣṇa :* l'été ; *sukha :* le bonheur ; *duḥkha :* et le malheur ; *dāḥ :* engendrant ; *āgama :* apparaissant ; *apāyinaḥ :* disparaissant ; *anityāḥ :* impermanentes ; *tān :* elles toutes ; *titikṣasva :* efforce-toi de tolérer ; *bhārata :* ô descendant de la dynastie Bharata.

**Éphémères, joies et peines, comme étés et hivers, vont et viennent, ô fils de Kuntī. Elles procèdent de la perception des sens, ô descendant de Bharata. Il faut apprendre à les tolérer, sans en être affecté.**

Pour accomplir son devoir correctement, il faut apprendre à tolérer les manifestations éphémères des joies et des peines. Les Védas nous recommandent, par exemple, de prendre un bain matinal, même pendant le mois de *māgha* (janvier-février). Bien qu'il fasse très froid en cette période de l'année, celui qui observe les principes religieux n'hésite pas à se baigner tout comme une femme n'hésite pas à supporter la chaleur accablante de la cuisine pour préparer un repas en plein été. Quelles que soient les conditions climatiques, chacun doit s'acquitter de son devoir. Ainsi du *kṣatriya* qui, même s'il doit combattre parents et amis, ne peut délaisser son devoir. Nous devons respecter les règles et les principes religieux si nous voulons nous élever au niveau de la connaissance spirituelle, car seule la connaissance et la dévotion permettent d'échapper aux griffes de l'illusion (*māyā*).

Les deux noms donnés à Arjuna sont également significatifs : « Kaunteya » souligne son haut lignage maternel, et « Bhārata », sa noblesse paternelle. D'un côté comme de l'autre, il est censé appartenir à un noble lignage. Fort d'un tel héritage, il lui incombe de s'acquitter convenablement de son devoir. Il ne peut donc éviter le combat.

**2.15** यं हि न व्यथयन्त्येते पुरुषं पुरुषर्षभ ।
समदुःखसुखं धीरं सोऽमृतत्वाय कल्पते ॥१५॥

*yaṁ hi na vyathayanty ete, puruṣaṁ puruṣarṣabha*
*sama-duḥkha-sukhaṁ dhīraṁ, so 'mṛtatvāya kalpate*

*yam :* celui pour qui ; *hi :* certainement ; *na :* jamais ; *vyathayanti :* ne sont sources de désarroi ; *ete :* toutes ces choses ; *puruṣam :* à une personne ; *puruṣa-ṛṣabha :* ô meilleur des hommes ; *sama :* impassible ; *duḥkha :* dans le malheur ; *sukham :* et dans le bonheur ; *dhīram :* imperturbable ; *saḥ :* lui ; *amṛtatvāya :* pour la libération ; *kalpate :* est considéré éligible.

**Ô meilleur des hommes [Arjuna], celui que n'affectent ni le bonheur ni le malheur, et qui demeure imperturbable en présence de l'un comme de l'autre, est certes digne de la libération.**

Quiconque est fermement déterminé à atteindre les hautes sphères de la réalisation spirituelle et parvient à tolérer aussi bien les assauts du malheur que ceux du bonheur, se qualifie pour atteindre la libération. Dans le cadre de l'institution du *varṇāśrama,* le quatrième stade de l'existence humaine, l'ordre du renoncement (*sannyāsa*) implique un mode de vie très rigoureux. Néanmoins, l'homme désirant sérieusement parfaire son existence n'hésite pas à embrasser l'ordre du *sannyāsa,* en dépit des difficultés qu'un tel choix ne peut manquer de provoquer. Plus particulièrement quand il s'agit de rompre avec les siens et de quitter sa femme et ses enfants. Celui toutefois qui parvient à endurer ces épreuves est assuré d'atteindre le but de la réalisation spirituelle. De la même manière, Kṛṣṇa conseille à Arjuna de persévérer dans l'accomplissement de ses devoirs de *kṣatriya,* même s'il lui est pénible de combattre ceux qu'il aime. Lorsque Śrī Caitanya prit l'ordre du *sannyāsa* à vingt-quatre ans, il n'y eut plus personne pour veiller sur Sa jeune femme et Sa vieille mère. Mais parce qu'Il poursuivait un dessein supérieur, Il resta ferme dans Sa décision et S'acquitta avec constance de Ses devoirs spirituels. C'est seulement de cette façon que l'on parvient à se libérer de l'emprisonnement matériel.

**2.16** नासतो विद्यते भावो नाभावो विद्यते सतः ।
उभयोरपि दृष्टोऽन्तस्त्वनयोस्तत्त्वदर्शिभिः ॥१६॥

*nāsato vidyate bhāvo, nābhāvo vidyate sataḥ*
*ubhayor api dṛṣṭo 'ntas, tv anayos tattva-darśibhiḥ*

*na :* jamais; *asataḥ :* du non-existant (de ce qui n'a pas d'existence à proprement parler); *vidyate :* il n'y a; *bhāvaḥ :* de durée; *na :* jamais; *abhāvaḥ :* de nature changeante; *vidyate :* il n'y a; *sataḥ :* de ce qui existe éternellement; *ubhayoḥ :* des deux; *api :* en vérité; *dṛṣṭaḥ :* observée; *antaḥ :* la conclusion; *tu :* assurément; *anayoḥ :* d'eux; *tattva :* la vérité; *darśibhiḥ :* ceux qui voient.

**Ceux qui voient la vérité ont conclu, après avoir étudié leurs natures respectives, à l'impermanence du non-existant [le corps matériel] et à l'immuabilité de l'éternel [l'âme spirituelle].**

L'existence d'un corps matériel en constante mutation ne peut indéfiniment se prolonger. La médecine moderne admet que les cellules du corps connaissent à chaque instant des transformations qui sont à l'origine de sa croissance, puis de sa décrépitude. Mais l'âme existe en permanence et demeure telle quelle malgré les changements que subissent le corps et le mental. Voilà ce qui différencie la matière de l'esprit. Le corps change sans cesse tandis que l'âme est immuable. Ceux qui voient la Vérité, impersonnalistes ou personnalistes, en sont tous parvenus à cette conclusion. Par conséquent, les mots « existant » (*sat*) et « non-existant » (*asat*) renvoient respectivement à l'esprit et à la matière. C'est pour cela que le *Viṣṇu Purāṇa* (2.12.38) indique que Viṣṇu et les planètes sur lesquelles Il réside sont purement spirituels et de ce fait génèrent leur propre lumière (*jyotīṁṣi viṣṇur bhuvanāni viṣṇuḥ*).

Telles sont les premières instructions que le Seigneur donne aux âmes que l'ignorance égare. Pour vaincre l'ignorance, on doit rétablir la relation éternelle qui lie l'adorateur et l'objet d'adoration, et donc comprendre ce qui différencie le Seigneur Suprême des êtres vivants, parcelles infimes de Sa personne. On pénétrera la nature de l'Être Suprême si l'on étudie chacun minutieusement sa propre nature, en prenant conscience que ce qui nous distingue de Lui n'est autre que ce qui distingue la partie du tout.

Le *Vedānta-sūtra* et le *Śrīmad-Bhāgavatam* reconnaissent en l'Être Suprême l'origine de toutes les manifestations qui, selon une hiérarchie naturelle, sont soit de nature inférieure soit de nature supérieure. Comme l'expliquera le septième chapitre, les êtres vivants appartiennent à l'énergie supérieure. Bien qu'il n'y ait pas de différence fondamentale entre l'énergie et la source énergétique, il est dit que la source est suprême et l'énergie subordonnée. Les êtres vivants sont donc toujours subordonnés au Seigneur, comme les serviteurs au maître ou les élèves au professeur. Or il est impossible à un homme de comprendre cette vérité évidente tant qu'il est sous l'emprise de l'ignorance. Le Seigneur énonce donc la *Bhagavad-gītā* pour dissiper cette ignorance et éclairer les êtres vivants pour tous les temps à venir.

**2.17** अविनाशि तु तद्विद्धि येन सर्वमिदं ततम् ।
विनाशमव्ययस्यास्य न कश्चित्कर्तुमर्हति ॥१७॥

*avināśi tu tad viddhi, yena sarvam idaṁ tatam*
*vināśam avyayasyāsya, na kaścit kartum arhati*

*avināśi* : impérissable ; *tu* : mais ; *tat* : cela ; *viddhi* : sache ; *yena* : par quoi ; *sarvam* : tout le corps ; *idam* : cela ; *tatam* : pénétré ; *vināśam* : la destruction ; *avyayasya* : de l'impérissable ; *asya* : de cela ; *na kaścit* : nul ; *kartum* : faire ; *arhati* : n'est capable de.

**Sache que ce qui pénètre le corps tout entier est indestructible. Nul ne peut détruire l'âme impérissable.**

Ce verset traite avec plus de précision de la nature réelle de l'âme dont l'influence s'étend au corps entier. Chacun d'entre nous comprendra que la conscience est présente dans l'ensemble de notre corps, car nous ressentons tous les plaisirs et les douleurs qu'il éprouve ; mais là se limite, toutefois, le champ d'expérimentation de notre conscience. Les plaisirs et les douleurs que ressentent les autres nous sont inconnus. Chaque corps est donc l'enveloppe grossière d'une âme distincte, dont la présence est perceptible à travers la conscience individuelle. La taille de l'âme est le dix-millième de la pointe d'un cheveu, ainsi que le confirme la *Śvetāśvatara Upaniṣad* (5.9) :

*bālāgra-śata-bhāgasya, śatadhā kalpitasya ca*
*bhāgo jīvaḥ vijñeyaḥ, sa cānantyāya kalpate*

« Lorsqu'on divise la pointe d'un cheveu en cent parties, chacune redivisée en cent autres parties, on trouve la juste mesure de l'âme. » De la même manière, il est dit :

*keśāgra-śata-bhāgasya, śatāṁśaḥ sādṛśātmakaḥ*
*jīvaḥ sūkṣma-svarūpo 'yaṁ, saṅkhyātīto hi cit-kaṇaḥ*

« Il existe d'innombrables atomes spirituels, dont la taille est d'un dix-millième de la pointe d'un cheveu. »

L'âme distincte est donc un atome spirituel, plus petit que les atomes matériels. Ces atomes spirituels existent en nombre infini. Chacune de ces minuscules étincelles spirituelles est le principe vital du corps matériel. Tout comme le principe actif d'un médicament agit dans le corps entier, l'influence de l'âme se manifeste dans tout le corps sous la forme de la conscience, qui est la preuve vivante de sa présence. Nul n'ignore que privé de conscience, le corps n'est qu'un objet inerte qu'aucun procédé matériel ne peut ranimer. Par suite, il est clair que la conscience provient de l'âme, et non de quelque combinaison d'éléments matériels. La *Muṇḍaka Upaniṣad* (3.1.9) donne elle aussi la mesure de l'âme infinitésimale :

*eṣo 'ṇur ātmā cetasā veditavyo*
*yasmin prāṇaḥ pañcadhā saṁviveśa*
*prāṇaiś cittaṁ sarvam otaṁ prajānāṁ*
*yasmin viśuddhe vibhavaty eṣa ātmā*

« L'intelligence parfaite peut percevoir l'âme, de dimension atomique. Sise dans le cœur et portée par cinq sortes d'air (*prāṇa, apāna, vyāna, samāna* et *udāna*), elle dispense son énergie à tout le corps. Une fois purifiée de la contamination des cinq airs matériels, elle dévoile sa puissance spirituelle. »

Le *haṭha-yoga* sert à contrôler, au moyen de postures diverses, les cinq sortes d'air enveloppant l'âme pure, non pour en tirer quelque profit matériel, mais pour libérer l'âme infime de la matière qui l'emprisonne.

Les Textes védiques s'accordent tous sur cette définition de la constitution atomique de l'âme dont tout homme sain d'esprit peut vérifier l'authenticité par expérience directe. Seul un insensé prendra cette étincelle spirituelle pour le *viṣṇu-tattva* omniprésent.

La *Muṇḍaka Upaniṣad* situe donc l'âme infinitésimale dans le cœur, d'où elle exerce son influence sur l'ensemble du corps. Néanmoins certains chercheurs matérialistes nient son existence, parce qu'à cause de sa taille infime elle échappe à leur pouvoir d'observation. Il est pourtant évident que si l'énergie nécessaire au fonctionnement de l'organisme provient du cœur, c'est que l'âme distincte et l'Âme Suprême s'y trouvent l'une et l'autre. Les globules sanguins, qui transportent l'oxygène emmagasiné dans les poumons, tirent leur énergie de l'âme. C'est pourquoi le sang cesse de remplir ses fonctions d'agent de fusionnement dès que l'âme quitte le corps. La science médicale est dans l'incapacité de vérifier que l'âme fournit au corps son énergie vitale, mais elle accepte toutefois l'importance des globules rouges et admet que le cœur est le siège de toutes les énergies corporelles.

On pourrait comparer ces parties atomiques du Tout spirituel aux innombrables particules lumineuses des rayons du soleil, car elles sont des étincelles de la radiance du Seigneur Suprême (*prabhā*, l'énergie supérieure). Que l'on suive les Écritures védiques ou la science moderne, on ne peut nier l'existence de l'âme dans le corps. Et Dieu Lui-même expose très clairement la science de l'âme dans la *Bhagavad-gītā*.

**2.18** अन्तवन्त इमे देहा नित्यस्योक्ताः शरीरिणः ।
अनाशिनोऽप्रमेयस्य तस्माद्युध्यस्व भारत ॥१८॥

*antavanta ime dehā, nityasyoktāḥ śarīriṇaḥ*
*anāśino 'prameyasya, tasmād yudhyasva bhārata*

*anta-vantaḥ :* périssables ; *ime :* tous ces ; *dehāḥ :* corps matériels ; *nityasya :* existant éternellement ; *uktāḥ :* il est dit que ; *śarīriṇaḥ :* l'âme incarnée ; *anāśinaḥ :* ne pouvant jamais être détruite ; *aprameyasya :* immensurable ; *tasmāt :* donc ; *yudhyasva :* combats ; *bhārata :* ô descendant de Bharata.

**Le corps matériel de l'âme indestructible, éternelle et sans mesure, est voué à une fin certaine. Fort de ce savoir, combats, ô descendant de Bharata.**

Le corps matériel est, par définition, périssable. Que ce soit maintenant ou dans cent ans, il mourra ; ce n'est qu'une question de temps. Il est impossible de le maintenir indéfiniment en vie. L'âme par contre est de taille si infime qu'elle ne peut pas être vue, que dire d'être tuée. Le verset précédent explique que sa petitesse la rend difficilement mesurable. Dans l'un et l'autre cas donc, il n'y a pas lieu de se lamenter, puisqu'on ne peut tuer l'être lui-même, l'âme, et qu'il est impossible de protéger ou de conserver indéfiniment le corps.

Il est essentiel d'observer les principes religieux car le corps matériel dans lequel l'âme, cette infime parcelle du tout, se réincarne est le fruit des actes accomplis dans cette vie. Le *Vedānta-sūtra* qualifie l'être vivant de « lumière », car il fait partie intégrante de la lumière suprême. La lumière de l'âme maintient le corps matériel en vie, exactement comme la lumière du soleil préserve l'univers entier. Et dès que l'âme quitte le corps, celui-ci se décompose. Ce qui prouve que c'est bien l'âme qui maintient le corps en vie et que le corps en lui-même importe peu. C'est également la raison pour laquelle Kṛṣṇa conseille à Arjuna de combattre et de ne pas substituer à son devoir religieux des considérations matérielles et corporelles.

**2.19** य एनं वेत्ति हन्तारं यश्चैनं मन्यते हतम् ।
उभौ तौ न विजानीतो नायं हन्ति न हन्यते ॥१९॥

*ya enaṁ vetti hantāraṁ, yaś cainaṁ manyate hatam*
*ubhau tau na vijānīto, nāyaṁ hanti na hanyate*

*yaḥ :* quiconque ; *enam :* cela ; *vetti :* connaît ; *hantāram :* le tueur ; *yaḥ :* quiconque ; *ca :* aussi ; *enam :* cela ; *manyate :* pense ; *hatam :* tué ; *ubhau :* tous deux ; *tau :* ils ; *na :* jamais ; *vijānītaḥ :* n'ont la connaissance ; *na :* jamais ; *ayam :* cela ; *hanti :* tue ; *na :* non plus ; *hanyate :* est tué.

**Ceux qui pensent que l'âme peut donner la mort ou elle-même périr sont des ignorants ; elle ne peut ni tuer ni être tuée.**

Comprenons bien que lorsque quelqu'un est fatalement atteint par une arme, l'être dans le corps n'est pas tué. Comme le montreront les prochains versets, l'âme est si petite qu'aucune arme matérielle ne peut l'atteindre ; de nature spirituelle, elle est immortelle. Seul le corps est sujet à la mort. Notons bien qu'un tel savoir n'a pas pour objet d'encourager le meurtre. Les Védas nous enjoignent de ne jamais user de violence envers autrui : *mā hiṁsyāt sarvā bhūtāni.* Savoir que l'être véritable ne meurt jamais n'autorise pas non plus l'abattage des animaux. Ôter la vie au corps sans autorisation scripturaire est un acte abominable punissable par les lois humaine et divine. Arjuna doit cependant tuer, mais pour sauvegarder les principes de la religion, et non arbitrairement.

**2.20** न जायते म्रियते वा कदाचिन् नायं भूत्वा भविता वा न भूयः ।
अजो नित्यः शाश्वतोऽयं पुराणो न हन्यते हन्यमाने शरीरे ॥२०॥

*na jāyate mriyate vā kadācin*
*nāyaṁ bhūtvā bhavitā vā na bhūyaḥ*
*ajo nityaḥ śāśvato 'yaṁ purāṇo*
*na hanyate hanyamāne śarīre*

*na :* jamais ; *jāyate :* ne naît ; *mriyate :* ne meurt ; *vā :* ou ; *kadācit :* à aucun moment (passé, présent ou futur) ; *na :* jamais ; *ayam :* cela ; *bhūtvā :* étant venu au monde ; *bhavitā :* vient à être ; *vā :* ou ; *na :* ne ; *bhūyaḥ :* ou viendra à être ; *ajaḥ :* non né ; *nityaḥ :* éternel ; *śāśvataḥ :* permanent ; *ayam :* cela ; *purāṇaḥ :* le plus ancien ; *na :* jamais ; *hanyate :* n'est tué ; *hanyamāne :* étant tué ; *śarīre :* le corps.

**Jamais l'âme ne naît ni ne meurt. Elle n'eut jamais de commencement et n'en aura jamais. Non née, éternelle, immortelle et primordiale, elle ne périt pas avec le corps.**

D'un point de vue qualitatif, on peut dire que l'âme infinitésimale ne fait qu'un avec l'Être Suprême. Elle n'est pas, comme le corps, en perpétuelle mutation ; c'est pourquoi on la dit parfois *kūṭa-stha,* « immuable ». Le corps traverse, au cours de son existence, six étapes : il naît de la matrice d'une mère, grandit, se stabilise, engendre une descendance, vieillit, et finalement meurt pour retomber dans l'oubli. L'âme, elle, n'a pas à muter ainsi. Elle est non née, et ce n'est que parce qu'elle revêt une enveloppe charnelle que le corps naît. Elle n'est donc pas créée à l'instant où le corps se forme, pas plus qu'elle ne meurt au moment où celui-ci rend le dernier souffle. Seul ce qui naît doit mourir. Et parce qu'elle ne naît pas, l'âme ne connaît ni passé, ni présent, ni futur. Elle est éternelle, immortelle et originelle. On ne peut retrouver dans le temps l'origine de son existence. Mais parce que le corps est soumis à la naissance et à la mort, on pense que l'âme y est également astreinte. Or, si le corps vieillit, l'âme ne vieillit jamais. Le vieillard se sent intérieurement le même que l'enfant ou le jeune homme qu'il fut, car les changements du corps n'affectent pas l'âme. Elle ne dépérit pas comme le fait l'arbre ou tout autre objet matériel et n'engendre pas non plus de descendance. Les êtres produits par le corps sont des âmes distinctes également, et s'ils sont les enfants de tel ou tel parent, c'est seulement à cause de la relation corporelle qui les unit. Le corps se développe au contact de l'âme sans que celle-ci ne soit sujette au moindre changement, ne soit à l'origine d'une descendance ou ne soit astreinte aux six phases d'évolution du corps.

Un des versets de la *Kaṭha Upaniṣad* (1.2.18) est presque identique à celui qui nous occupe :

*na jāyate mriyate vā vipaścin*
*nāyaṁ kutaścin na babhūva kaścit*
*ajo nityaḥ śāśvato 'yaṁ purāṇo*
*na hanyate hanyamāne śarīre*

La traduction et le sens de ce verset sont les mêmes que celui de la *Bhagavad-gītā,* à la différence près qu'on y trouve un mot particulier, *vipaścit,* qui signifie « érudit », « doté de savoir ».

Comme l'âme est toujours pleinement consciente et connaissante, on dit que la conscience est la manifestation perceptible de l'âme. C'est pourquoi, si nous ne pouvons percevoir l'âme dans le cœur, son lieu de résidence, nous pouvons toujours appréhender son existence par le biais de la conscience. Il arrive que le soleil soit caché par des nuages, pourtant nous savons qu'il fait jour, car la lumière ambiante indique qu'il est toujours présent. Dès qu'à l'aube pointe une faible lueur, nous savons que le soleil s'est levé. Pareillement, puisqu'une conscience anime tous les corps, humains ou animaux, nous savons que l'âme est présente en chacun. La conscience de l'âme distincte diffère pourtant de celle de Dieu, dans le sens où la conscience suprême possède la connaissance intégrale du passé, du présent et de l'avenir, alors que la conscience de l'être infime, au contraire, est sujette à l'oubli. Puisque l'homme ne se souvient plus de sa vraie nature, Kṛṣṇa l'instruit et l'éclaire par Son enseignement. Du reste, si Kṛṣṇa n'était pas différent de l'âme oublieuse, l'enseignement qu'Il donne dans la *Bhagavad-gītā* serait vain.

La *Kaṭha Upaniṣad* (1.2.20) confirme l'existence de deux sortes d'âmes : l'âme distincte, infinitésimale (*aṇu-ātmā*) et l'Âme Suprême (*vibhu-ātmā*) :

*aṇor aṇīyān mahato mahīyān*
*ātmāsya jantor nihito guhāyām*
*tam akratuḥ paśyati vīta-śoko*
*dhātuḥ prasādān mahimānam ātmanaḥ*

« L'Âme Suprême (Paramātmā) et l'âme infinitésimale (*jīvātmā*) se trouvent toutes deux sur un même arbre, le corps de l'être animé, plus précisément dans son cœur. Celui qui s'est libéré de tout désir matériel et qui ne se lamente plus peut seul comprendre, par la grâce du Suprême, les gloires de l'âme. »

Comme nous le verrons dans les prochains chapitres, Kṛṣṇa est la source de l'Âme Suprême, et Arjuna représente l'âme infinitésimale oublieuse de sa véritable nature. Il a donc besoin d'être éclairé par les enseignements du Seigneur ou de Son représentant qualifié, le maître spirituel.

2.21 वेदाविनाशिनं नित्यं य एनमजमव्ययम् ।
कथं स पुरुषः पार्थ कं घातयति हन्ति कम् ॥२१॥

*vedāvināśinaṁ nityaṁ, ya enam ajam avyayam*
*kathaṁ sa puruṣaḥ pārtha, kaṁ ghātayati hanti kam*

*veda :* sait ; *avināśinam :* indestructible ; *nityam :* toujours existante ; *yaḥ :* celui qui ; *enam :* cette (âme) ; *ajam :* non née ; *avyayam :* immuable ; *katham :* comment ; *saḥ :* cette ; *puruṣaḥ :* personne ; *pārtha :* ô Arjuna, fils de Pṛthā ; *kam :* qui ; *ghātayati :* fait faire du mal ; *hanti :* tue ; *kam :* qui.

**Comment une personne qui sait que l'âme est indestructible, éternelle, non née et immuable, ô Pārtha, pourrait-elle tuer ou faire tuer ?**

Chaque chose a sa raison d'être. L'homme qui possède la connaissance parfaite sait où et comment tout utiliser. Ainsi de la violence qui est parfois utile. L'homme qui détient le savoir sait comment en user. Lorsqu'un juge condamne un meurtrier à la peine capitale, nul ne peut le blâmer, car l'usage qu'il fait de la violence est conforme au code pénal. La *Manu-saṁhitā*, le Livre des lois de l'humanité, explique qu'un meurtrier doit être condamné à mort pour ne pas avoir à subir dans sa vie prochaine les redoutables conséquences de son geste. La condamnation à mort, en ce cas, est un acte bénéfique. De la même façon, lorsque Kṛṣṇa demande que l'on use de violence, c'est afin de servir la justice suprême. Arjuna doit donc obéir, sachant bien que l'homme, ou mieux l'âme, n'est pas sujette à la mort, et que la violence engagée au service de Kṛṣṇa dans une bataille n'est pas, à proprement parler, de la violence. Une opération chirurgicale n'a pas pour objet de tuer, mais bien de guérir. Aussi, le combat qu'Arjuna doit livrer sur l'ordre de Kṛṣṇa est fait en pleine connaissance. Aucune réaction pécheresse n'en résultera.

**2.22** वासांसि जीर्णानि यथा विहाय नवानि गृह्णाति नरोऽपराणि ।
तथा शरीराणि विहाय जीर्णान्यन्यानि संयाति नवानि देही ॥२२॥

*vāsāṁsi jīrṇāni yathā vihāya, navāni gṛhṇāti naro 'parāṇi*
*tathā śarīrāṇi vihāya jīrṇāny, anyāni saṁyāti navāni dehī*

*vāsāṁsi :* des vêtements ; *jīrṇāni :* vieux et déchirés ; *yathā :* tout comme ; *vihāya :* abandonnant ; *navāni :* des vêtements neufs ; *gṛhṇāti :* prend ; *naraḥ :* un homme ; *aparāṇi :* les autres ; *tathā :* de la même façon ; *śarīrāṇi :* corps ; *vihāya :* abandonnant ; *jīrṇāni :* vieux et inutiles ; *anyāni :* différents ; *saṁyāti :* prend en vérité ; *navāni :* de nouveaux ensembles ; *dehī :* l'âme incarnée.

**De même qu'on se défait d'un vêtement usé pour en revêtir un neuf, l'âme abandonne l'ancien corps devenu inutile pour en prendre un nouveau.**

Que l'âme distincte change de corps est un fait reconnu. Même la science moderne, qui ne croit pas en l'existence de l'âme, mais qui, simultanément, ne peut expliquer d'où provient l'énergie émanant du cœur, est obligée de reconnaître les continuelles transformations du corps : enfance, adolescence, maturité, vieillesse. Ensuite le changement se poursuit dans un autre corps, comme l'a expliqué le treizième verset de ce chapitre.

C'est par la grâce de l'Âme Suprême que l'âme distincte est transférée d'un corps à l'autre. Elle comble les souhaits de l'âme infinitésimale, tout comme on satisfait les désirs d'un ami. Les Védas, telles la *Muṇḍaka Upaniṣad* et la *Śvetāśvatara Upaniṣad,* comparent ces deux âmes à deux oiseaux liés d'amitié et perchés sur un même arbre. Alors que l'un d'eux (l'âme infinitésimale) goûte les fruits de l'arbre, l'autre (Kṛṣṇa, l'Âme Suprême) l'observe. Ces deux oiseaux sont de même nature, mais l'un est captivé par les fruits de l'arbre matériel, tandis que l'autre se contente d'observer les mouvements de Son ami. Kṛṣṇa est cet oiseau-témoin, Arjuna l'oiseau qui mange. Ce sont deux amis, mais l'un est maître, l'autre serviteur. L'oubli de cette relation oblige l'âme infinitésimale (*jīva*) à voler d'arbre en arbre, c'est-à-dire d'un corps à l'autre. Le *jīva*, perché sur l'arbre du corps, mène un dur combat pour vivre, mais dès qu'il reconnaît en l'autre oiseau le maître spirituel suprême – comme le fit Arjuna qui s'abandonna volontairement au Seigneur pour recevoir Ses instructions – il ne souffre plus. La *Muṇḍaka Upaniṣad* (3.1.2) et la *Śvetāśvatara Upaniṣad* (4.7) le confirment :

*samāne vṛkṣe puruṣo nimagno*
*'nīśayā śocati muhyamānaḥ*
*juṣṭaṁ yadā paśyaty anyam īśam*
*asya mahimānam iti vīta-śokaḥ*

« Des deux oiseaux qui vivent sur le même arbre, seul celui qui en goûte les fruits se désole et s'angoisse. Toutefois, si par bonheur il se tourne vers le Seigneur, son ami, et vient à connaître Ses gloires, ses souffrances et ses angoisses disparaissent. » Arjuna s'est maintenant tourné vers Kṛṣṇa, son éternel ami, et, guidé par Lui, pénètre la sagesse de la *Bhagavad-gītā*. Attentif aux paroles de Kṛṣṇa, il comprend les gloires de Dieu et ne connaît plus la lamentation.

Le Seigneur conseille à Arjuna de ne pas s'attrister du changement de corps qu'auront à subir son grand-père et son précepteur. Il devrait se réjouir au contraire de pouvoir détruire leur corps dans ce juste combat, car un tel acte les libérera des suites de leurs actions passées. En effet, celui qui meurt en sacrifiant sa vie sur l'autel d'un juste combat échappe d'un coup à toutes les conséquences de ses actes et se trouve promu à un niveau d'existence supérieur. Arjuna n'a donc aucune raison de se lamenter.

**2.23** नैनं छिन्दन्ति शस्त्राणि नैनं दहति पावकः ।
न चैनं क्लेदयन्त्यापो न शोषयति मारुतः ॥२३॥

*nainaṁ chindanti śastrāṇi, nainaṁ dahati pāvakaḥ*
*na cainaṁ kledayanty āpo, na śoṣayati mārutaḥ*

*na :* jamais; *enam :* cette âme; *chindanti :* ne peuvent tailler en pièces; *śastrāṇi :* les armes; *na :* jamais; *enam :* cette âme; *dahati :* ne brûle; *pāvakaḥ :* le feu; *na :* jamais; *ca :* aussi; *enam :* cette âme; *kledayanti :* ne mouille; *āpaḥ :* l'eau; *na :* jamais; *śoṣayati :* ne dessèche; *mārutaḥ :* le vent.

**Aucune arme ne peut fendre l'âme, ni le feu la brûler. L'eau ne peut la mouiller, ni le vent la dessécher.**

Aucune arme ne peut détruire l'âme, qu'il s'agisse de sabres ou d'armes produisant feu, pluie, tornade ou autres phénomènes. Ce verset laisse entendre qu'on utilisait à l'époque d'Arjuna, non seulement des armes à feu comparables aux nôtres, mais encore des armes à base de terre, d'eau, d'air et d'éther. Les bombes nucléaires d'aujourd'hui font partie des armes à base de feu. Or, pour riposter à de telles armes, on se servait en ces temps d'un arsenal dont la science moderne n'a aucune idée. Contre les armes à feu, on utilisait l'eau comme élément actif. Il y avait des « armes-tornades » dont la science ignore également tout. Néanmoins, quel que soit le degré d'avancement de la science, aucune arme ne pourra jamais ni couper l'âme en morceaux, ni l'anéantir.

Les *māyāvādīs* ne peuvent nous donner une explication satisfaisante avec leur théorie qui veut que l'âme distincte ne serait venue à l'existence que par l'action de l'ignorance et, par conséquent, serait maintenant recouverte par l'énergie illusoire. Il n'est pas possible non plus que l'âme individuelle ait été coupée à un moment donné de l'Âme Suprême originelle. Bien au contraire, les âmes spirituelles sont éternellement distinctes, séparées de l'Âme Suprême. Parce qu'elles sont éternellement (*sanātana*) infinitésimales et individuelles, l'énergie illusoire peut les recouvrir, et ainsi les couper du contact avec le Seigneur Suprême, tout comme les étincelles, pourtant semblables au feu en qualité, s'éteignent lorsqu'elles en sont séparées.

Dans le *Varāha Purāṇa,* mais également dans la *Bhagavad-gītā,* on décrit les êtres vivants comme étant des fragments du Seigneur, éternellement distincts de Lui. Kṛṣṇa indique en termes clairs dans Ses enseignements à Arjuna que, même libéré du joug de l'illusion, l'être vivant garde son individualité. Arjuna obtint la libération après avoir reçu de Kṛṣṇa la connaissance, mais jamais il ne se fondit en Lui pour ne plus faire qu'un.

**2.24** अच्छेद्योऽयमदाह्योऽयमक्लेद्योऽशोष्य एव च ।
नित्यः सर्वगतः स्थाणुरचलोऽयं सनातनः ॥२४॥

*acchedyo 'yam adāhyo 'yam, akledyo 'śoṣya eva ca*
*nityaḥ sarva-gataḥ sthāṇur, acalo 'yaṁ sanātanaḥ*

*acchedyaḥ :* ne peut être brisée; *ayam :* cette âme; *adāhyaḥ :* ne peut être brûlée; *ayam :* cette âme; *akledyaḥ :* insoluble; *aśoṣyaḥ :* ne peut être desséchée; *eva :* certes; *ca :* et; *nityaḥ :* immortelle; *sarva-gataḥ :* omniprésente; *sthāṇuḥ :* inchangeable; *acalaḥ :* fixe; *ayam :* cette âme; *sanātanaḥ :* éternellement la même.

**L'âme distincte est indivisible et insoluble ; ni le feu, ni le vent n'ont de prise sur elle. Immortelle, partout présente, inaltérable et fixe, elle reste éternellement la même.**

Ces divers qualificatifs de l'âme prouvent de façon définitive qu'elle demeure éternellement une particule infime du Tout spirituel, qu'elle conserve à jamais son individualité propre et qu'elle ne connaît aucun changement. La théorie moniste, qui prétend que l'âme distincte et le Tout spirituel sont une seule et même chose, est inapplicable ici. En réalité, après s'être affranchie de la contamination matérielle, l'âme infinitésimale peut, si elle le désire, demeurer comme une étincelle dans l'éclat irradiant émanant de Dieu, ou faire preuve d'une intelligence supérieure en se rendant sur l'une des planètes spirituelles pour y vivre auprès de la Personne Suprême.

Le mot *sarva-gata,* qui signifie « omniprésent », est très significatif, car les êtres vivants sont partout présents dans la création de Dieu. Ils vivent sur terre, dans l'eau, dans l'air, sous terre et même dans le feu. On croit généralement que le feu détruit toute vie, mais ce verset dit en toutes lettres que l'âme ne peut être brûlée par le feu. Il ne fait donc aucun doute que des êtres, dont le corps est spécifiquement adapté, vivent sur le soleil. Dans le cas contraire, le mot *sarva-gata* n'aurait aucun sens.

**2.25** अव्यक्तोऽयमचिन्त्योऽयमविकार्योऽयमुच्यते ।
तस्माद‍ेवं विदित्वैनं नानुशोचितुमर्हसि ॥२५॥

*avyakto 'yam acintyo 'yam, avikāryo 'yam ucyate*
*tasmād evaṁ viditvainaṁ, nānuśocitum arhasi*

*avyaktaḥ :* invisible ; *ayam :* cette âme ; *acintyaḥ :* inconcevable ; *ayam :* cette âme ; *avikāryaḥ :* inchangeable ; *ayam :* cette âme ; *ucyate :* est dite ; *tasmāt :* donc ; *evam :* comme cela ; *viditvā :* le sachant bien ; *enam :* cette âme ; *na :* ne pas ; *anuśocitum :* de te lamenter sur ; *arhasi :* tu mérites.

**L'âme est dite invisible, inconcevable et immuable. Sachant cela, tu ne devrais pas t'apitoyer sur le corps.**

L'âme, telle que les versets précédents l'ont décrite, est de taille si infime que même le plus puissant de nos microscopes ne peut la déceler. Pour cette raison on la dit invisible. Son existence ne peut donc être attestée de façon expérimentale, mais par la seule sagesse védique, *śruti.* Nous devons accepter cette vérité comme un fait établi, puisque nous n'avons pas d'autre moyen de vérifier son existence, bien que, par la perception que nous en avons, sa présence dans le corps soit incontestable. Combien de choses ne devons-nous d'ailleurs pas accepter sur les seuls dires d'une autorité ? Nul ne contestera l'autorité de sa mère concernant l'existence et l'identité de son père, puisqu'il n'est d'autre preuve que sa parole. De même, seule l'étude des Védas nous permettra de comprendre la nature de l'âme. En d'autres termes, le savoir expérimental de l'homme ne peut donner accès à la connaissance de l'âme. L'âme est conscience et aussi consciente, disent les Védas. Nous devons accepter telle quelle cette assertion. Contrairement au corps, elle ne subit aucune transformation. Et, parce qu'elle est éternellement la même, l'âme infinitésimale demeure toujours un « atome » en comparaison de l'Âme Suprême infinie : elle ne peut jamais égaler Dieu. Les Védas exposent cette conception de l'âme en de nombreux endroits et de diverses manières afin de démontrer son authenticité. La répétition d'une idée est parfois nécessaire pour qu'on la comprenne sous tous ses aspects et sans la moindre ambiguïté.

**2.26** अथ चैनं नित्यजातं नित्यं वा मन्यसे मृतम् ।
तथापि त्वं महाबाहो नैनं शोचितुमर्हसि ॥२६॥

*atha cainaṁ nitya-jātaṁ, nityaṁ vā manyase mṛtam*
*tathāpi tvaṁ mahā-bāho, nainaṁ śocitum arhasi*

*atha :* si, toutefois ; *ca :* aussi ; *enam :* cette âme ; *nitya-jātam :* sans cesse née ; *nityam :* à jamais ; *vā :* ou ; *manyase :* tu penses ainsi ; *mṛtam :* morte ; *tathā api :* quand même ; *tvam :* toi ; *mahā-bāho :* ô toi dont les bras sont puissants ; *na :* jamais ; *enam :* à propos de l'âme ; *śocitum :* de te lamenter ; *arhasi :* tu ne mérites.

**Et même si tu penses que l'âme meurt et renaît sans fin, tu n'as pas plus de raison de te lamenter, ô Arjuna aux bras puissants.**

Il existe depuis toujours une catégorie de philosophes, proches des bouddhistes, qui n'admettent pas l'existence d'une âme séparée du corps. À l'époque où Kṛṣṇa énonça la *Bhagavad-gītā*, on leur donnait les noms de *lokāyatikas* et *vaibhāṣikas*. Pour eux, les symptômes de la vie apparaissent lorsque la combinaison des éléments matériels est parachevée. La science et les philosophies athées d'aujourd'hui sont de cet avis. Le corps serait d'après elles un amalgame d'éléments physiques et chimiques qui, à un certain stade d'interaction, produirait la vie. Toute l'anthropologie repose sur cette thèse. De nombreuses pseudo-religions – très à la mode de nos jours – adhèrent à cette philosophie, ou à celle des écoles bouddhistes nihilistes et non dévotionnelles.

Même si, à l'instar de la philosophie *vaibhāṣika,* Arjuna avait nié l'existence d'une âme éternelle, il n'aurait tout de même aucune raison de se lamenter. Qui verserait des larmes pour un amas d'éléments chimiques et, pour cela, négligerait de remplir son devoir ? La recherche scientifique moderne et l'armée ne gaspillent-elles pas des tonnes de produits chimiques pour vaincre l'ennemi. La philosophie *vaibhāṣika* soutient que l'*ātmā,* l'âme, périt avec le corps. Aussi, qu'il adhère aux conclusions des Védas – à savoir qu'il existe une âme infinitésimale – ou qu'il nie l'existence de l'âme éternelle, Arjuna n'a aucune raison de se lamenter. Puisque, selon la théorie *vaibhāṣika,* des multitudes d'êtres vivants naissent de la matière et périssent à chaque instant, il n'y a pas lieu de s'en attrister. Et puisque, toujours selon cette thèse, la renaissance n'existe pas, Arjuna n'a pas à craindre les conséquences du péché que représenterait la mort de son grand-père et de son précepteur. Kṛṣṇa, donc, n'acceptant pas la théorie des *vaibhāṣikas* qui néglige la sagesse védique, ironiquement appelle Arjuna *mahā-bāhu,* « aux bras puissants ». En tant que *kṣatriya,* Arjuna appartient à la culture védique et doit se conformer à ses principes.

**2.27** जातस्य हि ध्रुवो मृत्युर्ध्रुवं जन्म मृतस्य च ।
तस्मादपरिहार्येऽर्थे न त्वं शोचितुमर्हसि ॥२७॥

*jātasya hi dhruvo mṛtyur, dhruvaṁ janma mṛtasya ca*
*tasmād aparihārye 'rthe, na tvaṁ śocitum arhasi*

*jātasya :* de celui qui a pris naissance ; *hi :* certes ; *dhruvaḥ :* un fait ; *mṛtyuḥ :* la mort ; *dhruvam :* c'est aussi un fait ; *janma :* la naissance ; *mṛtasya :* de celui qui est mort ; *ca :* aussi ; *tasmāt :* donc ; *aparihārye :* ce qui est inévitable ; *arthe :* en matière de ; *na :* ne pas ; *tvam :* toi ; *śocitum :* te lamenter ; *arhasi :* tu mérites.

**La mort est certaine pour qui naît, et certaine la naissance pour qui meurt. Aussi, puisque tu ne peux te soustraire à ton devoir, tu ne devrais pas t'affliger de la sorte.**

À la fin d'une vie, il nous faut mourir pour renaître, et ce sont les actes accomplis dans cette vie qui déterminent les conditions de notre renaissance. Ainsi la roue des morts et des renaissances tourne sans que nul n'y échappe. La loi des morts et des renaissances n'encourage toutefois pas les meurtres, les massacres et les guerres inutiles, même si parfois, afin de préserver la loi et l'ordre dans la société, l'homme doit faire usage de violence.

La bataille de Kurukṣetra est inévitable, car elle est souhaitée par le Suprême; par ailleurs, le devoir du *kṣatriya* exige qu'il combatte pour une juste cause. Pourquoi donc Arjuna, en s'acquittant simplement de son devoir, devrait-il être effrayé ou chagriné à l'idée que la mort puisse frapper ses proches lors d'un tel combat ? Il ne mérite pas d'enfreindre le code des *kṣatriyas* et de s'exposer ainsi aux conséquences fâcheuses qu'il redoute tant. En manquant à son devoir, il ne pourrait, de toute manière, empêcher la mort des membres de sa famille, et connaîtrait de surcroît la déchéance pour avoir choisi la mauvaise voie.

**2.28** अव्यक्तादीनि भूतानि व्यक्तमध्यानि भारत ।
अव्यक्तनिधनान्येव तत्र का परिदेवना ॥२८॥

*avyaktādīni bhūtāni, vyakta-madhyāni bhārata*
*avyakta-nidhanāny eva, tatra kā paridevanā*

*avyakta-ādīni :* non manifesté au début ; *bhūtāni :* tout ce qui est créé ; *vyakta :* manifesté ; *madhyāni :* au milieu ; *bhārata :* ô descendant de Bharata ; *avyakta :* non manifesté ; *nidhanāni :* une fois anéanti ; *eva :* tout est comme cela ; *tatra :* donc ; *kā :* quelle ; *paridevanā :* lamentation.

**Tous les êtres créés sont à l'origine non manifestés. Ils se manifestent dans leur phase transitoire, puis retournent à l'état non manifesté une fois anéantis. À quoi bon s'en attrister, ô descendant de Bharata ?**

On rencontre deux types de philosophes, celui qui croit en l'existence de l'âme et celui qui n'y croit pas. Or, l'un et l'autre n'ont aucune raison de se lamenter. Les hommes qui suivent les principes de la sagesse védique appellent « athées » ceux qui nient l'existence de l'âme. Or, en supposant que l'on accepte la philosophie athée, quelle raison peut-on avoir de se plaindre ? Même sans considérer l'âme, qui a une existence séparée, les éléments matériels existaient déjà à l'état non manifesté avant la création. De cet état subtil provient l'état manifesté : l'éther engendre l'air, l'air le feu, le feu l'eau, l'eau la terre, et la terre une variété de phénomènes. Prenons l'exemple d'un gratte-ciel en démolition : assemblage d'éléments issus de la terre, il est passé de l'état manifesté à celui de non manifesté, pour finalement se décomposer en une masse d'atomes. La loi de la conservation de l'énergie opère sans discontinuer, mais les objets sont tantôt manifestés, tantôt non manifestés. Pourquoi donc se lamenter ? Même redevenus non manifestés, ils ne sont pas perdus. À l'origine comme à la fin de toute chose, tout est non manifesté ; la manifestation n'apparaît qu'au stade intermédiaire. Or, matériellement parlant, cette différence n'a pas de réelle importance.

Si l'on accepte la conclusion des Écrits védiques énoncée dans la *Bhagavad-gītā,* à savoir que le corps matériel périt avec le temps (*antavanta ime dehāḥ*) alors que l'âme est éternelle (*nityasyoktāḥ śarīriṇaḥ*), on a toujours conscience que le corps n'est qu'un vêtement et qu'il n'y a pas lieu de pleurer un vêtement. Le corps matériel n'a pas d'existence réelle par rapport à l'âme. En un sens, il est comme un rêve. Nous pouvons rêver que nous volons ou que nous sommes un roi sur son char, mais au réveil, nous voyons bien qu'il n'en est rien. La sagesse des Écritures védiques encourage la réalisation spirituelle en démontrant la non-existence du corps matériel. Par conséquent, que l'on croie ou non en l'existence de l'âme, il n'y a nulle raison de se lamenter sur la perte du corps.

**2.29** आश्चर्यवत्पश्यति कश्चिदेनमाश्चर्यवद्वदति तथैव चान्यः ।
आश्चर्यवच्चैनमन्यः शृणोति श्रुत्वाप्येनं वेद न चैव कश्चित् ॥२९॥

*āścarya-vat paśyati kaścid enam*
*āścarya-vad vadati tathaiva cānyaḥ*
*āścarya-vac cainam anyaḥ śṛṇoti*
*śrutvāpy enaṁ veda na caiva kaścit*

*āścarya-vat :* comme extraordinaire ; *paśyati :* voit ; *kaścit :* quelqu'un ; *enam :* cette âme ; *āścarya-vat :* comme extraordinaire ; *vadati :* parle ; *tathā :* ainsi ; *eva :* certes ; *ca :* aussi ; *anyaḥ :* un autre ; *āścarya-vat :* pareillement extraordinaire ; *ca :* aussi ; *enam :* cette âme ; *anyaḥ :* un autre ; *śṛṇoti :* entend ; *śrutvā :* ayant entendu ; *api :* même ; *enam :* cette âme ; *veda :* ne connaît ; *na :* jamais ; *ca :* et ; *eva :* certes ; *kaścit :* quiconque.

**Certains voient en l'âme un phénomène prodigieux ; d'autres en parlent comme d'une étonnante merveille ; d'autres encore en entendent parler comme d'une chose incroyable. Il en est cependant qui, même après en avoir entendu parler, ne peuvent la comprendre.**

Comme la *Gītopaniṣad* s'appuie pour l'essentiel sur les principes des *Upaniṣads,* il n'est guère étonnant de trouver dans la *Kaṭha Upaniṣad* (1.2.7) le verset suivant :

*śravaṇayāpi bahubhir yo na labhyaḥ*
*śṛṇvanto 'pi bahavo yaṁ na vidyuḥ*
*āścaryo vaktā kuśalo 'sya labdhā*
*āścaryo 'sya jñātā kuśalānuśiṣṭaḥ*

Que l'âme infinitésimale soit présente, tant dans le corps d'un animal gigantesque, ou d'un énorme arbre banian, que dans les milliards de germes occupant chaque centimètre cube d'espace, est incontestablement quelque chose d'extraordinaire. Les hommes au maigre savoir et ceux qui ne sont pas austères ne peuvent comprendre ce qu'il y a de merveilleux dans cette étincelle spirituelle de la taille d'un atome, quand bien même la chose leur est expliquée par le plus grand maître, dont même Brahmā, le premier être créé de notre univers, a reçu les enseignements. En cet âge, à cause de leur vision matérialiste des choses, la plupart des gens ne peuvent concevoir qu'une particule si infime puisse prendre à la fois des formes si grandes et si petites.

Ainsi, certains s'émerveillent en voyant la constitution de l'âme, d'autres simplement en en écoutant la description. Illusionné par l'énergie matérielle, l'homme est constamment absorbé dans sa quête des plaisirs et n'a pas le temps de s'interroger sur son identité spirituelle. Or, sans cette indispensable connaissance de soi, tout ce qu'il fait dans sa lutte pour l'existence est voué à l'échec. Il ignore, apparemment, que pour mettre un terme aux souffrances matérielles, il faut s'interroger sur l'âme.

Certains, réellement désireux d'entendre parler de l'âme, assistent à de nombreuses conférences sur le sujet données par des personnes compétentes, mais parfois, par ignorance, ils font tout de même l'erreur de prendre pour une seule et même chose l'Âme Suprême et l'âme infinitésimale, sans distinction de grandeur. Il est très rare qu'un homme connaisse parfaitement la position de chacune, leurs fonctions respectives, leurs relations, et les détails qui leur sont propres. Et il est plus rare encore de trouver un homme qui ait pleinement tiré parti de la connaissance de l'âme, devenant ainsi capable d'expliquer tout ce qui y a trait. Mais si, d'une façon ou d'une autre, nous arrivons à comprendre le sujet de l'âme, notre vie sera alors un succès.

La meilleure façon d'appréhender le sujet sera d'accepter les paroles de la *Bhagavad-gītā* énoncées par Kṛṣṇa, la plus grande autorité, sans se laisser détourner par d'autres théories. Mais pour être en mesure d'accepter Kṛṣṇa comme Dieu, la Personne Suprême, il faut avoir fait de nombreux sacrifices ou accompli de grandes austérités, dans cette vie ou dans les précédentes. Toutefois, seule la miséricorde immotivée d'un pur dévot nous permettra de comprendre que Kṛṣṇa est la Personne Suprême.

**2.30** देही नित्यमवध्योऽयं देहे सर्वस्य भारत ।
तस्मात्सर्वाणि भूतानि न त्वं शोचितुमर्हसि ॥३०॥

*dehī nityam avadhyo 'yaṁ, dehe sarvasya bhārata*
*tasmāt sarvāṇi bhūtāni, na tvaṁ śocitum arhasi*

*dehī :* propriétaire du corps matériel ; *nityam :* éternellement ; *avadhyaḥ :* ne peut être tuée ; *ayam :* cette âme ; *dehe :* dans le corps ; *sarvasya :* de tous ; *bhārata :* ô descendant de Bharata ; *tasmāt :* donc ; *sarvāṇi :* tous ; *bhūtāni :* les êtres créés ; *na :* jamais ; *tvam :* toi ; *śocitum :* de te lamenter ; *arhasi :* tu ne mérites.

**Ce qui habite le corps, ô descendant de Bharata, ne peut jamais être tué. Tu n'as donc à pleurer personne.**

Le Seigneur met fin par ce verset à Ses enseignements sur l'immuabilité de l'âme. En nous en décrivant les différents aspects, Kṛṣṇa nous a montré que l'âme est éternelle et le corps, éphémère. Ainsi éclairé, Arjuna, en tant que *kṣatriya,* doit remplir son devoir sans se laisser arrêter par le fait que son grand-père, Bhīṣma, et son maître, Droṇa, risquent d'être tués dans la bataille. Les paroles du Seigneur faisant autorité, nous devons accepter qu'il existe une âme distincte du corps matériel, et refuser de croire que les signes de la vie apparaissent à un certain stade de l'évolution de la matière, par une simple combinaison d'éléments chimiques. Cependant, bien que l'âme soit immortelle, la violence ne doit pas être encouragée, sauf en temps de guerre, lorsqu'elle est vraiment nécessaire. Mais c'est la sanction du Seigneur qui détermine cette nécessité, et non la fantaisie des individus.

**2.31** स्वधर्ममपि चावेक्ष्य न विकम्पितुमर्हसि ।
धर्म्याद्धि युद्धाच्छ्रेयोऽन्यत्क्षत्रियस्य न विद्यते ॥३१॥

*sva-dharmam api cāvekṣya, na vikampitum arhasi*
*dharmyād dhi yuddhāc chreyo 'nyat, kṣatriyasya na vidyate*

*sva-dharmam :* ses propres principes religieux ; *api :* aussi ; *ca :* bien sûr ; *avekṣya :* considérant ; *na :* jamais ; *vikampitum :* d'hésiter ; *arhasi :* tu ne mérites ; *dharmyāt :* pour les principes religieux ; *hi :* bien sûr ; *yuddhāt :* que combattre ; *śreyaḥ :* meilleure occupation ; *anyat :* aucune autre ; *kṣatriyasya :* pour le *kṣatriya* ; *na :* ne ; *vidyate :* existe.

**Conscient de ton devoir de kṣatriya, tu devrais savoir qu'il n'y a pas de meilleure voie pour toi que de combattre en te conformant aux principes religieux. Tu n'as donc pas à hésiter.**

Celui qui, dans le *varṇāśrama-dharma,* appartient au second *varṇa,* dont les membres ont pour fonction d'administrer l'État selon les vrais principes et de protéger les citoyens, porte le nom de *kṣatriya* (*kṣat :* « porter atteinte », *trāyate :* « protéger »). Jadis, on lui apprenait à combattre dans la forêt. Il devait affronter un tigre, armé d'un sabre. Une fois tué, le tigre était incinéré de façon royale. Jusqu'à récemment encore, les rois *kṣatriyas* de Jaipur ont perpétué cette tradition. Si les *kṣatriyas* apprennent à maîtriser parfaitement l'art de combattre, c'est qu'il est parfois nécessaire de recourir à la violence selon les principes religieux. Les *kṣatriyas* ne sont donc pas censés prendre directement l'ordre du *sannyāsa,* du renoncement. La non-violence en politique peut être un acte de diplomatie, mais elle n'est pas en soi un principe. On peut lire dans les livres de loi religieux :

*āhaveṣu mitho 'nyonyaṁ, jighāṁsanto mahī-kṣitaḥ*
*yuddhamānāḥ paraṁ śaktyā, svargaṁ yānty aparāṅ-mukhāḥ*
*yajñeṣu paśavo brahman, hanyante satataṁ dvijaiḥ*
*saṁskṛtāḥ kila mantraiś ca, te 'pi svargam avāpnuvan*

« Un *brāhmaṇa* peut atteindre les planètes édéniques s'il offre des animaux dans le feu sacrificiel, et un roi, ou *kṣatriya,* s'il meurt au combat contre un ennemi envieux. »

Par conséquent, tuer au combat pour préserver les principes religieux ou sacrifier des animaux dans le feu sacrificiel ne sont pas considérés comme des actes de violence, car tout le monde tire un bénéfice de l'observance des principes religieux sur lesquels ces actes se fondent. Les animaux offerts en sacrifice obtiennent directement un corps humain, sans avoir à transmigrer d'abord d'une espèce à l'autre. Quant aux *brāhmaṇas* qui dirigent le sacrifice, ils accèdent aux planètes édéniques, tout comme les *kṣatriyas* tués sur le champ de bataille.

Les devoirs spécifiques de l'homme (*sva-dharma*) sont de deux ordres. Tant qu'il est conditionné par la matière, l'homme doit, s'il veut obtenir la libération, s'acquitter des devoirs propres à la nature particulière de son corps selon les principes religieux. Et une fois libéré, l'homme continue d'accomplir son devoir spécifique, son *sva-dharma,* mais cette fois sur le plan spirituel, au-delà des concepts corporels. À l'état conditionné, *brāhmaṇas* et *kṣatriyas* ont chacun des devoirs particuliers, auxquels ils ne peuvent échapper. Comme nous le verrons dans le chapitre quatre, ces *sva-dharmas* ont été conçus par le Seigneur Lui-même. Sur le plan corporel, le *sva-dharma* porte le nom de *varṇāśrama-dharma,* où se font les premiers pas dans la vie spirituelle.

Le *varṇāśrama-dharma,* dans lequel un devoir particulier est assigné à chacun en fonction des modes d'influence matérielle propres au corps qu'il a revêtu, est au fondement de la véritable civilisation humaine. Et c'est en s'acquittant de ses devoirs dans les différents domaines d'activité, conformément au *varṇāśrama-dharma,* que l'homme parviendra à un niveau de vie supérieur.

**2.32** यदृच्छया चोपपन्नं स्वर्गद्वारमपावृतम् ।
सुखिनः क्षत्रियाः पार्थ लभन्ते युद्धमीदृशम् ॥३२॥

*yadṛcchayā copapannaṁ, svarga-dvāram apāvṛtam*
*sukhinaḥ kṣatriyāḥ pārtha, labhante yuddham īdṛśam*

*yadṛcchayā :* venue spontanément ; *ca :* aussi ; *upapannam :* arrivés à ; *svarga :* des planètes édéniques ; *dvāram :* la porte ; *apāvṛtam :* grande ouverte ; *sukhinaḥ :* très heureux ; *kṣatriyāḥ :* les membres de l'ordre royal ; *pārtha :* ô fils de Pṛthā ; *labhante :* obtiennent ; *yuddham :* la guerre ; *īdṛśam :* comme cela.

**Heureux les kṣatriyas à qui s'offre incidemment l'occasion de combattre, ô Pārtha, car alors s'ouvre pour eux la porte des planètes de délices.**

Kṛṣṇa, précepteur suprême de toute la création, condamne l'attitude d'Arjuna lorsque celui-ci déclare : « Je ne présage rien de bon de cette bataille, qui ne peut que nous mener en enfer. » Les propos d'Arjuna relèvent de l'ignorance. Il veut mêler la non-violence à l'accomplissement de son devoir propre, alors qu'un *kṣatriya* sur un champ de bataille ne peut, à moins de perdre la raison, opter pour la non-violence. Dans le *Parāśara-smṛti,* qui renferme les codes religieux promulgués par Parāśara (grand sage et père de Vyāsadeva), on trouve ces mots :

*kṣatriyo hi prajā rakṣan, śastra-pāṇiḥ pradaṇḍayan*
*nirjitya para-sainyādi, kṣitiṁ dharmeṇa pālayet*

« Le *kṣatriya* a pour devoir de protéger les citoyens de toute difficulté. C'est pourquoi, dans le but de maintenir la loi et l'ordre, il doit, en certains cas, user de violence. Il est tenu de vaincre les armées des rois ennemis pour gouverner le monde sur la base des principes religieux. »

Quel que soit l'angle sous lequel il se place, Arjuna n'a aucune raison d'éviter le combat. Vainqueur, il obtiendra le royaume, et s'il est tué, il verra s'ouvrir pour lui les portes des planètes édéniques. Quoi qu'il arrive, combattre lui sera favorable.

**2.33** अथ चेत्त्वमिमं धर्म्यं सङ्ग्रामं न करिष्यसि ।
ततः स्वधर्मं कीर्तिं च हित्वा पापमवाप्स्यसि ॥३३॥

*atha cet tvam imaṁ dharmyaṁ, saṅgrāmaṁ na kariṣyasi*
*tataḥ sva-dharmaṁ kīrtiṁ ca, hitvā pāpam avāpsyasi*

*atha :* donc; *cet :* si; *tvam :* tu; *imam :* ce; *dharmyam :* comme un devoir religieux; *saṅgrāmam :* combat; *na :* ne pas; *kariṣyasi :* accomplis; *tataḥ :* alors; *sva-dharmam :* ton devoir religieux; *kīrtim :* la réputation; *ca :* aussi; *hitvā :* perdant; *pāpam :* la conséquence du péché; *avāpsyasi :* gagneras.

**Par contre, si tu ne livres pas combat conformément à ton devoir sacré, tu pécheras pour avoir manqué à tes obligations. Tu perdras, du coup, ta réputation de guerrier.**

Arjuna est un guerrier de grand renom. Il a acquis sa notoriété en combattant plusieurs des plus grands *devas,* dont Śiva lui-même qui, déguisé en chasseur, le défia un jour. Très satisfait de sa vaillance, Śiva lui offrit l'arme *pāśupata-astra*. Tous connaissaient donc la valeur d'Arjuna. Droṇācārya, son maître d'armes, l'avait également béni jadis, et lui avait fait don d'une arme à laquelle lui-même ne pouvait faire face. Toutes ces grandes personnalités, comme son père géniteur Indra (le roi des planètes édéniques), se portaient garantes de sa valeur militaire. S'il abandonne le combat, non seulement il négligera son devoir de *kṣatriya,* mais il perdra en outre sa réputation et se tracera un sentier royal vers les planètes infernales. Ce n'est donc pas en combattant qu'il risquera l'enfer, mais au contraire en désertant le champ de bataille.

**2.34** अकीर्तिं चापि भूतानि कथयिष्यन्ति तेऽव्ययाम् ।
सम्भावितस्य चाकीर्तिर्मरणादतिरिच्यते ॥३४॥

*akīrtiṁ cāpi bhūtāni, kathayiṣyanti te 'vyayām*
*sambhāvitasya cākīrtir, maraṇād atiricyate*

*akīrtim :* de l'infamie ; *ca :* aussi ; *api :* par-dessus tout ; *bhūtāni :* tout le monde ; *kathayiṣyanti :* parlera ; *te :* de toi ; *avyayām :* à jamais ; *sambhāvitasya :* pour un homme honorable ; *ca :* aussi ; *akīrtiḥ :* la mauvaise réputation ; *maraṇāt :* que la mort ; *atiricyate :* devient pire que.

**Les hommes, à jamais, parleront de ton infamie, et pour un homme d'honneur, le déshonneur est pire que la mort.**

Parce qu'Il est Son ami, mais aussi Son conseiller, Kṛṣṇa donne maintenant à Arjuna Son opinion définitive sur ce refus de combattre : « Arjuna, si tu désertes le champ de bataille, avant même que le combat ne soit engagé, on te traitera de lâche. Et si, en refusant la bataille, tu acceptes de voir ton nom souillé afin d'avoir la vie sauve, autant que Je t'avertisse, mieux vaut pour toi périr au combat. Le déshonneur est pire que la mort pour un homme de ton rang. Ne fuis pas par crainte pour ta vie. Mieux vaut périr les armes à la main, sauvé du déshonneur de n'avoir pas su tirer parti de Mon amitié et d'avoir perdu ton prestige parmi les hommes. »

Finalement, pour Kṛṣṇa, il est préférable qu'Arjuna meure sur le champ de bataille plutôt que de renoncer au combat.

**2.35** भयाद्रणादुपरतं मंस्यन्ते त्वां महारथाः ।
येषां च त्वं बहुमतो भूत्वा यास्यसि लाघवम् ॥३५॥

*bhayād raṇād uparataṁ, maṁsyante tvāṁ mahā-rathāḥ*
*yeṣāṁ ca tvaṁ bahu-mato, bhūtvā yāsyasi lāghavam*

*bhayāt :* par peur ; *raṇāt :* le champ de bataille ; *uparatam :* as quitté ; *maṁsyante :* considéreront ; *tvām :* tu ; *mahā-rathāḥ :* les grands généraux ; *yeṣām :* de ceux qui ; *ca :* aussi ; *tvam :* toi ; *bahu-mataḥ :* en haute estime ; *bhūtvā :* ayant été ; *yāsyasi :* tu iras ; *lāghavam :* déprécié.

**Les grands généraux qui estimaient hautement ton nom et ta gloire croiront que la peur seule t'a fait quitter le champ de bataille et te déconsidéreront.**

Le Seigneur continue de donner Son point de vue à Arjuna : « Crois-tu que ces grands généraux, Duryodhana, Karṇa et les autres, croiront que tu abandonnes la lutte simplement par compassion pour tes frères et ton grand-père ? Ils penseront plutôt que c'est parce que tu as peur de mourir et ils perdront la haute estime qu'ils avaient pour toi. »

2.36 अवाच्यवादांश्च बहून् वदिष्यन्ति तवाहिताः ।
निन्दन्तस्तव सामर्थ्यं ततो दुःखतरं नु किम् ॥३६॥

*avācya-vādāṁś ca bahūn, vadiṣyanti tavāhitāḥ*
*nindantas tava sāmarthyaṁ, tato duḥkha-taraṁ nu kim*

*avācya :* méchantes ; *vādān :* des paroles inventées ; *ca :* aussi; *bahūn :* plusieurs ; *vadiṣyanti :* diront ; *tava :* tes ; *ahitāḥ :* ennemis ; *nindantaḥ :* en diffamant ; *tava :* ta ; *sāmarthyam :* valeur ; *tataḥ :* que cela ; *duḥkha-taram :* plus pénible ; *nu :* bien sûr ; *kim :* qu'y a-t-il ?

**Tes ennemis te couvriront de propos outrageants et railleront ta valeur. Peut-il y avoir situation plus pénible pour toi ?**

Kṛṣṇa a été très étonné des propos déplacés d'Arjuna en faveur de la clémence et lui a expliqué que ce genre de compassion ne convient nullement à un *āryan*. Preuves à l'appui, Il lui fait part de Ses convictions quant à cette prétendue générosité.

2.37 हतो वा प्राप्स्यसि स्वर्गं जित्वा वा भोक्ष्यसे महीम् ।
तस्मादुत्तिष्ठ कौन्तेय युद्धाय कृतनिश्चयः ॥३७॥

*hato vā prāpsyasi svargaṁ, jitvā vā bhokṣyase mahīm*
*tasmād uttiṣṭha kaunteya, yuddhāya kṛta-niścayaḥ*

*hataḥ :* étant tué ; *vā :* ou bien ; *prāpsyasi :* tu gagneras ; *svargam :* le royaume édénique ; *jitvā :* étant vainqueur ; *vā :* ou bien ; *bhokṣyase :* tu jouiras du ; *mahīm :* monde ; *tasmāt :* donc ; *uttiṣṭha :* lève-toi ; *kaunteya :* ô fils de Kuntī ; *yuddhāya :* à combattre ; *kṛta :* déterminé ; *niścayaḥ :* en toute certitude.

**Ô fils de Kuntī, si tu meurs sur le champ de bataille, tu atteindras les planètes édéniques, et si tu sors vainqueur, tu jouiras du royaume de la terre. Lève-toi donc et combats résolument.**

Bien que la victoire ne soit pas complètement assurée, Arjuna doit combattre ; car même s'il est tué au combat, il pourra accéder aux planètes édéniques.

2.38 सुखदुःखे समे कृत्वा लाभालाभौ जयाजयौ ।
ततो युद्धाय युज्यस्व नैवं पापमवाप्स्यसि ॥३८॥

*sukha-duḥkhe same kṛtvā, lābhālābhau jayājayau*
*tato yuddhāya yujyasva, naivaṁ pāpam avāpsyasi*

*sukha :* dans le bonheur ; *duḥkhe :* dans le malheur ; *same :* avec équanimité ; *kṛtvā :* ce faisant ; *lābha-alābhau :* dans le gain comme dans la perte ; *jaya-ajayau :* dans la victoire comme dans la défaite ; *tataḥ :* ensuite ; *yuddhāya :* uniquement pour combattre ; *yujyasva :* combats ; *na :* jamais ; *evam :* de cette façon ; *pāpam :* la réaction du péché ; *avāpsyasi :* tu n'obtiendras.

**Combats par devoir, sans considérer la joie ou la peine, la victoire ou la défaite, le gain ou la perte. Ainsi, jamais tu n'encourras de péché.**

D'une manière très directe, Kṛṣṇa demande à Arjuna de combattre par devoir, parce que Lui le désire. Lorsqu'on agit pour Kṛṣṇa, on ne doit aucunement prendre en considération joie ou peine, gain ou perte, victoire ou défaite. Celui qui a une conscience transcendantale comprend que tous les actes n'ont d'autre finalité que la satisfaction du Seigneur. Ils n'entraînent alors aucune conséquence matérielle. Celui qui agit au contraire pour son propre plaisir, qu'il soit influencé par la vertu ou la passion, doit subir les conséquences de ses actes, bons ou mauvais. En s'abandonnant complètement au service de Kṛṣṇa, on n'a plus d'obligations envers qui que ce soit et l'on n'est plus le débiteur de quiconque, comme c'est généralement le cas pour le commun des hommes.

Le *Śrīmad-Bhāgavatam* (11.5.41) dit à ce propos :

*devarṣi-bhūtāpta-nṛṇāṁ pitṝṇāṁ*
*na kiṅkaro nāyam ṛṇī ca rājan*
*sarvātmanā yaḥ śaraṇaṁ śaraṇyaṁ*
*gato mukundaṁ parihṛtya kartam*

« Celui qui s'abandonne entièrement à Kṛṣṇa, Mukunda, et qui renonce à tout autre devoir, n'a plus d'obligation ou de dette envers quiconque, qu'il s'agisse des *devas,* des sages, des membres de sa famille, de ses ancêtres, ou même de l'ensemble de l'humanité. »

Dans ce verset, Kṛṣṇa suggère indirectement cette idée à Arjuna et la développera dans les suivants.

2.39 एषा तेऽभिहिता साङ्ख्ये बुद्धिर्योगे त्विमां शृणु ।
बुद्ध्या युक्तो यया पार्थ कर्मबन्धं प्रहास्यसि ॥३९॥

*eṣā te 'bhihitā sāṅkhye, buddhir yoge tv imāṁ śṛṇu*
*buddhyā yukto yayā pārtha, karma-bandhaṁ prahāsyasi*

*eṣā :* tout cela ; *te :* à toi ; *abhihitā :* décrit ; *sāṅkhye :* par l'étude analytique du *sāṅkhya* ; *buddhiḥ :* l'intelligence ; *yoge :* par l'action sans résultats matériels ; *tu :* mais ; *imām :* ceci ; *śṛṇu :* écoute ; *buddhyā :* l'intelligence ; *yuktaḥ :* en union avec ; *yayā :* par quoi ; *pārtha :* ô fils de Pṛthā ; *karma-bandham :* l'enchaînement aux conséquences des actes ; *prahāsyasi :* tu pourras être dégagé de.

**Je t'ai jusqu'ici exposé ce savoir par l'étude analytique du sāṅkhya. Laisse-Moi maintenant te le présenter en termes d'action désintéressée. Quand tu agiras avec cette connaissance, ô fils de Pṛthā, tu pourras te libérer des chaînes de l'action.**

Selon le *Nirukti* (dictionnaire védique), le mot *saṅkhyā* signifie littéralement « ce qui décrit les choses en détail », et le mot *sāṅkhya* désigne la philosophie décrivant la nature réelle de l'âme. Quant au yoga, il implique le contrôle des sens. Le refus de combattre d'Arjuna ne repose en fait que sur le désir de satisfaire ses sens. Oubliant son devoir premier, il veut abandonner la lutte, car il pense qu'il sera plus heureux en épargnant les membres de sa famille qu'en jouissant d'un royaume au prix du sang de ses frères et cousins, les fils de Dhṛtarāṣṭra. Dans un cas comme dans l'autre, ses motivations relèvent de la satisfaction des sens. Qu'il parle du bonheur que lui apportera la victoire ou de celui qu'il éprouvera en voyant sa famille sauve, il s'agit toujours de sa satisfaction propre, au mépris de la sagesse et du devoir. C'est pourquoi Kṛṣṇa veut lui démontrer qu'en tuant le corps de son aïeul, il ne détruira pas son âme. Tous les êtres, y compris le Seigneur, possèdent une individualité éternelle : ils étaient distincts dans le passé, le demeurent dans le présent, et le seront encore dans l'avenir. Nous sommes éternellement des âmes distinctes, et ne faisons que changer d'enveloppe, passant d'un corps à l'autre. Même libérés de l'emprise de l'enveloppe charnelle, nous gardons notre individualité. Le Seigneur a donc exposé avec précision la science analytique de l'âme et du corps.

Le dictionnaire *Nirukti* appelle *sāṅkhya* cette étude de l'âme et du corps sous tous ses aspects, ce qui n'a rien à voir avec la philosophie *sāṅkhya* énoncée par le penseur athée Kapila. Bien avant la venue de cet imposteur, l'authentique philosophie du *sāṅkhya* avait été exposée dans le *Śrīmad-Bhāgavatam* par le véritable Kapila – une incarnation divine de Kṛṣṇa – à Sa mère Devahūti. Kapila explique très clairement que le *puruṣa,* le Seigneur Suprême, est actif, et qu'Il crée en jetant Son regard sur la *prakṛti* (la nature matérielle). Cette notion est reconnue par la *Bhagavad-gītā* et par les Védas, où il est dit que le Seigneur, d'un simple regard, imprègne la *prakṛti* d'âmes distinctes infinitésimales. Une fois dans le monde matériel, les êtres se lancent à la poursuite des plaisirs et, ensorcelés par l'énergie illusoire, croient qu'ils vont pouvoir en jouir pleinement. Cette mentalité accompagne même parfois l'être jusqu'au stade de la libération où il tente de s'identifier à Dieu. C'est là le dernier piège que tend *māyā,* l'illusion du plaisir des sens. Et ce n'est qu'après de nombreuses vies vouées à la recherche de ces plaisirs qu'une grande âme, enfin, s'abandonne à Vāsudeva, Kṛṣṇa, le véritable but de la quête de la Vérité Absolue.

Parce qu'il s'en remet au Seigneur, Arjuna montre qu'il Le reconnaît comme son maître spirituel : *śiṣyas te 'haṁ śādhi māṁ tvāṁ prapannam*. Kṛṣṇa va donc à présent lui expliquer la nature et le sens des actes que l'on accomplit dans le cadre du *buddhi-yoga,* ou *karma-yoga,* soit en d'autres termes, la pratique du service de dévotion pour le seul plaisir du Seigneur. Le *buddhi-yoga* est clairement décrit dans le dixième verset du chapitre dix, comme une communion directe avec le Seigneur, qui réside dans le cœur de chacun sous la forme du Paramātmā. Communion à laquelle il est d'ailleurs impossible de parvenir sans servir le Seigneur avec amour. Celui qui Le sert avec dévotion dans la conscience de Kṛṣṇa arrive, grâce à une faveur très spéciale, au *buddhi-yoga*. Le Seigneur n'accorde la pure connaissance de la dévotion qu'à celui qui, avec un amour transcendantal, s'engage constamment dans Son service. En suivant cette voie, le dévot peut facilement rejoindre Dieu dans Son royaume d'éternelle félicité.

Dans ce verset, le *buddhi-yoga* représente le service de dévotion, et le mot *sāṅkhya* mentionné ici ne se réfère en rien au *sāṅkhya-yoga* du pseudo-Kapila. Nous ne devons pas faire l'erreur de confondre les deux. Non seulement cette philosophie athée n'avait aucune influence à l'époque où la bataille de Kurukṣetra eut lieu, mais en outre, Kṛṣṇa n'aurait jamais fait mention dans la *Bhagavad-gītā* de telles spéculations philosophiques. Et de surcroît, même l'authentique philosophie du *sāṅkhya* énoncée par Kapila dans le *Śrīmad-Bhāgavatam* n'entre pas dans le cadre de nos propos. Il s'agit ici de la description analytique du corps et de l'âme. Kṛṣṇa n'a d'autre but, lorsqu'Il analyse la nature de l'âme devant Arjuna, que d'amener Arjuna au *buddhi-yoga,* ou *bhakti-yoga.* Par conséquent, le *sāṅkhya* de Kṛṣṇa et celui de l'authentique Kapila traitent d'une seule et même chose : le *bhakti-yoga.* Aussi Kṛṣṇa précise-t-Il plus loin que seuls les ignorants dissocient le *sāṅkhya-yoga* du *bhakti-yoga* (*sāṅkhya-yogau pṛthag bālāḥ pravadanti na paṇḍitāḥ*).

L'autre *sāṅkhya,* celui des athées, n'a évidemment rien à voir avec le *bhakti-yoga,* mais les ignorants affirment que c'est de lui que parle la *Bhagavad-gītā.*

Comprenons donc que *buddhi-yoga* signifie « agir dans la conscience de Kṛṣṇa », c'est-à-dire servir le Seigneur avec dévotion, dans la connaissance et la félicité. Celui dont tous les actes tendent à réaliser cet objectif, quelles que soient les difficultés, suit les principes du *buddhi-yoga* et baigne continuellement dans la félicité spirituelle. Par la grâce du Seigneur, celui qui Le sert ainsi acquiert automatiquement tout le savoir transcendantal. Sa libération est donc, en elle-même, complète, sans qu'il ait eu à fournir d'efforts indépendants pour obtenir la connaissance.

L'action accomplie dans la conscience de Kṛṣṇa et l'action motivée par le résultat, plus particulièrement celle qui a pour objectif le bonheur familial et matériel, sont donc fondamentalement différentes. Le *buddhi-yoga* pourrait se définir comme l'état d'esprit transcendantal qui imprègne l'action.

**2.40** नेहाभिक्रमनाशोऽस्ति प्रत्यवायो न विद्यते ।
स्वल्पमप्यस्य धर्मस्य त्रायते महतो भयात् ॥४०॥

*nehābhikrama-nāśo 'sti, pratyavāyo na vidyate*
*sv-alpam apy asya dharmasya, trāyate mahato bhayāt*

*na :* il n'y a pas ; *iha :* dans ce yoga ; *abhikrama :* en s'efforçant ; *nāśaḥ :* de perte ; *asti :* il n'y a ; *pratyavāyaḥ :* de diminution ; *na :* jamais ; *vidyate :* il y a ; *su-alpam :* un peu ; *api :* bien que ; *asya :* de cette ; *dharmasya :* occupation ; *trāyate :* libère ; *mahataḥ :* d'un très grand ; *bhayāt :* danger.

**Aucun effort dans cette voie n'entraîne la moindre perte, et tout progrès, si modeste soit-il, prévient du plus redoutable danger.**

L'action accomplie dans la conscience de Kṛṣṇa, qui vise à satisfaire le Seigneur en ne désirant rien pour soi-même, doit être considérée comme le sommet de l'action spirituelle. Le moindre effort dans ce sens ne sera jamais entravé et ne sera jamais vain. Sur le plan matériel, toute entreprise qui n'est pas menée jusqu'au bout est un échec, tandis que sur le plan spirituel, dans la conscience de Kṛṣṇa, la moindre activité, même inachevée, engendre des bienfaits permanents. Ce n'est jamais en vain qu'on agit pour le plaisir de Kṛṣṇa, même si l'entreprise n'est pas menée à terme. S'engager, même à un pour cent au service de Kṛṣṇa, donne des résultats permanents, et, à la reprise des activités spirituelles, on repart à deux pour cent, alors qu'avec les actes matériels, rien n'est acquis à moins d'agir à cent pour cent. Ajāmila, par exemple, qui n'avait pratiqué le service de dévotion que dans une faible proportion, n'en fut pas moins finalement récompensé à cent pour cent par la grâce du Seigneur. On trouve à ce propos dans le *Śrīmad-Bhāgavatam* (1.5.17) :

*tyaktvā sva-dharmaṁ caraṇāmbujaṁ harer*
*bhajann apakvo 'tha patet tato yadi*
*yatra kva vābhadram abhūd amuṣya kiṁ*
*ko vārtha āpto 'bhajatāṁ sva-dharmataḥ*

« Que pourrait bien perdre celui qui abandonne ses occupations matérielles pour servir Kṛṣṇa, même si par la suite il choit sans avoir mené son service à terme ? Par contre, que gagnera celui qui mène à la perfection ses activités matérielles ? » Ou comme disent les chrétiens : « Que sert à l'homme de gagner le monde entier s'il perd la vie éternelle ? »

Les activités matérielles et leurs fruits prennent fin avec le corps, alors que l'action accomplie dans la conscience de Kṛṣṇa finit toujours par ramener son auteur à cette conscience spirituelle, même après la perte du corps. On est au moins assuré de reprendre une forme humaine et de renaître dans une famille de *brāhmaṇas* érudits, ou dans une famille riche et cultivée, et de continuer à progresser sur la voie spirituelle. Telle est l'incomparable qualité de l'action accomplie dans la conscience de Kṛṣṇa.

**2.41** व्यवसायात्मिका बुद्धिरेकेह कुरुनन्दन ।
बहुशाखा ह्यनन्ताश्च बुद्धयोऽव्यवसायिनाम् ॥४१॥

*vyavasāyātmikā buddhir, ekeha kuru-nandana*
*bahu-śākhā hy anantāś ca, buddhayo 'vyavasāyinām*

*vyavasāya-ātmikā :* résolus dans la conscience de Kṛṣṇa ; *buddhiḥ :* intelligence ; *ekā :* une seule ; *iha :* en ce monde ; *kuru-nandana :* ô enfant bien-aimé des Kurus ; *bahu-śākhāḥ :* ayant diverses branches ; *hi :* en effet ; *anantāḥ :* illimitées ; *ca :* aussi ; *buddhayaḥ :* l'intelligence ; *avyavasāyinām :* de ceux qui ne sont pas conscients de Kṛṣṇa.

**Ceux qui empruntent cette voie se montrent résolus et poursuivent un but unique. Par contre, ô fils aimé des Kurus, l'intelligence de ceux qui n'ont pas cette détermination se perd en maintes directions.**

La ferme conviction que par la conscience de Kṛṣṇa on sera élevé à la plus haute perfection de l'existence s'appelle l'intelligence *vyavasāyātmikā*. Le *Caitanya-caritāmṛta* (*Madhya* 22.62) dit à ce propos :

*'śraddhā'-śabde — viśvāsa kahe sudṛḍha niścaya*
*kṛṣṇe bhakti kaile sarva-karma kṛta haya*

La foi, c'est la confiance totale en quelque chose de sublime. Celui qui remplit son devoir dans la conscience de Kṛṣṇa se voit dégagé de toutes les obligations matérielles traditionnelles, tant familiales que nationales ou humanitaires. Les actions intéressées sont les répercussions d'actes passés, bons ou mauvais. Mais l'être conscient de Kṛṣṇa n'a plus à s'efforcer de rendre ses actes favorables. Toutes ses actions se situent au niveau absolu, car elles ne subissent plus l'influence de la dualité, comme le bien et le mal. La perfection de la conscience de Kṛṣṇa réside dans le renoncement à la conception matérielle de l'existence. On y parvient automatiquement en progressant dans cette voie.

Un être conscient de Kṛṣṇa puise sa détermination dans la connaissance. *Vāsudevaḥ sarvam iti sa mahātmā su-durlabhaḥ :* il est l'une des rares âmes à réaliser que Vāsudeva, Kṛṣṇa, est la racine de toutes les causes manifestées. De même que l'eau versée à la racine d'un arbre va tout naturellement aux feuilles et aux branches, le dévot de Kṛṣṇa rend à tous - à lui-même, à sa famille, à la société, à son pays ou à l'humanité - le plus grand service qui soit. Quand Kṛṣṇa est satisfait de nos actes, tout le monde est satisfait.

Il est préférable d'agir dans la conscience de Kṛṣṇa sous la direction experte d'un maître spirituel authentique, représentant qualifié du Seigneur qui, connaissant la personnalité de son disciple, peut le guider dans ses actes. Si l'on aspire à être versé dans la conscience de Kṛṣṇa, on doit se montrer déterminé et obéir au maître spirituel, en se donnant pour mission de suivre ses directives. Śrīla Viśvanātha Cakravartī Ṭhākura nous enseigne dans ses célèbres prières au maître spirituel :

*yasya prasādād bhagavat-prasādo*
*yasyāprasādān na gatiḥ kuto 'pi*
*dhyāyan stuvaṁs tasya yaśas tri-sandhyaṁ*
*vande guroḥ śrī-caraṇāravindam*

« Si le maître spirituel est satisfait, Kṛṣṇa est à Son tour satisfait ; sans cela, nul ne peut s'élever jusqu'à la conscience de Dieu. Aussi dois-je, trois fois par jour, méditer sur mon maître spirituel, implorer sa miséricorde et lui rendre mon hommage respectueux. »

Cette méthode, toutefois, repose sur la connaissance parfaite de l'âme, au-delà du concept du corps – connaissance non seulement théorique mais pratique –, à un niveau où l'on ne recherche plus le plaisir matériel à travers l'action intéressée. Car celui dont le mental n'est pas fixé se perd dans toutes sortes d'activités intéressées.

**2.42–43** यामिमां पुष्पितां वाचं प्रवदन्त्यविपश्चितः ।
वेदवादरताः पार्थ नान्यदस्तीति वादिनः ॥४२॥
कामात्मानः स्वर्गपरा जन्मकर्मफलप्रदाम् ।
क्रियाविशेषबहुलां भोगैश्वर्यगतिं प्रति ॥४३॥

*yām imāṁ puṣpitāṁ vācaṁ*
*pravadanty avipaścitaḥ*
*veda-vāda-ratāḥ pārtha*
*nānyad astīti vādinaḥ*

*kāmātmānaḥ svarga-parā*
*janma-karma-phala-pradām*
*kriyā-viśeṣa-bahulāṁ*
*bhogaiśvarya-gatiṁ prati*

*yām imām :* toutes ces ; *puṣpitām :* fleuries ; *vācam :* paroles ; *pravadanti :* disent ; *avipaścitaḥ :* les hommes qui ont peu de connaissance ; *veda-vāda-ratāḥ :* qui prétendent suivre les Védas ; *pārtha :* ô fils de Pṛthā ; *na :* jamais ; *anyat :* autre chose ; *asti :* il y a ; *iti :* cela ; *vādinaḥ :* ceux qui préconisent ; *kāma-ātmānaḥ :* désireux de satisfaire leurs sens ; *svarga-parāḥ :* ayant pour but d'atteindre les planètes édéniques ; *janma-karma-*

*phala-pradām :* pour obtenir une naissance favorable et autres conséquences bénéfiques ; *kriyā-viśeṣa :* cérémonies pompeuses ; *bahulām :* diverses ; *bhoga :* le plaisir des sens ; *aiśvarya :* et l'opulence ; *gatim :* le progrès ; *prati :* vers.

**Les hommes au savoir limité sont très attachés au langage fleuri des Védas, lesquels recommandent diverses pratiques intéressées permettant d'atteindre les planètes édéniques, de renaître dans des conditions favorables et d'acquérir puissance et bienfaits divers. Avides de jouissance sensorielle et d'opulence, ils prétendent qu'il n'y a rien de supérieur.**

En général, les gens ne sont pas très intelligents et, à cause de leur ignorance, s'attachent aux activités intéressées recommandées dans la section *karma-kāṇḍa* des Védas. Ils ne veulent rien d'autre que le plaisir qu'on trouve sur les planètes édéniques, où abondent les femmes et le vin, et où règne l'opulence. Les Védas recommandent de nombreux sacrifices pour atteindre les planètes édéniques, en particulier ceux qu'on nomme *jyotiṣṭoma*. En fait, il est écrit que quiconque désire atteindre ces planètes doit accomplir ces sacrifices, si bien que les hommes peu instruits pensent qu'il s'agit du seul but de la sagesse védique. Il est difficile pour de telles personnes d'adopter avec détermination la conscience de Kṛṣṇa. Tout comme le sot est attiré par les fleurs des arbres toxiques sans avoir conscience des risques qu'il encourt, l'ignorant est fasciné par l'opulence et les plaisirs édéniques.

Dans la section *karma-kāṇḍa* des Védas, il est écrit : *apāma somam amṛtā abhūma* et aussi *akṣayyaṁ ha vai cāturmāsya-yājinaḥ sukṛtaṁ bhavati.* Quiconque pratique les austérités spécifiques à la période de quatre mois du *cāturmāsya* pourra goûter le *soma-rasa* pour devenir immortel et jouir d'un bonheur sans fin. Même sur notre planète, on rencontre des gens qui désirent plus que tout boire le *soma-rasa* pour accroître leur force et intensifier leur plaisir. Ils ne croient pas en la libération de l'existence matérielle et s'attachent uniquement au faste des cérémonies sacrificielles védiques. Comme ils sont très portés sur les plaisirs de ce monde, ils n'aspirent qu'aux délices des planètes édéniques. On trouve sur ces planètes des jardins appelés Nandana-kānana, où il est facile d'approcher des femmes angéliques d'une grande beauté, et où le *soma-rasa* coule à flot. Il s'agit bien là de plaisirs sensuels. Il y a donc des hommes qui se considèrent les seigneurs et maîtres du monde matériel et n'ont pour seul souci dans la vie que de jouir d'un tel bonheur, pourtant matériel et éphémère.

2.44 भोगैश्वर्यप्रसक्तानां तयापहृतचेतसाम् ।
व्यवसायात्मिका बुद्धिः समाधौ न विधीयते ॥४४॥

*bhogaiśvarya-prasaktānāṁ, tayāpahṛta-cetasām*
*vyavasāyātmikā buddhiḥ, samādhau na vidhīyate*

*bhoga :* au plaisir matériel; *aiśvarya :* et à l'opulence; *prasaktānām :* chez ceux qui sont attachés; *tayā :* par ces choses; *apahṛta-cetasām :* plongés dans la confusion; *vyavasāya-ātmikā :* avec une ferme détermination; *buddhiḥ :* le service de dévotion; *samādhau :* dans le mental fixé; *na :* jamais; *vidhīyate :* ne prend place.

**La ferme résolution de servir le Seigneur Suprême avec amour et dévotion ne naît jamais dans l'esprit confus de ceux qui sont trop attachés aux plaisirs des sens et à l'opulence matérielle.**

Le mot *samādhi* signifie « mental fixé ». D'après le dictionnaire védique, le *Nirukti* : *samyag ādhīyate 'sminn ātma-tattva-yāthātmyam* – « le *samādhi* est l'état que l'on atteint lorsque le mental est pleinement absorbé dans la réalisation spirituelle. » Tant qu'un homme est attiré, ou égaré, par les plaisirs matériels temporels, il lui est impossible d'atteindre le *samādhi*. Confronté à l'énergie matérielle, il est plus ou moins condamné à l'échec.

2.45 त्रैगुण्यविषया वेदा निस्त्रैगुण्यो भवार्जुन ।
निर्द्वन्द्वो नित्यसत्त्वस्थो निर्योगक्षेम आत्मवान् ॥४५॥

*trai-guṇya-viṣayā vedā, nistrai-guṇyo bhavārjuna*
*nirdvandvo nitya-sattva-stho, niryoga-kṣema ātmavān*

*trai-guṇya :* concernant les trois modes d'influence de la nature; *viṣayāḥ :* sur la question; *vedāḥ :* les Écritures védiques; *nistrai-guṇyaḥ :* transcendant les trois modes d'influence de la nature; *bhava :* soit; *arjuna :* ô Arjuna; *nirdvandvaḥ :* sans dualité; *nitya-sattva-sthaḥ :* dans la pureté de l'existence spirituelle; *niryoga-kṣemaḥ :* libre de pensées de gain et de protection; *ātma-vān :* fixé sur le soi.

**Les Védas traitent essentiellement de sujets relatifs aux trois modes d'influence de la nature matérielle. Transcende ces trois guṇas, ô Arjuna, libère-toi de toute dualité, de tout souci de gain et de sécurité, et fixe ton attention sur le soi.**

Tout acte matériel implique un enchaînement action-réaction qui est fonction des trois modes d'influence de la nature. Accompli dans l'espoir d'en recueillir les fruits, il ne peut que nous retenir prisonniers du monde de la matière. Si les Védas mettent essentiellement l'accent sur les actes intéressés, c'est pour que le commun des hommes s'élève progressivement du stade des plaisirs matériels à celui de la transcendance. Kṛṣṇa conseille donc à Arjuna, Son ami et disciple, d'élever sa conscience au niveau absolu du *Vedānta,* qui d'emblée recommande de s'enquérir de la transcendance suprême, le *brahma-jijñāsā*.

Tous les êtres vivants en ce monde doivent lutter pour leur survie. C'est pour eux que le Seigneur, après la création de l'univers matériel, révèle la connaissance védique afin qu'ils apprennent à vivre et s'échappent de la prison matérielle. Après en avoir terminé avec la section *karma-kāṇḍa* des Védas, qui traite des activités liées au plaisir des sens, l'opportunité d'atteindre la réalisation spirituelle s'offre à nous sous la forme des *Upaniṣads.* Tout comme la *Bhagavad-gītā* fait partie intégrante du cinquième Véda (le *Mahābhārata*), les *Upaniṣads* font partie des Védas et sont au fondement de la vie spirituelle.

Aussi longtemps qu'on possède un corps matériel, nos actes et leurs conséquences sont sujets aux trois modes d'influence de la nature. On doit apprendre à ne pas être affecté par la dualité des joies et des peines, de la chaleur et du froid, et à tolérer l'angoisse que nous causent l'appât du gain et la crainte de la perte. L'homme atteint cet état transcendantal lorsqu'il dépend entièrement de la volonté de Kṛṣṇa.

**2.46** यावानर्थ उदपाने सर्वतः सम्प्लुतोदके ।
तावान् सर्वेषु वेदेषु ब्राह्मणस्य विजानतः ॥४६॥

*yāvān artha uda-pāne, sarvataḥ samplutodake*
*tāvān sarveṣu vedeṣu, brāhmaṇasya vijānataḥ*

*yāvān :* tout ce qui ; *arthaḥ :* est attendu de ; *uda-pāne :* un puits plein d'eau ; *sarvataḥ :* à tous les égards ; *sampluta-udake :* dans une grande étendue d'eau ; *tāvān :* de même ; *sarveṣu :* dans toutes ; *vedeṣu :* les Écritures védiques ; *brāhmaṇasya :* de l'homme qui connaît le Brahman Suprême ; *vijānataḥ :* qui possède la connaissance parfaite.

**À la manière d'une grande nappe d'eau qui remplit toutes les fonctions d'un puits, celui qui connaît le véritable dessein des Védas peut aisément répondre à toutes les injonctions védiques.**

Les rites et les sacrifices mentionnés dans la section *karma-kāṇḍa* des Védas ont pour but d'encourager le développement progressif de la réalisation spirituelle chez l'homme. Le but de cette réalisation est clairement exposé dans la *Bhagavad-gītā* (15.15) : l'objectif de l'étude des Védas est de connaître Kṛṣṇa, la source originelle de toutes choses. La réalisation spirituelle consiste donc à comprendre Kṛṣṇa et la relation éternelle qui nous unit à Lui. Le quinzième chapitre de la *Bhagavad-gītā* (15.7) nous éclaire également sur la nature de la relation qui unit les êtres vivants au Seigneur. Ces derniers font partie intégrante de Kṛṣṇa. Ranimer en soi la conscience de Kṛṣṇa est donc le plus haut degré de perfection de la connaissance des Védas. Ce que confirme le *Śrīmad-Bhāgavatam* (3.33.7) :

*aho bata śva-paco 'to garīyān*
*yaj-jihvāgre vartate nāma tubhyam*
*tepus tapas te juhuvuḥ sasnur āryā*
*brahmānūcur nāma gṛṇanti ye te*

« Ô mon Seigneur, quiconque chante Ton saint nom, fût-il de la plus basse condition et né de *caṇḍālas* (mangeurs de chien), se trouve au niveau le plus élevé de la réalisation spirituelle. Pour y parvenir, il a certes dû effectuer toutes sortes de pénitences et de sacrifices selon les rites védiques. Il a dû aussi étudier assidûment les Védas et s'être baigné dans tous les saints lieux de pèlerinage. On doit le voir comme le meilleur des *āryans.* »

Soyons donc suffisamment intelligents pour comprendre le but véritable des Védas et ne pas nous attacher uniquement aux rites, et abandonnons le désir d'atteindre les planètes édéniques dans le seul but de jouir plus intensément des plaisirs matériels. L'homme d'aujourd'hui ne peut ni observer les lois et les règles indispensables à l'application des rites védiques, ni étudier en profondeur le *Vedānta* et l'ensemble des *Upaniṣads*. Satisfaire aux exigences des Védas demande beaucoup de temps, d'énergie, de connaissance et de ressources, choses que l'on n'a plus en cet âge. Mais on peut atteindre le but ultime de la culture védique en chantant le saint nom du Seigneur, comme le recommande Caitanya Mahāprabhu, le libérateur de toutes les âmes déchues. Lorsque Prakāśānanda Sarasvatī, un grand érudit en matière védique, Lui déclara qu'il est sentimental de chanter le saint nom du Seigneur plutôt que d'étudier la philosophie du *Vedānta,* Śrī Caitanya répondit que Son maître spirituel, Le trouvant fort ignorant, Lui avait enjoint de chanter le saint nom de Kṛṣṇa. Ce chant Lui fit connaître l'ivresse de l'extase.

Dans l'ère où nous vivons, le Kali-yuga, la plupart des gens sont ignorants et n'ont pas l'instruction suffisante pour comprendre la philosophie du *Vedānta*. Il leur est donc recommandé, pour atteindre le but de la philosophie du *Vedānta,* de chanter le saint nom du Seigneur en se gardant de commettre la moindre offense. Le *Vedānta* est la quintessence de la sagesse védique, et comme Kṛṣṇa en est l'auteur, Il le connaît parfaitement. Le plus grand védantiste est la grande âme qui prend plaisir à chanter les saints noms du Seigneur. Tel est l'ultime objet de la mystique védique.

**2.47** कर्मण्येवाधिकारस्ते मा फलेषु कदाचन ।
मा कर्मफलहेतुर्भूर्मा ते सङ्गोऽस्त्वकर्मणि ॥४७॥

*karmaṇy evādhikāras te, mā phaleṣu kadācana*
*mā karma-phala-hetur bhūr, mā te saṅgo 'stv akarmaṇi*

*karmaṇi :* les devoirs prescrits ; *eva :* certes ; *adhikāraḥ :* le droit ; *te :* de toi ; *mā :* jamais ; *phaleṣu :* les fruits ; *kadācana :* à aucun moment ; *mā :* jamais ; *karma-phala :* du résultat de l'action ; *hetuḥ :* la cause ; *bhūḥ :* ne devient ; *mā :* jamais ; *te :* de toi ; *saṅgaḥ :* l'attachement ; *astu :* il ne devrait y avoir ; *akarmaṇi :* à ne pas faire tes devoirs prescrits.

**Tu as le droit d'accomplir le devoir qui t'échoit, mais pas de disposer des fruits de l'acte. Jamais ne crois être la cause des suites de l'action, et à aucun moment ne rejette ton devoir.**

Nous devons ici considérer trois facteurs : le devoir prescrit, l'action indépendante et l'inaction. Les devoirs prescrits sont les activités déterminées pour chacun en fonction des *guṇas* qui influent sur lui ; les actions indépendantes, celles qu'on accomplit sans l'accord d'aucune autorité, et l'inaction, le refus du devoir. Le Seigneur conseille à Arjuna de ne pas emprunter la voie de l'inaction, mais bien plutôt de remplir son devoir, sans s'attacher aux résultats. Car celui qui s'attache aux fruits de l'action prend sur lui la responsabilité de ses actes, et doit donc jouir ou souffrir de leurs conséquences.

Les devoirs prescrits peuvent être de trois ordres : les devoirs de routine, les devoirs d'urgence et les occupations librement choisies. Les devoirs de routine sont les devoirs imposés, accomplis selon les Écritures et sans attachement aux fruits qui en résultent. Ils relèvent du mode d'influence de la vertu. L'action que motive le résultat engendre au contraire l'asservissement, aussi est-elle de mauvais augure. Chacun peut accomplir son devoir en toute légitimité, mais doit agir sans attachement aux résultats. S'acquitter de ses obligations dans un esprit de détachement, c'est avancer d'un pas sûr vers la libération.

Le Seigneur conseille donc à Arjuna de combattre par devoir, sans s'attacher au résultat. Ne pas vouloir engager le combat, c'est encore faire montre d'une autre forme d'attachement. Bons ou mauvais, les attachements matériels sont toujours cause de servitude et ne peuvent en aucun cas nous aider à nous libérer de la matière. L'inaction, par ailleurs, est condamnable. La seule voie de salut est donc pour Arjuna de combattre comme son devoir l'exige.

**2.48** योगस्थः कुरु कर्माणि सङ्गं त्यक्त्वा धनञ्जय ।
सिद्ध्यसिद्ध्योः समो भूत्वा समत्वं योग उच्यते ॥४८॥

*yoga-sthaḥ kuru karmāṇi, saṅgaṁ tyaktvā dhanañ-jaya*
*siddhy-asiddhyoḥ samo bhūtvā, samatvaṁ yoga ucyate*

*yoga-sthaḥ :* égal ; *kuru :* accomplis ; *karmāṇi :* tes devoirs ; *saṅgam :* l'attachement ; *tyaktvā :* abandonnant ; *dhanam-jaya :* ô Arjuna, conquérant des richesses ; *siddhi-asiddhyoḥ :* dans le succès et dans l'échec ; *samaḥ :* le même ; *bhūtvā :* devenant ; *samatvam :* l'équanimité ; *yogaḥ :* yoga ; *ucyate :* est appelée.

**Remplis ton devoir avec équanimité, ô Arjuna, sans t'attacher au succès ou à l'échec. Cette égalité d'âme, on l'appelle yoga.**

Kṛṣṇa dit à Arjuna qu'il doit agir dans l'esprit du yoga. Mais quel est ce yoga ? Le terme yoga signifie maintenir son esprit fixé sur le Suprême en maîtrisant ses sens, par nature constamment agités. Et qui est le Suprême ? Le Seigneur, Dieu. Puisqu'Il demande personnellement à Arjuna de combattre, ce dernier n'a pas à se sentir impliqué dans l'issue de la bataille : le succès ou la victoire sont entre les mains de Kṛṣṇa. Arjuna, pour sa part, n'a qu'à suivre Ses instructions. C'est en cela que consiste le vrai yoga, qui trouve sa juste application dans la conscience de Kṛṣṇa. Elle seule permet de se défaire de la tendance à se croire le propriétaire de tout. Si l'on veut s'acquitter de son devoir dans la conscience de Kṛṣṇa, on doit devenir le serviteur du Seigneur, ou le serviteur de Son serviteur. Tel est le seul moyen d'agir dans l'esprit du yoga.

Arjuna est un *kṣatriya*. Aussi agit-il dans le cadre du *varṇāśrama-dharma,* dont le seul but, nous dit le *Viṣṇu Purāṇa,* est de satisfaire Viṣṇu. Ce n'est pas soi-même qu'il faut chercher à satisfaire, comme il est de règle dans le monde matériel, mais bien Kṛṣṇa. Et à moins d'agir ainsi, on ne peut prétendre observer correctement les principes du *varṇāśrama-dharma*. Kṛṣṇa laisse donc entendre à Arjuna qu'il devrait suivre Sa volonté.

2.49 दूरेण ह्यवरं कर्म बुद्धियोगाद्धनञ्जय ।
बुद्धौ शरणमन्विच्छ कृपणाः फलहेतवः ॥४९॥

*dūreṇa hy avaraṁ karma, buddhi-yogād dhanañ-jaya*
*buddhau śaraṇam anviccha, kṛpaṇāḥ phala-hetavaḥ*

*dūreṇa :* jette très loin; *hi :* certes; *avaram :* abominable; *karma :* l'activité; *buddhi-yogāt :* par la puissance de la conscience de Kṛṣṇa; *dhanam-jaya :* ô conquérant des richesses; *buddhau :* dans cet esprit; *śaraṇam :* l'abandon total; *anviccha :* essaie d'atteindre; *kṛpaṇāḥ :* avares; *phala-hetavaḥ :* ceux qui veulent jouir des fruits de leurs actes.

**Ô Dhanañjaya, par la pratique du service de dévotion, garde-toi de tout acte répréhensible et, dans un tel état d'esprit, abandonne-toi au Seigneur. Ils sont avaricieux ceux qui aspirent aux fruits de leurs actes.**

Celui qui parvient à réaliser pleinement sa nature fondamentale de serviteur éternel du Seigneur abandonne toute occupation autre que celle accomplie dans la conscience de Kṛṣṇa. *Buddhi-yoga* signifie, nous l'avons vu, servir le Seigneur avec amour, ce qui est la meilleure voie à suivre pour tous les êtres. Seuls les avares veulent jouir des fruits de leur labeur pour s'empêtrer davantage dans les rets de l'existence matérielle.

Toute action accomplie dans un autre but que de plaire à Kṛṣṇa est néfaste, car elle enchaîne toujours plus son auteur au cycle des morts et des renaissances. On ne devrait donc jamais désirer être la cause de l'action. Tout devrait se faire en pleine conscience de Kṛṣṇa, pour Son seul plaisir. L'avare ne sait pas utiliser les richesses qu'il a acquises par heureuse fortune ou par son dur labeur. Et comme lui, l'infortuné n'utilise pas son énergie au service du Seigneur. Pourtant si l'on dépense toute son énergie pour Kṛṣṇa, l'existence sera un succès.

2.50 बुद्धियुक्तो जहातीह उभे सुकृतदुष्कृते ।
तस्माद्योगाय युज्यस्व योगः कर्मसु कौशलम् ॥५०॥

*buddhi-yukto jahātīha, ubhe sukṛta-duṣkṛte*
*tasmād yogāya yujyasva, yogaḥ karmasu kauśalam*

*buddhi-yuktaḥ :* celui qui pratique le service de dévotion; *jahāti :* peut se débarrasser; *iha :* dans cette vie; *ubhe :* des deux; *sukṛta-duṣkṛte :* des bons et mauvais résultats; *tasmāt :* donc; *yogāya :* pour le service de dévotion; *yujyasva :* sois engagé de cette façon; *yogaḥ :* la conscience de Kṛṣṇa; *karmasu :* dans toutes les activités; *kauśalam :* l'art.

**Qui se consacre au service de dévotion s'affranchit, en cette vie même, des suites bonnes et mauvaises de ses actes. Efforce-toi donc d'atteindre à l'art d'agir, au yoga.**

Depuis des temps immémoriaux, tous les êtres vivants accumulent les conséquences de leurs actes bons ou mauvais ; c'est pourquoi ils ignorent toujours leur position véritable, inhérente. Les instructions données dans la *Bhagavad-gītā,* qui nous apprennent à nous abandonner totalement à Śrī Kṛṣṇa et à nous libérer de l'enchaînement aux actes et à leurs conséquences, vie après vie, peuvent dissiper notre ignorance. Arjuna se voit donc conseiller d'agir en pleine conscience de Kṛṣṇa, car c'est le procédé qui permet de purifier les suites de l'action.

2.51 कर्मजं बुद्धियुक्ता हि फलं त्यक्त्वा मनीषिणः ।
जन्मबन्धविनिर्मुक्ताः पदं गच्छन्त्यनामयम् ॥५१॥

*karma-jaṁ buddhi-yuktā hi, phalaṁ tyaktvā manīṣiṇaḥ*
*janma-bandha-vinirmuktāḥ, padaṁ gacchanty anāmayam*

*karma-jam :* dus aux actions intéressées ; *buddhi-yuktāḥ :* étant voués au service de dévotion ; *hi :* certes ; *phalam :* les résultats ; *tyaktvā :* abandonnant ; *manīṣiṇaḥ :* les grands sages, les dévots ; *janma-bandha :* de l'enchaînement à la naissance et à la mort ; *vinirmuktāḥ :* libérés ; *padam :* la condition ; *gacchanti :* ils atteignent ; *anāmayam :* sans souffrance.

**En se vouant avec dévotion au service du Seigneur, les grands sages, les dévots, renoncent en ce monde aux fruits de leurs actes. Ainsi se libèrent-ils du cycle des morts et des renaissances pour accéder à un état exempt de toute souffrance [en retournant auprès de Dieu].**

La place de l'être libéré est là où les souffrances matérielles n'existent pas. Le *Śrīmad-Bhāgavatam* (10.14.58) affirme à ce propos :

*samāṣritā ye pada-pallava-plavaṁ*
*mahat-padaṁ puṇya-yaśo murāreḥ*
*bhavāmbudhir vatsa-padaṁ paraṁ padaṁ*
*padaṁ padaṁ yad vipadāṁ na teṣām*

« Pour celui qui a pris refuge sur le vaisseau des pieds pareils-au-lotus du Seigneur, Mukunda – qui accorde la libération (*mukti*) –, en qui repose toute la manifestation cosmique, l'océan de l'existence matérielle est comparable à l'eau contenue dans l'empreinte du sabot d'un veau. Il n'est intéressé que par le lieu où les souffrances matérielles n'existent pas (*paraṁ padam,* ou Vaikuṇṭha), et non par celui où de nouveaux dangers se présentent à chaque pas. »

L'ignorance nous empêche de voir que l'univers matériel est un lieu de souffrance, où le danger est partout. Seule l'ignorance, en effet, pousse l'homme peu éclairé à vouloir remédier aux problèmes de l'existence en recherchant à travers tous ses actes son intérêt personnel, et à croire qu'ainsi il trouvera le bonheur. Il ignore qu'aucun corps matériel, en aucun lieu de l'univers, ne peut lui permettre de mener une vie exempte de souffrance. Partout en ce monde, tous sont affligés par les souffrances que leur apportent la naissance, la maladie, la vieillesse et la mort. Mais celui qui connaît sa véritable nature de serviteur éternel du Seigneur, et qui réalise par là la position de Dieu, la Personne Suprême, s'engage avec amour dans Son service transcendantal. Il est alors tout à fait qualifié pour atteindre les planètes Vaikuṇṭhas, où n'existent ni la triste vie matérielle, ni les influences du temps et de la mort.

La connaissance de sa propre position implique qu'on reconnaisse aussi celle, sublime, du Seigneur. Celui qui croit à tort l'âme distincte située au même niveau que le Seigneur est dans les ténèbres. Il n'est pas possible pour lui de s'engager dans Son service avec amour et dévotion. Il cherche à devenir lui-même le Seigneur et à cause de cela se prépare à transmigrer de corps en corps. Mais celui qui, reconnaissant sa condition de serviteur, s'engage au service de Kṛṣṇa, se qualifie pour atteindre les planètes Vaikuṇṭhas. Le service offert au Seigneur porte le nom de *karma-yoga,* ou *buddhi-yoga,* ou plus simplement, de service dévotionnel.

**2.52** यदा ते मोहकलिलं बुद्धिर्व्यतितरिष्यति ।
तदा गन्तासि निर्वेदं श्रोतव्यस्य श्रुतस्य च ॥५२॥

*yadā te moha-kalilaṁ, buddhir vyatitariṣyati*
*tadā gantāsi nirvedaṁ, śrotavyasya śrutasya ca*

*yadā :* quand; *te :* ton; *moha :* de l'illusion; *kalilam :* la forêt dense; *buddhiḥ :* intelligence dans le service transcendantal; *vyatitariṣyati :* surpasse; *tadā :* à ce moment; *gantā asi :* tu iras; *nirvedam :* indifférence; *śrotavyasya :* à tout ce qui sera entendu; *śrutasya :* tout ce qui a déjà été entendu; *ca :* aussi.

**Lorsque ton intelligence aura franchi la dense forêt de l'illusion, tout ce que tu as déjà entendu et tout ce que tu pourrais encore entendre te laissera indifférent.**

On trouve parmi les grands dévots du Seigneur de nombreux exemples de personnes qui, simplement pour s'être engagées au service du Seigneur avec amour et dévotion, se détachèrent des pratiques rituelles des Védas. Celui qui connaît réellement Kṛṣṇa, ainsi que la relation qui l'unit à Lui, serait-il un *brāhmaṇa* expérimenté, se détache naturellement et complètement des pratiques rituelles intéressées. Śrī Mādhavendra Purī, grand dévot et grand *ācārya* dans la lignée *vaiṣṇava,* dit :

*sandhyā-vandana bhadram astu bhavato bhoḥ snāna tubhyaṁ namo*
*bho devāḥ pitaraś ca tarpaṇa-vidhau nāhaṁ kṣamaḥ kṣamyatām*
*yatra kvāpi niṣadya yādava-kulottāsasya kaṁsa-dviṣaḥ*
*smāraṁ smāram aghaṁ harāmi tad alaṁ manye kim anyena me*

« Ô prières faites trois fois par jour, gloire vous soit rendue! Ô bains sacrés! Je vous offre mon hommage. Ô *devas*! Ô ancêtres! Pardonnez mon inaptitude à vous offrir mes respects. Où que j'aille, je me rappelle l'illustre descendant de la dynastie Yadu [Kṛṣṇa], l'ennemi de Kaṁsa. Ainsi puis-je me libérer des conséquences de tous mes péchés. Et cela me suffit. »

Les règles et les pratiques rituelles védiques doivent être rigoureusement observées par les néophytes : prières à réciter trois fois par jour, bain matinal, hommages aux ancêtres, etc. Mais l'être pleinement conscient de Kṛṣṇa, qui Le sert avec un amour pur, se désintéresse de ces principes régulateurs, car il a déjà atteint la perfection. Si l'on peut obtenir la connaissance en servant le Seigneur Suprême, Kṛṣṇa, alors il n'est plus besoin d'accomplir les austérités et les sacrifices prescrits par les Écritures révélées. De même, si l'on suit ces divers rites sans comprendre que le but des Védas est d'atteindre Kṛṣṇa, on perd tout simplement son temps. L'homme conscient de Kṛṣṇa transcende les limites du *śabda-brahma,* le champ d'action des Védas et des *Upaniṣads*.

**2.53** श्रुतिविप्रतिपन्ना ते यदा स्थास्यति निश्चला ।
समाधावचला बुद्धिस्तदा योगमवाप्स्यसि ॥५३॥

*śruti-vipratipannā te, yadā sthāsyati niścalā*
*samādhāv acalā buddhis, tadā yogam avāpsyasi*

*śruti :* de la révélation védique; *vipratipannā :* sans être influencé par les résultats intéressés; *te :* ton; *yadā :* quand; *sthāsyati :* demeure; *niścalā :* impassible; *samā-*

*dhau :* dans la conscience spirituelle, la conscience de Kṛṣṇa ; *acalā :* inébranlable ; *buddhiḥ :* intelligence ; *tadā :* à ce moment ; *yogam :* la réalisation spirituelle ; *avāpsyasi :* tu atteindras.

**Lorsque ton esprit ne sera plus distrait par le langage fleuri des Védas et s'absorbera pleinement dans la réalisation spirituelle, tu auras atteint la conscience divine.**

Quand on dit qu'une personne est en *samādhi,* cela signifie qu'elle est pleinement consciente de Kṛṣṇa. En effet, pour être en parfait *samādhi,* il faut avoir réalisé le Brahman, le Paramātmā et Bhagavān. Le sommet de la réalisation spirituelle consiste à comprendre qu'on est l'éternel serviteur du Seigneur, et que notre seul souci doit être de remplir nos devoirs dans la conscience de Kṛṣṇa. Un être conscient de Kṛṣṇa, un dévot résolu dans son service, ne doit pas se laisser distraire par le langage fleuri des Védas, ni s'engager dans des activités intéressées destinées à l'élever aux planètes édéniques. Celui qui devient conscient de Kṛṣṇa entre en communion directe avec Lui et peut, dans cet état transcendantal, comprendre toutes Ses instructions. On peut être certain, si l'on agit ainsi, d'obtenir le résultat désiré et d'atteindre la connaissance ultime. Il suffit de suivre les directives de Kṛṣṇa ou de Son représentant, le maître spirituel.

**2.54** अर्जुन उवाच
स्थितप्रज्ञस्य का भाषा समाधिस्थस्य केशव ।
स्थितधीः किं प्रभाषेत किमासीत व्रजेत किम् ॥५४॥

*arjuna uvāca*
*sthita-prajñasya kā bhāṣā, samādhi-sthasya keśava*
*sthita-dhīḥ kiṁ prabhāṣeta, kim āsīta vrajeta kim*

*arjunaḥ uvāca :* Arjuna dit ; *sthita-prajñasya :* de celui qui est fermement établi dans la conscience de Kṛṣṇa ; *kā :* quel ; *bhāṣā :* langage ; *samādhi-sthasya :* de celui qui est en extase méditative ; *keśava :* ô Kṛṣṇa ; *sthita-dhīḥ :* celui qui est fixe dans la conscience de Kṛṣṇa ; *kim :* comment ; *prabhāṣeta :* parle ; *kim :* comment ; *āsīta :* reste immobile ; *vrajeta :* marche ; *kim :* comment.

**Arjuna dit : Ô Kṛṣṇa, à quoi reconnaît-on celui dont la conscience baigne ainsi dans la transcendance ? Comment parle-t-il et quel langage tient-il ? Comment s'assied-il et comment marche-t-il ?**

Tout homme a de par sa nature divers traits particuliers. On reconnaît, par exemple, un riche, un malade ou un érudit à certains signes distinctifs. Il en est de même pour un être conscient de Kṛṣṇa : il a sa façon particulière de parler, de marcher, de penser, de sentir, etc., que nous décrit la *Bhagavad-gītā*. Mais le plus important est sa façon de parler, car c'est là le signe distinctif de l'homme. Tant qu'il n'ouvre pas la bouche, un sot passe inaperçu, plus facilement encore s'il a bonne apparence, mais dès qu'il ouvre la bouche, il se trahit. La première caractéristique d'une personne consciente de Kṛṣṇa est qu'elle ne parle que de Lui ou de sujets ayant rapport à Lui. Les autres caractéristiques en découlent automatiquement, comme on le verra dans les versets suivants.

**2.55** श्रीभगवानुवाच
प्रजहाति यदा कामान् सर्वान् पार्थ मनोगतान् ।
आत्मन्येवात्मना तुष्टः स्थितप्रज्ञस्तदोच्यते ॥५५॥

*śrī-bhagavān uvāca*
*prajahāti yadā kāmān, sarvān pārtha mano-gatān*
*ātmany evātmanā tuṣṭaḥ, sthita-prajñas tadocyate*

*śrī-bhagavān uvāca :* Dieu, la Personne Suprême, dit ; *prajahāti :* abandonne ; *yadā :* quand ; *kāmān :* les désirs de plaisirs sensoriels ; *sarvān :* de toutes variétés ; *pārtha :* ô fils de Pṛthā ; *manaḥ-gatān :* créations du mental ; *ātmani :* dans l'état pur de l'âme ; *eva :* certes ; *ātmanā :* par le mental purifié ; *tuṣṭaḥ :* satisfait ; *sthita-prajñaḥ :* situé au niveau transcendantal ; *tadā :* à ce moment ; *ucyate :* est dit.

**Dieu, la Personne Suprême, répond : Quand un homme, ô Pārtha, renonce aux multiples désirs de jouissance sensorielle que lui impose le mental, quand son esprit, ainsi purifié, ne trouve plus de satisfaction ailleurs que dans le soi, on dit que sa conscience est purement transcendantale.**

Le *Śrīmad-Bhāgavatam* affirme qu'une personne parfaitement consciente de Kṛṣṇa, absorbée dans le service de dévotion, possède toutes les qualités des grands sages, alors que celui qui n'a pas atteint ce degré de spiritualité ne peut prétendre à aucune bonne qualité, car il s'accroche forcément à ses propres élucubrations. Aussi, ce verset nous conseille à juste titre de repousser tous les désirs de jouissance matérielle que se crée le mental. Il est impossible de mettre artificiellement un terme à ces désirs, mais si l'on adopte la conscience de Kṛṣṇa, ils s'évanouiront graduellement sans qu'il y ait besoin de fournir d'efforts indépendants.

On ne doit donc pas hésiter à s'engager dans la conscience de

Kṛṣṇa, car le service de dévotion a le pouvoir d'élever progressivement la conscience au niveau transcendantal. Réalisant sa position d'éternel serviteur du Seigneur Suprême, l'être hautement accompli jouit d'une constante paix intérieure. À ce stade, il ne connaît plus les désirs liés au matérialisme. Sa position naturelle de serviteur du Seigneur Suprême retrouvée, il goûte au contraire un bonheur permanent.

**2.56** दुःखेष्वनुद्विग्नमनाः सुखेषु विगतस्पृहः ।
वीतरागभयक्रोधः स्थितधीर्मुनिरुच्यते ॥५६॥

*duḥkheṣv anudvigna-manāḥ, sukheṣu vigata-spṛhaḥ*
*vīta-rāga-bhaya-krodhaḥ, sthita-dhīr munir ucyate*

*duḥkheṣu :* par les trois formes de souffrance ; *anudvigna-manāḥ :* sans avoir le mental affecté ; *sukheṣu :* dans le bonheur ; *vigata-spṛhaḥ :* sans prendre d'intérêt ; *vīta :* libre de ; *rāga :* l'attachement ; *bhaya :* la peur ; *krodhaḥ :* et la colère ; *sthita-dhīḥ :* dont le mental est ferme ; *muniḥ :* un sage ; *ucyate :* est appelé.

**L'être qui n'est pas affecté par les trois formes de souffrance ni enivré par les joies de la vie, qui n'est pas sujet à l'attachement, la crainte et la colère, est qualifié de sage à l'esprit ferme.**

Le mot *muni* désigne celui qui se plonge dans la réflexion spéculative sans jamais aboutir à aucune conclusion réelle. Chaque *muni,* pour être digne de ce nom, doit voir les choses sous un angle qui lui sera propre, et se faire une opinion différente des autres. *Nāsāv ṛṣir yasya mataṁ na bhinnam* (*Mahābhārata, Vana-parva* 313.117). Mais le *sthita-dhīr muni* dont parle le Seigneur est différent : il est toujours conscient de Kṛṣṇa, car il en a terminé avec la spéculation intellectuelle. On le nomme *praśānta-niḥśeṣa-mano-rathāntara* (*Stotra-ratna* 43), c'est-à-dire celui qui a dépassé le stade de la spéculation mentale et qui en est arrivé à la conclusion qu'il n'y a rien en dehors de Śrī Kṛṣṇa, Vāsudeva (*vāsudevaḥ sarvam iti sa mahātmā su-durlabhaḥ*). On lui donne le nom de *muni* au mental toujours fixé.

Cet être pleinement conscient de Kṛṣṇa n'est en rien affecté par les trois formes de souffrance, car il les accepte comme la miséricorde du Seigneur. Il se dit que, du fait de ses actes passés, il mériterait de souffrir beaucoup plus. Il réalise que par la grâce du Seigneur ses peines ont été réduites au minimum. Et quand il est joyeux, il remercie le Seigneur, se jugeant lui-même indigne d'être heureux. Il comprend que c'est par la seule miséricorde du Seigneur qu'il se trouve dans une situation favorable qui lui permet de mieux Le servir. Il est toujours audacieux et actif au service de Kṛṣṇa et ne ressent ni attachement ni aversion. Être attaché, c'est utiliser les choses pour son propre plaisir, alors que le détachement implique l'absence de tout attachement au plaisir des sens. Or, celui qui fixe ses pensées sur Kṛṣṇa ne connaît ni l'un ni l'autre du fait qu'il se dévoue au service du Seigneur, et ne se laisse donc pas emporter par la colère, quand bien même ses efforts resteraient infructueux. Dans le succès ou l'échec, celui qui a conscience de Kṛṣṇa demeure toujours ferme dans sa détermination.

**2.57** यः सर्वत्रानभिस्नेहस्तत्तत्प्राप्य शुभाशुभम् ।
नाभिनन्दति न द्वेष्टि तस्य प्रज्ञा प्रतिष्ठिता ॥५७॥

*yaḥ sarvatrānabhisnehas, tat tat prāpya śubhāśubham*
*nābhinandati na dveṣṭi, tasya prajñā pratiṣṭhitā*

*yaḥ* : celui qui ; *sarvatra* : partout ; *anabhisnehaḥ* : sans attachement ; *tat* : cela ; *tat* : cela ; *prāpya* : obtenant ; *śubha* : le bien ; *aśubham* : le mal ; *na* : jamais ; *abhinandati* : n'exalte ; *na* : jamais ; *dveṣṭi* : ne honnit ; *tasya* : sa ; *prajñā* : connaissance parfaite ; *pratiṣṭhitā* : fixée.

**Qui, en ce monde, ne se laisse pas plus troubler par le bien que par le mal qui lui sont faits, qui ne loue ou ne dénigre ni l'un ni l'autre, est fermement situé dans le parfait savoir.**

Il survient toujours dans le monde matériel quelque bouleversement, tantôt favorable, tantôt défavorable. Celui qui est fermement situé dans la conscience de Kṛṣṇa n'est pas troublé par ces changements, ni affecté par le bien ou le mal. Mais tant qu'on se trouve dans l'univers matériel, on doit faire face au bien et au mal, car ce monde est un monde de dualités. Or celui qui s'absorbe dans la conscience de Kṛṣṇa ne pense qu'à Kṛṣṇa, le Bien Absolu, et n'est donc pas affecté par le bien et le mal. Il jouit d'une condition spirituelle purement transcendantale, qu'on appelle *samādhi*.

**2.58** यदा संहरते चायं कूर्मोऽङ्गानीव सर्वशः ।
इन्द्रियाणीन्द्रियार्थेभ्यस्तस्य प्रज्ञा प्रतिष्ठिता ॥५८॥

*yadā saṁharate cāyaṁ, kūrmo 'ṅgānīva sarvaśaḥ*
*indriyāṇīndriyārthebhyas, tasya prajñā pratiṣṭhitā*

*yadā* : quand ; *saṁharate* : rentre ; *ca* : aussi ; *ayam* : il ; *kūrmaḥ* : une tortue ; *aṅgāni* : les membres ; *iva* : comme ; *sarvaśaḥ* : tous ensemble ; *indriyāṇi* : les sens ; *indriya-arthebhyaḥ* : des objets des sens ; *tasya* : sa ; *prajñā* : conscience ; *pratiṣṭhitā* : fixée.

**Semblable à une tortue rétractant ses membres au fond de sa carapace, celui qui parvient à écarter ses sens de leurs objets est solidement établi dans une conscience parfaite.**

On est un *yogī,* un dévot ou une âme réalisée, quand on est capable de maîtriser ses sens, contrairement à la plupart des hommes qui sont esclaves de leurs sens et n'agissent que sous leur dictée. Voilà la réponse à la question d'Arjuna concernant le *yogī.* Les sens veulent agir librement et sans contrainte. On les compare à des serpents venimeux que le *yogī,* ou le dévot, doit garder sous son contrôle avec autant d'habileté qu'un charmeur de serpents. Il ne doit jamais les laisser agir indépendamment de sa volonté.

Les Écritures révélées nous donnent plusieurs règles à suivre : certaines sont des interdictions, d'autres des commandements. À moins d'observer ces règles et d'imposer certaines restrictions à ses sens, on ne peut fermement s'établir dans la conscience de Kṛṣṇa. Le meilleur exemple, mentionné ici, est celui de la tortue. Elle peut, selon le besoin et le moment, rétracter ses membres ou les faire sortir de sa carapace. Ainsi, le dévot n'utilise ses sens qu'à des fins précises, au service du Seigneur, et les retient en toute autre occasion. Arjuna reçoit ici l'instruction d'utiliser ses sens au service du Seigneur, et non pas pour sa propre satisfaction. Engager constamment ses sens au service du Seigneur, c'est faire comme la tortue qui rétracte ses membres au fond de sa carapace.

**2.59** विषया विनिवर्तन्ते निराहारस्य देहिनः ।
रसवर्जं रसोऽप्यस्य परं दृष्ट्वा निवर्तते ॥५९॥

*viṣayā vinivartante, nirāhārasya dehinaḥ*
*rasa-varjaṁ raso 'py asya, paraṁ dṛṣṭvā nivartate*

*viṣayāḥ :* les objets de plaisir ; *vinivartante :* dont elle est entraînée à s'abstenir ; *nirāhārasya :* par des privations forcées ; *dehinaḥ :* pour l'âme incarnée ; *rasa-varjam :* renonçant au goût ; *rasaḥ :* le sens du plaisir ; *api :* bien qu'il y ait ; *asya :* pour elle ; *param :* des choses bien supérieures ; *dṛṣṭvā :* en connaissant ; *nivartate :* cesse de.

**Même si elle restreint ses jouissances sensorielles, l'âme incarnée conserve un attrait pour les objets des sens. Toutefois, qu'elle goûte quelque chose de supérieur et elle mettra fin à ses vains plaisirs, la conscience fixée au niveau spirituel.**

À moins d'être situé à un niveau transcendantal, il est impossible de se détourner du plaisir des sens. Le fait de restreindre ses sens en observant diverses règles est comparable au fait, pour un malade, de s'abstenir de manger certains aliments. Le patient n'aime pas ces restrictions et ne perd pas pour autant le goût des aliments défendus. Aussi la contrainte des sens par une pratique spirituelle comme l'*aṣṭāṅga-yoga* (*yama, niyama, āsana, prāṇāyāma, pratyāhāra, dhāraṇā, dhyāna,* etc.) est-elle recommandée aux gens de moindre intelligence, qui ne connaissent pas de meilleure méthode. Mais celui qui, en progressant dans la conscience de Kṛṣṇa, a goûté la beauté du Seigneur Suprême, Kṛṣṇa, n'éprouve plus le moindre attrait pour les choses matérielles. Ces restrictions ne s'imposent donc qu'aux néophytes dans la voie spirituelle et n'ont de valeur que pour ceux qui n'ont pas encore pris goût à la conscience de Kṛṣṇa. Quand on a véritablement atteint cette conscience de Kṛṣṇa, on perd automatiquement tout attrait pour les plaisirs matériels, désormais fades et ternes.

**2.60** यततो ह्यपि कौन्तेय पुरुषस्य विपश्चितः ।
इन्द्रियाणि प्रमाथीनि हरन्ति प्रसभं मनः ॥६०॥

*yatato hy api kaunteya, puruṣasya vipaścitaḥ*
*indriyāṇi pramāthīni, haranti prasabhaṁ manaḥ*

*yatataḥ :* alors qu'il fait des efforts ; *hi :* certes ; *api :* en dépit de ; *kaunteya :* ô fils de Kuntī ; *puruṣasya :* de l'homme ; *vipaścitaḥ :* plein de discernement ; *indriyāṇi :* les sens ; *pramāthīni :* agitant ; *haranti :* jettent ; *prasabham :* de force ; *manaḥ :* le mental.

**Les sens sont si puissants et impétueux, ô Arjuna, qu'ils vont jusqu'à ravir le mental de l'homme de discernement qui s'efforce de les maîtriser.**

Nombreux sont les puissants érudits, philosophes et spiritualistes qui tentent de maîtriser leurs sens et qui, à cause de l'instabilité du mental, se voient retomber parfois sous leur emprise. Même Viśvāmitra, grand sage et parfait *yogī,* succomba aux plaisirs de la chair avec Menakā, en dépit de sa pratique du yoga et de ses rudes austérités pour dompter ses sens. Et bien sûr, on pourrait dénombrer mille cas semblables dans l'histoire du monde. Car il est très difficile de dominer le mental et les sens quand on n'est pas pleinement conscient de Kṛṣṇa. De fait, à moins de tourner ses pensées vers Kṛṣṇa, il est impossible d'abandonner ses habitudes matérielles. Śrī Yāmunācārya, dévot et grand saint, nous en donne un exemple concret :

*yad-avadhi mama cetaḥ kṛṣṇa-pādāravinde*
*nava-nava-rasa-dhāmany udyataṁ rantum āsīt*
*tad-avadhi bata nārī-saṅgame smaryamāne*
*bhavati mukha-vikāraḥ suṣṭhu niṣṭhīvanaṁ ca*

« Depuis que j'ai l'esprit occupé au service des pieds pareils-au-lotus de Kṛṣṇa, j'éprouve une joie transcendantale toujours nouvelle, et chaque fois que la pensée d'un rapport charnel avec une femme me vient à l'esprit, tout mon être s'en détourne et je crache de dégoût. »

Mahārāja Ambarīṣa aussi, grâce à son absorption dans la conscience de Kṛṣṇa, put vaincre les assauts du grand *yogī* Durvāsā Muni (*sa vai manaḥ kṛṣṇa-padāravindayor vacāṁsi vaikuṇṭha-guṇānuvarṇane*). La conscience de Kṛṣṇa est si sublime qu'automatiquement les plaisirs matériels perdent leur attrait et on ressent la plénitude qu'éprouve l'affamé une fois repu.

**2.61** तानि सर्वाणि संयम्य युक्त आसीत मत्परः ।
वशे हि यस्येन्द्रियाणि तस्य प्रज्ञा प्रतिष्ठिता ॥६१॥

*tāni sarvāṇi saṁyamya, yukta āsīta mat-paraḥ*
*vaśe hi yasyendriyāṇi, tasya prajñā pratiṣṭhitā*

*tāni :* ces sens ; *sarvāṇi :* tous ; *saṁyamya :* gardant sous contrôle ; *yuktaḥ :* engagés ; *āsīta :* doivent être situés ; *mat-paraḥ :* en relation avec Moi ; *vaśe :* avec une soumission totale ; *hi :* certes ; *yasya :* celui dont ; *indriyāṇi :* les sens ; *tasya :* sa ; *prajñā :* conscience ; *pratiṣṭhitā :* fixée.

**Qui discipline ses sens en les maîtrisant parfaitement et absorbe sa conscience en Moi fait certes preuve d'une intelligence ferme.**

Ce verset atteste avec clarté que la conscience de Kṛṣṇa se situe au plus haut niveau dans l'échelle du yoga. À moins d'être conscient de Kṛṣṇa, il est absolument impossible de maîtriser ses sens. Comme nous l'avons vu plus haut, le grand sage Durvāsā Muni chercha un jour querelle à Mahārāja Ambarīṣa, un dévot du Seigneur. Poussé par l'orgueil, le *muni* entra sans raison dans une grande colère et perdit contrôle de lui-même. Le roi Ambarīṣa, par contre, bien qu'il fût un *yogī* moins puissant que le sage Durvāsā, put, parce qu'il était un dévot du Seigneur, supporter avec sérénité les injustices du sage et sortir victorieux du conflit. Voici, d'après le *Śrīmad-Bhāgavatam* (9.4.18-20), les activités qui permirent au roi de devenir maître de ses sens :

*sa vai manaḥ kṛṣṇa-padāravindayor*
*vacāṁsi vaikuṇṭha-guṇānuvarṇane*
*karau harer mandira-mārjanādiṣu*
*śrutiṁ cakārācyuta-sat-kathodaye*

*mukunda-liṅgālaya-darśane dṛśau*
*tad-bhṛtya-gātra-sparśe 'ṅga-saṅgamam*
*ghrāṇaṁ ca tat-pāda-saroja-saurabhe*
*śrīmat-tulasyā rasanāṁ tad-arpite*

*pādau hareḥ kṣetra-padānusarpaṇe*
*śiro hṛṣīkeśa-padābhivandane*
*kāmaṁ ca dāsye na tu kāma-kāmyayā*
*yathottamaśloka-janāśrayā ratiḥ*

« Le roi Ambarīṣa fixait ses pensées sur les pieds pareils-au-lotus de Kṛṣṇa, usait de ses mots pour décrire le royaume du Seigneur, se servait de ses mains pour nettoyer Son temple, de ses oreilles pour entendre louer Ses divertissements, de ses yeux pour contempler Sa forme, de son corps pour toucher le corps des dévots, de ses narines pour humer le parfum des fleurs offertes à Ses pieds semblables au lotus, de sa langue pour goûter les feuilles de *tulasī* offertes à Sa personne, de ses jambes pour se rendre à Son temple dans les lieux saints, de sa tête pour se prosterner devant Lui, et de ses désirs pour satisfaire Sa volonté divine. Toutes ces activités firent de lui un pur dévot du Seigneur (*mat-para*). »

Le mot *mat-para* est ici particulièrement significatif. L'exemple de Mahārāja Ambarīṣa montre bien comment on peut devenir un *mat-para*. Śrīla Baladeva Vidyābhūṣaṇa, grand érudit et *ācārya* dans la lignée des *mat-paras,* note : *mad-bhakti-prabhāvena sarvendriya-vijaya-pūrvikā svātma-dṛṣṭiḥ sula-bheti bhāvaḥ* – « Les sens ne peuvent être parfaitement maîtrisés que par la puissance du service dévotionnel offert à Kṛṣṇa. » Concept qu'on illustre parfois avec l'exemple du feu : « Tout comme un feu ardent peut dévorer tout ce qu'il y a dans une pièce, le Seigneur, Viṣṇu, situé dans le cœur du *yogī,* brûle toutes les impuretés. »

Le *Yoga-sūtra* recommande également la méditation sur Viṣṇu, et non sur le vide. Les pseudo-*yogīs* méditant sur autre chose que la forme de Viṣṇu ne font que perdre leur temps à rechercher quelque chimère. Le véritable but du yoga est de devenir conscient de Kṛṣṇa, d'être dévoué à la Personne Suprême.

2.62 ध्यायतो विषयान् पुंसः सङ्गस्तेषूपजायते ।
सङ्गात्सञ्जायते कामः कामात्क्रोधोऽभिजायते ॥६२॥

*dhyāyato viṣayān puṁsaḥ, saṅgas teṣūpajāyate*
*saṅgāt sañjāyate kāmaḥ, kāmāt krodho 'bhijāyate*

*dhyāyataḥ :* en contemplant ; *viṣayān :* les objets des sens ; *puṁsaḥ :* d'une personne ; *saṅgaḥ :* l'attachement ; *teṣu :* aux objets des sens ; *upajāyate :* se développe ; *saṅgāt :* de l'attachement ; *sañjāyate :* se développe ; *kāmaḥ :* le désir ; *kāmāt :* du désir ; *krodhaḥ :* la colère ; *abhijāyate :* se manifeste.

**La contemplation des objets des sens fait naître l'attachement, lequel génère la convoitise qui, à son tour, engendre la colère.**

Celui qui n'est pas conscient de Kṛṣṇa se trouve submergé de désirs matériels lorsqu'il contemple les objets des sens. Les sens ont besoin d'être actifs, et s'ils ne sont pas engagés spirituellement dans le service d'amour du Seigneur, ils chercheront tout naturellement quelque engagement au service de la jouissance matérialiste. Dans l'univers matériel, tous les êtres, y compris Śiva, Brahmā et les *devas* des planètes édéniques subissent l'attrait des objets de plaisir. La seule issue à ce labyrinthe de l'existence matérielle est la conscience de Kṛṣṇa. Śiva était en méditation profonde lorsqu'un jour Pārvatī vint exciter ses sens. Il se rendit à ses désirs et de leur union naquit Kārttikeya. Haridāsa Ṭhākura, par contre, un dévot du Seigneur, fut lui aussi tenté dans sa jeunesse par une incarnation de Māyā Devī, mais il n'eut aucun mal à lui résister en raison de sa pure dévotion à Kṛṣṇa.

Comme l'indique le verset de Śrī Yāmunācārya cité précédemment, un dévot sincère peut facilement renoncer aux désirs de jouissance matérielle parce qu'il trouve un goût supérieur dans les plaisirs spirituels qu'il connaît en compagnie du Seigneur. Tel est le secret du succès. Ainsi, quiconque n'est pas conscient de Kṛṣṇa, fût-il expert dans l'art de contrôler ses sens par une répression artificielle, est certain de succomber un jour ou l'autre. La moindre tentation le poussera à se rendre aux désirs de ses sens.

2.63 क्रोधाद्भवति सम्मोहः सम्मोहात्स्मृतिविभ्रमः ।
स्मृतिभ्रंशाद् बुद्धिनाशो बुद्धिनाशात्प्रणश्यति ॥६३॥

*krodhād bhavati sammohaḥ, sammohāt smṛti-vibhramaḥ*
*smṛti-bhraṁśād buddhi-nāśo, buddhi-nāśāt praṇaśyati*

*krodhāt :* de la colère; *bhavati :* vient; *sammohaḥ :* l'illusion parfaite; *sammohāt :* de l'illusion; *smṛti :* de la mémoire; *vibhramaḥ :* la confusion; *smṛti-bhraṁśāt :* quand la mémoire est égarée; *buddhi-nāśaḥ :* la perte de l'intelligence; *buddhi-nāśāt :* et de la perte de l'intelligence; *praṇaśyati :* on tombe.

**La colère appelle l'illusion, qui elle-même entraîne l'égarement de la mémoire. Or, quand la mémoire s'égare, l'intelligence se perd, et l'on choit alors à nouveau dans le bourbier de l'existence matérielle.**

Śrīla Rūpa Gosvāmī nous a donné les directives suivantes :

*prāpañcikatayā buddhyā, hari-sambandhi-vastunaḥ*
*mumukṣubhiḥ parityāgo, vairāgyaṁ phalgu kathyate*
(*Bhakti-rasāmṛta-sindhu* 1.2.258)

En devenant conscient de Kṛṣṇa, on apprend que tout peut être utilisé au service du Seigneur. Le spiritualiste à qui la conscience de Kṛṣṇa fait défaut tente artificiellement d'éviter le contact avec les objets matériels. Cependant, malgré son désir de se libérer de la prison matérielle, il n'atteint pas la perfection du renoncement. Son soi-disant renoncement est *phalgu,* ou de moindre importance. Par contre, celui qui est conscient de Kṛṣṇa sait comment tout mettre au service du Seigneur, et ainsi comment ne pas être victime du matérialisme.

Un impersonnaliste, par exemple, considère le Seigneur, l'Absolu, comme impersonnel, et donc incapable de manger. Aussi, tandis que l'impersonnaliste se prive de tout aliment savoureux, le dévot, sachant que Kṛṣṇa est le bénéficiaire de tous les plaisirs du monde et qu'Il mange tout ce qui Lui est offert avec dévotion, offre des mets succulents au Seigneur et en honore ensuite les restes, appelés *prasādam.* De cette façon, comme tout est spiritualisé, le dévot ne risque pas de choir. Le dévot prend le *prasādam* en étant conscient de Kṛṣṇa, tandis que le non-dévot le rejette comme s'il s'agissait d'un objet matériel. À cause de son faux renoncement, l'impersonnaliste ne peut jouir de la vie, si bien que la moindre agitation mentale le replonge dans le bourbier de l'existence matérielle. Même s'il atteint la libération, il retombera, n'ayant pas le soutien du service dévotionnel.

**2.64** रागद्वेषविमुक्तैस्तु विषयानिन्द्रियैश्चरन् ।
आत्मवश्यैर्विधेयात्मा प्रसादमधिगच्छति ॥६४॥

*rāga-dveṣa-vimuktais tu, viṣayān indriyaiś caran*
*ātma-vaśyair vidheyātmā, prasādam adhigacchati*

*rāga :* l'attachement ; *dveṣa :* et du détachement ; *vimuktaiḥ :* par celui qui s'est affranchi de ; *tu :* mais ; *viṣayān :* les objets des sens ; *indriyaiḥ :* par les sens ; *caran :* agissant sur ; *ātma-vaśyaiḥ :* sous son contrôle ; *vidheya-ātmā :* celui qui suit les règles de la liberté ; *prasādam :* la miséricorde du Seigneur ; *adhigacchati :* obtient.

**Par contre, l'homme qui se libère de tout attachement et de toute aversion, qui parvient à maîtriser ses sens en observant les principes régulateurs de la liberté, reçoit du Seigneur Sa pleine miséricorde.**

Nous avons déjà dit qu'on ne peut superficiellement se rendre maître de ses sens par quelque méthode artificielle, et qu'à moins de les mettre au service transcendantal du Seigneur, on a toutes les chances de choir. Bien qu'il puisse sembler qu'un être conscient de Kṛṣṇa agisse sur le plan matériel, il est en fait dénué de tout attachement aux objets des sens. Seule compte pour lui la satisfaction de Kṛṣṇa. Il transcende l'attachement comme le détachement. Si tel est le désir du Seigneur, le dévot est prêt à s'abstenir d'accomplir ce qu'il aurait normalement fait pour sa satisfaction personnelle, aussi bien qu'à faire des choses ordinairement déplaisantes pour lui. Il est donc libre d'agir ou de ne pas agir, puisqu'il ne fait que suivre les directives du Seigneur.

Le dévot atteint ce niveau de conscience par la miséricorde immotivée de Kṛṣṇa, et ce, en dépit de l'attachement qu'il peut encore éprouver pour les objets des sens.

**2.65** प्रसादे सर्वदुःखानां हानिरस्योपजायते ।
प्रसन्नचेतसो ह्याशु बुद्धिः पर्यवतिष्ठते ॥६५॥

*prasāde sarva-duḥkhānāṁ, hānir asyopajāyate*
*prasanna-cetaso hy āśu, buddhiḥ paryavatiṣṭhate*

*prasāde :* quand il a obtenu la miséricorde immotivée du Seigneur ; *sarva :* de toutes ; *duḥkhānām :* les souffrances matérielles ; *hāniḥ :* la destruction ; *asya :* pour lui ; *upajāyate :* se produit ; *prasanna-cetasaḥ :* de celui qui a l'esprit heureux ; *hi :* certes ; *āśu :* très bientôt ; *buddhiḥ :* l'intelligence ; *pari :* suffisamment ; *avatiṣṭhate :* s'établit.

**Les trois formes de souffrance matérielle n'affectent plus celui que le Seigneur a ainsi touché de Sa grâce. Désormais comblé, son intelligence ne tarde pas à être correctement située.**

2.66 नास्ति बुद्धिरयुक्तस्य न चायुक्तस्य भावना ।
न चाभावयतः शान्तिरशान्तस्य कुतः सुखम् ॥६६॥

*nāsti buddhir ayuktasya, na cāyuktasya bhāvanā*
*na cābhāvayataḥ śāntir, aśāntasya kutaḥ sukham*

*na asti :* il ne peut y avoir ; *buddhiḥ :* d'intelligence spirituelle ; *ayuktasya :* pour celui qui n'est pas en contact (avec la conscience de Kṛṣṇa) ; *na :* ne pas ; *ca :* et ; *ayuktasya :* pour celui qui est dénué de conscience de Kṛṣṇa ; *bhāvanā :* de mental établi dans le bonheur ; *na :* ne pas ; *ca :* et ; *abhāvayataḥ :* pour celui qui n'est pas fixé ; *śāntiḥ :* la paix ; *aśāntasya :* pour celui qui n'est pas paisible ; *kutaḥ :* où est ; *sukham :* le bonheur.

**Celui qui n'est pas lié à l'Être Suprême [dans la conscience de Kṛṣṇa] ne possède ni l'intelligence spirituelle ni la maîtrise du mental nécessaires pour connaître la paix. Et sans elle, comment pourrait-on prétendre au bonheur ?**

À moins d'être conscient de Kṛṣṇa, on ne peut trouver la paix. Le vingt-neuvième verset du chapitre cinq le confirme : on ne devient réellement serein que lorsqu'on reconnaît Kṛṣṇa comme le seul bénéficiaire des bienfaits résultant des sacrifices et des austérités, le propriétaire de tous les univers et le véritable ami de tous les êtres. En effet, si l'on n'a pas la conscience de Kṛṣṇa, on ne peut orienter ses pensées vers un but ultime, et l'absence d'un tel but ne peut qu'engendrer la confusion ; mais dès qu'on réalise que Kṛṣṇa est le bénéficiaire et le propriétaire de toute chose, l'ami de tous les êtres, on peut, grâce à un mental devenu ferme et constant, trouver la paix. Par contre, celui qui agit sans le moindre lien avec Kṛṣṇa est sûr de toujours connaître l'affliction et ne sera jamais paisible, quel que soit le degré de sérénité et d'avancement spirituel qu'il affiche. La conscience de Kṛṣṇa est un état de paix spontané qui ne se manifeste que lorsque le lien avec le Seigneur est rétabli.

2.67 इन्द्रियाणां हि चरतां यन्मनोऽनुविधीयते ।
तदस्य हरति प्रज्ञां वायुर्नावमिवाम्भसि ॥६७॥

*indriyāṇāṁ hi caratāṁ, yan mano 'nuvidhīyate*
*tad asya harati prajñāṁ, vāyur nāvam ivāmbhasi*

*indriyāṇām :* des sens ; *hi :* certes ; *caratām :* débridés ; *yat :* en lequel ; *manaḥ :* le mental ; *anuvidhīyate :* devient constamment absorbé ; *tat :* cela ; *asya :* son ; *harati :* emporte ; *prajñām :* intelligence ; *vāyuḥ :* le vent ; *nāvam :* un bateau ; *iva :* comme ; *ambhasi :* sur l'eau.

**Comme un vent violent balaye un bateau sur l'eau, il suffit qu'un seul des sens débridés capte l'attention du mental pour que l'intelligence soit emportée.**

Il suffit qu'un seul de ses sens poursuive les plaisirs matériels pour que le spiritualiste dévie du sentier de la réalisation spirituelle. Il est donc essentiel que nous engagions, comme Mahārāja Ambarīṣa, tous nos sens au service du Seigneur. Tel est le véritable moyen de maîtriser le mental.

**2.68** तस्माद्यस्य महाबाहो निगृहीतानि सर्वशः ।
इन्द्रियाणीन्द्रियार्थेभ्यस्तस्य प्रज्ञा प्रतिष्ठिता ॥६८॥

*tasmād yasya mahā-bāho, nigṛhītāni sarvaśaḥ*
*indriyāṇīndriyārthebhyas, tasya prajñā pratiṣṭhitā*

*tasmāt :* donc ; *yasya :* dont ; *mahā-bāho :* ô toi qui as des bras puissants ; *nigṛhītāni :* ainsi refrénés ; *sarvaśaḥ :* de toutes parts ; *indriyāṇi :* les sens ; *indriya-arthebhyaḥ :* des objets des sens ; *tasya :* son ; *prajñā :* intelligence ; *pratiṣṭhitā :* fixée.

**Aussi, ô Arjuna aux bras puissants, celui qui détourne ses sens de leurs objets possède à n'en pas douter une intelligence sûre.**

On ne parvient à dominer les forces du désir matériel que si l'on s'engage tout entier dans le service transcendantal du Seigneur. Comme pour vaincre un ennemi, on doit utiliser une force supérieure pour triompher des sens, car l'effort humain, à lui seul, ne suffit pas. On nomme *sādhaka,* « candidat à la libération », celui qui comprend que la conscience de Kṛṣṇa lui donnera l'intelligence véritable, et que cet art doit être cultivé sous la direction d'un maître spirituel authentique.

**2.69** या निशा सर्वभूतानां तस्यां जागर्ति संयमी ।
यस्यां जाग्रति भूतानि सा निशा पश्यतो मुनेः ॥६९॥

*yā niśā sarva-bhūtānāṁ, tasyāṁ jāgarti saṁyamī*
*yasyāṁ jāgrati bhūtāni, sā niśā paśyato muneḥ*

*yā :* ce qui ; *niśā :* est la nuit ; *sarva :* de tous ; *bhūtānām :* les êtres vivants ; *tasyām :* en cela ; *jāgarti :* est éveillé ; *saṁyamī :* qui est maître de lui ; *yasyām :* dans quoi ; *jāgrati :* sont éveillés ; *bhūtāni :* tous les êtres ; *sā :* c'est ; *niśā :* la nuit ; *paśyataḥ :* introspectif ; *muneḥ :* pour le sage.

**Ce qui est la nuit pour tous les êtres est le temps de l'éveil pour l'homme maître de soi. Et ce qui pour tous est le temps de l'éveil est la nuit pour le sage introspectif.**

Il y a deux sortes d'hommes intelligents. L'un va se servir de son intelligence sur le plan matériel, dans le but de jouir de ses sens, quand l'autre va l'utiliser d'une manière introspective pour s'ouvrir à la réalisation spirituelle. Les actions du sage introspectif, de l'homme réfléchi, sont pour l'homme imprégné de pensées matérielles, obscures comme la nuit. Ignorant son identité spirituelle, le matérialiste sommeille dans cette « nuit ». Le sage réfléchi, au contraire, reste vigilant dans la « nuit » du matérialiste. Il ressent une joie transcendantale au fur et à mesure qu'il progresse sur le sentier de la réalisation spirituelle, tandis que le matérialiste, endormi, fermé à la réalisation spirituelle, rêve de divers plaisirs sensoriels, éprouvant dans son sommeil tantôt de la joie, tantôt de la peine. L'homme introspectif est toujours indifférent aux joies et aux peines inhérentes à l'existence en ce monde. Il poursuit son évolution spirituelle sans être troublé par les circonstances matérielles.

**2.70** आपूर्यमाणमचलप्रतिष्ठं समुद्रमापः प्रविशन्ति यद्वत् ।
तद्वत्कामा यं प्रविशन्ति सर्वे स शान्तिमाप्नोति न कामकामी ॥७०॥

*āpūryamāṇam acala-pratiṣṭhaṁ*
*samudram āpaḥ praviśanti yadvat*
*tadvat kāmā yaṁ praviśanti sarve*
*sa śāntim āpnoti na kāma-kāmī*

*āpūryamāṇam :* étant toujours rempli; *acala-pratiṣṭham :* situé d'une façon stable; *samudram :* l'océan; *āpaḥ :* les eaux; *praviśanti :* entrent; *yadvat :* comme; *tadvat :* ainsi; *kāmāḥ :* les désirs; *yam :* en qui; *praviśanti :* entrent; *sarve :* tous; *saḥ :* cette personne; *śāntim :* la paix; *āpnoti :* obtient; *na :* ne pas; *kāma-kāmī :* celui qui veut satisfaire ses désirs.

**À l'instar de l'océan immuable qui jamais ne déborde malgré les fleuves qui s'y jettent, celui qui demeure imperturbable devant le flot incessant des désirs peut seul trouver la paix, et certes pas celui qui cherche à les combler.**

L'océan reçoit sans fin de nouvelles eaux, surtout durant la saison des pluies, et pourtant, il demeure immuable. Cela ne le change pas, cela ne l'agite pas et ne le fait pas sortir de ses limites. Il en est de même pour l'être conscient de Kṛṣṇa. Tant que l'on possède un corps matériel, les demandes des sens ne cessent d'affluer ; mais le dévot, en raison de sa plénitude spirituelle, n'en est pas troublé. Conscient de Kṛṣṇa, il ne manque de rien, car le Seigneur pourvoit à tous ses besoins matériels. Le dévot est donc comme l'océan, jouissant toujours d'une plénitude totale. Les désirs pour le plaisir des sens peuvent affluer, comme les eaux des fleuves dans l'océan, mais il n'en est pas le moins du monde affecté. Rien ne le fait dévier de sa voie.

C'est à ça que l'on reconnaît l'homme conscient de Kṛṣṇa. Il n'est plus porté à jouir de ses sens, même si les désirs l'assaillent encore. Il est pleinement satisfait en servant le Seigneur avec une dévotion toute spirituelle et, comme l'océan, demeure toujours immuable, jouissant d'une paix totale. Les autres, par contre, qui jusqu'au stade de la libération veulent exaucer leurs désirs de réussite matérielle, ne trouvent jamais la paix. Les matérialistes, les gens qui cherchent le salut, mais également les *yogīs* en quête de pouvoirs surnaturels, sont tous insatisfaits, car leurs désirs demeurent inassouvis. Le dévot, lui, est heureux en servant le Seigneur. Il n'a aucun désir à satisfaire, pas même celui d'être libéré du prétendu asservissement au monde matériel. Un dévot de Kṛṣṇa n'a aucun désir matériel et jouit par conséquent d'une paix parfaite.

**2.71** विहाय कामान् यः सर्वान् पुमांश्चरति निःस्पृहः ।
निर्ममो निरहङ्कारः स शान्तिमधिगच्छति ॥७१॥

*vihāya kāmān yaḥ sarvān, pumāṁś carati niḥspṛhaḥ*
*nirmamo nirahaṅkāraḥ, sa śāntim adhigacchati*

*vihāya :* abandonnant ; *kāmān :* les désirs de plaisir matériel ; *yaḥ :* qui ; *sarvān :* tous ; *pumān :* une personne ; *carati :* vit ; *niḥspṛhaḥ :* sans désir ; *nirmamaḥ :* sans esprit de possession ; *nirahaṅkāraḥ :* sans faux ego ; *saḥ :* elle ; *śāntim :* la paix parfaite ; *adhigacchati :* obtient.

**Celui qui a cessé de convoiter toute forme de plaisir des sens et s'est libéré du désir, qui a renoncé à tout esprit de possession et s'est affranchi du faux ego, peut seul connaître la paix véritable.**

Être exempt de désir signifie ne rien désirer pour son propre plaisir matériel. En d'autres termes, désirer devenir conscient de Kṛṣṇa, c'est être dénué de désir. On atteint la perfection de la conscience de Kṛṣṇa quand on comprend que notre position véritable est d'être un serviteur éternel du Seigneur, sans proclamer à tort que le corps matériel représente le soi, et sans non plus se dire propriétaire de quoi que ce soit en ce monde. Celui qui a atteint cette perfection sait que tout doit être utilisé pour Kṛṣṇa, puisqu'Il est le possesseur de tout ce qui existe. Arjuna refuse de combattre pour la seule satisfaction de ses sens, mais une fois devenu parfaitement conscient de Kṛṣṇa, il accepte le combat, car telle est la volonté du Seigneur. Bien que ne souhaitant pas s'engager pour lui-même dans la bataille, Arjuna lutte pour le Seigneur au mieux de ses capacités.

C'est dans la volonté de plaire à Kṛṣṇa que se trouve la véritable absence de désir, et non dans la tentative artificielle de le supprimer. Nul homme ne peut être dépourvu de sens ou de désir, mais il doit par contre en changer la qualité. Celui qui n'a aucun désir matériel sait parfaitement que tout appartient à Kṛṣṇa (*īśāvāsyam idaṁ sarvam*). Il ne réclame donc pas de présumé droit de propriété sur quoi que ce soit. Ce savoir transcendantal est basé sur la réalisation du soi, qui consiste à voir que tous les êtres font éternellement partie intégrante de Kṛṣṇa, qu'ils participent de la même nature spirituelle que Lui, sans que leur position éternelle ne les mette jamais au même niveau que le Seigneur, et encore moins à un niveau plus élevé. Cette compréhension de la conscience de Kṛṣṇa est au fondement de toute paix réelle.

**2.72** एषा ब्राह्मी स्थितिः पार्थ नैनां प्राप्य विमुह्यति ।
स्थित्वास्यामन्तकालेऽपि ब्रह्मनिर्वाणमृच्छति ॥७२॥

*eṣā brāhmī sthitiḥ pārtha, naināṁ prāpya vimuhyati*
*sthitvāsyām anta-kāle 'pi, brahma-nirvāṇam ṛcchati*

*eṣā :* cette; *brāhmī :* spirituelle; *sthitiḥ :* situation; *pārtha :* ô fils de Pṛthā; *na :* jamais; *enām :* cela; *prāpya :* en obtenant; *vimuhyati :* on ne s'égare; *sthitvā :* étant situé; *asyām :* en cela; *anta-kāle :* à la fin de la vie; *api :* aussi; *brahma-nirvāṇam :* le royaume spirituel de Dieu; *ṛcchati :* on atteint.

**Ainsi en est-il de la vie spirituelle et divine, ô fils de Pṛthā, laquelle donne à l'homme de sortir de la confusion. Qui s'y établit ne serait-ce qu'à l'heure de la mort peut accéder au royaume de Dieu.**

Parvenir au niveau de la conscience de Kṛṣṇa, de l'existence divine, peut ne demander qu'une fraction de seconde, mais on peut tout aussi bien ne pas y arriver, même après des millions d'existences. C'est simplement une question de compréhension, en acceptant les choses telles qu'elles sont. Khaṭvāṅga Mahārāja y parvint quelques instants à peine avant sa mort, en s'abandonnant à Kṛṣṇa.

*Nirvāṇa* signifie mettre un terme à l'existence matérielle. Selon la philosophie bouddhiste, au terme de notre existence en ce monde ne se trouve que le vide. L'enseignement de la *Bhagavad-gītā* est radicalement différent : la vraie vie ne commence qu'à la fin de l'existence matérielle.

Savoir simplement que le mode de vie matérialiste doit s'arrêter un jour est suffisant pour le matérialiste grossier. Le spiritualiste, lui, sait très bien qu'il y a une vie spirituelle au-delà de la vie matérielle. Si, avant de mourir, on obtient la grâce de devenir conscient de Kṛṣṇa, on atteint le stade du *brahma-nirvāṇa*. Il n'y a d'ailleurs aucune différence entre le royaume de Dieu et Son service dévotionnel. Puisqu'ils sont tous deux absolus, s'engager au service sublime du Seigneur avec amour et dévotion, c'est atteindre le monde spirituel. Les activités du monde matériel sont toutes axées sur le plaisir des sens, alors que les activités du monde spirituel le sont sur Kṛṣṇa. Dès que l'on devient conscient de Kṛṣṇa, fût-ce dans cette vie, on atteint aussitôt le niveau du Brahman. Quiconque a développé la conscience de Kṛṣṇa se trouve déjà, sans qu'il y ait le moindre doute, dans le royaume de Dieu.

Le Brahman est tout à fait l'opposé de la matière. Le terme employé ici, *brāhmī sthitiḥ,* signifie « qui n'est pas sur le plan matériel ». La *Bhagavad-gītā* affirme que le service du Seigneur se trouve sur le plan de la libération (*sa guṇān samatītyaitān brahma-bhūyāya kalpate*). Le *brāhmī sthiti* est donc la libération de la matière.

Śrīla Bhaktivinoda Ṭhākura a dit de ce deuxième chapitre de la *Bhagavad-gītā* qu'il résume le livre tout entier. Les sujets dont traite la *Bhagavad-gītā* sont le *karma-yoga,* le *jñāna-yoga* et le *bhakti-yoga*. Le *karma-yoga* et le *jñāna-yoga* ont été clairement exposés dans ce chapitre, et un aperçu du *bhakti-yoga* s'y trouve également.

*Ainsi s'achèvent les teneurs et portées de Bhaktivedanta*
*sur le deuxième chapitre de la* Śrīmad Bhagavad-gītā
*traitant de son contenu.*

TROISIÈME CHAPITRE

# Le karma-yoga

**3.1** अर्जुन उवाच
ज्यायसी चेत्कर्मणस्ते मता बुद्धिर्जनार्दन ।
तत्किं कर्मणि घोरे मां नियोजयसि केशव ॥ १ ॥

*arjuna uvāca*
*jyāyasī cet karmaṇas te, matā buddhir janārdana*
*tat kiṁ karmaṇi ghore māṁ, niyojayasi keśava*

*arjunaḥ uvāca :* Arjuna dit ; *jyāyasī :* préférable ; *cet :* si ; *karmaṇaḥ :* à l'action intéressée ; *te :* par Toi ; *matā :* est considérée ; *buddhiḥ :* l'intelligence ; *janārdana :* ô Kṛṣṇa ; *tat :* donc ; *kim :* pourquoi ; *karmaṇi :* une action ; *ghore :* horrible ; *mām :* moi ; *niyojayasi :* Tu me fais faire ; *keśava :* ô Kṛṣṇa.

**Arjuna dit : Si Tu estimes que la voie de l'intelligence est préférable à celle de l'action intéressée, ô Janārdana, ô Keśava, pourquoi m'inciter à prendre part à cette horrible bataille ?**

Śrī Kṛṣṇa, la Personne Suprême, a parlé en détail dans le chapitre précédent de la nature de l'âme afin de sortir Arjuna, Son ami intime, de l'océan d'affliction dans lequel il est plongé. Il lui a recommandé de suivre la voie du *buddhi-yoga,* la voie de la conscience de Kṛṣṇa.

Certains croient que la conscience de Kṛṣṇa implique l'inaction. Ils se retirent dans un endroit isolé et essaient de devenir pleinement conscients de Dieu en chantant Son saint nom. Mais à moins d'être versé dans la philosophie de la conscience de Kṛṣṇa, il n'est pas recommandé d'agir ainsi. Tout au plus y gagnerait-on la vénération facile d'un public naïf.

Arjuna croit, lui aussi, que la conscience de Kṛṣṇa, le *buddhi-yoga* (le développement du savoir spirituel au moyen de l'intelligence), consiste à se retirer de la vie active pour accomplir des austérités et faire pénitence en un lieu solitaire. Ainsi cherche-t-il habilement à éviter le combat sous couvert de la conscience de Kṛṣṇa. Mais en disciple sincère, il soumet la question à son maître, Kṛṣṇa, Le priant de lui indiquer la meilleure voie à suivre. Le Seigneur lui répond dans ce troisième chapitre, en lui expliquant de manière détaillée le *karma-yoga,* ou l'art d'agir dans la conscience de Kṛṣṇa.

3.2 व्यामिश्रेणेव वाक्येन बुद्धिं मोहयसीव मे ।
तदेकं वद निश्चित्य येन श्रेयोऽहमाप्नुयाम् ॥ २ ॥

*vyāmiśreṇeva vākyena, buddhiṁ mohayasīva me*
*tad ekaṁ vada niścitya, yena śreyo 'ham āpnuyām*

*vyāmiśreṇa :* par d'équivoques ; *iva :* certes ; *vākyena :* paroles ; *buddhim :* intelligence ; *mohayasi :* Tu troubles ; *iva :* certes ; *me :* mon ; *tat :* donc ; *ekam :* une seule ; *vada :* dis-moi, s'il Te plaît ; *niścitya :* assurant ; *yena :* par lequel ; *śreyaḥ :* un avantage réel ; *aham :* je ; *āpnuyām :* peux avoir.

**Tes instructions équivoques troublent mon intelligence. Indique-moi donc je T'en prie, de façon décisive, la voie qui me sera la plus favorable.**

Le chapitre précédent, en guise d'introduction à la *Bhagavad-gītā,* nous a expliqué la position du néophyte et donné un aperçu des diverses méthodes de réalisation spirituelle, soit le *sāṅkhya-yoga,* le *buddhi-yoga,* la maîtrise des sens par l'intelligence, et l'action désintéressée. Mais tout cela fut présenté sans suivre de structure organisée. Une description plus systématique s'avère donc nécessaire pour comprendre et agir. Si Arjuna demande à Kṛṣṇa de l'éclairer sur ces sujets apparemment équivoques, c'est pour que l'homme du commun puisse les comprendre sans les mésinterpréter. Bien que Kṛṣṇa n'ait pas eu l'intention de le mettre dans la confusion avec des jeux de mots, Arjuna ne parvient pas à suivre le processus de la conscience de Kṛṣṇa, et cela dans l'action comme dans l'inaction. Il tente donc par ses questions d'éclaircir la voie de la conscience de Kṛṣṇa pour tous ceux qui désirent sérieusement percer le mystère de la *Bhagavad-gītā.*

3.3 श्रीभगवानुवाच
लोकेऽस्मिन्द्विविधा निष्ठा पुरा प्रोक्ता मयानघ ।
ज्ञानयोगेन साङ्ख्यानां कर्मयोगेन योगिनाम् ॥ ३ ॥

*śrī-bhagavān uvāca*
*loke 'smin dvi-vidhā niṣṭhā, purā proktā mayānagha*
*jñāna-yogena sāṅkhyānāṁ, karma-yogena yoginām*

*śrī-bhagavān uvāca :* Dieu, la Personne Suprême, dit ; *loke :* dans le monde ; *asmin :* ce ; *dvi-vidhā :* deux sortes de ; *niṣṭhā :* foi ; *purā :* autrefois ; *proktā :* fut dit ; *mayā :* par Moi ; *anagha :* ô toi qui es sans péché ; *jñāna-yogena :* par le processus d'union par la connaissance ; *sāṅkhyānām :* des philosophes empiriques ; *karma-yogena :* par le processus d'union par la dévotion ; *yoginām :* des dévots du Seigneur.

**Dieu, la Personne Suprême, répond : Ô Arjuna, toi qui es sans péché, J'ai déjà expliqué que deux sortes d'hommes tentent de réaliser le soi. Certains sont enclins à essayer de le comprendre par la spéculation philosophique empirique, d'autres par la pratique du service de dévotion.**

Au verset trente-neuf du second chapitre, le Seigneur a indiqué deux voies : le *sāṅkhya-yoga* et le *karma-yoga,* ou *buddhi-yoga.* Il va maintenant expliquer leurs natures respectives. Le *sāṅkhya-yoga,* ou étude analytique de l'esprit et de la matière, est la voie de ceux qui aiment la réflexion spéculative et qui cherchent à comprendre le monde par la philosophie et la science expérimentale. L'autre classe d'hommes agit dans la conscience de Kṛṣṇa, comme l'a du reste expliqué le soixante et unième verset du chapitre deux. Le Seigneur avait montré dans le verset trente-neuf qu'en agissant selon les principes du *buddhi-yoga* (la conscience de Kṛṣṇa), on peut se libérer des chaînes du karma, et qu'en outre cette voie est sans faille. Ce principe a été ensuite détaillé au verset soixante et un, où il est mentionné que le *buddhi-yoga* consiste à dépendre entièrement de l'Être Suprême (ou plus précisément de Kṛṣṇa). Ainsi devient-il aisé de maîtriser ses sens. Par conséquent, en tant que religion et philosophie, ces deux formes de yoga sont complémentaires. En effet, la religion sans la philosophie n'est que sentimentalisme, voire fanatisme, et la philosophie sans la religion n'est qu'élucubration mentale.

Le but final demeure Kṛṣṇa, car, comme l'affirme la *Bhagavad-gītā,* les philosophes qui cherchent avec sincérité la Vérité Absolue en viennent nécessairement à la conscience de Kṛṣṇa. Il s'agit, en fait, de comprendre la véritable position de l'âme distincte par rapport à l'Âme Suprême. La voie indirecte est la spéculation philosophique qui peut, graduellement, conduire à la conscience de Kṛṣṇa, mais la voie directe consiste à tout mettre en relation avec Kṛṣṇa. Des deux, la conscience de Kṛṣṇa est la meilleure parce qu'elle ne dépend d'aucun processus philosophique pour purifier les sens. Elle est purificatrice en soi et, par la méthode directe du service de dévotion, tout à la fois sublime et facile.

**3.4** न कर्मणामनारम्भान्नैष्कर्म्यं पुरुषोऽश्नुते ।
न च सन्न्यसनादेव सिद्धिं समधिगच्छति ॥ ४ ॥

*na karmaṇām anārambhān, naiṣkarmyaṁ puruṣo 'śnute*
*na ca sannyasanād eva, siddhiṁ samadhigacchati*

*na :* ce n'est pas ; *karmaṇām :* des devoirs prescrits ; *anārambhāt :* par l'abstention ; *naiṣkarmyam :* l'affranchissement des réactions ; *puruṣaḥ :* un homme ; *aśnute :* obtient ; *na :* non plus ; *ca :* aussi ; *sannyasanāt :* par le renoncement ; *eva :* simplement ; *siddhim :* le succès ; *samadhigacchati :* atteint.

**Ce n'est pas simplement en s'abstenant de tout labeur que l'on peut se libérer des chaînes du karma, et le renoncement seul ne suffit pas non plus pour atteindre la perfection.**

Une fois purifié par l'accomplissement des devoirs prescrits - qui n'ont d'autre but que de permettre aux matérialistes de nettoyer leur cœur - on peut accéder à l'ordre du renoncement. Sans s'être graduellement purifié, il est impossible d'atteindre la perfection de l'existence en adoptant brusquement le quatrième ordre de la vie humaine, le *sannyāsa.* Selon les philosophes empiriques, il suffirait d'embrasser l'ordre du *sannyāsa,* d'abandonner toute action intéressée, pour devenir l'égal de Nārāyaṇa. Mais Kṛṣṇa conteste ici le bien-fondé de cette théorie. À moins de s'être purifié le cœur, on ne peut devenir *sannyāsī* sans troubler l'ordre social. Par contre, si l'on s'engage dans Son service transcendantal (le *buddhi-yoga*), le moindre progrès est reconnu par le Seigneur, quand bien même on ne remplirait pas ses obligations matérielles. *Sv-alpam apy asya dharmasya trāyate mahato bhayāt.* Suivre ce principe, même dans une faible mesure, permet de surmonter de grands obstacles.

**3.5** न हि कश्चित्क्षणमपि जातु तिष्ठत्यकर्मकृत् ।
कार्यते ह्यवशः कर्म सर्वः प्रकृतिजैर्गुणैः ॥ ५ ॥

*na hi kaścit kṣaṇam api, jātu tiṣṭhaty akarma-kṛt*
*kāryate hy avaśaḥ karma, sarvaḥ prakṛti-jair guṇaiḥ*

*na :* ne pas ; *hi :* certes ; *kaścit :* quiconque ; *kṣaṇam :* un instant ; *api :* aussi ; *jātu :* à aucun moment ; *tiṣṭhati :* demeure ; *akarma-kṛt :* sans rien faire ; *kāryate :* est forcé de faire ; *hi :* certes ; *avaśaḥ :* inéluctablement ; *karma :* des actions ; *sarvaḥ :* toutes ;

*prakṛti-jaiḥ :* nés des modes d'influence de la nature matérielle ; *guṇaiḥ :* par les traits caractéristiques.

**Inéluctablement, l'homme est contraint d'agir en fonction des caractères acquis au contact des modes d'influence de la nature. Nul ne peut demeurer inactif, même pour un instant.**

Qu'elle soit incarnée ou non, de par sa nature, l'âme est toujours active. Sans la présence de l'âme spirituelle, le corps de matière ne peut se mouvoir. Il n'est qu'un véhicule inerte conduit par l'âme. Celle-ci est continuellement active et ne s'arrête jamais. Il est donc préférable qu'elle agisse dans la conscience de Kṛṣṇa, plutôt que sous l'emprise de l'énergie illusoire. En effet, au contact de cette dernière, l'âme subit l'ascendant des modes d'influence de la nature, et doit pour s'en défaire adhérer aux devoirs prescrits dans les *śāstras* (les Écritures révélées). Mais si elle est directement engagée dans la conscience de Kṛṣṇa, ce qui est sa fonction naturelle, tout ce qu'elle accomplit lui est alors profitable. Le *Śrīmad-Bhāgavatam* (1.5.17) le confirme en disant :

*tyaktvā sva-dharmaṁ caraṇāmbujaṁ harer*
*bhajann apakvo 'tha patet tato yadi*
*yatra kva vābhadram abhūd amuṣya kiṁ*
*ko vārtha āpto 'bhajatāṁ sva-dharmataḥ*

« Celui qui adopte la conscience de Kṛṣṇa n'a rien à perdre ou à craindre, même s'il n'exécute pas les devoirs prescrits dans les *śāstras,* n'accomplit pas le service de dévotion convenablement, ou choit de sa pratique. Par contre, à quoi bon suivre tous les rites de purification recommandés dans les *śāstras* si l'on n'est pas conscient de Kṛṣṇa ? »

Il est donc nécessaire de se purifier pour parvenir à la conscience de Kṛṣṇa, et l'ordre du *sannyāsa* ainsi que tout autre moyen de purification doivent aider l'homme à atteindre le but ultime, être conscient de Kṛṣṇa, sans quoi toute entreprise est un échec.

**3.6** कर्मेन्द्रियाणि संयम्य य आस्ते मनसा स्मरन् ।
इन्द्रियार्थान् विमूढात्मा मिथ्याचारः स उच्यते ॥ ६ ॥

*karmendriyāṇi saṁyamya, ya āste manasā smaran*
*indriyārthān vimūḍhātmā, mithyācāraḥ sa ucyate*

*karma-indriyāṇi :* les cinq organes des sens de l'action ; *saṁyamya :* en maîtrisant ; *yaḥ :* quiconque ; *āste :* demeure ; *manasā :* par le mental ; *smaran :* absorbé dans la pensée ; *indriya-arthān :* des objets des sens ; *vimūḍha :* inintelligente ; *ātmā :* l'âme ; *mithyā-ācāraḥ :* un simulateur ; *saḥ :* elle ; *ucyate :* est appelée.

**Celui qui retient ses organes sensoriels d'action, mais dont le mental s'attache encore aux objets des sens, s'illusionne indubitablement et n'est qu'un simulateur.**

Nombreux sont les simulateurs qui refusent d'agir dans la conscience de Kṛṣṇa et qui feignent de méditer, alors qu'en réalité leurs pensées sont absorbées dans le plaisir des sens. Ils énoncent parfois d'arides philosophies pour impressionner leurs adeptes à l'esprit sophistiqué, mais comme il est précisé ici, ce ne sont que de vils imposteurs.

Si l'on désire jouir des sens, on peut agir à sa guise dans le cadre social, mais si l'on veut au contraire se purifier graduellement, on doit se conformer aux principes régulateurs qui régissent le statut particulier de chacun. Quiconque feint d'être un *yogī,* quand en réalité il ne cherche que le plaisir sensuel, est un fourbe, quand bien même il lui arriverait de parler en philosophe. Son savoir est vain, car les fruits de sa connaissance lui sont arrachés par l'énergie illusoire du Seigneur. Ses pensées étant toujours impures, sa prétendue méditation yogīque n'a aucune valeur.

**3.7** यस्त्विन्द्रियाणि मनसा नियम्यारभतेऽर्जुन ।
कर्मेन्द्रियैः कर्मयोगमसक्तः स विशिष्यते ॥ ७ ॥

*yas tv indriyāṇi manasā, niyamyārabhate 'rjuna*
*karmendriyaiḥ karma-yogam, asaktaḥ sa viśiṣyate*

*yaḥ :* celui qui ; *tu :* mais ; *indriyāṇi :* les sens ; *manasā :* à l'aide du mental ; *niyamya :* à régler ; *ārabhate :* commence ; *arjuna :* ô Arjuna ; *karma-indriyaiḥ :* par les organes des sens de l'action ; *karma-yogam :* la dévotion ; *asaktaḥ :* sans attachement ; *saḥ :* il ; *viśiṣyate :* est de loin supérieur.

**Par contre, ô Arjuna, celui qui tente sincèrement par le biais du mental de discipliner les organes des sens de l'action, et qui, sans attachement, s'engage dans la pratique du karma-yoga [dans la conscience de Kṛṣṇa], lui est de loin supérieur.**

Il est préférable, plutôt que de devenir un pseudo-spiritualiste pour mener une vie de débauche, de garder ses occupations courantes tout en cherchant à atteindre le but de l'existence, qui est de se libérer des chaînes de la matière pour entrer dans le royaume de Dieu. Le but primordial (*svārtha-gati*), où se trouve l'intérêt de tout homme, est d'atteindre Viṣṇu. L'institution du *varṇāśrama* n'a d'ailleurs pas d'autre finalité. Un chef de famille peut donc lui aussi y arriver s'il adopte le service de dévotion en suivant les règles de la conscience de Kṛṣṇa. Afin de réaliser son identité spirituelle, l'homme doit vivre de façon réglée, comme le commandent les *śāstras,* et continuer à remplir ses obligations dans un esprit de détachement. L'homme sincère qui emprunte cette voie progresse graduellement et sera toujours de loin supérieur spirituellement à l'imposteur qui, fort de sa spiritualité de parade, profite de l'innocence du public. Un balayeur de rues sincère vaut infiniment mieux qu'un pseudo-spiritualiste qui se donne en spectacle pour gagner sa vie.

**3.8** नियतं कुरु कर्म त्वं कर्म ज्यायो ह्यकर्मणः ।
शरीरयात्रापि च ते न प्रसिध्येदकर्मणः ॥ ८ ॥

*niyataṁ kuru karma tvaṁ, karma jyāyo hy akarmaṇaḥ*
*śarīra-yātrāpi ca te, na prasiddhyed akarmaṇaḥ*

*niyatam :* prescrits ; *kuru :* fais ; *karma :* les devoirs ; *tvam :* tu ; *karma :* l'action ; *jyāyaḥ :* mieux ; *hi :* certes ; *akarmaṇaḥ :* que l'inaction ; *śarīra :* du corps ; *yātrā :* maintien ; *api :* même ; *ca :* aussi ; *te :* ton ; *na :* jamais ; *prasiddhyet :* accompli ; *akarmaṇaḥ :* sans action.

**Remplis ton devoir, car l'action vaut mieux que l'inaction. Sans agir, il est impossible de subvenir même aux besoins du corps.**

Nombreux sont les prétendus spiritualistes qui disent appartenir à des familles de haut lignage, ou les professionnels qui prétendent avoir renoncé à tout pour se consacrer à la réalisation spirituelle. Kṛṣṇa ne veut pas qu'Arjuna devienne un simulateur, mais au contraire qu'il remplisse ses devoirs de *kṣatriya*. Puisqu'il est chef de famille et homme de guerre, Arjuna a tout intérêt à ne pas s'écarter de ses obligations et à agir en remplissant les devoirs religieux qui lui incombent, car ils purifient graduellement le cœur de qui les accomplit et le libèrent de toute contamination matérielle. Ni le Seigneur ni les Écritures sacrées n'approuvent qu'on se serve du faux renoncement pour gagner sa vie. L'homme doit travailler pour assurer sa subsistance. Nul ne devrait abandonner son travail selon sa fantaisie, sans s'être purifié au préalable de ses penchants matériels. Car en ce monde, chacun a en lui le désir impur de dominer la nature matérielle ou, en d'autres mots, de jouir de ses sens. Il est donc impératif de se débarrasser de ces tendances impures en effectuant son devoir, sans quoi on deviendra un faux spiritualiste qui renonce au travail pour vivre aux crochets d'autrui.

3.9 यज्ञार्थात्कर्मणोऽन्यत्र लोकोऽयं कर्मबन्धनः ।
तदर्थं कर्म कौन्तेय मुक्तसङ्गः समाचर ॥ ९ ॥

*yajñārthāt karmaṇo 'nyatra, loko 'yaṁ karma-bandhanaḥ*
*tad-arthaṁ karma kaunteya, mukta-saṅgaḥ samācara*

*yajña-arthāt :* fait uniquement pour Yajña, ou Viṣṇu ; *karmaṇaḥ :* le travail ; *anyatra :* autrement ; *lokaḥ :* monde ; *ayam :* ce ; *karma-bandhanaḥ :* enchaînement par l'action ; *tat :* Lui ; *artham :* uniquement pour ; *karma :* l'action ; *kaunteya :* ô fils de Kuntī ; *mukta-saṅgaḥ :* libéré du contact ; *samācara :* fais parfaitement.

**L'action doit être accomplie en sacrifice à Viṣṇu, sinon elle enchaîne son auteur au monde matériel. Aussi, ô fils de Kuntī, remplis ton devoir afin de Lui plaire, et tu seras à jamais libéré des chaînes de la matière.**

Comme il faut travailler, ne serait-ce que pour subvenir à ses besoins, les devoirs qui incombent à chaque individu selon sa nature et sa position sociale sont agencés de manière à lui permettre de gagner sa vie. Le mot *yajña* peut aussi bien désigner les oblations que le Seigneur, Viṣṇu, car selon les Védas, *yajño vai viṣṇuḥ,* les sacrifices ne visent qu'à Sa satisfaction. Autrement dit, servir directement le Seigneur, Viṣṇu, revient à faire toutes les oblations recommandées. La conscience de Kṛṣṇa est donc bel et bien la forme de *yajña* que préconise notre verset. Plaire à Viṣṇu est également le but de l'institution du *varṇāśrama. Varṇāśramācāravatā puruṣeṇa paraḥ pumān/viṣṇur ārādhyate.* (*Viṣṇu Purāṇa* 3.8.8)

Il faut donc agir pour la satisfaction du Seigneur, car toute autre forme d'activité accomplie dans le monde matériel est cause d'asservissement. En effet, les bonnes actions comme les mauvaises ont pour conséquence d'enchaîner leur auteur. C'est pourquoi il faut œuvrer dans la conscience de Kṛṣṇa, afin de plaire à Kṛṣṇa (ou Viṣṇu), car en agissant ainsi, on se situe au niveau libéré. Cet art d'agir demande, au départ, l'aide d'un guide expérimenté. Il faut donc mener à bien nos activités selon les directives d'un dévot de Kṛṣṇa, ou de Kṛṣṇa Lui-même (comme ce fut le cas pour Arjuna). Il ne faut jamais agir pour satisfaire ses sens, mais bien pour plaire à Kṛṣṇa. Ainsi seronsnous non seulement libérés de toute conséquence matérielle, mais aussi nous éléverons-nous progressivement jusqu'au service transcendantal du Seigneur, service d'amour qui seul mène au royaume de Dieu.

**3.10** सहयज्ञाः प्रजाः सृष्ट्वा पुरोवाच प्रजापतिः ।
अनेन प्रसविष्यध्वमेष वोऽस्त्विष्टकामधुक् ॥१०॥

*saha-yajñāḥ prajāḥ sṛṣṭvā, purovāca prajāpatiḥ*
*anena prasaviṣyadhvam, eṣa vo 'stv iṣṭa-kāma-dhuk*

*saha :* avec ; *yajñāḥ :* les sacrifices ; *prajāḥ :* des générations ; *sṛṣṭvā :* en créant ; *purā :* autrefois ; *uvāca :* dit ; *prajā-patiḥ :* le Seigneur de tous les êtres ; *anena :* par cela ; *prasaviṣyadhvam :* soyez de plus en plus prospères ; *eṣaḥ :* cela ; *vaḥ :* à vous ; *astu :* que soit ; *iṣṭa :* tout ce qui est désirable ; *kāma-dhuk :* ce qui accorde.

**Au début de la création, le Seigneur de tous les êtres peupla l'univers d'hommes et de devas avec l'injonction d'offrir des sacrifices à Viṣṇu. Il les bénit en ces termes : « Soyez heureux grâce à ces yajñas, car leur accomplissement répandra sur vous tous les bienfaits nécessaires au bonheur et à la libération. »**

L'univers matériel créé par Viṣṇu, le Seigneur de toute créature, est l'occasion pour l'âme conditionnée de retourner à Dieu, en son éternel séjour. Tous les êtres en ce monde sont conditionnés par la nature matérielle car ils ont oublié leur relation éternelle avec Kṛṣṇa (Viṣṇu), la Personne Suprême. Or, comme il est expliqué dans la *Bhagavad-gītā,* les enseignements védiques ont pour dessein de nous aider à comprendre cette relation éternelle : *vedaiś ca sarvair aham eva vedyaḥ.* Le Seigneur affirme que le but des Védas est de Le connaître. Il est d'autre part expliqué dans les hymnes védiques que le maître de toutes les entités vivantes est Viṣṇu, Dieu, la Personne Suprême (*patiṁ viśvasyātmeśvaram*). Dans le *Śrīmad-Bhāgavatam* (2.4.20), Śukadeva Gosvāmī désigne également à plusieurs reprises le Seigneur comme *pati,* « maître ».

*śriyaḥ patir yajña-patiḥ prajā-patir*
*dhiyāṁ patir loka-patir dharā-patiḥ*
*patir gatiś cāndhaka-vṛṣṇi-sātvatāṁ*
*prasīdatāṁ me bhagavān satāṁ patiḥ*

Le *prajā-pati* est Viṣṇu. Il est le Seigneur de toutes les créatures, de tous les univers, de toute splendeur, et le protecteur de tous. Le

Seigneur a créé l'univers matériel pour que les âmes conditionnées apprennent à accomplir des *yajñas* (sacrifices) pour la satisfaction de Viṣṇu. Ainsi, tout au long de leur séjour en ce monde, elles pourront vivre agréablement et paisiblement, pour entrer ensuite dans le royaume de Dieu après avoir quitté leur corps de matière. Tel est l'arrangement du Seigneur pour aider les êtres conditionnés. Ces *yajñas* leur permettent de devenir progressivement conscients de Kṛṣṇa et de développer tous les attributs de la piété.

Dans l'âge de Kali, les Écritures védiques recommandent le chant des saints noms de Dieu, le *saṅkīrtana-yajña*. Caitanya Mahāprabhu institua cette pratique transcendantale afin de libérer les hommes de cet âge. Le *saṅkīrtana-yajña* et la conscience de Kṛṣṇa vont de pair. Śrī Caitanya est d'ailleurs Kṛṣṇa Lui-même Se présentant sous l'aspect d'un pur dévot. Son avènement fut annoncé dans le *Śrīmad-Bhāgavatam* (11.5.32) avec cette référence particulière au *saṅkīrtana-yajña* :

*kṛṣṇa-varṇaṁ tviṣākṛṣṇaṁ, sāṅgopāṅgāstra-pārṣadam*
*yajñaiḥ saṅkīrtana-prāyair, yajanti hi su-medhasaḥ*

« Dans l'âge de Kali, les êtres suffisamment intelligents adoreront le Seigneur et Ses compagnons en accomplissant le *saṅkīrtana-yajña.* » Les autres *yajñas* que mentionnent les Écritures védiques sont presque tous impossibles à accomplir dans l'âge de Kali, tandis que le *saṅkīrtana-yajña,* comme le confirme la *Bhagavad-gītā* (9.14), est aisé et sublime en tout point.

**3.11** देवान् भावयतानेन ते देवा भावयन्तु वः ।
परस्परं भावयन्तः श्रेयः परमवाप्स्यथ ॥११॥

*devān bhāvayatānena, te devā bhāvayantu vaḥ*
*parasparaṁ bhāvayantaḥ, śreyaḥ param avāpsyatha*

*devān :* les *devas*; *bhāvayatā :* ayant satisfait; *anena :* par ce sacrifice; *te :* ces *devāḥ : devas*; *bhāvayantu :* satisferont; *vaḥ :* vous; *parasparam :* mutuellement; *bhāvayantaḥ :* se satisfaisant les uns les autres; *śreyaḥ :* la bénédiction; *param :* suprême; *avāpsyatha :* vous obtiendrez.

**Satisfaits par vos sacrifices, les devas, à leur tour, vous satisferont, et de ces échanges mutuels naîtra pour tous la prospérité.**

On appelle *devas* les êtres investis de certains pouvoirs pour régir les affaires de l'univers matériel. Leur rôle est de fournir l'air, la lumière, l'eau et tout ce qui est nécessaire au maintien du corps et de l'âme de chaque entité vivante. Innombrables, ils assistent la Personne Suprême dans les diverses parties de Son corps universel. Selon que les hommes leur offrent ou non des sacrifices (*yajñas*), ils sont satisfaits ou mécontents. Or, même les sacrifices qui sont destinés à les satisfaire ont pour objet d'adoration Viṣṇu, le bénéficiaire ultime. Ce que confirme la *Bhagavad-gītā* en disant que Kṛṣṇa est en réalité le bénéficiaire de tous les *yajñas* : *bhoktāraṁ yajña-tapasām*. Le but ultime de tous les *yajñas* est donc de plaire au *yajña-pati*. Quand ils sont parfaitement exécutés, les *devas* chargés de fournir les divers produits de la nature sont automatiquement satisfaits et pourvoient à tout ce dont les hommes ont besoin.

Les *yajñas* apportent donc toutes sortes de bienfaits secondaires, et en dernier lieu, nous conduisent hors des chaînes de la matière. Grâce à ces *yajñas,* nous purifions nos actes, ainsi que l'indiquent les Védas : *āhāra-śuddhau sattva-śuddhiḥ sattva-śuddhau dhruvā smṛtiḥ smṛti-lambhe sarva-granthīnāṁ vipramokṣaḥ*. Par le *yajña,* notre nourriture devient sanctifiée et, par le simple fait de manger, notre existence se purifie. Grâce à cette purification, les tissus subtils de la mémoire se sanctifient, et ainsi, on en vient à penser à s'engager sur la voie de la libération. Ces éléments réunis mènent à la conscience de Kṛṣṇa, dont la société actuelle a grand besoin.

**3.12** इष्टान् भोगान् हि वो देवा दास्यन्ते यज्ञभाविताः ।
तैर्दत्तानप्रदायैभ्यो यो भुङ्क्ते स्तेन एव सः ॥१२॥

*iṣṭān bhogān hi vo devā, dāsyante yajña-bhāvitāḥ*
*tair dattān apradāyaibhyo, yo bhuṅkte stena eva saḥ*

*iṣṭān :* désirées ; *bhogān :* les nécessités vitales ; *hi :* certes ; *vaḥ :* à vous ; *devāḥ :* les *devas* ; *dāsyante :* accorderont ; *yajña-bhāvitāḥ :* étant satisfaits par l'accomplissement de sacrifices ; *taiḥ :* par eux ; *dattān :* des dons faits ; *apradāya :* sans offrir ; *ebhyaḥ :* à ces *devas* ; *yaḥ :* celui qui ; *bhuṅkte :* profite ; *stenaḥ :* voleur ; *eva :* certes ; *saḥ :* il.

**Parce qu'ils sont mandatés pour subvenir aux nécessités de la vie, les devas, satisfaits par ces yajñas [sacrifices], pourvoiront à tous vos besoins. Mais qui jouit de leurs dons sans rien leur offrir en retour est certes un voleur.**

Les *devas* sont les agents mandatés par la Personne Suprême, Viṣṇu, pour subvenir aux besoins des êtres. On doit donc les satisfaire en accomplissant les *yajñas* recommandés dans les Écritures.

Les Védas préconisent différents sacrifices pour différents *devas,* mais c'est en fait au Seigneur, ultimement, qu'ils sont destinés. Les sacrifices aux *devas* sont prescrits pour ceux qui ne peuvent appréhender la Personnalité de Dieu. Et chacun selon sa nature se verra recommander par les Védas tel ou tel *yajña.* Le culte des *devas* repose sur un principe analogue, car il prend en compte les caractéristiques propres de chaque personne. Aux mangeurs de chair animale, il est conseillé de rendre un culte à la déesse Kālī, terrifiante personnification de la nature matérielle, et de lui sacrifier des animaux. Ceux par contre qui sont influencés par la vertu se verront recommander le culte transcendantal de Viṣṇu. Pour l'homme ordinaire, au moins cinq sortes de *yajñas* sont indispensables. On les nomme *pañca-mahā-yajña.* Quoi qu'il en soit, les *yajñas* ne visent finalement que l'élévation à un niveau purement spirituel.

Il faut toujours se souvenir que ce sont les *devas,* les agents du Seigneur, qui pourvoient aux besoins vitaux de la société humaine. Personne n'est en mesure de créer ce dont il a besoin, qu'il s'agisse des aliments (céréales, fruits, légumes, produits laitiers, sucre... pour l'homme guidé par la vertu, ou viande pour le non-végétarien), de la chaleur, de la lumière, de l'eau ou de l'air, tous indispensables. Aucune de ces nécessités vitales ne peut être créée par l'être humain. Sans le Seigneur Suprême, il n'existerait ni lumière du soleil, ni clair de lune, ni pluie, ni vent, et personne ne pourrait vivre. À l'évidence, notre vie dépend tout entière de ce que nous donne le Seigneur. Même les nombreux matériaux bruts dont nous nous servons dans nos usines (métal, soufre, mercure, manganèse et tant d'autres) nous sont fournis par les agents du Seigneur. En faire bon usage nous permettra de rester en bonne santé et de maintenir des conditions favorables à la réalisation spirituelle. Ainsi atteindrons-nous le but ultime de la vie : se soustraire à la lutte pour l'existence en ce monde.

Cet objectif peut être atteint par l'accomplissement des *yajñas.* Mais si nous oublions le but de la vie humaine et utilisons les bienfaits dispensés par les agents du Seigneur pour le seul plaisir de nos sens, nous empêtrant ainsi de plus en plus dans l'existence matérielle – ce qui n'est certes pas le but de la création –, nous devenons des voleurs et sommes punis par les lois de la nature. Une société de voleurs ne peut jamais trouver le bonheur, car leur vie est sans but. Les matérialistes grossiers ne connaissent pas le but ultime de la vie. Ils ne cherchent que la jouissance matérielle et ignorent comment effectuer les *yajñas.* Par chance, Śrī Caitanya a introduit le sacrifice le plus facile, le *saṅkīrtana-yajña,* qui dans le monde peut être accompli par quiconque accepte les principes de la conscience de Kṛṣṇa.

3.13 यज्ञशिष्टाशिनः सन्तो मुच्यन्ते सर्वकिल्बिषैः ।
भुञ्जते ते त्वघं पापा ये पचन्त्यात्मकारणात् ॥१३॥

*yajña-śiṣṭāśinaḥ santo, mucyante sarva-kilbiṣaiḥ*
*bhuñjate te tv aghaṁ pāpā, ye pacanty ātma-kāraṇāt*

*yajña-śiṣṭa :* la nourriture prise après l'accomplissement du *yajña*; *aśinaḥ :* qui mangent; *santaḥ :* les dévots du Seigneur; *mucyante :* sont soulagés de; *sarva :* toutes sortes de; *kilbiṣaiḥ :* péchés; *bhuñjate :* se délectent; *te :* ils; *tu :* mais; *agham :* de très graves péchés; *pāpāḥ :* les pécheurs; *ye :* qui; *pacanti :* préparent la nourriture; *ātma-kāraṇāt :* pour la satisfaction des sens.

**Les dévots du Seigneur sont affranchis de toute faute parce qu'ils ne mangent que des aliments d'abord offerts en sacrifice. Mais ceux qui préparent des mets pour leur seul plaisir ne se nourrissent que de péché.**

Les dévots du Seigneur Suprême, ceux qui ont adopté la conscience de Kṛṣṇa, sont dits *santas*. Comme l'explique la *Brahma-saṁhitā* (5.38) : *premāñjana-cchurita-bhakti-vilocanena santaḥ sadaiva hṛdayeṣu vilokayanti* – ils ont un amour indéfectible pour le Seigneur. Parce que ce lien d'amour les unit toujours à Dieu, les *santas* n'acceptent rien pour eux sans l'avoir au préalable offert à la Personne Suprême, qu'on appelle Govinda (la source de tous les plaisirs), Mukunda (le pourvoyeur de la libération), ou encore Kṛṣṇa (l'Infiniment fascinant). Aussi ces dévots accomplissent-ils toujours les différents *yajñas* propres aux multiples aspects du service de dévotion, tels que *śravaṇam, kīrtanam, smaraṇam, arcanam,* etc. Ces *yajñas* leur permettent de ne jamais se laisser contaminer par tout ce qu'il y a de mauvais dans l'environnement matériel.

Ceux qui ne préparent des aliments que pour leur satisfaction personnelle, non seulement volent, mais mangent littéralement du péché. Or, comment peut-on être heureux si l'on est à la fois pécheur et voleur ? Ce n'est pas possible. C'est pourquoi les hommes qui désirent un bonheur parfait doivent apprendre à suivre la voie aisée du *saṅkīrtana-yajña,* en pleine conscience de Kṛṣṇa. Sans cela, il ne peut y avoir de bonheur ou de paix dans le monde.

3.14 अन्नाद्भवन्ति भूतानि पर्जन्यादन्नसम्भवः ।
यज्ञाद्भवति पर्जन्यो यज्ञः कर्मसमुद्भवः ॥१४॥

*annād bhavanti bhūtāni, parjanyād anna-sambhavaḥ*
*yajñād bhavati parjanyo, yajñaḥ karma-samudbhavaḥ*

*annāt :* des céréales ; *bhavanti :* croissent ; *bhūtāni :* les corps matériels ; *parjanyāt :* des pluies ; *anna :* des céréales ; *sambhavaḥ :* la production ; *yajñāt :* par l'accomplissement du sacrifice ; *bhavati :* devient possible ; *parjanyaḥ :* la pluie ; *yajñaḥ :* l'accomplissement du *yajña* ; *karma :* devoirs prescrits ; *samudbhavaḥ :* né des.

**Le corps de tout être subsiste grâce aux céréales dont les pluies permettent la croissance. Les pluies résultent de l'exécution du yajña [sacrifice] qui, lui, naît des devoirs prescrits.**

Śrīla Baladeva Vidyābhūṣaṇa, éminent commentateur de la *Bhagavad-gītā,* a écrit : *ye indrādy-aṅgatayāvasthitaṁ yajñaṁ sarveśvaraṁ viṣṇum abhyarcya tac-cheṣam aśnanti tena tad deha-yātrāṁ sampādayanti, te santaḥ sarveśvarasya yajña-puruṣasya bhaktāḥ sarva kilbiṣair anādi-kāla-vivṛddhair ātmānubhava-pratibandhakair nikhilaiḥ pāpair vimucyante.* Le Seigneur Suprême, aussi appelé *yajña-puruṣa,* le bénéficiaire ultime de tous les sacrifices, est le maître de tous les *devas,* qui Le servent comme les membres du corps servent le corps tout entier. Les *devas* tels Indra, Candra, Varuṇa sont mandatés pour gérer les affaires de l'univers, et les Védas recommandent de leur offrir des oblations pour qu'ils fournissent l'air, la lumière et l'eau indispensables à la production des aliments de l'homme. Toutefois, lorsqu'on adore Kṛṣṇa, les *devas,* qui sont en quelque sorte les membres de Son corps, sont automatiquement vénérés. Il n'est donc plus nécessaire de leur rendre un culte séparé.

Ainsi, les dévots du Seigneur qui suivent la voie de la conscience de Kṛṣṇa offrent à Dieu leurs aliments avant de les manger. En agissant de la sorte, ils nourrissent leur corps spirituellement. Et non seulement toutes les conséquences de leurs actes coupables se trouvent réduites à néant, mais leur corps devient immunisé contre toute forme de contamination matérielle. Lors d'une épidémie, on vaccine les gens pour les protéger. De même, en prenant de la nourriture d'abord offerte au Seigneur, on peut résister à toutes les attaques de l'énergie matérielle. Et celui qui agit ainsi est un dévot du Seigneur. De cette façon, l'homme conscient de Kṛṣṇa, qui ne mange que de la nourriture offerte à Kṛṣṇa, peut effacer tous les effets de sa contamination matérielle passée, qui sont autant d'obstacles à sa progression vers la réalisation spirituelle. Par contre, ceux qui n'agissent pas de cette façon ne font qu'augmenter la somme de leurs péchés. Ils se préparent ainsi à obtenir un corps de chien ou de porc dans leur prochaine vie, où ils devront souffrir des conséquences de leurs fautes. En résumé, nous dirons que l'énergie matérielle est source de contamination, mais que celui qui est immunisé par le *prasāda* (la nourriture offerte à Viṣṇu) échappe à la contagion. Tout autre en est victime.

Les céréales et les légumes sont des aliments à part entière. L'homme se nourrit de céréales, de légumes, de fruits, etc., alors que l'animal, lui, mange de l'herbe, des plantes, des végétaux et des résidus céréaliers. Les hommes qui sont habitués à manger de la chair animale dépendent eux aussi de la production des végétaux qui servent à nourrir les bêtes. Tout le monde dépend donc pour sa survie des produits de la terre et non de ceux des usines. Or, la terre, pour produire, a besoin de pluies, lesquelles sont sous le contrôle d'Indra, de Candra, de Sūrya, qui tous sont des serviteurs du Seigneur. Comme on ne peut satisfaire le Seigneur que par le sacrifice, celui qui ne l'accomplit pas souffrira d'un manque de nourriture - telle est la loi de la nature. Voilà pourquoi il nous faut accomplir des *yajñas,* et plus particulièrement le *saṅkīrtana-yajña* recommandé pour cet âge, ne serait-ce que pour ne pas avoir à manquer de nourriture.

**3.15** कर्म ब्रह्मोद्भवं विद्धि ब्रह्माक्षरसमुद्भवम् ।
तस्मात्सर्वगतं ब्रह्म नित्यं यज्ञे प्रतिष्ठितम् ॥१५॥

*karma brahmodbhavaṁ viddhi*
*brahmākṣara-samudbhavam*
*tasmāt sarva-gataṁ brahma*
*nityaṁ yajñe pratiṣṭhitam*

*karma :* le devoir; *brahma :* des Védas; *udbhavam :* issu; *viddhi :* tu devrais savoir; *brahma :* les Védas; *akṣara :* du Brahman Suprême (la Personne Divine); *samudbhavam :* manifestés directement; *tasmāt :* donc; *sarva-gatam :* omniprésent; *brahma :* l'Absolu; *nityam :* éternellement; *yajñe :* dans le sacrifice; *pratiṣṭhitam :* situé.

**Les devoirs sont prescrits par les Védas, lesquels sont directement issus de Dieu, la Personne Suprême. L'Absolu omniprésent Se trouve donc éternellement dans les actes de sacrifice.**

Ce verset insiste particulièrement sur le *yajñārtha-karma,* la nécessité d'agir pour la seule satisfaction de Kṛṣṇa. Or, si nous devons agir pour plaire au *yajña-puruṣa,* à Viṣṇu, il nous faut consulter les

Védas transcendantaux - ou Brahman - pour savoir comment faire. Les Védas définissent les normes de l'action, et tout acte accompli sans leur sanction est *vikarma,* acte pécheur, non autorisé. Il nous faut donc toujours suivre leurs directives si nous voulons nous affranchir des suites de nos actes. De même qu'au quotidien il nous faut agir en respectant les lois de l'État, il faut également agir selon les lois du Seigneur. Ces lois qu'énoncent les Védas proviennent directement du souffle de Dieu, la Personne Suprême. Il est dit en effet : *asya mahato bhūtasya niśvasitam etad yad ṛg-vedo yajur-vedaḥ sāma-vedo 'tharvāṅgirasaḥ.* « Les quatre Védas - le *Ṛg-veda,* le *Yajur-veda,* le *Sāma-veda* et l'*Atharva-veda* - émanent du souffle de la Personne Suprême. » (*Bṛhad-āraṇyaka Upaniṣad* 4.5.11)

Le Seigneur étant tout-puissant, Sa respiration est parole, car comme le confirme la *Brahma-saṁhitā,* Il a le pouvoir de remplir, avec chacun de Ses organes sensoriels, les fonctions de tous les autres. En d'autres mots, Il peut parler d'un souffle ou féconder d'un regard. Il est écrit, en effet, qu'Il féconde la nature matérielle d'un simple regard. Après avoir ainsi engendré les âmes conditionnées, Il donne Ses instructions dans les Écrits védiques pour leur montrer la voie du retour à Dieu, en leur éternelle demeure. Il ne faut pas oublier que les âmes conditionnées sont avides de plaisirs matériels. Les enseignements védiques sont donc là pour leur permettre de satisfaire leurs désirs pervertis par la matière, mais aussi pour qu'une fois lassées de tous ces prétendus plaisirs, elles puissent revenir à Dieu. C'est une chance qui leur est donnée de se libérer.

Les êtres conditionnés doivent, par conséquent, s'efforcer de suivre la voie du *yajña* en devenant conscients de Kṛṣṇa. Même ceux qui n'auront pas suivi les recommandations védiques pourront adopter les principes de la conscience de Kṛṣṇa, qui remplaceront les *yajñas,* ou les karmas, prescrits dans les Védas.

**3.16** एवं प्रवर्तितं चक्रं नानुवर्तयतीह यः ।
अघायुरिन्द्रियारामो मोघं पार्थ स जीवति ॥१६॥

*evaṁ pravartitaṁ cakraṁ, nānuvartayatīha yaḥ*
*aghāyur indriyārāmo, moghaṁ pārtha sa jīvati*

*evam :* ainsi ; *pravartitam :* établi par les Védas ; *cakram :* le cycle ; *na :* ne pas ; *anuvartayati :* adopte ; *iha :* dans cette vie ; *yaḥ :* celui qui ; *agha-āyuḥ :* dont la vie est pleine de péchés ; *indriya-ārāmaḥ :* satisfait du plaisir des sens ; *mogham :* inutilement ; *pārtha :* ô fils de Pṛthā (Arjuna) ; *saḥ :* il ; *jīvati :* vit.

**Mon cher Arjuna, l'être humain qui n'accomplit pas le cycle de yajñas établi par les Védas vit assurément dans le péché. Ne vivant que pour le plaisir des sens, son existence est vaine.**

La philosophie « travailler dur et jouir des sens » est ici dénoncée par le Seigneur. Ceux qui désirent jouir de ce monde doivent absolument accomplir le cycle de *yajñas* cités précédemment. Sans quoi, ils mèneront une vie pleine de risques, s'enfonçant toujours plus dans le péché. Par la loi de la nature, la forme humaine a pour but spécifique la réalisation spirituelle, que ce soit par le *karma-yoga,* le *jñāna-yoga* ou le *bhakti-yoga*. Pour le spiritualiste qui a su s'élever au-delà du vice et de la vertu, il n'est pas nécessaire d'accomplir le cycle des *yajñas* prescrits dans les Védas, mais cette purification est indispensable pour ceux qui recherchent les plaisirs des sens. Il existe différents types d'activités. Ceux qui ne sont pas conscients de Kṛṣṇa ont certainement une conscience axée sur la satisfaction des sens. Ils ont donc besoin d'accomplir des actes pieux. Le système du *yajña* est organisé de telle sorte que les êtres adonnés aux plaisirs sensoriels puissent combler leurs désirs sans pour autant s'assujettir aux conséquences de leurs actes.

La prospérité de la planète ne dépend pas de nos propres efforts mais des agencements conçus par le Seigneur Suprême et mis en œuvre par les *devas*. Les *yajñas,* qui ont donc pour objectif direct les *devas* désignés dans les Védas, sont indirectement un moyen de développer la conscience de Kṛṣṇa, car celui qui en maîtrise l'art est sûr de devenir conscient de Kṛṣṇa. Par contre, si de tels sacrifices n'aident en rien leur auteur à devenir conscient de Kṛṣṇa, on doit les considérer comme de simples codes moraux. Et l'on ne doit pas se limiter à des principes relevant de la simple éthique, mais bien les transcender pour parvenir à la conscience de Kṛṣṇa.

**3.17** यस्त्वात्मरतिरेव स्यादात्मतृप्तश्च मानवः ।
आत्मन्येव च सन्तुष्टस्तस्य कार्यं न विद्यते ॥१७॥

*yas tv ātma-ratir eva syād, ātma-tṛptaś ca mānavaḥ*
*ātmany eva ca santuṣṭas, tasya kāryaṁ na vidyate*

*yaḥ :* celui qui; *tu :* mais; *ātma-ratiḥ :* prenant plaisir dans le soi; *eva :* certes; *syāt :* demeure; *ātma-tṛptaḥ :* illuminé dans le soi; *ca :* et; *mānavaḥ :* un homme; *ātmani :* en lui-même; *eva :* seulement; *ca :* et; *santuṣṭaḥ :* parfaitement satisfait; *tasya :* son; *kāryam :* devoir; *na :* ne pas; *vidyate :* existe.

**En revanche, il n'est point de devoir pour celui qui se réjouit dans le soi, qui consacre sa vie humaine à la réalisation spirituelle, et qui, parfaitement comblé, n'est satisfait que dans le soi.**

Celui qui est parfaitement conscient de Kṛṣṇa, qui est comblé par les activités spirituelles du service de dévotion, n'a plus aucun devoir à remplir. Sa conscience de Kṛṣṇa le purifie instantanément de toute impiété qui pourrait encore résider dans son cœur, chose qui requiert d'ordinaire l'accomplissement de milliers de *yajñas*. En purifiant ainsi sa conscience, il sait de manière sûre quelle est sa position éternelle par rapport au Suprême. Par la grâce du Seigneur son devoir lui devient évident et il n'est plus tenu de suivre les normes védiques. L'être conscient de Kṛṣṇa n'est plus attiré par les activités matérielles et ne trouve plus aucun plaisir dans le vin, les femmes ou toute autre passion du même genre.

**3.18** नैव तस्य कृतेनार्थो नाकृतेनेह कश्चन ।
न चास्य सर्वभूतेषु कश्चिदर्थव्यपाश्रयः ॥१८॥

*naiva tasya kṛtenārtho, nākṛteneha kaścana*
*na cāsya sarva-bhūteṣu, kaścid artha-vyapāśrayaḥ*

*na :* jamais ; *eva :* certes ; *tasya :* son ; *kṛtena :* par l'accomplissement du devoir ; *arthaḥ :* but ; *na :* non plus ; *akṛtena :* sans l'accomplissement du devoir ; *iha :* en ce monde ; *kaścana :* quel qu'il soit ; *na :* jamais ; *ca :* et ; *asya :* de lui ; *sarva-bhūteṣu :* d'entre tous les êtres ; *kaścit :* aucun ; *artha :* le but ; *vyapāśrayaḥ :* prenant refuge en.

**Celui qui a réalisé son identité spirituelle n'a pas plus d'intérêt personnel à s'acquitter de ses devoirs qu'il n'a de raison de fuir ses obligations. Il n'a aucun besoin non plus de dépendre d'autrui.**

L'homme qui a réalisé son identité spirituelle n'a plus, hors de ses activités dans la conscience de Kṛṣṇa, aucun devoir à remplir. Comme l'expliqueront les versets qui suivent, la conscience de Kṛṣṇa n'est pas la voie du non-agir. La personne consciente de Kṛṣṇa n'est tributaire de personne – homme ou *deva*. Ce qu'elle fait dans la conscience de Kṛṣṇa suffit à remplir ses obligations.

**3.19** तस्मादसक्तः सततं कार्यं कर्म समाचर ।
असक्तो ह्याचरन् कर्म परमाप्नोति पूरुषः ॥१९॥

*tasmād asaktaḥ satataṁ, kāryaṁ karma samācara*
*asakto hy ācaran karma, param āpnoti pūruṣaḥ*

*tasmāt :* donc ; *asaktaḥ :* sans attachement ; *satatam :* constamment ; *kāryam :* comme un devoir ; *karma :* l'action ; *samācara :* accomplit ; *asaktaḥ :* détaché ; *hi :* certes ; *ācaran :* en accomplissant ; *karma :* l'action ; *param :* le Suprême ; *āpnoti :* atteint ; *pūruṣaḥ :* un homme.

**Ainsi, l'homme doit agir par sens du devoir, détaché du fruit de l'acte, car par l'acte libre d'attachement on atteint le Suprême.**

Pour le dévot, le Suprême n'est autre que la Personne Divine, alors que pour l'impersonnaliste, c'est la libération. Celui qui agit dans la conscience de Kṛṣṇa, en suivant les directives d'un maître spirituel authentique et en se détachant du fruit de ses actes, progresse sûrement vers le but suprême de l'existence. Kṛṣṇa demande à Arjuna de combattre sur le champ de bataille de Kurukṣetra, car tel est Son désir. Vouloir être bon ou non violent, c'est encore montrer un attachement personnel, mais agir au nom de la Personne Suprême, c'est être vraiment détaché. Telle est la perfection absolue de l'acte, recommandée par Dieu, la Personne Suprême, Śrī Kṛṣṇa.

Les rites védiques, comme les oblations sacrificielles, ne servent qu'à nous purifier des actes coupables que nous avons accomplis dans notre poursuite du plaisir des sens. Mais l'action dans la conscience de Kṛṣṇa transcende les conséquences de tout acte, bon ou mauvais. L'être conscient de Kṛṣṇa n'est pas attaché aux fruits de ses actes. Il agit pour le seul plaisir de Kṛṣṇa. Il peut s'engager dans toutes sortes d'activités, mais toujours en étant complètement détaché.

**3.20**

कर्मणैव हि संसिद्धिमास्थिता जनकादयः ।
लोकसङ्ग्रहमेवापि सम्पश्यन् कर्तुमर्हसि ॥२०॥

*karmaṇaiva hi saṁsiddhim, āsthitā janakādayaḥ*
*loka-saṅgraham evāpi, sampaśyan kartum arhasi*

*karmaṇā :* par le travail ; *eva :* même ; *hi :* certes ; *saṁsiddhim :* dans la perfection ; *āsthitāḥ :* situés ; *janaka-ādayaḥ :* Janaka et d'autres rois ; *loka-saṅgraham :* les gens en général ; *eva api :* aussi ; *sampaśyan :* en considérant ; *kartum :* d'agir ; *arhasi :* tu mérites.

**Des rois comme Janaka atteignirent la perfection par le seul accomplissement du devoir prescrit. Assume donc ta charge, ne serait-ce que pour l'édification du peuple.**

Les rois comme Janaka étaient des âmes réalisées, nullement tenus de remplir les devoirs prescrits dans les Védas. Néanmoins, ils les assumèrent à seule fin de donner l'exemple. Janaka était le père de Sītā et le beau-père de Rāma (autre forme de Dieu, la Personne Suprême). Grand dévot du Seigneur, il était situé sur un plan transcendantal, mais parce qu'il était roi de Mithilā (province de Bihar, en Inde) il devait enseigner à ses sujets comment remplir leur devoir.

Kṛṣṇa et Arjuna, Son éternel ami, n'avaient eux aussi aucunement besoin de combattre à Kurukṣetra, mais ils le firent pour montrer que la violence est parfois nécessaire quand les arguments n'ont aucun effet. Tout fut mis en œuvre pour éviter la bataille de Kurukṣetra – même la Personne Suprême S'y employa de Son mieux –, mais le camp adverse était déterminé à livrer bataille. Il est donc parfois nécessaire de se battre pour une juste cause. Même s'il n'est pas matériellement motivé, le dévot du Seigneur n'en agit pas moins, afin de montrer aux gens comment vivre et se conduire. Ceux qui sont élevés dans la conscience de Kṛṣṇa sont capables d'agir de façon à ce que les autres suivent leur exemple, comme le montrera d'ailleurs le prochain verset.

**3.21** यद्यदाचरति श्रेष्ठस्तत्तदेवेतरो जनः ।
स यत्प्रमाणं कुरुते लोकस्तदनुवर्तते ॥२१॥

*yad yad ācarati śreṣṭhas, tat tad evetaro janaḥ*
*sa yat pramāṇaṁ kurute, lokas tad anuvartate*

*yat yat :* quoi que; *ācarati :* il fait; *śreṣṭhaḥ :* un dirigeant honorable; *tat :* cela; *tat :* et seulement cela; *eva :* certes; *itaraḥ :* ordinaire; *janaḥ :* une personne; *saḥ :* il; *yat :* quel que; *pramāṇam :* exemple; *kurute :* donne; *lokaḥ :* tout le monde; *tat :* cela; *anuvartate :* marche sur les traces.

**Quoi que fasse un grand homme, la masse des gens marche toujours sur ses traces. Le monde entier suit la norme qu'il établit par son exemple.**

Le peuple a toujours besoin d'un chef qui puisse le guider par son exemple. On ne peut apprendre aux gens à arrêter de fumer si l'on fume soi-même. Caitanya Mahāprabhu, le Seigneur en personne, disait qu'avant d'instruire les autres un maître doit d'abord apprendre à bien se comporter. On appelle *ācārya,* ou maître idéal, celui qui enseigne ainsi par l'exemple. Il faut donc que celui qui enseigne et qui souhaite instruire la masse des gens applique les principes énoncés dans les *śāstras* (Écritures). Il ne peut inventer des règles qui vont à l'encontre des principes des *śāstras.* Les Écritures, comme la *Manu-saṁhitā* ou d'autres ouvrages similaires, sont considérées comme des livres de référence pour la société humaine. Par conséquent, celui qui enseigne doit en suivre les principes.

L'homme qui désire se parfaire doit suivre ces règles, telles qu'elles furent appliquées par les grands maîtres. Le *Śrīmad-Bhāgavatam* déclare lui aussi que l'on doit marcher sur les traces des grands dévots, et ainsi progresser dans la réalisation spirituelle. Le roi ou le chef d'État, le père et le professeur, sont considérés comme les guides naturels de la société. Comme ils ont une grande responsabilité envers ceux qui dépendent d'eux, ils doivent connaître parfaitement les principes moraux et spirituels contenus dans les Écritures.

**3.22** न मे पार्थास्ति कर्तव्यं त्रिषु लोकेषु किञ्चन।
नानवाप्तमवाप्तव्यं वर्त एव च कर्मणि ॥२२॥

*na me pārthāsti kartavyaṁ, triṣu lokeṣu kiñcana*
*nānavāptam avāptavyaṁ, varta eva ca karmaṇi*

*na :* ne pas; *me :* à Moi; *pārtha :* ô fils de Pṛthā; *asti :* il y a; *kartavyam :* de devoir prescrit; *triṣu :* dans les trois; *lokeṣu :* systèmes planétaires; *kiñcana :* quelque chose; *na :* rien; *anavāptam :* désiré; *avāptavyam :* à être obtenu; *varte :* Je suis occupé; *eva :* certes; *ca :* aussi; *karmaṇi :* au devoir prescrit.

**Ô fils de Pṛthā, il n'est dans les trois mondes aucun devoir qu'il Me faille remplir. Je n'ai besoin de rien, Je ne désire rien non plus, et pourtant J'accomplis les devoirs prescrits.**

Dieu, la Personne Suprême, est ainsi décrit dans les Écritures védiques :

*tam īśvarāṇām paramaṁ maheśvaraṁ*
*taṁ devatānāṁ paramaṁ ca daivatam*
*patiṁ patīnāṁ paramaṁ parastād*
*vidāma devaṁ bhuvaneśam īḍyam*

*na tasya kāryaṁ karaṇaṁ ca vidyate*
*na tat-samaś cābhyadhikaś ca dṛśyate*
*parāsya śaktir vividhaiva śrūyate*
*svābhāvikī jñāna-bala-kriyā ca*

« Le Seigneur Suprême est le maître absolu qui gouverne tous les autres maîtres, et le plus grand de ceux qui régissent les diverses planètes. Tous Lui sont subordonnés. Les êtres qui détiennent quelque pouvoir particulier ne l'ont obtenu que par Sa volonté. Eux-mêmes ne sont pas suprêmes. Du reste, tous les *devas* Le vénèrent. Comme Il surpasse tous les dirigeants et régisseurs du monde matériel, tous doivent L'adorer. Personne ne Lui est supérieur, Il est la cause suprême de toutes les causes. « Il ne possède pas de corps matériel comme un être ordinaire. Il n'existe aucune différence entre Son corps et Son âme. Il est absolu. Tous Ses sens sont transcendantaux, et chacun peut remplir les fonctions de n'importe quel autre. Personne ne Lui est donc égal ou supérieur. Ses puissances sont multiples et variées, et Ses hauts faits s'accomplissent automatiquement en une succession naturelle. » (*Śvetāśvatara Upaniṣad* 6.7-8)

Parce qu'en Lui tout est opulence et vérité absolues, Dieu, la Personne Suprême, n'a aucun devoir à accomplir. Qui a besoin d'être rétribué pour ses actes doit remplir certains devoirs donnés, mais qui n'a rien à obtenir dans les trois systèmes planétaires n'est certes lié à aucun devoir. Et pourtant le Seigneur, Kṛṣṇa, Se met à la tête des *kṣatriyas* sur le champ de bataille de Kurukṣetra, car ceux-ci sont tenus de protéger les opprimés. Bien qu'Il ne soit pas soumis aux règles énoncées dans les Écritures, Il ne fait rien qui les transgresse.

**3.23** यदि ह्यहं न वर्तेयं जातु कर्मण्यतन्द्रितः ।
मम वर्त्मानुवर्तन्ते मनुष्याः पार्थ सर्वशः ॥२३॥

*yadi hy ahaṁ na varteyaṁ, jātu karmaṇy atandritaḥ*
*mama vartmānuvartante, manuṣyāḥ pārtha sarvaśaḥ*

*yadi :* si ; *hi :* certes ; *aham :* Je ; *na :* ne pas ; *varteyam :* ainsi M'engage ; *jātu :* toujours ; *karmaṇi :* dans l'accomplissement des devoirs prescrits ; *atandritaḥ :* avec grand soin ; *mama :* Ma ; *vartma :* voie ; *anuvartante :* suivraient ; *manuṣyāḥ :* tous les hommes ; *pārtha :* ô fils de Pṛthā ; *sarvaśaḥ :* à tous égards.

**Car si Je ne M'acquittais pas avec soin de Mes obligations, ô Pārtha, tous les hommes suivraient la voie qu'ainsi J'aurais tracée.**

Tout être civilisé doit suivre les traditions et les usages familiaux afin que l'équilibre social soit préservé et que l'homme puisse progresser dans la vie spirituelle. Bien que ces principes régulateurs s'adressent aux âmes conditionnées, et non au Seigneur, Kṛṣṇa les suit car Il est descendu en ce monde pour les établir. S'Il avait agi autrement, les hommes du commun L'auraient suivi, car Il est l'autorité suprême. Le *Śrīmad-Bhāgavatam* nous apprend que Kṛṣṇa observait, au foyer comme en société, tous les devoirs religieux qui incombent aux chefs de famille.

3.24 उत्सीदेयुरिमे लोका न कुर्यां कर्म चेदहम् ।
सङ्करस्य च कर्ता स्यामुपहन्यामिमाः प्रजाः ॥२४॥

*utsīdeyur ime lokā, na kuryāṁ karma ced aham*
*saṅkarasya ca kartā syām, upahanyām imāḥ prajāḥ*

*utsīdeyuḥ :* connaîtraient la ruine ; *ime :* tous ces ; *lokāḥ :* mondes ; *na :* ne pas ; *kuryām :* J'accomplis ; *karma :* les devoirs prescrits ; *cet :* si ; *aham :* Je ; *saṅkarasya :* d'une population indésirable ; *ca :* et ; *kartā :* le créateur ; *syām :* serais ; *upahanyām :* détruirais ; *imāḥ :* tous ces ; *prajāḥ :* êtres.

**Si Je n'assumais pas ces devoirs, tous les univers sombreraient dans la désolation. Je serais la cause de l'apparition d'une population indésirable et Je mettrais fin à la paix de tous les êtres.**

On appelle *varṇa-saṅkara* une population indésirable qui trouble la paix de la société. Pour parer au déséquilibre social, l'homme doit suivre certains règlements qui permettent à la population de vivre en paix tout en facilitant son cheminement spirituel. Quand le Seigneur descend dans l'univers matériel, Il Se soumet à ces règles capitales afin d'en maintenir le prestige et d'en montrer la nécessité. Il est le père de tous les êtres, et s'ils s'égarent, c'est Lui qui, indirectement, en est responsable. Pour cette raison, chaque fois que l'humanité néglige les principes régulateurs, le Seigneur descend en personne redresser la société.

Nous devons toutefois garder à l'esprit que s'il nous faut marcher sur les traces du Seigneur, nous ne pouvons en aucun cas L'imiter. Suivre et imiter sont deux choses différentes. Nous ne pouvons pas imiter le Seigneur en essayant nous aussi de soulever la colline Govardhana, comme Il le fit dans Son enfance. Aucun homme de toute façon ne le pourrait. Nous devons suivre Ses instructions, mais jamais L'imiter. Le *Śrīmad-Bhāgavatam* (10.33.30–31) le confirme :

*naitat samācarej jātu, manasāpi hy anīśvaraḥ*
*vinaśyaty ācaran mauḍhyād, yatha-'rudro 'bdhi-jaṁ viṣam*

*īśvarāṇāṁ vacaḥ satyaṁ, tathaivācaritaṁ kvacit*
*teṣāṁ yat sva-vaco-yuktaṁ, buddhimāṁs tat samācaret*

« On doit simplement suivre les instructions du Seigneur et des serviteurs qu'Il a mis en pouvoir. Leurs enseignements sont un bienfait suprême pour nous, et l'homme intelligent les appliquera à la lettre. Gardons-nous cependant de vouloir imiter leurs actions. N'essayons pas de boire un océan de poison pour imiter Śiva. »

Nous devons toujours considérer comme supérieurs les *īśvaras,* les êtres qui détiennent le pouvoir de régler les mouvements du Soleil et de la Lune. Pour celui qui est dénué de tels pouvoirs, il est vain de chercher à les imiter. Śiva but tout un océan de poison, mais l'homme ordinaire qui tenterait d'en boire ne serait-ce qu'une seule goutte serait foudroyé. Nombreux sont les soi-disant dévots de Śiva qui se permettent de fumer de la *gañjā* (marijuana) et d'autres drogues, mais ils oublient qu'en essayant d'imiter Śiva, ils courent à leur perte. De même, certains prétendus dévots de Kṛṣṇa veulent imiter le Seigneur dans Sa *rāsa-līlā,* Sa danse amoureuse avec les *gopīs,* oubliant qu'ils sont par ailleurs incapables de soulever la colline Govardhana. Il est préférable de suivre les instructions des êtres dotés d'une puissance hors du commun plutôt que de chercher à les imiter ou à occuper leur place sans en avoir la qualification. On voit déjà tellement de pseudo-incarnations de Dieu qui ne possèdent en rien Sa toute-puissance.

**3.25** सक्ताः कर्मण्यविद्वांसो यथा कुर्वन्ति भारत ।
कुर्याद्विद्वांस्तथासक्तश्चिकीर्षुर्लोकसङ्ग्रहम् ॥२५॥

*saktāḥ karmaṇy avidvāṁso, yathā kurvanti bhārata*
*kuryād vidvāṁs tathāsaktaś, cikīrṣur loka-saṅgraham*

*saktāḥ :* étant attachés; *karmaṇi :* les devoirs prescrits; *avidvāṁsaḥ :* les ignorants; *yathā :* de même que; *kurvanti :* ils font; *bhārata :* ô descendant de Bharata; *kuryāt :* doivent faire; *vidvān :* les sages; *tathā :* ainsi; *asaktaḥ :* sans attachement; *cikīrṣuḥ :* désirant guider; *loka-saṅgraham :* la masse des gens.

**Les ignorants suivent leur devoir en s'attachant aux fruits de leurs actes, alors que les hommes éclairés, ô descendant de Bharata, s'en acquittent sans attachement, dans le dessein de guider le peuple sur la voie juste.**

Une personne consciente de Kṛṣṇa se distingue de celles qui ne le sont pas par des désirs différents. Le dévot ne fait rien qui ne favorise le développement de la conscience de Kṛṣṇa. Il se peut qu'en apparence il agisse comme l'ignorant, comme l'homme trop attaché aux activités matérielles, mais ce dernier n'agit que pour satisfaire ses sens quand le dévot n'agit que pour plaire à Kṛṣṇa. Il revient donc aux hommes conscients de Kṛṣṇa de montrer aux autres comment agir et comment utiliser les fruits de leurs actes au service du Seigneur.

3.26 न बुद्धिभेदं जनयेदज्ञानां कर्मसङ्गिनाम् ।
जोषयेत्सर्वकर्माणि विद्वान् युक्तः समाचरन् ॥२६॥

*na buddhi-bhedaṁ janayed, ajñānāṁ karma-saṅginām*
*joṣayet sarva-karmāṇi, vidvān yuktaḥ samācaran*

*na :* ne pas ; *buddhi-bhedam :* trouble de l'intelligence ; *janayet :* doit causer ; *ajñānām :* des ignorants ; *karma-saṅginām :* attachés aux fruits de leur travail ; *joṣayet :* elle doit relier ; *sarva :* tout ; *karmāṇi :* travail ; *vidvān :* une personne instruite ; *yuktaḥ :* occupés ; *samācaran :* à accomplir.

**Le sage avisé ne doit pas perturber les ignorants attachés aux fruits du devoir en les incitant à cesser de travailler. Au contraire, œuvrant dans un esprit de dévotion, il doit les engager à toutes sortes d'activités [pour développer progressivement leur conscience de Kṛṣṇa].**

Les rites, les sacrifices et tout ce dont nous entretiennent les Védas, y compris les directives concernant la façon d'agir au niveau matériel, sont destinés à nous faire comprendre Kṛṣṇa, le but ultime de l'existence : *vedaiś ca sarvair aham eva vedyaḥ.* Mais parce qu'elles ne connaissent rien, hormis la satisfaction des sens, les âmes conditionnées n'abordent les Védas que pour jouir de la matière. On peut néanmoins, par le biais des activités intéressées et du plaisir des sens réglementés par les Védas, développer progressivement la conscience de Kṛṣṇa. C'est pourquoi les âmes réalisées dans la conscience de Kṛṣṇa ne doivent pas perturber autrui, ni dans ses activités, ni dans sa compréhension des choses, mais plutôt agir de façon à montrer comment le résultat de toute action peut être utilisé au service de Kṛṣṇa. Le dévot éclairé doit, par ses actes, montrer à l'ignorant qui n'est préoccupé que de son seul plaisir comment il devrait se comporter. Bien qu'il ne faille pas troubler une telle personne dans ses activités, on peut, par contre, engager directement au service du Seigneur quiconque manifeste un peu d' intérêt pour la conscience de Kṛṣṇa, sans qu'il y ait besoin de recourir aux autres voies védiques. L'homme qui connaît cette bonne fortune n'aura pas à observer les rites védiques, puisqu'en s'engageant dans la conscience de Kṛṣṇa, il obtiendra de toute façon tous les résultats que lui aurait conféré l'exécution de ses devoirs prescrits.

3.27 प्रकृतेः क्रियमाणानि गुणैः कर्माणि सर्वशः ।
अहङ्कारविमूढात्मा कर्ताहमिति मन्यते ॥२७॥

*prakṛteḥ kriyamāṇāni, guṇaiḥ karmāṇi sarvaśaḥ*
*ahaṅkāra-vimūḍhātmā, kartāham iti manyate*

*prakṛteḥ :* de la nature matérielle ; *kriyamāṇāni :* étant faites ; *guṇaiḥ :* par les modes d'influence ; *karmāṇi :* activités ; *sarvaśaḥ :* toutes sortes de ; *ahaṅkāra-vimūḍha :* égarée par le faux ego ; *ātmā :* l'âme spirituelle ; *kartā :* l'auteur ; *aham :* je ; *iti :* ainsi ; *manyate :* elle pense.

**L'âme égarée par le faux ego croit être l'auteur d'actes qui sont en réalité accomplis par les trois modes d'influence de la nature matérielle.**

Deux personnes accomplissant une même action, l'une dans la conscience de Kṛṣṇa et l'autre dans une conscience matérielle, peuvent sembler agir sur le même plan, mais la différence est sans mesure. Le matérialiste est persuadé, sous l'influence du faux ego, qu'il est l'auteur de tout ce qu'il accomplit. S'il ne sait pas qu'en dernière analyse il est sous le contrôle de Kṛṣṇa, c'est qu'il ignore que la nature matérielle qui produit le mécanisme du corps agit sous la direction du Seigneur Suprême. Sous l'emprise du faux ego, il croit pouvoir agir en toute indépendance - ce qui montre bien, d'ailleurs, son ignorance.

Il ne sait pas non plus que son corps physique, de même que son corps subtil, furent créés par la nature matérielle sur l'ordre du Seigneur Suprême, et que, pour cette raison, toutes les activités physiques et mentales doivent être engagées à Son service, dans la conscience de Kṛṣṇa. Il oublie que Dieu, la Personne Suprême, est connu sous le nom de Hṛṣīkeśa, le maître des sens du corps matériel. Il a fait pendant longtemps un si mauvais usage de ses sens, en cherchant sans cesse de nouveaux plaisirs, qu'il est complètement égaré par son faux ego, au point d'avoir oublié sa relation éternelle avec Kṛṣṇa.

3.28 तत्त्ववित्तु महाबाहो गुणकर्मविभागयोः ।
गुणा गुणेषु वर्तन्त इति मत्वा न सज्जते ॥२८॥

*tattva-vit tu mahā-bāho, guṇa-karma-vibhāgayoḥ*
*guṇā guṇeṣu vartanta, iti matvā na sajjate*

*tattva-vit :* celui qui connaît la Vérité Absolue; *tu :* mais; *mahā-bāho :* ô Arjuna aux bras puissants; *guṇa-karma :* d'actes accomplis sous l'influence de la matière; *vibhāgayoḥ :* les différences; *guṇāḥ :* les sens; *guṇeṣu :* au plaisir des sens; *vartante :* sont engagés; *iti :* ainsi; *matvā :* en pensant; *na :* jamais; *sajjate :* ne s'attache.

**Ô Arjuna aux bras puissants, celui qui a connaissance de la Vérité Absolue ne se rend pas esclave des sens et du plaisir, car il connaît bien la différence entre l'acte intéressé et l'acte dévotionnel.**

Qui connaît la Vérité Absolue se rend parfaitement compte qu'il occupe une position inconfortable à cause de son contact avec la nature matérielle. Il sait qu'il fait partie intégrante de Kṛṣṇa, le Seigneur Suprême qui est connaissance et félicité éternelles, et réalise que sa condition naturelle n'est pas de vivre dans le monde matériel. Il comprend que pour une raison ou pour une autre, il est maintenant prisonnier de son concept matériel de l'existence. La vocation de son existence, dans son état pur, étant de dédier ses activités au service dévotionnel de la Personne Suprême, il agit dans la conscience de Kṛṣṇa et se détache par là tout naturellement des actions liées aux plaisirs des sens, contingentes et éphémères.

Il sait que ses conditions de vie dépendent du Seigneur Suprême. Il n'est donc pas troublé par les diverses circonstances de la vie et les voit d'ailleurs comme autant de manifestations de la grâce divine. Selon le *Śrīmad-Bhāgavatam,* celui qui connaît les trois aspects de la Vérité Absolue – le Brahman, le Paramātmā et Bhagavān, la Personne Suprême – est *tattva-vit,* car il connaît également sa propre position par rapport à l'Absolu.

**3.29** प्रकृतेर्गुणसम्मूढाः सज्जन्ते गुणकर्मसु ।
तानकृत्स्नविदो मन्दान् कृत्स्नविन्न विचालयेत् ॥२९॥

*prakṛter guṇa-sammūḍhāḥ, sajjante guṇa-karmasu*
*tān akṛtsna-vido mandān, kṛtsna-vin na vicālayet*

*prakṛteḥ :* de la nature matérielle; *guṇa :* par les modes d'influence; *sammūḍhāḥ :* illusionnées par l'identification à la matière; *sajjante :* elles s'engagent; *guṇa-karmasu :* dans des activités matérielles; *tān :* ces; *akṛtsna-vidaḥ :* personnes qui ont peu de connaissance; *mandān :* paresseuses en ce qui concerne la réalisation spirituelle;

*kṛtsna-vit :* celui qui possède la vraie connaissance ; *na :* ne doit pas ; *vicālayet :* essayer de les troubler.

**Dérouté par les trois guṇas, l'ignorant s'absorbe dans des activités matérielles auxquelles il s'attache. Le sage ne doit toutefois pas le troubler même si à cause d'un savoir déficient ses actes sont d'ordre inférieur.**

Les êtres dépourvus de connaissance spirituelle font l'erreur de s'identifier à la matière et s'attribuent de multiples désignations matérielles. Le corps est un don de la nature, et celui qui s'y identifie est qualifié de *manda,* c'est-à-dire de personne paresseuse sans intérêt pour la compréhension de l'âme spirituelle. Les ignorants ne font pas la différence entre leur corps et leur véritable moi. Leur conception de la parenté repose sur les liens corporels ; ils font de leur terre natale un objet de culte et considèrent les rites religieux comme une fin en soi. Bien que ces matérialistes se dévouent au service social, épousent la cause du nationalisme, de l'altruisme ou de toutes autres activités aux dénominations flatteuses, ils ne s'absorbent en fait que dans des activités matérielles. Ils prennent la réalisation spirituelle pour un mythe et ne lui portent aucun intérêt. Toutefois, les hommes éclairés par un mode de vie spirituel ne doivent pas les troubler. Il est préférable de continuer à remplir son activité spirituelle discrètement. On peut par contre engager les matérialistes dans des activités qui font appel à des principes moraux élémentaires, comme la non-violence et l'action bénévole.

Les ignorants ne peuvent apprécier les activités accomplies dans la conscience de Kṛṣṇa. C'est pourquoi le Seigneur nous conseille de ne pas les troubler et perdre ainsi un temps précieux. Mais les dévots de Kṛṣṇa sont plus bienveillants encore que le Seigneur, car ils comprennent Ses desseins. Ils prennent donc toutes sortes de risques, et vont jusqu'à approcher les ignorants afin de les engager au service de Dieu, ce qui, pour l'homme, est absolument primordial.

**3.30** मयि सर्वाणि कर्माणि सन्न्यस्याध्यात्मचेतसा ।
निराशीर्निर्ममो भूत्वा युध्यस्व विगतज्वरः ॥३०॥

*mayi sarvāṇi karmāṇi, sannyasyādhyātma-cetasā*
*nirāśīr nirmamo bhūtvā, yudhyasva vigata-jvaraḥ*

*mayi :* à Moi ; *sarvāṇi :* toutes sortes de ; *karmāṇi :* activités ; *sannyasya :* soumettant complètement ; *adhyātma :* avec une connaissance complète du soi ; *cetasā :* par la conscience; *nirāśīḥ :* sans désir de profit; *nirmamaḥ :* sans esprit de possession; *bhūtvā :* étant ainsi; *yudhyasva :* combats; *vigata-jvaraḥ :* sans abattement.

**Aussi, ô Arjuna, Me consacrant tous tes actes, en pleine connaissance de Ma personne, sans chercher le gain ou revendiquer la moindre possession, sans te laisser abattre, combats.**

Ce verset indique clairement le but de la *Bhagavad-gītā.* Le Seigneur enseigne que pour remplir son devoir, il faut devenir parfaitement conscient de Sa personne et y appliquer la même rigueur que l'on mettrait à suivre une discipline militaire. Voilà qui peut sembler difficile. Il faut néanmoins s'acquitter de son devoir en dépendant entièrement de Kṛṣṇa, puisque c'est la nature fondamentale de l'être vivant. Aucun être ne peut être heureux s'il ne coopère avec le Seigneur Suprême, car sa condition intrinsèque et éternelle est de répondre aux désirs du Seigneur. Arjuna reçoit donc de Śrī Kṛṣṇa l'ordre de combattre, comme si le Seigneur était son chef militaire. Il faut tout sacrifier au bon vouloir du Seigneur Suprême et continuer à accomplir son devoir sans se dire propriétaire de rien. Arjuna n'a pas à juger les directives du Seigneur, mais seulement à les exécuter.

Le Seigneur Suprême est l'Âme de toutes les âmes. Aussi, celui qui dépend uniquement et entièrement de Lui, sans aucune considération personnelle, ou, en d'autres mots, qui est parfaitement conscient de Kṛṣṇa, est qualifié d'*adhyātma-cetās,* « pleinement conscient de l'âme ». *Nirāśīḥ* signifie que l'on doit agir selon les ordres de son maître et ne pas chercher à jouir du fruit de ses actes. Un caissier compte des millions pour son patron, tout en sachant que pas un sou ne lui appartient. De même, comprenons que rien en ce monde ne nous appartient personnellement et que tout appartient au Seigneur Suprême. Telle est la véritable signification du mot *mayi,* « à Moi ». Celui qui agit dans la conscience de Kṛṣṇa ne se proclame donc propriétaire de rien, et cet état de conscience est appelé *nirmama,* « rien ne m'appartient ».

Même si l'on éprouve quelque réticence à se plier à un ordre si rigoureux, excluant toute considération de parenté, on doit surmonter cet obstacle et devenir *vigata-jvara,* c'est-à-dire ne pas se laisser aller à l'abattement, à l'indolence fiévreuse. Comme nous venons de le voir, chacun, selon sa nature et sa position respectives, a un devoir particulier à remplir qui peut être accompli dans la conscience de Kṛṣṇa. Une telle attitude nous permettra de fouler le sentier de la libération.

3.31 ये मे मतमिदं नित्यमनुतिष्ठन्ति मानवाः ।
श्रद्धावन्तोऽनसूयन्तो मुच्यन्ते तेऽपि कर्मभिः ॥३१॥

*ye me matam idaṁ nityam, anutiṣṭhanti mānavāḥ*
*śraddhāvanto 'nasūyanto, mucyante te 'pi karmabhiḥ*

*ye :* ceux qui ; *me :* de Moi ; *matam :* injonctions ; *idam :* ces ; *nityam :* comme une fonction éternelle ; *anutiṣṭhanti :* accomplissent régulièrement ; *mānavāḥ :* les êtres humains ; *śraddhā-vantaḥ :* avec foi et dévotion ; *anasūyantaḥ :* sans envie ; *mucyante :* se libèrent ; *te :* eux tous ; *api :* même ; *karmabhiḥ :* de l'emprise des lois de l'action intéressée.

**Ceux qui remplissent leurs devoirs selon Mes instructions et suivent cet enseignement avec foi, sans envie, se libèrent des chaînes de l'action intéressée.**

Les injonctions de Kṛṣṇa, la Personne Suprême, constituent l'essence même de la sagesse védique, et sont de ce fait une vérité éternelle et absolue. Puisque les Védas sont éternels, la conscience de Kṛṣṇa l'est également. Il faut avoir une foi inébranlable en cet enseignement et ne jamais envier le Seigneur. Beaucoup de philosophes commentent la *Bhagavad-gītā* sans avoir la moindre foi en Kṛṣṇa. Il leur est donc impossible de se libérer des répercussions de leurs actes. Par contre, un homme ordinaire doté d'une foi inébranlable dans les injonctions éternelles du Seigneur, même s'il est incapable de les suivre, s'affranchit des chaînes du karma. Il se peut qu'un nouveau venu dans la conscience de Kṛṣṇa ne se plie pas immédiatement à toutes les recommandations du Seigneur, mais s'il n'éprouve aucune prévention à leur égard et agit sincèrement, sans se laisser déconcerter par l'échec et sans perdre espoir, il sera élevé au stade de la pure conscience de Kṛṣṇa.

3.32 ये त्वेतदभ्यसूयन्तो नानुतिष्ठन्ति मे मतम् ।
सर्वज्ञानविमूढांस्तान् विद्धि नष्टानचेतसः ॥३२॥

*ye tv etad abhyasūyanto, nānutiṣṭhanti me matam*
*sarva-jñāna-vimūḍhāṁs tān, viddhi naṣṭān acetasaḥ*

*ye :* ceux ; *tu :* cependant ; *etat :* cela ; *abhyasūyantaḥ :* par envie ; *na :* ne pas ; *anutiṣṭhanti :* accomplissent régulièrement ; *me :* Mes ; *matam :* injonctions ; *sarva-jñāna :* dans toutes sortes de connaissances ; *vimūḍhān :* parfaitement illusionnés ; *tān :* ils sont ; *viddhi :* sache-le bien ; *naṣṭān :* tous ruinés ; *acetasaḥ :* sans conscience de Kṛṣṇa.

**Mais ceux qui, par envie, négligent Mes enseignements et ne les suivent pas régulièrement sont tous illusionnés et dénués de connaissance. Leur marche vers la perfection est vouée à l'échec.**

Il apparaît ici clairement comme une faute de n'être pas conscient de Kṛṣṇa. De même qu'un châtiment guette celui qui trouble l'ordre établi par l'État, il y a un châtiment pour celui qui brise les lois du Seigneur. Une telle personne, si importante soit-elle, ignore tout de sa propre nature, comme de celle du Brahman Suprême, du Paramātmā et de Bhagavān, car elle a le cœur vide. Il n'y a, pour elle, aucun espoir d'atteindre la perfection de l'existence.

**3.33** सदृशं चेष्टते स्वस्याः प्रकृतेर्ज्ञानवानपि ।
प्रकृतिं यान्ति भूतानि निग्रहः किं करिष्यति ॥३३॥

*sadṛśaṁ ceṣṭate svasyāḥ, prakṛter jñānavān api*
*prakṛtiṁ yānti bhūtāni, nigrahaḥ kiṁ kariṣyati*

*sadṛśam :* conformément ; *ceṣṭate :* essaie ; *svasyāḥ :* selon ses propres ; *prakṛteḥ :* influences matérielles ; *jñāna-vān :* l'érudit ; *api :* bien que ; *prakṛtim :* la nature ; *yānti :* subissent ; *bhūtāni :* tous les êtres ; *nigrahaḥ :* la répression ; *kim :* que ; *kariṣyati :* peut faire.

**Même l'érudit agit selon sa nature propre, car chacun agit selon la nature qu'il a acquise au contact des trois guṇas. À quoi bon la refouler ?**

À moins de se trouver sur le plan transcendantal de la conscience de Kṛṣṇa, on ne peut s'affranchir de l'influence des trois *guṇas,* comme le confirme le Seigneur au verset quatorze du chapitre sept. Même les matérialistes les plus érudits se voient dans l'incapacité de sortir du labyrinthe de *māyā,* et ce en dépit de leur savoir théorique, de leurs efforts pour isoler l'âme du corps. Nombre de pseudo-spiritualistes prétendent posséder une connaissance très vaste, mais si l'on cherche au fond d'eux-mêmes ou dans leur vie privée, on constate qu'ils subissent totalement l'emprise des modes d'influence de la nature. Même si d'un point de vue académique, une personne est très érudite, elle n'en demeure pas moins asservie en raison de son contact prolongé avec la nature matérielle.

La conscience de Kṛṣṇa nous aide à nous défaire de l'emprise de la matière, tout en continuant à remplir les devoirs que nous impose notre vie en ce monde. C'est pour cela qu'à moins d'être pleinement conscient de Kṛṣṇa, il n'est nullement recommandé d'abandonner brusquement ses obligations pour devenir un faux *yogī* ou un pseudo-spiritualiste. Il vaut mieux garder son statut et s'efforcer de devenir conscient de Kṛṣṇa en recevant une formation supérieure. Ainsi se libérera-t-on des griffes de *māyā*.

**3.34** इन्द्रियस्येन्द्रियस्यार्थे रागद्वेषौ व्यवस्थितौ ।
तयोर्न वशमागच्छेत्तौ ह्यस्य परिपन्थिनौ ॥३४॥

*indriyasyendriyasyārthe, rāga-dveṣau vyavasthitau*
*tayor na vaśam āgacchet, tau hy asya paripanthinau*

*indriyasya :* des sens ; *indriyasya arthe :* aux objets des sens ; *rāga :* l'attachement ; *dveṣau :* et aussi le détachement ; *vyavasthitau :* soumis à des règles ; *tayoḥ :* d'eux ; *na :* jamais ; *vaśam :* la domination ; *āgacchet :* on devrait tomber sous ; *tau :* ces ; *hi :* certes sont ; *asya :* pour lui ; *paripanthinau :* des obstacles.

**Il existe des principes aidant à maîtriser l'attraction et la répulsion que l'on éprouve pour les objets des sens. On ne doit se laisser dominer ni par l'attachement, ni par l'aversion, car ils font obstacle à la réalisation spirituelle.**

Ceux qui sont conscients de Kṛṣṇa ne sont pas enclins aux actes visant au plaisir matériel. Mais ceux qui ne le sont pas doivent, pour leur part, observer les règles prescrites dans les Écritures révélées. La jouissance matérielle sans restriction est la cause de notre emprisonnement au sein de la matière. Par contre, celui qui suit les principes régulateurs recommandés dans les Écritures n'est pas entraîné par les objets de plaisir. Le plaisir sexuel, par exemple, est nécessaire à l'âme conditionnée. Il est donc permis, mais seulement dans le cadre du mariage. Selon les normes védiques, on ne peut avoir de rapports sexuels avec une femme autre que la sienne. On doit, du reste, considérer toute autre femme comme sa propre mère. Malgré ces règles, l'homme est toujours enclin à jouir d'autres femmes. Une telle tendance, si elle n'est pas réprimée, fera obstacle à la réalisation spirituelle.

Tant qu'on possède un corps matériel il est permis d'en satisfaire les besoins, mais en observant une certaine discipline. Gardons-nous cependant de ne dépendre que de cette réglementation des plaisirs. Il faut suivre ces prescriptions, certes, mais sans attachement, car même sous contrôle, la jouissance matérielle peut nous égarer, tout comme il y a toujours un risque d'accident sur une route parfaitement entretenue, car personne ne peut garantir qu'elle soit absolument sans danger. À cause de notre contact prolongé avec la matière, nous avons depuis très longtemps un goût pour le plaisir des sens, et même si nous observons tous les principes régulateurs, nous courons toujours le risque de choir de notre position. Il faut donc éviter par tous les moyens de s'attacher à la jouissance matérielle, même réglementée. Mais l'attachement à la conscience de Kṛṣṇa – où toujours on agit avec amour pour servir Kṛṣṇa – permet de nous détacher de toutes les sortes d'activités matérielles. Comme le but ultime est de s'affranchir de l'attachement au plaisir des sens et d'atteindre la pure conscience de Dieu, on ne devrait jamais, sa vie durant, délaisser la conscience de Kṛṣṇa.

**3.35** श्रेयान् स्वधर्मो विगुणः परधर्मात्स्वनुष्ठितात् ।
स्वधर्मे निधनं श्रेयः परधर्मो भयावहः ॥३५॥

*śreyān sva-dharmo viguṇaḥ, para-dharmāt sv-anuṣṭhitāt*
*sva-dharme nidhanaṁ śreyaḥ, para-dharmo bhayāvahaḥ*

*śreyān :* de loin préférable; *sva-dharmaḥ :* son devoir propre; *viguṇaḥ :* même imparfait; *para-dharmāt :* les devoirs prescrits pour autrui; *su-anuṣṭhitāt :* faits à la perfection; *sva-dharme :* en remplissant ses devoirs propres; *nidhanam :* la destruction; *śreyaḥ :* préférable; *para-dharmaḥ :* les devoirs prescrits pour autrui; *bhaya-āvahaḥ :* dangereux.

**Mieux vaut s'acquitter de son devoir propre, fût-ce de manière imparfaite, que d'assumer parfaitement celui d'un autre. Mieux vaut échouer en remplissant son devoir que remplir celui d'autrui, car suivre la voie d'un autre est fort périlleux.**

Mieux vaut remplir notre devoir en pleine conscience de Kṛṣṇa, plutôt que de chercher à accomplir celui d'autrui. Nos devoirs matériels nous sont assignés en fonction des traits psychiques et physiques acquis sous l'influence des trois *guṇas*. Nos devoirs spirituels, eux, nous sont donnés par le maître spirituel pour nous permettre de servir Kṛṣṇa. Plutôt que de copier les devoirs d'autrui, l'homme doit toujours s'efforcer de remplir les siens, tant matériels que spirituels, au risque même d'y perdre la vie. Bien que les devoirs spirituels puissent différer des devoirs matériels, il sera toujours avantageux pour nous dans l'un ou l'autre domaine de suivre les directives d'une autorité. Celui qui subit l'emprise des trois *guṇas* doit appliquer les règles propres à sa situation particulière sans chercher à imiter les autres. Le *brāhmaṇa,* par exemple, inspiré par la vertu, est non violent, alors que le *kṣatriya,* gouverné par la passion, peut être violent. Et mieux vaut pour un *kṣatriya* être vaincu en appliquant la violence que d'imiter le *brāhmaṇa,* qui, lui, pratique la non-violence.

Chacun doit purifier son cœur progressivement, jamais avec brusquerie. Néanmoins, celui qui transcende les trois *guṇas,* en étant entièrement dévoué à Kṛṣṇa, peut accomplir n'importe quel devoir sous la direction d'un maître spirituel authentique. Dans la pure conscience de Kṛṣṇa, un *kṣatriya* peut agir en *brāhmaṇa,* et inversement. Car au niveau spirituel, les distinctions du monde matériel ne tiennent plus. Viśvāmitra, par exemple, qui était *kṣatriya* de naissance, joua plus tard le rôle d'un *brāhmaṇa,* alors que Paraśurāma, qui était *brāhmaṇa,* joua le rôle d'un *kṣatriya*. Cela ne fut possible qu'en raison de leur conscience transcendantale. Mais tant que nous nous situons au niveau matériel, nous devons nous acquitter des devoirs que nous imposent les trois modes d'influence de la nature, tout en ayant une compréhension claire de la conscience de Kṛṣṇa.

**3.36**

अर्जुन उवाच
अथ केन प्रयुक्तोऽयं पापं चरति पूरुषः ।
अनिच्छन्नपि वार्ष्णेय बलादिव नियोजितः ॥३६॥

*arjuna uvāca*
*atha kena prayukto 'yaṁ, pāpaṁ carati pūruṣaḥ*
*anicchann api vārṣṇeya, balād iva niyojitaḥ*

*arjunaḥ uvāca :* Arjuna dit ; *atha :* alors ; *kena :* par quoi ; *prayuktaḥ :* poussé ; *ayam :* celui qui ; *pāpam :* des péchés ; *carati :* commet ; *pūruṣaḥ :* un homme ; *anicchan :* sans le vouloir ; *api :* bien que ; *vārṣṇeya :* ô descendant de Vṛṣṇi ; *balāt :* de force ; *iva :* comme si ; *niyojitaḥ :* engagé.

**Arjuna dit : Ô descendant de Vṛṣṇi, qu'est-ce qui pousse contre son gré l'homme au péché, comme s'il y était contraint ?**

Parce qu'il fait partie intégrante du Suprême, l'être est originellement spirituel, pur et libre de toute contamination matérielle. Par nature, il n'est donc pas sujet aux péchés de ce monde. Mais au contact de la matière, il s'adonne sans hésitation à toutes sortes d'activités pécheresses, parfois même contre son gré. La question d'Arjuna concernant la nature pervertie des êtres vivants est donc particulièrement appropriée. L'homme se voit parfois contraint de commettre des méfaits sans l'avoir désiré. Or, ces actes coupables ne sont pas provoqués par l'Âme Suprême. Ils ont, comme l'explique le Seigneur dans le prochain verset, une toute autre cause.

**3.37** श्रीभगवानुवाच
काम एष क्रोध एष रजोगुणसमुद्भवः ।
महाशनो महापाप्मा विद्ध्येनमिह वैरिणम् ॥३७॥

*śrī-bhagavān uvāca*
*kāma eṣa krodha eṣa, rajo-guṇa-samudbhavaḥ*
*mahāśano mahā-pāpmā, viddhy enam iha vairiṇam*

*śri-bhagavān uvāca :* Dieu, la Personne Suprême, dit; *kāmaḥ :* la concupiscence; *eṣaḥ :* cela; *krodhaḥ :* la colère; *eṣaḥ :* cela; *rajaḥ-guṇa :* mode d'influence de la passion; *samudbhavaḥ :* née du; *mahā-aśanaḥ :* entièrement dévastateur; *mahā-pāpmā :* immensément pécheur; *viddhi :* sache; *enam :* ceci; *iha :* dans cet univers matériel; *vairiṇam :* le plus grand ennemi.

**Dieu, la Personne Suprême, répond : C'est la concupiscence seule, Arjuna, qui naît au contact du guṇa de la passion, et qui, par la suite, se transforme en colère. Immense péché, elle est l'ennemi dévastateur du monde.**

Quand l'être vivant entre en contact avec la création matérielle, son amour éternel pour Kṛṣṇa se transforme en concupiscence sous l'influence de la passion, tout comme le lait qui sous l'action du tamarin, se transforme en yaourt. Inassouvie, cette concupiscence se transforme en colère. Et la colère plonge l'être dans l'illusion, qui perpétue son existence matérielle. La concupiscence est donc son plus grand ennemi. C'est elle qui garde l'âme prisonnière de la matière. La colère et ses conséquences sont la manifestation des modes d'influence de l'ignorance et de la passion. Si, en suivant certaines règles de vie, on peut s'élever de la passion à la vertu plutôt que de choir dans l'ignorance, on développera un goût pour le spirituel qui nous préservera de l'avilissement de la colère.

Dieu, la Personne Suprême, S'est multiplié pour que Sa félicité spirituelle – dont tous les êtres sont partie intégrante – ne cesse de croître. Ils ont donc, eux aussi, une certaine indépendance. Mais parce qu'ils l'ont mal utilisée, leur attitude dévotionnelle s'est transformée en désir de jouissance matérielle. Ainsi sont-ils tombés sous l'empire de la concupiscence. Le monde matériel a été créé par le Seigneur pour permettre aux âmes conditionnées de satisfaire leur convoitise, et pour qu'après avoir éprouvé frustration sur frustration, l'homme commence à s'interroger sur sa nature véritable.

Le *Vedānta-sūtra* met d'ailleurs tout de suite l'accent sur cette interrogation : *athāto brahma-jijñāsā* – « On doit s'enquérir de la Vérité Absolue. » Et le *Śrīmad-Bhāgavatam* décrit en ces termes la Vérité Absolue : *janmādy asya yato 'nvayād itarataś ca* – « Le Brahman Suprême est l'origine de toute chose. »

La source de la convoitise se trouve donc également dans l'Absolu. Par conséquent, si elle est transformée en amour pour l'Être Suprême, c'est-à-dire en conscience de Kṛṣṇa – où l'on désire tout pour le Seigneur –, la convoitise et la colère seront spiritualisées. Hanumān, qui était un grand serviteur du Seigneur, Rāma, manifesta sa colère en incendiant la cité d'or du démoniaque Rāvaṇa. Ce geste fit de lui le plus grand dévot du Seigneur. Ici, dans la *Bhagavad-gītā,* Kṛṣṇa incite Arjuna à employer sa colère contre ses ennemis pour Lui plaire. Ainsi, la convoitise et la colère, utilisées au service de Kṛṣṇa, d'ennemies se changent en amies.

**3.38** धूमेनाव्रियते वह्निर्यथादर्शो मलेन च ।
यथोल्बेनावृतो गर्भस्तथा तेनेदमावृतम् ॥३८॥

*dhūmenāvriyate vahnir, yathādarśo malena ca*
*yatholbenāvṛto garbhas, tathā tenedam āvṛtam*

*dhūmena :* par la fumée ; *āvriyate :* est couvert ; *vahniḥ :* le feu ; *yathā :* tout comme ; *ādarśaḥ :* le miroir ; *malena :* par la poussière ; *ca :* aussi ; *yathā :* tout comme ; *ulbena :* par la matrice ; *āvṛtaḥ :* est couvert ; *garbhaḥ :* l'embryon ; *tathā :* ainsi ; *tena :* par cette concupiscence ; *idam :* ceci ; *āvṛtam :* est couvert.

**De même que la fumée masque le feu, que la poussière recouvre le miroir ou que la matrice enveloppe l'embryon, différents degrés de concupiscence recouvrent l'être.**

Trois degrés d'obscurcissement peuvent voiler la conscience pure de l'être, et cet obscurcissement n'est autre que la concupiscence sous ses diverses formes, comparée tantôt à la fumée qui masque le feu, tantôt à la poussière qui couvre le miroir, ou encore à la matrice qui enveloppe l'embryon. Si l'on compare la concupiscence à de la fumée, c'est pour indiquer que le feu de l'étincelle spirituelle est légèrement perceptible. L'être manifestant de façon atténuée sa conscience de Kṛṣṇa est comparé au feu que voile la fumée. Il n'y a jamais de fumée sans feu, même si au départ le feu est presque invisible. Et il en est de même lors de l'éveil de la conscience de Kṛṣṇa. La poussière sur le miroir indique que le miroir du mental doit être nettoyé par des pratiques spirituelles - la meilleure étant le chant des saints noms du Seigneur. Quant à l'embryon qu'enveloppe la matrice, il renvoie l'image d'une condition désespérée, car l'enfant dans le sein de sa mère ne peut quasiment pas bouger.

Cette étape de l'existence est comparable à la vie d'un arbre. L'arbre - qui est aussi un être vivant - a fait montre d'une telle concupiscence qu'il a dû revêtir un corps presque entièrement dépourvu de conscience. L'exemple du miroir que recouvre la poussière peut s'appliquer aux oiseaux et aux mammifères, celui du feu et de la fumée à l'être humain.

La forme humaine offre à l'être vivant l'opportunité de raviver sa conscience de Kṛṣṇa. S'il poursuit son élévation dans cette forme, il parviendra à rallumer en lui le feu de la vie spirituelle, tout comme en manipulant soigneusement la fumée on peut transformer le feu en brasier. La forme humaine permet donc de se libérer des chaînes de l'existence matérielle. Elle est la seule forme qui permette à l'être de vaincre son ennemie, la concupiscence, en lui fournissant la possibilité de développer la conscience de Kṛṣṇa sous la conduite d'un guide compétent.

**3.39** आवृतं ज्ञानमेतेन ज्ञानिनो नित्यवैरिणा ।
कामरूपेण कौन्तेय दुष्पूरेणानलेन च ॥३९॥

*āvṛtaṁ jñānam etena, jñānino nitya-vairiṇā*
*kāma-rūpeṇa kaunteya, duṣpūreṇānalena ca*

*āvṛtam :* couverte; *jñānam :* la conscience pure; *etena :* par cela; *jñāninaḥ :* de celui qui connaît; *nitya-vairiṇā :* par l'ennemi éternel; *kāma-rūpeṇa :* sous la forme de la concupiscence; *kaunteya :* ô fils de Kuntī; *duṣpūreṇa :* qui ne peut jamais être satisfait; *analena :* par le feu; *ca :* aussi.

**C'est ainsi, ô fils de Kuntī, que la conscience pure de l'être connaissant devient voilée par son ennemi éternel, l'insatiable désir qui flambe comme le feu.**

Il est dit dans le *Manu-smṛti* que, tout comme il est impossible d'éteindre un incendie en l'alimentant constamment en combustible, la concupiscence ne peut jamais être assouvie par les plaisirs des sens, aussi nombreux soient-ils. Comme le centre de toutes les activités matérielles est la sexualité, ce monde est une prison dont les chaînes sont la vie sexuelle (*maithunya-āgāra*). De même que les criminels sont jetés en prison et gardés derrière les barreaux, ceux qui enfreignent les lois du Seigneur sont rivés aux chaînes de la vie sexuelle.

Le progrès d'une civilisation matérialiste fondé sur le plaisir des sens implique, pour l'être, un prolongement de l'existence matérielle. La concupiscence symbolise donc l'ignorance, qui garde l'être prisonnier du monde matériel. En procurant du plaisir à ses sens, on peut éprouver une certaine forme de satisfaction, mais ce faux sentiment de bonheur est en fin de compte l'ennemi ultime de celui qui en fait l'expérience.

**3.40** इन्द्रियाणि मनो बुद्धिरस्याधिष्ठानमुच्यते ।
एतैर्विमोहयत्येष ज्ञानमावृत्य देहिनम् ॥४०॥

*indriyāṇi mano buddhir, asyādhiṣṭhānam ucyate*
*etair vimohayaty eṣa, jñānam āvṛtya dehinam*

***indriyāṇi :*** les sens ; ***manaḥ :*** le mental ; ***buddhiḥ :*** l'intelligence ; ***asya :*** de cette concupiscence ; ***adhiṣṭhānam :*** le siège ; ***ucyate :*** sont nommés ; ***etaiḥ :*** par tous ceux-ci ; ***vimohayati :*** plonge dans la confusion ; ***eṣaḥ :*** cette concupiscence ; ***jñānam :*** la connaissance ; ***āvṛtya :*** couvrant ; ***dehinam :*** de l'âme incarnée.

**C'est dans les sens, le mental et l'intelligence, que se loge cette concupiscence. Par leur intermédiaire, elle recouvre le savoir véritable de l'être vivant et l'égare.**

L'ennemi occupe divers points stratégiques dans le corps de l'âme conditionnée. Kṛṣṇa nous les indique pour qu'on puisse le trouver et le vaincre. Le mental est le centre d'activité des sens, où sont stockées toutes les idées de plaisir qui font surface lorsqu'on entend parler des objets des sens. Le mental et les sens étant le siège de la convoitise, l'intelligence devient le foyer des tendances concupiscentes. Sous l'ascendant de la concupiscence, l'intelligence, qui est proche de l'âme, incite cette dernière à développer un faux ego et à s'identifier à la matière, donc au mental et aux sens. L'âme, de plus en plus accoutumée à jouir des sens matériels, en vient à croire que là est le vrai bonheur. Le *Śrīmad-Bhāgavatam* (10.84.13) explique cette méprise de l'âme sur son identité réelle :

*yasyātma-buddhiḥ kuṇape tri-dhātuke*
*sva-dhīḥ kalatrādiṣu bhauma ijya-dhīḥ*

*yat-tīrtha-buddhiḥ salile na karhicij*
*janeṣv abhijñeṣu sa eva go-kharaḥ*

« L'homme qui identifie au moi son corps constitué de trois éléments, qui considère ce qui est lié au corps comme sa parenté ou sa nation, qui fait de sa terre natale un objet de culte, et qui se rend aux lieux saints pour s'y baigner plutôt que pour y rencontrer ceux qui possèdent le savoir transcendantal, ne vaut certes pas mieux qu'un âne ou une vache. »

**3.41** तस्मात्त्वमिन्द्रियाण्यादौ नियम्य भरतर्षभ ।
पाप्मानं प्रजहि ह्येनं ज्ञानविज्ञाननाशनम् ॥४१॥

*tasmāt tvam indriyāṇy ādau, niyamya bharatarṣabha*
*pāpmānaṁ prajahi hy enaṁ, jñāna-vijñāna-nāśanam*

*tasmāt :* donc; *tvam :* toi; *indriyāṇi :* les sens; *ādau :* au début; *niyamya :* en soumettant à des règles; *bharata-ṛṣabha :* ô chef des descendants de Bharata; *pāpmānam :* le grand symbole du péché; *prajahi :* enraye; *hi :* certes; *enam :* ce; *jñāna :* et de la connaissance; *vijñāna :* et de la connaissance scientifique de l'âme pure; *nāśanam :* destructeur.

**Aussi, Arjuna, ô meilleur des Bharatas, commence par enrayer le fléau de la concupiscence, symbole même du péché, en disciplinant tes sens. Écrase ce destructeur de la connaissance et de la réalisation spirituelle.**

Le Seigneur conseille à Arjuna de commencer par maîtriser ses sens, afin de pouvoir vaincre le plus grand ennemi, la concupiscence, qui anéantit le désir de réalisation spirituelle et détruit la connaissance du soi. Le mot *jñāna* s'applique à la connaissance du moi véritable, qui diffère du non-moi, ou en d'autres termes, la connaissance que l'âme n'est pas le corps. *Vijñāna* se rapporte à la connaissance de la condition de l'âme spirituelle dans son essence et de sa relation éternelle avec l'Âme Suprême. Le *Śrīmad-Bhāgavatam* (2.9.31) nous dit à ce sujet :

*jñānaṁ parama-guhyaṁ me, yad vijñāna-samanvitam*
*sa-rahasyaṁ tad-aṅgaṁ ca, gṛhāṇa gaditaṁ mayā*

« La connaissance de l'âme et de l'Âme Suprême est très secrète et mystérieuse. Il est toutefois possible de percer ce savoir et d'obtenir la réalisation qui en découle, si le Seigneur Lui-même nous l'explique sous tous ses aspects. »

La *Bhagavad-gītā* nous livre cette connaissance du soi, aussi bien du point de vue général que du point de vue particulier. Les êtres vivants étant des parties intégrantes du Seigneur, leur unique fonction est de Le servir. Cet état de conscience s'appelle la conscience de Kṛṣṇa. Il faut en suivre le processus dès le début de sa vie, devenir ainsi pleinement conscient de Dieu et agir en accord avec cette conscience.

La concupiscence n'est que le reflet dénaturé de l'amour que tous les êtres portent naturellement à Dieu. Mais si, dès le début de son existence, l'homme est éduqué dans la conscience de Kṛṣṇa, son amour inné pour le Seigneur ne pourra se changer en concupiscence. Quand cet amour dégénère, il est très difficile de recouvrer sa condition naturelle. La conscience de Kṛṣṇa est néanmoins si puissante, que même celui qui l'adopte tardivement a toutes les chances de raviver son amour pour Dieu en observant les principes régulateurs du service de dévotion. On peut donc, à n'importe quel moment de son existence, ou dès que l'on en saisit l'importance et l'urgence, commencer à maîtriser ses sens par la conscience de Kṛṣṇa, le service de dévotion offert au Seigneur, et transformer ainsi la concupiscence en amour pour Dieu – la plus haute perfection de l'existence.

**3.42** इन्द्रियाणि पराण्याहुरिन्द्रियेभ्यः परं मनः ।
मनसस्तु परा बुद्धिर्यो बुद्धेः परतस्तु सः ॥४२॥

*indriyāṇi parāṇy āhur, indriyebhyaḥ paraṁ manaḥ*
*manasas tu parā buddhir, yo buddheḥ paratas tu saḥ*

*indriyāṇi :* les sens ; *parāṇi :* supérieurs ; *āhuḥ :* sont dits ; *indriyebhyaḥ :* plus que les sens ; *param :* supérieur ; *manaḥ :* le mental ; *manasaḥ :* plus que le mental ; *tu :* aussi ; *parā :* supérieure ; *buddhiḥ :* l'intelligence ; *yaḥ :* qui ; *buddheḥ :* plus que l'intelligence ; *parataḥ :* supérieur ; *tu :* mais ; *saḥ :* elle.

**Les sens prévalent sur la matière inerte ; supérieur aux sens est le mental, et l'intelligence surpasse le mental. Mais plus élevée encore est l'âme.**

C'est à travers les sens que la concupiscence peut s'exprimer. Celle-ci, confinée dans le corps, ne s'extériorise que par l'exercice des sens. Ils sont donc supérieurs au corps dans son entier. Or, lorsqu'on développe une conscience supérieure, la conscience de Kṛṣṇa, ils cessent d'agir comme des soupapes. En effet, l'âme consciente de Kṛṣṇa est en union directe avec la Personne Suprême, l'Âme Suprême, en qui culmine, finalement, l'ordre hiérarchique des constituants du corps. L'activité du corps implique le fonctionnement des sens. Si l'on met fin à leur activité, le corps cesse de fonctionner. Mais même quand le corps est inerte, le mental, toujours actif, continue d'agir, comme on peut d'ailleurs le constater dans nos rêves. Or, au-delà du mental se trouve l'intelligence, qui exerce son influence déterminante, et au-delà l'âme proprement dite. Si l'âme entre en communion directe avec l'Absolu, l'intelligence, le mental et les sens, qui lui sont subordonnés, le seront également.

On trouve dans la *Kaṭha Upaniṣad* un passage similaire à ce verset, passage qui explique que les objets des sens sont plus forts que les sens et que le mental est plus fort encore que les objets des sens. Par conséquent, si l'on engage constamment le mental au service du Seigneur, les sens ne pourront emprunter d'autre voie, et comme nous l'avons vu, *paraṁ dṛṣṭvā nivartate,* le mental ne succombera pas à de basses tendances. La *Kaṭha Upaniṣad* qualifie l'âme de *mahān,* supérieure, car elle domine les objets des sens, les sens, le mental et l'intelligence. La solution à tout problème consiste donc à comprendre la condition intrinsèque de l'âme.

On doit utiliser l'intelligence pour comprendre la position constitutive de l'âme, et ensuite toujours engager son mental au service de Kṛṣṇa. En agissant ainsi, on résout tous les problèmes. Il est généralement recommandé au néophyte d'éviter tout contact avec les objets des sens et, en outre, par le biais de l'intelligence, de fortifier le mental. Si l'intelligence est utilisée pour absorber le mental en Kṛṣṇa, dans un abandon total à Sa personne, celui-ci deviendra automatiquement plus fort. Et bien que les sens soient aussi dangereux que des serpents, ils seront tout autant réduits à l'impuissance qu'un serpent dépourvu de crochets. Quand bien même l'âme domine l'intelligence, le mental et les sens, à moins de se fortifier au contact de Kṛṣṇa dans la conscience de Kṛṣṇa, il y a obligatoirement un risque de chute du fait de la turbulence du mental.

**3.43** एवं बुद्धेः परं बुद्ध्वा संस्तभ्यात्मानमात्मना ।
जहि शत्रुं महाबाहो कामरूपं दुरासदम् ॥४३॥

*evaṁ buddheḥ paraṁ buddhvā*
*saṁstabhyātmānam ātmanā*

*jahi śatruṁ mahā-bāho*
*kāma-rūpaṁ durāsadam*

*evam :* ainsi ; *buddheḥ :* à l'intelligence ; *param :* supérieur ; *buddhvā :* sachant ; *saṁstabhya :* en tempérant ; *ātmānam :* le mental ; *ātmanā :* par une intelligence délibérée ; *jahi :* conquiers ; *śatrum :* l'ennemi ; *mahā-bāho :* ô Arjuna aux bras puissants ; *kāma-rūpam :* sous la forme de la concupiscence ; *durāsadam :* formidable.

**Ainsi sachant le soi au-delà des sens, du mental et de l'intelligence matériels, ô Arjuna aux bras puissants, tempère ton mental par l'action délibérée de l'intelligence spirituelle [la conscience de Kṛṣṇa] et de par cette force spirituelle, conquiers cet ennemi insatiable qu'est la concupiscence.**

Ce troisième chapitre de la *Bhagavad-gītā* nous oriente de façon concluante vers la conscience de Kṛṣṇa. Il nous apprend à nous reconnaître comme les serviteurs éternels de la Personne Suprême, et à ne pas considérer le vide impersonnel comme l'objectif ultime. Au cours de son existence, l'homme est assurément porté à la concupiscence et désire se rendre maître des ressources de la nature matérielle. Ces désirs de domination et de jouissance sont les plus grands ennemis de l'âme conditionnée. Mais forts de la conscience de Kṛṣṇa, il est possible de maîtriser nos sens, notre mental et notre intelligence matériels. Il ne faut pas abandonner son devoir et cesser brusquement d'agir, mais développer graduellement la conscience de Kṛṣṇa – avec une intelligence ferme, rompue à la recherche de la pure identité du soi – pour s'établir au niveau transcendantal où l'on n'est plus influencé par les sens et le mental. Tel est l'enseignement de ce chapitre. Tant que l'homme reste plongé dans l'existence matérielle, la spéculation philosophique et la maîtrise artificielle des sens par la prétendue pratique de postures de yoga ne peuvent en rien servir à son évolution spirituelle. Il doit être guidé dans la conscience de Kṛṣṇa par une intelligence supérieure.

*Ainsi s'achèvent les teneurs et portées de Bhaktivedanta sur le troisième chapitre de la* Śrīmad Bhagavad-gītā *traitant du* karma-yoga, *ou de l'accomplissement des devoirs prescrits dans la conscience de Kṛṣṇa.*

QUATRIÈME CHAPITRE

# La connaissance transcendantale

4.1 श्रीभगवानुवाच
इमं विवस्वते योगं प्रोक्तवानहमव्ययम् ।
विवस्वान्मनवे प्राह मनुरिक्ष्वाकवेऽब्रवीत् ॥ १ ॥

*śrī-bhagavān uvāca*
*imaṁ vivasvate yogaṁ, proktavān aham avyayam*
*vivasvān manave prāha, manur ikṣvākave 'bravīt*

*śrī-bhagavān uvāca :* Dieu, la Personne Suprême, dit ; *imam :* cette ; *vivasvate :* au *deva* du soleil ; *yogam :* science qui traite de la relation unissant l'être distinct à l'Absolu ; *proktavān :* instruisis ; *aham :* Je ; *avyayam :* impérissable ; *vivasvān :* Vivasvān, le *deva* du soleil ; *manave :* au père de l'humanité (nommé Vaivasvata) ; *prāha :* dit ; *manuḥ :* le père de l'humanité ; *ikṣvākave :* au roi Ikṣvāku ; *abravīt :* dit.

**Dieu, la Personne Suprême, Śrī Kṛṣṇa, dit : J'ai donné cette impérissable science du yoga à Vivasvān, le deva du soleil, qui la transmit à Manu, le père de l'humanité, lequel à son tour l'enseigna à Ikṣvāku.**

Ce verset relate l'histoire de la *Bhagavad-gītā,* depuis les temps très anciens où son enseignement fut dispensé aux rois de chaque planète, et en premier lieu, au roi du soleil. Les rois, qui ont pour devoir de protéger le peuple, sont tenus de connaître la science de la *Bhagavad-gītā* afin d'être aptes à gouverner les citoyens et à les préserver de la concupiscence qui les enchaîne à la matière. La vie humaine est faite pour cultiver la connaissance spirituelle, en relation éternelle avec Dieu, la Personne Suprême. Sur toutes les planètes et dans chaque nation, il incombe aux dirigeants de transmettre ce savoir, cette science de la conscience de Kṛṣṇa, à leurs concitoyens par le biais de l'éducation, de la culture et de la dévotion, afin que tous puissent tirer le meilleur parti de la forme humaine en suivant la voie qui mène à la réussite spirituelle.

Sur le soleil, source de toutes les planètes du système solaire, le *deva* majeur porte, dans notre ère, le nom de Vivasvān. Brahmā, dans sa *Brahma-saṁhitā* (5.52), nous dit :

*yac-cakṣur eṣa savitā sakala-grahāṇāṁ*
*rājā samasta-sura-mūrtir aśeṣa-tejāḥ*
*yasyājñayā bhramati sambhṛta-kāla-cakro*
*govindam ādi-puruṣaṁ tam ahaṁ bhajāmi*

« J'adore Govinda [Kṛṣṇa], Dieu, la Personne Suprême et originelle. C'est Lui qui donne au soleil, roi de tous les astres, son immense pouvoir et son intense chaleur. Le soleil représente l'œil du Seigneur, et s'il parcourt son orbite, c'est pour répondre à Son ordre. »

Le soleil est le roi de toutes les planètes, car il donne à chacune chaleur et lumière. C'est sur l'ordre de Kṛṣṇa qu'il parcourt son orbite. Au *deva* du soleil, Vivasvān, Kṛṣṇa enseigna originellement la science de la *Bhagavad-gītā,* faisant de lui Son premier disciple. La *Bhagavad-gītā* n'est donc pas un recueil de spéculations destiné à quelque érudit profane, mais un ouvrage authentique présentant une connaissance spirituelle transmise depuis des temps immémoriaux.

Le *Mahābhārata* (*Śānti-parva* 348.51-52) retrace ainsi l'histoire de la *Bhagavad-gītā* :

*tretā-yugādau ca tato, vivasvān manave dadau*
*manuś ca loka-bhṛty-arthaṁ, sutāyekṣvākave dadau*
*ikṣvākuṇā ca kathito, vyāpya lokān avasthitaḥ*

« Au début du Tretā-yuga, Vivasvān enseigna à Manu la science de la relation qui unit l'homme à Dieu. À son tour, Manu, père de l'humanité, la transmit à son fils, Mahārāja Ikṣvāku, roi de la terre et ancêtre de la dynastie Raghu où Se manifesta le divin *avatāra,* Rāmacandra. » L'homme connaît donc la *Bhagavad-gītā* depuis l'époque de Mahārāja Ikṣvāku.

Nous vivons à présent dans le Kali-yuga, âge d'une durée de 432 000 ans, dont 5 000 seulement se sont écoulés. Avant cet âge, il y eut le Dvāpara-yuga (864 000 ans) et le Tretā-yuga (1 296 000 ans). Manu enseigna donc la *Bhagavad-gītā* à son fils et disciple, Mahārāja Ikṣvāku, roi de la terre, il y a plus de 2 000 000 d'années. La longévité du Manu de notre ère est d'environ 305 300 000 ans, dont 120 400 000 années sont déjà passées. Puisque le Seigneur énonça la *Bhagavad-gītā* à Son disciple, Vivasvān, le *deva* du soleil, avant la naissance de Manu, on peut estimer que cet enseignement fut donné il y a approximativement 120 400 000 ans. L'humanité quant à elle bénéficie de cette connaissance depuis plus de 2 000 000 d'années. Et le Seigneur la transmit de nouveau à Arjuna il y a 5 000 ans. Tel est donc, sommairement, d'après l'écrit lui-même et selon Son auteur, Kṛṣṇa, l'origine historique de la *Bhagavad-gītā.*

Parce qu'il était un *kṣatriya* et l'ancêtre originel des *kṣatriyas sūrya-vaṁśas* – descendants du *deva* du soleil – Vivasvān fut choisi en premier pour recevoir cette sagesse. La *Bhagavad-gītā* ayant la même authenticité que les Védas puisqu'elle fut énoncée par le Seigneur Lui-même, elle est dite *apauruṣeya,* « au-delà du savoir humain ». Il convient donc de la recevoir comme on le fait pour toute instruction védique, c'est-à-dire sans l'interpréter. Les ergoteurs ont beau spéculer à leur façon sur la *Gītā,* les conclusions qu'ils en tirent n'ont rien à voir avec le livre originel. On doit en effet accepter la *Bhagavad-gītā* telle qu'elle est, par le biais d'une filiation spirituelle authentique, à la manière dont Ikṣvāku la reçut de son père Manu, et Manu de son propre père Vivasvān, qui lui-même l'avait reçue de Kṛṣṇa.

**4.2** एवं परम्पराप्राप्तमिमं राजर्षयो विदुः ।
स कालेनेह महता योगो नष्टः परन्तप ॥ २ ॥

*evaṁ paramparā-prāptam, imaṁ rājarṣayo viduḥ*
*sa kāleneha mahatā, yogo naṣṭaḥ paran-tapa*

*evam :* ainsi ; *paramparā :* par la succession disciplique ; *prāptam :* reçue ; *imam :* cette science ; *rāja-ṛṣayaḥ :* les saints rois ; *viduḥ :* comprirent ; *saḥ :* cette connaissance ; *kālena :* au fil du temps ; *iha :* en ce monde ; *mahatā :* grande ; *yogaḥ :* la science qui traite de la relation unissant l'être à l'Absolu ; *naṣṭaḥ :* dissipée ; *param-tapa :* ô Arjuna, vainqueur de l'ennemi.

**Cette science suprême fut transmise à travers une succession disciplique, et les saints rois la reçurent ainsi. Mais au fil du temps, la filiation s'est rompue, et cette science, dans son intégrité originelle, semble maintenant perdue.**

Il apparaît clairement ici que la *Bhagavad-gītā* était spécialement destinée aux saints rois, auxquels incombait le devoir d'en appliquer les principes pour gouverner le peuple. Son but n'a certes jamais été de servir les intérêts d'êtres démoniaques qui iraient l'interpréter sans retenue et la dénaturer au détriment de tous. Quand, à des fins personnelles, des commentateurs sans scrupule la détournèrent de son objectif premier, il devint nécessaire de rétablir l'authentique succession disciplique. Il y a 5000 ans, le Seigneur en personne constata que la filiation spirituelle s'était rompue, et déclara que le véritable objectif de la *Bhagavad-gītā* semblait avoir été perdu.

De même aujourd'hui, on trouve une multitude de traductions de la *Bhagavad-gītā* (particulièrement en anglais), dont presque aucune n'est en accord avec la succession disciplique authentique. De nombreux érudits profanes ont fait l'exégèse de la *Bhagavad-gītā,* sans reconnaître véritablement, pour la plupart, que Kṛṣṇa est Dieu, la Personne Suprême. Ils savent néanmoins se servir de Ses paroles pour leur propre profit. Cette attitude est démoniaque, car ils nient l'existence de Dieu tout en jouissant de ce qui Lui appartient.

Le présent ouvrage tente de répondre au besoin pressant d'une édition de la *Gītā* conforme à la *paramparā* (succession disciplique). Si on l'accepte telle qu'elle est, la *Bhagavad-gītā* apportera le plus grand bien à l'humanité, mais si on l'étudie comme un simple recueil de spéculations philosophiques, on perdra son temps.

**4.3** स एवायं मया तेऽद्य योगः प्रोक्तः पुरातनः ।
भक्तोऽसि मे सखा चेति रहस्यं ह्येतदुत्तमम् ॥ ३ ॥

*sa evāyaṁ mayā te 'dya, yogaḥ proktaḥ purātanaḥ*
*bhakto 'si me sakhā ceti, rahasyaṁ hy etad uttamam*

*saḥ :* la même ; *eva :* certes ; *ayam :* cette ; *mayā :* par Moi ; *te :* à toi ; *adya :* aujourd'hui ; *yogaḥ :* science du *yoga* ; *proktaḥ :* exposée ; *purātanaḥ :* très ancienne ; *bhaktaḥ :* dévot ; *asi :* tu es ; *me :* Mon ; *sakhā :* ami ; *ca :* aussi ; *iti :* donc ; *rahasyam :* mystère ; *hi :* certainement ; *etat :* ce ; *uttamam :* transcendantal.

**Si Je t'enseigne aujourd'hui cette science très ancienne qui traite de l'union avec le Suprême, c'est parce que tu es Mon dévot et Mon ami, et qu'ainsi tu peux en percer le mystère transcendantal.**

Il y a deux catégories d'hommes : les êtres de nature dévotionnelle et les êtres de nature démoniaque. Si le Seigneur choisit Arjuna pour recevoir cette grande science, c'est parce qu'il est Son dévot et peut, par conséquent, en percer le mystère - chose impossible pour qui possède une mentalité démoniaque. Il existe de nombreuses éditions de ce remarquable ouvrage, certaines commentées par des dévots, d'autres par des personnes démoniaques. Les explications des dévots présentent l'écrit tel qu'il est, celles des athées sont par contre sans intérêt.

Arjuna reconnaît Kṛṣṇa comme étant Dieu, la Personne Suprême, et tout commentateur de la *Bhagavad-gītā* qui marche sur ses traces sert véritablement la cause de cette grande science. Les gens à l'esprit démoniaque, pour leur part, n'acceptent pas Kṛṣṇa pour ce qu'Il est et ne font qu'égarer leurs lecteurs. En spéculant sur Sa nature, ils les éloignent de Son véritable enseignement. Il est donc recommandé de ne pas se laisser égarer dans des voies trompeuses, mais au contraire de suivre la lignée disciplique d'Arjuna pour connaître les bienfaits que procure l'admirable science de la *Śrīmad Bhagavad-gītā*.

**4.4** अर्जुन उवाच

अपरं भवतो जन्म परं जन्म विवस्वतः ।

कथमेतद्विजानीयां त्वमादौ प्रोक्तवानिति ॥ ४ ॥

*arjuna uvāca*

*aparaṁ bhavato janma, paraṁ janma vivasvataḥ*

*katham etad vijānīyāṁ, tvam ādau proktavān iti*

*arjunaḥ uvāca :* Arjuna dit ; *aparam :* postérieure ; *bhavataḥ :* Ta ; *janma :* naissance ; *param :* antérieure ; *janma :* la naissance ; *vivasvataḥ :* du *deva* du soleil ; *katham :* comment ; *etat :* ceci ; *vijānīyām :* comprendrais-je ; *tvam :* Toi ; *ādau :* à l'origine ; *proktavān :* instruisis ; *iti :* ainsi.

**Arjuna dit : Vivasvān, le deva du soleil, apparut bien avant Toi. Comment se peut-il qu'à l'origine Tu lui aies donné cette science ?**

Comment Arjuna, un dévot de Kṛṣṇa, peut-il douter des paroles du Seigneur ? C'est qu'en fait il ne demande pas d'éclaircissements pour lui-même, mais pour ceux qui ne croient pas en Dieu ou qui n'acceptent pas Kṛṣṇa comme la Personne Suprême. C'est uniquement pour eux qu'Arjuna, agissant comme s'il n'était pas conscient de la nature divine de Kṛṣṇa, pose cette question. Comme le montrera clairement le dixième chapitre, Arjuna sait bien que Kṛṣṇa est Dieu, la Personne Suprême, la source de tout ce qui est, l'étape ultime de la transcendance. Mais Kṛṣṇa étant apparu sur terre en tant que fils de Devakī, comment le commun des mortels pourrait-il comprendre qu'Il puisse être Dieu, la Personne Suprême éternelle et originelle ? Arjuna demande donc à Kṛṣṇa de clarifier ce mystère. Aujourd'hui, comme de tout temps, Kṛṣṇa est reconnu comme la plus grande autorité en matière spirituelle. Seuls les matérialistes démoniaques rejettent l'authenticité de Ses propos. Arjuna questionne donc directement Kṛṣṇa pour qu'Il Se décrive Lui-même. Il ne veut pas s'en remettre aux dires d'athées sans scrupule qui veulent toujours dénaturer Kṛṣṇa, en Le décrivant d'une manière que seuls eux et leurs partisans peuvent comprendre.

Comme il est dans l'intérêt de chacun de connaître la science de Kṛṣṇa, le Seigneur, en dévoilant Sa propre nature, apporte le plus grand bien qui soit au monde entier. Les gens de mentalité démoniaque qui analysent le Seigneur selon leur propre point de vue trouveront peut-être étranges les explications que Kṛṣṇa donne sur Sa propre personne, mais pas les dévots qui accueillent toujours avec joie les enseignements venant directement de Lui. Parce qu'ils sont toujours avides d'en savoir plus à Son sujet, les *bhaktas* vénèrent toujours les paroles de Kṛṣṇa – paroles qui font autorité. Même les athées, qui Le tiennent pour un homme ordinaire, seront ainsi susceptibles de reconnaître que Kṛṣṇa est bien supérieur aux hommes, qu'Il est *sac-cid-ānanda-vigraha,* la forme éternelle de connaissance et de félicité, qu'Il transcende la matière et qu'Il ne subit pas l'emprise des trois *guṇas,* pas plus que l'influence du temps et de l'espace. Un dévot comme Arjuna ne peut évidemment pas se méprendre sur la nature transcendantale de Kṛṣṇa. Sa question n'a d'autre but que de défier l'athée qui considère Kṛṣṇa comme un homme ordinaire, sujet aux modes d'influence de la nature matérielle.

**4.5** श्रीभगवानुवाच
बहूनि मे व्यतीतानि जन्मानि तव चार्जुन ।
तान्यहं वेद सर्वाणि न त्वं वेत्थ परन्तप ॥ ५ ॥

*śrī-bhagavān uvāca*
*bahūni me vyatītāni, janmāni tava cārjuna*
*tāny ahaṁ veda sarvāṇi, na tvaṁ vettha paran-tapa*

*śrī-bhagavān uvāca :* Dieu, la Personne Suprême, dit ; *bahūni :* beaucoup ; *me :* des Miennes ; *vyatītāni :* ont passé ; *janmāni :* naissances ; *tava :* des tiennes ; *ca :* et aussi ; *arjuna :* ô Arjuna ; *tāni :* toutes ces ; *aham :* Je ; *veda :* connais ; *sarvāṇi :* toutes ; *na :* ne pas ; *tvam :* toi ; *vettha :* connais ; *param-tapa :* ô Arjuna, vainqueur de l'ennemi.

**Dieu, la Personne Suprême, répond : Ô toi qui toujours triomphes de l'ennemi, bien que nous ayons tous deux traversé d'innombrables existences, Je Me souviens de toutes, quand toi, tu les as oubliées.**

La *Brahma-saṁhitā* (5.33) nous informe qu'il existe de très nombreuses incarnations divines :

*advaitam acyutam anādim ananta-rūpam*
*ādyaṁ purāṇa-puruṣaṁ nava-yauvanaṁ ca*
*vedeṣu durlabham adurlabham ātma-bhaktau*
*govindam ādi-puruṣaṁ tam ahaṁ bhajāmi*

« J'adore Govinda [Kṛṣṇa], Dieu, la Personne Suprême et originelle. Il est absolu, infaillible, et n'a pas de commencement. Bien que de Sa personne émanent d'innombrables formes, Il demeure toujours le même ; Il demeure la Personne originelle. Quoique le plus ancien, Il garde une éternelle jeunesse. Si Ses formes éternelles, bienheureuses et omniscientes ne sont pas accessibles à l'entendement des philosophes les plus versés dans les Écrits védiques, elles se manifestent toujours aux yeux des purs dévots. »

Puis elle poursuit ainsi :

*rāmādi-mūrtiṣu kalā-niyamena tiṣṭhan*
*nānāvatāram akarod bhuvaneṣu kintu*
*kṛṣṇaḥ svayaṁ samabhavat paramaḥ pumān yo*
*govindam ādi-puruṣaṁ tam ahaṁ bhajāmi*

« J'adore Govinda [Kṛṣṇa], Dieu, la Personne Suprême. Il apparaît toujours en ce monde sous diverses formes, tels Rāma, Nṛsiṁha, ou sous celles de nombreux *avatāras* secondaires. Il est cependant la Personne Divine originelle, Kṛṣṇa, qui apparaît Lui aussi en ce monde. » (*B.s.* 5.39)

Les Védas déclarent aussi que bien qu'Il soit un, sans égal, le Seigneur Se manifeste sous d'innombrables formes. Il est semblable au joyau *vaidhūrya,* qui change constamment de couleur tout en restant le même. Ces multiples aspects du Seigneur ne peuvent être compris que des seuls purs dévots, et non de ceux qui se limitent à une étude superficielle des Védas (*vedeṣu durlabham adurlabham ātma-bhaktau*).

Les dévots comme Arjuna sont des compagnons éternels du Seigneur et ils L'accompagnent chaque fois qu'Il descend dans l'univers matériel. Ils assument alors diverses fonctions afin de Le servir. Ainsi, notre verset montre qu'il y a plusieurs millions d'années, lorsque Kṛṣṇa énonça la *Bhagavad-gītā* au *deva* du soleil Vivasvān, Arjuna était présent, mais dans un autre rôle. Et Kṛṣṇa S'en souvient, quand Arjuna l'a oublié. Voilà ce qui distingue le Seigneur Suprême de l'être infime émanant de Lui. Arjuna, comme l'indique ce verset, est un puissant héros, à même de triompher de tous ses adversaires, mais il est incapable cependant de se souvenir de ses vies passées. Par conséquent, quelle que soit son importance d'un point de vue matériel, l'être vivant ne peut jamais égaler le Seigneur. Même Ses compagnons, qui sont tous des êtres libérés comme Arjuna, ne peuvent y parvenir.

Le Seigneur, dit la *Brahma-saṁhitā,* est infaillible (*acyuta*), ce qui signifie qu'Il n'oublie jamais Son identité, même au contact de la matière. Arjuna, par contre, bien qu'il soit un dévot du Seigneur, se méprend parfois sur la véritable nature de Kṛṣṇa. Mais par la grâce divine, un dévot peut en un instant comprendre la nature infaillible du Seigneur, alors que le non-dévot ou le démon n'y parviennent jamais. Leurs cerveaux démoniaques ne peuvent percer le sens de la *Bhagavad-gītā*. Kṛṣṇa et Arjuna sont tous deux éternels, mais l'un garde conscience d'actes accomplis des millions d'années auparavant, quand l'autre les a oubliés. C'est qu'en changeant de corps, l'être vivant oublie tout de sa vie passée, alors que le Seigneur, dont le corps *sac-cid-ānanda* ne subit aucune variation, Se souvient de tout. Il est *advaita* : Son corps n'est pas différent de Lui. À l'inverse de l'âme conditionnée, qui est différente de son enveloppe charnelle, tout ce qui touche à Sa Personne Divine est spirituel. Et parce que Son corps et Sa personnalité sont une seule et même chose, Kṛṣṇa Se distingue toujours de l'être ordinaire, même lorsqu'Il descend dans l'univers matériel. Il est toutefois impossible aux êtres démoniaques d'admettre cette nature absolue, pourtant si clairement décrite par Kṛṣṇa Lui-même dans le verset suivant.

**4.6** अजोऽपि सन्नव्ययात्मा भूतानामीश्वरोऽपि सन् ।
प्रकृतिं स्वामधिष्ठाय सम्भवाम्यात्ममायया ॥ ६ ॥

*ajo 'pi sann avyayātmā, bhūtānām īśvaro 'pi san*
*prakṛtiṁ svām adhiṣṭhāya, sambhavāmy ātma-māyayā*

*ajaḥ :* non né; *api :* bien que; *san :* étant ainsi; *avyaya :* sans détérioration; *ātmā :* le corps; *bhūtānām :* de tous ceux qui sont nés; *īśvaraḥ :* le Seigneur Suprême; *api :* bien que; *san :* étant ainsi; *prakṛtim :* dans la forme transcendantale; *svām :* de Moi; *adhiṣṭhāya :* étant ainsi situé; *sambhavāmi :* Je M'incarne; *ātma-māyayā :* grâce à Mon énergie interne.

**Bien que Je sois non né et que Mon corps spirituel ne se détériore jamais, bien que Je sois le Seigneur de tous les êtres, J'apparais en chaque âge dans Ma forme originelle.**

Le Seigneur a exposé les caractéristiques très particulières de Sa venue en ce monde : bien qu'apparaissant comme un être ordinaire, Il garde le parfait souvenir de Ses innombrables « naissances », alors que l'homme du commun est souvent incapable de dire ce qu'il a fait quelques heures plus tôt. Il sera bien difficile à quelqu'un à qui l'on demande ce qu'il faisait la veille à la même heure de donner une réponse immédiate. Il devra longuement réfléchir pour s'en souvenir. Malgré cela, des gens osent se proclamer Dieu, Kṛṣṇa. Nul ne devrait se laisser abuser par des prétentions aussi absurdes.

Le Seigneur décrit ici Sa *prakṛti,* Sa forme. Le mot *prakṛti* signifie « nature », mais aussi la forme réelle de l'être, *svarūpa.* Le Seigneur dit qu'Il apparaît en ce monde dans Son propre corps. Il ne transmigre donc pas d'un corps à un autre comme les êtres ordinaires. Tout être conditionné par la matière revêt un certain type de corps en cette vie, puis un autre dans sa prochaine existence. Il ne possède pas de corps définitif.

En ce qui Le concerne, le Seigneur n'est pas sujet à cette loi. Chaque fois qu'Il apparaît, c'est par Sa puissance interne, dans Sa forme à deux bras, tenant une flûte, Sa forme originelle, immuable et éternelle. Son corps n'est nullement contaminé au contact de l'univers matériel. Même s'Il semble venir au monde comme n'importe quel être vivant, Il est le Seigneur de l'univers et Se manifeste dans Sa forme transcendantale et immuable. Comme Son corps ne se dégrade pas, Śrī Kṛṣṇa prend la forme d'un enfant, d'un adolescent puis d'un jeune homme, mais aussi surprenant que cela puisse paraître, Il conserve toujours par la suite l'apparence d'un jeune homme.

À l'époque de la bataille de Kurukṣetra, Kṛṣṇa avait d'innombrables petits-enfants, et selon nos calculs modernes, aurait dû être très âgé. Pourtant, Ses traits étaient ceux d'un jeune homme de vingt à vingt-cinq ans. Jamais d'ailleurs on ne verra Kṛṣṇa représenté sous la forme d'un vieillard car, bien qu'Il ait été, qu'Il soit et qu'Il demeure à jamais la Personne la plus ancienne, Il n'a pas, comme nous, à vieillir. Ni Son corps, ni Son intelligence ne s'affaiblissent ou ne changent. Il est clair que même en ce monde, Il demeure le Non-né, l'éternelle forme de connaissance et de félicité. Son intelligence et Son corps sont inaltérables et transcendantaux.

Kṛṣṇa Se montre, puis Se soustrait à notre vue, comme le fait le soleil qui se lève, se déplace devant nos yeux et quitte notre champ de vision. Nous croyons le soleil couché lorsqu'il est hors de vue, et levé lorsqu'il apparaît à l'horizon, quand, en réalité, il ne quitte pas sa place dans le ciel. Notre méprise est simplement due à nos sens imparfaits. L'apparition et la disparition de Kṛṣṇa en ce monde n'ont rien de semblable à celles d'un homme ordinaire. Il est donc évident qu'Il est, par Sa puissance interne, connaissance et félicité éternelles, et qu'Il n'est jamais contaminé par la nature matérielle. Les Védas vont également dans ce sens : bien qu'Il semble naître en ce monde et S'y manifester sous de multiples formes, Dieu est non né. Les annexes des Védas affirment elles aussi que même pour naître, le Seigneur n'a pas à changer de corps. Dans le *Bhāgavatam,* on Le voit paraître devant Sa mère sous la forme de Nārāyaṇa, doté de quatre bras et pourvu des six opulences divines.

Selon le dictionnaire *Viśva-kośa,* le mot *māyā,* ou *ātma-māyā,* se rapporte à la miséricorde immotivée du Seigneur. Sa miséricorde est donc à l'origine de Son apparition en ce monde dans Sa forme originelle et éternelle. Elle permet aux hommes de méditer sur Lui, tel qu'Il est véritablement. Cette forme n'est pas – comme le pensent les impersonnalistes – une quelconque invention mentale. Le Seigneur est toujours conscient de Ses apparitions et disparitions antérieures, alors que l'être ordinaire oublie tout de son corps précédent dès qu'il en revêt un autre. Kṛṣṇa est le Seigneur de tous les êtres, car lorsqu'Il vient sur terre, Il accomplit des actes surnaturels et merveilleux. Il demeure donc toujours la même Vérité Absolue et Ses attributs ne diffèrent pas de Son corps, ni Sa forme de Lui-même. On pourrait toutefois se poser cette question : pourquoi le Seigneur apparaît-Il et disparaît-Il de ce monde ? Le verset suivant nous en donne la réponse.

**4.7** यदा यदा हि धर्मस्य ग्लानिर्भवति भारत ।
अभ्युत्थानमधर्मस्य तदात्मानं सृजाम्यहम् ॥ ७ ॥

*yadā yadā hi dharmasya, glānir bhavati bhārata*
*abhyutthānam adharmasya, tadātmānaṁ sṛjāmy aham*

*yadā yadā :* chaque fois, où que ce soit ; *hi :* certes ; *dharmasya :* de la religion ; *glāniḥ :* des écarts ; *bhavati :* apparaissent ; *bhārata :* ô descendant de Bharata ; *abhyutthānam :* la prédominance ; *adharmasya :* de l'irréligion ; *tadā :* à ce moment ; *ātmānam :* Moi-même ; *sṛjāmi :* Me manifeste ; *aham :* Je.

**Chaque fois qu'en quelque endroit de l'univers les principes de la religion connaissent un déclin et que s'élève l'irréligion, ô descendant de Bharata, Je descends en personne.**

Le terme *sṛjāmi* est ici très important. Il n'a pas le sens de création, puisque le verset précédent précise que la forme de Dieu – Son corps – n'a pas été créée. Toutes les formes sous lesquelles Il apparaît sont éternelles. Le mot *sṛjāmi* signifie donc que Kṛṣṇa Se manifeste tel qu'Il est. Bien que d'ordinaire, Il apparaisse à des périodes déterminées (une fois dans chaque jour de Brahmā, sous le règne du septième Manu, à la fin du Dvāpara-yuga du vingt-huitième *kalpa*), cette règle ne Le contraint pas, et Il reste libre d'agir comme bon Lui semble. Il vient donc par Sa propre volonté chaque fois que l'irréligion prédomine et que la véritable religion disparaît. Les principes de la religion sont exposés dans les Védas, et l'on se dégrade au point de devenir irréligieux dès qu'on néglige de les suivre. Le *Bhāgavatam* enseigne que ces principes sont les lois de Dieu. Dieu est le seul qui puisse créer une religion. C'est donc Lui qui, originellement, énonça les Védas dans le cœur de Brahmā, le premier être créé. Ainsi, les principes du *dharma,* de la religion, relèvent des instructions directes de Dieu, la Personne Suprême (*dharmaṁ tu sākṣād bhagavat-praṇītam*), et on les retrouve d'un bout à l'autre de la *Bhagavad-gītā*. Les Védas ont pour but d'établir ces principes sous les directives du Seigneur Suprême, Lequel, à la fin de la *Bhagavad-gītā,* affirme que le summum de la religion est de s'abandonner à Lui seul.

Les principes védiques nous conduisent donc vers un abandon total à Dieu. Et, chaque fois que des hommes de nature démoniaque s'opposent au respect de ces principes, le Seigneur apparaît. Le *Bhāgavatam* nous explique que si Buddha, qui est une incarnation de Kṛṣṇa, vint à une époque où le matérialisme avait envahi la terre, c'est que les athées s'appuyaient sur les Védas pour justifier leurs actes pervers : sous prétexte de sacrifices, ils tuaient d'innocentes bêtes, sans tenir compte des restrictions très sévères des Védas, qui n'admettent les sacrifices d'animaux que dans certains cas seulement. Buddha vint pour mettre fin à ces massacres inutiles et instituer les principes de la non-violence. Tous les *avatāras* du Seigneur ont donc une mission particulière à remplir, et ils sont décrits dans les Écritures révélées. Par conséquent, nul ne peut être considéré comme un *avatāra* à moins d'être mentionné dans ces écrits.

Il est faux de dire que le Seigneur n'apparaît qu'en Inde. Il peut Se manifester n'importe où et quand Il le désire. Lorsqu'Il vient, sous une forme ou sous une autre, Il donne aux hommes, selon les lieux et circonstances, autant de connaissance spirituelle qu'ils peuvent en assimiler. Mais la mission de tous les *avatāras* est toujours la même : amener l'humanité à prendre conscience de Dieu et à respecter les principes de la religion. Parfois, Kṛṣṇa descend personnellement ;

d'autres fois, Il envoie Son représentant légitime, qui peut être Son fils, Son serviteur, ou Lui-même sous une forme déguisée.

Les principes de la *Bhagavad-gītā* furent énoncés à Arjuna, comme à d'autres éminentes personnes, car il était spirituellement très avancé par rapport aux gens d'autres parties du monde. Deux et deux font quatre : c'est là une vérité admise aussi bien par l'écolier que par l'universitaire. Mais le calcul élémentaire n'en diffère pas moins des mathématiques savantes. De même, les principes qu'enseignent les différentes incarnations divines sont toujours identiques, mais selon les circonstances, ils se présentent sous une forme simplifiée ou élaborée. Comme on le verra plus loin, les principes spirituels supérieurs ne deviennent accessibles qu'à partir du moment où l'on accepte le *varṇāśrama-dharma* (les quatre statuts sociaux et les quatre ordres spirituels). La mission des *avatāras* est toujours de raviver en chacun la conscience de Kṛṣṇa, laquelle se manifeste ou non selon les circonstances.

**4.8** परित्राणाय साधूनां विनाशाय च दुष्कृताम् ।
धर्मसंस्थापनार्थाय सम्भवामि युगे युगे ॥ ८ ॥

*paritrāṇāya sādhūnāṁ, vināśāya ca duṣkṛtām*
*dharma-saṁsthāpanārthāya, sambhavāmi yuge yuge*

*paritrāṇāya :* pour la délivrance; *sādhūnām :* des dévots; *vināśāya :* pour la destruction; *ca :* et; *duṣkṛtām :* des mécréants; *dharma :* les principes de la spiritualité; *saṁsthāpana-arthāya :* pour rétablir; *sambhavāmi :* J'apparais; *yuge :* ère; *yuge :* après ère.

**J'apparais d'âge en âge pour libérer les croyants, anéantir les mécréants et rétablir les principes de la religion.**

La *Bhagavad-gītā* définit le *sādhu* (saint homme) comme un être conscient de Kṛṣṇa. Même s'il peut paraître irréligieux vu de l'extérieur, celui qui possède intégralement les qualifications propres à la conscience de Kṛṣṇa est un *sādhu. Duṣkṛtām,* au contraire, s'applique à ceux qui n'ont aucun intérêt pour la conscience de Kṛṣṇa. On dit qu'ils sont les moins intelligents et les plus déchus des hommes, quand bien même ils auraient bénéficié d'une bonne éducation, alors que l'homme absorbé à cent pour cent dans la conscience de Kṛṣṇa est toujours considéré comme un *sādhu,* même s'il n'a ni instruction ni éducation.

Kṛṣṇa n'est nullement contraint d'apparaître en personne pour anéantir les athées comme Il le fit avec Rāvaṇa et Kaṁsa. Ses nombreux agents sont parfaitement capables de s'en charger. Il vient tout particulièrement pour soulager Ses purs dévots, sans cesse harcelés par des gens démoniaques. Ces derniers s'attaquent même aux dévots qui ont vu le jour dans leur famille. Prahlāda Mahārāja, par exemple, fut persécuté par son père, Hiraṇyakaśipu, tout comme Vasudeva et Devakī, le père et la mère de Kṛṣṇa, furent tourmentés par Kaṁsa, le frère de Devakī, simplement parce que Kṛṣṇa devait naître de leur union. Si Kṛṣṇa apparut, ce fut plus pour délivrer Devakī que pour supprimer Kaṁsa, même si ces deux missions furent remplies simultanément. Aussi est-il écrit que le Seigneur descend sous diverses formes pour délivrer les dévots et anéantir les mécréants.

Les versets suivants, extraits du *Caitanya-caritāmṛta* (*Madhya* 20.263-264) de Kṛṣṇadāsa Kavirāja, donnent une définition concise de l'*avatāra* :

*sṛṣṭi-hetu yei mūrti prapañce avatare*
*sei īśvara-mūrti 'avatāra' nāma dhare*

*māyātīta paravyome sabāra avasthāna*
*viśve avatari' dhare 'avatāra' nāma*

« Lorsque, sous une forme donnée, le Seigneur descend de Son royaume pour Se manifester dans l'univers matériel, on dit qu'Il est un *avatāra,* une incarnation divine. Ces incarnations résident éternellement dans le monde spirituel, le royaume de Dieu, et sont appelées *avatāras* lorsqu'elles descendent dans la création matérielle. »

Il y a différentes sortes d'*avatāras* : les *puruṣa-avatāras,* les *guṇa-avatāras,* les *līlā-avatāras,* les *śaktyāveśa-avatāras,* les *manvantara-avatāras* et les *yuga-avatāras,* qui tous apparaissent à des époques déterminées, dans l'une ou l'autre région de l'univers. Et Kṛṣṇa est le Seigneur primordial, la source de tous les *avatāras*. Lorsqu'Il vient en ce monde, c'est afin de soulager de toute peine ses purs dévots et de satisfaire leur ardent désir de Le voir révéler Ses divertissements originels de Vṛndāvana. Le but premier du Seigneur, en tant qu'*avatāra,* est donc de réjouir le cœur de ceux qui L'aiment d'un pur amour.

Le Seigneur dit qu'Il apparaît en chaque âge, ce qui indique qu'Il vient également en ce monde dans l'âge de Kali. De fait, nous trouvons mentionné dans le *Śrīmad-Bhāgavatam* que, dans notre ère, Il descend sous la forme de Śrī Caitanya Mahāprabhu pour répandre l'adoration et la conscience de Kṛṣṇa dans l'Inde entière, par le biais du mouvement de *saṅkīrtana* (le chant congrégationnel des saints noms de Dieu). Śrī Caitanya prédit d'ailleurs que le *saṅkīrtana* se propagerait bientôt dans le monde entier, dans chaque ville et dans chaque village.

L'*avatāra* Caitanya Mahāprabhu est décrit, non pas directement mais de manière implicite, dans certains passages confidentiels d'Écritures comme les *Upaniṣads,* le *Mahābhārata* et le *Śrīmad-Bhāgavatam.* Son mouvement de *saṅkīrtana* fascine tous les dévots de Kṛṣṇa. Cette incarnation divine n'anéantit pas les mécréants, mais les délivre de par Sa grâce immotivée.

**4.9** जन्म कर्म च मे दिव्यमेवं यो वेत्ति तत्त्वतः ।
त्यक्त्वा देहं पुनर्जन्म नैति मामेति सोऽर्जुन ॥ ९ ॥

*janma karma ca me divyam, evaṁ yo vetti tattvataḥ*
*tyaktvā dehaṁ punar janma, naiti mām eti so 'rjuna*

*janma* : naissance ; *karma* : activité ; *ca* : aussi ; *me* : Mes ; *divyam* : transcendantales ; *evam* : ainsi ; *yaḥ* : quiconque ; *vetti* : connaît ; *tattvataḥ* : en vérité ; *tyaktvā* : laissant de côté ; *deham* : ce corps ; *punaḥ* : encore ; *janma* : la naissance ; *na* : jamais ; *eti* : n'atteint ; *mām* : Moi ; *eti* : atteint ; *saḥ* : il ; *arjuna* : ô Arjuna.

**Ô Arjuna, celui qui connaît la nature transcendantale de Mon avènement et de Mes actes n'a plus à renaître dans l'univers matériel ; quittant son corps, il atteint Mon royaume éternel.**

Nous avons expliqué, dans le sixième verset de ce chapitre, comment le Seigneur descend de Sa demeure transcendantale pour venir en ce monde. Qui comprend véritablement la nature de l'avènement du Seigneur est d'ores et déjà libéré de l'asservissement à la matière et retourne au royaume de Dieu immédiatement après avoir quitté son corps. Il n'est pas facile, pour l'être conditionné, d'échapper à l'emprise de la matière. Les impersonnalistes et les *yogīs* n'obtiennent la libération qu'après avoir connu maintes difficultés et traversé de très nombreuses existences. Et même alors, leur libération - qui consiste à se fondre dans le *brahmajyoti* impersonnel irradiant du Seigneur - n'est que partielle. Ils risquent en outre d'avoir à revenir en ce monde. Le dévot, lui, atteint le monde spirituel dès qu'il quitte son corps sans jamais avoir à craindre de renaître ici-bas, simplement parce qu'il a compris la nature spirituelle et absolue de la forme et des actes du Seigneur.

La *Brahma-saṁhitā* (5.33) enseigne que le Seigneur Se manifeste en d'innombrables formes (*advaitam acyutam anādim ananta-rūpam*), lesquelles, bien que diverses et multiples, sont toutes un seul et même être : Dieu, la Personne Suprême. Nous devons en être convaincus, même si, pour les esprits profanes et les philosophes empiriques, pareille chose est incompréhensible. Les Védas (*Puruṣa-bodhinī Upaniṣad*) précisent eux aussi :

*eko devo nitya-līlānurakto, bhakta-vyāpī hṛdy antar-ātmā*

« La Personne Suprême et unique revêt d'innombrables formes transcendantales pour échanger éternellement des sentiments d'amour avec Ses purs dévots. » Dans le présent verset, le Seigneur confirme personnellement cette parole des Védas. Celui qui, parce qu'il a foi en l'autorité de Dieu et des Védas, accepte cette vérité sans se perdre en de vaines spéculations philosophiques, atteindra le plus haut stade de la libération. C'est là une certitude. L'expression *tat tvam asi* trouve ici sa véritable application ; quiconque reconnaît Kṛṣṇa comme l'Absolu, et Lui dit : « Tu es ce même Brahman Suprême, Dieu en personne », tranche aussitôt les liens qui le retiennent à la matière et est assuré d'obtenir la compagnie transcendantale de Dieu. En d'autres termes, ce dévot sincère atteint la perfection. Ce que confirment à nouveau les Védas (*Śvetāśvatara Upaniṣad* 3.8) :

*tam eva viditvāti mṛtyum eti, nānyaḥ panthā vidyate 'yanāya*

« On peut se libérer totalement du cycle des morts et des renaissances simplement en connaissant Dieu, la Personne Suprême. Il n'existe pas d'autre moyen. »

Dire qu'il n'y a pas d'autre moyen signifie que ceux qui ne comprennent pas que Kṛṣṇa est Dieu restent prisonniers de l'ignorance. Ce n'est pas en léchant l'extérieur du pot de miel, en interprétant la *Bhagavad-gītā* en fonction de son savoir profane, qu'on atteindra la libération. S'il se trouve que les philosophes empiriques jouent un rôle majeur sur la scène du monde, ils ne sont pas pour autant capables de se libérer de la matière. Ces érudits orgueilleux devront attendre qu'un dévot du Seigneur leur accorde sa miséricorde immotivée. L'homme doit donc, par la foi et la connaissance, raviver en son cœur la conscience de Kṛṣṇa, et ainsi atteindre la perfection.

**4.10** वीतरागभयक्रोधा मन्मया मामुपाश्रिताः ।
बहवो ज्ञानतपसा पूता मद्भावमागताः ॥१०॥

*vīta-rāga-bhaya-krodhā, man-mayā mām upāśritāḥ*
*bahavo jñāna-tapasā, pūtā mad-bhāvam āgatāḥ*

*vīta :* libérés de; *rāga :* l'attachement; *bhaya :* la peur; *krodhāḥ :* et la colère; *mat-mayāḥ :* totalement en Moi; *mām :* sur Moi; *upāśritāḥ :* étant pleinement fixés; *bahavaḥ :* beaucoup; *jñāna :* de la connaissance; *tapasā :* par l'austérité; *pūtāḥ :* étant purifiés; *mat-bhāvam :* l'amour absolu pour Moi; *āgatāḥ :* atteignirent.

**Libres de tout attachement, affranchis de la peur et de la colère, pleinement absorbés en Moi et en Moi prenant refuge, ils furent nombreux ceux qui se purifièrent grâce à cette connaissance de Ma personne. Et tous développèrent un pur amour pour Moi.**

Comme nous l'avons vu, il est bien difficile pour qui est trop affecté par la matière de comprendre la nature personnelle de la Vérité Absolue. Les gens qui sont attachés au concept du soi en tant que corps sont généralement si absorbés dans la vie matérielle qu'il leur est pratiquement impossible de concevoir que Dieu est une personne. Ils ne peuvent même pas envisager l'existence d'un corps spirituel impérissable, omniscient et éternellement bienheureux. Au niveau matériel, le corps est périssable, fait d'ignorance et de misère. Et la masse des gens applique cette idée matérielle à la forme personnelle du Seigneur. À leurs yeux, la vaste manifestation cosmique est la forme suprême. L'Absolu est donc, pour eux, impersonnel. Et parce qu'ils sont trop absorbés dans les choses matérielles, l'idée de posséder une individualité propre, même après s'être affranchi du joug de la matière, les effraie. La perspective d'être encore, dans le monde spirituel, des personnes individuelles est pour eux si terrible qu'ils préfèrent se fondre dans un vide impersonnel. Ils comparent généralement les êtres vivants aux bulles qui fusionnent dans l'océan. Cette fusion est l'état le plus haut que l'on puisse atteindre lorsqu'on nie son individualité. Mais cela repose sur la peur, et non sur la connaissance parfaite de l'existence spirituelle.

Il y a, en outre, des hommes totalement incapables de concevoir l'idée d'une vie spirituelle. Écœurés, irrités par la pléthore de théories spéculatives contradictoires, ils concluent stupidement qu'il n'existe pas de cause suprême, et qu'en fin de compte, tout est néant. Mais tous souffrent du même mal : l'illusion matérielle. Les uns, trop matérialistes, ne se soucient nullement de la vie spirituelle, et les autres veulent perdre leur identité dans la cause spirituelle suprême. D'autres encore, désespérés et pour le moins courroucés par toutes sortes d'élucubrations sur la Vérité Absolue, ne croient plus en rien. Ils se réfugient dans les substances enivrantes et prennent parfois leurs hallucinations pour des visions divines.

Il faut donc se libérer de ces trois formes de conscience matérielle : l'attachement à la vie matérielle, la crainte d'une identité personnelle éternelle et la croyance en un néant, sous-jacente aux frustrations de la vie matérielle. Comment ? En prenant refuge auprès du Seigneur, en suivant les directives d'un maître spirituel authentique et en respectant les principes régulateurs de la vie dévotionnelle. *Bhāva,* ou l'amour transcendantal que l'on éprouve pour Dieu, en est la dernière étape. À ce propos, le *Bhakti-rasāmṛta-sindhu* (1.4.15-16) - qui est l'œuvre de référence en matière de service de dévotion - explique :

*ādau śraddhā tataḥ sādhu-, saṅgo 'tha bhajana-kriyā*
*tato 'nartha-nivṛttiḥ syāt, tato niṣṭhā rucis tataḥ*

*athāsaktis tato bhāvas, tataḥ premābhyudañcati*
*sādhakānām ayaṁ premṇaḥ, prādurbhāve bhavet kramaḥ*

« Il faut tout d'abord désirer se réaliser spirituellement, car cela nous incitera à rechercher la compagnie de personnes spirituellement élevées. On doit ensuite se faire initier par un maître spirituel qualifié et, sous sa direction, entamer la pratique du service dévotionnel. Cette pratique nous libérera de tout attachement matériel, nous affermira dans la voie spirituelle et nous amènera tout naturellement à aimer entendre ce qui se rapporte à Dieu, la Personne Absolue, Śrī Kṛṣṇa. De là naîtra un attachement profond pour la conscience de Kṛṣṇa, attachement qui aura pour fruit *bhāva,* le premier degré de l'amour pour Dieu. Et on obtiendra la plus haute perfection de la vie lorsqu'on atteindra *prema,* le pur amour de Dieu. »

Ce niveau atteint, on sert constamment le Seigneur en éprouvant pour Lui un amour transcendantal. C'est donc en suivant le processus graduel du service de dévotion sous la conduite d'un maître spirituel authentique qu'on atteint la plus haute spiritualité, libre de tout attachement matériel et affranchi de la peur de notre personnalité spirituelle et des frustrations menant à la philosophie du néant. On accède alors à la demeure éternelle du Seigneur Suprême.

**4.11** ये यथा मां प्रपद्यन्ते तांस्तथैव भजाम्यहम् ।
मम वर्त्मानुवर्तन्ते मनुष्याः पार्थ सर्वशः ॥११॥

*ye yathā māṁ prapadyante, tāṁs tathaiva bhajāmy aham*
*mama vartmānuvartante, manuṣyāḥ pārtha sarvaśaḥ*

*ye* : tous ceux ; *yathā* : comme ; *mām* : à Moi ; *prapadyante* : s'abandonnent ; *tān* : eux ; *tathā* : ainsi ; *eva* : certes ; *bhajāmi* : récompense ; *aham* : Je ; *mama* : Ma ; *vartma* : voie ; *anuvartante* : suivent ; *manuṣyāḥ* : tous les hommes ; *pārtha* : ô fils de Pṛthā ; *sarvaśaḥ* : à tous égards.

**Quoi qu'ils fassent, tous suivent Ma voie, ô fils de Pṛthā, et selon qu'ils s'abandonnent à Moi, en proportion, Je les récompense.**

Sous Ses différents aspects, c'est Kṛṣṇa que tout le monde recherche. Dieu, la Personne Suprême, est partiellement réalisé sous deux aspects : le *brahmajyoti,* la radiance impersonnelle qui émane de Son corps, et le Paramātmā, l'Âme Suprême et omniprésente, qui réside en tout être et en toute chose, y compris dans les particules atomiques. Il n'est, par contre, pleinement réalisé que par Ses purs dévots. Kṛṣṇa est donc, pour tous, l'objet de la réalisation spirituelle, et chacun Le perçoit sous l'une ou l'autre de Ses formes, selon son désir de Le connaître.

Dans le monde spirituel également, Kṛṣṇa répond à l'amour de chaque dévot en tenant le rôle que ce dernier attend de Lui. Certains veulent voir en Lui le maître suprême, d'autres leur ami intime, leur fils, ou leur amant. Kṛṣṇa Se donne à chacun d'eux également, selon l'intensité de l'amour qu'on Lui porte. Et l'on retrouve ces mêmes échanges entre Kṛṣṇa et Ses différents dévots dans l'univers matériel. Tous les purs dévots, tant ici-bas que dans le royaume spirituel, jouissent de la compagnie du Seigneur et Le servent en personne, trouvant dans ce service d'amour un bonheur transcendantal.

Kṛṣṇa aide également les impersonnalistes qui souhaitent commettre le suicide spirituel en annihilant leur existence individuelle, en les absorbant dans la radiance émanant de Sa Personne. Mais comme ils refusent d'accepter Sa Personnalité éternelle et bienheureuse, ils ne peuvent, une fois leur individualité perdue, goûter la félicité qu'on éprouve en Le servant avec amour. Certains même, n'étant pas encore suffisamment fixés dans la réalisation impersonnelle, retournent dans le monde afin d'y laisser s'exprimer leur désir latent pour l'action. Ils n'ont pas accès aux planètes spirituelles, mais se voient à nouveau offrir la possibilité d'agir sur l'une ou l'autre des planètes matérielles.

Quant à ceux qui désirent jouir du fruit des devoirs prescrits, le Seigneur, qui est Yajñeśvara (le maître de tous les sacrifices), leur accorde les résultats escomptés. Il octroie également aux *yogīs* les pouvoirs surnaturels qu'ils convoitent. En d'autres termes, chacun, pour ce qui est des fruits de son labeur, dépend de la miséricorde de Dieu. Les diverses méthodes de réalisation spirituelle ne sont que différentes étapes sur une même voie, et à moins que nous réussissions à atteindre la perfection ultime de la conscience de Kṛṣṇa, nos œuvres resteront inachevées. Le *Śrīmad-Bhāgavatam* (2.3.10) confirme ce fait :

*akāmaḥ sarva-kāmo vā, mokṣa-kāma udāra-dhīḥ*
*tīvreṇa bhakti-yogena, yajeta puruṣaṁ param*

« Que l'on n'ait aucun désir [comme le dévot], que l'on veuille jouir des fruits de l'acte, ou que l'on recherche la libération, on doit de tout cœur adorer Dieu, la Personne Suprême. On atteindra alors la perfection, dont l'apogée est la conscience de Kṛṣṇa. »

**4.12** काङ्क्षन्तः कर्मणां सिद्धिं यजन्त इह देवताः ।
क्षिप्रं हि मानुषे लोके सिद्धिर्भवति कर्मजा ॥१२॥

*kāṅkṣantaḥ karmaṇāṁ siddhiṁ, yajanta iha devatāḥ*
*kṣipraṁ hi mānuṣe loke, siddhir bhavati karma-jā*

*kāṅkṣantaḥ :* désirant ; *karmaṇām :* des actes intéressés ; *siddhim :* la perfection ; *yajante :* adorent en offrant des sacrifices ; *iha :* dans le monde matériel ; *devatāḥ :* les *devas* ; *kṣipram :* très rapidement ; *hi :* certes ; *mānuṣe :* dans la société humaine ; *loke :* en ce monde ; *siddhiḥ :* le succès ; *bhavati :* vient ; *karma-jā :* des actes intéressés.

**Les hommes en ce monde aspirent au succès dans leurs entreprises ; c'est pourquoi ils vouent un culte aux devas et obtiennent rapidement le fruit de leurs actes intéressés.**

Nombreux sont ceux qui se méprennent complètement sur la nature des *devas*. Même s'ils passent pour de grands érudits, ils font preuve de bien peu d'intelligence lorsqu'ils prennent les *devas* pour diverses formes du Seigneur, car ceux-ci ne sont que des fragments infimes de Sa Personne. Dieu est un, alors que Ses parties intégrantes sont innombrables. Les Védas nous disent *nityo nityānām* : « Dieu est un » et *īśvaraḥ paramaḥ kṛṣṇaḥ* : « Ce Dieu unique et suprême est Kṛṣṇa. » Les *devas,* eux, sont des êtres distincts (*nityānām*), dotés par Kṛṣṇa de pouvoirs plus ou moins importants pour régir l'univers matériel. Jamais ils n'égalent Dieu, qu'on Le nomme Kṛṣṇa, Nārāyaṇa, ou Viṣṇu, et l'on doit considérer comme athée (*pāṣaṇḍī*) quiconque croit le contraire. Même Brahmā et Śiva, les *devas* les plus importants, rendent un culte au Seigneur Suprême (*śiva-viriñci-nutam*) et ne sauraient Lui être comparés.

Cependant, aussi incroyable que cela puisse paraître, il y a des gens assez sots pour vouer un culte aux différentes personnalités de ce monde, adhérant ainsi aux concepts erronés de l'anthropomorphisme ou du zoomorphisme. Les mots *iha devatāḥ* désignent un puissant personnage, homme ou *deva,* de l'univers matériel. Mais Nārāyaṇa, ou Kṛṣṇa, le Seigneur Suprême, n'est pas de ce monde. Dieu transcende la manifestation matérielle. Même Śrīpāda Śaṅkarācārya, le chef de file des impersonnalistes, affirme que Nārāyaṇa, Kṛṣṇa, Se situe au-delà de la création matérielle.

Malgré cela, des hommes bornés (*hṛta-jñāna*) rendent un culte aux *devas,* car ils désirent des résultats matériels immédiats. Ils les obtiennent sans réaliser qu'ils sont impermanents et qu'ils ne sont destinés qu'aux moins intelligents. Les gens véritablement intelligents vivent dans la conscience de Kṛṣṇa et n'ont nul besoin de rendre un culte à des *devas* comparativement insignifiants, pour des bienfaits, immédiats certes, mais éphémères. Les *devas,* comme leurs adorateurs, disparaissent avec l'univers matériel. Leurs bienfaits sont donc matériels et temporaires. Bien que les univers et leurs habitants - incluant les *devas* et leurs fidèles - ne soient que des bulles dans l'océan cosmique, l'humanité poursuit fiévreusement les biens provisoires de ce monde : terres, famille, plaisirs, etc. Et pour les acquérir, elle n'hésite pas à rendre un culte aux *devas* ou à de puissantes personnalités. Qu'un homme en flattant un chef politique obtienne un poste gouvernemental, et il croira bénéficier de la plus grande faveur. Les gens s'abaissent devant de prétendus dirigeants et « gros bonnets », afin d'obtenir d'eux quelque bienfait fugace. Ils ne s'intéressent évidemment pas à la conscience de Kṛṣṇa, qui peut seule mettre un terme aux maux de l'existence matérielle. Ils n'aspirent qu'aux plaisirs de ce monde, et pour y accéder plus aisément, se laissent séduire par le culte des *devas,* ces êtres investis de pouvoir par le Seigneur.

Ce verset atteste du peu d'intérêt que les hommes ont en général pour la conscience de Kṛṣṇa. Il nous explique que leur principal objectif est le plaisir matériel, et comment, pour l'obtenir, ils vouent un culte à quelque puissant personnage.

**4.13** चातुर्वर्ण्यं मया सृष्टं गुणकर्मविभागशः ।
तस्य कर्तारमपि मां विद्ध्यकर्तारमव्ययम् ॥१३॥

*cātur-varṇyaṁ mayā sṛṣṭaṁ, guṇa-karma-vibhāgaśaḥ*
*tasya kartāram api māṁ, viddhy akartāram avyayam*

*cātuḥ-varṇyam :* les quatre divisions de la société; *mayā :* par Moi; *sṛṣṭam :* créées; *guṇa :* de la qualité; *karma :* et du travail; *vibhāgaśaḥ :* en termes de division; *tasya :* de cela; *kartāram :* le père; *api :* bien que; *mām :* Moi; *viddhi :* sache; *akartāram :* comme celui qui n'agit pas; *avyayam :* inchangeable.

**J'ai créé les quatre divisions de la société en fonction des trois guṇas et des activités qui s'y rattachent. Mais sache que, bien que J'en sois le créateur, Je demeure non agissant, car Je suis immuable.**

Le Seigneur est le créateur de tout ce qui est. Tout naît de Lui, tout est maintenu par Lui, et après l'annihilation, tout repose en Lui. C'est donc Lui qui créa les quatre classes de la société, à savoir les *brāhmaṇas,* les hommes de haute intelligence dont la vie est inspirée de la vertu, les *kṣatriyas,* chargés d'administrer la société et influencés, eux, par la passion, les *vaiśyas,* responsables du commerce, qui subissent l'ascendant de la passion et de l'ignorance, et les *śūdras,* la classe des travailleurs qui, eux, vivent sous l'emprise de l'ignorance. Bien qu'Il soit le créateur de ces quatre divisions sociales, Kṛṣṇa n'appartient à aucune d'elles, car Il n'est pas comme l'être humain une âme conditionnée. La société humaine s'apparente à n'importe quelle société animale, mais afin que l'homme s'élève au-dessus du stade animal et que soit favorisé l'épanouissement systématique de la conscience de Dieu, le Seigneur a institué cette organisation sociale. Le caractère et les activités d'un être sont déterminés par les modes d'influence de la nature, et seront décrits dans le dix-huitième chapitre.

L'homme conscient de Kṛṣṇa est supérieur au *brāhmaṇa.* Le *brāhmaṇa* est par définition celui qui connaît le Brahman, la Vérité Absolue et Suprême, mais il n'appréhende le plus souvent que l'aspect impersonnel de Śrī Kṛṣṇa. Le dévot, le *vaiṣṇava,* transcende la connaissance limitée du *brāhmaṇa* et parvient à connaître Kṛṣṇa, Dieu, la Personne Suprême, ainsi que Ses émanations plénières : Rāma, Nṛsiṁha, Varāha, etc. À l'instar de Dieu, l'être conscient de Kṛṣṇa transcende ce système de divisions sociales et toutes considérations de race, de nation et de communauté.

**4.14** न मां कर्माणि लिम्पन्ति न मे कर्मफले स्पृहा ।
इति मां योऽभिजानाति कर्मभिर्न स बध्यते ॥१४॥

*na māṁ karmāṇi limpanti, na me karma-phale spṛhā*
*iti māṁ yo 'bhijānāti, karmabhir na sa badhyate*

*na :* jamais ; *mām :* Moi ; *karmāṇi :* toutes sortes d'activités ; *limpanti :* n'affectent ; *na :* non plus ; *me :* de Moi ; *karma-phale :* à l'action intéressée ; *spṛhā :* aspiration ; *iti :* ainsi ; *mām :* Me ; *yaḥ :* celui qui ; *abhijānāti :* connaît ; *karmabhiḥ :* dans les conséquences de cette activité ; *na :* jamais ; *saḥ :* il ; *badhyate :* ne s'enferre.

**Nulle action ne M'affecte, et jamais Je n'aspire au fruit de l'acte. Celui qui Me connaît comme tel ne s'empêtre pas dans les conséquences de ses actes.**

Tout comme dans certaines constitutions le souverain est dit n'être sujet ni à l'erreur ni aux lois de l'État, le Seigneur n'est pas touché par les activités de ce monde, bien qu'Il en soit le créateur. Il crée mais reste au-delà de Sa création, tandis que les êtres vivants, qui sont toujours enclins à dominer le monde, sont liés aux conséquences de leurs activités matérielles. Dans une entreprise, ce sont les ouvriers qui sont responsables de leurs actes, bons ou mauvais, et non le directeur.

Dans l'univers matériel, chaque individu agit pour son propre profit, sans tenir compte des directives du Seigneur. Il travaille à accroître son plaisir sur terre et aspire au bonheur édénique après sa mort. Mais le Seigneur, qui trouve Sa plénitude en Lui-même, n'aspire évidemment pas au prétendu bonheur des planètes édéniques, dont les habitants, les *devas,* sont Ses serviteurs. Un supérieur n'est certes pas attiré par les menues satisfactions de ses subordonnés. Kṛṣṇa transcende l'action matérielle et n'est pas sujet à ses conséquences. Il est comme la pluie, qui, bien qu'elle ne soit pas responsable de la végétation, est nécessaire à la croissance des plantes. La *smṛti* védique le confirme :

*nimitta-mātram evāsau, sṛjyānāṁ sarga-karmaṇi*
*pradhāna-kāraṇī-bhūtā, yato vai sṛjya-śaktayaḥ*

« Le Seigneur est la cause ultime de tout ce qui est, alors que la cause immédiate en est l'énergie matérielle, par laquelle la manifestation cosmique est rendue visible. » Les êtres créés dans toute leur variété – *devas,* hommes, animaux – doivent subir les contrecoups de chacun de leurs actes, bons ou mauvais. Le Seigneur leur donne les conditions requises pour agir, ainsi que l'ordonnancement des modes d'influence de la nature, mais Il n'est pas plus responsable de leurs agissements passés que de leurs agissements présents.

Cette impartialité du Seigneur envers tous les êtres est décrite dans le *Vedānta-sūtra* (2.1.34) : *vaiṣamya-nairghṛṇye na sāpekṣatvāt* – chacun est responsable de ses actes. Le Seigneur ne fait, à travers Son énergie externe (la nature matérielle), que rendre ces actes possibles. Quiconque connaît tous les secrets du karma, cette loi complexe qui régit toute action matérielle, n'est plus affecté par les suites de ses actes. L'être conscient de Kṛṣṇa n'est plus soumis à cette loi parce qu'il a réalisé la nature transcendantale du Seigneur. Par contre, celui qui ne connaît pas Sa nature transcendantale et qui croit que Ses actes sont intéressés comme ceux d'un homme ordinaire s'empêtre dans les rets de l'action matérielle. Qui connaît la Vérité Suprême est un être libéré, établi dans la conscience de Kṛṣṇa.

**4.15** एवं ज्ञात्वा कृतं कर्म पूर्वैरपि मुमुक्षुभिः ।
कुरु कर्मैव तस्मात्त्वं पूर्वैः पूर्वतरं कृतम् ॥१५॥

*evaṁ jñātvā kṛtaṁ karma, pūrvair api mumukṣubhiḥ*
*kuru karmaiva tasmāt tvaṁ, pūrvaiḥ pūrvataraṁ kṛtam*

*evam :* ainsi ; *jñātvā :* sachant bien ; *kṛtam :* était accomplie ; *karma :* l'action ; *pūrvaiḥ :* par les maîtres des temps passés ; *api :* en effet ; *mumukṣubhiḥ :* qui parvinrent à la libération ; *kuru :* fais seulement ; *karma :* le devoir prescrit ; *eva :* certes ; *tasmāt :* donc ; *tvam :* tu ; *pūrvaiḥ :* par les prédécesseurs ; *pūrva-taram :* dans les temps anciens ; *kṛtam :* tel qu'accompli.

**Les âmes libérées des temps passés ont toutes agi conformément à cette compréhension de Ma nature transcendantale. Remplis donc ton devoir en suivant leur exemple.**

Il y a deux sortes d'hommes : ceux dont le cœur est souillé par la matière, et ceux dont le cœur n'est plus contaminé. La conscience de Kṛṣṇa est bénéfique aux uns comme aux autres. Ceux dont le cœur est plein d'impuretés peuvent graduellement se purifier en observant les principes régulateurs du service de dévotion. Quant à ceux qui se sont déjà purifiés, qu'ils continuent d'agir dans la conscience de Kṛṣṇa, afin que tout le monde profite de leur conduite exemplaire. Bien des ignorants, et même des dévots néophytes qui n'ont pas une compréhension profonde de la conscience de Kṛṣṇa, souhaitent renoncer à toute action. Mais nous avons vu que le Seigneur n'approuva nullement Arjuna quand il Lui fit part de sa résolution de ne pas combattre. En fait, il suffit simplement de savoir comment agir. Mieux vaut œuvrer pour Kṛṣṇa, plutôt que de renoncer au service divin en feignant d'être conscient de Dieu.

Kṛṣṇa conseille à Arjuna d'agir en pleine conscience de Sa Personne et de marcher sur les traces de Ses anciens disciples, tel Vivasvān, le *deva* du soleil, dont nous avons parlé précédemment. Le Seigneur Suprême est en effet pleinement conscient de Ses actions passées, tout comme Il est pleinement conscient des actions de tous ceux qui Le servirent alors. C'est pourquoi Il conseille à Arjuna de suivre l'exemple du *deva* du soleil, à qui Il enseigna, il y a des millions d'années, l'art de la conscience de Kṛṣṇa. Les disciples du Seigneur dont il est ici fait mention étaient tous des êtres libérés, s'acquittant de leurs devoirs assignés.

**4.16** किं कर्म किमकर्मेति कवयोऽप्यत्र मोहिताः ।
तत्ते कर्म प्रवक्ष्यामि यज्ज्ञात्वा मोक्ष्यसेऽशुभात् ॥१६॥

*kiṁ karma kim akarmeti, kavayo 'py atra mohitāḥ*
*tat te karma pravakṣyāmi, yaj jñātvā mokṣyase 'śubhāt*

*kim* : qu'est-ce que ; *karma* : l'action ; *kim* : qu'est-ce que ; *akarma* : l'inaction ; *iti* : ainsi ; *kavayaḥ* : les êtres intelligents ; *api* : aussi ; *atra* : à ce sujet ; *mohitāḥ* : sont dans la confusion ; *tat* : cette ; *te* : à toi ; *karma* : action ; *pravakṣyāmi* : Je vais expliquer ; *yat* : ce que ; *jñātvā* : sachant ; *mokṣyase* : tu seras libéré ; *aśubhāt* : de l'infortune.

**Même l'homme intelligent devient perplexe quand il s'agit de déterminer ce que sont l'action et l'inaction. Je vais donc t'enseigner ce qu'est l'action, et cette connaissance te sauvera de toute infortune.**

Le verset précédent recommande de suivre l'exemple des grands dévots qui nous ont précédés pour agir en pleine conscience de Kṛṣṇa. Nous verrons ici pourquoi de tels actes ne peuvent être accomplis de manière indépendante.

Comme cela était indiqué en début de chapitre, pour agir véritablement en pleine conscience de Kṛṣṇa, on doit suivre les directives de maîtres appartenant à une filiation spirituelle authentique. Le processus de la conscience de Kṛṣṇa fut d'abord enseigné au *deva* du soleil, qui le transmit à son fils, Manu, qui, à son tour, le communiqua au sien, Ikṣvāku. Et c'est ainsi que depuis ces temps lointains il se répand sur terre. Il faut donc marcher sur les traces d'autorités spirituelles appartenant à une succession disciplique. Sans quoi, même les hommes les plus intelligents ne sauront comment agir dans la conscience de Kṛṣṇa. C'est aussi pour cette raison que le Seigneur décida d'instruire Arjuna personnellement. Par conséquent, quiconque suit son exemple, saura exactement quelle conduite adopter.

On ne peut s'appuyer sur un savoir expérimental imparfait pour découvrir les voies de la religion. Celles-ci ne peuvent être établies que par le Seigneur : *dharmaṁ tu sākṣād bhagavat-praṇītam* (*Ś.B.* 6.3.19). Nul ne peut, par de simples spéculations, tracer les voies de la religion. Aussi faut-il suivre l'exemple des grandes autorités spirituelles que sont Brahmā, Śiva, Nārada, Manu, les Kumāras, Kapila, Prahlāda, Bhīṣma, Śukadeva Gosvāmī, Yamarāja, Janaka et Bali Mahārāja. Comme on ne peut compter sur ses propres élucubrations pour savoir ce qu'est la spiritualité, la réalisation spirituelle, Kṛṣṇa accorde Sa miséricorde immotivée à Ses dévots. En présence d'Arjuna, Il définit personnellement ce que sont l'action et l'inaction. Seule l'action accomplie dans la conscience de Kṛṣṇa peut nous délivrer des rets de l'existence matérielle.

**4.17** कर्मणो ह्यपि बोद्धव्यं बोद्धव्यं च विकर्मणः ।
अकर्मणश्च बोद्धव्यं गहना कर्मणो गतिः ॥१७॥

*karmaṇo hy api boddhavyaṁ*
*boddhavyaṁ ca vikarmaṇaḥ*
*akarmaṇaś ca boddhavyaṁ*
*gahanā karmaṇo gatiḥ*

*karmaṇaḥ :* l'action ; *hi :* certes ; *api :* aussi ; *boddhavyam :* devrait être comprise ; *boddhavyam :* devrait être comprise ; *ca :* aussi ; *vikarmaṇaḥ :* l'action prohibée ; *akarmaṇaḥ :* l'inaction ; *ca :* aussi ; *boddhavyam :* devrait être comprise ; *gahanā :* très difficile ; *karmaṇaḥ :* de l'action ; *gatiḥ :* l'abord.

**La nature de l'action est fort complexe et difficile à comprendre. Il faut donc bien distinguer l'action légitime, l'action condamnable et l'inaction.**

Quiconque est sérieusement déterminé à échapper aux griffes de la matière doit être capable de différencier l'action de l'inaction et des actes contraires aux Écritures. Ce sujet, fort complexe, demande une grande attention. Pour comprendre la conscience de Kṛṣṇa et le mode d'action qu'elle implique, il faut tout d'abord connaître la nature de la relation qui nous unit au Suprême, c'est-à-dire réaliser pleinement que tous les êtres sont Ses serviteurs éternels, et que l'on doit, par conséquent, agir dans la conscience de Kṛṣṇa.

C'est à cette conclusion que la *Bhagavad-gītā* nous amène. Toute interprétation contraire ne pourra que nous entraîner dans les domaines de l'action prohibée (*vikarma*). Il faut, pour bien comprendre cela, vivre au contact d'êtres pleinement conscients de Kṛṣṇa, et recevoir d'eux la clé du savoir – ce qui a même valeur que de la recevoir directement du Seigneur. Sinon, même le plus intelligent des hommes restera perplexe.

**4.18** कर्मण्यकर्म यः पश्येदकर्मणि च कर्म यः ।
स बुद्धिमान्मनुष्येषु स युक्तः कृत्स्नकर्मकृत् ॥१८॥

*karmaṇy akarma yaḥ paśyed, akarmaṇi ca karma yaḥ*
*sa buddhimān manuṣyeṣu, sa yuktaḥ kṛtsna-karma-kṛt*

*karmaṇi :* dans l'action; *akarma :* l'inaction; *yaḥ :* celui qui; *paśyet :* observe; *akarmaṇi :* dans l'inaction; *ca :* aussi; *karma :* l'action intéressée; *yaḥ :* celui qui; *saḥ :* il; *buddhi-mān :* est intelligent; *manuṣyeṣu :* dans la société des hommes; *saḥ :* il; *yuktaḥ :* est situé au niveau spirituel; *kṛtsna-karma-kṛt :* bien qu'engagé dans toutes sortes d'activités.

**Celui qui voit l'inaction dans l'action et l'action dans l'inaction se distingue entre tous par son intelligence, et bien qu'il soit engagé dans toutes sortes d'activités, il se situe à un niveau purement spirituel.**

Qui agit dans la conscience de Kṛṣṇa échappe automatiquement aux chaînes du karma. Ses actes ne visant que la satisfaction de Kṛṣṇa, il ne jouit ni ne souffre de leurs effets. Bien qu'il ne cesse jamais d'agir, il s'élève au-dessus de la masse des gens, car il fait tout pour Kṛṣṇa. *Akarma* signifie « action sans conséquence ». L'impersonnaliste, qui craint que les réactions générées par ses actes ne fassent obstacle à son progrès spirituel, cesse toute action. Le personnaliste, lui, ne connaît pas cette crainte. Il se sait l'éternel serviteur de Dieu et n'hésite pas à agir dans la conscience de Kṛṣṇa. En n'agissant que pour Kṛṣṇa, il jouit d'un bonheur transcendantal. Ceux qui s'engagent dans cette voie sont connus pour être libres de tout désir matériel. C'est parce qu'ils ont conscience d'être éternellement subordonnés à Dieu qu'ils sont « immunisés » contre les suites de l'acte.

**4.19** यस्य सर्वे समारम्भाः कामसङ्कल्पवर्जिताः ।
ज्ञानाग्निदग्धकर्माणं तमाहुः पण्डितं बुधाः ॥१९॥

*yasya sarve samārambhāḥ, kāma-saṅkalpa-varjitāḥ*
*jñānāgni-dagdha-karmāṇam, tam āhuḥ paṇḍitaṁ budhāḥ*

*yasya :* celui dont; *sarve :* tous les; *samārambhāḥ :* efforts; *kāma :* fondés sur le désir de satisfaire les sens; *saṅkalpa :* détermination; *varjitāḥ :* sont dénués de; *jñāna :* de la connaissance parfaite ; *agni :* par le feu ; *dagdha :* brûlées par ; *karmāṇam :* dont les actions ; *tam :* lui ; *āhuḥ :* déclarent ; *paṇḍitam :* érudits ; *budhāḥ :* ceux qui savent.

**Celui qui agit sans aucun désir de jouissance matérielle possède la pleine connaissance. Les sages affirment que le feu du parfait savoir a réduit en cendres les conséquences de ses actes.**

Pour comprendre les actes d'une personne consciente de Kṛṣṇa, il faut posséder soi-même la connaissance totale. Le fait qu'un homme conscient de Kṛṣṇa échappe à l'attrait des plaisirs matériels prouve bien que le feu de la parfaite connaissance de sa condition éternelle de serviteur de Dieu a réduit en cendres les répercussions de ses actes. On pourrait comparer son savoir à un feu qui aurait le pouvoir de consumer toutes les conséquences matérielles de ses actes.

**4.20** त्यक्त्वा कर्मफलासङ्गं नित्यतृप्तो निराश्रयः ।
कर्मण्यभिप्रवृत्तोऽपि नैव किञ्चित्करोति सः ॥२०॥

*tyaktvā karma-phalāsaṅgaṁ, nitya-tṛpto nirāśrayaḥ*
*karmaṇy abhipravṛtto 'pi, naiva kiñcit karoti saḥ*

*tyaktvā :* ayant abandonné ; *karma-phala-āsaṅgam :* l'attachement aux fruits de l'acte ; *nitya :* toujours ; *tṛptaḥ :* étant satisfait ; *nirāśrayaḥ :* sans aucun appui ; *karmaṇi :* dans l'action ; *abhipravṛttaḥ :* étant pleinement engagé ; *api :* en dépit de ; *na :* ne pas ; *eva :* certes ; *kiñcit :* n'importe quoi ; *karoti :* fait ; *saḥ :* il.

**Totalement détaché du fruit de ses actes, toujours satisfait et indépendant, bien qu'il soit continuellement actif, il n'accomplit aucun acte intéressé.**

C'est seulement en agissant dans la conscience de Kṛṣṇa, à seule fin de satisfaire Dieu, que nous pourrons nous libérer de l'enchaînement action-réaction. Le pur dévot n'agit que par amour pour le Seigneur et n'éprouve de ce fait aucune attirance pour les fruits de ses actes. Il ne se sent pas non plus vraiment concerné par les besoins physiques, car il s'en remet totalement à Kṛṣṇa. Insoucieux d'acquérir davantage de biens ou de protéger ceux qu'il possède déjà, il remplit simplement son devoir du mieux possible et, pour les résultats, fait confiance à Kṛṣṇa. Ainsi détaché, il n'est jamais assujetti aux conséquences de ses actes, bons ou mauvais. En quelque sorte, il n'agit pas, puisque ses actes sont *akarmas,* qu'ils n'entraînent pour lui aucune réaction matérielle. Toute activité dénuée de conscience de Kṛṣṇa est au contraire *vikarma* et enchaîne son auteur, ainsi qu'on l'a expliqué précédemment.

**4.21** निराशीर्यतचित्तात्मा त्यक्तसर्वपरिग्रहः ।
शारीरं केवलं कर्म कुर्वन्नाप्नोति किल्बिषम् ॥२१॥

*nirāśīr yata-cittātmā, tyakta-sarva-parigrahaḥ*
*śārīraṁ kevalaṁ karma, kurvan nāpnoti kilbiṣam*

*nirāśīḥ :* sans désirer les fruits ; *yata :* maîtrisés ; *citta-ātmā :* le mental et l'intelligence ; *tyakta :* abandonnant ; *sarva :* tout ; *parigrahaḥ :* sentiment de possession de ses biens ; *śārīram :* en maintenant le corps uni à l'âme ; *kevalam :* seulement ; *karma :* l'action ; *kurvan :* faisant ainsi ; *na :* jamais ; *āpnoti :* n'encourt ; *kilbiṣam :* de conséquences pécheresses.

**L'homme qu'illumine une telle connaissance agit en maîtrisant parfaitement son mental et son intelligence. Il se défait de tout sentiment de possession et n'agit que pour subvenir à ses plus stricts besoins. Il n'est donc pas touché par les réactions consécutives aux activités pécheresses.**

L'être conscient de Kṛṣṇa n'attend aucun résultat, positif ou négatif, de ses actes. Il maîtrise parfaitement son mental et son intelligence. Parce qu'il se sait partie intégrante du Seigneur Suprême, il comprend que ses actes, en tant que partie du tout, ne dépendent pas de lui-même, mais du Seigneur, qui agit à travers lui. Il est comme la main qui dépend du corps entier pour se mouvoir.

Une personne consciente de Kṛṣṇa unit toujours ses désirs à ceux du Seigneur. Ses actes ne sont jamais motivés par le fait qu'elle pourra jouir des plaisirs matériels. Elle agit exactement comme la pièce d'une machine. Comme on huile et nettoie une machine pour qu'elle fonctionne bien, l'homme conscient de Kṛṣṇa subvient à ses besoins par son travail afin d'être toujours prêt à servir le Seigneur avec amour et dévotion. Il est donc protégé des répercussions de tout ce qu'il entreprend. Comme l'animal domestique qui n'a pas de véritable indépendance et qui jamais ne s'oppose à la volonté de son maître, son corps ne lui appartient pas.

Un dévot de Kṛṣṇa, pleinement absorbé dans la réalisation de soi, n'a guère le temps et l'envie de posséder quoi que ce soit de matériel. Pour maintenir son corps, il n'amasse pas d'argent de façon malhonnête. Ainsi, il ne se laisse pas souiller par le péché et s'affranchit des suites de ses actes.

4.22 यदृच्छालाभसन्तुष्टो द्वन्द्वातीतो विमत्सरः ।
समः सिद्धावसिद्धौ च कृत्वापि न निबध्यते ॥२२॥

*yadṛcchā-lābha-santuṣṭo, dvandvātīto vimatsaraḥ*
*samaḥ siddhāv asiddhau ca, kṛtvāpi na nibadhyate*

*yadṛcchā :* spontanément ; *lābha :* du gain ; *santuṣṭaḥ :* satisfait ; *dvandva :* la dualité ; *atītaḥ :* surpassée ; *vimatsaraḥ :* libre de l'envie ; *samaḥ :* impassible ; *siddhau :* dans la réussite ; *asiddhau :* dans l'échec ; *ca :* aussi ; *kṛtvā :* faisant ; *api :* bien que ; *na :* jamais ; *nibadhyate :* n'est affecté.

**Pour qui se satisfait de ce qui lui vient naturellement, pour qui est affranchi de la dualité et de l'envie et voit d'un même œil l'échec et la réussite, il n'est jamais d'enchaînement aux actes.**

L'homme conscient de Kṛṣṇa ne s'occupe de son corps que dans la limite du nécessaire. Satisfait de ce qui lui vient naturellement, il ne mendie pas, il n'emprunte pas, mais fournit un travail honnête, dans la mesure de ses capacités. Ce qu'il obtient ainsi le contente pleinement. Il n'a pas, pour subsister, à dépendre d'autrui. Il ne laisse pas non plus son service à autrui entraver son service à Kṛṣṇa. Il peut toutefois, pour le service de Kṛṣṇa, accomplir n'importe quelle action sans être aucunement troublé par les dualités du monde matériel. Transcendant les dualités (chaleur et froid, joie et peine, etc.), il est prêt à tout pour satisfaire Kṛṣṇa et demeure résolu dans l'échec comme dans le succès. Voilà quelques-unes des qualités qui se manifestent chez celui qui possède le savoir transcendantal.

4.23 गतसङ्गस्य मुक्तस्य ज्ञानावस्थितचेतसः ।
यज्ञायाचरतः कर्म समग्रं प्रविलीयते ॥२३॥

*gata-saṅgasya muktasya, jñānāvasthita-cetasaḥ*
*yajñāyācarataḥ karma, samagraṁ pravilīyate*

*gata-saṅgasya :* de celui qui s'est dégagé des influences de la nature matérielle ; *muktasya :* de celui qui est libéré ; *jñāna-avasthita :* située dans l'Absolu ; *cetasaḥ :* dont la sagesse ; *yajñāya :* uniquement pour Yajña (Kṛṣṇa) ; *ācarataḥ :* agissant ; *karma :* l'action ; *samagram :* dans la totalité ; *pravilīyate :* se fond entièrement.

**Les actes de celui qui agit avec la connaissance absolue et s'est affranchi de l'influence des trois guṇas se fondent dans la transcendance.**

Celui qui devient pleinement conscient de Kṛṣṇa s'affranchit de l'emprise des dualités et de la souillure des modes d'influence de la nature. Il peut obtenir la libération car il connaît sa position constitutive en rapport avec Dieu. Ses pensées ne s'écartent donc plus un instant de la conscience de Kṛṣṇa. Il offre tout ce qu'il fait à Kṛṣṇa, le Viṣṇu originel. Chacun de ses actes devient un sacrifice puisqu'il a pour seul objet la satisfaction de la Personne Suprême, Viṣṇu, Kṛṣṇa. Les suites de ses actes se fondent dans la transcendance, il ne subit donc pas d'effets matériels.

**4.24** ब्रह्मार्पणं ब्रह्म हविर्ब्रह्माग्नौ ब्रह्मणा हुतम् ।
ब्रह्मैव तेन गन्तव्यं ब्रह्मकर्मसमाधिना ॥२४॥

*brahmārpaṇaṁ brahma havir*
*brahmāgnau brahmaṇā hutam*
*brahmaiva tena gantavyaṁ*
*brahma-karma-samādhinā*

*brahma :* de nature spirituelle; *arpaṇam :* la contribution; *brahma :* l'Être Suprême; *haviḥ :* le beurre; *brahma :* spirituel; *agnau :* dans le feu qui consume; *brahmaṇā :* par l'âme spirituelle; *hutam :* offert; *brahma :* le royaume spirituel; *eva :* sûr; *tena :* par lui; *gantavyam :* d'être atteint; *brahma :* spirituelles; *karma :* dans les activités; *samādhinā :* en s'absorbant complètement.

**Parce qu'il prend pleinement part aux activités spirituelles dans lesquelles l'offrande et la consommation de l'offrande sont l'une et l'autre de nature divine, l'homme complètement absorbé dans la conscience de Kṛṣṇa est assuré d'atteindre le royaume de Dieu.**

Il est ici expliqué que le fait d'agir d'une manière consciente de Kṛṣṇa conduit l'homme à la perfection spirituelle. La conscience de Kṛṣṇa couvre une grande variété d'activités, qui seront décrites dans les versets suivants. Mais ici, seul le principe de l'action dans la conscience de Kṛṣṇa est énoncé. Les actes de l'être conditionné étant obligatoirement souillés au contact de la matière, il lui faut quitter cet environnement. Comment? En appliquant les principes de la conscience de Kṛṣṇa. Par exemple, un homme qui souffre du ventre parce qu'il a abusé de produits laitiers guérira avec du lait caillé, même s'il s'agit aussi d'un produit laitier. De même, l'âme conditionnée, en adoptant la conscience de Kṛṣṇa exposée dans la *Gītā,* guérira du mal matériel. Ce processus s'appelle *yajña,* ou activité (sacrifice) accomplie pour la satisfaction de Viṣṇu (Kṛṣṇa). Plus on dédie ses actes à Viṣṇu, en s'absorbant complètement dans la conscience de Kṛṣṇa, plus l'atmosphère se spiritualise.

Le mot *brahma* (Brahman) signifie « spirituel ». Le Seigneur est purement spirituel, comme l'est la radiance qui émane de Son corps transcendantal, le *brahmajyoti.* Du fait que tout ce qui existe se trouve dans ce *brahmajyoti,* ce qu'on nomme « matière » est ce *jyotir* recouvert du voile de l'illusion (*māyā*), ou du plaisir des sens. Or, grâce à la conscience de Kṛṣṇa, on peut en un instant déchirer ce voile. L'offrande, la consommation de l'offrande, l'office, l'officiant et le fruit du sacrifice sont – lorsqu'ils sont réunis – le Brahman, la Vérité Absolue. L'Absolu enveloppé du voile de *māyā* prend le nom de « matière », matière qui retrouve sa qualité spirituelle dès qu'elle est mise au service de la Vérité Absolue. La conscience de Kṛṣṇa permet de reconvertir en Brahman notre conscience présente, engluée dans l'illusion. Absorber totalement son mental dans la conscience de Kṛṣṇa, c'est être en *samādhi,* en extase contemplative. Et tout acte accompli dans cette conscience transcendantale est un *yajña,* un sacrifice offert à l'Absolu, où l'auteur, l'offrande, la consommation, l'officiant et les fruits du sacrifice ne font plus qu'un dans l'Absolu, le Brahman Suprême. Telle est la voie de la conscience de Kṛṣṇa.

**4.25** दैवमेवापरे यज्ञं योगिनः पर्युपासते ।
ब्रह्माग्नावपरे यज्ञं यज्ञेनैवोपजुह्वति ॥२५॥

*daivam evāpare yajñaṁ, yoginaḥ paryupāsate*
*brahmāgnāv apare yajñaṁ, yajñenaivopajuhvati*

*daivam :* en adorant les *devas*; *eva :* comme cela ; *apare :* quelques ; *yajñam :* sacrifices ; *yoginaḥ : yogīs*; *paryupāsate :* adorent parfaitement ; *brahma :* de la Vérité Absolue ; *agnau :* dans le feu ; *apare :* d'autres ; *yajñam :* sacrifient ; *yajñena :* par le sacrifice ; *eva :* ainsi ; *upajuhvati :* offrent.

**Certains yogīs rendent un culte parfait aux devas en offrant divers sacrifices, et d'autres en les offrant dans le feu du Brahman Suprême.**

Comme nous l'avons vu plus haut, l'homme qui agit conformément aux principes de la conscience de Kṛṣṇa est le plus parfait des yogīs, des mystiques. Mais il y a des gens qui préfèrent faire une oblation aux *devas,* ou au Brahman Suprême, l'aspect impersonnel de Dieu. Selon la nature de leurs auteurs, ces sacrifices se présentent sous différentes formes, mais cette diversité est superficielle, car en réalité tout sacrifice est destiné à satisfaire le Seigneur Suprême, Viṣṇu, ou Yajña.

On peut regrouper les diverses formes de sacrifices en deux grandes catégories : le sacrifice des biens matériels et le sacrifice qui a pour objectif la connaissance spirituelle. Les dévots de Kṛṣṇa sacrifient tous leurs biens matériels pour satisfaire le Seigneur Suprême, quand d'autres sacrifient leurs possessions pour plaire aux *devas* (Indra, Vivasvān, etc.) et obtenir d'eux un bonheur matériel et éphémère. Les impersonnalistes, eux, sacrifient leur identité en fusionnant avec le Brahman impersonnel.

Les *devas* sont des êtres très puissants, à qui le Seigneur délègue l'administration de l'univers matériel : lumière, chaleur, pluie, etc. C'est donc à eux que les hommes avides de biens matériels rendent un culte selon les rites sacrificiels védiques. On appelle ces adorateurs des *bahv-īśvara-vādīs,* car ils croient en plusieurs dieux. Quant à ceux qui vénèrent l'aspect impersonnel de la Vérité Absolue et considèrent les *devas* comme des êtres éphémères, ils sacrifient leur individualité dans le feu suprême et mettent un terme à leur existence propre en se fondant dans l'Absolu. Ils passent leur temps en spéculations philosophiques à essayer de comprendre la nature transcendantale du Suprême.

En d'autres termes, l'homme avide du fruit de ses actes sacrifie ses biens afin d'accroître ses plaisirs matériels, tandis que l'impersonnaliste sacrifie, lui, son identité matérielle, afin de se fondre dans l'existence de l'Absolu. Pour ce dernier, le feu de l'autel du sacrifice est le Brahman Suprême, et l'offrande, le moi que consume le feu du Brahman. Le dévot de Kṛṣṇa, lui, a pour modèle Arjuna. Il sacrifie tout pour la satisfaction de Dieu, ses biens comme sa personne, et jamais ne perd son individualité. Il est le plus parfait des *yogīs*.

**4.26** श्रोत्रादीनीन्द्रियाण्यन्ये संयमाग्निषु जुह्वति ।
शब्दादीन् विषयानन्य इन्द्रियाग्निषु जुह्वति ॥२६॥

*śrotrādīnīndriyāṇy anye, saṁyamāgniṣu juhvati*
*śabdādīn viṣayān anya, indriyāgniṣu juhvati*

*śrotra-ādīni :* comme l'audition ; *indriyāṇi :* les sens ; *anye :* d'autres ; *saṁyama :* de la restriction ; *agniṣu :* dans le feu ; *juhvati :* offrent ; *śabda-ādīn :* la vibration sonore, etc. ; *viṣayān :* les objets de plaisir pour les sens ; *anye :* d'autres ; *indriya :* des organes des sens ; *agniṣu :* dans le feu ; *juhvati :* sacrifient.

**Certains [les purs brahmacārīs] sacrifient l'audition et les autres sens dans le feu du mental maîtrisé, d'autres [les chefs de famille menant une vie réglée], les objets des sens dans le feu des organes des sens.**

Les membres des quatre divisions de la société humaine, le *brahmacārī,* le *gṛhastha,* le *vānaprastha* et le *sannyāsī* sont destinés à devenir de parfaits *yogīs,* ou spiritualistes. La vie humaine, contrairement à la vie animale où tout gravite autour de la satisfaction des sens, a pour but la perfection spirituelle, perfection que les quatre ordres de la société permettent graduellement d'atteindre.

Les *brahmacārīs,* les étudiants qui ont été confiés à un maître spirituel authentique, apprennent à maîtriser leur mental en s'abstenant de tout plaisir matériel. Ils n'écoutent rien d'autre que ce qui a trait à la conscience de Kṛṣṇa. L'écoute étant à la base de toute compréhension, le pur *brahmacārī* s'adonne entièrement à l'exercice du *harer nāmānukīrtanam* - chanter et écouter les gloires du Seigneur. Il s'abstient volontairement de prêter l'oreille aux sons matériels et se concentre sur la vibration sonore et transcendantale du mantra Hare Kṛṣṇa.

Quant au *gṛhastha,* le mariage et la vie familiale lui donnent droit à certains plaisirs matériels, mais il n'en use que de façon très restreinte. L'homme est en général attiré par les plaisirs charnels, l'intoxication et la consommation de chair animale, mais le chef de famille menant une vie réglée ne se livre pas sans restriction à ces plaisirs, qu'ils soient sexuels ou autres. Le mariage fondé sur les principes religieux est le propre de toute société civilisée, car il constitue le moyen de restreindre les activités sexuelles. Cette maîtrise de soi est une autre forme de *yajña,* car le *gṛhastha* sacrifie ainsi sa tendance à jouir des sens pour la cause d'une vie plus élevée, une vie spirituelle.

**4.27** सर्वाणीन्द्रियकर्माणि प्राणकर्माणि चापरे ।
आत्मसंयमयोगाग्नौ जुह्वति ज्ञानदीपिते ॥२७॥

*sarvāṇīndriya-karmāṇi, prāṇa-karmāṇi cāpare*
*ātma-saṁyama-yogāgnau, juhvati jñāna-dīpite*

*sarvāṇi :* de tous; *indriya :* les sens; *karmāṇi :* les fonctions; *prāṇa-karmāṇi :* les fonctions du souffle vital; *ca :* aussi; *apare :* d'autres; *ātma-saṁyama :* de la maîtrise du mental; *yoga :* la méthode d'union; *agnau :* dans le feu de; *juhvati :* offrent; *jñāna-dīpite :* à cause du désir pressant de réalisation spirituelle.

**Ceux qui désirent atteindre la réalisation spirituelle par la maîtrise des sens et du mental offrent en oblation dans le feu du mental maîtrisé les activités de leurs sens et de leur souffle vital.**

C'est au yoga de Patañjali qu'il est fait référence ici. Dans son *Yoga-sūtra,* l'âme est dite *pratyag-ātmā* ou *parāg-ātmā*. L'âme est *parāg-ātmā* aussi longtemps qu'elle reste attachée aux plaisirs matériels, mais devient *pratyag-ātmā* dès qu'elle s'en détache.

L'âme conditionnée est influencée par les différentes fonctions des dix airs vitaux du corps (*vāyus*), que l'on perçoit quand on respire. Le yoga de Patañjali offre une technique qui permet de contrôler les fonctions respiratoires de manière à ce qu'elles favorisent, en l'âme, le détachement de la matière. Le but ultime de ce système de yoga est d'atteindre l'état de *pratyag-ātmā,* où l'âme est détachée de toute activité matérielle.

La fonction du *prāṇa-vāyu* est de régir l'interaction des sens et de leurs objets. Il permet à l'oreille d'entendre, aux yeux de voir, au nez de sentir, à la langue de goûter, aux mains de toucher – ces activités se déroulant toutes hors du soi. L'*apāna-vāyu* est descendant ; l'*udāna-vāyu* ascendant ; le *vyāna-vāyu* rétrécit et agrandit, et le *samāna-vāyu* établit l'équilibre. Dès qu'un homme est éclairé par la connaissance, il peut utiliser chacun de ces airs dans sa quête de la réalisation spirituelle.

**4.28** द्रव्ययज्ञास्तपोयज्ञा योगयज्ञास्तथापरे ।
स्वाध्यायज्ञानयज्ञाश्च यतयः संशितव्रताः ॥२८॥

*dravya-yajñās tapo-yajñā, yoga-yajñās tathāpare*
*svādhyāya-jñāna-yajñāś ca, yatayaḥ saṁśita-vratāḥ*

*dravya-yajñāḥ :* en sacrifiant ses possessions; *tapaḥ-yajñāḥ :* le sacrifice par l'austérité; *yoga-yajñāḥ :* le sacrifice par le yoga en huit phases; *tathā :* ainsi; *apare :* d'autres; *svādhyāya :* le sacrifice par l'étude des Védas; *jñāna-yajñāḥ :* le sacrifice par le développement de la connaissance transcendantale; *ca :* aussi; *yatayaḥ :* les personnes éclairées; *saṁśita-vratāḥ :* suivant des vœux stricts.

**Ayant fait des vœux stricts, certains sont éclairés par le sacrifice de leurs biens matériels, d'autres par l'accomplissement de sévères austérités ou la pratique des huit phases du yoga mystique, d'autres encore par une étude des Védas visant au savoir absolu.**

Ces sacrifices peuvent être classés en plusieurs catégories. Pour certains, sacrifier consiste à donner des biens en charité. En Inde, par exemple, princes et riches marchands fondent de multiples institutions charitables : *dharma-śālās, anna-kṣetras, atithi-śālās, anāthālayas, vidyā-pīṭhas.* Dans d'autres pays, ce sont des hôpitaux, des hospices de vieillards et autres institutions semblables, dont la fonction est de fournir gratuitement nourriture, éducation et soins médicaux aux indigents. Ces actes charitables ont pour nom *dravya-maya-yajñas.*

D'autres sacrifices, propres à ceux qui désirent améliorer leurs conditions de vie ou s'élever jusqu'aux planètes supérieures, comprennent diverses ascèses, tels le *candrāyaṇa* et le *cāturmāsya.* Ces ascèses exigent que l'on fasse des vœux sévères en observant scrupuleusement des règles strictes. L'ascète observant le *cāturmāsya,* par exemple, ne se rasera pas pendant quatre mois de l'année (de juillet à octobre), s'abstiendra de certains aliments, ne fera pas plus d'un repas par jour et ne sortira pas de sa maison. Ce sacrifice du confort s'appelle *tapomaya-yajña.*

D'autres sacrifices encore, qui portent le nom de *yoga-yajña,* aident à obtenir en ce monde certaines perfections et sont pratiqués par les adeptes des yogas mystiques - le yoga de Patañjali (dont l'objectif est de se fondre en l'Absolu), le *haṭha-yoga* ou l'*aṣṭāṅga-yoga* (dont le but est l'acquisition de pouvoirs surnaturels) - ou par les pèlerins qui visitent les lieux saints. Une autre forme de sacrifice, nommée *svādhyāya-yajña,* consiste à étudier les Écrits védiques, plus particulièrement les *Upaniṣads,* les *Vedānta-sūtras,* ou la philosophie du *sāṅkhya.*

Tous ces *yogīs* accomplissent avec constance leurs sacrifices respectifs afin d'obtenir des conditions de vie supérieures. La conscience de Kṛṣṇa est, elle, bien différente, car elle propose de satisfaire le Seigneur Suprême par un service direct. Notons qu'aucun des sacrifices mentionnés plus haut ne permet de devenir conscient de Kṛṣṇa. Seule peut nous y conduire la miséricorde du Seigneur et de Ses purs dévots. La conscience de Kṛṣṇa est donc transcendantale.

**4.29** अपाने जुह्वति प्राणं प्राणेऽपानं तथापरे ।
प्राणापानगती रुद्ध्वा प्राणायामपरायणाः ।
अपरे नियताहाराः प्राणान् प्राणेषु जुह्वति ॥२९॥

*apāne juhvati prāṇaṁ, prāṇe 'pānaṁ tathāpare*
*prāṇāpāna-gatī ruddhvā, prāṇāyāma-parāyaṇāḥ*
*apare niyatāhārāḥ, prāṇān prāṇeṣu juhvati*

*apāne :* l'air qui agit vers le bas ; *juhvati :* offrent ; *prāṇam :* l'air qui agit vers l'extérieur ; *prāṇe :* dans l'air qui sort ; *apānam :* l'air qui descend ; *tathā :* comme aussi ; *apare :* d'autres ; *prāṇa :* de l'air qui sort ; *apāna :* et l'air qui descend ; *gatī :* le mouvement ; *ruddhvā :* stoppant ; *prāṇa-āyāma :* transe yogique provoquée par l'arrêt de la respiration ; *parāyaṇāḥ :* ainsi enclins ; *apare :* d'autres ; *niyata :* ayant maîtrisé ; *āhārāḥ :* l'acte de manger ; *prāṇān :* l'air sortant ; *prāṇeṣu :* dans l'air sortant ; *juhvati :* sacrifient.

**D'aucuns cherchent à se rendre maître des fonctions respiratoires pour atteindre un état de transe yogique : ils s'exercent à fondre le souffle expiré dans le souffle inspiré, puis l'inverse, et parviennent ainsi à suspendre toute respiration pour demeurer en cet état. D'autres encore, restreignant leur nourriture, sacrifient le souffle expiré en lui-même.**

Le système de yoga qui vise au contrôle de la respiration, le *prāṇāyāma,* se pratique au départ avec le *haṭha-yoga,* au moyen de postures déterminées. Ces pratiques yogiques favorisent la maîtrise des sens et le progrès spirituel. Le *yogī* s'exerce à maîtriser les airs contenus dans son corps en inversant leur direction. L'air *apāna,* par exemple, descend, tandis que le *prāṇa* monte. Le *prāṇāyāma-yogī* apprend à respirer dans le sens inverse du cours normal de l'air, jusqu'à ce que ces deux courants soient neutralisés dans un équilibre stable, le *pūraka.* L'offrande de l'air expiré à l'air inspiré s'appelle *recaka.* L'arrêt total des deux airs est le *kumbhaka-yoga.* Cette pratique permet au *yogī* d'accroître grandement sa longévité pour pouvoir prétendre en cette vie à la perfection de la réalisation spirituelle. Le *yogī* intelligent désire en effet atteindre la perfection dans cette vie sans qu'il y ait besoin d'attendre la suivante.

L'être conscient de Kṛṣṇa, toutefois, en raison de son absorption constante dans le service offert avec un amour absolu au Seigneur, maîtrise automatiquement ses sens. Sa concentration sur Kṛṣṇa est telle qu'elle ne leur laisse aucune chance de se diriger vers d'autres objets. Naturellement, à la fin de sa vie, il se rend auprès de Kṛṣṇa dans le monde spirituel. Il n'a donc pas à s'efforcer d'accroître sa longévité. Comme l'explique la *Bhagavad-gītā* (14.26), il atteint aussitôt la libération :

*māṁ ca yo 'vyabhicāreṇa, bhakti-yogena sevate*
*sa guṇān samatītyaitān, brahma-bhūyāya kalpate*

« Qui s'engage dans le pur service de dévotion transcende les modes d'influence de la nature matérielle et se trouve immédiatement élevé au plan spirituel. » L'être conscient de Kṛṣṇa, parce qu'il débute à un niveau déjà spirituel, garde toujours une conscience transcendantale. Ne courant ainsi aucun risque de chute, il pénètre sans délai dans le royaume de Dieu.

Réduire son alimentation favorise grandement la maîtrise des sens sans laquelle il est impossible de trancher les liens qui nous retiennent à la matière. Cette restriction est automatiquement respectée quand on se nourrit exclusivement de *kṛṣṇa-prasāda,* la nourriture d'abord offerte au Seigneur.

**4.30** सर्वेऽप्येते यज्ञविदो यज्ञक्षपितकल्मषाः ।
यज्ञशिष्टामृतभुजो यान्ति ब्रह्म सनातनम् ॥३०॥

*sarve 'py ete yajña-vido, yajña-kṣapita-kalmaṣāḥ*
*yajña-śiṣṭāmṛta-bhujo, yānti brahma sanātanam*

*sarve :* tous ; *api :* bien que différents en apparence ; *ete :* ceux-là ; *yajña-vidaḥ :* qui connaissent bien le but du sacrifice ; *yajña-kṣapita :* étant libérés des suites de tels actes ; *kalmaṣāḥ :* des conséquences des péchés ; *yajña-śiṣṭa :* comme résultat de l'accomplissement de sacrifices ; *amṛta-bhujaḥ :* ceux qui ont goûté à ce nectar ; *yānti :* approchent ; *brahma :* suprême ; *sanātanam :* le royaume éternel.

**Tous ceux qui font des sacrifices et en ont compris la signification se libèrent des conséquences de leurs activités pécheresses. Ayant goûté au nectar des fruits de l'acte sacrificiel, ils progressent vers la destination suprême et éternelle.**

La description que nous avons faite des diverses formes de sacrifices (le sacrifice des possessions matérielles, l'étude des Védas ou des différentes doctrines philosophiques et la pratique du yoga) a montré qu'elles visaient toutes à la maîtrise des sens. Puisque l'ardent désir de jouir de nos sens est la cause première de l'existence matérielle, il est impossible, à moins de s'en défaire, d'atteindre le niveau de la vie éternelle, de la connaissance et de la félicité totales, qui se trouve dans le domaine éternel, la sphère du Brahman.

Les sacrifices mentionnés dans les versets précédents aident l'homme à se laver des conséquences de ses péchés. Cet avancement spirituel lui assure non seulement le bonheur et la prospérité dans cette vie, mais aussi l'accès au royaume éternel, que ce soit en fusionnant dans le Brahman impersonnel, ou en vivant auprès de Dieu, la Personne Suprême.

**4.31** नायं लोकोऽस्त्ययज्ञस्य कुतोऽन्यः कुरुसत्तम ॥३१॥

*nāyaṁ loko 'sty ayajñasya, kuto 'nyaḥ kuru-sattama*

*na :* jamais; *ayam :* cette; *lokaḥ :* planète; *asti :* il y a; *ayajñasya :* pour celui qui n'accomplit pas de sacrifice; *kutaḥ :* où est; *anyaḥ :* l'autre; *kuru-sat-tama :* ô meilleur des Kurus.

**Ô meilleur des Kurus, sache que sans accomplir de sacrifice on ne peut vivre heureux en ce monde ou dans cette vie; que dire de la suivante?**

Quelles que soient nos conditions de vie en ce monde, nous ignorons tous quelle est notre véritable nature. En vérité, la vie ici-bas est le résultat des multiples conséquences de nos péchés. L'ignorance est la cause d'une vie pécheresse qui, à son tour, est à l'origine de notre séjour prolongé dans l'univers matériel. La forme humaine étant la seule forme qui permette de sortir de cette prison matérielle, les Védas donnent à l'homme la possibilité de s'échapper, en lui montrant les voies des pratiques religieuses, de la prospérité économique et des plaisirs réglés, et en lui offrant un moyen de quitter une fois pour toutes sa condition misérable. Les pratiques religieuses - les différents types de sacrifices recommandés plus haut - permettent de résoudre automatiquement l'ensemble des problèmes économiques. En accomplissant ces *yajñas* on obtient toute la nourriture nécessaire à la vie (lait, céréales, etc.), même en cas de prétendue surpopulation. Mais une fois l'estomac rassasié, l'homme veut contenter ses sens. Pour lui, donc, les Védas recommandent le mariage sacré, qui comble les sens tout en les soumettant à certaines restrictions. Observer ces règles libère graduellement l'homme du joug de la matière - la perfection de cette libération étant de trouver la compagnie du Seigneur Suprême.

Puisque les sacrifices (*yajñas*) mènent à la perfection, comment celui qui n'est pas prêt à les accomplir peut-il espérer une vie heureuse dans ce corps, ou dans le prochain sur une autre planète? Les diverses planètes édéniques offrent toute une gamme de conforts matériels, et ceux qui exécutent les *yajñas* sont assurés de connaître d'immenses joies. Mais le plus grand bonheur que l'on puisse obtenir, c'est d'atteindre les planètes spirituelles grâce à la pratique de la conscience de Kṛṣṇa. Nous dirons pour conclure que la conscience de Kṛṣṇa est la solution à tous les problèmes de l'existence.

4.32 एवं बहुविधा यज्ञा वितता ब्रह्मणो मुखे ।
कर्मजान् विद्धि तान् सर्वानेवं ज्ञात्वा विमोक्ष्यसे ॥३२॥

*evaṁ bahu-vidhā yajñā, vitatā brahmaṇo mukhe*
*karma-jān viddhi tān sarvān, evaṁ jñātvā vimokṣyase*

*evam :* ainsi; *bahu-vidhāḥ :* diverses sortes de; *yajñāḥ :* sacrifices; *vitatāḥ :* sont répandus; *brahmaṇaḥ :* des Védas; *mukhe :* par la bouche; *karma-jān :* nés de l'acte; *viddhi :* sache; *tān :* ils; *sarvān :* tous; *evam :* ainsi; *jñātvā :* sachant; *vimokṣyase :* tu seras libéré.

**Tous ces sacrifices sont autorisés par les Védas et procèdent de diverses formes d'activités. Sachant cela, tu atteindras la libération.**

Comme nous l'avons vu, les Védas recommandent différents sacrifices pour différents types d'hommes. Parce que l'homme a généralement une conscience purement corporelle et matérielle de lui-même, de nombreux sacrifices sont conçus pour être accomplis avec le corps, le mental ou l'intelligence. Tous, cependant, ont pour but final de libérer l'âme du corps. Le Seigneur, en personne, le confirme dans ce verset.

4.33 श्रेयान्द्रव्यमयाद्यज्ञाज्ज्ञानयज्ञः परन्तप ।
सर्वं कर्माखिलं पार्थ ज्ञाने परिसमाप्यते ॥३३॥

*śreyān dravya-mayād yajñāj, jñāna-yajñaḥ paran-tapa*
*sarvaṁ karmākhilaṁ pārtha, jñāne parisamāpyate*

*śreyān :* plus grand; *dravya-mayāt :* des possessions matérielles; *yajñāt :* que le sacrifice; *jñāna-yajñaḥ :* le sacrifice dans la connaissance; *param-tapa :* ô vainqueur de l'ennemi; *sarvam :* toute; *karma :* activité; *akhilam :* en totalité; *pārtha :* ô fils de Pṛthā; *jñāne :* à la connaissance; *parisamāpyate :* aboutit.

**Ô vainqueur de l'ennemi, le sacrifice accompli avec la connaissance est supérieur au simple sacrifice des biens matériels, car en fin de compte, ô fils de Pṛthā, le savoir absolu vient couronner le sacrifice de l'action.**

L'objet de tout sacrifice est d'abord d'acquérir la connaissance totale, puis d'échapper aux souffrances matérielles, et enfin, but ultime, de servir le Seigneur Suprême avec amour et dévotion. Mais il y a dans ces sacrifices un secret qu'il nous faut découvrir : leur genre dépend de la foi particulière de leur auteur. Lorsque sa foi le conduit à la connaissance transcendantale, l'auteur du sacrifice se trouve à un niveau bien supérieur à celui qui, sans ce savoir, sacrifie uniquement ses biens, car les oblations faites dans un contexte matériel, n'engendrent aucun bénéfice spirituel. Les sacrifices accomplis sans véritable connaissance ne sont qu'une suite d'actes matériels. Ils deviennent spirituels quand la connaissance transcendantale – qui culmine dans la conscience de Kṛṣṇa – guide leurs auteurs.

Ainsi, selon l'état d'esprit de son auteur, l'acte sacrificiel porte le nom de *karma-kāṇḍa* (la voie de l'action intéressée) ou de *jñāna-kāṇḍa* (la quête de la vérité par la voie de la connaissance), le second étant supérieur au premier.

**4.34** तद्विद्धि प्रणिपातेन परिप्रश्नेन सेवया ।
उपदेक्ष्यन्ति ते ज्ञानं ज्ञानिनस्तत्त्वदर्शिनः ॥३४॥

*tad viddhi praṇipātena, paripraśnena sevayā*
*upadekṣyanti te jñānaṁ, jñāninas tattva-darśinaḥ*

*tat* : cette connaissance des différents sacrifices ; *viddhi* : essaie de comprendre ; *praṇipātena* : en approchant un maître spirituel ; *paripraśnena* : en le questionnant avec soumission ; *sevayā* : en le servant ; *upadekṣyanti* : ils t'initieront ; *te* : toi ; *jñānam* : dans la connaissance ; *jñāninaḥ* : les âmes réalisées ; *tattva* : la vérité ; *darśinaḥ* : ceux qui voient.

**Cherche à connaître la vérité en approchant un maître spirituel. Enquiers-toi d'elle auprès de lui avec soumission, tout en le servant. L'âme réalisée peut te révéler le savoir, car elle a vu la vérité.**

La voie menant à la réalisation spirituelle est certes difficile. C'est pourquoi le Seigneur nous conseille de rechercher un maître authentique, appartenant à la filiation spirituelle dont Il est la source. Nul ne peut être un véritable maître spirituel s'il n'appartient à cette succession disciplique. Kṛṣṇa étant le maître spirituel originel, seul Son représentant dans la lignée disciplique peut transmettre Son message tel qu'il est. On ne peut obtenir la réalisation spirituelle en inventant sa propre méthode comme le font aujourd'hui nombre d'imposteurs. Le *Bhāgavatam* (6.3.19) affirme en effet : *dharmaṁ tu sākṣād bhagavat-praṇītam* – c'est le Seigneur Lui-même qui trace la voie de la religion.

Ni les spéculations intellectuelles, ni les raisonnements stériles ne peuvent nous conduire sur la voie juste. L'étude indépendante des textes ne nous permettra pas non plus de progresser. Il est indispensable, si l'on souhaite obtenir la connaissance, d'approcher un maître spirituel authentique, de s'en remettre entièrement à lui et de le servir avec humilité et sans prétention. Satisfaire un maître accompli est le secret du progrès spirituel. Question et soumission vont de pair. On doit l'interroger avec soumission, car si l'on ne se montre pas soumis et si l'on ne développe pas une attitude de service, on ne peut recevoir la connaissance transcendantale. Le disciple doit passer avec succès l'épreuve du maître, et celui-ci, voyant sa sincérité, le bénira aussitôt en lui accordant la vraie connaissance spirituelle.

Ce verset condamne toutefois et l'acceptation aveugle et les questions absurdes. Car il ne suffit pas d'écouter avec soumission le maître spirituel, il faut également s'efforcer de comprendre clairement ses enseignements, par le biais du service, de la soumission et de questions pertinentes. Le maître authentique est, par nature, pénétré d'affection pour son disciple. Aussi, quand le disciple s'en remet totalement à lui, toujours prêt à le servir, leur échange, en termes de questions et de connaissance, devient parfait.

**4.35** यज्ज्ञात्वा न पुनर्मोहमेवं यास्यसि पाण्डव ।
येन भूतान्यशेषाणि द्रक्ष्यस्यात्मन्यथो मयि ॥३५॥

*yaj jñātvā na punar moham, evaṁ yāsyasi pāṇḍava*
*yena bhūtāny aśeṣāṇi, drakṣyasy ātmany atho mayi*

*yat :* ce que; *jñātvā :* sachant; *na :* jamais; *punaḥ :* à nouveau; *moham :* à l'illusion; *evam :* comme cela; *yāsyasi :* tu n'iras; *pāṇḍava :* ô fils de Pāṇḍu; *yena :* par quoi; *bhūtāni :* les êtres; *aśeṣāṇi :* tous; *drakṣyasi :* tu verras; *ātmani :* dans l'Âme Suprême; *atha u :* ou en d'autres mots; *mayi :* en Moi.

**Quand tu auras ainsi reçu la connaissance véritable auprès d'une âme réalisée, l'illusion ne t'égarera jamais plus. Tu comprendras que tous les êtres font partie intégrante du Suprême. En d'autres mots, qu'ils M'appartiennent.**

En recevant la connaissance des lèvres d'un être réalisé qui connaît la vraie nature des choses, l'homme en vient à comprendre que tous les êtres font partie intégrante de Dieu, Kṛṣṇa, la Personne Suprême. On appelle *māyā* (*mā* - pas, *yā* - cela) le concept d'une existence séparée de Kṛṣṇa. Certains croient que les êtres n'ont aucun lien avec Kṛṣṇa, Lequel ne serait qu'un grand personnage historique, et la Vérité Absolue rien d'autre que le Brahman impersonnel. En réalité, nous dit la *Bhagavad-gītā,* le Brahman impersonnel est l'éclat irradiant du corps de Kṛṣṇa. Kṛṣṇa est Dieu, la Personne Suprême, la cause de tout ce qui est. Ce que confirme à son tour la *Brahma-saṁhitā* : Kṛṣṇa est Dieu, la Personne Suprême, la cause de toutes les causes. De Lui émanent les innombrables *avatāras* et tous les êtres vivants. Les philosophes *māyāvādīs* commettent l'erreur de croire que Kṛṣṇa perd, en Se multipliant, Son individualité propre. Cette hypothèse traduit un raisonnement tout à fait matériel, car au niveau de la matière, effectivement, un objet perd son intégralité première s'il se trouve fragmenté. Ces philosophes ne peuvent comprendre que dans l'absolu, un plus un font toujours un, de même qu'un moins un.

Par manque d'une connaissance suffisante de la science absolue, nous sommes recouverts du voile de l'illusion et nous nous croyons séparés de Kṛṣṇa. En vérité, bien que nous soyons distincts de Lui, nous n'en demeurons pas moins non différents. La diversité physique que nous rencontrons chez les êtres vivants est, elle aussi, *māyā,* illusoire. Nous sommes tous faits pour satisfaire Kṛṣṇa. C'est donc bien à cause de l'influence de *māyā* qu'Arjuna croit que les liens matériels et éphémères avec sa famille importent davantage que les liens spirituels et éternels avec Kṛṣṇa.

Le but de la *Gītā* est de nous enseigner que l'être vivant, serviteur éternel de Kṛṣṇa, ne peut être séparé de Lui, et que l'impression qu'il a d'exister hors de Kṛṣṇa est *māyā.* L'être vivant, en tant que partie intégrante mais distincte du Seigneur Suprême, a un devoir à remplir. Pour l'avoir oublié depuis des temps immémoriaux, il est contraint d'habiter un corps d'homme, d'animal, de *deva,* etc. Ces différents corps ont en effet pour origine l'oubli du service transcendantal du Seigneur. Et pourtant, ce voile d'illusion peut être ôté d'un coup si l'on sert avec amour le Seigneur dans la conscience de Kṛṣṇa. Or, ce n'est qu'auprès d'un maître spirituel authentique que l'on obtiendra la connaissance pure, connaissance qui nous empêchera de mettre Dieu et l'être vivant sur un pied d'égalité. Avoir le parfait savoir, c'est reconnaître que Kṛṣṇa, l'Âme Suprême, est le refuge ultime de tous les êtres, et que sans Lui on ne peut que se laisser abuser par l'énergie matérielle illusoire et s'imaginer exister hors de Lui. Sous le couvert d'identités matérielles toutes fort différentes, ils oublient le Seigneur Suprême. Mais dès que ces âmes égarées adoptent la conscience de Kṛṣṇa, elles s'engagent sur la voie de la libération.

Ce que corrobore le *Bhāgavatam* (2.10.6) : *muktir hitvānyathā-rūpaṁ svarūpeṇa vyavasthitiḥ.* Être libéré, c'est recouvrer sa condition immanente de serviteur éternel de Kṛṣṇa.

**4.36** अपि चेदसि पापेभ्यः सर्वेभ्यः पापकृत्तमः ।
सर्वं ज्ञानप्लवेनैव वृजिनं सन्तरिष्यसि ॥३६॥

*api ced asi pāpebhyaḥ, sarvebhyaḥ pāpa-kṛt-tamaḥ*
*sarvaṁ jñāna-plavenaiva, vṛjinaṁ santariṣyasi*

*api :* même ; *cet :* si ; *asi :* tu es ; *pāpebhyaḥ :* les pécheurs ; *sarvebhyaḥ :* de tous ; *pāpa-kṛt-tamaḥ :* le plus grand pécheur ; *sarvam :* toutes ces conséquences des péchés ; *jñāna-plavena :* dans le vaisseau du savoir spirituel ; *eva :* certes ; *vṛjinam :* l'océan des souffrances ; *santariṣyasi :* tu traverseras complètement.

**Quand bien même tu serais le plus vil des pécheurs, une fois embarqué sur le vaisseau du savoir spirituel, tu franchiras l'océan des souffrances.**

Comprendre clairement notre position originelle en relation avec Kṛṣṇa nous permettra aussitôt de ne plus avoir à lutter pour survivre dans cet océan d'ignorance. L'univers matériel est en effet tantôt comparé à un feu dévorant, et tantôt à un océan d'ignorance. Dans l'océan, même le plus puissant des nageurs doit lutter très fort pour survivre. Il accueillera comme un sauveur celui qui l'arrachera des flots. De même, la connaissance parfaite reçue de Dieu, la Personne Suprême, est la voie du salut. La conscience de Kṛṣṇa, que l'on compare à un navire, est simple et sublime en même temps.

**4.37** यथैधांसि समिद्धोऽग्निर्भस्मसात्कुरुतेऽर्जुन ।
ज्ञानाग्निः सर्वकर्माणि भस्मसात्कुरुते तथा ॥३७॥

*yathaidhāṁsi samiddho 'gnir, bhasma-sāt kurute 'rjuna*
*jñānāgniḥ sarva-karmāṇi, bhasma-sāt kurute tathā*

*yathā :* tout comme ; *edhāṁsi :* le bois ; *samiddhaḥ :* brûlant ; *agniḥ :* le feu ; *bhasma-sāt :* en cendres ; *kurute :* réduit ; *arjuna :* ô Arjuna ; *jñāna-agniḥ :* le feu de la connaissance ; *sarva-karmāṇi :* toutes les conséquences des actes matériels ; *bhasma-sāt :* en cendres ; *kurute :* transforme ; *tathā :* pareillement.

**Semblable au feu ardent qui réduit le bois en cendres, ô Arjuna, le brasier du savoir réduit en cendres toutes les suites des actions matérielles.**

Dans ce verset, la connaissance du soi, de l'Âme Suprême et de leur relation, est comparée à un feu qui réduirait en cendres non seulement les conséquences de nos actes coupables, mais encore celles de nos actes vertueux. Les effets de nos actes se manifestent à divers degrés. Il y a ceux qui se préparent, ceux qui ne sont pas encore manifestés, ceux qui sont sur le point d'apparaître, et ceux que nous subissons en ce moment. Mais la connaissance de notre nature réelle réduit en cendres toutes les conséquences de nos actes – latentes et manifestées. Ce que les Védas (*Bṛhad-āraṇyaka Upaniṣad* 4.4.22) confirment ainsi : *ubhe uhaivaiṣa ete taraty amṛtaḥ sādhv-asādhūnī* – « On triomphe alors des réactions de tous ses actes, coupables ou vertueux. »

**4.38** न हि ज्ञानेन सदृशं पवित्रमिह विद्यते ।
तत्स्वयं योगसंसिद्धः कालेनात्मनि विन्दति ॥३८॥

*na hi jñānena sadṛśaṁ, pavitram iha vidyate*
*tat svayaṁ yoga-saṁsiddhaḥ, kālenātmani vindati*

*na :* rien; *hi :* certes; *jñānena :* de la connaissance; *sadṛśam :* en comparaison; *pavitram :* sanctifié; *iha :* en ce monde; *vidyate :* n'existe; *tat :* cela; *svayam :* lui-même; *yoga :* dans la dévotion; *saṁsiddhaḥ :* rendu mûr; *kālena :* avec le temps; *ātmani :* en lui-même; *vindati :* jouit de.

**Rien en ce monde n'est aussi pur et aussi sublime que la connaissance transcendantale, fruit mûr de toute mystique. Celui qui atteint la perfection dans la pratique du service de dévotion, en temps voulu, jouira en lui-même de ce savoir.**

Par connaissance transcendantale, nous entendons compréhension spirituelle. Rien n'est aussi pur, aussi sublime qu'un tel savoir. Tout comme l'ignorance est à l'origine de notre enchaînement à la matière, ce savoir, fruit mûr de la dévotion, est à l'origine de notre libération. Et une fois ce savoir obtenu, il n'est plus besoin de chercher ailleurs la paix : on la trouve en soi. En d'autres mots, et telle sera l'ultime conclusion de la *Bhagavad-gītā,* c'est dans la conscience de Kṛṣṇa que la connaissance et la paix atteignent leur apogée.

**4.39** श्रद्धावाँल्लभते ज्ञानं तत्परः संयतेन्द्रियः ।
ज्ञानं लब्ध्वा परां शान्तिमचिरेणाधिगच्छति ॥३९॥

*śraddhāvāl̐ labhate jñānaṁ, tat-paraḥ saṁyatendriyaḥ*
*jñānaṁ labdhvā parāṁ śāntim, acireṇādhigacchati*

*śraddhā-vān :* un homme de foi ; *labhate :* obtient ; *jñānam :* la connaissance ; *tat-paraḥ :* très attaché à elle ; *saṁyata :* maîtrisés ; *indriyaḥ :* les sens ; *jñānam :* la connaissance ; *labdhvā :* ayant atteint ; *parām :* absolue ; *śāntim :* la paix ; *acireṇa :* très bientôt ; *adhigacchati :* atteint.

**L'homme de foi qui maîtrise ses sens et se consacre à la connaissance transcendantale pourra obtenir ce savoir. Il parviendra alors sans délai à la plus haute paix spirituelle.**

Celui qui a une foi ferme en Dieu, la Personne Suprême, peut obtenir ce savoir dans la conscience de Kṛṣṇa. L'homme de foi est celui qui pense, en toute certitude, que le seul fait d'agir dans la conscience de Kṛṣṇa permet d'atteindre la plus haute perfection. On acquiert cette foi en servant le Seigneur avec dévotion ainsi qu'en chantant ou récitant Hare Kṛṣṇa Hare Kṛṣṇa Kṛṣṇa Kṛṣṇa Hare Hare/Hare Rāma Hare Rāma Rāma Rāma Hare Hare, le mantra qui lave le cœur de toutes ses impuretés. Et par-dessus tout, il faut contrôler ses sens. Grâce à ces deux facteurs, on arrivera très vite à la perfection de la connaissance de la conscience de Kṛṣṇa.

**4.40** अज्ञश्चाश्रद्दधानश्च संशयात्मा विनश्यति ।
नायं लोकोऽस्ति न परो न सुखं संशयात्मनः ॥४०॥

*ajñaś cāśraddadhānaś ca, saṁśayātmā vinaśyati*
*nāyaṁ loko 'sti na paro, na sukhaṁ saṁśayātmanaḥ*

*ajñaḥ :* les sots qui ne savent rien des Écritures révélées ; *ca :* et ; *aśraddadhānaḥ :* sans foi dans les Écritures révélées ; *ca :* aussi ; *saṁśaya :* des doutes ; *ātmā :* une personne ; *vinaśyati :* tombe à nouveau ; *na :* jamais ; *ayam :* en ce ; *lokaḥ :* monde ; *asti :* il y a ; *na :* non plus ; *paraḥ :* dans la vie d'après ; *na :* ne pas ; *sukham :* de bonheur ; *saṁśaya :* pleine de doutes ; *ātmanaḥ :* pour la personne.

**Mais les ignorants et les incroyants, qui doutent des Écritures révélées, n'atteignent pas la conscience de Dieu. Ils choient. Celui qui doute ne peut connaître le bonheur ni dans ce monde, ni dans le prochain.**

De toutes les Écritures révélées qui font autorité, la *Bhagavad-gītā* est la plus précieuse. Mais certains, plus proches de l'animal que de l'homme, n'ont aucune connaissance des Écritures, ou aucune foi en elles. Et même si parfois ils les ont lues, même s'ils sont parfois capables d'en citer des passages, ils ne leur accordent, en vérité, aucune crédibilité. Ou bien encore, ils ont foi en les Écritures, en la *Bhagavad-gītā* par exemple, mais ne reconnaissent ni n'adorent

Dieu, Śrī Kṛṣṇa. C'est pourquoi aucun parmi eux ne se fixera dans la conscience de Kṛṣṇa. Tous devront retourner à la vie matérielle.

Les hommes sans foi qui mettent continuellement en doute les Écritures ne feront jamais aucun progrès spirituel. Ceux qui ne croient pas en Dieu et en Son enseignement ne trouveront rien de bon ni en ce monde, ni dans le prochain. Ils ne connaîtront jamais de joie véritable.

Par conséquent, il faut suivre avec foi les principes des Écritures révélées, et par là s'élever à la connaissance pure, qui seule permet d'atteindre le niveau transcendantal de la compréhension spirituelle. En d'autres termes, quiconque doute des Écritures n'a aucune position sur le sentier de l'émancipation spirituelle. Nous devons donc marcher sur les traces des grands *ācāryas* de la lignée disciplique, et ainsi parvenir au succès.

**4.41** योगसन्न्यस्तकर्माणं ज्ञानसञ्छिन्नसंशयम् ।
आत्मवन्तं न कर्माणि निबध्नन्ति धनञ्जय ॥४१॥

*yoga-sannyasta-karmāṇaṁ, jñāna-sañchinna-saṁśayam*
*ātmavantaṁ na karmāṇi, nibadhnanti dhanañ-jaya*

*yoga :* par le service de dévotion dans le *karma-yoga*; *sannyasta :* celui qui a abandonné; *karmāṇam :* les fruits de l'action; *jñāna :* par la connaissance; *sañchinna :* a coupé; *saṁśayam :* les doutes; *ātma-vantam :* situé dans le soi; *na :* jamais; *karmāṇi :* les actions; *nibadhnanti :* ne lient; *dhanam-jaya :* ô conquérant des richesses.

**Celui dont le savoir spirituel a déraciné les doutes, et qui agit dans le service de dévotion en renonçant aux fruits de ses actes, est véritablement établi dans la conscience du soi. C'est pourquoi, ô conquérant des richesses, il n'est pas lié aux conséquences de ses actes.**

Celui qui suit les instructions de la *Bhagavad-gītā,* telles qu'elles furent données par le Seigneur en personne, verra ses doutes balayés par la puissance du savoir transcendantal. Partie intégrante de Dieu, pleinement conscient de Kṛṣṇa, il est déjà fixé dans la connaissance du soi et se situe au-delà des chaînes de l'action.

**4.42** तस्मादज्ञानसम्भूतं हृत्स्थं ज्ञानासिनात्मनः ।
छित्त्वैनं संशयं योगमातिष्ठोत्तिष्ठ भारत ॥४२॥

*tasmād ajñāna-sambhūtaṁ, hṛt-sthaṁ jñānāsinātmanaḥ*
*chittvainaṁ saṁśayaṁ yogam, ātiṣṭhottiṣṭha bhārata*

*tasmāt :* donc; *ajñāna-sambhūtam :* issu de l'ignorance; *hṛt-stham :* situé dans le cœur; *jñāna :* de la connaissance; *asinā :* grâce à l'arme; *ātmanaḥ :* du soi; *chittvā :* coupant; *enam :* ce; *saṁśayam :* doute; *yogam :* dans le yoga; *ātiṣṭha :* situe-toi; *uttiṣṭha :* lève-toi pour combattre; *bhārata :* ô descendant de Bharata.

**Armé du glaive du savoir, il te faut trancher les doutes que l'ignorance a fait germer en ton cœur. Fort de l'arme du yoga, ô Bhārata, lève-toi et combats.**

Le chapitre que nous étudions décrit le *sanātana-yoga,* la fonction éternelle de l'être. Ce yoga comprend deux formes de sacrifices : l'abandon de toute possession matérielle et l'étude du soi, qui est un acte spirituel pur. Le sacrifice des biens, s'il n'est pas motivé par la quête de la réalisation spirituelle, n'est qu'un acte matériel, mais il devient parfait s'il est accompli dans un but spirituel, pour le service de Kṛṣṇa. Les activités spirituelles sont également de deux ordres : celles qui visent à la compréhension du soi (ou de notre condition intrinsèque), et celles qui visent à la connaissance de la vérité, la connaissance de Dieu, la Personne Suprême. Celui qui suit la voie de la *Bhagavad-gītā* telle qu'elle est parviendra sans difficulté à assimiler la connaissance spirituelle sous ces deux aspects essentiels. Il comprendra la nature spirituelle de l'être - partie intégrante de Dieu - et, par suite, la nature absolue des actes du Seigneur.

Au début du chapitre, d'ailleurs, le Seigneur a parlé de Ses activités absolues. On dit de celui qui ne comprend pas les instructions de la *Gītā* qu'il est dénué de foi et utilise mal l'indépendance partielle que lui a accordée le Seigneur. En dépit d'un tel enseignement, il ne reconnaît pas la vraie nature de Kṛṣṇa, ne comprend pas qu'Il est Dieu, que Sa Personne est éternelle, omnisciente et bienheureuse. Il est certainement le plus grand des sots, mais de cette ignorance, cette sottise, il pourra se défaire s'il en vient progressivement à accepter de suivre les principes de la conscience de Kṛṣṇa.

La conscience de Dieu se ranime peu à peu par les oblations faites aux *devas* et au Brahman, par le vœu de continence, par les restrictions dans la vie conjugale et familiale, par la maîtrise des sens, par la pratique du yoga mystique, par l'austérité, le don de ses biens matériels, l'étude des Védas et le respect du *varṇāśrama-dharma.* Toutes ces activités sont des sacrifices et répondent à des règles précises, mais leur vraie valeur vient de ce qu'elles ont pour objet la réalisation spirituelle. Qui se propose d'atteindre cet objectif et nul autre a parfaitement compris la *Bhagavad-gītā,* quand celui qui doute de l'autorité de Kṛṣṇa déchoit.

Il convient donc d'étudier la *Bhagavad-gītā,* ou tout autre texte sacré, sous la conduite d'un maître spirituel authentique, dans une attitude de service et de soumission. On dit d'un maître spirituel qu'il est authentique, légitime, s'il appartient à une succession disciplique remontant à l'origine des temps, s'il ne s'écarte en rien des instructions du Seigneur Suprême telles qu'elles furent données il y a des millions d'années au *deva* du soleil, et par qui elles furent ensuite transmises aux hommes. Il est indispensable de suivre la voie de la *Bhagavad-gītā* selon les directives de l'ouvrage lui-même, et de se méfier des faux maîtres qui, pour jouir d'un certain prestige, éloignent autrui de la voie véritable. Le Seigneur est, sans l'ombre d'un doute, la Personne Suprême, et Ses actes sont transcendantaux. Qui comprend cela échappe à l'étreinte de la matière dès qu'il commence l'étude de la *Bhagavad-gītā.*

*Ainsi s'achèvent les teneurs et portées de Bhaktivedanta sur le quatrième chapitre de la* Śrīmad Bhagavad-gītā *traitant de la connaissance transcendantale.*

CINQUIÈME CHAPITRE

# L'action dans la conscience de Kṛṣṇa

5.1 अर्जुन उवाच
सन्न्यासं कर्मणां कृष्ण पुनर्योगं च शंससि ।
यच्छ्रेय एतयोरेकं तन्मे ब्रूहि सुनिश्चितम् ॥ १ ॥

*arjuna uvāca*
*sannyāsaṁ karmaṇāṁ kṛṣṇa, punar yogaṁ ca śaṁsasi*
*yac chreya etayor ekaṁ, tan me brūhi su-niścitam*

*arjunaḥ uvāca :* Arjuna dit ; *sannyāsam :* le renoncement ; *karmaṇām :* à toute action ; *kṛṣṇa :* ô Kṛṣṇa ; *punaḥ :* puis ; *yogam :* le service de dévotion ; *ca :* aussi ; *śaṁsasi :* Tu loues ; *yat :* lequel ; *śreyaḥ :* est le plus bénéfique ; *etayoḥ :* de ces deux ; *ekam :* un ; *tat :* que ; *me :* à moi ; *brūhi :* dis, s'il Te plaît ; *su-niścitam :* de façon définitive.

**Arjuna dit : Ô Kṛṣṇa, bien que Tu m'aies tout d'abord conseillé de renoncer aux actes, Tu m'as par la suite recommandé d'agir avec dévotion. Je T'en prie, indique-moi de façon définitive quelle est la meilleure voie.**

Dans ce cinquième chapitre, le Seigneur explique que l'action dévotionnelle est préférable à l'aride spéculation mentale. Il est en effet beaucoup plus facile de pratiquer le service de dévotion car, de nature transcendantale, il nous affranchit des conséquences de nos actes. Le second chapitre nous introduisait à la connaissance de l'âme, en nous permettant de comprendre de quelle manière elle devient prisonnière du corps et comment on peut mettre un terme à son emprisonnement grâce au *buddhi-yoga* – le service de dévotion. Dans le troisième chapitre, il était démontré que celui qui est parvenu à la connaissance n'a plus aucun devoir à remplir. Dans le quatrième, Kṛṣṇa enseignait que tous les sacrifices doivent finalement nous conduire au savoir. Mais à la fin de ce même chapitre, Kṛṣṇa conseillait à Arjuna, qui disposait désormais d'une parfaite connaissance, de se ressaisir et de combattre.

Kṛṣṇa, en soulignant à la fois l'importance de l'action dans la dévotion et l'importance de l'inaction dans la connaissance, ébranle la détermination d'Arjuna et le plonge dans la confusion. Arjuna pense que le renoncement dans la connaissance implique la cessation de toute activité des sens. Mais comment peut-on, d'une part, cesser d'agir, et d'autre part, agir dans un esprit de dévotion ? En d'autres mots, il croit que le *sannyāsa*, le renoncement dans la connaissance, doit être exempt de toute action car, pour lui, l'action et la renonciation sont incompatibles. Il semble ne pas comprendre que l'action accomplie dans la connaissance absolue n'engendre aucune conséquence, et qu'ainsi, elle équivaut à l'inaction. C'est pourquoi il demande s'il est préférable de renoncer à agir ou d'agir en pleine connaissance.

**5.2** श्रीभगवानुवाच
सन्न्यासः कर्मयोगश्च निःश्रेयसकरावुभौ ।
तयोस्तु कर्मसन्न्यासात्कर्मयोगो विशिष्यते ॥ २ ॥

*śrī-bhagavān uvāca*
*sannyāsaḥ karma-yogaś ca, niḥśreyasa-karāv ubhau*
*tayos tu karma-sannyāsāt, karma-yogo viśiṣyate*

*śrī-bhagavān uvāca :* Dieu, la Personne Suprême, dit ; *sannyāsaḥ :* le renoncement à l'action ; *karma-yogaḥ :* l'action dans la dévotion ; *ca :* aussi ; *niḥśreyasa-karau :* menant sur le sentier de la libération ; *ubhau :* tous les deux ; *tayoḥ :* des deux ; *tu :* mais ; *karma-sannyāsāt :* en comparaison avec le renoncement à l'action intéressée ; *karma-yogaḥ :* l'action dans la dévotion ; *viśiṣyate :* est mieux.

**Dieu, la Personne Suprême, répond : Bien que le renoncement aux actes et l'acte dévotionnel conduisent l'un et l'autre à la libération, le service de dévotion prévaut.**

L'action intéressée (accomplie afin de jouir des sens) enchaîne son auteur à la matière. Tant qu'on agira simplement pour améliorer ses conditions de vie matérielle, on devra transmigrer de corps en corps et demeurer indéfiniment en ce monde. Ce que confirme le *Śrīmad-Bhāgavatam* (5.5.4-6) :

*nūnaṁ pramattaḥ kurute vikarma*
*yad indriya-prītaya āpṛṇoti*
*na sādhu manye yata ātmano 'yam*
*asann api kleśa-da āsa dehaḥ*

*parābhavas tāvad abodha-jāto*
*yāvan na jijñāsata ātma-tattvam*
*yāvat kriyās tāvad idaṁ mano vai*
*karmātmakaṁ yena śarīra-bandhaḥ*

*evaṁ manaḥ karma-vaśaṁ prayuṅkte*
*avidyayātmany upadhīyamāne*
*prītir na yāvan mayi vāsudeve*
*na mucyate deha-yogena tāvat*

« L'homme est avide de plaisirs matériels, ignorant que son corps, exposé à toutes sortes de souffrances est précisément le fruit d'actions intéressées passées. Bien qu'elle soit temporaire, cette enveloppe charnelle est toujours source d'affliction. Il n'est pas bon, dès lors, d'agir en vue du seul plaisir des sens. La vie de celui qui ne s'enquiert pas de sa véritable identité demeure vaine, car tant qu'il ne connaît pas son identité véritable, il ne peut qu'agir dans le but de jouir des sens. Et tant qu'il s'absorbe dans la seule quête du plaisir matériel, il se voit contraint de transmigrer d'un corps à l'autre. Quand bien même son mental serait influencé par l'ignorance et pénétré de désirs pour les fruits de l'acte, il doit développer de l'attachement pour le service dévotionnel du Seigneur, Vāsudeva (Kṛṣṇa). Alors seulement pourra-t-il trancher les liens de l'existence matérielle. »

Être un *jñānī*, savoir que l'on est une âme spirituelle distincte du corps, ne permet pas pour autant d'atteindre la libération. Il faut également agir en conséquence, car c'est le seul moyen de briser les chaînes qui nous retiennent prisonniers de la matière. L'action dans la conscience de Kṛṣṇa, toutefois, ne ressemble en rien à l'action axée sur l'intérêt personnel. Joindre l'action à la connaissance renforce notre progrès sur la voie du vrai savoir. Par contre, si l'âme conditionnée renonce aux actes matériels sans prendre part aux activités de la conscience de Kṛṣṇa, elle ne pourra purifier son cœur. Et tant qu'elle gardera quelque impureté, il lui sera impossible de ne pas s'adonner à l'action intéressée. Seule l'action accomplie dans la conscience de Kṛṣṇa libère automatiquement l'âme des chaînes du karma et l'empêche de redescendre à un niveau matériel. D'où la supériorité de l'action accomplie dans la conscience de Kṛṣṇa sur le simple renoncement qui comporte toujours un risque de chute et, par conséquent, demeure incomplet. Śrīla Rūpa Gosvāmī corrobore ce point dans son *Bhakti-rasāmṛta-sindhu* (1.2.258) :

*prāpañcikatayā buddhyā, hari-sambandhi-vastunaḥ*
*mumukṣubhiḥ parityāgo, vairāgyaṁ phalgu kathyate*

« Le renoncement de l'homme vraiment désireux d'obtenir la libération ne sera jamais complet si, les considérant matérielles, il rejette les choses reliées à Dieu, la Personne Suprême ».

Le renoncement n'est parfait que si l'on a conscience que tout appartient à Dieu, que nul ne peut donc se dire propriétaire de quoi que ce soit. Au demeurant, quand on comprend que rien ne nous appartient, comment pourrait-il être question de renoncement ? Celui qui reconnaît Kṛṣṇa comme le possesseur suprême fait preuve du vrai renoncement. Et puisque tout appartient à Kṛṣṇa, tout doit être utilisé à Son service. Cette forme d'action accomplie dans la conscience de Kṛṣṇa est parfaite, et de loin supérieure au renoncement artificiel des *sannyāsīs* de l'école *māyāvāda*.

**5.3** ज्ञेयः स नित्यसन्न्यासी यो न द्वेष्टि न काङ्क्षति ।
निर्द्वन्द्वो हि महाबाहो सुखं बन्धात्प्रमुच्यते ॥३॥

*jñeyaḥ sa nitya-sannyāsī, yo na dveṣṭi na kāṅkṣati*
*nirdvandvo hi mahā-bāho, sukhaṁ bandhāt pramucyate*

*jñeyaḥ :* doit être tenu pour ; *saḥ :* il ; *nitya :* toujours ; *sannyāsī :* un renonçant ; *yaḥ :* qui ; *na :* jamais ; *dveṣṭi :* ne déteste ; *na :* non plus ; *kāṅkṣati :* ne désire ; *nirdvandvaḥ :* affranchi des dualités ; *hi :* certes ; *mahā-bāho :* ô Arjuna aux bras puissants ; *sukham :* joyeusement ; *bandhāt :* de l'emprisonnement ; *pramucyate :* est complètement libéré.

**Ô Arjuna aux bras puissants, celui qui n'a pour les fruits de ses actes ni répulsion, ni convoitise est dit toujours renoncé. Comme il n'est plus sujet à la dualité, il se soustrait aisément à l'enchaînement matériel et atteint la libération totale.**

Celui qui s'absorbe dans la conscience de Kṛṣṇa pratique à chaque instant le renoncement puisqu'il n'a ni répulsion ni convoitise pour les fruits de ses actes. Entièrement dédié au service d'amour transcendantal du Seigneur, il possède la connaissance parfaite, car il connaît sa position immanente en relation avec Kṛṣṇa. Il sait que Kṛṣṇa est le Tout dont il fait lui-même partie intégrante. Sa connaissance est parfaite car sa compréhension est correcte, tant du point de vue qualitatif que du point de vue quantitatif.

La théorie selon laquelle nous ne ferions qu'un avec Kṛṣṇa est inexacte, car la partie ne peut égaler le tout. L'être atteint la plénitude et s'affranchit de tout désir et de tout regret quand il a réalisé que son identité avec Dieu est qualitative et non quantitative. Il n'est plus sujet à la dualité, car il voue toutes ses actions à Kṛṣṇa. Il connaît la libération en ce monde même.

**5.4** साङ्ख्ययोगौ पृथग्बालाः प्रवदन्ति न पण्डिताः ।
एकमप्यास्थितः सम्यगुभयोर्विन्दते फलम् ॥ ४ ॥

*sāṅkhya-yogau pṛthag bālāḥ, pravadanti na paṇḍitāḥ*
*ekam apy āsthitaḥ samyag, ubhayor vindate phalam*

*sāṅkhya :* l'étude analytique de l'univers matériel ; *yogau :* l'action dans le service de dévotion ; *pṛthak :* différentes ; *bālāḥ :* les moins intelligents ; *pravadanti :* disent ; *na :* jamais ; *paṇḍitāḥ :* les érudits ; *ekam :* dans l'une ; *api :* même si ; *āsthitaḥ :* étant situé ; *samyak :* complet ; *ubhayoḥ :* des deux ; *vindate :* jouit du ; *phalam :* résultat.

**Seul l'ignorant prétend que le service de dévotion [le karma-yoga] diffère de l'étude analytique du monde matériel [le sāṅkhya]. Les vrais érudits, eux, affirment que si l'on suit parfaitement l'une de ces voies, on obtient le résultat des deux.**

L'étude analytique du monde matériel doit nous permettre de découvrir l'âme de toute chose. L'âme du monde matériel est Viṣṇu, l'Âme Suprême. Ainsi, qui sert le Seigneur sert du même coup l'Âme Suprême. Celui qui étudie en toute conscience la philosophie du *sāṅkhya,* découvre la vraie racine du monde, Viṣṇu, et fort de cette connaissance, l'arrose grâce à la pratique du service de dévotion. Dans leur essence il n'y a donc pas de différence entre le *sāṅkhya* et le service de dévotion puisque leur but est un : Viṣṇu. Ceux qui ignorent ce but ultime prétendent que les objectifs du *sāṅkhya* et du *karma-yoga* diffèrent, mais l'homme réfléchi sait quelle fin commune les unit.

5.5 यत्साङ्ख्यैः प्राप्यते स्थानं तद्योगैरपि गम्यते ।
एकं साङ्ख्यं च योगं च यः पश्यति स पश्यति ॥ ५ ॥

*yat sāṅkhyaiḥ prāpyate sthānaṁ, tad yogair api gamyate*
*ekaṁ sāṅkhyaṁ ca yogaṁ ca, yaḥ paśyati sa paśyati*

*yat :* ce qui ; *sāṅkhyaiḥ :* grâce à la philosophie du *sāṅkhya* ; *prāpyate :* est atteint ; *sthānam :* position ; *tat :* cette ; *yogaiḥ :* par le service de dévotion ; *api :* aussi ; *gamyate :* on peut atteindre ; *ekam :* une ; *sāṅkhyam :* l'étude analytique ; *ca :* et ; *yogam :* l'action accomplie avec dévotion ; *ca :* et ; *yaḥ :* celui qui ; *paśyati :* voit ; *saḥ :* il ; *paśyati :* voit vraiment.

**Celui qui sait que l'étude analytique et le service de dévotion permettent d'atteindre le même but et se situent, par conséquent, au même niveau, possède une juste compréhension des choses.**

La recherche philosophique a pour objet réel la connaissance du but ultime de l'existence, la réalisation spirituelle. C'est pourquoi les deux voies indiquées dans ce verset ne diffèrent pas dans leurs conclusions. Lorsque la recherche philosophique du *sāṅkhya* est conduite à son terme, on réalise que l'être distinct n'appartient pas à l'univers matériel, mais au Tout spirituel suprême. L'âme spirituelle, qui n'a rien de commun avec le monde matériel, doit agir en relation avec l'Absolu. Or, agir dans la conscience de Kṛṣṇa, c'est recouvrer sa position intrinsèque.

La voie du *sāṅkhya-yoga* demande qu'on se détache de la matière, et celle du yoga de la dévotion, le *bhakti-yoga,* qu'on s'attache aux actes dédiés au plaisir de Kṛṣṇa. Mais bien que l'une semble impliquer l'attachement et l'autre le détachement, ces deux méthodes se rejoignent, car il n'existe pas de différence entre le détachement de la matière et l'attachement à Kṛṣṇa. Qui développe cette vision possède une juste compréhension des choses.

5.6 सन्न्यासस्तु महाबाहो दुःखमाप्तुमयोगतः ।
योगयुक्तो मुनिर्ब्रह्म न चिरेणाधिगच्छति ॥ ६ ॥

*sannyāsas tu mahā-bāho, duḥkham āptum ayogataḥ*
*yoga-yukto munir brahma, na cireṇādhigacchati*

*sannyāsaḥ :* l'ordre du renoncement ; *tu :* mais ; *mahā-bāho :* ô Arjuna aux bras puissants ; *duḥkham :* le malheur ; *āptum :* apporte à une personne ; *ayogataḥ :* sans le service de dévotion ; *yoga-yuktaḥ :* celui qui pratique le service de dévotion ; *muniḥ :* le penseur ; *brahma :* le Suprême ; *na cireṇa :* sans délai ; *adhigacchati :* atteint.

**Qui renonce simplement à l'action mais ne sert pas le Seigneur avec amour et dévotion ne saurait trouver le bonheur, ô Arjuna. Au contraire, l'homme réfléchi qui pratique le service de dévotion atteint rapidement l'Absolu.**

Il y a deux sortes de *sannyāsīs,* de renonçants : les *māyāvādīs* qui étudient la philosophie du *sāṅkhya,* et les *vaiṣṇavas* qui étudient la philosophie du *Śrīmad-Bhāgavatam,* l'authentique commentaire du *Vedānta-sūtra.* Les *sannyāsīs māyāvādīs* étudient aussi le *Vedānta-sūtra,* mais en se référant au commentaire de Śaṅkarācārya, le *Śārīraka-bhāṣya.* Les adeptes de l'école *bhāgavata,* à laquelle appartiennent les *sannyāsīs vaiṣṇavas,* pratiquent le service de dévotion en se conformant aux règles du *Pāñcarātrikī.* Ils se consacrent à de multiples occupations transcendantales au service du Seigneur. Toutefois, leurs diverses activités, accomplies par amour pour Kṛṣṇa, n'ont rien de matériel.

Les *sannyāsīs māyāvādīs,* au contraire, plongés dans leur étude philosophique du *sāṅkhya* et du *vedānta* et dans leurs spéculations intellectuelles, ne peuvent savourer le nectar du service de dévotion. Et comme leurs études finissent par devenir fastidieuses, ils se lassent de spéculer sur le Brahman et se tournent vers l'étude du *Śrīmad-Bhāgavatam,* sans toutefois en saisir le sens, si bien que cela aussi leur est très difficile. Les *māyāvādīs* ne retirent absolument rien de leurs arides spéculations ni de leurs interprétations impersonnalistes des Écritures, alors que les *vaiṣṇavas,* parce qu'ils s'absorbent dans le service dévotionnel, goûtent un véritable bonheur dans l'accomplissement de leurs devoirs spirituels. Ils sont en outre assurés d'atteindre le royaume de Dieu. Il arrive parfois que les *sannyāsīs māyāvādīs* échouent dans leur quête de la réalisation spirituelle et se lancent dans les activités à vocation altruiste ou humanitaire de ce monde, lesquelles sont toujours matérielles. Les *vaiṣṇavas* se trouvent donc dans une position plus sûre que celle des *sannyāsīs* qui s'évertuent à spéculer sur la nature du Brahman, même si, après de nombreuses renaissances, ils viennent eux aussi à adopter la conscience de Kṛṣṇa.

**5.7** योगयुक्तो विशुद्धात्मा विजितात्मा जितेन्द्रियः ।
सर्वभूतात्मभूतात्मा कुर्वन्नपि न लिप्यते ॥ ७ ॥

*yoga-yukto viśuddhātmā, vijitātmā jitendriyaḥ*
*sarva-bhūtātma-bhūtātmā, kurvann api na lipyate*

*yoga-yuktaḥ :* engagé dans le service de dévotion ; *viśuddha-ātmā :* une âme purifiée ; *vijita-ātmā :* maître de soi ; *jita-indriyaḥ :* ayant vaincu les sens ; *sarva-bhūta* : envers tous les êtres ; *ātma-bhūta-ātmā :* compatissant ; *kurvan api :* bien qu'il agisse ; *na :* jamais ; *lipyate :* n'est enchaîné.

**Celui qui est une âme pure, qui œuvre avec dévotion et maîtrise ses sens et son mental, aime tout le monde et est aimé de tous. Bien que toujours actif, jamais ses actes ne le lient.**

Celui qui suit le sentier de la libération par la voie de la conscience de Kṛṣṇa est aimé de tous les êtres et tous lui sont chers. Le dévot voit tous les êtres en relation avec Dieu à la manière de branches et de feuilles qui ne sauraient exister indépendamment d'un arbre. Il sait que si l'on arrose les racines d'un arbre, l'eau va nourrir toutes les branches et toutes les feuilles ; que si on alimente l'estomac, l'énergie sera distribuée à toutes les parties du corps. De même, en agissant pour le plaisir de Kṛṣṇa, il sert tous les êtres et leur devient très cher. Sa conscience est pure parce qu'il comble tous les êtres et, de ce fait, il est parfaitement maître de son mental. Et parce qu'il est maître de son mental, il est maître de ses sens. Comme son mental s'absorbe constamment dans la pensée de Kṛṣṇa, il ne risque pas de s'éloigner de Lui, ni d'user de ses sens autrement que pour Le servir. Il n'aime entendre que ce qui se rapporte à Kṛṣṇa, ne veut manger que la nourriture offerte à Kṛṣṇa et ne désire aller nulle part où l'on ne puisse Le servir. Aussi peut-on dire qu'il maîtrise ses sens. Or, quiconque maîtrise ses sens ne cause jamais de tort à personne.

On pourrait alors se demander pourquoi Arjuna, qui est conscient de Kṛṣṇa, use de violence sur le champ de bataille. Mais comme l'a fort justement expliqué le deuxième chapitre, c'est en apparence seulement qu'Arjuna porte préjudice à autrui. Puisqu'on ne peut détruire l'âme spirituelle, tous les hommes qui s'apprêtent à combattre préserveront leur individualité après l'anéantissement de leur corps. Du strict point de vue spirituel, personne ne va mourir sur le champ de bataille de Kurukṣetra. Seul changera, selon le désir du Seigneur présent en personne, le « vêtement » des combattants, leur corps matériel. Arjuna ne va donc pas vraiment combattre. Il va simplement, en pleine conscience de Kṛṣṇa, suivre les instructions du Seigneur. Celui qui agit ainsi ne s'empêtre jamais dans les rets du karma.

**5.8–9** नैव किञ्चित्करोमीति युक्तो मन्येत तत्त्ववित् ।
पश्यञ्शृण्वन् स्पृशञ्जिघ्रन्नश्नन् गच्छन् स्वपन् श्वसन् ॥ ८ ॥

प्रलपन् विसृजन् गृह्णन्नुन्मिषन्निमिषन्नपि ।
इन्द्रियाणीन्द्रियार्थेषु वर्तन्त इति धारयन् ॥ ९ ॥

*naiva kiñcit karomīti*
*yukto manyeta tattva-vit*
*paśyañ śṛṇvan spṛśañ jighrann*
*aśnan gacchan svapañ śvasan*

*pralapan visṛjan gṛhṇann, unmiṣan nimiṣann api*
*indriyāṇīndriyārtheṣu, vartanta iti dhārayan*

*na :* jamais ; *eva :* certes ; *kiñcit :* quoi ; *karomi :* que je fasse ; *iti :* ainsi ; *yuktaḥ :* absorbé dans la conscience divine ; *manyeta :* pense ; *tattva-vit :* celui qui connaît la vérité ; *paśyan :* voyant ; *śṛṇvan :* entendant ; *spṛśan :* touchant ; *jighran :* sentant ; *aśnan :* mangeant ; *gacchan :* se déplaçant ; *svapan :* rêvant ; *śvasan :* respirant ; *pralapan :* parlant ; *visṛjan :* rejetant ; *gṛhṇan :* acceptant ; *unmiṣan :* ouvrant ; *nimiṣan :* fermant ; *api :* bien que ; *indriyāṇi :* les sens ; *indriya-artheṣu :* dans le plaisir des sens ; *vartante :* laissons-les ainsi occupés ; *iti :* ainsi ; *dhārayan :* considérant.

**Bien qu'il voie, entende, touche et sente, qu'il mange, bouge, dorme et respire, l'homme dont la conscience est divine sait qu'en réalité il n'est pas l'auteur de ses actes. Il sait que lorsqu'il parle, évacue, prend, ouvre ou ferme les yeux, seuls les sens matériels et leurs objets sont impliqués, et que lui-même les transcende.**

Celui qui sert Kṛṣṇa avec amour et dévotion mène une existence pure. Ses actes ne dépendent donc nullement des cinq facteurs de l'action, à savoir l'auteur, l'acte lui-même, les circonstances, l'effort accompli et la Providence. Bien qu'il semble agir avec son corps et ses sens, il demeure toujours conscient de sa position réelle, laquelle consiste à s'engager dans des activités purement spirituelles.

Le matérialiste use de ses sens pour son propre plaisir, quand le dévot utilise les siens pour satisfaire ceux de Kṛṣṇa. Ainsi, bien qu'il semble agir au niveau des sens, le dévot de Kṛṣṇa demeure toujours libre. Voir, écouter, etc. (au moyen des sens destinés à la connaissance), parler, bouger, évacuer, etc. (au moyen des sens destinés à l'action), rien de cela n'affecte jamais l'être conscient de Kṛṣṇa, car, se sachant l'éternel serviteur du Seigneur, il n'accomplit ces actes que pour Lui.

**5.10** ब्रह्मण्याधाय कर्माणि सङ्गं त्यक्त्वा करोति यः ।
लिप्यते न स पापेन पद्मपत्रमिवाम्भसा ॥१०॥

*brahmaṇy ādhāya karmāṇi, saṅgaṁ tyaktvā karoti yaḥ*
*lipyate na sa pāpena, padma-patram ivāmbhasā*

*brahmaṇi* : à Dieu, la Personne Suprême ; *ādhāya* : remettant ; *karmāṇi* : tous les actes ; *saṅgam* : l'attachement ; *tyaktvā* : abandonnant ; *karoti* : accomplit ; *yaḥ* : qui ; *lipyate* : n'est affecté ; *na* : jamais ; *saḥ* : il ; *pāpena* : par le péché ; *padma-patram* : la feullle de lotus ; *iva* : comme ; *ambhasā* : par l'eau.

**Tout comme l'eau n'effleure pas la feuille du lotus, le péché n'affecte pas celui qui s'acquitte de son devoir sans attachement et en remet les fruits au Seigneur Suprême.**

Le mot *brahmaṇi* signifie en toute conscience de Kṛṣṇa. L'univers matériel est l'entière manifestation des trois *guṇas*, qu'on désigne techniquement sous le nom de *pradhāna*. Les hymnes védiques – *sarvaṁ hy etad brahma* (*Māṇḍūkya Upaniṣad* 2), *tasmād etad brahma nāma-rūpam annaṁ ca jāyate* (*Muṇḍaka Upaniṣad* 1.1.9) et *mama yonir mahad brahma* (*Bhagavad-gītā* 14.3) – indiquent que tout en ce monde est la manifestation du Brahman. Bien que les effets soient manifestés de diverses manières, ils ne diffèrent pas de la cause. Tout est relié au Brahman Suprême, Kṛṣṇa, nous dit la *Śrī Īśopaniṣad,* et tout Lui appartient.

Celui qui reconnaît Kṛṣṇa comme le possesseur suprême au service Duquel tout doit être utilisé, n'a pas à souffrir ou jouir des conséquences de ses actes coupables ou vertueux. Il est semblable à la feuille de lotus qui, bien qu'elle repose sur l'eau, n'est jamais mouillée. Même le corps, accordé par le Seigneur en vue d'une activité particulière, peut être utilisé dans le cadre de la conscience de Kṛṣṇa – engagement désigné dans ce verset par le terme *brahmaṇi.* Dieu en personne dit dans la *Bhagavad-gītā* (3.30) : *mayi sarvāṇi karmāṇi sannyasya* – « Consacre-Moi tous tes actes ».

Nous dirons pour conclure que celui qui n'est pas conscient de Kṛṣṇa n'agit qu'en fonction du corps et des sens matériels, alors que le dévot agit en sachant que le corps est la propriété de Kṛṣṇa et qu'il doit être consacré à Son service.

**5.11** कायेन मनसा बुद्ध्या केवलैरिन्द्रियैरपि ।
योगिनः कर्म कुर्वन्ति सङ्गं त्यक्त्वात्मशुद्धये ॥११॥

*kāyena manasā buddhyā, kevalair indriyair api*
*yoginaḥ karma kurvanti, saṅgaṁ tyaktvātma-śuddhaye*

*kāyena :* avec le corps ; *manasā :* avec le mental ; *buddhyā :* avec l'intelligence ; *kevalaiḥ :* purifiés ; *indriyaiḥ :* avec les sens ; *api :* même ; *yoginaḥ :* ceux qui sont conscients de Kṛṣṇa ; *karma :* les actions ; *kurvanti :* ils accomplissent ; *saṅgam :* l'attachement ; *tyaktvā :* abandonnant ; *ātma :* le soi ; *śuddhaye :* pour purifier.

**Brisant ses attachements, le yogī n'agit avec son corps, son mental, son intelligence, ses sens même, que pour se purifier.**

Qu'il relève du corps, du mental, de l'intelligence ou même des sens, tout acte accompli en vue de satisfaire les sens de Kṛṣṇa est purifié de toute contamination de la matière. Il n'entraîne ainsi aucune conséquence matérielle. On peut aisément accomplir des actes purs (*sad-ācāra*) en agissant dans le cadre de la conscience de Kṛṣṇa. Śrīla Rūpa Gosvāmī écrit à ce propos dans son *Bhakti-rasāmṛta-sindhu* (1.2.187) :

*īhā yasya harer dāsye, karmaṇā manasā girā*
*nikhilāsv apy avasthāsu, jīvan-muktaḥ sa ucyate*

« Bien que ses actes puissent sembler matériels, celui qui met ses paroles, son corps, son mental et son intelligence au service du Seigneur (dans la conscience de Kṛṣṇa) est libéré même en ce monde. »

Il est affranchi du faux ego car il ne s'identifie pas plus à son corps qu'il ne s'en croit le possesseur. Il sait que lui et son corps appartiennent à Kṛṣṇa. Utilisant tout ce qu'il possède (paroles, corps, mental, intelligence, vie, biens, etc.) au service de Kṛṣṇa, il est alors uni à Lui. Il ne fait plus qu'un avec Kṛṣṇa, et il est libéré du faux ego qui conduit l'homme à s'identifier à son corps. Telle est la perfection de la conscience de Kṛṣṇa.

**5.12** युक्तः कर्मफलं त्यक्त्वा शान्तिमाप्नोति नैष्ठिकीम् ।
अयुक्तः कामकारेण फले सक्तो निबध्यते ॥१२॥

*yuktaḥ karma-phalaṁ tyaktvā, śāntim āpnoti naiṣṭhikīm*
*ayuktaḥ kāma-kāreṇa, phale sakto nibadhyate*

*yuktaḥ :* celui qui est engagé dans le service de dévotion ; *karma-phalam :* le résultat de toutes les activités ; *tyaktvā :* abandonnant ; *śāntim :* la paix parfaite ; *āpnoti :* obtient ; *naiṣṭhikīm :* sans défaillance ; *ayuktaḥ :* celui qui n'est pas conscient de Kṛṣṇa ; *kāma-kāreṇa :* pour jouir des fruits de son labeur ; *phale :* dans le résultat ; *saktaḥ :* attaché ; *nibadhyate :* s'enchaîne.

**Contrairement à l'être qui n'est pas uni au Divin, qui convoite les fruits de son labeur et s'enchaîne, l'âme résolument dévouée**

**goûte une paix sans mélange car elle M'offre les résultats de tous ses actes.**

Parce qu'ils n'ont pas le même objet d'attachement, on distingue le dévot du matérialiste; le premier s'attache à Kṛṣṇa alors que le second s'attache au fruit de l'acte. Celui qui s'attache à Kṛṣṇa et agit seulement pour Lui plaire est certes libéré et n'éprouve aucune anxiété quant aux résultats de ses actes. Au demeurant, le *Śrīmad-Bhāgavatam* explique que l'anxiété est due aux actions accomplies sous l'emprise de la dualité, dans la complète ignorance de la Vérité Absolue, Kṛṣṇa, Dieu, la Personne Suprême.

La dualité n'a pas sa place dans la conscience de Kṛṣṇa, car tout ce qui existe est un produit de l'énergie de Kṛṣṇa, l'Infiniment bon. Tout acte lié à Kṛṣṇa est absolu. Purement spirituel, il n'entraîne aucune conséquence matérielle. Le dévot de Kṛṣṇa connaît donc une sérénité parfaite, contrairement à l'homme qui recherche par tous les moyens le plaisir des sens. Réaliser que rien n'existe en dehors de Kṛṣṇa libère l'homme de toute crainte et lui apporte la paix. Tel est le secret de la conscience de Kṛṣṇa.

**5.13** सर्वकर्माणि मनसा सन्न्यस्यास्ते सुखं वशी ।
नवद्वारे पुरे देही नैव कुर्वन्न कारयन् ॥१३॥

*sarva-karmāṇi manasā, sannyasyāste sukhaṁ vaśī*
*nava-dvāre pure dehī, naiva kurvan na kārayan*

*sarva :* toutes; *karmāṇi :* les activités; *manasā :* par le mental; *sannyasya :* renonçant à; *āste :* demeure; *sukham :* dans le bonheur; *vaśī :* celui qui est maître de soi; *nava-dvāre :* dans le lieu où il y a neuf portes; *pure :* dans la cité; *dehī :* l'âme incarnée; *na :* jamais; *eva :* certes; *kurvan :* faisant quoi que ce soit; *na :* ne pas; *kārayan :* faisant se produire.

**Quand l'âme incarnée domine sa nature et, par la pensée, renonce à toute action, elle vit en paix dans la cité aux neuf portes [le corps]. Elle n'agit pas ni n'est cause d'aucun acte.**

L'âme incarnée vit dans une cité à neuf portes, le corps, dont les actions sont réglées de façon automatique par les trois modes d'influence de la nature. Bien que l'âme incarnée soit contrainte, par ses propres désirs, de subir le conditionnement d'un corps, elle peut, si elle le souhaite, s'en libérer. Ce n'est, en effet, que parce qu'elle a oublié sa nature supérieure qu'elle s'identifie au corps de matière et s'expose à la souffrance. La conscience de Kṛṣṇa lui permet de recouvrer sa position originelle et de sortir de sa prison de chair. Dès qu'on l'adopte, on transcende toute activité corporelle. Celui qui règle ainsi son existence, modifiant l'objet de ses préoccupations, vit heureux dans la cité aux neuf portes. Cette cité, la *Śvetāśvatara Upaniṣad* (3.18) la décrit ainsi :

*nava-dvāre pure dehī, haṁso lelāyate bahiḥ*
*vaśī sarvasya lokasya, sthāvarasya carasya ca*

« Le souverain de tous les êtres dans l'univers, Dieu, la Personne Suprême, réside dans le corps de chacun. Le corps comprend neuf portes [les deux yeux, les deux narines, les deux oreilles, la bouche, l'anus et les organes génitaux]. Tant qu'il demeure conditionné, l'être s'identifie à ce corps, mais dès qu'il retrouve son unité avec le Seigneur présent en son cœur, il devient, même en ce corps, tout aussi libre que Lui. » Le dévot n'est donc jamais affecté par les actes internes et externes du corps.

**5.14** न कर्तृत्वं न कर्माणि लोकस्य सृजति प्रभुः ।
न कर्मफलसंयोगं स्वभावस्तु प्रवर्तते ॥१४॥

*na kartṛtvaṁ na karmāṇi, lokasya sṛjati prabhuḥ*
*na karma-phala-saṁyogaṁ, svabhāvas tu pravartate*

*na :* jamais ; *kartṛtvam :* de droit de propriété ; *na :* non plus ; *karmāṇi :* les activités ; *lokasya :* des gens ; *sṛjati :* ne crée ; *prabhuḥ :* le maître de la cité du corps ; *na :* non plus ; *karma-phala :* avec les résultats des activités ; *saṁyogam :* de lien ; *svabhāvaḥ :* les influences matérielles ; *tu :* mais ; *pravartate :* agissent.

**L'être incarné, maître de la cité du corps, ne génère ni l'acte, ni les résultats de l'acte, et ne provoque aucune action chez autrui. Tout est l'œuvre des trois modes d'influence de la nature matérielle.**

Comme on le verra dans le septième chapitre, l'être vivant est l'une des énergies du Seigneur Suprême, distincte de la matière, cette autre énergie dite inférieure. D'une façon ou d'une autre, l'être, de nature supérieure, est entré en contact avec la matière depuis des temps immémoriaux. Il revêt un corps temporaire, sa résidence matérielle, auquel il s'identifie, et qui est à l'origine de toutes sortes d'actions et de réactions qu'il doit supporter à cause de son ignorance. C'est en effet l'ignorance dans laquelle il est plongé depuis si longtemps qui force l'être incarné à souffrir physiquement et mentalement. Mais dès qu'il se détache des actions du corps, il s'affranchit également de leurs répercussions.

Durant son séjour dans la cité du corps, l'être semble régner en maître, mais en vérité, il n'en est pas le maître, pas plus qu'il ne l'est de ses actes et de leurs suites. Perdu au milieu de l'océan de l'existence matérielle, il lutte pour sa survie. À moins qu'il n'adopte la conscience de Kṛṣṇa, les vagues le ballotteront toujours sans qu'il puisse rien faire pour sortir de cette mer houleuse.

**5.15** नादत्ते कस्यचित्पापं न चैव सुकृतं विभुः ।
अज्ञानेनावृतं ज्ञानं तेन मुह्यन्ति जन्तवः ॥१५॥

*nādatte kasyacit pāpaṁ, na caiva sukṛtaṁ vibhuḥ*
*ajñānenāvṛtaṁ jñānaṁ, tena muhyanti jantavaḥ*

*na* : jamais ; *ādatte* : accepte ; *kasyacit* : de quiconque ; *pāpam* : le péché ; *na* : non plus ; *ca* : aussi ; *eva* : certes ; *su-kṛtam* : les actes vertueux ; *vibhuḥ* : le Seigneur Suprême ; *ajñānena* : par ignorance ; *āvṛtam* : couverte ; *jñānam* : la connaissance ; *tena* : par cela ; *muhyanti* : sont confondus ; *jantavaḥ* : les êtres.

**De même, le Seigneur Suprême n'est jamais responsable des actes vertueux ou coupables de l'être incarné. Si ce dernier s'égare, c'est parce que l'ignorance voile sa véritable connaissance.**

Le mot *vibhuḥ* est employé dans ce verset pour indiquer que le Seigneur Suprême possède à l'infini la beauté, la richesse, la renommée, la puissance, le savoir et le renoncement. Toujours satisfait en Lui-même, Il n'est jamais affecté par les actes coupables ou vertueux des âmes distinctes. Il ne crée de condition particulière pour personne. Ce sont les êtres eux-mêmes qui, égarés par l'ignorance, veulent jouir de certaines conditions de vie et se rivent aux chaînes du karma, car l'âme, de par sa nature supérieure, possède la connaissance. Mais à cause de son pouvoir limité, elle subit l'ascendant de l'ignorance. Du reste, contrairement au Seigneur Suprême omnipotent et omniscient (*vibhu*), elle est infinitésimale (*aṇu*).

Bien qu'en tant qu'âme spirituelle, l'être détienne le libre arbitre de ses désirs, seul le Seigneur tout-puissant est en mesure de les satisfaire. Même lorsqu'il s'égare dans ses désirs, le Seigneur lui permet de les assouvir, sans qu'on puisse pour autant Lui imputer la responsabilité du karma – les actes et leurs conséquences – qu'engendrent les situations auxquelles il aspire. L'être illusionné s'identifie aux divers corps qu'il revêt et devient dès lors la proie des souffrances et des joies éphémères de l'existence.

Le Seigneur, dans Sa forme de Paramātmā, d'Âme Suprême,

Śrī Śrīmad A. C. Bhaktivedanta Swami Prabhupāda
Acharya-fondateur de l'International Society for Krishna Consciousness

**Śrīla Bhaktisiddhānta Sarasvatī Ṭhākura**
Maître spirituel de Śrī Śrīmad
A. C. Bhaktivedanta Swami Prabhupāda

**Śrīla Gaurakiśora Dāsa Bābājī Mahārāja**
Maître spirituel de Śrīla Bhaktisiddhānta
Sarasvatī Ṭhākura et proche disciple de
Śrīla Bhaktivinoda Ṭhākura

**Śrīla Bhaktivinoda Ṭhākura**
Maître spirituel de Śrīla Gaurakiśora
Dāsa Bābājī Mahārāja et père de Śrīla
Bhaktisiddhānta Sarasvatī Ṭhākura

**Śrīla Rūpa et Sanātana Gosvāmī**
Les plus proches disciples
de Śrī Caitanya Mahāprabhu

Śrī Pañca-Tattva
Śrī Caitanya Mahāprabhu entouré de Ses compagnons éternels
(Śrī Advaita, Śrī Nityānanda, Śrī Gadādhara, Śrī Śrīvāsa)

« Dhṛtarāṣṭra dit : Ô Sanjaya, qu'ont fait mes fils et les fils de Pāṇḍu après s'être assemblés au lieu saint de Kurukṣetra pour se livrer bataille? »
(Page 31)

« Dieu, la Personne Suprême, Śrī Kṛṣṇa, dit : J'ai donné cette impérissable science du yoga à Vivasvān, le deva du soleil, qui la transmit à Manu, le père de l'humanité, lequel à son tour l'enseigna à Ikṣvāku. » (Page 179)

« Arjuna dit : Ô Toi l'Infaillible, je T'en prie, conduis mon char entre les deux armées, que je puisse voir qui est sur les lignes, qui désire combattre, qui je devrai affronter lors de ce jugement des armes. » (Page 44)

« Au moment de la mort, l'âme change de corps, tout comme elle est passée dans le précédent de l'enfance à la jeunesse, puis de la jeunesse à la vieillesse. Le sage n'est pas troublé par ce changement. » (Page 76)

accompagne toujours l'être dans le corps. Il connaît donc tous ses désirs, à la manière de celui qui respire le parfum d'une fleur parce qu'il s'en tient à proximité. Le désir est pour l'âme incarnée une forme de conditionnement subtil. C'est en fonction de ses mérites que le Seigneur comble les souhaits de chacun. « L'homme propose, Dieu dispose », dit le proverbe.

L'être distinct n'a donc pas le pouvoir de satisfaire lui-même ses désirs. Le Seigneur est le seul qui puisse combler tous les vœux. Impartial envers tous, Kṛṣṇa n'interfère pas avec les désirs des âmes infinitésimales qui restent indépendantes. Toutefois, Il met un soin particulier à guider celui qui veut revenir à Lui. Il l'encourage à tourner de plus en plus vers Lui ses aspirations, afin qu'il puisse L'atteindre et goûter ainsi un bonheur sans fin.

Les hymnes védiques confirment ce point : *eṣa u hy eva sādhu karma kārayati taṁ yam ebhyo lokebhya unninīṣate, eṣa u evāsādhu karma kārayati yam adho ninīṣate* – « Le Seigneur permet aux êtres d'accomplir des actes pieux qui servent leur élévation. Il leur permet également de commettre des actes impies qui les mènent en enfer. » (*Kauṣītakī Upaniṣad* 3.8)

*ajño jantur anīśo 'yam, ātmanaḥ sukha-duḥkhayoḥ*
*īśvara-prerito gacchet, svargaṁ vāśv abhram eva ca*

« Dans le bonheur comme dans le malheur, l'être vivant est totalement dépendant du Seigneur. Par Sa volonté, il va au paradis ou en enfer, comme un nuage emporté par le vent. »

L'âme incarnée, parce qu'elle souhaite depuis la nuit des temps demeurer à l'écart de la conscience de Kṛṣṇa, est elle-même la cause de son égarement. Bien qu'elle soit par nature éternelle, bienheureuse et omnisciente, elle oublie du fait de sa finitude sa condition inhérente de servante de Dieu et tombe captive de l'ignorance. Sous son emprise, elle tient le Seigneur pour responsable de son conditionnement. Mais le *Vedānta-sūtra* (2.1.34) affirme : *vaiṣamya-nairghṛṇye na sāpekṣatvāt tathā hi darśayati* – « Le Seigneur, malgré les apparences, ne favorise ni ne défavorise personne. »

**5.16** ज्ञानेन तु तदज्ञानं येषां नाशितमात्मनः ।
तेषामादित्यवज्ज्ञानं प्रकाशयति तत्परम् ॥१६॥

*jñānena tu tad ajñānaṁ, yeṣāṁ nāśitam ātmanaḥ*
*teṣām āditya-vaj jñānaṁ, prakāśayati tat param*

*jñānena :* par la connaissance ; *tu :* mais ; *tat :* cette ; *ajñānam :* ignorance ; *yeṣām :* dont ; *nāśitam :* est détruite ; *ātmanaḥ :* de l'être ; *teṣām :* leur ; *āditya-vat :* comme le soleil levant ; *jñānam :* la connaissance ; *prakāśayati :* révèle ; *tat param :* la conscience de Kṛṣṇa.

**Toutefois, quand ce savoir qui dissipe les ténèbres de l'ignorance illumine l'être, tout lui est révélé, à la manière du soleil qui illumine toute chose lorsque vient le jour.**

Contrairement aux dévots, les êtres qui oublient Kṛṣṇa s'égarent. Le savoir est toujours tenu en haute estime, dit en maints endroits la *Bhagavad-gītā* : *sarvaṁ jñāna-plavena, jñānāgniḥ sarva-karmāṇi* et *na hi jñānena sadṛśam.* Comme l'explique le dix-neuvième verset du chapitre sept, c'est par l'abandon à Kṛṣṇa que s'acquiert le savoir parfait : *bahūnāṁ janmanām ante jñānavān māṁ prapadyate.* L'homme au savoir parfait qui, après de très nombreuses renaissances, s'abandonne à Kṛṣṇa, voit les choses se révéler à lui, comme au lever du soleil la lumière révèle tous les objets.

Il y a de multiples façons de se fourvoyer. Se croire impudemment Dieu, par exemple, c'est tomber dans le piège de la plus grossière illusion. Comment, en effet, si nous étions Dieu, pourrions-nous tomber sous l'emprise de l'ignorance ? Si Dieu pouvait y être assujetti, alors Satan, qui est la personnification de l'ignorance, serait plus fort que Dieu.

La véritable connaissance peut être obtenue auprès d'un être parfaitement conscient de Kṛṣṇa. Il faut donc rechercher un tel maître pour apprendre sous sa direction ce qu'est la conscience de Kṛṣṇa, car, semblable au soleil qui dissipe les ténèbres, elle est la seule qui puisse ôter le voile de l'ignorance.

Même en sachant que l'âme est distincte du corps, qu'elle transcende la matière, on peut ignorer ce qui la distingue de l'Âme Suprême. Or, on n'aura de réponses à ces questions que si l'on prend refuge auprès d'un représentant de Kṛṣṇa, d'un maître spirituel parfait et authentique. Ainsi connaîtra-t-on Dieu et la relation qui nous unit à Lui. Notons ici qu'un authentique représentant de Dieu ne prétend jamais être Dieu, même si, en raison de sa connaissance de Dieu, on lui offre tous les respects généralement offerts au Seigneur Lui-même. Il faut apprendre à distinguer Dieu des âmes infinitésimales. Kṛṣṇa enseigne d'ailleurs dans le second chapitre (2.12) que tous les êtres, comme le Seigneur, ont leur individualité propre. Les âmes ont toujours été distinctes de Lui, le sont encore et le resteront, même après la libération. Si dans les ténèbres de la nuit, tout semble indifférencié, quand se lève le soleil, l'identité de chaque chose apparaît. La vraie connaissance consiste donc à percevoir dans l'existence spirituelle l'identité individuelle de chacun.

**5.17** तद्बुद्धयस्तदात्मानस्तन्निष्ठास्तत्परायणाः ।
गच्छन्त्यपुनरावृत्तिं ज्ञाननिर्धूतकल्मषाः ॥१७॥

*tad-buddhayas tad-ātmānas, tan-niṣṭhās tat-parāyaṇāḥ*
*gacchanty apunar-āvṛttiṁ, jñāna-nirdhūta-kalmaṣāḥ*

*tat-buddhayaḥ :* ceux dont l'intelligence est toujours fixée sur l'Absolu ; *tat-ātmānaḥ :* ceux dont le mental est toujours fixé sur l'Absolu ; *tat-niṣṭhāḥ :* ceux dont la foi n'est vouée qu'au Suprême ; *tat-parāyaṇāḥ :* qui se réfugient complètement en Lui ; *gacchanti :* vont ; *apunaḥ-āvṛttim :* à la libération ; *jñāna :* par la connaissance ; *nirdhūta :* purifiés ; *kalmaṣāḥ :* les concepts erronés.

**Celui dont l'intelligence, le mental et la foi reposent en l'Absolu, son seul refuge, se libère, par la connaissance, de tout concept erroné. Il se dirige tout droit vers la libération.**

La *Bhagavad-gītā* tout entière comme, du reste, l'ensemble de la littérature védique, contribue à établir l'identité transcendantale de la Vérité Absolue, Dieu, Kṛṣṇa. Le mot *para-tattva* désigne la Réalité Suprême, que ceux qui connaissent l'Absolu perçoivent sous la forme du Brahman, du Paramātmā ou de Bhagavān (la Personne Suprême). L'aspect Bhagavān est l'ultime manifestation de l'Absolu. Il n'est rien au-delà, dit le Seigneur : *mattaḥ parataraṁ nānyat kiñcid asti dhanañ-jaya.* Même le Brahman impersonnel repose en Lui : *brahmaṇo hi pratiṣṭhāham.* Quel que soit l'angle sous lequel on se place, Kṛṣṇa demeure la Réalité Suprême.

L'être pleinement conscient de Kṛṣṇa, ou en d'autres mots, celui dont les pensées, l'intelligence et la foi demeurent fixées sur Sa Personne, prenant ainsi totalement refuge en Lui, est délivré de tout concept erroné et possède une connaissance parfaite de la transcendance. Il comprend la dualité divine (unicité et individualité simultanées). Fort de cette connaissance transcendantale, il progresse de façon certaine sur le sentier de la libération.

**5.18** विद्याविनयसम्पन्ने ब्राह्मणे गवि हस्तिनि ।
शुनि चैव श्वपाके च पण्डिताः समदर्शिनः ॥१८॥

*vidyā-vinaya-sampanne, brāhmaṇe gavi hastini*
*śuni caiva śva-pāke ca, paṇḍitāḥ sama-darśinaḥ*

*vidyā :* d'instruction ; *vinaya :* et de bienveillance ; *sampanne :* parfaitement pourvu ; *brāhmaṇe :* dans le *brāhmaṇa* ; *gavi :* dans la vache ; *hastini :* dans l'éléphant ; *śuni :* dans le chien ; *ca :* et ; *eva :* certes ; *śva-pāke :* dans le mangeur de chien (le paria) ; *ca :* respectivement ; *paṇḍitāḥ :* ceux qui sont sages ; *sama-darśinaḥ :* qui voient d'un œil égal.

**L'humble sage qu'éclaire le vrai savoir voit d'un œil égal le brāhmaṇa érudit et bienveillant, la vache, l'éléphant, le chien et le mangeur de chien.**

Le dévot ne fait aucune distinction de caste ou d'espèce. Dans une perspective sociale, le *brāhmaṇa* diffère de l'intouchable, de même que du point de vue des espèces, le chien, la vache et l'éléphant diffèrent, mais pour le spiritualiste doté de la connaissance, ces distinctions corporelles n'ont aucune importance. Il sait que le Seigneur Suprême est présent dans le cœur de tous les êtres dans Sa forme de Paramātmā, Son émanation plénière, et voit donc chacun en relation avec Lui. Telle est la vision de celui qui détient le véritable savoir.

Le Seigneur traite de manière égale tous les êtres, car Il Se comporte avec eux en ami et demeure toujours auprès d'eux sous la forme du Paramātmā, indépendamment de leur condition physique ou sociale. Bien que les enveloppes charnelles du *brāhmaṇa* et de l'intouchable diffèrent, le Seigneur vit en chacun d'eux en tant que l'Âme Suprême. Ces enveloppes matérielles, produites par l'interaction des trois *guṇas*, prennent diverses formes. Mais l'âme et l'Âme Suprême, présentes toutes deux en chaque corps, participent de la même nature spirituelle. Leur identité qualitative ne vaut cependant pas sur le plan quantitatif : l'âme distincte n'est présente que dans un corps particulier, alors que l'Âme Suprême est présente dans tous les corps. Elles se ressemblent dans la mesure où elles sont toutes deux conscientes, éternelles et pleines de félicité, et diffèrent dans le sens où l'une n'est consciente que d'un seul corps quand l'autre est consciente de tous les corps. L'être conscient de Kṛṣṇa connaît ces vérités. C'est pourquoi, en véritable érudit, il voit tous les êtres d'un œil égal.

**5.19** इहैव तैर्जितः सर्गो येषां साम्ये स्थितं मनः ।
निर्दोषं हि समं ब्रह्म तस्माद् ब्रह्मणि ते स्थिताः ॥१९॥

*ihaiva tair jitaḥ sargo, yeṣāṁ sāmye sthitaṁ manaḥ*
*nirdoṣaṁ hi samaṁ brahma, tasmād brahmaṇi te sthitāḥ*

*iha :* dans cette vie; *eva :* certes; *taiḥ :* par eux; *jitaḥ :* conquises; *sargaḥ :* la naissance et la mort; *yeṣām :* de ceux-là; *sāmye :* dans l'équanimité; *sthitam :* situé; *manaḥ :* le mental; *nirdoṣam :* sans défaut; *hi :* certes; *samam :* dans l'équanimité; *brahma :* comme l'Absolu; *tasmāt :* donc; *brahmaṇi :* dans l'Absolu; *te :* ils; *sthitāḥ :* sont situés.

**L'être dont le mental demeure constant a d'ores et déjà vaincu la naissance et la mort. Il s'est fixé dans le Brahman et, comme Lui, est dénué d'imperfection.**

L'équanimité dont on parle ici, signe de réalisation spirituelle, permet de triompher des conditions que nous impose la matière - plus particulièrement celles de la naissance et de la mort. Tant que l'homme s'identifie à son corps, il en subit le conditionnement. Mais dès qu'il développe l'équanimité à travers la réalisation de son identité spirituelle, il se libère de cet asservissement, et peut donc, au moment de la mort, entrer dans le monde spirituel, sans jamais plus avoir à renaître dans l'univers matériel.

Le Seigneur est dénué d'imperfection. Il n'est sujet ni à l'attraction ni à la répulsion. Par conséquent, s'il s'affranchit lui aussi de la dualité attraction-répulsion, l'être distinct devient également sans défaut et se qualifie pour entrer dans le monde spirituel. On doit tenir une telle personne pour libérée. Les versets suivants en décrivent en détail les caractéristiques.

**5.20** न प्रहृष्येत्प्रियं प्राप्य नोद्विजेत्प्राप्य चाप्रियम् ।
स्थिरबुद्धिरसम्मूढो ब्रह्मविद् ब्रह्मणि स्थितः ॥२०॥

*na prahṛṣyet priyaṁ prāpya, nodvijet prāpya cāpriyam*
*sthira-buddhir asammūḍho, brahma-vid brahmaṇi sthitaḥ*

*na :* jamais; *prahṛṣyet :* ne se réjouit; *priyam :* ce qui est agréable; *prāpya :* en obtenant; *na :* ne pas; *udvijet :* devient perturbé; *prāpya :* en obtenant; *ca :* aussi; *apriyam :* ce qui est désagréable; *sthira-buddhiḥ :* dont l'intelligence est fixée sur le soi; *asammūḍhaḥ :* sans égarement; *brahma-vit :* celui qui connaît parfaitement l'Absolu; *brahmaṇi :* dans la transcendance; *sthitaḥ :* situé.

**L'homme dont l'intelligence est fixée sur le soi, qui ne connaît pas l'égarement, qui n'exulte pas dans le bonheur et ne se lamente pas dans le malheur, qui possède la science de Dieu, a déjà atteint la transcendance.**

Ce verset décrit les traits caractéristiques de l'être qui a réalisé son identité spirituelle. En premier lieu, il s'est débarrassé de l'illusion qui l'incitait à penser que son corps et lui-même ne faisaient qu'un. Il sait parfaitement qu'il n'est pas ce corps de matière, mais un fragment de Dieu, la Personne Suprême. Il n'a donc pas tendance à se réjouir lorsqu'il obtient quelque bienfait matériel ou à se lamenter lorsqu'il perd quelque chose lié au corps. Cette égalité d'esprit a pour nom *sthira-buddhi,* l'intelligence du vrai moi. Grâce à elle, l'être réalisé ne commet jamais l'erreur d'identifier l'âme au corps, pas plus qu'il ne croit le corps permanent et l'âme inexistante. Ce savoir l'élève jusqu'à la connaissance parfaite de la science de la Vérité Absolue, dans Ses aspects de Brahman, Paramātmā et Bhagavān. Il connaît sa propre nature et ne cherche donc pas vainement à devenir lui-même l'Absolu. C'est ce qu'on appelle la réalisation du Brahman, ou la réalisation du soi. Cette conscience inébranlable est la conscience de Kṛṣṇa.

5.21 बाह्यस्पर्शेष्वसक्तात्मा विन्दत्यात्मनि यत्सुखम् ।
स ब्रह्मयोगयुक्तात्मा सुखमक्षयमश्नुते ॥२१॥

*bāhya-sparśeṣv asaktātmā, vindaty ātmani yat sukham*
*sa brahma-yoga-yuktātmā, sukham akṣayam aśnute*

*bāhya-sparśeṣu :* au plaisir extérieur des sens ; *asakta-ātmā :* celui qui n'est pas attaché ; *vindati :* jouit ; *ātmani :* dans le soi ; *yat :* ce qui ; *sukham :* du bonheur ; *saḥ :* il ; *brahma-yoga :* par la concentration sur le Brahman ; *yukta-ātmā :* en union avec le soi ; *sukham :* une félicité ; *akṣayam :* incommensurable ; *aśnute :* jouit de.

**L'être libéré n'est pas soumis à l'attrait des plaisirs matériels car il trouve la béatitude en lui-même dans l'extase méditative. En se concentrant ainsi sur le Suprême, il goûte une félicité incommensurable.**

Śrī Yamunācārya, un grand dévot du Seigneur, disait :

*yad-avadhi mama cetaḥ kṛṣṇa-pādāravinde*
*nava-nava-rasa-dhāmany udyataṁ rantum āsīt*
*tad-avadhi bata nārī-saṅgame smaryamāne*
*bhavati mukha-vikāraḥ suṣṭhu niṣṭhīvanaṁ ca*

« Depuis que j'ai adopté le pur service d'amour de Kṛṣṇa, j'éprouve une joie toujours nouvelle, et chaque fois qu'une pensée charnelle entre dans mon esprit, je crache dessus et mes lèvres grimacent de dégoût. »

Une personne pratiquant le *brahma-yoga,* la conscience de Kṛṣṇa, s'absorbe tellement dans le service d'amour du Seigneur que bien vite elle n'éprouve plus d'attrait pour les plaisirs de ce monde - dont le plus grand est le plaisir sexuel. Le désir de jouissance sexuelle dirige le monde, et nul matérialiste n'agit sans être motivé par lui. Cependant, le dévot, qui s'abstient de tout plaisir charnel, agit avec plus d'ardeur encore que le matérialiste. Tel est le critère de la réalisation spirituelle, qui exclut les plaisirs de la chair. Parce qu'il est une âme libérée, le dévot n'éprouve aucun attrait pour les plaisirs des sens, quels qu'ils soient.

**5.22** ये हि संस्पर्शजा भोगा दुःखयोनय एव ते ।
आद्यन्तवन्तः कौन्तेय न तेषु रमते बुधः ॥२२॥

*ye hi saṁsparśa-jā bhogā, duḥkha-yonaya eva te*
*ādy-antavantaḥ kaunteya, na teṣu ramate budhaḥ*

*ye :* ceux ; *hi :* certes ; *saṁsparśa-jāḥ :* par le contact avec les sens matériels ; *bhogāḥ :* les plaisirs ; *duḥkha :* malheur ; *yonayaḥ :* sources de ; *eva :* certes ; *te :* ils sont ; *ādi :* un début ; *anta :* une fin ; *vantaḥ :* sujets à ; *kaunteya :* ô fils de Kuntī ; *na :* jamais ; *teṣu :* dans ceux-là ; *ramate :* ne prend plaisir ; *budhaḥ :* l'homme intelligent.

**L'homme intelligent ne s'adonne jamais aux plaisirs que procure le contact des sens avec les objets des sens. Il ne s'y complaît point, ô fils de Kuntī, car s'ils ont un début, ils ont également une fin et sont porteurs de souffrance.**

Les plaisirs matériels sont les fruits du contact des sens avec la matière et, comme le corps, sont temporaires. Or, l'âme libérée ne porte aucun intérêt à ce qui est éphémère. Ayant expérimenté des plaisirs purement spirituels, comment pourrait-elle se réjouir de plaisirs factices ? On lit dans le *Padma Purāṇa* :

*ramante yogino 'nante, satyānande cid-ātmani*
*iti rāma-padenāsau, paraṁ brahmābhidhīyate*

« Dieu, la Personne Suprême, la Vérité Absolue, porte le nom de Rāma, car Il prodigue à tous les spiritualistes une joie transcendantale infinie. » Et dans le *Śrīmad-Bhāgavatam* (5.5.1) :

*nāyaṁ deho deha-bhājāṁ nṛ-loke*
*kaṣṭān kāmān arhate viḍ-bhujāṁ ye*

*tapo divyaṁ putrakā yena sattvaṁ*
*śuddhyed yasmād brahma-saukhyaṁ tv anantam*

« Mes chers fils, dans cette forme humaine, il n'est nul besoin de peiner pour le plaisir des sens que partagent même les porcs, ces mangeurs d'excréments. Combien préférable, en cette vie, de faire pénitence pour se purifier et goûter en retour une félicité transcendantale illimitée. »

Les vrais *yogīs*, les spiritualistes accomplis, n'éprouvent aucun attrait pour les plaisirs des sens – cause de l'existence perpétuelle de l'être dans la matière. Car plus on s'attache aux joies matérielles, plus on s'enchaîne aux souffrances de ce monde.

**5.23** शक्नोतीहैव यः सोढुं प्राक्शरीरविमोक्षणात् ।
कामक्रोधोद्भवं वेगं स युक्तः स सुखी नरः ॥२३॥

*śaknotīhaiva yaḥ soḍhuṁ, prāk śarīra-vimokṣaṇāt*
*kāma-krodhodbhavaṁ vegaṁ, sa yuktaḥ sa sukhī naraḥ*

*śaknoti :* est capable ; *iha eva :* dans le corps actuel ; *yaḥ :* celui qui ; *soḍhum :* de tolérer ; *prāk :* avant ; *śarīra :* le corps ; *vimokṣaṇāt :* d'abandonner ; *kāma :* le désir ; *krodha :* et la colère ; *udbhavam :* nés des ; *vegam :* impulsions ; *saḥ :* il ; *yuktaḥ :* dans le yoga ; *saḥ :* il ; *sukhī :* heureux ; *naraḥ :* l'être humain.

**Celui qui, avant de quitter son corps, parvient à tolérer les impulsions des sens et à juguler la force de la concupiscence et de la colère, est bien situé. Il est heureux en ce monde.**

Celui qui désire résolument progresser sur le sentier de la réalisation spirituelle doit s'efforcer de maîtriser les forces qu'exercent sur lui ses sens matériels, telles les impulsions de la parole, de la colère, du mental, des organes génitaux, de l'estomac et de la langue. On donne à celui qui parvient à leur résister le nom de *svāmī*, ou *gosvāmī*. Le *gosvāmī* vit de façon réglée et s'abstient de répondre aux puissants désirs des sens. Quand ils sont inassouvis, les désirs matériels engendrent la colère qui agite le mental, les yeux et la poitrine. Il faut donc apprendre à les contrôler avant que ne vienne le moment de quitter le corps. Celui qui y parvient atteint la réalisation spirituelle et connaît le bonheur qu'elle procure. Il va du devoir du spiritualiste de tout faire pour triompher de la convoitise et de la colère.

**5.24** योऽन्तःसुखोऽन्तरारामस्तथान्तर्ज्योतिरेव यः ।
स योगी ब्रह्मनिर्वाणं ब्रह्मभूतोऽधिगच्छति ॥२४॥

*yo 'ntaḥ-sukho 'ntar-ārāmas, tathāntar-jyotir eva yaḥ*
*sa yogī brahma-nirvāṇaṁ, brahma-bhūto 'dhigacchati*

*yaḥ :* celui qui; *antaḥ-sukhaḥ :* heureux de l'intérieur; *antaḥ-ārāmaḥ :* se réjouissant activement à l'intérieur; *tathā :* ainsi que; *antaḥ-jyotiḥ :* visant l'intérieur; *eva :* certes; *yaḥ :* quiconque; *saḥ :* il; *yogī :* un *yogī* mystique; *brahma-nirvāṇam :* la libération dans le Suprême; *brahma-bhūtaḥ :* ayant réalisé le soi; *adhigacchati :* atteint.

**Celui dont l'activité, le bonheur et l'objectif sont purement intérieurs est un parfait yogī. Il est libéré dans l'Absolu et, à la fin, atteindra l'Absolu.**

À moins de savoir goûter le bonheur intérieur, comment peut-on abandonner toute recherche des plaisirs superficiels extérieurs ? L'être libéré connaît, par expérience, le vrai bonheur. Aussi peut-il s'asseoir en silence n'importe où et jouir intérieurement des activités de la vie. Il ne recherche plus les joies matérielles extérieures. On appelle cet état le *brahma-bhūta*. Quiconque l'atteint est assuré de retourner à Dieu, en sa demeure éternelle.

**5.25** लभन्ते ब्रह्मनिर्वाणमृषयः क्षीणकल्मषाः ।
छिन्नद्वैधा यतात्मानः सर्वभूतहिते रताः ॥२५॥

*labhante brahma-nirvāṇam, ṛṣayaḥ kṣīṇa-kalmaṣāḥ*
*chinna-dvaidhā yatātmānaḥ, sarva-bhūta-hite ratāḥ*

*labhante :* obtiennent; *brahma-nirvāṇam :* la libération dans le Suprême; *ṛṣayaḥ :* ceux qui sont actifs à l'intérieur; *kṣīṇa-kalmaṣāḥ :* qui sont sans péché; *chinna :* ayant arraché; *dvaidhāḥ :* la dualité; *yata-ātmānaḥ :* qui cherchent à réaliser le soi; *sarva-bhūta :* pour tous les êtres; *hite :* dans des actes bienfaisants; *ratāḥ :* engagés.

**Qui se trouve au-delà des dualités nées du doute, qui est affranchi du péché et travaille au bien de tous les êtres, qui oriente ses pensées vers l'intérieur, atteint la libération par la réalisation de l'Absolu.**

Seul l'être qui est conscient de Kṛṣṇa – qui sait que Kṛṣṇa est la source de tout – agit pour le bien réel de tous les êtres. Car les souffrances de l'homme sont toujours dues à l'oubli que Kṛṣṇa est le bénéficiaire, le possesseur et l'ami suprêmes. Le plus grand bienfait que l'on puisse apporter à l'humanité, c'est de raviver en elle cette conscience perdue. Or, seul un être libéré conscient de l'Être Suprême peut dispenser un tel bienfait. Affranchi de tous les péchés, il ne doute pas de la suprématie de Kṛṣṇa et a atteint le stade du pur amour de Dieu.

En veillant au seul bien-être physique des hommes, on ne leur apportera jamais une aide réelle, car un soulagement temporaire du corps et du mental demeurera toujours insatisfaisant. Les difficultés auxquelles nous sommes confrontés ne surviennent que parce que nous oublions que nous sommes intimement liés au Seigneur Suprême. En recouvrant cette relation, nous parviendrons véritablement à la libération, même enfermés en ce corps.

**5.26** कामक्रोधविमुक्तानां यतीनां यतचेतसाम् ।
अभितो ब्रह्मनिर्वाणं वर्तते विदितात्मनाम् ॥२६॥

*kāma-krodha-vimuktānāṁ, yatīnāṁ yata-cetasām*
*abhito brahma-nirvāṇaṁ, vartate viditātmanām*

***kāma :*** des désirs ; ***krodha :*** et de la colère ; ***vimuktānām :*** pour ceux qui sont libérés ; ***yatīnām :*** pour les saints hommes ; ***yata-cetasām :*** qui sont parfaitement maîtres de leur mental ; ***abhitaḥ :*** assurée dans un futur proche ; ***brahma-nirvāṇam :*** la libération dans le Suprême ; ***vartate :*** est là ; ***vidita-ātmanām :*** pour ceux qui ont réalisé le soi.

**La libération dans l'Absolu est très proche pour l'être ayant réalisé son identité spirituelle, et qui, maître de lui, libre de la colère et du désir matériel, s'efforce toujours d'atteindre la perfection.**

D'entre tous les sages qui s'efforcent avec constance d'atteindre le salut, le dévot de Kṛṣṇa est le plus élevé, ainsi que le confirme le *Śrīmad-Bhāgavatam* (4.22.39) :

*yat-pāda-paṅkaja-palāśa-vilāsa-bhaktyā*
*karmāśayaṁ grathitam udgrathayanti santaḥ*
*tadvan na rikta-matayo yatayo 'pi ruddha-*
*sroto-gaṇās tam araṇaṁ bhaja vāsudevam*

« Essayez seulement d'adorer Vāsudeva, le Seigneur Suprême, en Le servant avec amour et dévotion. Les plus grands sages ne parviennent pas à maîtriser leurs sens avec autant de force que ceux qui ont goûté au plaisir transcendantal que l'on éprouve en servant les pieds pareils-au-lotus du Seigneur, déracinant ainsi le désir fortement ancré de jouir des fruits de l'acte. »

Le désir de jouir des fruits de l'acte est si profondément ancré en l'âme conditionnée que les grands sages eux-mêmes, en dépit d'efforts considérables, ont du mal à le déraciner. Le dévot du Seigneur, par contre, parce qu'il sert constamment Kṛṣṇa avec amour et dévotion, parce qu'il est pleinement réalisé, obtient rapidement la libération suprême. Cette connaissance parfaite de la réalisation de soi lui permet de toujours rester en *samādhi* (extase méditative). Un passage des Écritures illustre bien ce procédé :

*darśana-dhyāna-saṁsparśair, matsya-kūrma-vihaṅgamāḥ*
*svāny apatyāni puṣṇanti, tathāham api padma-ja*

« Le poisson, la tortue et l'oiseau font éclore leurs œufs qui en les regardant, qui en méditant sur eux, qui en les touchant. C'est aussi ce que je fais, ô Padmaja. »

Le poisson fait éclore ses œufs simplement en les regardant, et la tortue, simplement en méditant sur eux. Elle pond ses œufs dans le sable puis retourne à l'océan pour méditer sur sa progéniture. Il en est ainsi du dévot qui est en mesure d'atteindre le royaume du Seigneur – bien qu'il en soit fort éloigné – par sa méditation constante et son action dans la conscience de Kṛṣṇa. Parce que toujours il s'absorbe dans l'Absolu, il n'est plus affecté par les souffrances matérielles. Il connaît l'état que l'on appelle le *brahma-nirvāṇa*.

**5.27–28** स्पर्शान् कृत्वा बहिर्बाह्यांश्चक्षुश्चैवान्तरे भ्रुवोः ।
प्राणापानौ समौ कृत्वा नासाभ्यन्तरचारिणौ ॥२७॥
यतेन्द्रियमनोबुद्धिर्मुनिर्मोक्षपरायणः ।
विगतेच्छाभयक्रोधो यः सदा मुक्त एव सः ॥२८॥

*sparśān kṛtvā bahir bāhyāṁś*
*cakṣuś caivāntare bhruvoḥ*
*prāṇāpānau samau kṛtvā*
*nāsābhyantara-cāriṇau*

*yatendriya-mano-buddhir*
*munir mokṣa-parāyaṇaḥ*
*vigatecchā-bhaya-krodho*
*yaḥ sadā mukta eva saḥ*

*sparśān* : les objets des sens (le son, par exemple); *kṛtvā* : gardant; *bahiḥ* : externes; *bāhyān* : inutiles; *cakṣuḥ* : les yeux; *ca* : aussi; *eva* : certes; *antare* : entre; *bhruvoḥ* : les sourcils; *prāṇa-apānau* : les airs ascendant et descendant; *samau* : en suspension; *kṛtvā* : gardant; *nāsa-abhyantara* : dans les narines; *cāriṇau* : soufflant; *yata* : maîtrisés ; *indriya :* les sens ; *manaḥ :* le mental ; *buddhiḥ :* l'intelligence ; *muniḥ :* le spiritualiste ; *mokṣa :* à la libération ; *parāyaṇaḥ :* étant destiné ; *vigata :* ayant rejeté ; *icchā :* les désirs ; *bhaya :* la peur ; *krodhaḥ :* la colère ; *yaḥ :* celui qui ; *sadā :* toujours ; *muktaḥ :* libéré ; *eva :* certes ; *saḥ :* il est.

**Fermé aux objets des sens, fixant son regard entre les sourcils et immobilisant dans ses narines les airs ascendant et descendant, le spiritualiste en quête de la libération qui a ainsi maîtrisé les sens, le mental et l'intelligence s'affranchit du désir, de la colère et de la peur. Qui demeure en cet état est certes libéré.**

Dès qu'on adopte la conscience de Kṛṣṇa, on prend conscience de son identité spirituelle. Puis, par la pratique du service de dévotion, on développe la connaissance du Seigneur Suprême. Et quand on est bien établi dans le service de dévotion, on atteint l'état transcendantal qui permet de voir le Seigneur en chacun de ses actes. C'est ce qu'on appelle la libération dans l'Absolu.

Après avoir expliqué ce principe de libération par réalisation de l'Absolu, Kṛṣṇa enseigne à Arjuna comment on peut y arriver par la pratique de l'*aṣṭāṅga-yoga,* qui comporte huit phases – *yama, niyama, āsana, prāṇāyāma, pratyāhāra, dhāraṇā, dhyāna* et *samādhi.* La pratique de ce yoga n'est en cette fin de chapitre que succinctement évoquée, mais sera détaillée dans le prochain chapitre.

On doit s'exercer au *pratyāhāra,* c'est-à-dire éloigner les sens de leurs objets (le son, le toucher, la forme, le goût et l'odeur) pour ensuite fixer le regard entre les sourcils et se concentrer, paupières mi-closes, sur l'extrémité du nez. Il ne faut ni fermer complètement les yeux, pour ne pas somnoler, ni les laisser complètement ouverts, au risque d'être à nouveau attiré par les objets des sens. La respiration doit être restreinte au niveau des narines, par une technique qui consiste à neutraliser dans le corps les airs ascendant et descendant. Ce yoga permet de maîtriser les sens en les écartant de leurs objets, et de se préparer à la libération dans l'Absolu.

Il permet donc de s'affranchir de la colère et de la peur et de percevoir au niveau transcendantal la présence de l'Âme Suprême. Mais comme on le verra en détail dans le chapitre suivant, le moyen le plus simple de suivre les principes du yoga, c'est d'appliquer la méthode de la conscience de Kṛṣṇa. Elle est beaucoup plus efficace pour contrôler ses sens que celle de l'*aṣṭāṅga-yoga,* car le dévot étant constamment absorbé dans le service de dévotion, il n'y a aucun risque que ses sens se dispersent.

5.29 भोक्तारं यज्ञतपसां सर्वलोकमहेश्वरम् ।
सुहृदं सर्वभूतानां ज्ञात्वा मां शान्तिमृच्छति ॥२९॥

*bhoktāraṁ yajña-tapasāṁ, sarva-loka-maheśvaram*
*suhṛdaṁ sarva-bhūtānāṁ, jñātvā māṁ śāntim ṛcchati*

*bhoktāram :* le bénéficiaire ; *yajña :* des sacrifices ; *tapasām :* et des pénitences et austérités ; *sarva-loka :* de toutes les planètes et de tous les *devas* qui y résident ; *maha-īśvaram :* le Seigneur Suprême ; *su-hṛdam :* le bienfaiteur ; *sarva :* de tous ; *bhūtānām :* les êtres ; *jñātvā :* sachant cela ; *mām :* Moi (Śrī Kṛṣṇa) ; *śāntim :* le soulagement des souffrances matérielles ; *ṛcchati :* obtient.

**Parce qu'il Me sait le bénéficiaire ultime de tous les sacrifices et de toutes les austérités, le Souverain Suprême de toutes les planètes et de tous les devas, l'ami et bienfaiteur de tous les êtres, l'être pleinement conscient de Ma personne échappe aux souffrances matérielles et connaît dès lors la paix.**

Les âmes conditionnées, emprisonnées dans les serres de l'énergie illusoire, désirent toutes avec ardeur trouver la paix en ce monde, mais ignorent les conditions requises pour l'obtenir. La *Bhagavad-gītā* nous en donne le secret : reconnaître Kṛṣṇa comme le bénéficiaire de toutes les activités humaines. L'homme doit tout sacrifier au service transcendantal du Seigneur, car toutes les planètes et leurs dirigeants, les *devas,* Lui appartiennent. Aussi les Védas (*Śvetāśvatara Upaniṣad* 6.7) déclarent-ils : *tam īśvarāṇāṁ paramaṁ maheśvaram.* Personne ne Lui est supérieur. Il surpasse même Brahmā et Śiva, les plus grands des *devas.*

Sous l'emprise de l'illusion, les êtres distincts cherchent à se rendre maîtres de tout ce qui les entoure, alors qu'en réalité, l'énergie matérielle, l'énergie inférieure du Seigneur, les domine entièrement. Le Seigneur règne sur la nature matérielle, quand toutes les âmes conditionnées sont assujetties à ses lois rigoureuses. À moins de comprendre ces vérités fondamentales, on ne peut connaître la paix, tant individuellement que collectivement. La paix parfaite ne s'obtient que par le complet développement de la conscience de Kṛṣṇa. Et être conscient de Kṛṣṇa, c'est d'abord avoir compris que Kṛṣṇa est le maître absolu, et que tous les êtres distincts, y compris les puissants *devas,* Lui sont subordonnés.

Ce cinquième chapitre expose de façon pratique la conscience de Kṛṣṇa, qu'on connaît également sous le nom de *karma-yoga.* La question des *jñānīs,* à savoir comment atteindre la libération par la pratique du *karma-yoga,* y trouve une réponse. Les actions accomplies dans le cadre de la conscience de Kṛṣṇa – en ayant parfaitement conscience de la suprématie du Seigneur – et le savoir transcendantal sont de nature identique. De fait, le *jñāna-yoga* mène au *bhakti-yoga,* la pure conscience de Kṛṣṇa.

L'homme conscient de Kṛṣṇa agit en ayant connaissance de la relation qui l'unit au Seigneur. Sa conscience ne sera pleinement épanouie que lorsqu'il connaîtra parfaitement Kṛṣṇa, Dieu, la Personne Suprême. L'âme pure, en tant que partie intégrante et fragment de Dieu, est Son éternelle servante. Mais dès qu'elle entre en contact avec *māyā,* la nature matérielle illusoire, à cause de son désir de domination, elle s'expose à maintes souffrances. Et tant que ce contact avec la matière se poursuit, l'âme agit en fonction de ses besoins matériels.

La pratique de la conscience de Kṛṣṇa, parce qu'elle éveille notre conscience spirituelle, nous permet de vivre une vie spirituelle au cœur même de la matière. Et plus on progresse dans cette voie, plus on se libère des griffes de la matière.

Le Seigneur est impartial. Tout dépend du bon accomplissement de ses devoirs dans la conscience de Kṛṣṇa, qui aident à maîtriser les sens et à vaincre les influences de la convoitise et de la colère. En dominant ses passions, on préserve sa conscience de Kṛṣṇa et on se maintient au niveau transcendantal appelé *brahma-nirvāṇa.* La conscience de Kṛṣṇa intègre automatiquement le yoga en huit phases, car elle conduit au but ultime. On peut s'élever graduellement par la pratique de *yama, niyama, āsana, prāṇāyāma, pratyāhāra, dhāraṇā, dhyāna* et *samādhi,* mais ces huit étapes ne sont qu'un prélude à la perfection suprême, perfection atteinte par la pratique du service de dévotion, qui seul peut donner la paix à l'homme.

*Ainsi s'achèvent les teneurs et portées de Bhaktivedanta sur le cinquième chapitre de la* Śrīmad Bhagavad-gītā *traitant du* karma-yoga, *l'action dans la conscience de Kṛṣṇa.*

SIXIÈME CHAPITRE

# Le dhyāna-yoga

6.1 श्रीभगवानुवाच
अनाश्रितः कर्मफलं कार्यं कर्म करोति यः ।
स सन्न्यासी च योगी च न निरग्निर्न चाक्रियः ॥१॥

*śrī-bhagavān uvāca*
*anāśritaḥ karma-phalaṁ, kāryaṁ karma karoti yaḥ*
*sa sannyāsī ca yogī ca, na niragnir na cākriyaḥ*

*śrī-bhagavān uvāca :* Dieu, la Personne Suprême, dit ; *anāśritaḥ :* sans prendre refuge ; *karma-phalam :* dans le résultat du labeur ; *kāryam :* obligatoire ; *karma :* l'action ; *karoti :* accomplit ; *yaḥ :* celui qui ; *saḥ :* il ; *sannyāsī :* homme de renoncement ; *ca :* aussi ; *yogī :* mystique ; *ca :* aussi ; *na :* ne pas ; *niḥ :* sans ; *agniḥ :* feu ; *na :* non plus ; *ca :* aussi ; *akriyaḥ :* sans devoir.

**Dieu, la Personne Suprême, dit : Qui est détaché du fruit de son labeur et s'acquitte de ses obligations est un sannyāsī et un vrai mystique, et non celui qui n'allume pas de feu sacrificiel et n'accomplit pas son devoir.**

Le Seigneur explique dans ce chapitre que le yoga en huit phases permet à l'homme de contrôler son mental et ses sens. Toutefois, pour la plupart des gens, et cela en particulier dans l'âge de Kali, cela présente de grandes difficultés. C'est pourquoi, bien qu'Il le recommande ici, Kṛṣṇa met l'accent sur la supériorité du *karma-yoga,* le yoga de l'action accomplie dans la conscience de Kṛṣṇa. Chacun agit en ce monde pour subvenir aux besoins de sa famille ou protéger ses biens, mais toujours avec un motif personnel, un désir d'en retirer pour soi ou pour autrui un profit matériel. L'idéal sera donc d'agir dans la conscience de Kṛṣṇa, et non de chercher à jouir des fruits de ses actes. Les êtres vivants doivent agir ainsi, car ils font tous partie intégrante de Dieu. De même qu'un organe ne fonctionne pas pour lui-même, mais pour le corps entier, l'être doit agir pour la satisfaction du Tout complet, et non pour la sienne propre. Celui qui agit en ce sens est le parfait *sannyāsī,* le parfait *yogī.*

Il arrive parfois que des *sannyāsīs* se croient à tort libérés de tout devoir matériel et cessent d'accomplir l'*agnihotra-yajña* (feu sacrificiel) ; c'est qu'ils ont encore un désir intéressé, celui de s'identifier au Brahman impersonnel pour ne plus faire qu'un avec Lui. Ce désir est certes plus élevé que tout autre désir matériel, mais n'en demeure pas moins motivé par l'égoïsme. Quant au *yogī* mystique qui, les yeux mi-clos, met fin à toute action matérielle en pratiquant l'*aṣṭāṅga-yoga,* il recherche lui aussi sa propre satisfaction. Mais celui qui agit dans la conscience de Kṛṣṇa le fait sans motivation personnelle et dans le seul but de satisfaire le Tout absolu. Il n'estimera avoir obtenu le succès que lorsque Kṛṣṇa sera satisfait. C'est pourquoi on dit qu'il est le parfait *sannyāsī,* le parfait *yogī.* Le Seigneur, Śrī Caitanya, personnification même du renoncement, priait ainsi :

*na dhanaṁ na janaṁ na sundarīṁ*
*kavitāṁ vā jagad-īśa kāmaye*
*mama janmani janmanīśvare*
*bhavatād bhaktir ahaitukī tvayi*

« Ô Seigneur tout-puissant, je ne désire nullement les richesses, je ne convoite pas les jolies femmes et ne recherche pas non plus de nombreux disciples. La seule bénédiction à laquelle j'aspire, c'est de Te servir avec amour et dévotion, vie après vie. »

**6.2** यं सन्न्यासमिति प्राहुर्योगं तं विद्धि पाण्डव ।
न ह्यसन्न्यस्तसङ्कल्पो योगी भवति कश्चन ॥ २ ॥

*yaṁ sannyāsam iti prāhur, yogaṁ taṁ viddhi pāṇḍava*
*na hy asannyasta-saṅkalpo, yogī bhavati kaścana*

*yam :* ce que ; *sannyāsam :* le renoncement ; *iti :* ainsi ; *prāhuḥ :* ils disent ; *yogam :* s'unir au Suprême ; *tam :* cela ; *viddhi :* tu dois savoir ; *pāṇḍava :* ô fils de Pāṇḍu ;

*na :* jamais ; *hi :* certes ; *asannyasta :* sans abandonner ; *saṅkalpaḥ :* le désir de satisfaction personnelle ; *yogī :* un spiritualiste mystique ; *bhavati :* ne devient ; *kaścana :* quiconque.

**Sache, ô fils de Pāṇḍu, qu'on ne peut séparer le yoga, la communion avec l'Absolu, du renoncement, car nul ne peut devenir un yogī sans abandonner tout désir de jouissance matérielle.**

Pratiquer le *bhakti-yoga,* ou le *sannyāsa-yoga,* c'est connaître sa nature essentielle et agir en conséquence. L'être vivant n'a pas d'identité indépendante séparée, car il constitue l'énergie marginale de Dieu. Prisonnier de l'énergie matérielle, il en subit le conditionnement, mais lorsqu'il est conscient de Kṛṣṇa, conscient de l'énergie spirituelle, il connaît son état naturel véritable. Lorsqu'il a la pleine connaissance, il renonce à tout plaisir matériel, à toute action intéressée. Tel est le renoncement des *yogīs,* le renoncement de ceux qui détachent les sens de leurs objets. Mais l'homme conscient de Kṛṣṇa est à la fois un *sannyāsī* et un *yogī,* car jamais il n'use de ses sens autrement que pour satisfaire Kṛṣṇa. C'est donc tout naturellement qu'il atteint le but du *jñāna* et du yoga - le savoir et la maîtrise des sens - alors que l'homme incapable de s'affranchir de son égocentrisme ne peut jamais rien tirer de ces pratiques.

Le véritable objectif de tout être est de renoncer à sa satisfaction propre pour chercher uniquement celle du Seigneur. Le dévot, par exemple, n'a aucun désir de jouissance personnelle. Il agit constamment pour le plaisir de l'Être Suprême. L'être ne pouvant demeurer inactif, celui qui ne connaît pas l'existence du Seigneur devra nécessairement agir pour sa satisfaction propre. Tous les objectifs seront donc parfaitement atteints si l'on pratique la conscience de Kṛṣṇa.

**6.3** आरुरुक्षोर्मुनेर्योगं कर्म कारणमुच्यते ।
योगारूढस्य तस्यैव शमः कारणमुच्यते ॥ ३ ॥

*āruruksor muner yogaṁ, karma kāraṇam ucyate*
*yogārūḍhasya tasyaiva, śamaḥ kāraṇam ucyate*

*ārurukṣoḥ :* pour qui vient tout juste d'adopter la pratique du yoga ; *muneḥ :* pour le sage ; *yogam :* le yoga en huit phases ; *karma :* l'action ; *kāraṇam :* le moyen ; *ucyate :* est dit être ; *yoga :* au yoga en huit phases ; *ārūḍhasya :* pour celui qui est parvenu ; *tasya :* sa ; *eva :* certes ; *śamaḥ :* la cessation des activités matérielles ; *kāraṇam :* le moyen ; *ucyate :* est dit être.

**C'est par l'action que progresse le néophyte qui emprunte la voie du yoga en huit phases, alors que c'est en renonçant aux actes matériels que s'élève le yogī avancé.**

Le mot yoga désigne le processus qui nous permet de nous unir au Suprême. Il consiste en une série de pratiques échelonnées menant à la plus haute réalisation spirituelle. Emprunter l'échelle du yoga, c'est aller de la condition matérielle la plus basse jusqu'à la plus parfaite réalisation de soi. Les diverses pratiques, qui correspondent à différents échelons, peuvent être classées en trois groupes : le *jñāna-yoga,* le *dhyāna-yoga* et le *bhakti-yoga.* L'échelle entière s'appelle yoga. Le bas de l'échelle est le niveau *yogārurukṣu* et son sommet le *yogārūḍha.*

Les premières étapes de l'*aṣṭāṅga-yoga,* où l'on médite en suivant des principes régulateurs et en pratiquant diverses postures (qui sont de simples exercices physiques), sont encore du domaine des activités intéressées. Ces pratiques donnent l'équilibre mental indispensable à la maîtrise des sens, et une fois que le *yogī* est fixe dans sa méditation, aucune pensée extérieure ne vient plus l'en détourner. Toutefois, en vertu de son absorption en Dieu, une personne consciente de Kṛṣṇa se situe d'emblée au stade de la méditation. Ses actes ne sont pas matériels puisqu'ils sont toujours accomplis dans le cadre du service divin.

6.4 यदा हि नेन्द्रियार्थेषु न कर्मस्वनुषज्जते ।
सर्वसङ्कल्पसन्न्यासी योगारूढस्तदोच्यते ॥ ४ ॥

*yadā hi nendriyārtheṣu, na karmasv anuṣajjate*
*sarva-saṅkalpa-sannyāsī, yogārūḍhas tadocyate*

*yadā :* quand ; *hi :* certes ; *na :* ne pas ; *indriya-artheṣu :* au plaisir des sens ; *na :* jamais ; *karmasu :* aux actes intéressés ; *anuṣajjate :* celui qui s'adonne nécessairement ; *sarva-saṅkalpa :* à tous les désirs matériels ; *sannyāsī :* celui qui a renoncé ; *yoga-ārūḍhaḥ :* élevé dans la pratique du yoga ; *tadā :* à ce moment-là ; *ucyate :* est dit être.

**On considère avancé dans la pratique du yoga celui qui a renoncé à tout désir matériel et qui n'agit plus, ni pour le plaisir des sens ni pour tirer profit de ses actes.**

Quiconque s'est engagé pleinement et avec amour dans le service transcendantal du Seigneur est heureux en lui-même. Il ne cherche plus, ni à jouir de ses sens ni à tirer profit de ses actes. Et comme on ne peut vivre sans agir, celui qui ne connaît pas cette joie intérieure agit fatalement pour satisfaire ses sens. Tant qu'il ne sera pas conscient de Kṛṣṇa, l'homme se livrera toujours à des actes égoïstes, visant son propre plaisir ou celui des gens auxquels il s'identifie. Une personne consciente de Kṛṣṇa, au contraire, s'engagera dans toutes sortes d'activités pour servir le Seigneur, et sera par là même tout à fait détachée des plaisirs matériels. Celui qui n'a pas cette réalisation devra essayer de s'affranchir des désirs matériels par des techniques diverses avant de pouvoir s'élever jusqu'au sommet de l'échelle du yoga.

**6.5** उद्धरेदात्मनात्मानं नात्मानमवसादयेत् ।
आत्मैव ह्यात्मनो बन्धुरात्मैव रिपुरात्मनः ॥ ५ ॥

*uddhared ātmanātmānaṁ, nātmānam avasādayet*
*ātmaiva hy ātmano bandhur, ātmaiva ripur ātmanaḥ*

*uddharet :* l'on doit délivrer; *ātmanā :* par le mental; *ātmānam :* l'âme conditionnée; *na :* jamais; *ātmānam :* l'âme conditionnée; *avasādayet :* jetée dans la dégradation; *ātmā :* le mental; *eva :* certes; *hi :* en vérité; *ātmanaḥ :* de l'âme conditionnée; *bandhuḥ :* l'ami; *ātmā :* le mental; *eva :* certes; *ripuḥ :* l'ennemi; *ātmanaḥ :* de l'âme conditionnée.

**Le mental peut être l'ami de l'âme conditionnée, mais il peut aussi être son ennemi. L'homme doit s'en servir pour se libérer, non pour se dégrader.**

Le mot *ātmā* désigne selon les circonstances, l'âme, le mental ou le corps. Le système du yoga s'occupe particulièrement du mental et de l'âme conditionnée. Comme le mental est au centre de la pratique du yoga, le terme *ātmā* ne peut désigner ici que le mental. Le but du yoga sera donc de le dominer, de l'empêcher de s'attacher aux objets des sens. Comme notre verset le souligne, le yoga doit éduquer le mental de telle sorte qu'il puisse sortir l'âme conditionnée du bourbier de l'ignorance. Dans l'existence matérielle, tout le monde subit l'influence du mental et des sens. En fait, ce mental, par son contact avec le faux ego qui fait germer en nous le désir de dominer la nature matérielle, est à l'origine de l'emprisonnement de l'âme en cet univers.

Si le mental, donc, est dirigé de manière à ce qu'il ne puisse plus se laisser fasciner par l'éclat de la matière, l'âme échappera à son conditionnement. En aucun cas nous ne devons nous dégrader à cause de l'attrait que nous éprouvons pour les objets des sens, car ils nous enlisent toujours plus dans l'existence matérielle. Le meilleur moyen de nous en sortir est d'absorber constamment le mental dans la conscience de Kṛṣṇa. Le terme *hi,* dans ce verset, insiste sur l'idée que l'on *doit* agir ainsi. D'autres textes confirment ce point :

*mana eva manuṣyāṇāṁ, kāraṇaṁ bandha-mokṣayoḥ*
*bandhāya viṣayāsaṅgo, muktyai nirviṣayaṁ manaḥ*

« Le mental peut tout aussi bien être la cause de l'emprisonnement de l'homme dans la matière que l'artisan de sa libération. En s'absorbant dans les objets des sens, il emprisonne l'être, en s'en détachant, il le libère. » (*Amṛta-bindu Upaniṣad* 2) Fixer son mental sur Kṛṣṇa conduit par conséquent à la libération suprême.

**6.6** बन्धुरात्मात्मनस्तस्य येनात्मैवात्मना जितः ।
अनात्मनस्तु शत्रुत्वे वर्तेतात्मैव शत्रुवत् ॥ ६ ॥

*bandhur ātmātmanas tasya, yenātmaivātmanā jitaḥ*
*anātmanas tu śatrutve, vartetātmaiva śatru-vat*

*bandhuḥ :* l'ami; *ātmā :* le mental; *ātmanaḥ :* de l'être; *tasya :* de lui; *yena :* par qui; *ātmā :* le mental; *eva :* certes; *ātmanā :* par l'être; *jitaḥ :* vaincu; *anātmanaḥ :* de celui qui n'a pas réussi à maîtriser le mental; *tu :* mais; *śatrutve :* à cause de l'inimitié; *varteta :* reste; *ātmā eva :* ce même mental; *śatru-vat :* comme un ennemi.

**Pour qui l'a maîtrisé, le mental est le meilleur ami. Mais pour qui a échoué, il reste le pire ennemi.**

Le but de l'*aṣṭāṅga-yoga* est de maîtriser le mental afin d'en faire un ami capable de nous aider à remplir notre mission d'être humain. Si elle n'amène pas cette maîtrise, la pratique du yoga ne sera qu'une perte de temps, une simple exhibition. Celui qui ne peut dominer son mental vit aux côtés de son pire ennemi et ne peut ni mener à bien sa vie ni remplir sa mission. La condition inhérente de l'être est d'obéir aux ordres d'un supérieur. Tant que son mental règne sur lui en ennemi triomphant, il doit vivre sous la dictée de la concupiscence, de la colère, de l'avarice, de l'illusion, etc. Mais que son mental soit soumis, et il acceptera de plein gré les directives de Dieu, la Personne Suprême, sis dans le cœur de tous les êtres sous la forme du Paramātmā. Pratiquer le vrai yoga amène l'adepte à réaliser le Paramātmā et à suivre Ses instructions. Celui qui pratique d'emblée la conscience de Kṛṣṇa suit automatiquement les instructions du Seigneur.

6.7 जितात्मनः प्रशान्तस्य परमात्मा समाहितः ।
शीतोष्णसुखदुःखेषु तथा मानापमानयोः ॥ ७ ॥

*jitātmanaḥ praśāntasya, paramātmā samāhitaḥ*
*śītoṣṇa-sukha-duḥkheṣu, tathā mānāpamānayoḥ*

*jita-ātmanaḥ :* de celui qui a maîtrisé le mental; *praśāntasya :* qui a atteint la paix grâce à cette maîtrise; *parama-ātmā :* l'Âme Suprême; *samāhitaḥ :* pleinement atteinte; *śīta :* dans le froid; *uṣṇa :* la chaleur; *sukha :* la joie; *duḥkheṣu :* et la peine; *tathā :* aussi; *māna :* dans la gloire; *apamānayoḥ :* et l'opprobre.

**Celui qui est serein parce qu'il a conquis son mental a déjà atteint l'Âme Suprême. Il voit d'un œil égal la joie et la peine, la chaleur et le froid, la gloire et l'opprobre.**

Tous les êtres, en vérité, sont faits pour vivre en obéissant à Dieu, la Personne Suprême, sis en leur cœur dans Sa forme du Paramātmā. Aussi longtemps que l'énergie externe illusoire fourvoie son mental, l'homme s'empêtre dans les activités matérielles. Et c'est d'ailleurs pourquoi on dit qu'il a touché au but dès qu'à l'aide de l'un ou l'autre des yogas il maîtrise son mental. Chaque être obéit aux ordres d'une force supérieure. Aussi, dès le moment où le mental se fixe sur la nature supérieure, l'homme n'a d'autre alternative que de suivre les directives du Suprême. Le mental doit recevoir les instructions d'une autorité supérieure et s'y soumettre. Une fois son mental maîtrisé, l'homme suit automatiquement les directives du Paramātmā, l'Âme Suprême. Du fait qu'il atteint sur-le-champ cet état spirituel absolu, l'homme conscient de Kṛṣṇa, le dévot du Seigneur, n'est plus affecté par les dualités de l'existence matérielle que sont la joie et la peine, la chaleur et le froid, etc. Il connaît le *samādhi,* l'absorption totale en Dieu.

6.8 ज्ञानविज्ञानतृप्तात्मा कूटस्थो विजितेन्द्रियः ।
युक्त इत्युच्यते योगी समलोष्ट्राश्मकाञ्चनः ॥ ८ ॥

*jñāna-vijñāna-tṛptātmā, kūṭa-stho vijitendriyaḥ*
*yukta ity ucyate yogī, sama-loṣṭrāśma-kāñcanaḥ*

*jñāna :* par la connaissance acquise; *vijñāna :* et la connaissance réalisée; *tṛpta :* satisfait; *ātmā :* l'être; *kūṭa-sthaḥ :* situé au niveau transcendantal; *vijita-indriyaḥ :* dont les sens sont maîtrisés; *yuktaḥ :* qualifié pour la réalisation spirituelle; *iti :* ainsi; *ucyate :* est dit; *yogī :* le spiritualiste mystique; *sama :* égal; *loṣṭra :* la motte de terre; *aśma :* la pierre; *kāñcanaḥ :* l'or.

**Qui est pleinement satisfait par la connaissance et la réalisation du savoir est un yogī, une âme réalisée. Ayant atteint le niveau transcendantal et la maîtrise de soi, il ne fait pas de différence entre la motte de terre, la pierre ou l'or.**

Une connaissance académique qui n'inclut pas la réalisation de la Vérité Suprême ne sert à rien. Aussi est-il dit dans le *Bhakti-rasāmṛta-sindhu* (1.2.234) :

*ataḥ śrī-kṛṣṇa-nāmādi, na bhaved grāhyam indriyaiḥ*
*sevonmukhe hi jihvādau, svayam eva sphuraty adaḥ*

« Nul ne peut, en se servant de ses sens contaminés par la matière, comprendre la nature transcendantale du nom, de la forme, des attributs et des divertissements de Śrī Kṛṣṇa. Ceux-ci ne sont révélés qu'à l'homme que la dévotion au Seigneur a chargé d'énergie spirituelle. »

La *Bhagavad-gītā* est la science de la conscience de Kṛṣṇa. La simple érudition profane ne permettra à personne de devenir conscient de Kṛṣṇa. Pour comprendre cette science, il faut avoir la chance d'entrer en contact avec un être dont la conscience soit pure et qui, comblé par le service et la dévotion qu'il offre à Kṛṣṇa, ait par Sa grâce pleinement réalisé cette connaissance. En réalisant ce savoir, on devient parfait.

La connaissance spirituelle nous garde imperturbable dans nos convictions, tandis que le savoir académique nous déroute lorsque nous nous heurtons à d'évidentes contradictions. Parce qu'il s'est abandonné à Kṛṣṇa, l'être conscient de son identité spirituelle maîtrise ses sens. Il se trouve au niveau spirituel, car il ne se soucie pas d'érudition profane. Cette dernière, comme la spéculation intellectuelle, pour certains aussi précieuse que l'or, n'a à ses yeux pas plus de valeur qu'une motte de terre ou une pierre.

**6.9** सुहृन्मित्रार्युदासीनमध्यस्थद्वेष्यबन्धुषु ।
साधुष्वपि च पापेषु समबुद्धिर्विशिष्यते ॥ ९ ॥

*suhṛn-mitrāry-udāsīna-, madhyastha-dveṣya-bandhuṣu*
*sādhuṣv api ca pāpeṣu, sama-buddhir viśiṣyate*

*su-hṛt :* envers ceux qui sont bienveillants par nature ; *mitra :* les bienfaiteurs par affection ; *ari :* les ennemis ; *udāsīna :* neutres entre les combattants ; *madhya-stha :* médiateurs entre les combattants ; *dveṣya :* les envieux ; *bandhuṣu :* et les parents ou les amis ;

*sādhuṣu :* envers les vertueux ; *api :* ainsi que ; *ca :* et ; *pāpeṣu :* envers les pécheurs ; *sama-buddhiḥ :* étant d'intelligence égale ; *viśiṣyate :* est très élevé.

**Mais qui voit d'un même œil le bienveillant par nature ou par sentiment et l'envieux, celui qui toujours reste neutre et celui qui agit dans un esprit de conciliation, l'ami et l'ennemi, le vertueux et le pécheur, est spirituellement plus élevé encore.**

**6.10** योगी युञ्जीत सततमात्मानं रहसि स्थितः ।
एकाकी यतचित्तात्मा निराशीरपरिग्रहः ॥१०॥

*yogī yuñjīta satatam, ātmānaṁ rahasi sthitaḥ*
*ekākī yata-cittātmā, nirāśīr aparigrahaḥ*

*yogī :* un spiritualiste ; *yuñjīta :* doit s'absorber dans la conscience de Kṛṣṇa ; *satatam :* constamment ; *ātmānam :* lui-même (par le corps, le mental et le soi) ; *rahasi :* dans un endroit solitaire ; *sthitaḥ :* étant situé ; *ekākī :* seul ; *yata-citta-ātmā :* toujours très attentif à maîtriser le mental ; *nirāśīḥ :* sans se laisser attirer par rien d'autre ; *aparigrahaḥ :* libre de tout sentiment de possession.

**Le spiritualiste doit se vouer corps et âme au Suprême. Il lui faut vivre en un lieu solitaire, toujours rester maître de son mental, et s'affranchir de tout désir et de tout sentiment de possession.**

La réalisation de Kṛṣṇa comprend différents degrés : la réalisation du Brahman, celle du Paramātmā et celle de la Personne Suprême. Être conscient de Kṛṣṇa, c'est être pleinement engagé dans le service d'amour transcendantal du Seigneur. Ceux qui sont attachés au Brahman impersonnel ou à l'aspect localisé de l'Âme Suprême sont eux aussi, de façon indirecte et incomplète, conscients de Kṛṣṇa, puisque le Brahman impersonnel est la radiance spirituelle de la Personne Suprême, et le Paramātmā, Sa représentation partielle omniprésente. On dira donc d'un homme directement conscient de Kṛṣṇa qu'il est le plus avancé des spiritualistes, car il sait ce que sont le Brahman et le Paramātmā. Sa connaissance de la Vérité Absolue est parfaite, quand celle de l'impersonnaliste et du *yogī* en méditation est imparfaite.

Il est néanmoins conseillé ici à tous les spiritualistes de continuer avec constance dans leur voie respective, afin d'atteindre tôt ou tard la plus haute perfection. Le premier devoir du spiritualiste commande en effet d'absorber le mental en Kṛṣṇa. Toujours penser à Lui et ne jamais L'oublier, ne fût-ce qu'un instant. Cette concentration de l'esprit sur le Suprême s'appelle *samādhi,* ou extase méditative. Pour l'atteindre, on doit vivre dans la solitude et éviter toute distraction, rechercher les situations favorables et rejeter tout ce qui pourrait faire obstacle à la réalisation spirituelle. Ferme dans sa détermination, le spiritualiste doit en outre se défaire de la convoitise pour les biens matériels inutiles afin de ne pas rester prisonnier de son esprit de possession.

Quand on pratique directement la conscience de Kṛṣṇa, toutes ces précautions sont naturellement prises, attendu que le *bhakti-yoga* implique une abnégation de soi qui laisse très peu de chance à l'esprit de possession de se manifester. Śrīla Rūpa Gosvāmī dit à ce propos :

*anāsaktasya viṣayān, yathārham upayuñjataḥ*
*nirbandhaḥ kṛṣṇa-sambandhe, yuktaṁ vairāgyam ucyate*

*prāpañcikatayā buddhyā, hari-sambandhi-vastunaḥ*
*mumukṣubhiḥ parityāgo, vairāgyaṁ phalgu kathyate*

« Celui qui n'est attaché à rien, mais qui en même temps accepte tout pour le service de Kṛṣṇa, transcende vraiment l'esprit de possession. Au contraire, le renoncement de celui qui rejette tout, parce qu'il ignore qu'un lien unit toute chose au Seigneur, sera toujours incomplet. » (*Bhakti-rasāmṛta-sindhu* 1.2.255-256)

Parce qu'il sait que Dieu est le véritable possesseur de tout, le dévot de Kṛṣṇa s'affranchit sans difficulté du sentiment de possession. Il ne recherche jamais un quelconque bénéfice personnel, mais sait accepter tout ce qui est favorable à la conscience de Kṛṣṇa, et rejeter ce qui pourrait lui nuire. Toujours situé à un niveau purement spirituel, il transcende la matière et vit en solitaire, n'ayant aucun goût pour la compagnie des personnes qui refusent la conscience de Kṛṣṇa. C'est pourquoi il est le parfait *yogī*.

**6.11-12** शुचौ देशे प्रतिष्ठाप्य स्थिरमासनमात्मनः ।
नात्युच्छ्रितं नातिनीचं चैलाजिनकुशोत्तरम् ॥११॥

तत्रैकाग्रं मनः कृत्वा यतचित्तेन्द्रियक्रियः ।
उपविश्यासने युञ्ज्याद्योगमात्मविशुद्धये ॥१२॥

*śucau deśe pratiṣṭhāpya*
*sthiram āsanam ātmanaḥ*
*nāty-ucchritaṁ nāti-nīcaṁ*
*cailājina-kuśottaram*

*tatraikāgraṁ manaḥ kṛtvā*
*yata-cittendriya-kriyaḥ*
*upaviśyāsane yuñjyād*
*yogam ātma-viśuddhaye*

*śucau :* sanctifiée; *deśe :* dans une région; *pratiṣṭhāpya :* plaçant; *sthiram :* ferme; *āsanam :* siège; *ātmanaḥ :* son propre; *na :* ne pas; *ati :* trop; *ucchritam :* haut; *na :* non plus; *ati :* trop; *nīcam :* bas; *caila-ajina :* d'une étoffe douce et d'une peau de daim; *kuśa :* et d'herbe *kuśa*; *uttaram :* couvrant; *tatra :* là; *eka-agram :* avec une concentration unique; *manaḥ :* le mental; *kṛtvā :* faisant; *yata-citta :* contrôlant le mental; *indriya :* les sens; *kriyaḥ :* et les actes; *upaviśya :* s'asseyant; *āsane :* sur le siège; *yuñjyāt :* doit accomplir; *yogam :* la pratique du yoga; *ātma :* le cœur; *viśuddhaye :* pour clarifier.

**En un lieu saint et retiré, il doit confectionner un siège d'herbe kuśa qui ne soit ni trop haut ni trop bas, puis le recouvrir d'une peau de daim et d'une étoffe douce. Là, il doit prendre une assise ferme et pratiquer le yoga pour purifier son cœur, en contrôlant son mental, ses sens et ses actes, et en fixant ses pensées sur un point unique.**

Par « lieu saint », il faut entendre lieu de pèlerinage. En Inde, les *yogīs,* les spiritualistes et les dévots quittent tous le foyer familial pour vivre en des endroits sanctifiés comme Prayāga, Mathurā, Vṛndāvana, Hṛṣīkeśa, Hardwar, et y pratiquer le yoga dans la solitude, près des rivières sacrées que sont la Yamunā ou le Gange. Bien sûr, une telle retraite n'est pas toujours possible, surtout pour les Occidentaux. Les clubs de yoga qu'on trouve dans les grandes villes font sûrement d'importants bénéfices, mais ne sont pas des lieux où l'on peut pratiquer le véritable yoga.

Nul ne peut méditer s'il n'est maître de ses sens, s'il ne possède un mental stable et serein. Aussi le *Bṛhan-nāradīya Purāṇa* annonce-t-il que dans notre ère, le *kali-yuga,* les hommes vivront si peu de temps, connaîtront tant d'angoisses et progresseront si lentement dans la voie spirituelle, que le meilleur moyen de salut pour eux sera de chanter le saint nom du Seigneur :

*harer nāma harer nāma, harer nāmaiva kevalam*
*kalau nāsty eva nāsty eva, nāsty eva gatir anyathā*

« En cette ère de discorde et d'hypocrisie, chanter le saint nom du Seigneur est la seule voie de salut. Il n'y a pas d'autre moyen, pas d'autre moyen, pas d'autre moyen. »

**6.13–14**

समं कायशिरोग्रीवं धारयन्नचलं स्थिरः ।
सम्प्रेक्ष्य नासिकाग्रं स्वं दिशश्चानवलोकयन् ॥१३॥

प्रशान्तात्मा विगतभीर्ब्रह्मचारिव्रते स्थितः ।
मनः संयम्य मच्चित्तो युक्त आसीत मत्परः ॥१४॥

*samaṁ kāya-śiro-grīvaṁ*
*dhārayann acalaṁ sthiraḥ*
*samprekṣya nāsikāgraṁ svaṁ*
*diśaś cānavalokayan*

*praśāntātmā vigata-bhīr*
*brahmacāri-vrate sthitaḥ*
*manaḥ saṁyamya mac-citto*
*yukta āsīta mat-paraḥ*

*samam :* droits ; *kāya :* le corps ; *śiraḥ :* la tête ; *grīvam :* le cou ; *dhārayan :* tenant ; *acalam :* immobile ; *sthiraḥ :* ferme ; *samprekṣya :* regardant ; *nāsikā :* nez ; *agram :* le bout ; *svam :* de son propre ; *diśaḥ :* de tous les côtés ; *ca :* aussi ; *anavalokayan :* ne regardant pas ; *praśānta :* sans agitation ; *ātmā :* le mental ; *vigata-bhīḥ :* sans peur ; *brahmacāri-vrate :* ayant fait vœu de célibat ; *sthitaḥ :* situé ; *manaḥ :* le mental ; *saṁyamya :* dominant complètement ; *mat :* sur Moi (Kṛṣṇa) ; *cittaḥ :* concentrant le mental ; *yuktaḥ :* le vrai *yogī* ; *āsīta :* doit s'asseoir ; *mat :* Moi ; *paraḥ :* le but ultime.

**Il lui faut garder le corps, le cou et la tête bien droits, le regard fixé sur l'extrémité du nez. Affranchi de la peur et ferme dans le vœu de continence, le mental apaisé et maîtrisé, il doit méditer sur Moi en son cœur et faire de Moi le but ultime de son existence.**

Le but de la vie est de connaître Kṛṣṇa, qui, en tant que Paramātmā – la forme à quatre bras de Viṣṇu –, vit dans le cœur de chaque être. La pratique du yoga n'a d'autre but que de nous mettre en présence de cette *viṣṇu-mūrti,* cette forme de l'émanation plénière de Kṛṣṇa localisée dans le cœur de chacun. Autrement, le yoga n'est qu'une parodie du vrai yoga, une pure perte de temps. Kṛṣṇa est en soi le but ultime de l'existence, et la *viṣṇu-mūrti,* le Paramātmā, l'objet du yoga. Pour L'atteindre, il faut s'abstenir de tout rapport sexuel. Il s'avère donc nécessaire de quitter son foyer pour vivre en un lieu solitaire et méditer dans la posture que décrit le verset. On ne peut s'adonner quotidiennement aux plaisirs charnels, chez soi ou ailleurs, puis se métamorphoser en *yogī* grâce à quelque cours du soir. Il faut apprendre à dominer son mental et s'abstenir de tous plaisirs des sens, dont le plus fort est le plaisir sexuel. Dans son code du célibat, le grand sage Yājñavalkya disait - *karmaṇā manasā vācā, sarvāvasthāsu sarvadā sarvatra maithuna-tyāgo, brahmacaryaṁ pracakṣate* : « Faire vœu de *brahmacarya* doit nous aider à effacer complètement la sexualité de nos actes, de nos paroles et de nos pensées, à tout moment, en toute circonstance et en tout lieu. »

Nul ne peut pratiquer correctement et efficacement le yoga s'il se livre aux plaisirs sexuels. Aussi doit-on être éduqué dans le *brahmacarya* dès l'enfance, quand on ne sait rien encore de la vie sexuelle. Dès l'âge de cinq ans, les enfants sont envoyés au *guru-kula,* l'école du maître spirituel, pour y suivre la stricte discipline du *brahmacarya* sans laquelle on ne peut progresser sur la voie du yoga, qu'il s'agisse du *dhyāna,* du *jñāna* ou de la *bhakti.* On appelle également *brahmacārī* l'homme marié qui observe les normes védiques de la vie conjugale, l'homme qui n'a de rapports sexuels qu'avec sa propre femme (et selon certaines règles). L'école du *bhakti-yoga* acceptera ce chef de famille *brahmacārī,* mais pas celle du *jñāna* ni celle du *dhyāna,* qui exigent la continence totale et n'acceptent aucun compromis. Le *bhakti-yoga* autorise une vie sexuelle restreinte, car la puissance du service de dévotion offert au Seigneur est telle qu'elle fait perdre naturellement toute attraction pour les plaisirs de la chair. La *Bhagavad-gītā* (2.59) ne nous dit-elle pas :

*viṣayā vinivartante, nirāhārasya dehinaḥ*
*rasa-varjaṁ raso 'py asya, paraṁ dṛṣṭvā nivartate*

Alors que d'autres spiritualistes doivent faire d'immenses efforts pour se détacher de tout plaisir matériel, le dévot du Seigneur, parce qu'il est le seul à goûter quelque chose de supérieur, s'en détache automatiquement.

On ne peut être affranchi de toute crainte (*vigata-bhīḥ*) que si l'on est pleinement conscient de Kṛṣṇa. La crainte est inhérente à l'être conditionné en raison de sa mémoire dénaturée, de son oubli de la relation éternelle qui l'unit à Kṛṣṇa. Aussi le *Bhāgavatam* (11.2.37) enseigne-t-il : *bhayaṁ dvitīyābhiniveśatah syād īśād apetasya viparyayo 'smṛtiḥ.* La conscience de Kṛṣṇa est le seul moyen d'échapper à la crainte. Le dévot de Kṛṣṇa peut donc atteindre la perfection de la pratique du yoga. Il est en effet le plus élevé de tous les *yogīs,* puisqu'il a déjà atteint le but ultime du yoga, qui est de voir le Seigneur à l'intérieur de soi. Les principes du yoga mentionnés ici sont donc bien différents de ceux des clubs de yoga actuels.

**6.15** युञ्जन्नेवं सदात्मानं योगी नियतमानसः ।
शान्तिं निर्वाणपरमां मत्संस्थामधिगच्छति ॥१५॥

*yuñjann evaṁ sadātmānaṁ, yogī niyata-mānasaḥ*
*śāntiṁ nirvāṇa-paramāṁ, mat-saṁsthām adhigacchati*

*yuñjan :* en pratiquant ; *evam :* comme il a été dit ci-dessus ; *sadā :* constamment ; *ātmānam :* le corps, le mental, l'âme ; *yogī :* le spiritualiste mystique ; *niyata-mānasaḥ :* avec le mental maîtrisé ; *śāntim :* la paix ; *nirvāṇa-paramām :* la fin de l'existence matérielle ; *mat-saṁsthām :* le monde spirituel (le royaume de Dieu) ; *adhigacchati :* atteint.

**Ainsi, parce qu'en maîtrisant constamment son corps, son mental et ses actes, le yogī délaisse la vie matérielle, il atteint le royaume de Dieu [la demeure de Kṛṣṇa].**

Ce verset exprime de façon claire le but ultime du yoga. Il ne s'agit pas en effet de chercher à améliorer ses conditions de vie matérielle, mais de mettre fin à l'existence en ce monde. D'après la *Bhagavad-gītā,* celui qui pratique le yoga pour vivre plus confortablement ou jouir d'une meilleure santé n'est pas un *yogī.*

Mettre un terme à l'existence matérielle ne veut pas dire se fondre dans un « vide », par ailleurs mythique, puisque nul vide n'existe dans la création de Dieu. Mettre un terme à l'existence matérielle, c'est s'ouvrir la porte du monde spirituel, de la demeure du Seigneur, lieu, dit la *Bhagavad-gītā,* où la lumière ne vient ni du soleil, ni de la lune, ni de l'énergie électrique, mais où chaque planète, comme notre soleil, répand sa propre lumière. En un sens, on peut dire que le royaume de Dieu est partout ; mais le monde spirituel dont nous parlons ici en est la partie supérieure, le *paraṁ dhāma.*

Le *yogī* réalisé, parfaitement conscient de la nature de Kṛṣṇa, connaît la véritable paix et finit par atteindre la demeure suprême, appelée Kṛṣṇaloka ou Goloka Vṛndāvana. Ceci est confirmé dans ce verset et dans le précédent par les mots *mat-cittaḥ, mat-paraḥ* et *mat-saṁsthām.* Le Seigneur, nous dit la *Brahma-saṁhitā* (5.37), réside perpétuellement à Goloka Vṛndāvana (*goloka eva nivasaty akhilātma-bhūtaḥ*), mais Se manifeste aussi, à travers Ses énergies spirituelles supérieures, en chaque être sous la forme du Paramātmā, de même que sous la forme du Brahman omniprésent. Nul ne peut entrer dans le monde spirituel (Vaikuṇṭha) ou vivre dans la demeure éternelle du Seigneur (Goloka Vṛndāvana) à moins de comprendre parfaitement la nature de Kṛṣṇa, ainsi que celle de Viṣṇu, Son émanation plénière. Ainsi, celui qui agit dans la conscience de Kṛṣṇa, qui immerge constamment son mental dans les multiples activités de Kṛṣṇa (*sa vai manaḥ kṛṣṇa-padāravindayoḥ*), est le parfait *yogī*.

Dans les Védas également (*Śvetāśvatara Upaniṣad* 3.8) nous apprenons : *tam eva viditvāti mṛtyum eti* – « Le seul moyen d'échapper à la naissance et à la mort est de réaliser Kṛṣṇa, la Personne Suprême. » En d'autres termes, on atteint la perfection du yoga en se libérant de l'existence matérielle, et non en passant maître dans l'art de la gymnastique ou de la magie pour tromper les innocents.

**6.16** नात्यश्नतस्तु योगोऽस्ति न चैकान्तमनश्नतः ।
न चातिस्वप्नशीलस्य जाग्रतो नैव चार्जुन ॥१६॥

*nāty-aśnatas tu yogo 'sti, na caikāntam anaśnataḥ*
*na cāti-svapna-śīlasya, jāgrato naiva cārjuna*

*na* : jamais ; *ati* : trop ; *aśnataḥ* : pour celui qui mange ; *tu* : mais ; *yogaḥ* : union avec l'Être Suprême ; *asti* : il n'y a ; *na* : non plus ; *ca* : aussi ; *ekāntam* : trop ; *anaśnataḥ* : s'abstenant de manger ; *na* : non plus ; *ca* : aussi ; *ati* : trop ; *svapna-śīlasya* : pour celui qui dort ; *jāgrataḥ* : celui qui veille trop la nuit ; *na* : ne pas ; *eva* : jamais ; *ca* : et ; *arjuna* : ô Arjuna.

**Nul ne peut devenir un yogī, ô Arjuna, s'il mange trop ou pas assez et s'il dort trop ou trop peu.**

Il est recommandé au *yogī* de bien régler son régime alimentaire et son sommeil. Trop manger, c'est absorber plus qu'il n'est nécessaire pour garder l'âme dans le corps. L'homme n'a aucun besoin de manger de la chair animale, puisque les céréales, les légumes, les fruits et les produits laitiers, que l'on trouve en abondance et qui sont, d'après la *Bhagavad-gītā,* des aliments de la vertu, suffisent amplement. Seuls ceux que l'ignorance affecte se nourrissent de chair animale. Quiconque en consomme, ou se nourrit d'aliments qui n'ont pas été d'abord offerts en sacrifice à Kṛṣṇa, ne mange qu'une nourriture polluée. Il aura à en supporter les conséquences, comme d'ailleurs celui qui boit ou qui fume. Quiconque mange pour le plaisir de la langue et prépare pour soi la nourriture, sans l'offrir à Kṛṣṇa, ne mange que du péché (*bhuñjate te tv aghaṁ pāpā ye pacanty ātma-kāraṇāt*). Comment un tel homme, se nourrissant de péché, et incapable de se satisfaire de la part qui lui est assignée, pourrait-il pratiquer correctement le yoga ?

Seul le dévot de Kṛṣṇa, parce qu'il n'accepte pour nourriture que les reliefs du sacrifice au Seigneur, peut atteindre la perfection du yoga.

Le fait de s'abstenir artificiellement de manger, en inventant ses propres méthodes de jeûne, s'oppose également à la pratique du yoga. C'est pourquoi une personne consciente de Kṛṣṇa n'observe que les jeûnes recommandés par les Écritures et ne mange ni ne jeûne plus qu'il n'est requis. Elle est donc tout à fait apte à pratiquer le yoga.

Si l'on mange trop, on rêvera beaucoup pendant le sommeil, et on dormira par conséquent plus que nécessaire. Six heures de repos par jour suffisent. Celui qui dort plus est certes influencé par l'ignorance. Et non seulement celui qu'affecte l'ignorance est-il enclin au sommeil excessif, mais également à la paresse. Il est inapte à pratiquer le yoga.

**6.17** युक्ताहारविहारस्य युक्तचेष्टस्य कर्मसु ।
युक्तस्वप्नावबोधस्य योगो भवति दुःखहा ॥१७॥

*yuktāhāra-vihārasya, yukta-ceṣṭasya karmasu*
*yukta-svapnāvabodhasya, yogo bhavati duḥkha-hā*

*yukta :* réglée; *āhāra :* la façon de se nourrir; *vihārasya :* la détente; *yukta :* réglée; *ceṣṭasya :* de celui qui travaille pour subvenir à ses besoins; *karmasu :* en s'acquittant de son devoir; *yukta :* réglés; *svapna-avabodhasya :* le sommeil et la veille; *yogaḥ :* la pratique du yoga; *bhavati :* devient; *duḥkha-hā :* diminuant les souffrances.

**Qui garde la juste mesure dans son alimentation et son sommeil, dans le travail et la détente, peut, par la pratique du yoga, atténuer les souffrances de l'existence matérielle.**

Satisfaire avec excès les exigences du corps – manger, dormir, s'accoupler, se défendre – peut freiner le progrès sur la voie du yoga. On ne peut régler son alimentation que si l'on consomme une nourriture consacrée, qu'on appelle le *prasādam.* Comme il faut, selon la *Bhagavad-gītā* (9.26), n'offrir à Kṛṣṇa que des fleurs, des fruits, des légumes, des céréales, du lait, etc., une personne consciente de Kṛṣṇa apprend à ne rien manger qui soit impropre à la consommation humaine ou qui ne soit pas sous le signe de la vertu.

En ce qui concerne le sommeil, le dévot est tellement absorbé dans la conscience de Kṛṣṇa que toute heure de sommeil inutile lui semble une perte de temps. On le dit *avyartha-kālātvam,* car il ne supporte pas de passer une minute sans servir le Seigneur et se contente d'un minimum de sommeil. Son modèle est Śrīla Rūpa Gosvāmī, qui ne dormait que deux heures par jour, et parfois moins encore, tant l'absorbait le service de Kṛṣṇa. Ṭhākura Haridāsa, pour sa part, ne prenait de *prasādam* et ne se reposait qu'après avoir récité 300 000 fois le nom du Seigneur sur son chapelet.

Aucun des actes du dévot ne s'oppose au désir de Kṛṣṇa, si bien qu'il agit toujours conformément aux principes védiques et jamais pour le plaisir des sens. Puisqu'il ne recherche pas les plaisirs de ce monde, jamais il ne gaspille son temps en de vains loisirs. Comme les actes qu'il accomplit dans son travail sont réglés, ses paroles mesurées, ses heures de sommeil et d'éveil contrôlées, il n'a plus à endurer les souffrances matérielles.

**6.18** यदा विनियतं चित्तमात्मन्येवावतिष्ठते ।
निस्पृहः सर्वकामेभ्यो युक्त इत्युच्यते तदा ॥१८॥

*yadā viniyataṁ cittam, ātmany evāvatiṣṭhate*
*nispṛhaḥ sarva-kāmebhyo, yukta ity ucyate tadā*

*yadā :* quand ; *viniyatam :* particulièrement disciplinés ; *cittam :* le mental et ses activités ; *ātmani :* dans la transcendance ; *eva :* certes ; *avatiṣṭhate :* devient situé ; *nispṛhaḥ :* dénué de désir ; *sarva :* pour toutes sortes de ; *kāmebhyaḥ :* plaisirs matériels ; *yuktaḥ :* fermement situé dans le yoga ; *iti :* ainsi ; *ucyate :* est dit être ; *tadā :* à ce moment.

**On dit que le yogī est fixé dans le yoga quand il a su, par cette pratique, régler les activités de son mental et atteindre un niveau transcendantal où les désirs matériels n'ont plus de prise.**

Les actes d'un *yogī* se distinguent de ceux d'un homme ordinaire dans la mesure où aucun désir matériel – et plus particulièrement le désir sexuel, le plus fort des désirs – ne le perturbe plus car il a su discipliner son mental. Quiconque adopte la conscience de Kṛṣṇa peut tout naturellement se parfaire de la sorte. Le *Bhāgavatam* (9.4.18–20) illustre cela fort bien :

*sa vai manaḥ kṛṣṇa-padāravindayor*
*vacāṁsi vaikuṇṭha-guṇānuvarṇane*
*karau harer mandira-mārjanādiṣu*
*śrutiṁ cakārācyuta-sat-kathodaye*

*mukunda-liṅgālaya-darśane dṛśau*
*tad-bhṛtya-gātra-sparśe 'ṅga-saṅgamam*

*ghrāṇaṁ ca tat-pāda-saroja-saurabhe*
*śrīmat-tulasyā rasanāṁ tad-arpite*
*pādau hareḥ kṣetra-padānusarpaṇe*
*śiro hṛṣīkeśa-padābhivandane*
*kāmaṁ ca dāsye na tu kāma-kāmyayā*
*yathottama-śloka-janāśrayā ratiḥ*

« Le roi Ambarīṣa fixait tout d'abord son esprit sur les pieds pareils-au-lotus de Kṛṣṇa, puis usait de sa parole pour décrire les qualités transcendantales du Seigneur. Il se servait de ses mains pour nettoyer Son temple, de ses oreilles pour entendre louer Ses activités, de ses yeux pour contempler Sa forme absolue, de son corps pour toucher le corps de Ses dévots, de ses narines pour humer le parfum des fleurs de lotus qu'on Lui offre, de sa langue pour goûter les feuilles de *tulasī* déposées à Ses pieds de lotus, de ses jambes pour se rendre en des lieux de pèlerinage et visiter Ses temples, de sa tête pour se prosterner devant Lui. Quant à ses désirs, il les consacrait à remplir Sa mission. De telles activités spirituelles caractérisent le pur dévot du Seigneur. »

Cet exemple nous montre bien que s'il est impossible à un impersonnaliste de percevoir et de définir cet état absolu, c'est chose facile pour une personne consciente de Kṛṣṇa. Mais on ne peut accomplir ces tâches transcendantales que si l'on s'absorbe en permanence dans le souvenir des pieds pareils-au-lotus du Seigneur. Dans le service de dévotion, on appelle *arcanā* le processus dans lequel s'inscrivent les activités décrites plus haut. Celles-ci constituent l'art de mettre ses sens au service du Seigneur. Le mental et les sens étant toujours actifs, il est impossible d'en faire abstraction. Le meilleur moyen pour l'homme de se parfaire spirituellement, notamment pour celui qui n'a pas embrassé l'ordre du renoncement, sera d'utiliser ses sens comme le fit Mahārāja Ambarīṣa, c'est-à-dire d'en user de façon transcendantale, ainsi que nous l'indique fort à propos le mot *yukta* employé dans ce verset.

**6.19** यथा दीपो निवातस्थो नेङ्गते सोपमा स्मृता ।
योगिनो यतचित्तस्य युञ्जतो योगमात्मनः ॥१९॥

*yathā dīpo nivāta-stho, neṅgate sopamā smṛtā*
*yogino yata-cittasya, yuñjato yogam ātmanaḥ*

*yathā* : comme ; *dīpaḥ* : une lampe ; *nivāta-sthaḥ* : en un endroit abrité du vent ; *na* : ne pas ; *iṅgate* : vacille ; *sā* : cette ; *upamā* : comparaison ; *smṛtā* : est considéré ; *yoginaḥ* : le *yogī* ; *yata-cittasya :* dont le mental est maîtrisé ; *yuñjataḥ :* constamment plongé dans ; *yogam :* la méditation ; *ātmanaḥ :* sur la transcendance.

**Semblable à la flamme qui à l'abri du vent ne vacille pas, le yogī maître de son mental est ferme dans sa méditation sur l'Être transcendant.**

L'homme vraiment conscient de Kṛṣṇa, toujours absorbé dans la transcendance, dans une méditation permanente et sereine sur le Seigneur, objet de son adoration, est aussi constant qu'une flamme à l'abri du vent.

**6.20–23** यत्रोपरमते चित्तं निरुद्धं योगसेवया ।
यत्र चैवात्मनात्मानं पश्यन्नात्मनि तुष्यति ॥२०॥

सुखमात्यन्तिकं यत्तद् बुद्धिग्राह्यमतीन्द्रियम् ।
वेत्ति यत्र न चैवायं स्थितश्चलति तत्त्वतः ॥२१॥

यं लब्ध्वा चापरं लाभं मन्यते नाधिकं ततः ।
यस्मिन् स्थितो न दुःखेन गुरुणापि विचाल्यते ॥२२॥

तं विद्याद् दुःखसंयोगवियोगं योगसंज्ञितम् ॥२३॥

*yatroparamate cittaṁ, niruddhaṁ yoga-sevayā*
*yatra caivātmanātmānaṁ, paśyann ātmani tuṣyati*

*sukham ātyantikaṁ yat tad, buddhi-grāhyam atīndriyam*
*vetti yatra na caivāyaṁ, sthitaś calati tattvataḥ*

*yaṁ labdhvā cāparaṁ lābhaṁ, manyate nādhikaṁ tataḥ*
*yasmin sthito na duḥkhena, guruṇāpi vicālyate*

*taṁ vidyād duḥkha-saṁyoga-, viyogaṁ yoga-saṁjñitam*

*yatra :* dans l'état où ; *uparamate :* cessent (parce qu'on ressent un bonheur spirituel) ; *cittam :* les activités mentales ; *niruddham :* étant écartées de la matière ; *yoga-sevayā :* par la pratique du yoga ; *yatra :* dans lequel ; *ca :* aussi ; *eva :* certes ; *ātmanā :* par le mental pur ; *ātmānam :* de l'Être Suprême ; *paśyan :* réalisant la position ; *ātmani :* dans le Soi ; *tuṣyati :* on devient satisfait ; *sukham :* le bonheur ; *ātyantikam :* suprême ; *yat :* lequel ; *tat :* par cette ; *buddhi :* intelligence ; *grāhyam :* accessible ; *atīndriyam :* transcendantal ; *vetti :* on sait ; *yatra :* où ; *na :* jamais ; *ca :* aussi ; *eva :* certes ; *ayam :* il ; *sthitaḥ :* situé ; *calati :* ne s'écarte ; *tattvataḥ :* de la vérité ; *yam :* laquelle ; *labdhvā :* en obtenant ; *ca :* aussi ; *aparam :* tout autre ; *lābham :* gain ; *manyate :* ne se soucie ; *na :* jamais ; *adhikam :* plus ; *tataḥ :* que cela ; *yasmin :* dans lequel ; *sthitaḥ :* étant situé ; *na :* jamais ; *duḥkhena :* par les souffrances ; *guruṇā api :* même les pires ; *vicālyate :*

ne devient ébranlé ; *tam :* que ; *vidyāt :* tu dois savoir ; *duḥkha-saṁyoga :* des souffrances provenant du contact avec la matière ; *viyogam :* l'extermination ; *yoga-saṁjñitam :* appelée l'extase dans le yoga.

**Celui qui par la pratique du yoga parvient à soustraire son mental de toute activité matérielle connaît le niveau de perfection qu'on appelle samādhi, ou extase méditative. Cet état se caractérise par la faculté de percevoir l'Être Suprême avec un mental pur et de trouver la joie en Lui. Ainsi, à travers ses sens purifiés, il se trouve constamment immergé dans un bonheur transcendantal infini. Cette perfection atteinte, il ne s'écartera plus de la vérité, sachant que rien n'est plus précieux. Imperturbable, même au cœur des pires difficultés, il se libère définitivement des souffrances nées du contact avec la matière.**

La toute première caractéristique du yoga est qu'il nous aide à nous détacher graduellement des concepts matériels. Puis, quand le *yogī* réalise l'Âme Suprême par le biais d'une intelligence et d'un mental spiritualisés, et qu'il ne commet plus l'erreur de croire que l'âme et l'Âme Suprême sont une seule et même entité, il connaît le *samādhi,* l'extase méditative. La pratique du yoga se fonde plus ou moins sur les principes de Patañjali. Les monistes et certains commentateurs non autorisés soutiennent que l'âme est identique à l'Âme Suprême. Se méprenant sur le véritable objectif du système de Patañjali, ils considèrent que la libération est la fusion des deux. Les non-dualistes n'acceptent pas la distinction entre connaissance et connaissant, implicite dans ce verset, qui affirme l'existence d'une félicité transcendante éprouvée grâce à des sens transcendantaux. Or, le système de yoga de Patañjali reconnaît bien l'existence d'une félicité spirituelle. Si donc, les monistes la rejettent, c'est surtout pour ne pas compromettre leur théorie sur l'unicité de la connaissance et du connaissant. Le célèbre instructeur de la voie du yoga, Patañjali Muni lui-même, atteste dans ses *Yoga-sūtras* (4.33) : *puruṣārtha-śūnyānāṁ guṇānāṁ pratiprasavaḥ kaivalyaṁ svarūpa-pratiṣṭhā vā citi-śaktir iti.*

La puissance interne dont il est question dans le verset cité ici, *citi-śakti,* est spirituelle. Le mot *puruṣārtha* désigne quant à lui la piété matérielle, l'essor économique, la jouissance matérielle et, en dernier lieu, la tentative de ne plus faire qu'un avec Dieu. Les monistes nomment cette « fusion d'identité » *kaivalyam,* bien que Patañjali explique que le mot *kaivalyam* se rapporte à la puissance interne et transcendantale grâce à laquelle l'être vivant prend conscience de sa position immanente. Caitanya Mahāprabhu nomme cette prise de conscience *ceto-darpaṇa-mārjanam,* c'est-à-dire purification du miroir impur du mental. Cette « purification » est en fait la libération, *bhava-mahā-dāvāgni-nirvāpaṇam.* La théorie du *nirvāṇa* – qui n'est aussi qu'une étape préliminaire – correspond à ce principe. Dans le *Bhāgavatam* (2.10.6), cette libération est qualifiée de *svarūpeṇa vyavasthitiḥ.* Quant à la *Bhāgavad-gītā,* elle en parle dans ce verset.

Une fois le *nirvāṇa* atteint, lorsque cesse toute activité matérielle, l'être commence à agir au niveau spirituel, dans le cadre du service dévotionnel du Seigneur, ce qu'on appelle la conscience de Kṛṣṇa. Il connaît alors la « vraie vie », telle que la décrit le *Bhāgavatam* (*svarūpeṇa vyavasthitiḥ*), dénuée de toute contamination matérielle, que *māyā,* la puissance d'illusion, ne peut altérer. Le fait que l'être n'ait plus à endurer les assauts de la matière impure ne signifie pas que son identité originelle et éternelle soit anéantie. Opinion que Patañjali partage également et qu'il exprime par les mots *kaivalyaṁ svarūpa-pratiṣṭhā vā citi-śaktir iti.* L'apparition de la *citi-śakti,* la félicité spirituelle, marque le début de la vraie vie. Ce que confirme le *Vedānta-sūtra* (1.1.12) par la formule *ānanda-mayo 'bhyāsāt.* On peut aisément parvenir à cette béatitude transcendantale naturelle – le but ultime du yoga – par la pratique du service de dévotion, le *bhakti-yoga,* qui sera clairement décrit dans le septième chapitre.

Le yoga qui nous occupe conduit à deux sortes de *samādhi :* l'un, le *samprajñāta-samādhi,* sera atteint à force de recherches philosophiques, l'autre, l'*asamprajñāta-samādhi,* en transcendant les plaisirs des sens. Lorsqu'il arrive ainsi à dépasser la matière, le *yogī* n'en est plus jamais dépendant. Par contre, s'il n'atteint pas la transcendance, il n'aura pas connu le succès. Les pseudo-pratiques du yoga d'aujourd'hui, qui permettent tous les plaisirs sensoriels, sont donc en complète contradiction avec le vrai yoga. Qu'un *yogī* puisse se livrer à la vie sexuelle et s'intoxiquer est une aberration. Quant aux adeptes qui recherchent les *siddhis* (pouvoirs surnaturels), ils demeureront toujours imparfaits, puisque, comme l'indique ce passage, il n'est pas de perfection pour qui recherche les résultats secondaires du yoga. Ceux qui s'exhibent grâce à leurs *siddhis* ou à des postures de yoga extraordinaires doivent savoir qu'ils manquent complètement le vrai but du yoga.

Le yoga le plus adapté à l'ère d'hypocrisie dans laquelle nous vivons est le *bhakti-yoga.* Celui qui le pratique n'est jamais déçu et connaît tant de bonheur dans ses activités qu'il n'aspire à aucune autre joie. Par contre, les voies du *haṭha-yoga*, du *dhyāna-yoga* et du *jñāna-yoga* sont pour ainsi dire impraticables à notre époque.

Tant que nous aurons un corps matériel, il nous faudra répondre à ses besoins, à ses exigences : manger, dormir, s'accoupler et se défendre. Celui qui pratique le pur *bhakti-yoga* (la conscience de Kṛṣṇa) satisfait ces besoins, mais dans la mesure du nécessaire, sans rechercher l'excitation des sens. Faisant contre mauvaise fortune bon cœur, il utilise au mieux le fardeau que représente son corps matériel et, parce qu'il est conscient de Kṛṣṇa, jouit en ce monde d'un bonheur transcendantal. Insensible aux multiples vicissitudes de l'existence – accident, maladie, pauvreté, ou même décès d'un être cher, etc. –, il accomplit son devoir avec diligence dans le cadre du *bhakti-yoga*. Rien ne peut l'en écarter. *Āgamāpāyino 'nityās tāṁs titikṣasva bhārata,* dit la *Bhagavad-gītā* (2.14). Il tolère les peines, car il sait qu'elles vont et viennent et ne peuvent en rien affecter son service. Il atteint ainsi la perfection du yoga.

**6.24** स निश्चयेन योक्तव्यो योगोऽनिर्विण्णचेतसा ।
सङ्कल्पप्रभवान् कामांस्त्यक्त्वा सर्वानशेषतः ।
मनसैवेन्द्रियग्रामं विनियम्य समन्ततः ॥२४॥

*sa niścayena yoktavyo, yogo 'nirviṇṇa-cetasā*
*saṅkalpa-prabhavān kāmāṁs, tyaktvā sarvān aśeṣataḥ*
*manasaivendriya-grāmaṁ, viniyamya samantataḥ*

*saḥ :* ce; *niścayena :* avec une ferme détermination; *yoktavyaḥ :* doit être pratiqué; *yogaḥ :* système de yoga; *anirviṇṇa-cetasā :* sans déviation; *saṅkalpa :* des spéculations mentales; *prabhavān :* nés de; *kāmān :* les désirs matériels; *tyaktvā :* renonçant à; *sarvān :* tous; *aśeṣataḥ :* complètement; *manasā :* par le mental; *eva :* certes; *indriya-grāmam :* l'ensemble des sens; *viniyamya :* disciplinant; *samantataḥ :* de tous côtés.

**Fort d'une foi et d'une détermination inébranlables, on doit pratiquer le yoga sans jamais faillir. Il faut se défaire sans réserve des désirs matériels que génère la spéculation mentale. Ainsi faut-il dominer ses sens en toutes circonstances à l'aide du mental.**

Le *yogī* doit suivre sa voie avec patience et détermination, sans jamais en dévier. Sûr de son succès, il doit se montrer persévérant et ne pas se laisser décourager quand surviennent d'occasionnelles difficultés. La stricte adhérence aux règles lui assure la réussite. Rūpa Gosvāmī ne dit-il pas à propos du *bhakti-yoga :*

*utsāhān niścayād dhairyāt, tat-tat-karma-pravartanāt*
*saṅga-tyāgāt sato vṛtteḥ, ṣaḍbhir bhaktiḥ prasidhyati*

« Qui veut mener à bien sa pratique du *bhakti-yoga* doit remplir son devoir dans la compagnie des dévots et, le cœur plein d'enthousiasme, de persévérance et de détermination, accomplir des actes vertueux. » (*Upadeśāmṛta* 3)

Afin d'obtenir une telle détermination, inspirons-nous de l'oiselle qui perdit ses œufs dans l'océan. Elle avait pondu sur le rivage des œufs que la mer emporta. Bouleversée, elle les réclama à l'océan qui refusa de porter la moindre attention à ses plaintes. Elle décida alors d'assécher l'océan et entreprit de le vider avec son bec minuscule. Tout le monde se moqua d'elle et de sa folle résolution. Mais la nouvelle se répandit et arriva bientôt aux oreilles de Garuḍa, l'oiseau gigantesque qui porte Viṣṇu. Pris de compassion pour sa petite sœur, il vint à elle et, voyant avec plaisir sa détermination, lui promit de l'aider. Il ordonna à l'océan de rendre les œufs, faute de quoi il achèverait lui-même la tâche de l'oiselle. Effrayé, l'océan s'exécuta aussitôt, et par la grâce de Garuḍa, l'oiseau retrouva la joie.

De même, bien qu'il puisse sembler de prime abord que le yoga – et plus particulièrement le *bhakti-yoga* – soit une tâche ardue, si l'on en suit rigoureusement les principes, on obtient l'aide du Seigneur. Comme le dit si bien le proverbe : « Aide-toi, le ciel t'aidera. »

**6.25** शनैः शनैरुपरमेद् बुद्ध्या धृतिगृहीतया ।
आत्मसंस्थं मनः कृत्वा न किञ्चिदपि चिन्तयेत् ॥२५॥

*śanaiḥ śanair uparamed, buddhyā dhṛti-gṛhītayā*
*ātma-saṁsthaṁ manaḥ kṛtvā, na kiñcid api cintayet*

*śanaiḥ :* graduellement ; *śanaiḥ :* pas à pas ; *uparamet :* on doit ; *buddhyā :* par l'intelligence ; *dhṛti-gṛhītayā :* soutenue par la conviction ; *ātma-saṁstham :* situé dans la transcendance ; *manaḥ :* le mental ; *kṛtvā :* faisant ainsi ; *na :* rien ; *kiñcit :* d'autre ; *api :* même ; *cintayet :* ne doit penser à.

**Guidée par une ferme conviction, l'intelligence doit permettre d'atteindre graduellement à la transcendance. On peut alors fixer son esprit sur l'Être Suprême et ne plus penser à rien d'autre.**

Par la force de sa conviction et par l'entremise de son intelligence, l'homme doit graduellement atteindre le *pratyāhāra,* étape où cesse toute action sensorielle. Une fois que sa ferme conviction, la méditation et l'arrêt de l'activité des sens lui ont permis de dominer le mental, le *yogī* doit se fixer dans le *samādhi,* l'extase méditative, où il ne risque plus de choir. En d'autres termes, bien que l'on soit contraint, tant que le corps existe, de rester en contact avec la matière, il ne faut pas méditer sur les plaisirs des sens. La seule satisfaction qu'on doive rechercher est celle de l'Âme Suprême. Cet objectif est du reste aisément atteint lorsqu'on pratique d'emblée la conscience de Kṛṣṇa.

**6.26** यतो यतो निश्चलति मनश्चञ्चलमस्थिरम् ।
ततस्ततो नियम्यैतदात्मन्येव वशं नयेत् ॥२६॥

*yato yato niścalati, manaś cañcalam asthiram*
*tatas tato niyamyaitad, ātmany eva vaśaṁ nayet*

*yataḥ yataḥ :* où que ce soit ; *niścalati :* devient assurément agité ; *manaḥ :* le mental ; *cañcalam :* mouvant ; *asthiram :* instable ; *tataḥ tataḥ :* de là ; *niyamya :* disciplinant ; *etat :* ce ; *ātmani :* dans le soi ; *eva :* certes ; *vaśam :* sous contrôle ; *nayet :* doit ramener.

**Où qu'il aille, emporté par sa nature instable et fébrile, on doit s'efforcer de contenir le mental et de toujours le ramener sous contrôle.**

Par nature, le mental est mouvant, instable. Le *yogī* conscient de son identité spirituelle doit le dominer au lieu d'en être l'esclave. On appelle *svāmi,* ou *gosvāmī,* celui qui domine son mental (et, par suite, ses sens), et *go-dāsa,* ou serviteur des sens, celui qui lui est soumis. Le *gosvāmī* sait ce que vaut le plaisir des sens. Il sait que le vrai bonheur, le bonheur spirituel, ne naît que lorsque l'on utilise les sens au service de Hṛṣīkeśa, le maître des sens, Kṛṣṇa. La conscience de Kṛṣṇa, qui consiste à servir le Seigneur avec des sens purifiés, nous assure une maîtrise absolue des sens, et représente en outre le sommet de la pratique du yoga.

**6.27** प्रशान्तमनसं ह्येनं योगिनं सुखमुत्तमम् ।
उपैति शान्तरजसं ब्रह्मभूतमकल्मषम् ॥२७॥

*praśānta-manasaṁ hy enaṁ, yoginaṁ sukham uttamam*
*upaiti śānta-rajasaṁ, brahma-bhūtam akalmaṣam*

*praśānta :* paisible, fixé sur les pieds pareils-au-lotus de Kṛṣṇa ; *manasam :* dont le mental ; *hi :* certes ; *enam :* ce ; *yoginam : yogī* ; *sukham :* le bonheur ; *uttamam :* le plus haut ; *upaiti :* atteint ; *śānta-rajasam :* sa passion apaisée ; *brahma-bhūtam :* libéré par identification à l'Absolu ; *akalmaṣam :* affranchi des conséquences de tous ses péchés antérieurs.

**Le yogī dont le mental est absorbé en Moi connaît sans conteste la perfection du bonheur spirituel. Il transcende le mode d'influence de la passion et réalise son identité qualitative avec le Suprême, s'affranchissant ainsi des conséquences de ses actes passés.**

L'être atteint le niveau du *brahma-bhūta* quand il n'est plus souillé par la contamination matérielle et s'absorbe dans le service absolu du Seigneur. *Mad-bhaktiṁ labhate parām* (*B.g.* 18.54). On ne peut demeurer au niveau de l'Absolu, au niveau du Brahman, si l'on ne parvient à fixer son mental sur les pieds pareils-au-lotus du Seigneur. *Sa vai manaḥ kṛṣṇa-padāravindayoḥ.* Servir le Seigneur avec constance et pur amour - vivre dans la conscience de Kṛṣṇa - c'est être réellement libéré du joug de la passion et lavé de la souillure matérielle.

**6.28** युञ्जन्नेवं सदात्मानं योगी विगतकल्मषः ।
सुखेन ब्रह्मसंस्पर्शमत्यन्तं सुखमश्नुते ॥२८॥

*yuñjann evaṁ sadātmānaṁ, yogī vigata-kalmaṣaḥ*
*sukhena brahma-saṁsparśam, atyantaṁ sukham aśnute*

*yuñjan :* pratiquant le yoga ; *evam :* ainsi ; *sadā :* toujours ; *ātmānam :* le soi ; *yogī :* celui qui est en contact avec l'Âme Suprême ; *vigata :* libéré de ; *kalmaṣaḥ :* toute contamination matérielle ; *sukhena :* dans un bonheur spirituel ; *brahma-saṁsparśam :* étant en contact constant avec l'Être Suprême ; *atyantam :* le plus haut ; *sukham :* bonheur ; *aśnute :* atteint.

**Ainsi, constamment absorbé dans la pratique du yoga, le yogī se libère de toute contamination matérielle et parvient au stade ultime du bonheur en prenant part au service d'amour transcendantal du Seigneur.**

Réaliser le soi, c'est connaître sa position originelle et éternelle en rapport avec Dieu. L'âme individuelle faisant partie intégrante du Seigneur, son rôle est de Le servir avec amour et dévotion. Ce rapport transcendantal avec le Suprême s'appelle *brahma-saṁsparśa.*

**6.29** सर्वभूतस्थमात्मानं सर्वभूतानि चात्मनि ।
ईक्षते योगयुक्तात्मा सर्वत्र समदर्शनः ॥२९॥

*sarva-bhūta-stham ātmānaṁ, sarva-bhūtāni cātmani*
*īkṣate yoga-yuktātmā, sarvatra sama-darśanaḥ*

*sarva-bhūta-stham :* située dans tous les êtres ; *ātmānam :* l'Âme Suprême ; *sarva :* tous ; *bhūtāni :* les êtres ; *ca :* aussi ; *ātmani :* en l'Être ; *īkṣate :* voit ; *yoga-yukta-ātmā :* celui qui est uni à la conscience de Kṛṣṇa ; *sarvatra :* partout ; *sama-darśanaḥ :* voit également.

**Le vrai yogī Me voit en tous les êtres et voit tous les êtres en Moi. Ainsi l'âme réalisée Me voit-elle partout.**

Le *yogī* conscient de Kṛṣṇa est doté d'une vision parfaite car il voit Kṛṣṇa, le Suprême, dans le cœur de chaque entité vivante. Dans Sa forme de Paramātmā, d'Âme Suprême, le Seigneur habite le cœur de chacun, celui du chien comme celui du *brāhmaṇa : īśvaraḥ sarva-bhūtānāṁ hṛd-deśe 'rjuna tiṣṭhati.* Le parfait *yogī* sait que le Seigneur demeure transcendantal en toutes circonstances, et qu'Il n'est nullement affecté par le corps qu'Il occupe. C'est la marque de l'absolue neutralité du Seigneur. L'âme distincte elle aussi réside dans le cœur, mais contrairement à l'Âme Suprême, elle n'habite pas simultanément dans tous les cœurs. Telle est la différence entre l'âme individuelle et l'Âme Suprême. Ceux qui n'adhèrent pas pleinement à la pratique du yoga ne peuvent jamais prétendre à une telle vision, alors que le dévot qui voit Kṛṣṇa partout, dans le cœur du croyant comme de l'incroyant, lui, le peut. La *smṛti* confirme ce point important par les mots *ātatatvāc ca mātṛtvāc ca ātmā hi paramo hariḥ.* Le Seigneur, source de tous les êtres, est comme leur mère, leur soutien. Tout comme une mère agit de manière impartiale envers ses enfants, le père (ou la mère) suprême agit de manière impartiale envers tous. Il réside toujours en chacun d'eux, sous la forme de l'Âme Suprême.

Tous les êtres, également, vivent en Dieu, puisqu'ils résident dans Son énergie. Comme l'explique le septième chapitre, le Seigneur possède originairement deux énergies : l'une spirituelle (supérieure), l'autre matérielle (inférieure). L'être distinct, qui relève de l'énergie supérieure, se trouve conditionné sous l'influence de l'énergie inférieure. Mais qu'il soit conditionné ou libéré, il se situe toujours dans l'énergie du Seigneur et vit en Lui. C'est pourquoi le *yogī* voit tous les êtres d'un œil égal. Bien que placés, selon leur karma, dans des situations différentes, ils demeurent toujours des serviteurs de Dieu. Sous l'emprise de l'énergie matérielle, ils servent leurs sens ; sous l'égide de l'énergie spirituelle, ils servent le Seigneur Suprême directement. Dans un cas comme dans l'autre, ils sont les serviteurs de Dieu. Cette vision égalitaire est pleinement développée chez l'homme conscient de Kṛṣṇa.

**6.30** यो मां पश्यति सर्वत्र सर्वं च मयि पश्यति ।
तस्याहं न प्रणश्यामि स च मे न प्रणश्यति ॥३०॥

*yo māṁ paśyati sarvatra, sarvaṁ ca mayi paśyati*
*tasyāhaṁ na praṇaśyāmi, sa ca me na praṇaśyati*

*yaḥ* : quiconque ; *mām* : Moi ; *paśyati* : voit ; *sarvatra* : partout ; *sarvam* : tout ; *ca* : et ; *mayi* : en Moi ; *paśyati* : voit ; *tasya* : pour lui ; *aham* : Je ; *na* : ne pas ; *praṇaśyāmi* : suis perdu ; *saḥ* : il ; *ca* : aussi ; *me* : pour Moi ; *na* : non plus ; *praṇaśyati* : est perdu.

**Qui Me voit partout et voit tout en Moi n'est jamais séparé de Moi, comme jamais non plus Je ne suis séparé de lui.**

Le dévot voit Kṛṣṇa en tout, mais il voit également tout en Kṛṣṇa. De prime abord, il peut sembler que le dévot observe simplement diverses manifestations matérielles, mais en vérité il est en leur présence toujours conscient de Kṛṣṇa, car il sait que tout est la manifestation de Son énergie. Le principe fondamental de la conscience de Kṛṣṇa est que Kṛṣṇa est le Seigneur de tout ce qui est, et que rien ne peut exister sans Lui. Être conscient de Kṛṣṇa, c'est développer l'amour divin en soi, c'est connaître cet état de conscience qui transcende même la libération. À ce stade, qui dépasse la simple prise de conscience du soi, le dévot ne fait plus qu'un avec Kṛṣṇa, en ce sens que le Seigneur est devenu tout pour lui et qu'il ressent la plénitude de l'amour de Dieu. Une relation intime s'établit ainsi entre le Seigneur et Son dévot. Ce niveau atteint, il ne va ni se fondre en Dieu, ni perdre de vue la Personne Suprême. En effet, fusionner avec Dieu équivaut à anéantir sa personnalité spirituelle, ce que le dévot ne veut pas. La *Brahma-saṁhitā* (5.38) enseigne à ce propos :

*premāñjana-cchurita-bhakti-vilocanena*
*santaḥ sadaiva hṛdayeṣu vilokayanti*
*yaṁ śyāmasundaram acintya-guṇa-svarūpaṁ*
*govindam ādi-puruṣaṁ tam ahaṁ bhajāmi*

« J'adore Govinda, le Seigneur originel. C'est Lui, dans Sa forme éternelle de Śyāmasundara, que voient au fond de leur cœur les dévots dont les yeux sont empreints du baume de l'amour. »

Une fois ce stade atteint, Kṛṣṇa ne Se dérobe jamais à la vue de Son dévot, pas plus que ce dernier ne Le quitte des yeux. Il en est de même pour le *yogī* qui s'attache, par sa vision interne, à la forme du Paramātmā. Il devient un pur dévot et ne peut supporter de vivre un seul instant sans voir Dieu dans son cœur.

**6.31** सर्वभूतस्थितं यो मां भजत्येकत्वमास्थितः ।
सर्वथा वर्तमानोऽपि स योगी मयि वर्तते ॥३१॥

*sarva-bhūta-sthitaṁ yo māṁ, bhajaty ekatvam āsthitaḥ*
*sarvathā vartamāno 'pi, sa yogī mayi vartate*

*sarva-bhūta-sthitam :* situé dans le cœur de chacun ; *yaḥ :* celui qui ; *mām :* Moi ; *bhajati :* sert avec dévotion ; *ekatvam :* dans l'unité ; *āsthitaḥ :* situé ; *sarvathā :* à tous égards ; *varta mānaḥ :* étant situé ; *api :* en dépit de ; *saḥ :* il ; *yogī :* le spiritualiste ; *mayi :* en Moi ; *vartate :* demeure.

**Le yogī qui se voue au service et à l'adoration de l'Âme Suprême, Me sachant un avec Elle, demeure toujours en Moi, en toutes circonstances.**

Le *yogī* qui médite sur l'Âme Suprême voit au plus profond de lui Viṣṇu, l'émanation plénière de Kṛṣṇa, dont les quatre mains portent la conque, le disque, la masse et la fleur de lotus. Mais il doit savoir que Viṣṇu n'est autre que Kṛṣṇa qui, dans Sa forme de Paramātmā, réside dans le cœur de chacun, et que tous les Paramātmās présents dans le cœur des innombrables êtres vivants sont une seule et même personne. On ne saurait non plus voir de différence entre un parfait *yogī* qui médite intensément sur l'Âme Suprême, et un dévot qui s'absorbe constamment dans le service d'amour du Seigneur. Bien que toujours engagé dans de multiples activités au cours de son existence matérielle, le *bhakti-yogī* demeure toujours en Kṛṣṇa. Śrīla Rūpa Gosvāmī confirme ce point dans son *Bhakti-rasāmṛta-sindhu* (1.2.187) : *nikhilāsv apy avasthāsu jīvan-muktaḥ sa ucyate.* Le dévot du Seigneur qui prend part assidûment au service de Kṛṣṇa est du coup libéré. Le *Nārada-Pañcarātra* l'enseigne également :

*dik-kālādy-anavacchinne, kṛṣṇe ceto vidhāya ca*
*tan-mayo bhavati kṣipraṁ, jīvo brahmaṇi yojayet*

« En concentrant son attention sur la forme toute spirituelle de Kṛṣṇa, l'Omniprésent, qui transcende et le temps et l'espace, on finit par toujours penser au Seigneur. Dès lors, on obtient de vivre heureux en Sa compagnie transcendantale. »

La conscience de Kṛṣṇa est le niveau de méditation le plus élevé de la pratique du yoga. Cette conscience que le *yogī* a de la présence de Kṛṣṇa en chaque être, dans Sa forme de Paramātmā, l'affranchit de toute faute. Les Védas (*Gopāla-tāpanī Upaniṣad* 1.21) corroborent cette inconcevable omniprésence du Seigneur en ces termes : *eko 'pi san bahudhā yo 'vabhāti* – « Bien que le Seigneur soit un, de par Sa présence dans une infinité de cœurs, Il est également multiple. » Le *smṛti-śāstra* dit également :

*eka eva paro viṣṇuḥ, sarva-vyāpī na saṁśayaḥ*
*aiśvaryād rūpam ekaṁ ca, sūrya-vat bahudheyate*

« Bien que Viṣṇu soit un, Il est omniprésent. Sa forme est une, et pourtant, comme le soleil, Il apparaît en tous lieux grâce à Son inconcevable puissance. »

**6.32** आत्मौपम्येन सर्वत्र समं पश्यति योऽर्जुन ।
सुखं वा यदि वा दुःखं स योगी परमो मतः ॥३२॥

*ātmaupamyena sarvatra, samaṁ paśyati yo 'rjuna*
*sukhaṁ vā yadi vā duḥkhaṁ, sa yogī paramo mataḥ*

*ātma :* avec soi-même; *aupamyena :* en comparaison; *sarvatra :* partout; *samam :* l'égalité; *paśyati :* voit; *yaḥ :* celui qui; *arjuna :* ô Arjuna; *sukham :* le bonheur; *vā :* ou; *yadi :* si; *vā :* ou; *duḥkham :* le malheur; *saḥ :* un tel; *yogī :* le spiritualiste; *paramaḥ :* parfait; *mataḥ :* est considéré.

**Le parfait yogī, ô Arjuna, voit à travers sa propre expérience l'égalité de tous les êtres, dans le bonheur comme dans le malheur.**

L'être qui a conscience de Kṛṣṇa est le parfait *yogī.* Du fait de son expérience personnelle, il est conscient des joies et des peines de chacun. La douleur se manifeste quand l'être oublie le lien qui l'unit à Kṛṣṇa, et le bonheur lorsqu'il sait que le Seigneur est le bénéficiaire ultime du fruit des actes de l'homme, le possesseur de l'ensemble des pays et des planètes, et l'ami le plus sincère de tous les êtres. Le *yogī* accompli comprend que, pour avoir oublié le lien qui l'unit à Kṛṣṇa, l'être conditionné par les trois *guṇas* doit subir les trois types de souffrances matérielles. Parce qu'il est lui-même heureux, il s'efforce de faire partager à tous la connaissance de Kṛṣṇa. Œuvrant ainsi à faire comprendre au monde combien il est important de devenir conscient de Kṛṣṇa, le parfait *yogī* se montre le plus grand philanthrope et le serviteur le plus cher au Seigneur. *Na ca tasmān manuṣyeṣu kaścin me priya-kṛttamaḥ* (*B.g.* 18.69).

En d'autres termes, le dévot du Seigneur est le véritable ami des hommes puisqu'il veille sans cesse à leur bonheur. Il est le meilleur des *yogīs,* car il ne recherche pas la perfection pour lui seul mais pour tous les êtres, et jamais ne jalouse autrui. C'est ce qui distingue le pur dévot du *yogī* préoccupé par sa seule élévation. Le *yogī* qui se retire en un endroit solitaire pour se vouer à la méditation peut ne pas être aussi parfait que le dévot qui s'efforce de tout son cœur de conduire chaque homme vers la conscience de Kṛṣṇa.

**6.33** अर्जुन उवाच
योऽयं योगस्त्वया प्रोक्तः साम्येन मधुसूदन ।
एतस्याहं न पश्यामि चञ्चलत्वात्स्थितिं स्थिराम् ॥३३॥

*arjuna uvāca*
*yo 'yaṁ yogas tvayā proktaḥ, sāmyena madhusūdana*
*etasyāhaṁ na paśyāmi, cañcalatvāt sthitiṁ sthirām*

*arjunaḥ uvāca :* Arjuna dit ; *yaḥ :* système ; *ayam :* ce ; *yogaḥ :* de yoga ; *tvayā :* par Toi ; *proktaḥ :* décrit ; *sāmyena :* en général ; *madhu-sūdana :* ô vainqueur du démon Madhu ; *etasya :* de ceci ; *aham :* je ; *na :* ne pas ; *paśyāmi :* vois ; *cañcalatvāt :* parce que étant agité ; *sthitim :* une situation ; *sthirām :* stable.

**Arjuna dit : Ce yoga que Tu as succinctement décrit, ô Madhusūdana, me semble impraticable, car le mental est instable et capricieux.**

Arjuna se déclare ici incapable de pratiquer le système de yoga décrit par Kṛṣṇa dans les versets commençant par les mots *śucau deśe* jusqu'à *yogī paramaḥ,* et donc le rejette. Dans l'âge de Kali, en effet, un homme ordinaire ne peut quitter son foyer pour aller pratiquer le yoga dans la solitude des montagnes ou de la jungle. L'homme est obligé de lutter âprement pour survivre au cours de sa brève existence. Même s'il s'offre à lui une voie de réalisation spirituelle simple, aisément praticable, il ne saura la suivre avec sérieux. Que dire d'emprunter le sentier ardu du yoga que nous décrivons, où l'on doit régler son mode de vie, sa façon de s'asseoir, choisir minutieusement son lieu de résidence, et forcer le mental à se détacher des pensées matérielles.

En homme réaliste, Arjuna affirme qu'il est impossible de pratiquer un tel yoga. Et pourtant, les qualités ne lui manquent pas : il est un guerrier exceptionnel, de sang royal, il a le pouvoir de vivre longtemps et, par-dessus tout, il est l'ami intime de Kṛṣṇa, Dieu, la Personne Suprême. Il y a 5000 ans, bien que les circonstances fussent alors bien plus favorables que celles que nous connaissons aujourd'hui, Arjuna refusa cette forme de yoga. Nous ne trouvons nulle part qu'il l'ait pratiquée à aucun moment. S'il en était ainsi il y a 5000 ans, que dire d'aujourd'hui. On considère donc qu'en général, ce système ne peut être suivi par la masse des gens dans l'âge de Kali. Ce qui n'exclut pas, bien sûr, qu'il puisse y avoir çà et là des exceptions fort rares. Mais ceux qui se complaisent à imiter cette pratique du yoga dans de prétendus clubs et écoles perdent leur temps. Ils ignorent totalement ce qu'est le véritable but de cette discipline.

**6.34** चञ्चलं हि मनः कृष्ण प्रमाथि बलवद् दृढम् ।
तस्याहं निग्रहं मन्ये वायोरिव सुदुष्करम् ॥३४॥

*cañcalaṁ hi manaḥ kṛṣṇa, pramāthi balavad dṛḍham*
*tasyāhaṁ nigrahaṁ manye, vāyor iva su-duṣkaram*

*cañcalam :* mouvant ; *hi :* certes ; *manaḥ :* le mental ; *kṛṣṇa :* ô Kṛṣṇa ; *pramāthi :* impétueux ; *bala-vat :* très fort ; *dṛḍham :* obstiné ; *tasya :* sa ; *aham :* je ; *nigraham :* soumission ; *manye :* pense ; *vāyoḥ :* du vent ; *iva :* comme ; *su-duṣkaram :* difficile.

**Le mental, ô Kṛṣṇa, est mouvant, impétueux, puissant et obstiné ; le subjuguer me semble plus ardu que maîtriser le vent.**

Le mental est si puissant et si obstiné, qu'il domine parfois l'intelligence, quand il devrait toujours lui être subordonné. Pour l'homme d'aujourd'hui, confronté dans la vie quotidienne à tant d'éléments contraires, il s'avère très difficile de soumettre le mental. Il peut se montrer superficiellement impartial envers ami et ennemi, mais au vrai, nul matérialiste ne possède un tel équilibre mental, plus difficile à obtenir que de maîtriser un vent déchaîné.

Les Écrits védiques (*Kaṭha Upaniṣad* 1.3.3-4) proposent l'analogie suivante :

*ātmānaṁ rathinaṁ viddhi, śarīraṁ ratham eva ca*
*buddhiṁ tu sārathiṁ viddhi, manaḥ pragraham eva ca*

*indriyāṇi hayān āhur, viṣayāṁs teṣu go-carān*
*ātmendriya-mano-yuktaṁ, bhoktety āhur manīṣiṇaḥ*

« L'âme est le passager, le corps matériel, le char. L'intelligence est le cocher, le mental, les rênes, et les sens, les chevaux. Ainsi, l'âme jouit ou souffre par l'intermédiaire du mental et des sens. Telle est la vision des grands penseurs. »

Le mental, bien évidemment, doit être dirigé par l'intelligence, mais les rôles sont souvent inversés tant il a de puissance et d'obstination. Il est un peu comme l'infection pernicieuse qui l'emporte parfois sur le remède. En principe, le yoga doit nous permettre de diriger le mental, mais comme il s'avère que ce système n'était pas praticable pour un homme plongé dans les affaires du monde, pour un homme comme Arjuna, il le sera encore moins pour l'homme moderne. La comparaison dans ce verset entre le mental et le vent est tout à fait juste, car on ne peut contenir un vent violent. Et il est plus malaisé encore de juguler le mental. Toutefois, Caitanya Mahāprabhu nous a donné le moyen le plus simple d'y parvenir : chanter ou réciter humblement Hare Kṛṣṇa, le grand mantra de la délivrance. La méthode prescrite est : *sa vai manaḥ kṛṣṇa-padāravindayoḥ* – il faut pleinement absorber son mental en Kṛṣṇa. Alors seulement sera-t-on affranchi de tout ce qui peut agiter le mental.

**6.35** श्रीभगवानुवाच
असंशयं महाबाहो मनो दुर्निग्रहं चलम् ।
अभ्यासेन तु कौन्तेय वैराग्येण च गृह्यते ॥३५॥

*śrī-bhagavān uvāca*
*asaṁśayaṁ mahā-bāho, mano durnigrahaṁ calam*
*abhyāsena tu kaunteya, vairāgyeṇa ca gṛhyate*

*śrī-bhagavān uvāca :* Dieu, la Personne Suprême, dit ; *asaṁśayam :* sans nul doute ; *mahā-bāho :* ô Arjuna aux bras puissants ; *manaḥ :* le mental ; *durnigraham :* difficile à dompter ; *calam :* mouvant ; *abhyāsena :* par la pratique ; *tu :* mais ; *kaunteya :* ô fils de Kuntī ; *vairāgyeṇa :* par le détachement ; *ca :* aussi ; *gṛhyate :* peut être ainsi maîtrisé.

**Le Seigneur, Kṛṣṇa, dit : Ô fils de Kuntī aux bras puissants, il est certes très difficile de dompter ce mental fuyant. Mais le détachement et une pratique adéquate permettent d'y arriver.**

Même s'Il conforte le point de vue d'Arjuna, affirmant Lui aussi qu'il est difficile de dompter le mental obstiné, Dieu, la Personne

Suprême, suggère une solution : la maîtrise peut s'obtenir à force de pratique et de détachement. Mais en quoi consiste cette pratique? Dans l'âge de Kali, personne n'est capable de suivre les règles strictes du yoga. Ainsi n'est-il pas toujours possible de vivre en un lieu sacré, de fixer son mental sur l'Âme Suprême, de juguler les désirs du mental et des sens, de garder le célibat, de vivre en solitaire, etc. Cette méthode, donc, consiste à embrasser la conscience de Kṛṣṇa, dont on sait qu'elle comprend neuf types d'activités dévotionnelles. Et d'entre ces neuf types d'activités, la plus importante est l'écoute des gloires de Kṛṣṇa, car il s'agit du plus sûr moyen transcendantal de libérer le mental de toute anxiété. En effet, plus nous entendons parler de Kṛṣṇa, plus notre vision spirituelle s'éclaircit et plus nous nous détachons de tout ce qui pourrait détourner notre attention de Kṛṣṇa.

Le *vairāgya* – le détachement de la matière et la concentration du mental sur le spirituel – s'acquiert aisément si l'on écarte ses pensées de tout ce qui vise un autre but que le plaisir de Kṛṣṇa ; car il est plus facile d'attacher son mental à Kṛṣṇa que de le détacher de la matière de manière impersonnelle. La méthode de la conscience de Kṛṣṇa est pratique, fonctionnelle, car l'attachement à l'Être Suprême naît tout naturellement de l'audition de Ses gloires. Il permet de goûter la satisfaction spirituelle (*pareśānubhūti*), satisfaction que l'on peut comparer au contentement qu'un affamé ressent à chaque bouchée de nourriture. Et plus il mange, plus il reprend des forces. De la même manière, par la pratique du service de dévotion, on ressent une satisfaction transcendantale au fur et à mesure que le mental se détache des objets matériels. Le service de dévotion peut être comparé au traitement d'un mal par des remèdes efficaces et un régime approprié. Entendre parler des activités sublimes de Kṛṣṇa est la médication dont le mental a besoin, et manger la nourriture préalablement offerte à Kṛṣṇa, le régime qui convient.

**6.36** असंयतात्मना योगो दुष्प्राप इति मे मतिः ।
वश्यात्मना तु यतता शक्योऽवाप्तुमुपायतः ॥३६॥

*asaṁyatātmanā yogo, duṣprāpa iti me matiḥ*
*vaśyātmanā tu yatatā, śakyo 'vāptum upāyataḥ*

*asaṁyata :* débridé ; *ātmanā :* avec le mental ; *yogaḥ :* la réalisation spirituelle ; *duṣprāpaḥ :* difficile à atteindre ; *iti :* ainsi ; *me :* Mon ; *matiḥ :* opinion ; *vaśya :* maîtrisé ; *ātmanā :* avec le mental ; *tu :* mais ; *yatatā :* en s'efforçant ; *śakyaḥ :* efficace ; *avāptum :* à atteindre ; *upāyataḥ :* par des moyens appropriés.

**S'il est malaisé pour qui n'a pas maîtrisé son mental de parvenir à la réalisation spirituelle, en revanche, la réussite est assurée pour qui le domine par des moyens appropriés. Telle est Ma pensée.**

Dieu, la Personne Suprême, affirme qu'il est pratiquement impossible de se réaliser spirituellement pour qui refuse de suivre le traitement susceptible de délivrer son mental de l'emprise matérielle. Pratiquer le yoga en continuant de penser aux plaisirs matériels s'avérera, en fin de compte, aussi vain qu'essayer d'allumer un feu en versant de l'eau dessus. La pratique du yoga dans laquelle le mental n'est pas maîtrisé n'est qu'une perte de temps. Au mieux en retirera-t-on des bienfaits matériels, mais pas le moindre bénéfice spirituel. Il faut donc dominer son mental en l'absorbant sans cesse dans le service d'amour du Seigneur, seule voie efficace et durable. Car le dévot de Kṛṣṇa jouit des fruits du yoga, sans avoir à suivre d'autre voie que celle de la dévotion. Les adeptes des autres yogas, au contraire, ne peuvent connaître le succès sans devenir conscients de Kṛṣṇa.

**6.37**

अर्जुन उवाच
अयतिः श्रद्धयोपेतो योगाच्चलितमानसः ।
अप्राप्य योगसंसिद्धिं कां गतिं कृष्ण गच्छति ॥३७॥

*arjuna uvāca*
*ayatiḥ śraddhayopeto, yogāc calita-mānasaḥ*
*aprāpya yoga-saṁsiddhiṁ, kāṁ gatiṁ kṛṣṇa gacchati*

*arjunaḥ uvāca* : Arjuna dit ; *ayatiḥ* : le spiritualiste qui ne réussit pas ; *śraddhayā* : avec foi ; *upetaḥ* : engagé ; *yogāt* : du lien mystique ; *calita* : dévié ; *mānasaḥ* : qui a un tel mental ; *aprāpya* : manquant d'atteindre ; *yoga-saṁsiddhim* : la plus haute perfection dans le yoga mystique ; *kām* : quel ; *gatim* : destin ; *kṛṣṇa* : ô Kṛṣṇa ; *gacchati* : obtient-il.

**Arjuna dit : Ô Kṛṣṇa, quel est le destin du spiritualiste qui, bien qu'il ait emprunté avec foi la voie du yoga, l'abandonne pour n'avoir su détacher son mental du monde, et qui, par suite, n'atteint pas la perfection mystique ?**

La *Bhagavad-gītā* décrit la voie de la réalisation spirituelle, dont le principe de base consiste à connaître la nature véritable de l'être : il est distinct du corps et son bonheur réside dans la vie éternelle, la connaissance et la félicité transcendantales, au-delà du corps et du mental. Même si différentes voies mènent à cette réalisation de soi – le *jñāna-yoga* (la recherche de la connaissance), l'*aṣṭāṅga-yoga* (le yoga en huit phases) et le *bhakti-yoga* (le service de dévotion) – toutes reposent sur des principes identiques : connaître la condition intrinsèque de l'être et la relation qui l'unit au Seigneur, connaître le moyen de rétablir ce lien, et atteindre la perfection de la conscience de Kṛṣṇa. Quiconque suit l'une ou l'autre de ces trois voies atteindra à coup sûr, un jour ou l'autre, ce but suprême. Comme le Seigneur l'indiquait dans le second chapitre, le moindre effort accompli sur le chemin de la réalisation nous rapproche de la libération.

D'entre ces trois processus, le *bhakti-yoga* est le plus adapté à l'âge de Kali, car il est le plus direct. Parce qu'il souhaite s'en assurer à nouveau, Arjuna demande au Seigneur de confirmer ce qu'Il a déjà dit. Il se pourrait, en effet, qu'un homme suive avec sincérité la voie du *jñāna-yoga* ou de l'*aṣṭāṅga-yoga,* sans pour autant jamais toucher au but, tant ces systèmes sont d'un abord difficile en notre âge. En dépit d'efforts constants, le *yogī* risque toujours d'échouer dans ses tentatives, et cela pour de multiples raisons. Notamment, peut-être, parce qu'il n'aura pas strictement suivi la discipline yogique. Choisir d'emprunter la voie de la réalisation spirituelle, c'est en quelque sorte déclarer la guerre à l'énergie illusoire. Or, celle-ci, dès qu'on essaye de se soustraire de ses griffes, tente aussitôt par divers « charmes » de reprendre sa proie. L'âme, déjà fascinée par les trois modes d'influence de l'énergie matérielle, a toutes les chances de se laisser une nouvelle fois séduire, et ce, bien qu'elle ait embrassé une discipline spirituelle. Cet écart sur le chemin transcendantal de la réalisation de soi a pour nom *yogāc calita-mānasaḥ,* et Arjuna voudrait en connaître les conséquences.

**6.38** कच्चिन्नोभयविभ्रष्टश्छिन्नाभ्रमिव नश्यति ।
अप्रतिष्ठो महाबाहो विमूढो ब्रह्मणः पथि ॥३८॥

*kaccin nobhaya-vibhraṣṭaś, chinnābhram iva naśyati*
*apratiṣṭho mahā-bāho, vimūḍho brahmaṇaḥ pathi*

*kaccit :* est-ce que ; *na :* ne pas ; *ubhaya :* des deux ; *vibhraṣṭaḥ :* détourné ; *chinna :* déchiré ; *abhram :* un nuage ; *iva :* comme ; *naśyati :* périt ; *apratiṣṭhaḥ :* sans aucune position ; *mahā-bāho :* ô Kṛṣṇa aux bras puissants ; *vimūḍhaḥ :* égaré ; *brahmaṇaḥ :* de l'Absolu ; *pathi :* sur le chemin.

**Ainsi détourné du chemin de la spiritualité, ô Kṛṣṇa aux bras puissants, n'ayant obtenu ni succès matériel ni réussite spirituelle, ne**

**périt-il pas, privé de tout statut, à la manière d'un nuage qui se dissipe ?**

L'homme a la possibilité de connaître deux sortes de réussite. S'il est matérialiste, il ne visera que la réussite matérielle car il n'éprouve pas le moindre intérêt pour la spiritualité, et ne souhaitera qu'améliorer sa situation économique ou atteindre les planètes supérieures. Si, par contre, il choisit la voie spirituelle, il devra renoncer à toute activité matérielle, oublier les prétendus plaisirs de ce monde. Or, une fois engagé sur cette voie, s'il ne parvient pas au but, il aura apparemment tout perdu, car il ne pourra jouir ni du bonheur matériel ni de la perfection spirituelle. Il sera semblable au nuage qui, n'ayant pu se fondre dans la masse des autres, erre sous la poussée du vent avant de se dissiper dans le vaste ciel.

L'homme emprunte le *brahmaṇaḥ pathi,* le chemin menant à la réalisation transcendantale, s'il prend conscience que son essence spirituelle fait de lui une partie intégrante de Dieu (manifesté sous Ses trois aspects de Brahman, Paramātmā et Bhagavān). Et lorsqu'un homme s'abandonne à Śrī Kṛṣṇa, la Personne Suprême, aspect total de la Vérité Absolue, il atteint le but ultime. La voie du *bhakti-yoga* est donc la voie la plus directe, la voie suprême, car les autres ne mènent à l'étape finale, l'étape de l'abandon de soi à Dieu, qu'après avoir préalablement traversé l'étape de la réalisation du Brahman, puis celle du Paramātmā, ce qui oblige, en fait, à de nombreuses renaissances.

**6.39** एतन्मे संशयं कृष्ण छेत्तुमर्हस्यशेषतः ।
त्वदन्यः संशयस्यास्य छेत्ता न ह्युपपद्यते ॥३९॥

*etan me saṁśayaṁ kṛṣṇa, chettum arhasy aśeṣataḥ*
*tvad-anyaḥ saṁśayasyāsya, chettā na hy upapadyate*

*etat :* c'est ; *me :* mon ; *saṁśayam :* doute ; *kṛṣṇa :* ô Kṛṣṇa ; *chettum :* de le dissiper ; *arhasi :* Tu es requis ; *aśeṣataḥ :* complètement ; *tvat :* que Toi ; *anyaḥ :* autre ; *saṁśayasya :* doute ; *asya :* ce ; *chettā :* celui qui enlève ; *na :* jamais ; *hi :* certes ; *upapadyate :* ne peut être trouvé.

**Cela fait naître en moi un doute, ô Kṛṣṇa, et je Te prie de l'éclaircir car Tu es le seul qui puisse entièrement le dissiper.**

Kṛṣṇa, qui connaît parfaitement le passé, le présent et l'avenir, enseignait au début de la *Bhagavad-gītā* que tous les êtres sont des entités distinctes, qu'ils l'étaient dans le passé et le seront dans le futur, même après s'être libérés du joug de la matière. Bien que la question sur l'avenir de l'être distinct ait déjà été élucidée, Arjuna souhaite savoir ce qu'il advient de celui qui échoue dans sa quête spirituelle.

Nul n'est l'égal de Kṛṣṇa. Comme Il est incontestablement supérieur à tous, Il est également supérieur aux soi-disant grands sages et philosophes subordonnés à la nature matérielle. Il peut donc aisément, de façon décisive et complète, dissiper n'importe quel doute, d'autant qu'Il connaît parfaitement le passé, le présent et l'avenir, alors que Lui, nul ne Le connaît. Seuls Kṛṣṇa et Ses dévots peuvent voir les choses telles qu'elles sont.

**6.40** श्रीभगवानुवाच
पार्थ नैवेह नामुत्र विनाशस्तस्य विद्यते ।
न हि कल्याणकृत्कश्चिद् दुर्गतिं तात गच्छति ॥४०॥

*śrī-bhagavān uvāca*
*pārtha naiveha nāmutra, vināśas tasya vidyate*
*na hi kalyāṇa-kṛt kaścid, durgatiṁ tāta gacchati*

*śrī-bhagavān uvāca :* Dieu, la Personne Suprême, dit ; *pārtha :* ô fils de Pṛthā ; *na eva :* jamais il n'en est ainsi ; *iha :* en cet univers matériel ; *na :* jamais ; *amutra :* dans la vie suivante ; *vināśaḥ :* destruction ; *tasya :* sa ; *vidyate :* n'existe ; *na :* jamais ; *hi :* certes ; *kalyāṇa-kṛt :* celui dont les actes sont de bon augure ; *kaścit :* quiconque ; *durgatim :* à la dégradation ; *tāta :* Mon ami ; *gacchati :* ne va.

**Dieu, la Personne Suprême, répond : Ô fils de Pṛthā, pour le spiritualiste qui se prête à des activités de bon augure, il n'est de destruction ni dans ce monde, ni dans l'autre. Jamais, Mon ami, le mal ne s'empare de celui qui fait le bien.**

Dans le *Śrīmad-Bhāgavatam* (1.5.17), Śrī Nārada Muni s'adresse ainsi à Vyāsadeva :

*tyaktvā sva-dharmaṁ caraṇāmbujaṁ harer*
*bhajann apakvo 'tha patet tato yadi*
*yatra kva vābhadram abhūd amuṣya kiṁ*
*ko vārtha āpto 'bhajatāṁ sva-dharmataḥ*

« Qui abandonne tout projet matériel et, sans réserve, prend refuge en Dieu, la Personne Suprême, ne risque pas de se dégrader ou de perdre quoi que ce soit. Par contre, qui accomplit scrupuleusement ses devoirs mais n'adore pas Dieu peut fort bien ne recueillir aucun fruit. » Lorsqu'on a une motivation matérielle, on doit accomplir de nombreuses activités répondant aux injonctions scripturaires ou se conformant aux traditions. Or, il se trouve que le progrès spirituel, le progrès dans la conscience de Kṛṣṇa, exige que l'on mette fin aux activités matérielles. On peut donc penser que si le dévot n'atteint pas la perfection dans cette voie, s'il ne complète pas son effort, il aura tout perdu, et matériellement et spirituellement. Les Écritures enseignent que l'homme qui néglige ses devoirs devra en subir les conséquences. Il en sera de même pour celui qui n'accomplit pas correctement ses activités spirituelles. Le *Bhāgavatam* rassure le spiritualiste qui a échoué dans sa tentative : il ne sera jamais perdant, quand bien même il devrait souffrir pour n'avoir pas su assumer parfaitement ses responsabilités matérielles, car ses accomplissements dans la conscience de Kṛṣṇa ne seront jamais oubliés. Même s'il renaît dans une famille de basse condition, il aura toujours la possibilité de poursuivre son évolution spirituelle, tandis que l'homme dépourvu de conscience de Kṛṣṇa, quand bien même il aurait rempli strictement tous ses devoirs matériels, n'obtiendra pas nécessairement les résultats escomptés.

On peut également comprendre ce point de la manière suivante : l'humanité se divise en deux groupes. Il y a ceux qui acceptent les principes régulateurs de l'existence, et ceux qui les refusent. Les seconds, semblables aux bêtes, ne cherchent qu'à assouvir leurs sens. Ils ignorent tout de la métempsychose, comme de la libération. Qu'ils soient civilisés ou non, instruits ou non, forts ou faibles, leur vie n'a rien d'heureux. Ils ne font que suivre leurs tendances animales – manger, dormir, s'accoupler et se défendre –, et pour ce faire, doivent perpétuellement demeurer dans l'univers matériel où la vie n'est que misère. Les premiers par contre, parce qu'ils se conforment aux règles scripturaires, progressent et s'élèvent graduellement jusqu'à la conscience de Kṛṣṇa.

Mais l'on peut, à son tour, diviser ce groupe en trois : le premier rassemble tous ceux qui jouissent de la prospérité matérielle parce qu'ils observent les règles scripturaires, le second comprend tous ceux qui cherchent à se libérer définitivement de la matière, et le troisième, enfin, tous ceux qui adoptent la conscience de Kṛṣṇa. Ceux qui suivent les Écritures afin de goûter le bonheur matériel se subdivisent, à leur tour, en deux : ceux qui aspirent à jouir du fruit de leurs actes, et ceux qui n'y prétendent pas. Les premiers obtiendront peut-être des conditions de vie plus élevées - peut-être renaîtront-ils sur les planètes édéniques - mais la voie qu'ils ont choisie n'est pas la meilleure, car elle ne permet pas de se soustraire à l'existence matérielle. Ne sont en fin de compte propices que les actes qui conduisent à la réalisation spirituelle, à l'affranchissement de tout concept matériel de la vie, à la libération - ce que seule la conscience de Kṛṣṇa peut offrir. Par conséquent, on dira qu'un spiritualiste est parfait s'il accepte les conditions, même déplaisantes et austères, qui permettent de progresser sur le chemin de la conscience de Kṛṣṇa.

Mais l'*aṣṭāṅga-yoga,* parce qu'il vise lui aussi au but ultime, la conscience de Kṛṣṇa, est également salutaire, et quiconque en suit le processus avec détermination n'a à craindre aucune régression.

**6.41** प्राप्य पुण्यकृतां लोकानुषित्वा शाश्वतीः समाः ।
शुचीनां श्रीमतां गेहे योगभ्रष्टोऽभिजायते ॥४१॥

*prāpya puṇya-kṛtāṁ lokān, uṣitvā śāśvatīḥ samāḥ*
*śucīnāṁ śrīmatāṁ gehe, yoga-bhraṣṭo 'bhijāyate*

*prāpya :* après avoir atteint ; *puṇya-kṛtām :* de ceux qui ont accompli des actes pieux ; *lokān :* les planètes ; *uṣitvā :* après être demeuré ; *śāśvatīḥ :* de nombreuses ; *samāḥ :* années ; *śucīnām :* des hommes vertueux ; *śrī-matām :* des hommes prospères ; *gehe :* dans la maison ; *yoga-bhraṣṭaḥ :* celui qui a abandonné la voie de la réalisation spirituelle ; *abhijāyate :* naît.

**Après avoir vécu de longues années de délices sur les planètes où vivent ceux qui ont fait le bien, celui qui a failli dans la voie du yoga renaît au sein d'une famille riche et noble, ou d'une famille vertueuse.**

D'entre les *yogīs* qui n'ont pu atteindre la perfection du yoga, on distingue ceux qui ont échoué après un léger progrès de ceux qui ont chu après une longue pratique. Les premiers seront transférés sur les planètes édéniques, résidence des êtres vertueux. Et après un long séjour en ces lieux paradisiaques, ils seront renvoyés sur notre planète et renaîtront dans des familles de vertueux *brāhmaṇas vaiṣṇavas* ou des familles de *vaiśyas* riches et cultivés.

Ainsi, quand un *yogī* est séduit par l'un ou l'autre des nombreux attraits de l'univers matériel, quand il s'écarte de la voie du yoga et qu'il la quitte alors qu'il n'a pas encore atteint le but décrit dans le dernier verset de ce chapitre - la conscience de Kṛṣṇa -, le Seigneur lui permet de satisfaire ses penchants matériels. Il peut ensuite mener une vie prospère au sein d'une famille vertueuse ou aisée. Une telle renaissance lui offre de nombreuses facilités et lui permet de reprendre sa progression vers la perfection de la conscience de Kṛṣṇa.

**6.42** अथ वा योगिनामेव कुले भवति धीमताम् ।
एतद्धि दुर्लभतरं लोके जन्म यदीदृशम् ॥४२॥

*atha vā yoginām eva, kule bhavati dhīmatām*
*etad dhi durlabha-taraṁ, loke janma yad īdṛśam*

*atha vā :* ou ; *yoginām :* de spiritualistes érudits ; *eva :* certes ; *kule :* dans la famille ; *bhavati :* naît ; *dhī-matām :* de ceux qui sont doués d'une grande sagesse ; *etat :* cette ; *hi :* certes ; *durlabha-taram :* très rare ; *loke :* en ce monde ; *janma :* naissance ; *yat :* ce que ; *īdṛśam :* comme cela.

**Ou encore il renaît dans une famille de sages spiritualistes. Mais en vérité il est rare, ici-bas, d'obtenir une telle naissance.**

Dans ce verset le Seigneur explique qu'il est particulièrement avantageux de naître dans une famille de *yogīs* ou de spiritualistes – gens de grande sagesse – car c'est l'occasion, surtout si l'on renaît dans une famille d'*ācāryas* ou de *gosvāmīs,* d'être encouragé dès son plus jeune âge à la vie spirituelle. Par tradition autant que par éducation, les membres de ces familles sont érudits, voués à Dieu et deviennent des maîtres spirituels. On trouve encore aujourd'hui en Inde beaucoup de ces familles d'*ācāryas,* mais le déclin de l'éducation spirituelle a provoqué leur dégradation. Par la grâce du Seigneur, il en reste encore quelques-unes qui, de génération en génération, forment des spiritualistes élevés. Naître dans une telle famille est la plus grande faveur que l'on puisse recevoir. Notre maître spirituel, Oṁ Viṣṇupāda Śrī Śrīmad Bhaktisiddhānta Sarasvatī Gosvāmī Mahārāja, bénéficia de cette grâce. Notre humble personne également. Ainsi nous pûmes l'un et l'autre pratiquer le service de dévotion dès notre plus tendre enfance. Et plus tard, en vertu d'un arrangement divin, nos chemins se croisèrent.

**6.43** तत्र तं बुद्धिसंयोगं लभते पौर्वदेहिकम् ।
यतते च ततो भूयः संसिद्धौ कुरुनन्दन ॥४३॥

*tatra taṁ buddhi-saṁyogaṁ, labhate paurva-dehikam*
*yatate ca tato bhūyaḥ, saṁsiddhau kuru-nandana*

*tatra :* alors ; *tam :* ce ; *buddhi-saṁyogam :* ravivement de la conscience ; *labhate :* retrouve ; *paurva-dehikam :* du corps précédent ; *yatate :* il s'efforce de ; *ca :* aussi ; *tataḥ :* ensuite ; *bhūyaḥ :* encore ; *saṁsiddhau :* pour la perfection ; *kuru-nandana :* ô fils de Kuru.

**Alors, ô fils de Kuru, il recouvre la conscience divine acquise dans sa vie passée et reprend sa marche vers la perfection.**

L'exemple du roi Bharata, qui lors de sa troisième naissance naquit dans la famille d'un *brāhmaṇa,* illustre bien ce que c'est que de naître dans une famille favorable pour reprendre le progrès spirituel interrompu. Bharata était l'empereur du monde. C'est, du reste, depuis son règne que les *devas* nomment la terre « Bhārata-varṣa », qui s'appelait jusqu'alors « Ilāvṛta-varṣa ». Bien qu'il fût jeune encore, l'empereur renonça au trône et se voua à la quête de la perfection spirituelle, sans toutefois l'atteindre. Il eut alors à renaître dans la famille d'un *brāhmaṇa* vertueux. Parce qu'il vivait toujours seul et ne parlait à personne, on le nomma Jaḍa Bharata. Un jour advint où le roi Rahūgaṇa découvrit en lui le plus grand des spiritualistes. Sa vie nous prouve qu'aucun effort n'est vain dans la voie spirituelle, la pratique du yoga, et que le Seigneur, par Sa grâce, donne au spiritualiste maintes et maintes occasions d'atteindre la perfection spirituelle.

**6.44** पूर्वाभ्यासेन तेनैव ह्रियते ह्यवशोऽपि सः ।
जिज्ञासुरपि योगस्य शब्दब्रह्मातिवर्तते ॥४४॥

*pūrvābhyāsena tenaiva, hriyate hy avaśo 'pi saḥ*
*jijñāsur api yogasya, śabda-brahmātivartate*

*pūrva :* précédente ; *abhyāsena :* par cette pratique ; *tena :* par cela ; *eva :* certes ; *hriyate :* est attiré ; *hi :* sûrement ; *avaśaḥ :* automatiquement ; *api :* aussi ; *saḥ :* il ; *jijñāsuḥ :* désireux de connaître ; *api :* même ; *yogasya :* le yoga ; *śabda-brahma :* les principes rituels des Écritures ; *ativartate :* transcende.

**En vertu de la conscience divine acquise dans sa vie passée, il est tout naturellement porté vers la pratique du yoga, même à son insu. Un tel spiritualiste transcende déjà tous les principes rituels des Écritures.**

Les *yogīs* avancés se désintéressent des rites mentionnés dans les Écritures et sont tout naturellement attirés par les principes du yoga, qui peuvent les mener à la perfection du yoga – la conscience de Kṛṣṇa. Le *Śrīmad-Bhāgavatam* (3.33.7) explique cela :

*aho bata śva-paco 'to garīyān, yaj-jihvāgre vartate nāma tubhyam*
*tepus tapas te juhuvuḥ sasnur āryā, brahmānūcur nāma gṛṇanti ye te*

« Ô Seigneur, même s'ils sont nés dans des familles de mangeurs de chien, ceux qui chantent Tes saints noms sont extrêmement élevés dans la vie spirituelle. Car pour pouvoir ainsi chanter Tes noms, ils ont dû mener maintes ascèses, faire d'innombrables oblations, se baigner dans tous les lieux sacrés et étudier toutes les Écritures. »

Śrī Caitanya illustra parfaitement cela lorsqu'Il fit d'Haridāsa Ṭhākura, pourtant d'ascendance musulmane, l'un de Ses principaux disciples. Parce qu'il avait été fidèle à son vœu de prononcer chaque jour 300 000 noms du Seigneur en récitant : Hare Kṛṣṇa Hare Kṛṣṇa Kṛṣṇa Kṛṣṇa Hare Hare/Hare Rāma Hare Rāma Rāma Rāma Hare Hare, le Seigneur en fit le *nāmācārya* (l'*ācārya* du saint nom). Qu'il ait pu ainsi réciter constamment le nom du Seigneur indique qu'il avait, dans sa vie précédente, accompli tous les rites des Védas (*śabda-brahma*). Car à moins de s'être purifié, on ne peut ni suivre les principes de la conscience de Kṛṣṇa, ni chanter Hare Kṛṣṇa, le saint nom du Seigneur.

**6.45** प्रयत्नाद्यतमानस्तु योगी संशुद्धकिल्बिषः ।
अनेकजन्मसंसिद्धस्ततो याति परां गतिम् ॥४५॥

*prayatnād yatamānas tu, yogī saṁśuddha-kilbiṣaḥ*
*aneka-janma-saṁsiddhas, tato yāti parāṁ gatim*

*prayatnāt :* par une pratique rigoureuse ; *yatamānaḥ :* s'efforçant ; *tu :* et ; *yogī :* un tel spiritualiste ; *saṁśuddha :* sont lavés ; *kilbiṣaḥ :* dont tous les péchés ; *aneka :* après beaucoup, beaucoup ; *janma :* naissances ; *saṁsiddhaḥ :* ayant atteint la perfection ; *tataḥ :* après ; *yāti :* atteint ; *parām :* la plus haute ; *gatim :* destination.

**Et quand, purifié de toute contamination, le yogī s'efforce sincèrement de progresser sur la voie de la réalisation spirituelle et atteint la perfection après de nombreuses vies de pratique, il accède finalement au but suprême.**

On réalise, lorsqu'on a pris naissance dans une famille vertueuse, aisée ou religieuse, que ces conditions sont particulièrement favorables à la pratique du yoga. Avec détermination, on reprend alors sa tâche inachevée, jusqu'à ce que la purification soit totale. Alors, libre de toute contamination matérielle, on atteint la perfection suprême, la conscience de Kṛṣṇa. Le verset vingt-huit du septième chapitre confirme ce point :

*yeṣāṁ tv anta-gataṁ pāpaṁ, janānāṁ puṇya-karmaṇām*
*te dvandva-moha-nirmuktā, bhajante māṁ dṛḍha-vratāḥ*

« Après avoir accompli des activités pieuses pendant de nombreuses vies, l'homme, libre de toute contamination et de toute dualité illusoire, sert le Seigneur avec un amour transcendantal. »

**6.46** तपस्विभ्योऽधिको योगी ज्ञानिभ्योऽपि मतोऽधिकः ।
कर्मिभ्यश्चाधिको योगी तस्माद्योगी भवार्जुन ॥४६॥

*tapasvibhyo 'dhiko yogī, jñānibhyo 'pi mato 'dhikaḥ*
*karmibhyaś cādhiko yogī, tasmād yogī bhavārjuna*

*tapasvibhyaḥ :* que les ascètes ; *adhikaḥ :* plus grand ; *yogī :* le *yogī* ; *jñānibhyaḥ :* que les sages ; *api :* aussi ; *mataḥ :* considéré ; *adhikaḥ :* plus grand ; *karmibhyaḥ :* que ceux qui agissent pour leur profit ; *ca :* aussi ; *adhikaḥ :* plus grand ; *yogī :* le *yogī* ; *tasmāt :* donc ; *yogī :* un spiritualiste ; *bhava :* deviens ; *arjuna :* ô Arjuna.

**Le yogī est plus élevé que l'ascète, plus avancé que le philosophe empiriste et plus grand que l'homme qui aspire aux fruits de l'acte. En toutes circonstances, sois donc un yogī, ô Arjuna.**

Le mot yoga se réfère à la méthode permettant de relier la conscience à la Vérité Suprême et Absolue. Selon qu'on adopte telle ou telle pratique, le yoga porte différents noms. Ainsi le nomme-t-on *karma-yoga,* lorsqu'il s'agit de privilégier l'action intéressée, *jñāna-yoga,* lorsqu'il est question de recherche philosophique, et *bhakti-yoga,* lorsque prime le lien dévotionnel qui unit l'être distinct au Seigneur Suprême. Ce dernier, qu'on appelle également conscience de Kṛṣṇa, est, comme le montrera le prochain verset, le plus grand des yogas.

Le Seigneur déclare ici la supériorité du yoga, mais Il ne le dit pas supérieur au *bhakti-yoga.* Aucun yoga ne peut dépasser en excellence le *bhakti-yoga,* qui est la connaissance spirituelle complète. Sans connaissance du soi, l'ascétisme reste toujours incomplet ; sans abandon au Seigneur Souverain, le savoir empirique est également imparfait ; quant aux actes intéressés, s'ils ne sont empreints de conscience divine, ils ne sont qu'une perte de temps. La forme de yoga la plus élevée dont on parle ici est donc le *bhakti-yoga,* comme l'explique plus clairement encore le verset suivant.

**6.47** योगिनामपि सर्वेषां मद्गतेनान्तरात्मना ।
श्रद्धावान् भजते यो मां स मे युक्ततमो मतः ॥४७॥

*yoginām api sarveṣāṁ, mad-gatenāntar-ātmanā*
*śraddhāvān bhajate yo māṁ, sa me yukta-tamo mataḥ*

*yoginām :* de *yogīs ; api :* aussi ; *sarveṣām :* de toutes les sortes ; *mat-gatena :* demeurant en Moi, pensant toujours à Moi ; *antaḥ-ātmanā :* en lui-même ; *śraddhā-vān :* en toute foi ; *bhajate :* sert avec amour ; *yaḥ :* celui qui ; *mām :* Moi (le Seigneur Suprême) ; *saḥ :* il ; *me :* par Moi ; *yukta-tamaḥ :* le plus grand *yogī ; mataḥ :* est considéré.

**Et de tous les yogīs, celui qui, avec une foi totale, demeure toujours en Moi et médite sur Moi en Me servant avec amour, celui-là est le plus grand et M'est le plus intimement lié. Tel est Mon avis.**

Le mot *bhajate* est ici lourd de sens. Sa racine, le verbe *bhaj,* traduit l'idée de service. Les verbes français « vénérer, rendre un culte », ne rendent pas exactement le sens de *bhaj,* car ils indiquent soit le respect et l'honneur montrés à celui qui en est digne, soit l'adoration, tandis que *bhaj* signifie servir avec foi et amour, et ne s'adresse qu'à Dieu, la Personne Suprême. Si, en ne révérant pas un *deva* ou un homme de bien, on passe pour irrespectueux, en négligeant de servir le Seigneur Suprême, on est assurément condamné. L'être vivant, de par sa nature, parce qu'il fait partie intégrante de Dieu, a pour fonction de servir le Seigneur. Comme l'explique fort bien le *Śrīmad-Bhāgavatam* (11.5.3), s'il déroge à ce devoir, il choit :

*ya eṣāṁ puruṣaṁ sākṣād, ātma-prabhavam īśvaram*
*na bhajanty avajānanti, sthānād bhraṣṭāḥ patanty adhaḥ*

« Quiconque néglige de remplir son devoir de serviteur de Dieu, source de tous les êtres, choira de sa position originelle. »

Là encore, on retrouve le mot *bhajanti.* Cela prouve bien qu'au contraire de « vénérer » et de « rendre un culte » qui peuvent s'adresser à un homme ou à un *deva, bhajanti* ne s'applique qu'à Dieu. Portons également une attention particulière au terme *avajānanti* mentionné ici, et qu'on retrouve dans la *Bhagavad-gītā : avajānanti māṁ mūḍhāḥ* – « Seuls les sots et les crapules dénigrent Kṛṣṇa, Dieu, la Personne Suprême. » Les insensés qui se permettent d'écrire des commentaires sur la *Bhagavad-gītā,* sans aucune attitude de service envers le Seigneur, ne peuvent saisir la nuance entre les termes *bhajanti* et « vénérer » ou « rendre un culte ».

Tous les yogas sont des moyens de parvenir à la *bhakti.* Le *bhakti-yoga* est donc le but de tous les yogas. Puisque les différents yogas sont des étapes successives menant au *bhakti-yoga,* yoga signifie en fait *bhakti-yoga.* Depuis les étapes préliminaires du *karma-yoga* jusqu'à celle, ultime, du *bhakti-yoga,* le chemin de la réalisation spirituelle est long. On commence, dans le *karma-yoga,* par agir sans vouloir jouir du fruit de l'acte. Puis, lorsque mûrissent la connaissance et le renoncement, on passe à ce qu'on appelle le stade du *jñāna-yoga.* Et lorsque le *jñāna-yoga* s'accompagne de méditation sur l'Âme Suprême par le biais de certains exercices physiques et que le mental se fixe sur cette forme du Seigneur, on atteint le stade de l'*aṣṭāṅga-yoga.* Quand, plus tard, on axe sa méditation directement sur Kṛṣṇa, la Personne Suprême, on atteint le point culminant du yoga, le *bhakti-yoga.*

De fait, le *bhakti-yoga* est le but ultime. Mais pour bien l'analyser, il est nécessaire de comprendre les autres yogas. Le *yogī* qui progresse graduellement sur l'échelle du yoga se situe donc sur la vraie voie de l'éternelle bonne fortune. Mais s'il s'arrête à l'une ou l'autre étape de son évolution, il portera le nom de *karma-yogī, jñāna-yogī, dhyāna-yogī, rāja-yogī, haṭha-yogī,* etc. Celui qui a l'immense fortune de parvenir au *bhakti-yoga* a donc dépassé tous les autres yogas. Tout comme l'Éverest est le sommet le plus élevé de la chaîne montagneuse des Himālayas et de la terre entière, le *bhakti-yoga* est le plus élevé des yogas.

Ce n'est que par heureuse fortune que l'on adopte la conscience de Kṛṣṇa, la voie du *bhakti-yoga,* et que l'on se conforme ainsi aux injonctions védiques. Le *yogī* idéal fixe son attention sur Kṛṣṇa, Śyāmasundara, dont le teint merveilleux a la couleur d'un nuage, dont le visage pareil-au-lotus est aussi éclatant que le soleil, dont les vêtements étincellent de joyaux et dont le corps est orné d'une guirlande de fleurs. Le Seigneur illumine tout de Sa radiance (le *brahmajyoti*) et Se manifeste sous différentes formes, telles celles de Rāma, Nṛsiṁha, Varāha, et Kṛṣṇa, Dieu, la Personne Suprême, avec laquelle Il apparaît comme un être humain, fils de Yaśodā. Il porte alors indifféremment les noms de Kṛṣṇa, Govinda ou Vāsudeva. Il est l'enfant, l'époux, l'ami et le maître parfaits. Il possède toutes les perfections et qualités transcendantales. Demeurer toujours conscient de ces traits du Seigneur, voilà la plus haute perfection du yoga. Seule la *bhakti* donne d'atteindre cette perfection, ainsi que le confirment, du reste, toutes les Écritures :

*yasya deve parā bhaktir, yathā deve tathā gurau*
*tasyaite kathitā hy arthāḥ, prakāśante mahātmanaḥ*

« Le sens et la portée du savoir védique ne se révèlent automatiquement qu'aux grandes âmes, dont la foi en Dieu et en le maître spirituel est sans réserve. » (*Śvetāśvatara Upaniṣad,* 6.23)

*Bhaktir asya bhajanaṁ tad ihāmutropādhi-nairāsyenāmuṣmin manaḥ-kalpanam, etad eva naiṣkarmyam* – « La *bhakti* est le service dévotionnel que l'on offre au Seigneur, désintéressé de tout profit matériel dans cette vie ou dans la prochaine. Libéré de ses penchants égoïstes, l'homme doit complètement absorber son mental dans la pensée de l'Être Suprême. Tel est l'objectif du *naiṣkarmya.* » (*Gopāla-tāpani Upaniṣad* 1.15)

Voilà quelques-uns des aspects de la pratique du *bhakti-yoga,* de la conscience de Kṛṣṇa – le stade de perfection le plus élevé de la voie du yoga.

*Ainsi s'achèvent les teneurs et portées de Bhaktivedanta sur le sixième chapitre de la* Śrīmad Bhagavad-gītā *traitant du* dhyāna-yoga.

SEPTIÈME CHAPITRE

# La connaissance de l'Absolu

7.1 श्रीभगवानुवाच
मय्यासक्तमनाः पार्थ योगं युञ्जन्मदाश्रयः ।
असंशयं समग्रं मां यथा ज्ञास्यसि तच्छृणु ॥ १ ॥

*śrī-bhagavān uvāca*
*mayy āsakta-manāḥ pārtha, yogaṁ yuñjan mad-āśrayaḥ*
*asaṁśayaṁ samagraṁ māṁ, yathā jñāsyasi tac chṛṇu*

*śrī-bhagavān uvāca :* la Personne Suprême dit ; *mayi :* à Moi ; *āsakta-manāḥ :* le mental attaché ; *pārtha :* ô fils de Pṛthā ; *yogam :* la réalisation spirituelle ; *yuñjan :* pratiquant ; *mat-āśrayaḥ :* en ayant conscience de Moi (conscience de Kṛṣṇa) ; *asaṁśayam :* sans nul doute ; *samagram :* complètement ; *mām :* Moi ; *yathā :* comment ; *jñāsyasi :* tu peux connaître ; *tat :* cela ; *śṛṇu :* essaie d'écouter.

**Dieu, la Personne Suprême, dit : Ô fils de Pṛthā, écoute comment, en pratiquant le yoga, la conscience et le mental fixés sur Moi, il te sera possible de Me connaître pleinement, sans que demeure le moindre doute.**

Ce chapitre présente la conscience de Kṛṣṇa sous tous ses aspects. Kṛṣṇa possédant à l'infini toutes les perfections, ces pages vont nous décrire comment elles se manifestent. On découvrira également les quatre catégories d'hommes fortunés qui s'attachent à Kṛṣṇa, et les quatre catégories d'hommes infortunés qui Le rejettent.

Les six premiers chapitres ont expliqué que l'être vivant est une âme spirituelle, distincte de la matière et capable, par la pratique de diverses formes de yoga, de réaliser son identité véritable. La fin du sixième chapitre a du reste clairement défini l'absorption constante en Kṛṣṇa – la conscience de Kṛṣṇa – comme la plus haute forme de yoga. On ne peut, en effet, réaliser pleinement la Vérité Absolue sans absorber son mental en Kṛṣṇa. La réalisation du *brahmajyoti* impersonnel et celle du Paramātmā logé en chaque être demeurent imparfaites dans la mesure où elles n'apportent qu'une connaissance partielle de la Vérité Absolue. L'apogée du savoir et de la science se trouve en Kṛṣṇa. Tout se révèle à qui développe en lui la conscience de Kṛṣṇa : il réalise sans que subsiste le moindre doute que Kṛṣṇa est la connaissance ultime. Les diverses méthodes de yogas ne sont que des plate-formes d'accès à la conscience de Kṛṣṇa, alors que la voie directe de la conscience de Kṛṣṇa nous amène à connaître automatiquement, dans leur intégralité, le *brahmajyoti* et le Paramātmā. La pratique de ce yoga suprême permet donc de tout connaître : la Vérité Absolue, mais aussi les êtres distincts, la nature matérielle et tout ce qui se rapporte à leurs diverses manifestations.

Il est donc particulièrement recommandé d'emprunter le sentier du yoga suivant les directives que donne le dernier verset du chapitre six. Cette absorption en Kṛṣṇa, en l'Absolu, s'obtient par la pratique du service de dévotion dans ses neuf formes, dont la première, l'écoute (*śravaṇam*), est la plus importante. C'est pourquoi, dans ce verset, Kṛṣṇa dit à Arjuna : « Écoute-Moi » (*tac chṛṇu*). Kṛṣṇa est l'autorité suprême, inégalable, et L'écouter revient à bénéficier de la meilleure opportunité qui soit de devenir parfaitement conscient de Sa personne. Il faut donc recevoir cette science suprême de Kṛṣṇa Lui-même ou de Son pur dévot, et non pas d'un individu prétentieux dénué de dévotion et enorgueilli de sa vaine érudition.

Le *Śrīmad-Bhāgavatam* (1.2.17-21) explique comment l'on doit appréhender la science de Kṛṣṇa, la Personne Suprême, la Vérité Absolue :

*śṛṇvatāṁ sva-kathāḥ kṛṣṇaḥ, puṇya-śravaṇa-kīrtanaḥ*
*hṛdy antaḥ-stho hy abhadrāṇi, vidhunoti suhṛt satām*

*naṣṭa-prāyeṣv abhadreṣu, nityaṁ bhāgavata-sevayā*
*bhagavaty uttama-śloke, bhaktir bhavati naiṣṭhikī*

*tadā rajas-tamo-bhāvāḥ, kāma-lobhādayaś ca ye*
*ceta etair anāviddhaṁ, sthitaṁ sattve prasīdati*

*evaṁ prasanna-manaso, bhagavad-bhakti-yogataḥ*
*bhagavat-tattva-vijñānaṁ, mukta-saṅgasya jāyate*

*bhidyate hṛdaya-granthiś, chidyante sarva-saṁśayāḥ*
*kṣīyante cāsya karmāṇi, dṛṣṭa evātmanīśvare*

« Entendre les narrations se rapportant à Kṛṣṇa dans les Écrits védiques ou écouter directement Ses enseignements dans la *Bhagavad-gītā* est vertueux en soi. Le Seigneur, présent dans le cœur de chacun, agit toujours en ami bienveillant envers le dévot qui toujours écoute Ses gloires, et Il le purifie. Celui-ci voit alors s'éveiller tout naturellement son savoir spirituel latent. Plus il entend les gloires de Kṛṣṇa décrites dans le *Śrīmad-Bhāgavatam* et rapportées par les dévots, plus il s'affermit dans son service au Seigneur. Et plus la dévotion imprègne ses actes, plus il se libère des influences de la passion et de l'ignorance et voit diminuer ses désirs matériels et son avidité. Lavé de ces impuretés, il s'établit dans la pure vertu, se sent vivifié par le service de dévotion et saisit pleinement la science de Dieu. Ainsi le *bhakti-yoga* permet-il de trancher le nœud puissant des attachements matériels et d'atteindre sur-le-champ le stade *asaṁśayaṁ samagram,* le stade de la réalisation de la Vérité Suprême et Absolue, la Personne Divine. » Pour comprendre la science de Dieu, il suffit de l'entendre directement de la bouche de Kṛṣṇa ou de Son dévot.

**7.2** ज्ञानं तेऽहं सविज्ञानमिदं वक्ष्याम्यशेषतः ।
यज्ज्ञात्वा नेह भूयोऽन्यज्ज्ञातव्यमवशिष्यते ॥ २ ॥

*jñānaṁ te 'haṁ sa-vijñānam, idaṁ vakṣyāmy aśeṣataḥ*
*yaj jñātvā neha bhūyo 'nyaj, jñātavyam avaśiṣyate*

*jñānam :* la connaissance phénoménale ; *te :* à toi ; *aham :* Je ; *sa :* avec ; *vijñānam :* la connaissance nouménale ; *idam :* cela ; *vakṣyāmi :* expliquerai ; *aśeṣataḥ :* totalement ; *yat :* laquelle ; *jñātvā :* sachant ; *na :* ne pas ; *iha :* en ce monde ; *bhūyaḥ :* plus avant ; *anyat :* quelque chose de plus ; *jñātavyam :* à connaître ; *avaśiṣyate :* reste.

**Je vais maintenant tout te révéler de la connaissance phénoménale et nouménale, hors de quoi il n'est rien qui reste à connaître.**

Le savoir qui embrasse le monde phénoménal, l'esprit situé au-delà, et leur source commune, est complet et transcendantal. Kṛṣṇa veut maintenant en instruire Arjuna, attendu qu'il est Son dévot et ami intime. Les paroles du Seigneur prononcées au début du quatrième chapitre sont ici confirmées : seul peut acquérir la connaissance parfaite le dévot appartenant à la succession disciplique issue directement du Seigneur. Il faut donc être suffisamment clairvoyant pour connaître la vraie source du savoir, la cause de toutes les causes et l'unique objet de méditation dans tous les yogas. Qui connaît cette cause suprême n'a plus rien d'autre à connaître, car cette connaissance englobe tout le savoir. Ce que confirment les Védas par les mots : *kasminn u bhagavato vijñāte sarvam idaṁ vijñātaṁ bhavatīti* (*Muṇḍaka Upaniṣad* 1.1.3).

**7.3** मनुष्याणां सहस्रेषु कश्चिद्यतति सिद्धये ।
यततामपि सिद्धानां कश्चिन्मां वेत्ति तत्त्वतः ॥ ३ ॥

*manuṣyāṇāṁ sahasreṣu, kaścid yatati siddhaye*
*yatatām api siddhānāṁ, kaścin māṁ vetti tattvataḥ*

*manuṣyāṇām :* d'hommes ; *sahasreṣu :* parmi des milliers ; *kaścit :* quelqu'un ; *yatati :* s'efforce d'atteindre ; *siddhaye :* la perfection ; *yatatām :* parmi ceux qui s'efforcent ; *api :* en vérité ; *siddhānām :* parmi ceux qui sont parvenus à la perfection ; *kaścit :* quelqu'un ; *mām :* Moi ; *vetti :* connaît ; *tattvataḥ :* vraiment.

**Parmi des milliers d'hommes, un seul peut-être recherchera la perfection, et parmi ceux qui l'atteignent, rare celui qui parvient à Me connaître en vérité.**

Il existe toutes sortes d'hommes, et parmi des milliers d'entre eux, un seul peut-être éprouvera suffisamment d'intérêt à l'égard de la réalisation spirituelle pour chercher à savoir ce que sont le corps, l'âme et la Vérité Absolue. D'ordinaire, l'homme se laisse conduire par ses tendances animales - manger, dormir, s'accoupler et se défendre - et rares sont ceux qui voient quelque intérêt à cultiver le savoir transcendantal. Les six premiers chapitres de la *Bhagavad-gītā* s'adressent à ceux qui veulent connaître la nature de l'âme distincte et de l'Âme Suprême, ainsi que les méthodes de réalisation spirituelle comme le *jñāna-yoga,* le *dhyāna-yoga* et le *sāṅkhya-yoga* (où l'on cherche à dissocier l'esprit de la matière). Toutefois, nous savons que seul le dévot est à même de connaître Kṛṣṇa. Les autres spiritualistes ne parviennent pas à dépasser le stade du Brahman impersonnel ou du Paramātmā, aspects plus accessibles de la Vérité Absolue. Kṛṣṇa est la Personne Suprême, située au-delà du Brahman et du Paramātmā. Dans leurs efforts pour comprendre, *jñānīs* et *yogīs* sont confondus. Bien que, dans son commentaire de la *Gītā,* le plus grand philosophe impersonnaliste, Śrīpāda Śaṅkarācārya, ait reconnu Kṛṣṇa comme étant Dieu, la Personne Suprême, ses disciples refusent de L'accepter comme tel. Ce qui montre bien qu'il est très difficile de connaître Kṛṣṇa, même pour ceux qui ont réalisé le Brahman impersonnel.

*Īśvaraḥ paramaḥ kṛṣṇaḥ sac-cid-ānanda-vigrahaḥ/anādir ādir govindaḥ sarva-kāraṇa-kāraṇam* – Kṛṣṇa est le Seigneur originel, Govinda, Dieu, la Personne Suprême, la cause de toutes les causes. Il est très difficile pour les non-dévots de Le connaître. Et bien qu'ils prétendent que la voie du *bhakti-yoga* est facile, ils ne peuvent la pratiquer. On pourrait se demander pourquoi ils optent précisément pour la voie difficile ? C'est qu'en réalité, la *bhakti* n'est aucunement une voie facile. Le pseudo-*bhakti-yoga* pratiqué par des personnes non autorisées qui ignorent tout de la vraie *bhakti* peut s'avérer aisé, mais il n'en est pas de même du véritable service de dévotion. Les érudits et les philosophes qui s'adonnent à la spéculation ne parviennent pas à le pratiquer tel qu'il est, selon les principes régulateurs donnés dans les Écritures. Śrīla Rūpa Gosvāmī écrit à ce sujet dans son *Bhakti-rasāmṛta-sindhu* (1.2.101) :

*śruti-smṛti-purāṇādi-, pañcarātra-vidhiṁ vinā*
*aikāntikī harer bhaktir, utpātāyaiva kalpate*

« La pratique du *bhakti-yoga* qui n'est pas conforme aux Écrits védiques faisant autorité en la matière, tels les *Upaniṣads,* les *Purāṇas* et le *Nārada-Pañcarātra,* ne fait que nuire à la société. »

Il est impossible aux impersonnalistes ou aux *yogīs* ayant réalisé le Brahman ou le Paramātmā de comprendre que Kṛṣṇa, la Personne Suprême, puisse apparaître sous la forme du fils de Yaśodā ou du conducteur du char d'Arjuna. Les grands *devas* eux-mêmes sont parfois troublés devant la personnalité de Kṛṣṇa (*muhyanti yat sūrayaḥ*). Leur perplexité confirme cette parole du Seigneur : *māṁ tu veda na kaścana* – « Nul ne Me connaît tel que Je suis. » Et pour celui qui vient malgré tout à Le connaître, Il ajoute : *sa mahātmā su-durlabhaḥ* – « Une si grande âme est infiniment rare. »

Sans le service de dévotion, on ne peut donc vraiment connaître Kṛṣṇa tel qu'Il est (*tattvataḥ*), fût-on un grand érudit ou un grand philosophe. Seuls les purs dévots peuvent savoir quelque chose de Ses attributs transcendantaux et inconcevables, de Sa beauté, Sa richesse, Sa renommée, Sa puissance, Sa sagesse et Son renoncement infinis, de Son omnipotence et de Sa magnificence, car Kṛṣṇa, la cause de toutes les causes, l'objet ultime de la réalisation du Brahman, est toujours favorablement disposé à leur égard. Ce que confirme le *Bhakti-rasāmṛta-sindhu* (1.2.234) :

*ataḥ śrī-kṛṣṇa-nāmādi, na bhaved grāhyam indriyaiḥ*
*sevonmukhe hi jihvādau, svayam eva sphuraty adaḥ*

« Nul, par ses sens matériels émoussés, ne peut connaître Kṛṣṇa tel qu'Il est. Mais Il Se révèle à Ses dévots, satisfait de l'amour transcendantal qu'ils Lui montrent en Le servant. »

**7.4** भूमिरापोऽनलो वायुः खं मनो बुद्धिरेव च ।
अहङ्कार इतीयं मे भिन्ना प्रकृतिरष्टधा ॥ ४ ॥

*bhūmir āpo 'nalo vāyuḥ, khaṁ mano buddhir eva ca*
*ahaṅkāra itīyaṁ me, bhinnā prakṛtir aṣṭadhā*

*bhūmiḥ* : la terre; *āpaḥ* : l'eau; *analaḥ* : le feu; *vāyuḥ* : l'air; *kham* : l'éther; *manaḥ* : le mental; *buddhiḥ* : l'intelligence; *eva* : certes; *ca* : et; *ahaṅkāraḥ* : le faux ego; *iti* : ainsi; *iyam* : toutes ces; *me* : Mes; *bhinnā* : séparées; *prakṛtiḥ* : énergies; *aṣṭadhā* : huit au total.

**La terre, l'eau, le feu, l'air, l'éther, le mental, l'intelligence et le faux ego, ces huit énergies matérielles sont Miennes mais sont distinctes de Moi.**

La science divine analyse la nature fondamentale de Dieu et de Ses diverses énergies. Celle qu'Il manifeste à travers les *puruṣa-avatāras,* par exemple, est appelée *prakṛti,* nature matérielle, comme l'explique le *Nārada-Pañcarātra,* :

*viṣṇos tu trīṇi rūpāṇi, puruṣākhyāny atho viduḥ*
*ekaṁ tu mahataḥ sraṣṭṛ, dvitīyaṁ tv aṇḍa-saṁsthitam*
*tṛtīyaṁ sarva-bhūta-sthaṁ, tāni jñātvā vimucyate*

« Pour créer l'univers matériel, l'émanation plénière de Kṛṣṇa, Viṣṇu, revêt trois aspects. Mahā-Viṣṇu, d'abord, crée la totalité de l'énergie matérielle, ou *mahat-tattva*. Le second, Garbhodakaśāyī Viṣṇu, pénètre en chaque univers, où Il fait naître la diversité. Le troisième, Kṣīrodakaśāyī Viṣṇu, est l'Âme Suprême omniprésente. Il pénètre jusque dans le moindre atome et on Le désigne du nom de Paramātmā. Quiconque parvient à connaître ces trois formes de Viṣṇu peut s'affranchir de l'esclavage de la matière. »

L'univers matériel est donc la manifestation temporaire d'une des énergies du Seigneur, et tout s'y déroule sous la supervision des trois Viṣṇus, les *puruṣa-avatāras* de Kṛṣṇa. Celui qui ignore la science de Dieu croit que le monde a été créé pour le plaisir des êtres vivants, que ces derniers en sont les *puruṣas,* c'est-à-dire les causes, les maîtres et les ultimes bénéficiaires. Mais la *Bhagavad-gītā* dénonce cette croyance athée. Ainsi, le verset qui nous occupe présente Kṛṣṇa comme la cause originelle de la manifestation matérielle (ce que corrobore également le *Śrīmad-Bhāgavatam*) dont les constituants sont tous des énergies distinctes du Seigneur. Même le *brahmajyoti,* l'objectif ultime des impersonnalistes, est une énergie transcendantale qui se situe dans le monde spirituel. Mais au contraire des planètes Vaikuṇṭhas, le *brahmajyoti* est dépourvu de diversité. Et pourtant, les impersonnalistes le tiennent pour le but ultime et éternel. Le Paramātmā quant à Lui est une manifestation omniprésente mais temporaire de Kṣīrodakaśāyī Viṣṇu, et n'a pas d'existence permanente dans le monde spirituel. Ainsi, Kṛṣṇa, Dieu, la Personne Suprême, est sans conteste la Vérité Absolue. Il est la source de toutes les énergies, interne et externe, et c'est à Lui qu'elles appartiennent.

Comme l'indique ce verset, l'énergie matérielle compte huit éléments de base, dont les cinq premiers (la terre, l'eau, le feu, l'air et l'éther) sont qualifiés de grossiers, bruts, et englobent les cinq objets des sens. Ils constituent les manifestations physiques du son, du toucher, de la forme, du goût et de l'odeur. La science matérielle ne s'occupe que de ces dix éléments ; elle néglige les trois éléments subtils que sont le mental, l'intelligence et l'ego matériel. Les chercheurs qui étudient le mental en ont une connaissance imparfaite puisqu'ils méconnaissent Kṛṣṇa, la source de tout ce qui est. L'ego matériel, le faux ego - le sens du « je suis » et « je possède » qui est la racine même de l'existence matérielle - comprend les dix organes des sens. L'intelligence, elle, se rapporte à la totalité de la création matérielle, qu'on désigne sous le nom de *mahat-tattva.* Les vingt-quatre éléments de la nature matérielle sont donc manifestés à partir des huit énergies distinctes du Seigneur et ils forment l'objet d'étude de la philosophie athée du *sāṅkhya.* Cette dernière ne reconnaît pas Kṛṣṇa comme leur source, comme la cause de toutes les causes, confinant ainsi ses analyses aux seules énergies externes du Seigneur.

**7.5** अपरेयमितस्त्वन्यां प्रकृतिं विद्धि मे पराम् ।
जीवभूतां महाबाहो ययेदं धार्यते जगत् ॥ ५ ॥

*apareyam itas tv anyāṁ, prakṛtiṁ viddhi me parām*
*jīva-bhūtāṁ mahā-bāho, yayedaṁ dhāryate jagat*

*aparā* : inférieure ; *iyam* : cette ; *itaḥ* : à part celle-là ; *tu* : mais ; *anyām* : une autre ; *prakṛtim* : énergie ; *viddhi* : essaie seulement de comprendre ; *me* : Ma ; *parām* : supérieure ; *jīva-bhūtām* : comprenant les êtres vivants ; *mahā-bāho* : ô toi aux bras puissants ; *yayā* : par qui ; *idam* : cet ; *dhāryate* : est utilisé ou exploité ; *jagat* : univers matériel.

**Ô Arjuna aux bras puissants, outre cette énergie inférieure, il est une énergie supérieure qui M'appartient également. Elle comprend les êtres vivants qui exploitent les ressources de la nature matérielle.**

Ce verset montre clairement que les êtres vivants appartiennent à l'énergie supérieure du Seigneur Suprême. Son énergie inférieure, comme nous l'avons vu dans le verset précédent, est constituée des éléments matériels bruts, soit la terre, l'eau, le feu, l'air et l'éther, et des éléments subtils, soit le mental, l'intelligence et le faux ego. Le monde matériel ne fonctionne que grâce aux êtres vivants qui en exploitent les ressources. La manifestation cosmique n'a en elle-même aucun pouvoir indépendant. Seule l'énergie supérieure, l'être vivant, peut la mettre en mouvement. Les énergies sont toujours contrôlées par la source énergétique, aussi les êtres distincts se trouvent-ils toujours subordonnés au Seigneur. Jamais ils ne sauraient exister indépendamment de Lui, ni égaler Sa puissance, comme le prétendent les personnes manquant d'intelligence. Le *Śrīmad-Bhāgavatam* (10.87.30) explique fort bien ce qui différencie l'être vivant du Seigneur :

*aparimitā dhruvās tanu-bhṛto yadi sarva-gatās*
*tarhi na śāsyateti niyamo dhruva netarathā*
*ajani ca yan-mayaṁ tad avimucya niyantṛ bhavet*
*samam anujānatāṁ yad amataṁ mata-duṣṭatayā*

« Ô Suprême Éternel ! Si les êtres incarnés étaient éternels et omniprésents comme Toi, Ils ne Te seraient pas assujettis. S'ils sont, au contraire, d'infimes énergies issues de Toi, ils Te seront toujours subordonnés. C'est pourquoi ils n'atteindront la libération parfaite qu'en acceptant Ta tutelle, et c'est dans cet abandon qu'ils trouveront le bonheur. Recouvrant leur condition intrinsèque, ils pourront à leur tour exercer leur pouvoir de domination. Les hommes au jugement limité qui prônent le monisme, l'égalité absolue entre Dieu et les êtres vivants, s'égarent dans une théorie fausse et pernicieuse. »

Kṛṣṇa, le Seigneur Suprême, est donc le seul maître absolu, et tous les êtres Lui sont subordonnés. Ceux-ci relèvent de Son énergie supérieure du fait que leur nature, en qualité, participe de la Sienne, mais ils ne possèdent jamais, en quantité, les mêmes pouvoirs que Lui. En manipulant les énergies matérielles, grossières et subtiles, l'être distinct tombe sous l'influence de la matière et oublie son mental et son intelligence spirituels, seuls vrais. Ainsi illusionné, le faux ego pense : « Je suis matière, les biens matériels m'appartiennent ». Mais quand l'être vivant parvient à s'affranchir de l'illusion matérielle, il atteint la *mukti,* la libération. Il réalise sa condition inhérente lorsqu'il se libère de ces conceptions matérielles, et notamment de la perspective d'une fusion totale avec Dieu.

On peut donc conclure à partir des enseignements de la *Bhagavad-gītā* que l'être vivant ne constitue que l'une des multiples énergies du Seigneur, et que, lorsqu'il s'affranchit du conditionnement matériel, il devient libéré, pleinement conscient de Kṛṣṇa.

**7.6** एतद्योनीनि भूतानि सर्वाणीत्युपधारय ।
अहं कृत्स्नस्य जगतः प्रभवः प्रलयस्तथा ॥ ६ ॥

*etad-yonīni bhūtāni, sarvāṇīty upadhāraya*
*ahaṁ kṛtsnasya jagataḥ, prabhavaḥ pralayas tathā*

*etat :* ces deux natures; *yonīni :* dont la source de naissance; *bhūtāni :* choses créées; *sarvāṇi :* toutes; *iti :* ainsi; *upadhāraya :* sache; *aham :* Je; *kṛtsnasya :* qui inclut tout; *jagataḥ :* du monde; *prabhavaḥ :* la source de la manifestation; *pralayaḥ :* la destruction; *tathā :* ainsi que.

**Tous les êtres créés trouvent leur source dans ces deux énergies. Tiens pour certain que de toute chose en ce monde, matérielle ou spirituelle, Je suis l'origine et la dissolution.**

Tout ce qui existe procède de l'union de la matière et de l'esprit. L'esprit est au fondement de toute création; la matière est créée par l'esprit. L'âme n'est pas une manifestation de la matière à un certain stade de son évolution. Au contraire, c'est la matière qui trouve son origine en l'énergie spirituelle, laquelle est à la source de la manifestation de l'univers tout entier. Si le corps matériel se développe, passant de l'enfance à l'adolescence, puis à l'âge adulte, c'est qu'une force supérieure l'anime, et cette énergie vitale, c'est l'âme. Et semblablement, bien qu'à une autre échelle, si le gigantesque univers matériel se développe, c'est grâce à la présence de l'Âme Suprême, Viṣṇu.

L'entière manifestation cosmique, la forme universelle, procède de la combinaison des énergies matérielles et spirituelles émanant du Seigneur. Il est donc la cause originelle de tout ce qui est. L'être distinct, fragment infime du Seigneur, peut construire un gratte-ciel, une usine ou une ville, mais il est tout à fait incapable de créer l'univers. La cause en est l'Âme Suprême, et Kṛṣṇa, Lui, est la cause de l'Âme Suprême et de l'âme infinitésimale. Il est donc la cause originelle de toutes les causes, comme le corrobore la *Kaṭha Upaniṣad* (2.2.13) : *nityo nityānāṁ cetanaś cetanānām.*

7.7 मत्तः परतरं नान्यत्किञ्चिदस्ति धनञ्जय ।
मयि सर्वमिदं प्रोतं सूत्रे मणिगणा इव ॥ ७ ॥

*mattaḥ parataraṁ nānyat, kiñcid asti dhanañ-jaya*
*mayi sarvam idaṁ protaṁ, sūtre maṇi-gaṇā iva*

*mattaḥ :* au-delà de Moi ; *para-taram :* supérieur ; *na :* ne pas ; *anyat kiñcit :* autre chose ; *asti :* il y a ; *dhanam-jaya :* ô conquérant des richesses ; *mayi :* en Moi ; *sarvam :* tout ce qui est ; *idam :* que nous voyons ; *protam :* est enfilé ; *sūtre :* sur un fil ; *maṇi-gaṇāḥ :* des perles ; *iva :* comme.

**Nulle vérité ne M'est supérieure, ô conquérant des richesses. Tout sur Moi repose, comme des perles sur un fil.**

Une question, depuis toujours, soulève des controverses : la Vérité Absolue est-Elle une personne ou un tout impersonnel ? La *Bhagavad-gītā* répond en démontrant au fil des versets, et tout particulièrement ici, que la Vérité Absolue est Kṛṣṇa, Dieu, la Personne Suprême, ce que confirme également la *Brahma-saṁhitā* : *īśvarah paramaḥ kṛṣṇaḥ sac-cid-ānanda-vigrahaḥ.* La Vérité Absolue, Dieu, la Personne Suprême, n'est autre que Kṛṣṇa, Govinda, le Seigneur originel, le sanctuaire de tous les plaisirs, la forme éternelle à la connaissance et à la félicité absolues.

De tels Écrits, qui font autorité, ne laissent aucune place au doute : la Vérité Absolue est bien la Personne Suprême, la cause de toutes les causes. Ce que pourtant les impersonnalistes réfutent en s'appuyant sur la *Śvetāśvatara Upaniṣad* (3.10) : *tato yad uttara-taraṁ tad arūpam anāmayam/ya etad vidur amṛtās te bhavanti athetare duḥkham evāpiyanti* – « Bien que dans le monde matériel, Brahmā, le premier être de l'univers, soit suprême parmi les *devas,* les hommes et les bêtes, l'Absolu dénué de forme matérielle, libre de toute contamination de la matière, le dépasse. Quiconque réalise cet Absolu transcende lui aussi la matière, quand les souffrances matérielles continuent de peser sur celui qui L'ignore. »

Les impersonnalistes soulignent l'importance de l'emploi dans ce verset du mot *arūpam* (sans forme). Pourtant ce mot ne signifie pas « impersonnel »; il indique simplement que la Vérité Absolue n'a pas de forme matérielle, que Sa forme est transcendantale, éternelle, omnisciente et bienheureuse, telle que la décrit la *Brahma-saṁhitā* dans le verset cité plus haut. D'autres versets de la *Śvetāśvatara Upaniṣad* (3.8-9) corroborent cet avis :

*vedāham etaṁ puruṣaṁ mahāntam*
*āditya-varṇaṁ tamasaḥ parastāt*
*tam eva viditvāti mṛtyum eti*
*nānyaḥ panthā vidyate 'yanāya*

*yasmāt paraṁ nāparam asti kiñcid*
*yasmān nāṇīyo no jyāyo 'sti kiñcit*
*vṛkṣa iva stabdho divi tiṣṭhaty ekas*
*tenedaṁ pūrṇaṁ puruṣeṇa sarvam*

« Je connais cet Être Divin et Suprême, qui transcende les ténèbres matérielles. Il n'existe pas d'autre moyen d'atteindre la libération, de surmonter la naissance et la mort, que de Le connaître.

« Nulle vérité ne Lui est supérieure, car Il est la Personne Suprême. Il est tout à la fois plus petit que le plus petit et plus grand que le plus grand. Tel un arbre silencieux qui étend ses racines, Il illumine le monde spirituel et déploie Ses innombrables énergies. »

De tels passages nous permettent de conclure que la Vérité Absolue est Dieu, la Personne Suprême, omniprésente de par Ses énergies tant matérielles que spirituelles.

**7.8** रसोऽहमप्सु कौन्तेय प्रभास्मि शशिसूर्ययोः ।
प्रणवः सर्ववेदेषु शब्दः खे पौरुषं नृषु ॥ ८ ॥

*raso 'ham apsu kaunteya, prabhāsmi śaśi-sūryayoḥ*
*praṇavaḥ sarva-vedeṣu, śabdaḥ khe pauruṣaṁ nṛṣu*

*rasaḥ :* le goût; *aham :* Je; *apsu :* de l'eau; *kaunteya :* ô fils de Kunti; *prabhā :* la lumière; *asmi :* Je suis; *śaśi-sūryayoḥ :* du soleil et de la lune; *praṇavaḥ :* les trois lettres *a-u-m*; *sarva :* dans tous; *vedeṣu :* les Védas; *śabdaḥ :* la vibration sonore; *khe :* dans l'éther; *pauruṣam :* l'habileté; *nṛṣu :* dans les hommes.

**De l'eau Je suis la saveur, ô fils de Kuntī, du soleil et de la lune, la lumière, des mantras védiques, la syllabe oṁ. Je suis le son dans l'éther, et l'aptitude en l'homme.**

Il est expliqué dans ce verset comment le Seigneur manifeste Son omniprésence par l'intermédiaire de Ses énergies matérielles et spirituelles. On peut donc d'abord percevoir la Vérité Absolue à travers Ses énergies, et ainsi réaliser Son aspect impersonnel. À l'instar du *deva* du soleil dont la présence personnelle peut être perçue par le biais de son énergie - les rayons de l'astre - le Seigneur, bien que toujours présent en Son royaume éternel, peut être perçu à travers Ses énergies multiples et omniprésentes. Le principe essentiel de l'eau, par exemple, est son goût. Personne n'aime boire de l'eau de mer, car le sel altère le goût pur de l'eau. C'est la pureté de son goût qui rend l'eau agréable, et ce goût pur est l'une des énergies du Seigneur. Or, tandis que l'impersonnaliste se contente de voir l'Absolu dans la saveur de l'eau, le personnaliste, lui, glorifie le Seigneur pour avoir permis aux êtres d'étancher ainsi leur soif. Telle est la façon de percevoir le Suprême. En fait, personnalisme et impersonnalisme ne s'opposent pas vraiment. Pour qui connaît Dieu, toute chose renferme à la fois Son aspect personnel et Son aspect impersonnel, comme l'enseigne d'ailleurs Śrī Caitanya dans le sublime principe philosophique de l'*acintya-bhedābheda-tattva* - l'unité et la différence simultanée.

Originellement, la lumière du soleil et de la lune émane du *brahmajyoti,* la radiance impersonnelle du Seigneur. Et le *praṇava,* le son transcendantal de l'*oṁ-kāra* qui introduit tout hymne védique, invoque le Seigneur Suprême. Les impersonnalistes, qui craignent d'appeler Kṛṣṇa par l'un de Ses innombrables noms, préfèrent émettre le son de l'*oṁ-kāra,* sans se rendre compte qu'il en est la représentation sonore.

Ainsi, la conscience de Kṛṣṇa embrasse tout. Quiconque la connaît est béni et libéré, alors que ceux qui ignorent Kṛṣṇa demeurent dans l'illusion et dans les chaînes de la matière.

**7.9** पुण्यो गन्धः पृथिव्यां च तेजश्चास्मि विभावसौ ।
जीवनं सर्वभूतेषु तपश्चास्मि तपस्विषु ॥ ९ ॥

*puṇyo gandhaḥ pṛthivyāṁ ca, tejaś cāsmi vibhāvasau*
*jīvanaṁ sarva-bhūteṣu, tapaś cāsmi tapasviṣu*

*puṇyaḥ :* originelle ; *gandhaḥ :* la fragrance ; *pṛthivyām :* de la terre ; *ca :* aussi ; *tejaḥ :* la chaleur ; *ca :* aussi ; *asmi :* Je suis ; *vibhāvasau :* du feu ; *jīvanam :* la vie ; *sarva :* dans tous ; *bhūteṣu* : les êtres ; *tapaḥ* : l'austérité ; *ca* : aussi ; *asmi* : Je suis ; *tapasviṣu* : de ceux qui pratiquent l'austérité.

**Je suis le parfum originel de la terre et la chaleur du feu. Je suis la vie en tout ce qui vit, et l'ascèse de l'ascète.**

Chaque chose en ce monde (la fleur, la terre, l'eau, le feu, l'air, etc.) possède une odeur qui lui est propre. Le mot *puṇya* employé ici signifie « ce qui n'est pas altéré », « ce qui est originel ». Kṛṣṇa est la fragrance originelle, pure et inaltérée, qui imprègne chaque partie de la création. Tout a également une saveur, mais cette saveur originelle peut être modifiée par l'addition de divers composants chimiques.

Le mot *vibhāvasu,* quant à lui, désigne le feu, nécessaire à la cuisson des aliments, au fonctionnement des usines, etc. Nécessaire à la digestion aussi, puisque, comme l'enseigne la médecine védique, la mauvaise assimilation des aliments provient d'une température trop basse à l'intérieur de l'abdomen. Or, Kṛṣṇa est le feu et la chaleur du feu. Dans la conscience de Kṛṣṇa, on réalise que la terre, l'eau, le feu, l'air, tous les principes actifs et tous les éléments chimiques et matériels proviennent de Kṛṣṇa. La durée même de la vie dépend de Kṛṣṇa. L'homme peut donc, par la grâce de Kṛṣṇa, prolonger ou raccourcir son existence. Ainsi peut-on dire que la conscience de Kṛṣṇa s'étend à tous les domaines.

**7.10** बीजं मां सर्वभूतानां विद्धि पार्थ सनातनम् ।
बुद्धिर्बुद्धिमतामस्मि तेजस्तेजस्विनामहम् ॥१०॥

*bījaṁ māṁ sarva-bhūtānāṁ, viddhi pārtha sanātanam*
*buddhir buddhimatām asmi, tejas tejasvinām aham*

*bījam* : la graine; *mām* : Moi; *sarva-bhūtānām* : de tous les êtres; *viddhi* : essaie de comprendre; *pārtha* : ô fils de Pṛthā; *sanātanam* : originelle, éternelle; *buddhiḥ* : l'intelligence; *buddhi-matām* : de l'intelligent; *asmi* : Je suis; *tejaḥ* : la prouesse; *tejasvinām* : du puissant; *aham* : Je suis.

**Apprends, ô fils de Pṛthā, que Je suis la semence initiale de tous les êtres. De l'intelligent Je suis l'intelligence, et du puissant, la prouesse.**

Kṛṣṇa est la semence originelle de tous les êtres vivants (*bījam*). On dénombre 8 400 000 espèces variées d'entités vivantes mobiles (hommes, bêtes, oiseaux...) et immobiles (plantes, arbres), et de toutes Kṛṣṇa est l'origine. Les Écrits védiques établissent que le Brahman, la Vérité Absolue, est ce dont tout émane. Or, Kṛṣṇa est le Para-brahman, l'Esprit Suprême. Le Brahman est impersonnel alors que le Parabrahman est, Lui, personnel; le premier étant inclus dans le second. Tel est l'enseignement de la *Bhagavad-gītā*. Kṛṣṇa est donc la source initiale de tout ce qui existe. Tout comme l'arbre entier est soutenu par ses racines, la création entière repose sur Kṛṣṇa, la racine de toute chose. La *Kaṭha Upaniṣad* (2.2.13) confirme ainsi ce point :

*nityo nityānāṁ cetanaś cetanānām*
*eko bahūnāṁ yo vidadhāti kāmān*

D'entre tous les êtres éternels, Kṛṣṇa est l'Être éternel primordial, l'Être vivant suprême, l'unique soutien de toute vie, mais également, selon Ses propres paroles, l'origine de l'intelligence, sans laquelle nul ne peut agir et nul ne peut Le connaître.

**7.11** बलं बलवतां चाहं कामरागविवर्जितम् ।
धर्माविरुद्धो भूतेषु कामोऽस्मि भरतर्षभ ॥११॥

*balaṁ balavatāṁ cāhaṁ, kāma-rāga-vivarjitam*
*dharmāviruddho bhūteṣu, kāmo 'smi bharatarṣabha*

*balam :* la force; *bala-vatām :* du fort; *ca :* et; *aham :* Je suis; *kāma :* de passion; *rāga :* et d'attachement; *vivarjitam :* exempte; *dharma-aviruddhaḥ :* qui ne va pas contre les principes religieux; *bhūteṣu :* de tous les êtres; *kāmaḥ :* la vie sexuelle; *asmi :* Je suis; *bharata-ṛṣabha :* ô seigneur des Bhāratas.

**Je suis la force du fort, exempte de passion et de désir. Je suis, ô seigneur des Bhāratas [Arjuna], l'union charnelle qui n'enfreint pas les principes de la religion.**

La force du fort doit servir à protéger les faibles, et non à agresser autrui par intérêt personnel. Quant à la vie sexuelle, conformément aux principes religieux (*dharma*), elle ne doit avoir d'autre objet que la procréation d'enfants dont les parents devront assurer le développement de la conscience spirituelle, la conscience de Kṛṣṇa.

**7.12** ये चैव सात्त्विका भावा राजसास्तामसाश्च ये ।
मत्त एवेति तान् विद्धि न त्वहं तेषु ते मयि ॥१२॥

*ye caiva sāttvikā bhāvā, rājasās tāmasāś ca ye*
*matta eveti tān viddhi, na tv ahaṁ teṣu te mayi*

*ye :* tous ces; *ca :* et; *eva :* certes; *sāttvikāḥ :* dans la vertu; *bhāvāḥ :* états; *rājasāḥ :* dans la passion; *tāmasāḥ :* dans l'ignorance; *ca :* aussi; *ye :* lesquels; *mattaḥ :* de Moi; *eva :*

certes; *iti :* ainsi; *tān :* ceux-ci; *viddhi :* essaie de comprendre; *na :* ne pas; *tu :* mais; *aham :* Je; *teṣu :* en eux; *te :* ils; *mayi :* en Moi.

**Tous les états de l'être, qu'ils relèvent de la vertu, de la passion ou de l'ignorance, sont des manifestations de Mon énergie. En un sens Je suis tout, mais Je suis toujours indépendant de tout. Et bien que les modes d'influence de la nature matérielle soient en Moi, Je ne subis jamais leur ascendant.**

En ce monde, tous les actes matériels s'accomplissent sous la dictée des trois *guṇas,* lesquels émanent du Seigneur Suprême, Kṛṣṇa, mais n'influent jamais sur Lui. Les habitants d'un royaume, par exemple, sont tenus d'en observer les lois, alors que le souverain qui les a promulguées échappe à cette obligation. De même, Kṛṣṇa ne subit jamais l'emprise des trois modes d'influence de l'énergie matérielle (vertu, passion, ignorance) dont Il est la source. C'est pourquoi on Lui attribue le qualificatif *nirguṇa* : « non sujet aux *guṇas* ». Tel est l'un des traits caractéristiques de Bhagavān, de Dieu, la Personne Suprême.

**7.13** त्रिभिर्गुणमयैर्भावैरेभिः सर्वमिदं जगत् ।
मोहितं नाभिजानाति मामेभ्यः परमव्ययम् ॥१३॥

*tribhir guṇa-mayair bhāvair, ebhiḥ sarvam idaṁ jagat*
*mohitaṁ nābhijānāti, mām ebhyaḥ param avyayam*

*tribhiḥ :* trois; *guṇa-mayaiḥ :* consistant en les *guṇas*; *bhāvaiḥ :* états; *ebhiḥ :* par tous ces; *sarvam :* entier; *idam :* cet; *jagat :* univers; *mohitam :* illusionné; *na abhijānāti :* ne connaît pas; *mām :* Moi; *ebhyaḥ :* au-dessus de ceux-là; *param :* le Suprême; *avyayam :* intarissable.

**Égaré par les trois guṇas [vertu, passion et ignorance], l'univers entier ignore qui Je suis, Moi le Suprême, l'Intarissable, qui les transcende.**

La création matérielle tout entière est ensorcelée par les trois modes d'influence de la nature. Aucun de ceux qu'ils égarent n'est à même de comprendre que le Seigneur Suprême, Kṛṣṇa, Se trouve au-delà de l'énergie matérielle.

Selon les influences qu'ils subissent, les êtres revêtent un type de corps aux caractères psycho-physiologiques correspondants. La société se divise en quatre groupes, chacun déterminé par l'influence particulière des *guṇas.* Ainsi les *brāhmaṇas* sont-ils purement sous l'égide de la vertu, les *kṣatriyas* sous l'ascendant de la passion, les *vaiśyas,* sous les influences conjuguées de la passion et de l'ignorance, et les *śūdras* sous l'empire de l'ignorance. En-deçà de ces quatre groupes, on trouve les animaux, ou les hommes qui se comportent comme tels.

Bien sûr, ces désignations sont tout aussi temporaires que l'existence en ce monde. Or, bien que ses jours soient comptés, qu'il ignore ce qu'il sera dans sa prochaine vie, l'homme envoûté par l'énergie illusoire s'identifie à ce corps et se croit américain, indien, russe, hindou, musulman, ou *brāhmaṇa*... Captif de ces trois *guṇas,* il oublie Celui qui Se tient à l'arrière-plan, Dieu, la Personne Suprême. Kṛṣṇa nous fait comprendre dans ce verset que les êtres sur qui pèse l'influence trompeuse des trois *guṇas* ne peuvent comprendre Son existence par-delà la matière.

Tous les êtres vivants – *devas,* humains, animaux – subissent l'influence de l'énergie matérielle. Tous ont oublié Dieu, la Personne Absolue. L'action des *guṇas* – celle même de la vertu – les rend incapables de voir au-delà du concept du Brahman, l'aspect impersonnel de la Vérité Absolue. Les traits personnels du Seigneur Suprême dans la plénitude de Sa beauté, de Sa richesse, de Sa sagesse, de Sa puissance, de Sa renommé et de Son renoncement, les déroutent complètement. Si même ceux en qui règne la vertu ne peuvent concevoir le Seigneur, que dire de ceux que dominent la passion et l'ignorance. Seuls ceux qui transcendent les trois *guṇas,* parce qu'ils vivent pleinement la conscience de Kṛṣṇa, sont véritablement libérés.

**7.14** दैवी ह्येषा गुणमयी मम माया दुरत्यया ।
मामेव ये प्रपद्यन्ते मायामेतां तरन्ति ते ॥१४॥

*daivī hy eṣā guṇa-mayī, mama māyā duratyayā*
*mām eva ye prapadyante, māyām etāṁ taranti te*

*daivī :* transcendantale ; *hi :* certes ; *eṣā :* cette ; *guṇa-mayī :* constituée des trois *guṇas* ; *mama :* Mon ; *māyā :* énergie ; *duratyayā :* très difficile à surmonter ; *mām :* à Moi ; *eva :* certes ; *ye :* ceux qui ; *prapadyante :* s'abandonnent ; *māyām etām :* cette énergie illusoire ; *taranti :* vainquent ; *te :* ils.

**Il est très difficile de surmonter cette divine énergie que constituent les trois guṇas. Mais qui s'abandonne à Moi en triomphe aisément.**

Le Seigneur Suprême possède d'innombrables énergies, toutes divines. Les êtres vivants, qui comptent au nombre de ces énergies, sont donc de nature divine. Toutefois, au contact de l'énergie matérielle, leur pouvoir original supérieur se voile. Et une fois recouverts par elle, il leur devient impossible d'en vaincre par eux-mêmes les influences. Par ailleurs, les énergies matérielle et spirituelle étant, nous l'avons vu, des émanations de la Personne Suprême, sont toutes deux éternelles. Les êtres vivants participant de l'énergie supérieure éternelle du Seigneur, une fois contaminés par la nature inférieure, la matière, leur illusion devient également éternelle. Aussi les nomme-t-on *nitya-baddhas,* « éternellement conditionnés ». S'il est si difficile d'échapper aux griffes de la matière, c'est que nul n'est capable de retracer le point de départ de son conditionnement. Il est vrai que l'énergie matérielle est inférieure, mais elle opère sous le contrôle de la volonté suprême, qu'aucun être n'est capable de vaincre. Si on la qualifie de divine, c'est qu'elle émane du Seigneur et n'agit que par Sa divine volonté. Ainsi, bien qu'elle soit inférieure, du fait qu'elle repose entièrement sur la volonté suprême, l'énergie matérielle du Seigneur remplit admirablement les fonctions de création et de destruction de la manifestation cosmique. C'est ce que corroborent les Védas (*Śvetāśvatara Upaniṣad* 4.10) : *māyāṁ tu prakṛtiṁ vidyān māyinaṁ tu maheśvaram* – « *Māyā* [l'illusion] est certes fallacieuse, temporaire, mais derrière elle Se tient le magicien suprême, la Personne Divine, le maître absolu, Maheśvara. »

Le mot *guṇa,* qui signifie également « corde », indique que l'âme conditionnée est prisonnière des liens de l'illusion. Pieds et poings liés, un prisonnier ne peut espérer se libérer par lui-même ; et comme il n'a rien à attendre de ses compagnons de misère, il ne devra sa liberté qu'à un homme libre. De même, seuls Kṛṣṇa et Son représentant authentique, le maître spirituel, peuvent émanciper l'âme conditionnée. Sans aide supérieure, sans le secours du service de dévotion – la conscience de Kṛṣṇa – nul ne saurait trancher les liens qui le retiennent à la matière. Kṛṣṇa, maître de l'énergie illusoire, peut, par miséricorde infinie pour l'âme soumise, par affection pour un être qui à l'origine est Son fils bien-aimé, ordonner à cette force invincible de lui rendre sa liberté. C'est donc seulement par l'abandon aux pieds pareils-au-lotus du Seigneur que l'on pourra échapper aux griffes de la redoutable nature matérielle.

Notons l'importance des mots *mām eva* ; *mām* renvoie à Kṛṣṇa (Viṣṇu) et à Lui seul. Car même si Brahmā et Śiva, qui président respectivement le *rajo-guṇa* (la passion) et le *tamo-guṇa* (l'ignorance), sont très élevés et presque du niveau de Viṣṇu, ils n'ont pas le pouvoir de soustraire l'âme conditionnée aux griffes de *māyā*. Eux-mêmes en subissent l'influence. Seul Viṣṇu, le maître de *māyā*, est à même de libérer les êtres de son emprise. Les Védas (*Śvetāśvatara Upaniṣad* 3.8) confirment cela par les mots *tam eva viditvā :* « N'obtient le salut que celui qui connaît Kṛṣṇa. » Et Śiva lui-même affirme que la libération ne peut être atteinte que par la grâce de Viṣṇu : *mukti-pradātā sarveṣāṁ viṣṇur eva na saṁśayaḥ* - « Viṣṇu est sans aucun doute Celui qui accorde la libération à tous les êtres. »

**7.15** न मां दुष्कृतिनो मूढाः प्रपद्यन्ते नराधमाः ।
माययापहृतज्ञाना आसुरं भावमाश्रिताः ॥१५॥

*na māṁ duṣkṛtino mūḍhāḥ, prapadyante narādhamāḥ*
*māyayāpahṛta-jñānā, āsuraṁ bhāvam āśritāḥ*

*na :* ne pas ; *mām :* à Moi ; *duṣkṛtinaḥ :* les incroyants ; *mūḍhāḥ :* les sots ; *prapadyante :* s'abandonnent ; *nara-adhamāḥ :* les plus bas des hommes ; *māyayā :* par l'énergie illusoire ; *apahṛta :* dérobée ; *jñānāḥ :* la connaissance ; *āsuram :* démoniaque ; *bhāvam :* la nature ; *āśritāḥ :* acceptant.

**Les hommes d'une sottise grossière, ceux qui se trouvent au dernier échelon de l'humanité, ceux dont le savoir a été dérobé par l'illusion et ceux qui participent de la nature athée des démons, aucun de ces incroyants ne s'abandonne à Moi.**

La *Bhagavad-gītā* nous enseigne qu'il suffit de s'abandonner aux pieds pareils-au-lotus de Kṛṣṇa, la Personne Suprême, pour surmonter la rigueur des lois de la nature matérielle. On pourrait alors se demander pourquoi les philosophes érudits, les hommes de science, les chefs d'entreprise, les administrateurs et, plus généralement, tous les dirigeants de la société, ne s'abandonnent pas aux pieds de lotus de Kṛṣṇa, la toute-puissante Personne Divine. Les leaders de l'humanité ont cherché avec opiniâtreté, en élaborant toutes sortes de plans année après année, et même vie après vie, à échapper aux lois de la nature matérielle, à atteindre la *mukti*. Mais si cette libération peut s'obtenir par le simple abandon au Seigneur, pourquoi tant de chefs intelligents et laborieux n'ont-ils pas adopté cette voie ?

La *Bhagavad-gītā* donne une réponse très directe : les vrais chefs de la société, les vrais érudits tels Brahmā, Śiva, Kapila, les Kumāras, Manu, Vyāsa, Devala, Asita, Janaka, Prahlāda, Bali et, plus récemment, Madhvācārya, Rāmānujācārya, Śrī Caitanya, et bien d'autres encore - tous fervents philosophes, politiciens, hommes de science, instructeurs et administrateurs - se sont effectivement abandonnés aux pieds pareils-au-lotus de la Personne Suprême, la toute-puissante autorité. Ceux qui n'acceptent pas de suivre la voie tracée par le Seigneur sont des imposteurs qui, afin d'en tirer nombre d'avantages matériels, s'attribuent le titre de philosophe, politicien, etc. N'ayant aucune notion de Dieu, ils concoctent leurs propres plans, et ne réussissent qu'à compliquer les problèmes de l'existence au lieu de les résoudre. L'énergie matérielle est si puissante qu'elle peut résister à tous les congrès, commissions et plans contestables des athées.

Ces planificateurs athées sont désignés dans ce verset par le mot *duṣkṛtinaḥ,* « incroyants », (de la racine *kṛtī,* « ceux qui accomplissent des actes méritoires »). Il ne s'agit pas de nier l'intelligence et le mérite de certains matérialistes, car toute réalisation d'envergure, bonne ou mauvaise, requiert de l'intelligence. Mais parce qu'ils font un mauvais usage de cette faculté en allant à l'encontre de la volonté du Seigneur Suprême, on les nomme *duṣkṛtī,* pour indiquer que leur intelligence s'est égarée et que leurs efforts sont mal employés.

La *Gītā* explique clairement que l'énergie matérielle est entièrement dirigée par le Seigneur Suprême. Semblable à l'ombre contrainte de suivre chaque mouvement d'un objet, elle n'a aucun libre-arbitre. Elle n'en demeure pas moins très puissante, et l'athée qui ignore Dieu ne peut ni en connaître le fonctionnement, ni connaître les plans divins du Seigneur. Parce qu'il demeure prisonnier de l'illusion, de la passion et de l'ignorance, toutes ses entreprises sont vouées à l'échec, comme le furent jadis celles d'Hiraṇyakaśipu et de Rāvaṇa, tous deux pourtant matériellement très instruits, tout à la fois grands philosophes, administrateurs, hommes de science et instructeurs. On dénombre quatre sortes de *duṣkṛtinas,* d'incroyants :

1) Les *mūḍhas* sont ceux qui manquent totalement d'intelligence et peinent comme des bêtes de somme. Ils veulent jouir du fruit de leurs actes, et n'en donner aucune part à l'Être Suprême. Ils ressemblent à l'âne, exemple type de la bête de somme. Cet humble animal peine jour et nuit, sans trop savoir pour qui. Il se contente d'un peu d'herbe pour se nourrir, dort dans la crainte d'être battu, et satisfait ses pulsions sexuelles au risque de recevoir une ruade de l'ânesse. Il lui arrive de chanter, et même de philosopher, mais son braiment a pour seul résultat d'incommoder son entourage. Telle est la situation de l'insensé qui ignore à qui doit aller le fruit de ses actes, qui ignore que l'action (karma) est destinée au sacrifice (*yajña*).

En général, ceux qui travaillent sans répit pour satisfaire des besoins qu'ils se sont eux-mêmes créés n'ont pas le temps d'entendre parler de l'immortalité de l'âme. Ces *mūḍhas* ne vivent que pour des gains matériels fugaces, dont en outre seule une petite part leur revient. Ils travaillent parfois plusieurs jours et plusieurs nuits sans dormir, se nourrissent à peine, souffrent d'indigestion et d'ulcères de l'estomac, tout cela au profit de maîtres illusoires. Méconnaissant leur véritable maître, ils perdent leur temps à servir Mammon. Pour leur malheur, ils ne s'abandonnent jamais au maître absolu, au maître de tous les maîtres, et ne prennent pas même le temps de s'enquérir de Lui auprès de sources autorisées. Comme le porc qui préfère les immondices aux friandises faites de sucre et de *ghī,* le matérialiste insensé ne se fatiguera jamais d'entendre parler des fluctuations des choses de ce monde, alors qu'il n'aura que peu de temps à accorder aux sujets concernant l'éternelle force vivante qui fait se mouvoir l'univers.

2) Les *narādhamas,* ou « les plus vils des hommes » (*nara* : homme, *adhama* : le plus bas), sont une autre classe de *duṣkṛtīs.* Parmi les 8 400 000 espèces vivantes, il y a 400 000 espèces humaines dont un grand nombre sont inférieures, pratiquement non civilisées. L'homme est civilisé dans la mesure où il se soumet à certaines règles de vie sociale, politique et religieuse. Ceux qui sont évolués sur le plan social et politique, mais dépourvus de principes religieux, comptent au nombre des *narādhamas.* Or, il n'y a pas de vraie religion sans Dieu, puisque le but fondamental de toute religion est de connaître la Vérité Absolue ainsi que le lien qui nous relie à Elle. Dans la *Gītā,* Dieu, la Personne Suprême, énonce clairement qu'Il est cette Vérité Absolue, et que rien ni personne ne Lui est supérieur. La forme humaine est destinée à permettre à l'homme de raviver sa conscience perdue de la relation éternelle qui l'unit à la Vérité Suprême, Kṛṣṇa, la Personne Divine et toute-puissante. Quiconque se refuse à saisir cette opportunité est qualifié de *narādhama.*

Les Écritures révélées nous apprennent que l'enfant dans le sein de sa mère prie Dieu de le libérer de sa condition de fœtus, pénible à l'extrême, et Lui fait la promesse de n'adorer que Lui dès sa délivrance. Prier Dieu dans les moments difficiles est un instinct naturel pour l'être car il Lui est éternellement lié. Toutefois, à peine est-il sorti du ventre de sa mère, que l'enfant, sous l'influence de *māyā,* l'énergie illusoire, oublie les souffrances de la naissance, et du même coup, son sauveur.

Quiconque élève un enfant a le devoir de réveiller sa conscience divine assoupie. Dans la *Manu-smṛti,* le guide des principes religieux, dix sacrements purificateurs sont donnés dans le but de raviver la conscience de Dieu dans le cadre du *varṇāśrama-dharma*. Mais aujourd'hui, nul n'observe plus rigoureusement ces principes, et par suite, la population dans sa presque totalité ne compte plus que des *narādhamas*. En raison de la toute-puissance de l'énergie matérielle, le semblant d'éducation d'une telle population est tout à fait vaine. Selon les normes établies par la *Bhagavad-gītā* en effet, le véritable érudit est l'homme qui voit d'un œil égal le sage *brāhmaṇa,* la vache, l'éléphant, le chien et le mangeur de chien. Cette vision est celle du véritable dévot.

Nityānanda Prabhu, incarnation divine du maître parfait, libéra les frères Jagāi et Mādhāi, *narādhamas* typiques, montrant ainsi que la miséricorde du pur dévot s'étend même aux plus indignes des hommes. Et ce n'est que par la grâce d'un dévot du Seigneur que le *narādhama,* condamné par le Seigneur Lui-même, peut raviver sa conscience spirituelle.

Śrī Caitanya Mahāprabhu, en propageant le *bhāgavata-dharma,* l'action dévotionnelle, recommande que l'on écoute avec soumission le message de Dieu. Or, la *Bhagavad-gītā* constitue l'essence de ce message, et c'est en l'écoutant avec soumission que le *narādhama* pourra se libérer. Malheureusement, les hommes vils refusent de prêter l'oreille à son message, que dire donc de s'abandonner à la volonté du Seigneur ? En un mot, les *narādhamas* négligent volontairement le devoir primordial de l'homme.

3) La troisième sorte de *duṣkṛtīs* s'appelle *māyayāpahṛta-jñānāḥ,* et regroupe ceux dont la vaste science a été frappée de nullité par le pouvoir d'illusion de l'énergie matérielle. La plupart d'entre eux sont très instruits – ce sont de grands philosophes, des poètes, des hommes de lettres ou de science – mais, aveuglés par l'énergie illusoire, ils vont à l'encontre de la volonté du Seigneur.

Leur nombre aujourd'hui est considérable. On en trouve même parmi les spécialistes de la *Bhagavad-gītā*. En termes clairs et évidents, la *Gītā* établit que Kṛṣṇa est Dieu, la Personne Suprême, à nul autre inférieur ou égal. Il est le père de Brahmā (l'ancêtre de l'humanité) et de toutes les espèces vivantes. Il est l'origine du Brahman impersonnel et du Paramātmā, Son émanation plénière. Il est la source de tout ce qui est, et tous doivent s'abandonner à Ses pieds pareils-au-lotus. Pourtant malgré ces évidences, les *māyayāpahṛta-*

*jñānāḥ* considèrent avec ironie la Personnalité de Dieu et Le prennent pour un homme ordinaire. Ils ignorent que la forme humaine, forme privilégiée, est à l'image de la forme spirituelle et éternelle du Seigneur Suprême. Ils refusent donc de s'abandonner aux pieds de lotus de Kṛṣṇa, et naturellement, d'enseigner ce principe fondamental. Par suite, leurs interprétations inauthentiques de la *Bhagavad-gītā,* faites en dehors de la *paramparā,* nuisent au progrès spirituel de leurs lecteurs.

4) Enfin, relèvent de la dernière catégorie les *āsuraṁ bhāvam āśritāḥ,* les hommes démoniaques, délibérément athées. Certains d'entre eux affirment sans pouvoir en donner de raison valable que Dieu ne peut descendre dans l'univers matériel. D'autres prétendent qu'Il est subordonné au Brahman impersonnel, quand la *Bhagavad-gītā* déclare le contraire. Envieux du Seigneur Suprême, les athées forgent de toutes pièces dans leurs cerveaux fertiles des incarnations de toutes sortes, toutes plus fausses les unes que les autres. Le refus de la Personnalité Divine étant au fondement de leur existence, ils ne peuvent évidemment pas s'abandonner à Kṛṣṇa.

Śrī Yāmunācārya Albandaru, dévot du Sud de l'Inde, disait : « Ô Seigneur ! En dépit du caractère incomparable de Tes traits corporels, de Tes qualités et de Tes actes, bien que toutes les Écritures inspirées de la vertu confirment Ta nature personnelle, bien que toutes les autorités réputées pour leur sainteté et la profondeur de leur connaissance en matière de science spirituelle reconnaissent elles aussi que Tu es la Personne Suprême, Tu demeures inaccessible aux athées. »

C'est pourquoi, malgré les recommandations de toutes les Écritures et de toutes les autorités spirituelles, (1) les sots, (2) les derniers des hommes, (3) les penseurs spéculatifs et (4) les athées déclarés mentionnés dans ce verset, ne s'abandonnent jamais aux pieds pareils-au-lotus de Dieu, la Personne Suprême.

**7.16**

चतुर्विधा भजन्ते मां जनाः सुकृतिनोऽर्जुन ।
आर्तो जिज्ञासुरर्थार्थी ज्ञानी च भरतर्षभ ॥१६॥

*catur-vidhā bhajante māṁ, janāḥ sukṛtino 'rjuna*
*ārto jijñāsur arthārthī, jñānī ca bharatarṣabha*

*catuḥ-vidhāḥ :* quatre sortes de ; *bhajante :* servent ; *mām :* Moi ; *janāḥ :* personnes ; *sukṛtinaḥ :* qui sont pieuses ; *arjuna :* ô Arjuna ; *ārtaḥ :* le malheureux ; *jijñāsuḥ :* celui qui s'interroge ; *artha-arthī :* celui qui aspire aux gains matériels ; *jñānī :* celui qui connaît les choses dans leur vérité ; *ca :* aussi ; *bharata-ṛṣabha :* ô grand parmi les descendants de Bharata.

**Quatre sortes d'hommes pieux, ô meilleur des Bhāratas, viennent à Me servir avec dévotion : le malheureux, le curieux, l'homme en quête de richesses et celui qui cherche à connaître l'Absolu.**

Les *su-kṛtinaḥ* cités ici, contrairement aux incroyants, adhèrent aux principes régulateurs donnés dans les Écritures, souscrivent aux lois sociales et morales, et sont, à des degrés divers, dévoués au Seigneur Suprême. On les classe en quatre groupes : ceux qui connaissent le malheur, ceux qui ont besoin d'argent, ceux qui manifestent une certaine curiosité et ceux qui recherchent la Vérité Absolue. Tous, dans des conditions diverses, approchent le Seigneur Suprême en vue de Le servir, mais aucun ne le fait avec pureté, car en échange de leur dévotion et de leur service, tous cherchent à combler certains désirs. La dévotion pure est dénuée de toute aspiration et de tout désir de profit matériel. Le *Bhakti-rasāmṛta-sindhu* (1.1.11) la définit de cette manière :

*anyābhilāṣitā-śūnyaṁ, jñāna-karmādy-anāvṛtam*
*ānukūlyena kṛṣṇānu-, śīlanaṁ bhaktir uttamā*

« On doit prendre part positivement au service d'amour transcendantal du Seigneur Suprême, Kṛṣṇa, sans chercher à tirer un profit matériel d'activités intéressées ou de spéculations philosophiques. C'est de cette façon que l'on peut pratiquer le service de dévotion pur. »

Lorsque ces quatre sortes d'hommes pieux viennent au Seigneur pour Le servir et se purifient pleinement au contact d'un pur dévot, à leur tour ils deviennent de purs dévots. Par contre, il est très difficile pour des mécréants de servir le Seigneur, car ils mènent une vie déréglée, centrée sur eux-mêmes et dénuée de tout objectif spirituel. Néanmoins, ceux d'entre eux qui par chance rencontrent un pur dévot peuvent devenir eux aussi de purs dévots du Seigneur.

Les hommes absorbés dans les actes intéressés viennent parfois vers le Seigneur lorsque le malheur s'abat sur eux. Ils fréquentent alors des purs dévots et adoptent, dans leur désespoir, le service de dévotion. Ceux qui sont déçus de tout entrent parfois aussi en relation avec de tels dévots et commencent à s'interroger sur Dieu. Il en est de même des philosophes au cœur sec qui, frustrés dans leurs recherches, peuvent s'intéresser eux aussi à Dieu et se mettre à Le servir ; ils dépassent alors la connaissance du Brahman impersonnel et celle du Paramātmā logé dans le cœur de chacun, et en viennent à concevoir la forme personnelle de Dieu par la seule grâce du Seigneur ou de Son pur dévot.

Ainsi, quand les malheureux, les esprits curieux, les hommes en quête de connaissance ou les gens démunis s'affranchissent de tout désir matériel et réalisent pleinement que le gain matériel n'a rien de commun avec le progrès spirituel, ils deviennent de purs dévots. Tant qu'ils ne sont pas devenus purs, tout en servant le Seigneur, ces dévots restent teintés d'aspirations matérielles pour les fruits de leurs œuvres, le savoir profane, etc. Il est donc nécessaire, pour atteindre la pure dévotion, de transcender ces motivations.

**7.17** तेषां ज्ञानी नित्ययुक्त एकभक्तिर्विशिष्यते ।
प्रियो हि ज्ञानिनोऽत्यर्थमहं स च मम प्रियः ॥१७॥

*teṣāṁ jñānī nitya-yukta, eka-bhaktir viśiṣyate*
*priyo hi jñānino 'tyartham, ahaṁ sa ca mama priyaḥ*

*teṣām :* parmi eux ; *jñānī :* celui qui a la connaissance totale ; *nitya-yuktaḥ :* toujours engagé ; *eka :* seulement ; *bhaktiḥ :* dans le service de dévotion ; *viśiṣyate :* est spécial ; *priyaḥ :* très cher ; *hi :* certes ; *jñāninaḥ :* à celui qui a la connaissance ; *atyartham :* hautement ; *aham :* Je suis ; *saḥ :* lui ; *ca :* aussi ; *mama :* à Moi ; *priyaḥ :* cher.

**Le sage au parfait savoir, constamment absorbé dans le service de dévotion, est le meilleur d'entre eux tous car il M'est très cher, comme Je lui suis très cher.**

Lavés de la contamination causée par leurs désirs matériels, le malheureux, le curieux, le démuni et l'homme en quête de la connaissance suprême peuvent tous devenir des purs dévots. Mais parmi eux, celui qui possédera la connaissance de la Vérité Absolue en étant libéré de tout désir matériel, le deviendra véritablement. Et des quatre, dit le Seigneur, le plus grand est celui qui possède la connaissance et adhère au service de dévotion. Car en cultivant la connaissance on réalise que le soi se distingue du corps matériel qu'il habite. Puis, en continuant de progresser, on découvre le Brahman impersonnel et le Paramātmā. Enfin, lorsque la purification est totale, on prend finalement conscience de sa nature intrinsèque d'éternel serviteur de Dieu. Ainsi, au contact de purs dévots, le malheureux, celui qui veut améliorer ses conditions de vie, celui qu'anime la curiosité et celui qui possède la connaissance, tous se purifient. Mais celui qui, au stade préliminaire, a pleine connaissance du Seigneur Suprême et simultanément Le sert avec dévotion, est très cher au Seigneur. En vertu de la connaissance pure de la transcendance de la Personne Divine qu'il détient, il bénéficie d'une telle protection dans l'accomplissement de son service dévotionnel qu'aucune contamination matérielle ne saurait l'affecter.

7.18 उदाराः सर्व एवैते ज्ञानी त्वात्मैव मे मतम् ।
आस्थितः स हि युक्तात्मा मामेवानुत्तमां गतिम् ॥१८॥

*udārāḥ sarva evaite, jñānī tv ātmaiva me matam*
*āsthitaḥ sa hi yuktātmā, mām evānuttamāṁ gatim*

*udārāḥ :* magnanimes ; *sarve :* tous ; *eva :* certes ; *ete :* ceux-là ; *jñānī :* celui qui a la connaissance ; *tu :* mais ; *ātmā eva :* comme Moi-même ; *me :* Mon ; *matam :* opinion ; *āsthitaḥ :* situé ; *saḥ :* il ; *hi :* certes ; *yukta-ātmā :* engagé dans le service de dévotion ; *mām :* en Moi ; *eva :* certes ; *anuttamām :* la plus haute ; *gatim :* destination.

**Tous ces dévots sont certes des âmes magnanimes, mais Je considère non différent de Moi celui qui Me connaît. Parce qu'il est dédié à Mon service transcendantal, il est sûr de M'atteindre, Moi, l'ultime but, l'ultime perfection.**

Il ne faut pas croire que ceux qui servent le Seigneur avec une connaissance moins parfaite sont privés de Son affection. Il les considère tous comme magnanimes, car quiconque vient à Lui, peu importe son motif initial, est un *mahātmā,* une « grande âme ». Le Seigneur accepte le service de ceux qui se vouent à Lui par intérêt, car il y a là aussi un échange d'amour. Avec affection, ces dévots demandent au Seigneur une bénédiction matérielle, et quand ils l'obtiennent, ils sont tellement heureux que leur bonheur même les fait progresser sur la voie de la dévotion. Mais celui qui sert le Seigneur Suprême avec une connaissance complète n'en demeure pas moins particulièrement cher à Kṛṣṇa, puisqu'il a pour unique mobile de Le servir avec amour et dévotion. Une telle personne ne peut vivre un seul instant sans être en contact avec le Seigneur, ou sans Le servir. De Son côté, le Seigneur est très attaché à Son dévot et ne peut être séparé de lui. Kṛṣṇa Lui-même déclare dans le *Śrīmad-Bhāgavatam* (9.4.68) :

*sādhavo hṛdayaṁ mahyaṁ, sādhūnāṁ hṛdayaṁ tv aham*
*mad-anyat te na jānanti, nāhaṁ tebhyo manāg api*

« Je porte toujours Mes dévots dans Mon cœur, comme ils Me portent toujours eux aussi en leur cœur. Ils ne connaissent que Moi, et en retour Je ne peux les oublier. Une relation très intime M'unit à Mes purs dévots. Leur connaissance étant parfaite, ils ne perdent jamais le contact spirituel, et Me sont pour cela très chers. »

7.19 बहूनां जन्मनामन्ते ज्ञानवान्मां प्रपद्यते ।
वासुदेवः सर्वमिति स महात्मा सुदुर्लभः ॥१९॥

*bahūnāṁ janmanām ante, jñānavān māṁ prapadyate*
*vāsudevaḥ sarvam iti, sa mahātmā su-durlabhaḥ*

*bahūnām :* nombreuses ; *janmanām :* morts et naissances répétées ; *ante :* après ; *jñāna-vān :* celui qui a la connaissance totale ; *mām :* à Moi ; *prapadyate :* s'abandonne ; *vāsudevaḥ :* la Personne Souveraine, Kṛṣṇa ; *sarvam :* tout ; *iti :* ainsi ; *saḥ :* cette ; *mahā-ātmā :* grande âme ; *su-durlabhaḥ :* très rarement vue.

**Après de nombreuses morts et renaissances, l'homme au vrai savoir s'abandonne à Moi, parce qu'il sait que Je suis la cause de toutes les causes et tout ce qui est. Une si grande âme est infiniment rare.**

Après de nombreuses vies, l'homme vient à la pratique du service de dévotion et de rites spirituels grâce auxquels il atteint la connaissance transcendantale pure et voit Dieu, la Personne Suprême comme le but ultime de la réalisation spirituelle. Au début, le néophyte, luttant pour se défaire de ses attaches matérielles, a tendance à se tourner vers l'impersonnalisme ; mais en progressant, il comprend qu'il existe aussi des activités au niveau spirituel, lesquelles constituent le service de dévotion. Dès lors, il commence à s'attacher à l'aspect personnel du Seigneur Suprême, pour finalement s'en remettre entièrement à Lui. Il réalise alors qu'il n'y a rien de plus important que la miséricorde de Kṛṣṇa, que Kṛṣṇa est la cause de toutes les causes et que l'univers matériel n'a aucune indépendance. Il comprend que ce monde n'est qu'un reflet perverti de la diversité spirituelle et que tout est lié au Seigneur Suprême. Il voit tout en relation avec Vāsudeva (Kṛṣṇa), et cette vision universelle le projette vers le but ultime, l'abandon total au Seigneur Suprême, Kṛṣṇa. Mais une si grande âme est infiniment rare.

Ce verset est expliqué dans le troisième chapitre de la *Śvetāśvatara Upaniṣad* (14-15) :

*sahasra-śīrṣā puruṣaḥ, sahasrākṣaḥ sahasra-pāt*
*sa bhūmiṁ viśvato vṛtvā-, tyātiṣṭhad daśāṅgulam*

*puruṣa evedaṁ sarvaṁ, yad bhūtaṁ yac ca bhavyam*
*utāmṛtatvasyeśāno, yad annenātirohati*

« Le Seigneur Viṣṇu possède des milliers de têtes, des yeux par milliers et des milliers de pieds. Englobant complètement l'univers, Il S'étend encore bien au-delà ; Il est en fait cet univers dans son entier. Il est tout ce qui a été et tout ce qui sera. Il est le Seigneur de l'immortalité et de tous ceux qui se nourrissent. » Il est dit aussi dans la *Chāndogya Upaniṣad* (5.1.15) : *na vai vāco na cakṣūṁṣi na śrotrāṇi na manāṁsīty ācakṣate prāṇa iti evācakṣate prāṇo hy evaitāni sarvāṇi bhavanti* – « Dans le corps se trouve le pouvoir de parler, de voir, d'entendre, de penser même, mais ce pouvoir ne constitue pas le facteur primordial. C'est la vie qui est le centre de toute activité. » De même Vāsudeva, Kṛṣṇa, la Divine Personne, est l'être primordial qui est au centre de tout. Les facultés du corps, c'est-à-dire parler, voir, entendre, penser, etc., n'ont aucune valeur si elles ne sont pas reliées au Seigneur Suprême. Parce que Vāsudeva est omniprésent, et parce que tout est Vāsudeva, le dévot s'abandonne à Lui en toute connaissance (cf. *Bhagavad-gītā* 7.17 et 11.40).

**7.20** कामैस्तैस्तैर्हृतज्ञानाः प्रपद्यन्तेऽन्यदेवताः ।
तं तं नियममास्थाय प्रकृत्या नियताः स्वया ॥२०॥

*kāmais tais tair hṛta-jñānāḥ, prapadyante 'nya-devatāḥ*
*taṁ taṁ niyamam āsthāya, prakṛtyā niyatāḥ svayā*

*kāmaiḥ :* par les désirs ; *taiḥ taiḥ :* variés ; *hṛta :* privés de ; *jñānāḥ :* connaissance ; *prapadyante :* s'abandonnent ; *anya :* aux autres ; *devatāḥ : devas* ; *tam tam :* correspondantes ; *niyamam :* les règles ; *āsthāya :* suivant ; *prakṛtyā :* nature ; *niyatāḥ :* contrôlés ; *svayā :* par leur propre.

**Ceux dont l'intelligence a été ravie par les désirs matériels s'abandonnent aux devas et suivent les divers rites correspondant à leur nature propre.**

Ceux qui sont lavés de toute souillure matérielle s'abandonnent au Seigneur Suprême et se dédient à Son service de dévotion, alors que ceux qui ne sont pas encore complètement purifiés conservent leur nature non dévotionnelle. Toutefois, même ceux qui conservent encore des désirs matériels perdent rapidement leur attrait pour le monde extérieur s'ils s'en remettent au Seigneur, car en approchant du but ils s'affranchissent très vite de la concupiscence. Le *Śrīmad-Bhāgavatam*

(2.3.10) enjoint donc à tous les êtres, qu'ils soient exempts de tout désir matériel ou qu'ils en soient au contraire remplis, ou encore qu'ils aspirent à la libération, de s'abandonner à Vāsudeva et de L'adorer :

*akāmaḥ sarva-kāmo vā, mokṣa-kāma udāra-dhīḥ*
*tīvreṇa bhakti-yogena, yajeta puruṣaṁ param*

Les gens de moindre intelligence, ayant perdu leur raison spirituelle, prennent refuge auprès des *devas* afin d'assouvir rapidement leurs désirs matériels, plutôt que d'aller sans détour à Dieu, la Personne Suprême. Cela est dû à l'empire qu'ont sur eux les *guṇas* inférieurs (la passion et l'ignorance). Ils suivent les règles du culte et trouvent bientôt satisfaction. Motivés par des désirs bassement matériels, ils ignorent le but suprême. Parce que les Védas recommandent, pour obtenir certains bienfaits, de rendre un culte aux *devas* (le *deva* du soleil, par exemple, pour être en bonne santé), ils croient que ces derniers sont plus aptes que Dieu Lui-même à satisfaire leurs demandes. Mais le pur dévot du Seigneur ne se laisse pas égarer de la sorte. Il sait bien que Kṛṣṇa, la Personne Suprême, est le maître de tout, ainsi que le confirme le *Caitanya-caritāmṛta* (*Ādi-līlā* 5.142) : *ekale īśvara kṛṣṇa, āra saba bhṛtya* – seul Kṛṣṇa, Dieu, est le maître, tous les autres sont serviteurs. Aussi le pur dévot n'approche-t-il jamais les *devas* pour satisfaire ses besoins matériels. Il s'en remet entièrement au Seigneur Suprême et se satisfait de ce qu'il reçoit.

**7.21** यो यो यां यां तनुं भक्तः श्रद्धयार्चितुमिच्छति ।
तस्य तस्याचलां श्रद्धां तामेव विदधाम्यहम् ॥२१॥

*yo yo yāṁ yāṁ tanuṁ bhaktaḥ, śraddhayārcitum icchati*
*tasya tasyācalāṁ śraddhāṁ, tām eva vidadhāmy aham*

*yaḥ yaḥ :* qui que ce soit ; *yām yām :* quelle que soit ; *tanum :* la forme de *deva* ; *bhaktaḥ :* le dévot ; *śraddhayā :* avec foi ; *arcitum :* adorer ; *icchati :* désire ; *tasya tasya :* à lui ; *acalām :* ferme ; *śraddhām :* une foi ; *tām :* cela ; *eva :* sûrement ; *vidadhāmi :* donne ; *aham :* Je.

**Je suis l'Âme Suprême qui réside en le cœur de chacun. Dès qu'un homme désire rendre un culte aux devas, c'est Moi qui affermis sa foi pour qu'il puisse se vouer au deva qu'il a choisi.**

Dieu a doté chaque être du libre arbitre : si quelqu'un aspire aux plaisirs matériels et désire sincèrement pour cela faire appel aux *devas,* le Seigneur, l'Âme Suprême présente dans le cœur de chacun, comprend et exauce son souhait. Père Suprême de tous les êtres, Il n'interfère pas dans leur libre choix, mais leur donne au contraire toute facilité pour satisfaire leurs désirs matériels. On peut se demander pourquoi Dieu, le Tout-puissant, aide ainsi les êtres à jouir de la matière, et les laisse se prendre au piège de l'énergie illusoire. La réponse est que si, en tant qu'Âme Suprême, Il ne donnait pas cette possibilité aux êtres, où serait leur indépendance ? Il les laisse donc entièrement libres d'agir, mais leur donne, dans la *Bhagavad-gītā,* Son enseignement ultime : qu'ils cessent toute occupation autre que celle qui consiste à s'abandonner entièrement à Lui, et qu'ils trouvent ainsi le bonheur.

Hommes et *devas* sont soumis à la volonté de Dieu, la Personne Suprême. Le culte rendu aux *devas* ne dépend donc pas du seul désir de l'homme. Et les *devas* non plus ne sauraient accorder la moindre bénédiction sans l'aval divin. Il est dit du reste que pas un brin d'herbe ne bouge sans la volonté du Seigneur Suprême. Généralement, ceux qui souffrent approchent les *devas,* conformément aux recommandations des Védas. Ainsi, pour obtenir tel ou tel bienfait, rendra-t-on un culte à tel ou tel *deva.* Qui veut recouvrer la santé, par exemple, rendra un culte au *deva* du soleil ; qui aspire à l'érudition rendra un culte à Sarasvatī, la déesse du savoir, et qui désire une belle épouse, à Umā, la femme de Śiva. Les *śāstras* (les Écritures védiques) nous donnent donc des indications sur les cultes rendus aux différents *devas.* Le Seigneur insuffle en celui qui désire obtenir un bienfait particulier le désir ardent de vénérer le *deva* capable de le lui accorder. Son souhait est alors exaucé. De même, la façon particulière dont un individu exprime sa dévotion envers tel ou tel *deva* vient du Seigneur, et non du *deva* lui-même. Seul Kṛṣṇa, l'Âme Suprême sise dans le cœur de tous les êtres, peut inspirer à l'homme la vénération pour l'un ou l'autre des différents *devas.* Ces derniers forment en réalité les divers membres du corps universel du Seigneur Suprême et n'ont donc aucune indépendance propre. Un verset extrait des Écrits védiques explique : « En tant que Paramātmā, Dieu, la Personne Suprême, habite aussi le cœur des *devas* ; c'est Lui qui fait en sorte qu'ils exaucent les souhaits des hommes. Ni les *devas* ni les hommes ne sont indépendants. Ils sont soumis les uns comme les autres à la volonté suprême. »

**7.22** स तया श्रद्धया युक्तस्तस्याराधनमीहते ।
लभते च ततः कामान्मयैव विहितान् हि तान् ॥२२॥

*sa tayā śraddhayā yuktas, tasyārādhanam īhate*
*labhate ca tataḥ kāmān, mayaiva vihitān hi tān*

*saḥ* : il; *tayā* : de cette; *śraddhayā* : inspiration; *yuktaḥ* : doté; *tasya* : de ce *deva*; *ārādhanam* : au culte; *īhate* : il aspire; *labhate* : il comble; *ca* : et; *tataḥ* : par cela; *kāmān* : ses désirs; *mayā* : par Moi; *eva* : seul; *vihitān* : arrangés; *hi* : certes; *tān* : ceux-là.

**Doté d'une telle foi, il s'efforce d'adorer un deva en particulier et voit ses vœux comblés. Mais c'est Moi seul en vérité qui accorde ces bienfaits.**

Les *devas* ne peuvent rien accorder à leurs fidèles sans le consentement du Seigneur Suprême. L'homme peut oublier que tout appartient au Seigneur, mais les *devas* ne l'oublient jamais. Le culte des *devas,* les bénédictions qui en résultent, proviennent donc d'un décret divin. Ignorant cet arrangement, les gens de peu d'intelligence s'adressent aux *devas*. Le dévot au contraire, s'il a un besoin particulier, prie le Seigneur et Lui seul. Mais il n'est pas dans les manières du pur dévot de quémander des bienfaits matériels. L'être qui veut assouvir des désirs excessifs se tourne vers les *devas* quand le Seigneur ne veut pas lui accorder une faveur indue. Le *Caitanya-caritāmṛta* précise bien que désirer à la fois jouir de la matière et adorer le Seigneur sont des sentiments incompatibles. Le culte rendu aux *devas* ne peut donc jamais être considéré comme égal au service de dévotion, à l'adoration du Seigneur Suprême, car l'un est matériel et l'autre purement spirituel.

Les désirs matériels constituent un obstacle pour qui veut retourner à Dieu. C'est pourquoi le Seigneur n'accorde pas à Ses dévots les satisfactions matérielles que convoitent les sots, lesquels préfèrent adorer les *devas* résidant dans le monde matériel plutôt que servir Kṛṣṇa, le Seigneur Suprême, avec amour et dévotion.

**7.23** अन्तवत्तु फलं तेषां तद्भवत्यल्पमेधसाम् ।
देवान्देवयजो यान्ति मद्भक्ता यान्ति मामपि ॥२३॥

*antavat tu phalaṁ teṣāṁ, tad bhavaty alpa-medhasām*
*devān deva-yajo yānti, mad-bhaktā yānti mām api*

*anta-vat* : périssable; *tu* : mais; *phalam* : fruit; *teṣām* : leur; *tat* : cela; *bhavati* : devient; *alpa-medhasām* : de ceux qui ont peu d'intelligence; *devān* : aux *devas*; *deva-yajaḥ* : les adorateurs des *devas*; *yānti* : vont; *mat* : Mes; *bhaktāḥ* : dévots; *yānti* : vont; *mām* : à Moi; *api* : aussi.

**Les hommes de faible intelligence rendent un culte aux devas, mais les fruits de leur adoration sont éphémères et limités. Ceux qui vénèrent les devas atteignent leurs planètes, alors que Mes dévots viennent à Mon royaume suprême.**

Certains commentateurs de la *Bhagavad-gītā* prétendent qu'on peut atteindre le Seigneur Suprême en vénérant les *devas,* mais ce verset établit clairement le contraire : les adorateurs des *devas* iront sur les planètes des *devas*. Celui qui révère le *deva* du soleil ira sur le soleil, celui qui prie le *deva* de la lune ira sur la lune, et celui qui rend un culte à Indra ira sur la planète d'Indra. Mais ce n'est pas en adorant l'un ou l'autre des *devas* que l'on atteindra Dieu, la Personne Suprême. Les adorateurs des *devas,* comme l'explique ce verset, gagneront les diverses planètes de l'univers matériel où ceux-ci résident, tandis que les dévots du Seigneur iront directement sur la planète suprême, dans le royaume spirituel de Dieu.

Certains objecteront que si les *devas* sont inclus dans les diverses parties du corps du Seigneur Suprême, c'est bien Lui qu'on atteint en les adorant - raisonnement du sot qui clamerait qu'on nourrit le corps en nourrissant chacune des parties qui le constituent. Qui donc arriverait à nourrir son corps par les yeux ou les oreilles ? De telles personnes ne comprennent pas vraiment ce que signifie le fait que les *devas* soient divers membres du corps universel du Seigneur Suprême. Dans leur ignorance, elles croient que chaque *deva* est un Dieu en soi, une sorte de rival du Seigneur.

Comme les *devas,* tous les autres êtres forment le corps universel du Seigneur. Le *Śrīmad-Bhāgavatam* explique que les *brāhmaṇas* sont Sa tête, les *kṣatriyas,* Ses bras, les *vaiśyas,* Sa taille et les *śūdras,* Ses jambes, chaque catégorie d'être remplissant une fonction différente. Celui qui, en toutes circonstances, garde à l'esprit que tous les êtres sans exception, hommes et *devas,* font partie intégrante du Seigneur, détient la connaissance parfaite. Celui par contre, qui ne comprend pas cette notion fondamentale n'atteindra que les planètes des *devas,* ce qui n'est pas la destination des dévots.

Les bienfaits accordés par les *devas* ne peuvent être que périssables, puisque tout en ce monde - les planètes, les *devas* et leurs adorateurs - est périssable. Ce verset insiste donc sur la précarité des fruits du culte rendu aux *devas,* et sur le peu d'intelligence de leurs fidèles. Ces fruits diffèrent en tout de ceux récoltés par les purs dévots, lesquels, en s'absorbant dans la conscience de Kṛṣṇa, dans le service dévotionnel de la Personne Suprême, connaîtront l'existence éternelle, la connaissance et la félicité. Le Seigneur est infini, Sa grâce et Sa miséricorde aussi. La faveur qu'Il accorde à Ses purs dévots est donc infinie.

7.24 अव्यक्तं व्यक्तिमापन्नं मन्यन्ते मामबुद्धयः ।
परं भावमजानन्तो ममाव्ययमनुत्तमम् ॥२४॥

*avyaktaṁ vyaktim āpannaṁ*
*manyante mām abuddhayaḥ*
*paraṁ bhāvam ajānanto*
*mamāvyayam anuttamam*

*avyaktam :* non manifesté; *vyaktim :* personnalité; *āpannam :* obtenue; *manyante :* pensent; *mām :* Moi; *abuddhayaḥ :* ceux qui manquent d'intelligence; *param :* suprême; *bhāvam :* nature; *ajānantaḥ :* sans connaître; *mama :* Ma; *avyayam :* impérissable; *anuttamam :* plus haute.

**Parce qu'ils ne Me connaissent pas parfaitement, les hommes dénués d'intelligence croient que J'étais auparavant impersonnel, et que J'emprunte maintenant une forme personnelle – Moi qui suis Dieu, la Personne Suprême. Leur manque de connaissance les empêche de connaître Ma plus haute nature, suprême et impérissable.**

Dans un premier temps, le Seigneur a décrit les adorateurs des *devas* comme des êtres de faible intelligence. À présent, Il fait de même avec les impersonnalistes. Bien que ce soit Kṛṣṇa, dans Sa forme personnelle, qui S'adresse ici à Arjuna, les impersonnalistes, dans leur ignorance, prétendent qu'Il n'a pas de forme. Yāmunācārya, grand dévot appartenant à la filiation spirituelle de Rāmānujācārya, écrivit fort justement à ce propos (*Stotra-ratna* 12) :

*tvāṁ śīla-rūpa-caritaiḥ parama-prakṛṣṭaiḥ*
*sattvena sāttvikatayā prabalaiś ca śāstraiḥ*
*prakhyāta-daiva-paramārtha-vidāṁ mataiś ca*
*naivāsura-prakṛtayaḥ prabhavanti boddhum*

« Mon cher Seigneur, de grands sages comme Vyāsadeva et Nārada reconnaissent en Toi Dieu, la Personne Suprême. À la lumière des Textes védiques, il est possible de connaître Tes attributs, Ta forme et Tes activités, et de comprendre ainsi que Tu es la Personne Divine. Et pourtant, ceux que subjuguent la passion et l'ignorance, les démons, les incroyants, ne peuvent Te connaître. Aussi experts soient-ils à discuter du *Vedānta,* des *Upaniṣads* et autres Écrits védiques, jamais ils ne parviennent à comprendre la Personnalité de Dieu. »

La *Brahma-saṁhitā* reprend la même idée lorsqu'elle dit que nul ne peut connaître la personnalité divine par la simple étude du *Vedānta.* Seule la miséricorde du Seigneur Suprême peut nous mener à la réalisation de Sa personne. Ce verset établit donc clairement que manquent d'intelligence non seulement les adorateurs des *devas,* mais également ceux qui font l'exégèse du *Vedānta* et spéculent sur les Écritures védiques sans avoir le moindre soupçon de conscience de Kṛṣṇa. Il leur est impossible de comprendre la nature personnelle de Dieu. On désigne sous le nom d'*abuddhayaḥ* tous ceux qui croient que la Vérité Absolue est impersonnelle, car ce mot signifie qu'ils n'en connaissent pas l'aspect ultime. Le *Śrīmad-Bhāgavatam* décrit ainsi les étapes de la réalisation de l'Absolu : il y a d'abord la réalisation du Brahman impersonnel, puis celle du Paramātmā, et enfin la réalisation la plus haute, celle de Dieu, la Personne Suprême.

Les impersonnalistes d'aujourd'hui sont encore moins intelligents car ils ne suivent même plus leur illustre prédécesseur, Śaṅkarācārya, qui avait ouvertement reconnu que Kṛṣṇa est Dieu, la Personne Suprême. Parce qu'ils méconnaissent la Vérité Absolue, Kṛṣṇa n'est pour eux que le fils de Vasudeva et Devakī, un prince ou, au plus, un surhomme. La *Bhagavad-gītā* (9.11) les condamne en affirmant : *avajānanti māṁ mūḍhā mānuṣīṁ tanum āśritam* – « Seuls les insensés Me voient comme une personne ordinaire. » Le *Bhāgavatam* (10.14.29) assure pour sa part que nul ne peut comprendre Kṛṣṇa s'il ne pratique le service de dévotion et ne s'efforce de développer la conscience de Kṛṣṇa :

*athāpi te deva padāmbuja-dvaya-, prasāda-leśānugṛhīta eva hi*
*jānāti tattvaṁ bhagavan mahimno, na cānya eko 'pi ciraṁ vicinvan*

« Celui, Seigneur, qui se voit octroyer ne serait-ce qu'une infime parcelle de la grâce dispensée par Tes pieds pareils-au-lotus est en mesure de comprendre la grandeur de Ta Personne. Mais ceux qui spéculent sur Ta nature, étudieraient-ils les Védas pendant des années et des années, ne Te connaîtront jamais. »

Les spéculations intellectuelles et les discussions sur les Textes védiques ne permettent pas à elles seules de comprendre Kṛṣṇa, la Personne Suprême, et de connaître Sa forme, Son nom ou Ses attributs. On doit pour cela recourir au service de dévotion. Ce n'est qu'en s'engageant tout entier dans la conscience de Kṛṣṇa, dont le premier principe est le chant du *mahā-mantra* Hare Kṛṣṇa Hare Kṛṣṇa Kṛṣṇa Kṛṣṇa Hare Hare/Hare Rāma Hare Rāma Rāma Rāma Hare Hare, qu'on pourra comprendre Dieu, la Personne Suprême. Les non-dévots croient que le corps de Kṛṣṇa est fait de matière, et que Ses activités, Son nom, Sa forme, sont *māyā.* Ces impersonnalistes, connus sous le nom de *māyāvādīs,* ne connaissent rien de la Vérité Ultime.

Le vingtième verset de ce chapitre disait sans ambiguïté : *kāmais tais tair hṛta-jñānāḥ prapadyante 'nya-devatāḥ* – « Ceux qui sont aveuglés par la convoitise se soumettent aux *devas.* » On sait par ailleurs qu'à l'instar de Dieu, la Personne Suprême, qui possède Sa propre planète, les *devas* ont aussi chacun leur planète. *Devān deva-yajo yānti mad-bhaktā yānti mām api,* disait le verset vingt-trois : ceux qui vénèrent les *devas* iront sur leurs planètes respectives, tandis que les dévots de Kṛṣṇa gagneront Kṛṣṇaloka, la planète suprême. On ne saurait être plus précis. Néanmoins, les impersonnalistes, dans leur sottise, maintiennent toujours que Dieu n'a pas de forme autre que celles qu'on Lui impose. Mais la *Bhagavad-gītā* dit-elle que les *devas* et leurs planètes sont dépourvus de forme ? Il en ressort au contraire que ni les *devas* ni Kṛṣṇa, la Personne Suprême, ne sont impersonnels. Ce sont tous des personnes qui ont chacun leur planète propre.

Les prétentions des monistes, selon qui la Vérité Suprême et Absolue n'a d'autre forme que celle, imaginaire, qu'on Lui donne, s'avèrent donc fausses. La forme de l'Absolu n'a rien d'imposé. La *Bhagavad-gītā* nous enseigne clairement que les formes des *devas* et celle du Seigneur Suprême existent simultanément, que Dieu, Kṛṣṇa, est *sac-cid-ānanda,* connaissance éternelle et béatifique. La littérature védique confirme que la Vérité Suprême et Absolue est toute de connaissance et bienheureuse par nature, *vijñānam ānandaṁ brahma* (*Bṛhad-āraṇyaka Upaniṣad* 3.9.28) et qu'Elle est un réservoir inépuisable de bonnes qualités *ananta-kālyana-guṇātmako 'sau* (*Viṣṇu Purāṇa* 6.5.84). Ailleurs encore, dans la *Bhagavad-gītā,* le Seigneur déclare que, bien qu'Il soit non né (*aja*), Il apparaît en personne. Telles sont les réalités décrites dans la *Bhagavad-gītā,* que nous devrions être à même de comprendre. Comment Dieu, la Personne Suprême, pourrait-Il être impersonnel ? La *Bhagavad-gītā* réfute la théorie moniste d'une forme fictive imposée à Dieu. Il est évident ici que la Vérité Suprême et Absolue, Kṛṣṇa, est dotée d'une forme et possède Sa propre personnalité.

7.25 नाहं प्रकाशः सर्वस्य योगमायासमावृतः ।
मूढोऽयं नाभिजानाति लोको मामजमव्ययम् ॥२५॥

*nāhaṁ prakāśaḥ sarvasya, yoga-māyā-samāvṛtaḥ*
*mūḍho 'yaṁ nābhijānāti, loko mām ajam avyayam*

*na :* non plus ; *aham :* Je ; *prakāśaḥ :* Me manifeste ; *sarvasya :* à tous ; *yoga-māyā :* par la puissance interne ; *samāvṛtaḥ :* couvert ; *mūḍhaḥ :* insensées ; *ayam :* ces ; *na :* ne pas ; *abhijānāti :* peuvent comprendre ; *lokaḥ :* personnes ; *mām :* Moi ; *ajam :* non né ; *avyayam :* inexhaustible.

**Je ne Me montre jamais aux sots et aux insensés. Le voile de Ma puissance interne Me soustrait à leur regard, si bien qu'ils ne savent pas que Je suis non né et inexhaustible.**

On pourrait se demander pour quelle raison Kṛṣṇa, qui était jadis présent sur terre et visible aux yeux de tous, ne l'est plus aujourd'hui. En fait, déjà à l'époque, Il n'était pas manifestement Dieu pour tous. Certaines personnes seulement savaient qu'Il était la Personne Suprême. Lorsqu'au milieu des Kurus, Śiśupāla déclara publiquement que Kṛṣṇa était indigne d'être désigné comme président de l'assemblée, Bhīṣma Le défendit en proclamant qu'Il était Dieu en personne. Les Pāṇḍavas et quelques autres savaient également qu'Il était le Seigneur Suprême, mais ce n'était pas le cas de tout le monde. Kṛṣṇa ne Se révéla pas en tant que tel au commun des hommes et aux non-dévots. C'est pourquoi, dans la *Bhagavad-gītā,* Il dit qu'à l'exception de Ses dévots, tous Le prennent pour un homme ordinaire. Ainsi, Ses dévots, et eux seuls, Le virent comme le sanctuaire de toute joie. Car pour les autres, pour les incroyants sans intelligence, Il demeura voilé par Sa puissance interne.

Ce point est corroboré dans le *Śrīmad-Bhāgavatam* (1.8.19) où Kuntī, dans ses prières au Seigneur, dit qu'Il est caché par le voile de *yoga-māyā,* ce qui Le rend inaccessible à l'homme ordinaire. L'*Īśopaniṣad* (*mantra* 15) parle aussi du voile de *yoga-māyā* :

*hiraṇmayena pātreṇa, satyasyāpihitaṁ mukham*
*tat tvaṁ pūṣann apāvṛṇu, satya-dharmāya dṛṣṭaye*

« Ô mon Seigneur, Tu préserves l'univers tout entier, et Te servir avec amour est le plus haut principe religieux. Prends soin de moi aussi, je T'en prie, Toi dont la forme transcendantale est voilée par le *brahmajyoti* de *yoga-māyā,* Ta puissance interne. Daigne ôter cette éblouissante radiance qui m'empêche de voir Ta forme éternelle, omnisciente et bienheureuse (*sac-cid-ānanda-vigraha*). » Dieu, la Personne Suprême, dans Sa forme transcendantale qui renferme la connaissance et la félicité absolues, est voilé par la puissance interne sous la forme du *brahmajyoti*, si bien que les impersonnalistes à l'intelligence médiocre ne peuvent Le voir.

Brahmā, dans le *Śrīmad-Bhāgavatam* (10.14.7), adresse au Seigneur cette prière : « Ô Être Divin, ô Âme Suprême, ô maître de tous les mystères, qui, en ce monde, pourrait évaluer Ta puissance et Tes divertissements ? Tu étends toujours davantage l'influence de Ta puissance interne, si bien que nul ne peut Te comprendre. Savants et érudits scrutent les atomes et les planètes de l'univers matériel, mais demeurent incapables de mesurer Ta puissance et Ton énergie, quand bien même Tu Te dresses devant eux. »

Dieu, Kṛṣṇa, n'est pas seulement non né, Il est aussi *avyaya*, inexhaustible. Sa forme éternelle est connaissance et félicité, et Ses énergies sont toutes inépuisables.

**7.26** वेदाहं समतीतानि वर्तमानानि चार्जुन ।
भविष्याणि च भूतानि मां तु वेद न कश्चन ॥२६॥

*vedāhaṁ samatītāni, vartamānāni cārjuna*
*bhaviṣyāṇi ca bhūtāni, māṁ tu veda na kaścana*

*veda :* connais ; *aham :* Je ; *samatītāni :* tout du passé ; *vartamānāni :* le présent ; *ca :* et ; *arjuna :* ô Arjuna ; *bhaviṣyāṇi :* l'avenir ; *ca :* aussi ; *bhūtāni :* tous les êtres ; *mām :* Moi ; *tu :* mais ; *veda :* connaît ; *na :* ne ; *kaścana :* personne.

**Ô Arjuna, parce que Je suis Dieu, la Personne Suprême, Je sais tout du passé, du présent et de l'avenir. Je connais tous les êtres, mais Moi, nul ne Me connaît.**

Ce verset résoud définitivement la question du personnalisme et de l'impersonnalisme. Si la forme de Kṛṣṇa, la Personne Suprême, était *māyā,* c'est-à-dire matérielle, comme le prétendent les impersonnalistes, Kṛṣṇa devrait alors changer constamment de corps, comme tous les êtres vivants, et oublier tout de Ses vies passées. En effet, nul être revêtu d'un corps matériel ne peut se rappeler ses vies antérieures, prédire ce que sera sa vie future, ou prévoir les conséquences de son mode de vie présent. À moins d'être libéré de toute contamination matérielle, aucun homme ne saurait voir le passé, le présent et l'avenir.

Kṛṣṇa cependant, contrairement au commun des mortels, affirme tout savoir du passé, du présent et du futur. Nous avons pu constater, dans le quatrième chapitre, qu'Il Se rappelle avoir instruit Vivasvān, le *deva* du soleil, plusieurs millions d'années auparavant. Kṛṣṇa connaît également chaque être individuellement, car Il vit dans tous les cœurs. Mais bien qu'Il réside en chaque être en tant que l'Âme Suprême, bien qu'Il soit la Personne Divine et Absolue, les êtres à l'intelligence limitée, s'ils sont capables de réaliser le Brahman impersonnel, ne peuvent comprendre qu'Il est l'Être Suprême.

Le corps transcendantal de Kṛṣṇa est impérissable. Il est pareil au soleil que cache le nuage de *māyā*. En effet, nous pouvons généralement voir dans le ciel le soleil, les planètes et les étoiles, mais il arrive parfois que les nuages nous les dérobent temporairement. Or, ce voile n'est qu'apparent car en réalité le soleil, la lune et les étoiles ne sont jamais véritablement absents. De même, *māyā* ne peut cacher le Seigneur Suprême. Celui-ci, grâce à Sa puissance interne, Se soustrait aux regards des hommes de moindre intelligence. Comme l'explique le troisième verset de ce chapitre, seuls quelques hommes parmi des millions tenteront de parfaire leur existence; et parmi des milliers de ces hommes accomplis, un seul peut-être parviendra à connaître Kṛṣṇa. Ainsi, même si l'on a réalisé le Brahman impersonnel ou le Paramātmā, il demeure impossible sans conscience de Kṛṣṇa de réaliser Dieu, la Personne Suprême.

**7.27** इच्छाद्वेषसमुत्थेन द्वन्द्वमोहेन भारत ।
सर्वभूतानि सम्मोहं सर्गे यान्ति परन्तप ॥२७॥

*icchā-dveṣa-samutthena, dvandva-mohena bhārata*
*sarva-bhūtāni sammohaṁ, sarge yānti paran-tapa*

*icchā :* du désir; *dveṣa :* et de la haine; *samutthena :* née; *dvandva :* de la dualité; *mohena :* par l'illusion; *bhārata :* ô descendant de Bharata; *sarva :* tous; *bhūtāni :* les êtres; *sammoham :* dans l'égarement; *sarge :* en prenant naissance; *yānti :* entrent; *param-tapa :* ô vainqueur de l'ennemi.

**Ô descendant de Bharata, ô toi qui triomphes de l'ennemi, tous les êtres viennent au monde dans l'illusion, égarés par les dualités nées du désir et de l'aversion.**

La condition inhérente à l'être distinct est celle de subordination au Seigneur Suprême, Lequel est pur savoir. L'homme qui se fourvoie est coupé de ce pur savoir, et il tombe sous le joug de l'énergie illusoire, qui le rend incapable de comprendre Dieu, la Personne Suprême. Cette énergie illusoire se manifeste dans la dualité du désir et de l'aversion, et incite l'ignorant à vouloir s'identifier à Kṛṣṇa et à envier Sa Divinité absolue. Les purs dévots, qui ne sont pas illusionnés, qui ne sont pas souillés, par le désir et l'aversion, peuvent comprendre que Kṛṣṇa apparaît de par Sa puissance interne, tandis que ceux qu'égarent la dualité et l'ignorance croient que Dieu, la Personne Suprême, est une création des énergies matérielles. Grande est leur infortune. Et, signe de leur aveuglement, ils vivent constamment plongés dans les dualités – honneur et déshonneur, bonheur et malheur, homme et femme, bien et mal, plaisir et douleur, etc. – pensant : « Voici ma femme et voici ma maison ; je suis l'époux de cette femme, je suis le propriétaire de cette maison. » Ainsi agissent les dualités illusoires ; ceux qu'elles abusent perdent la tête et deviennent incapables de comprendre Dieu, la Personne Suprême.

**7.28** येषां त्वन्तगतं पापं जनानां पुण्यकर्मणाम् ।
ते द्वन्द्वमोहनिर्मुक्ता भजन्ते मां दृढव्रताः ॥२८॥

*yeṣāṁ tv anta-gataṁ pāpaṁ, janānāṁ puṇya-karmaṇām*
*te dvandva-moha-nirmuktā, bhajante māṁ dṛḍha-vratāḥ*

*yeṣām :* dont ; *tu :* mais ; *anta-gatam :* complètement arraché ; *pāpam :* le péché ; *janānām :* des personnes ; *puṇya :* pieuses ; *karmaṇām :* dont les actes passés ; *te :* elles ; *dvandva :* de la dualité ; *moha :* l'illusion ; *nirmuktāḥ :* libres de ; *bhajante :* servent avec dévotion ; *mām :* Moi ; *dṛḍha-vratāḥ :* avec détermination.

**Ceux qui ont agi avec piété dans leurs vies passées comme dans la présente et en ont banni le péché sont délivrés des dualités illusoires. Ils Me servent avec détermination.**

Il est fait référence dans ce verset aux êtres qui ont les qualités requises pour atteindre le niveau transcendantal. Les pécheurs, les athées, les insensés et les hypocrites ont énormément de mal à franchir le cap de la dualité du désir et de l'aversion. Seuls ceux qui ont observé leur vie durant les principes régulateurs de la religion, qui ont agi saintement et triomphé des conséquences de tous leurs actes coupables, peuvent embrasser le service dévotionnel et s'élever graduellement jusqu'à la connaissance pure de Dieu, la Personne Suprême. Ainsi parviendront-ils à se hisser jusqu'au niveau spirituel et à méditer en état d'extase sur le Seigneur. Cette élévation est possible pour celui qui vit dans la conscience de Kṛṣṇa, en compagnie de purs dévots capables de l'arracher aux griffes de l'illusion.

Le *Śrīmad-Bhāgavatam* (5.5.2) dit en outre que pour atteindre la libération, il faut se mettre au service des dévots (*mahat-sevāṁ dvāram āhur vimukteḥ*). Ceux qui préfèrent la fréquentation des matérialistes prennent un sentier menant à l'existence la plus ténébreuse (*tamo-dvāraṁ yoṣitāṁ saṅgi-saṅgam*). Les dévots du Seigneur parcourent le monde à seule fin de sauver les âmes conditionnées de leur égarement. Les impersonnalistes ignorent qu'oublier leur nature intrinsèque de serviteur du Seigneur Suprême est la plus haute forme de violation de la loi divine. À moins, donc, de recouvrer sa position constitutive, il est impossible de comprendre l'Être Suprême, ou de s'absorber pleinement et avec détermination dans Son service d'amour transcendantal.

**7.29** जरामरणमोक्षाय मामाश्रित्य यतन्ति ये ।
ते ब्रह्म तद्विदुः कृत्स्नमध्यात्मं कर्म चाखिलम् ॥२९॥

*jarā-maraṇa-mokṣāya, mām āśritya yatanti ye*
*te brahma tad viduḥ kṛtsnam, adhyātmaṁ karma cākhilam*

*jarā :* de la vieillesse ; *maraṇa :* et de la mort ; *mokṣāya :* en vue de la libération ; *mām :* en Moi ; *āśritya :* prenant refuge ; *yatanti :* s'efforcent de ; *ye :* tous ceux qui ; *te :* ces gens ; *brahma :* Brahman ; *tat :* vraiment cela ; *viduḥ :* ils connaissent ; *kṛtsnam :* tout ; *adhyātmam :* transcendantales ; *karma :* des activités ; *ca :* aussi ; *akhilam :* entièrement.

**Les hommes intelligents qui s'efforcent de se libérer de la vieillesse et de la mort prennent refuge en Moi dans le service de dévotion. Ils sont en vérité Brahman, car ils ont pleine connaissance des activités spirituelles.**

La naissance, la maladie, la vieillesse et la mort affectent le corps de matière, mais non l'âme spirituelle. Aussi, l'être qui obtient un corps spirituel devient un compagnon du Seigneur, occupé à Le servir éternellement avec dévotion, et atteint la vraie libération. *Ahaṁ brahmāsmi :* Je suis une âme spirituelle. Les Écritures nous enseignent qu'il faut parvenir à réaliser que nous sommes Brahman, âme spirituelle. Cette vision, comme l'indique ce verset, est également présente dans le service de dévotion. Les purs dévots ont atteint le niveau transcendantal du Brahman et savent tout des activités spirituelles.

Quatre types d'êtres impurs, nous l'avons vu, acceptent le service absolu du Seigneur et atteignent les buts qu'ils poursuivaient initialement. Lorsque, par la grâce du Seigneur Suprême, ils deviennent totalement conscients de Kṛṣṇa, ils jouissent alors vraiment de Sa compagnie spirituelle. Mais jamais les adorateurs des *devas* n'atteignent le Seigneur Souverain sur Sa planète suprême. Même ceux qui ne réalisent que le Brahman impersonnel sont considérés comme moins intelligents, et ne peuvent atteindre Goloka Vṛndāvana, la planète de Kṛṣṇa. Seuls les êtres agissant dans la conscience de Kṛṣṇa (*mām āśritya*) sont dignes d'êtres appelés Brahman, car ils ne doutent pas de la suprématie de Kṛṣṇa et font les efforts nécessaires pour atteindre Sa planète.

Ceux qui adorent la forme du Seigneur (*arcā*) ou qui, pour se libérer de l'engrenage de la matière, méditent sur Lui, comprennent également par Sa grâce le sens profond des mots *brahman, adhibhūta,* etc., que Kṛṣṇa explique dans le chapitre suivant.

**7.30** साधिभूताधिदैवं मां साधियज्ञं च ये विदुः ।
प्रयाणकालेऽपि च मां ते विदुर्युक्तचेतसः ॥३०॥

*sādhibhūtādhidaivaṁ māṁ, sādhiyajñaṁ ca ye viduḥ*
*prayāṇa-kāle 'pi ca māṁ, te vidur yukta-cetasaḥ*

*sa-adhibhūta :* le principe qui régit la manifestation matérielle; *adhidaivam :* qui gouverne tous les *devas*; *mām :* Moi; *sa-adhiyajñam :* et qui régit tous les sacrifices; *ca :* aussi; *ye :* ceux qui; *viduḥ :* savent; *prayāṇa :* de la mort; *kāle :* au moment; *api :* même; *ca :* et; *mām :* Moi; *te :* ils; *viduḥ :* connaissent; *yukta-cetasaḥ :* leur mental fixé sur Moi.

**Ceux qui sont pleinement conscients de Moi et savent que Je suis le principe qui régit la manifestation matérielle, les devas et tous les types de sacrifice, peuvent, même au moment de la mort, Me connaître et Me comprendre, Moi qui suis Dieu, la Personne Suprême.**

L'homme qui agit dans la conscience de Kṛṣṇa ne s'écarte jamais de la voie de la réalisation de Dieu, la Personne Suprême. Au contact transcendantal de la conscience de Kṛṣṇa, on arrive à comprendre comment le Seigneur Suprême peut être le principe qui régit les *devas* et la nature matérielle tout entière. Graduellement, on devient convaincu de la suprématie de Kṛṣṇa, si bien qu'au moment de la mort, il est impossible de L'oublier. Alors, naturellement, on atteint la planète du Seigneur, Goloka Vṛndāvana.

Ce septième chapitre explique en particulier comment devenir parfaitement conscient de Kṛṣṇa. La première chose à faire est de toujours vivre en compagnie de dévots. Ces rapports sont purement spirituels et nous permettent d'entrer directement en contact avec Kṛṣṇa. Sa grâce nous rend alors à même de comprendre qu'Il est Dieu, la Personne Suprême. Simultanément, on parvient à connaître la condition innée de l'être distinct et à comprendre comment il a oublié Kṛṣṇa et, par suite, s'est enchaîné aux actes matériels. En effet, celui qui ravive sa conscience de Kṛṣṇa au contact des dévots comprend comment, pour avoir oublié le Seigneur, il s'est trouvé soumis aux lois de la nature matérielle. Il se rend compte que la forme humaine lui offre l'opportunité de raviver sa conscience de Kṛṣṇa et qu'elle doit donc être pleinement utilisée en vue d'obtenir la miséricorde immotivée du Seigneur Suprême.

Beaucoup de sujets ont été traités dans ce chapitre : les quatre types d'hommes qui viennent à Kṛṣṇa (le malheureux, le curieux, l'homme démuni et l'homme en quête de connaissance), la connaissance du Brahman et du Paramātmā, la libération de la naissance, de la maladie et de la mort, et l'adoration du Seigneur Suprême. Toutefois, l'être qui est vraiment élevé dans la conscience de Kṛṣṇa ne s'attarde pas sur les divers moyens de réalisation spirituelle. Il s'absorbe directement dans les pratiques de la conscience de Kṛṣṇa et retrouve par là sa condition naturelle et éternelle de serviteur de Dieu. Il éprouve alors une grande joie à entendre parler du Seigneur, à Le glorifier, à Le servir avec une dévotion pure. Il est convaincu qu'en suivant cette voie, il atteindra tous ses objectifs. On désigne cette foi ferme du nom de *dṛḍha-vrata*. L'obtention d'une telle foi constitue l'étape préliminaire sur la voie du *bhakti-yoga* - le service d'amour transcendantal offert au Seigneur Suprême. Tel est le verdict de tous les Écrits sacrés. Quant à ce chapitre de la *Bhagavad-gītā,* il est l'essence même de cette conviction.

*Ainsi s'achèvent les teneurs et portées de Bhaktivedanta sur le septième chapitre de la* Śrīmad Bhagavad-gītā *traitant de la connaissance de l'Absolu.*

HUITIÈME CHAPITRE

# Atteindre le Suprême

8.1 अर्जुन उवाच
किं तद् ब्रह्म किमध्यात्मं किं कर्म पुरुषोत्तम ।
अधिभूतं च किं प्रोक्तमधिदैवं किमुच्यते ॥ १ ॥

*arjuna uvāca*
*kiṁ tad brahma kim adhyātmaṁ, kiṁ karma puruṣottama*
*adhibhūtaṁ ca kiṁ proktam, adhidaivaṁ kim ucyate*

*arjunaḥ uvāca :* Arjuna dit ; *kim :* qu'est-ce que ; *tat :* cela ; *brahma :* le *brahman* ; *kim :* qu'est-ce que ; *adhyātmam :* le soi ; *kim :* qu'est-ce que ; *karma :* l'action intéressée ; *puruṣa-uttama :* ô Personne Suprême ; *adhibhūtam :* la manifestation matérielle ; *ca :* et ; *kim :* qu'est-ce qui ; *proktam :* est appelé ; *adhidaivam :* les *devas* ; *kim :* qu'est-ce qui ; *ucyate :* est appelé.

**Arjuna dit : Ô mon Seigneur, ô Personne Suprême, je souhaiterais comprendre ce que sont le Brahman, le soi et les devas, et ce qu'on entend par action intéressée et manifestation matérielle. Je T'en prie, dis-le moi.**

Le Seigneur répond dans ce chapitre aux questions que pose Arjuna sur le Brahman, le karma (l'action intéressée), les principes du yoga et le service de dévotion – jusque dans sa forme la plus pure.

Le *Śrīmad-Bhāgavatam* enseigne que la Vérité Suprême et Absolue apparaît sous l'aspect du Brahman, du Paramātmā et de Bhagavān. Or, le mot Brahman sert également à désigner l'être vivant, l'âme individuelle. Arjuna s'enquiert également de l'*ātmā,* qui, selon le dictionnaire védique, s'applique à la fois au mental, à l'âme, au corps et aux sens.

Notons ici qu'Arjuna nomme le Seigneur Puruṣottama, « Être

Suprême », pour indiquer qu'il s'adresse à Lui non pas en tant qu'ami mais en tant que la Personne Suprême, qu'il sait être la plus haute autorité en matière de spiritualité, et dont il attend des réponses définitives.

**8.2** अधियज्ञः कथं कोऽत्र देहेऽस्मिन्मधुसूदन ।
प्रयाणकाले च कथं ज्ञेयोऽसि नियतात्मभिः ॥ २ ॥

*adhiyajñaḥ kathaṁ ko 'tra, dehe 'smin madhusūdana*
*prayāṇa-kāle ca kathaṁ, jñeyo 'si niyatātmabhiḥ*

*adhiyajñaḥ :* le Seigneur du sacrifice ; *katham :* comment ; *kaḥ :* qui ; *atra :* ici ; *dehe :* dans le corps ; *asmin :* ce ; *madhusūdana :* ô Kṛṣṇa, vainqueur de Madhu ; *prayāṇa-kāle :* au moment de la mort ; *ca :* et ; *katham :* comment ; *jñeyaḥ asi :* peux-Tu être connu ; *niyata-ātmabhiḥ :* par ceux qui sont maîtres de soi.

**Qui est le Seigneur du sacrifice, et comment vit-Il dans le corps, ô Madhusūdana ? Enfin comment, au moment de la mort, ceux qui pratiquent le service de dévotion peuvent-ils Te connaître ?**

« Seigneur du sacrifice » peut désigner soit Indra, le chef des *devas* régissant le monde, soit Viṣṇu, le maître des principaux *devas,* tels Brahmā et Śiva. Tous deux, Viṣṇu et Indra, sont adorés au moyen des *yajñas.* C'est pourquoi Arjuna désire savoir ici lequel d'entre eux doit être considéré comme le Seigneur du sacrifice, et comment ce Seigneur vit dans le corps de chaque être. Les interrogations d'Arjuna trahissent certains doutes, lesquels n'auraient pas dû germer dans son esprit puisqu'il est un dévot conscient de Kṛṣṇa. De tels doutes sont comparables à des démons ; aussi Arjuna fait-il appel à Madhusūdana, Kṛṣṇa, le vainqueur du démon Madhu, pour qu'Il élimine tous ces doutes monstrueux, Lui qui est si habile à tuer les êtres maléfiques.

Le mot *prayāṇa-kāle* a ici une signification importante parce qu'il traduit le fait que tout ce que nous avons fait dans notre vie sera mis à l'épreuve au moment de la mort. Arjuna est très désireux de connaître le destin de ceux qui se sont toujours dédiés à la conscience de Kṛṣṇa. Ne risquent-ils pas d'oublier le Seigneur à cet instant décisif, quand les fonctions physiques du corps sont complètement bouleversées et le mental désemparé. Mahārāja Kulaśekhara, un grand dévot du Seigneur, priait ainsi : « Mon cher Seigneur, je préférerais mourir maintenant, quand mon corps est encore sain, afin que tel un cygne, mon mental glisse jusqu'au lotus de Tes pieds. » La métaphore signifie que, tout comme le cygne aime à folâtrer parmi les fleurs de lotus, le mental du pur dévot éprouve une attirance pour les pieds pareils-au-lotus du Seigneur. Aussi Mahārāja Kulaśekhara explique-t-il : « Actuellement, mon corps est sain et mon esprit paisible. Si je meurs maintenant, absorbé dans la pensée de Tes pieds de lotus, mon service de dévotion aura atteint sa plus parfaite expression. Mais si j'attends ma mort naturelle, qu'arrivera-t-il ? Serai-je capable, lorsque toutes les fonctions du corps seront perturbées et que ma voix s'étranglera dans ma gorge, de chanter Ton nom ? Mieux vaut mourir sur-le-champ. » Arjuna demande donc comment il est possible, en de telles circonstances, de fixer le mental sur les pieds pareils-au-lotus de Kṛṣṇa.

**8.3** श्रीभगवानुवाच
अक्षरं ब्रह्म परमं स्वभावोऽध्यात्ममुच्यते ।
भूतभावोद्भवकरो विसर्गः कर्मसंज्ञितः ॥ ३ ॥

*śrī-bhagavān uvāca*
*akṣaraṁ brahma paramaṁ, svabhāvo 'dhyātmam ucyate*
*bhūta-bhāvodbhava-karo, visargaḥ karma-saṁjñitaḥ*

*śrī-bhagavān uvāca :* Dieu, la Personne Suprême, dit ; *akṣaram :* indestructible ; *brahma :* Brahman ; *paramam :* transcendantal ; *svabhāvaḥ :* la nature éternelle ; *adhiātmam :* le soi ; *ucyate :* est appelé ; *bhūta-bhāva-udbhava-karaḥ :* qui produit les corps matériels des êtres ; *visargaḥ :* la création ; *karma :* action intéressée ; *saṁjñitaḥ :* est appelée.

**Le Seigneur Suprême répond : On appelle Brahman l'être spirituel impérissable et adhyātma, sa nature éternelle, le soi. On désigne par karma, ou action intéressée, les actes qui génèrent les corps successifs qu'il revêt.**

L'être distinct, le Brahman, est impérissable, éternel et immuable. Au-delà Se trouve le Para-brahman, Dieu, la Personne Suprême. La position fondamentale de l'être distinct diffère de celle qu'il occupe dans le monde matériel. Quand sa conscience est matérielle, sa nature le pousse à vouloir dominer la matière, mais quand sa conscience est spirituelle, fixée sur Kṛṣṇa, il retrouve sa vraie position, qui est de servir le Suprême. Quand l'être vivant est dans une conscience matérielle, il doit revêtir divers corps en ce monde. C'est ce qu'on appelle le karma, la création de toute une variété de formes par la puissance de la conscience matérielle.

Les Textes védiques désignent l'être distinct sous le nom de *jīvātmā* ou de Brahman, mais jamais de Para-brahman. L'être distinct (*jīvātmā*) a la possibilité, soit de plonger au cœur de la sombre nature matérielle et de s'identifier à la matière, soit, au contraire, de s'identifier à l'énergie spirituelle supérieure. C'est pour cette raison qu'on le qualifie d'énergie marginale du Seigneur. Selon qu'il s'assimile à l'une ou l'autre de ces deux énergies, il acquiert un corps matériel ou spirituel. Dans le monde matériel, il revêt selon son karma un corps parmi les 8 400 000 espèces vivantes, tantôt celui d'un *deva,* tantôt celui d'un homme ou d'un animal - mammifère, oiseau, ou autre - alors que dans le monde spirituel, il conserve une forme unique.

L'homme peut, par des sacrifices (*yajñas*), atteindre les planètes édéniques et jouir des plaisirs qui y abondent, mais une fois ses mérites épuisés, il retrouvera sur terre un corps d'homme. C'est aussi ce qu'on appelle le karma.

La *Chāndogya Upaniṣad* décrit comment l'on procède à ces sacrifices. Les cinq feux de l'autel sacrificiel sont les planètes édéniques, les nuages, la terre, l'homme et la femme, et les cinq types d'offrandes qui leur sont faites à chacun sont respectivement la foi, les plaisirs que l'on goûte sur la lune, la pluie, les céréales et la semence de l'homme.

L'être vivant accomplit des sacrifices particuliers dans le but d'atteindre telle ou telle planète édénique. Une fois révolus les mérites ainsi acquis, il descend dans une goutte d'eau de pluie, puis est transféré dans une graine de céréale, laquelle, mangée par un homme, est transformée en sperme ; cette semence féconde une femme, qui lui donne de nouveau un corps humain pour qu'il accomplisse des sacrifices, et le cycle recommence. L'être conditionné peut aller et venir ainsi perpétuellement. Le dévot, lui, évite de sacrifier aux *devas* ; il adopte directement la conscience de Kṛṣṇa et prépare ainsi son retour à Dieu.

Les commentateurs impersonnalistes de la *Bhagavad-gītā* présument fort déraisonnablement que le Brahman Suprême emprunte la forme d'un *jīva* lorsqu'Il descend dans l'univers matériel. Ils s'appuient, pour étayer leur thèse, sur le septième verset du chapitre quinze. Or, ce verset décrit bien au contraire les êtres distincts comme des fragments éternels du Seigneur ; et s'ils peuvent en effet tomber dans l'univers matériel, jamais le Seigneur Suprême (Acyuta) ne choit. Leur assertion n'a donc aucun fondement. Il est important de garder à l'esprit la distinction que font les Écritures entre le Brahman (l'être distinct) et le Para-brahman (le Seigneur Suprême).

8.4 अधिभूतं क्षरो भावः पुरुषश्चाधिदैवतम् ।
अधियज्ञोऽहमेवात्र देहे देहभृतां वर ॥ ४ ॥

*adhibhūtaṁ kṣaro bhāvaḥ, puruṣaś cādhidaivatam*
*adhiyajño 'ham evātra, dehe deha-bhṛtāṁ vara*

*adhibhūtam :* la manifestation physique ; *kṣaraḥ :* changeant constamment ; *bhāvaḥ :* la nature ; *puruṣaḥ :* la forme universelle comprenant tous les *devas*, comme le soleil et la lune ; *ca :* et ; *adhidaivatam :* appelée *adhidaiva* ; *adhiyajñaḥ :* l'Âme Suprême ; *aham :* Je (Kṛṣṇa) ; *eva :* certes ; *atra :* dans ce ; *dehe :* corps ; *deha-bhṛtām :* des êtres incarnés ; *vara :* ô le meilleur.

**Ô meilleur des êtres incarnés, on nomme adhibhūta la nature matérielle en constante mutation, adhidaiva la forme universelle du Seigneur qui comprend tous les devas – comme ceux de la lune et du soleil – et adhiyajña [le Seigneur du sacrifice] Ma propre Personne, qui sous la forme de l'Âme Suprême réside dans le cœur de chacun.**

La nature matérielle est en constante mutation. Les corps matériels, en effet, passent généralement par six étapes : naissance, croissance, stabilisation, reproduction, déclin et mort. Cette nature matérielle, qu'on nomme *adhibhūta,* est créée à un moment précis et sera également détruite à un moment déterminé. La forme universelle du Seigneur Suprême, qui embrasse tous les *devas* et leurs planètes, porte, elle, le nom d'*adhidaivata.*

L'Âme Suprême, représentation plénière de Kṛṣṇa, est présente au côté de l'âme distincte. Elle est dans le cœur de chaque entité vivante et porte le nom de Paramātmā, ou *adhiyajña.* Le Paramātmā n'est pas différent de Kṛṣṇa Lui-même, comme le souligne précisément dans ce verset le mot *eva.* Il est à l'origine des divers états de conscience de l'âme distincte et Il est le témoin de chacune de ses activités. L'Âme Suprême donne à l'être vivant la possibilité d'agir librement et observe tous ses actes.

Le pur dévot de Kṛṣṇa, pleinement absorbé dans le service transcendantal du Seigneur, comprend d'emblée les fonctions que remplissent ces diverses manifestations divines. Quant au néophyte qui ne sait approcher le Seigneur Suprême sous Sa forme de Paramātmā, il pourra Le contempler dans Son immense forme universelle, *adhidaivata,* ou *virāṭ-puruṣa,* dont les jambes sont les planètes inférieures, les yeux sont le soleil et la lune, et la tête, le système planétaire supérieur.

8.5 अन्तकाले च मामेव स्मरन्मुक्त्वा कलेवरम् ।
यः प्रयाति स मद्भावं याति नास्त्यत्र संशयः ॥ ५ ॥

*anta-kāle ca mām eva, smaran muktvā kalevaram*
*yaḥ prayāti sa mad-bhāvaṁ, yāti nāsty atra saṁśayaḥ*

*anta-kāle* : à la fin de la vie ; *ca* : aussi ; *mām* : de Moi ; *eva* : certes ; *smaran* : se souvenant ; *muktvā* : en quittant ; *kalevaram* : le corps ; *yaḥ* : celui qui ; *prayāti* : va ; *saḥ* : il ; *mat-bhāvam* : Ma nature ; *yāti* : obtient ; *na* : ne pas ; *asti* : il y a ; *atra* : ici ; *saṁśayaḥ* : de doute.

**Celui qui, à la fin de sa vie, quitte son corps en pensant à Moi seul partage aussitôt Ma nature, n'en doute pas.**

Ce verset insiste sur l'importance de la conscience de Kṛṣṇa. En effet, quiconque abandonne son corps en pleine conscience de Kṛṣṇa participe aussitôt de la nature transcendantale du Seigneur Suprême. Kṛṣṇa est le plus pur d'entre les purs ; par conséquent, quiconque demeure à chaque instant conscient de Lui devient également le plus pur d'entre les purs. D'où l'importance aussi du mot *smaran* (se rappeler). Mais ce souvenir de Kṛṣṇa ne saurait se manifester chez l'âme impure qui n'a pas pratiqué le service dévotionnel dans la conscience de Kṛṣṇa. Garder Kṛṣṇa en sa mémoire étant essentiel pour parvenir au succès final, il faut, dès le début de sa vie, commencer cette pratique. On doit pour cela réciter constamment le *mahā-mantra* – Hare Kṛṣṇa Hare Kṛṣṇa Kṛṣṇa Kṛṣṇa Hare Hare/Hare Rāma Hare Rāma Rāma Rāma Hare Hare. Pour obtenir l'entier bénéfice de la conscience de Kṛṣṇa à la fin de sa vie, Śrī Caitanya nous recommande d'être plus tolérant qu'un arbre (*taror api sahiṣṇunā*) et de continuer à réciter ce mantra, quelles que soient les embûches rencontrées sur notre chemin.

8.6 यं यं वापि स्मरन् भावं त्यजत्यन्ते कलेवरम् ।
तं तमेवैति कौन्तेय सदा तद्भावभावितः ॥ ६ ॥

*yaṁ yaṁ vāpi smaran bhāvaṁ, tyajaty ante kalevaram*
*taṁ tam evaiti kaunteya, sadā tad-bhāva-bhāvitaḥ*

*yam yam* : quel que ; *vā api* : que ce soit ; *smaran* : se souvenant ; *bhāvam* : état ; *tyajati* : abandonne ; *ante* : à la fin ; *kalevaram* : ce corps ; *tam tam* : similaire ; *eva* : certes ; *eti* : reçoit ; *kaunteya* : ô fils de Kuntī ; *sadā* : toujours ; *tat* : ce ; *bhāva* : état ; *bhāvitaḥ* : se souvenant.

**Ô fils de Kuntī, l'état de conscience dont on conserve le souvenir à l'instant de quitter le corps détermine la condition d'existence future.**

Kṛṣṇa explique dans ce verset comment se modifie notre condition de vie au moment critique de la mort. Celui qui à la fin de sa vie quitte son corps en pensant à Kṛṣṇa aura la même nature transcendantale que le Seigneur, ce qui ne sera absolument pas le cas de celui qui mourra en pensant à toute autre chose qu'à Dieu. C'est là un point fondamental : savoir mourir avec la condition mentale appropriée. Mahārāja Bharata, qui était pourtant un personnage illustre, pensa à un cerf dans ses derniers instants. Aussi fut-il obligé dans sa vie suivante de revêtir la forme d'un cerf, en gardant toutefois le souvenir de son existence passée.

Nos pensées à l'instant de la mort sont déterminées par la somme des pensées de notre vie entière ; c'est donc notre existence présente qui détermine notre vie future. Une vie inspirée par la vertu et centrée sur la pensée de Kṛṣṇa nous permettra de nous souvenir de Lui à l'instant de la mort. Cela nous aidera à atteindre l'état transcendantal qui est le Sien. Ainsi, spirituellement absorbés dans le service de Kṛṣṇa dans cette vie, nous obtiendrons, en quittant notre enveloppe actuelle, un corps spirituel, et non plus matériel. Le chant du mantra Hare Kṛṣṇa Hare Kṛṣṇa Kṛṣṇa Kṛṣṇa Hare Hare/Hare Rāma Hare Rāma Rāma Rāma Hare Hare est donc le meilleur moyen de quitter son corps dans l'état d'esprit idéal.

**8.7** तस्मात्सर्वेषु कालेषु मामनुस्मर युध्य च ।
मय्यर्पितमनोबुद्धिर्मामेवैष्यस्यसंशयः ॥ ७ ॥

*tasmāt sarveṣu kāleṣu, mām anusmara yudhya ca*
*mayy arpita-mano-buddhir, mām evaiṣyasy asaṁśayaḥ*

*tasmāt :* donc ; *sarveṣu :* en tout ; *kāleṣu :* temps ; *mām :* de Moi ; *anusmara :* continue de te rappeler ; *yudhya :* combats ; *ca :* aussi ; *mayi :* à Moi ; *arpita :* abandonne ; *manaḥ :* le mental ; *buddhiḥ :* l'intelligence ; *mām :* à Moi ; *eva :* sûrement ; *eṣyasi :* tu parviendras ; *asaṁśayaḥ :* au-delà du doute.

**Tu dois donc remplir ton devoir de guerrier en pensant constamment à Moi, en Ma forme personnelle de Kṛṣṇa. En Me dédiant tes actes, en concentrant sur Moi ton mental et ton intelligence, tu viendras à Moi inéluctablement.**

Ce que Kṛṣṇa enseigne ici à Arjuna est essentiel pour quiconque accomplit des activités matérielles. Le Seigneur ne recommande pas d'abandonner ses devoirs et ses occupations courantes, mais de les accompagner du souvenir constant de Kṛṣṇa, grâce au chant et à la récitation du mantra Hare Kṛṣṇa. Cela nous lavera de la souillure de la matière et absorbera notre mental et notre intelligence en Kṛṣṇa, assurant sans le moindre doute notre transfert sur la planète suprême, Kṛṣṇaloka.

**8.8** अभ्यासयोगयुक्तेन चेतसा नान्यगामिना ।
परमं पुरुषं दिव्यं याति पार्थानुचिन्तयन् ॥ ८ ॥

*abhyāsa-yoga-yuktena, cetasā nānya-gāminā*
*paramaṁ puruṣaṁ divyaṁ, yāti pārthānucintayan*

*abhyāsa-yoga :* par la pratique du yoga; *yuktena :* engagé dans la méditation; *cetasā :* par le mental et l'intelligence; *na anya-gāminā :* sans les laisser dévier; *paramam :* Suprême; *puruṣam :* Dieu, la Personne; *divyam :* transcendantale; *yāti :* on atteint; *pārtha :* ô fils de Pṛthā; *anucintayan :* pensant constamment à.

**Celui qui médite sur Moi, la Personne Suprême, et toujours se souvient de Moi, sans jamais dévier, celui-là vient à Moi sans nul doute, ô Pārtha.**

Dans ce verset, Kṛṣṇa insiste sur l'importance de Le garder toujours présent à l'esprit. Or, entendre et chanter le *mahā-mantra* Hare Kṛṣṇa, vibration sonore représentant le Seigneur Suprême, ravive en l'être le souvenir de Kṛṣṇa et occupe aussi bien le mental que l'oreille et la langue. C'est une méditation mystique, facile à pratiquer, qui nous aide à atteindre le Seigneur.

*Puruṣam* signifie « celui qui jouit de, qui bénéficie de ». Bien que constituant l'énergie marginale du Seigneur, l'être distinct est souillé par la matière. Il croit pouvoir jouir de tout, mais il n'est pas le bénéficiaire suprême. Il apparaît clairement ici que c'est le Seigneur, dans Ses diverses manifestations et émanations plénières (Nārāyaṇa, Vāsudeva, etc.), qui a la suprême jouissance de tout ce qui est.

Tout comme la méditation permet au *yogī* de se concentrer sur l'Âme Suprême, le chant du mantra Hare Kṛṣṇa permet au dévot de toujours fixer son esprit sur l'objet de son adoration, le Seigneur Suprême, sous l'une ou l'autre de Ses formes (Kṛṣṇa, Rāma, Nārāyaṇa). Cette pratique constante le purifie et lui permet à la fin de sa vie d'atteindre le royaume de Dieu. S'il faut ainsi imposer au mental la pensée de Kṛṣṇa, c'est qu'il est inconstant par nature. De même qu'à force de penser à se métamorphoser, la chenille se transforme en papillon dans une même vie, l'homme, à force de penser à Kṛṣṇa, est assuré d'acquérir, à la fin de sa vie, la même constitution corporelle que Lui.

**8.9** कविं पुराणमनुशासितारमणोरणीयांसमनुस्मरेद्यः ।
सर्वस्य धातारमचिन्त्यरूपमादित्यवर्णं तमसः परस्तात् ॥ ९ ॥

*kaviṁ purāṇam anuśāsitāram*
*aṇor aṇīyāṁsam anusmared yaḥ*
*sarvasya dhātāram acintya-rūpam*
*āditya-varṇaṁ tamasaḥ parastāt*

*kavim :* Celui qui sait tout ; *purāṇam :* le plus ancien ; *anuśāsitāram :* le maître ; *aṇoḥ :* que l'atome ; *aṇīyāṁsam :* plus petit ; *anusmaret :* pense toujours à ; *yaḥ :* Celui qui ; *sarvasya :* de tout ; *dhātāram :* le soutien ; *acintya :* inconcevable ; *rūpam :* dont la forme ; *āditya-varṇam :* resplendissante comme le soleil ; *tamasaḥ :* à l'obscurité ; *parastāt :* transcendantale.

**Lorsqu'on médite sur le Suprême, on doit voir en Lui l'Être omniscient, l'Être le plus ancien, le maître et le soutien de tout, qui, plus petit que le plus petit, situé au-delà de toute conception matérielle, est inconcevable et toujours demeure une personne. Aussi resplendissant que le soleil, Il transcende ce monde de ténèbres.**

Ce verset décrit de quelle façon il convient de penser au Suprême, et démontre qu'Il n'est ni une force impersonnelle, ni un simple vide. On ne saurait en effet, sans rencontrer de grandes difficultés, méditer sur le vide ou sur quelque chose d'impersonnel. Par contre, le processus décrit ici permet de s'absorber aisément en Kṛṣṇa. Rāma, ou Kṛṣṇa, est d'abord et avant tout une personne, *puruṣa.* Que l'on pense à Dieu sous la forme de Rāma ou de Kṛṣṇa, Ses attributs sont décrits dans ce verset.

Le Seigneur est *kavi,* c'est-à-dire qu'il est parfaitement conscient du passé, du présent et de l'avenir, et donc, omniscient. Il est l'Être le plus ancien car Il est l'origine de tout, tout provient de Lui. Il est le maître suprême de l'univers, le soutien et le guide de l'humanité. Il est plus petit que le plus petit, et si l'âme ne mesure que le dix-millième de la pointe d'un cheveu, le Seigneur est si inconcevablement ténu qu'Il pénètre dans le cœur de cette particule spirituelle. Absolu, Il a ce pouvoir de pénétrer dans l'atome et dans le cœur de l'infiniment petit, pour le diriger en tant que l'Âme Suprême. Mais bien qu'Il soit si infime, Il n'en est pas moins omniprésent et soutient tout ce qui existe, notamment l'ensemble des systèmes planétaires. On se demande souvent comment il est possible que d'immenses planètes puissent flotter dans l'espace. Or ce verset nous apprend que le Seigneur Suprême, en vertu de Son inconcevable puissance, est Celui qui maintient tous les astres, toutes les galaxies.

Le mot *acintya,* « inconcevable », est ici particulièrement significatif. La puissance de Dieu dépassant notre entendement, notre conception des choses, on la dit inconcevable (*acintya*). Qui pourrait contredire ce point? Kṛṣṇa est à la fois partout dans l'univers matériel, et au-delà. Or, dans la mesure où nous sommes incapables de comprendre cet univers, pourtant insignifiant en comparaison du monde spirituel, comment pourrions-nous concevoir ce qui se trouve au-delà? *Acintya* désigne ce qui transcende la matière, ce qui dépasse la logique, l'argumentation et la spéculation philosophique, ce qui est inconcevable. Ainsi, l'homme intelligent devrait abandonner les controverses inutiles et les vaines hypothèses pour s'en remettre aux Écritures comme les Védas, la *Bhagavad-gītā* et le *Śrīmad-Bhāgavatam,* et en appliquer les principes. Telle est la clé de l'entendement.

**8.10** प्रयाणकाले मनसाचलेन भक्त्या युक्तो योगबलेन चैव ।
भ्रुवोर्मध्ये प्राणमावेश्य सम्यक् स तं परं पुरुषमुपैति दिव्यम् ॥१०॥

*prayāṇa-kāle manasācalena*
*bhaktyā yukto yoga-balena caiva*
*bhruvor madhye prāṇam āveśya samyak*
*sa taṁ paraṁ puruṣam upaiti divyam*

*prayāṇa-kāle :* au moment de la mort; *manasā :* par le mental; *acalena :* sans que celui-ci se laisse dévier; *bhaktyā :* avec une dévotion totale; *yuktaḥ :* engagé; *yoga-balena :* par le pouvoir du yoga mystique; *ca :* aussi; *eva :* certes; *bhruvoḥ :* les deux sourcils; *madhye :* entre; *prāṇam :* le souffle vital; *āveśya :* établissant; *samyak :* complètement; *saḥ :* il; *tam :* cette; *param :* Suprême; *puruṣam :* Personne, Dieu; *upaiti :* atteint; *divyam :* dans le royaume spirituel.

**Celui qui, à l'instant de la mort, fixe son air vital entre les sourcils et qui, fort d'un mental inflexible s'absorbe par la puissance du yoga dans le souvenir de Dieu, la Personne Suprême, avec une dévotion absolue, parvient à L'atteindre.**

Ce verset indique sans aucune ambiguïté qu'à l'instant de la mort, il faut fixer son mental avec dévotion sur la Personne Suprême. Il est recommandé aux *yogīs* expérimentés d'élever le souffle vital entre les sourcils (au niveau de l'*ājñā-cakra*). Il s'agit là du *ṣaṭ-cakra-yoga,* un exercice de méditation sur les six *cakras*. Le pur dévot ne s'adonne pas à ces pratiques, mais en raison de son absorption constante en Kṛṣṇa, il peut, par Sa grâce, se souvenir de Lui au moment de la mort. C'est ce qu'expliquera le verset quatorze.

L'usage particulier des termes *yoga-balena* est ici très révélateur, car à moins d'avoir pratiqué le yoga, que ce soit le *ṣaṭ-cakra-yoga* ou le *bhakti-yoga,* on ne peut compter, à l'instant de la mort, recouvrer inopinément le souvenir du Seigneur Suprême et atteindre le niveau spirituel. Le mental de l'homme qui va mourir étant extrêmement perturbé, il est essentiel de s'entraîner à la vie spirituelle tout au long de son existence par la pratique du yoga, et plus spécifiquement du *bhakti-yoga*.

**8.11** यदक्षरं वेदविदो वदन्ति विशन्ति यद्यतयो वीतरागाः ।
यदिच्छन्तो ब्रह्मचर्यं चरन्ति तत्ते पदं सङ्ग्रहेण प्रवक्ष्ये ॥११॥

*yad akṣaraṁ veda-vido vadanti*
*viśanti yad yatayo vīta-rāgāḥ*
*yad icchanto brahma-caryaṁ caranti*
*tat te padaṁ saṅgraheṇa pravakṣye*

*yat :* ce que; *akṣaram :* la syllabe *oṁ*; *veda-vidaḥ :* ceux qui connaissent les Védas; *vadanti :* disent; *viśanti :* entrent; *yat :* dans lequel; *yatayaḥ :* les grands sages; *vīta-rāgāḥ :* dans l'ordre du renoncement; *yat :* ce que; *icchantaḥ :* désirant; *brahma-caryam :* la continence; *caranti :* pratiquent; *tat :* cette; *te :* à toi; *padam :* situation; *saṅgraheṇa :* en résumé; *pravakṣye :* Je t'expliquerai.

**Les grands sages ayant embrassé l'ordre du renoncement, qui sont versés dans les Védas et prononcent l'oṁ-kāra, pénètrent dans le Brahman. Pour atteindre cette perfection ils doivent vivre dans la continence. Je vais maintenant t'enseigner le procédé qui permet d'obtenir le salut.**

Le Seigneur, Kṛṣṇa, a recommandé à Arjuna la pratique du *ṣaṭ-cakra-yoga,* par laquelle on fait monter le souffle vital entre les sourcils. Mais considérant qu'Arjuna peut bien ne pas connaître ce procédé, le Seigneur le lui explique dans les versets suivants. Le Brahman, bien qu'il soit un et sans égal, Se manifeste sous des aspects divers. Pour l'impersonnaliste par exemple, l'*akṣara* ou *oṁ-kāra* – la syllabe *oṁ* – est assimilé au Brahman. Kṛṣṇa décrit maintenant le Brahman impersonnel où pénètrent les sages qui ont adopté l'ordre du renoncement.

Dans le système d'éducation védique, les étudiants apprennent dès les premiers temps à faire vibrer le son *oṁ* et sont instruits sur la nature du Brahman impersonnel, tandis qu'ils vivent dans le plus complet célibat auprès de leur maître spirituel. Ils réalisent ainsi deux des aspects du Brahman. La continence est primordiale pour le progrès spirituel de l'étudiant. Par malheur, les structures sociales ont tellement changé qu'il est aujourd'hui impossible à un individu de demeurer chaste (*brahmacārī*) tout au long de sa vie d'étudiant, d'observer strictement le célibat. Les universités de nos jours proposent une multitude de disciplines, mais nulle part on n'enseigne les principes du *brahmacarya,* sans lesquels il est très difficile de progresser dans la vie spirituelle. C'est pour cette raison que Caitanya Mahāprabhu vint enseigner au monde la méthode qui, selon les Écritures, constitue le seul moyen de réaliser l'Absolu dans l'ère de Kali, c'est-à-dire le chant des saints noms de Kṛṣṇa : Hare Kṛṣṇa Hare Kṛṣṇa Kṛṣṇa Kṛṣṇa Hare Hare/Hare Rāma Hare Rāma Rāma Rāma Hare Hare.

**8.12** सर्वद्वाराणि संयम्य मनो हृदि निरुध्य च ।
मूर्ध्न्याधायात्मनः प्राणमास्थितो योगधारणाम् ॥१२॥

*sarva-dvārāṇi saṁyamya, mano hṛdi nirudhya ca*
*mūrdhny ādhāyātmanaḥ prāṇam, āsthito yoga-dhāraṇām*

*sarva-dvārāṇi :* toutes les portes du corps ; *saṁyamya :* en maîtrisant ; *manaḥ :* le mental ; *hṛdi :* dans le cœur ; *nirudhya :* confinant ; *ca :* aussi ; *mūrdhni :* sur la tête ; *ādhāya :* en fixant ; *ātmanaḥ :* de l'âme ; *prāṇam :* le souffle vital ; *āsthitaḥ :* situé dans ; *yoga-dhāraṇām :* l'état de yoga.

**Le yoga implique le détachement de toute activité sensorielle. On se fixe dans le yoga en fermant les portes des sens, en concentrant le mental sur le cœur et en maintenant l'air vital au sommet de la tête.**

Il faut, pour pratiquer le yoga décrit ici, se fermer à tous les désirs des sens. C'est le *pratyāhāra,* qui consiste à couper les sens de leurs objets, de façon à maîtriser pleinement les organes de perception des sens (les yeux, les oreilles, le nez, la langue et la peau) et à les empêcher de rechercher les plaisirs matériels. Ainsi, le *yogī* peut-il fixer son mental sur l'Âme Suprême dans son cœur, et faire monter le souffle vital au sommet de la tête. Ce processus est décrit en détail dans le sixième chapitre, mais, comme on l'a précédemment expliqué, il est fort incommode de le suivre à notre époque. La meilleure voie demeure la conscience de Kṛṣṇa, car si l'on parvient à garder son mental absorbé en Kṛṣṇa par l'exécution du service de dévotion, demeurer dans l'état de transse spirituelle du *samādhi* devient chose aisée.

**8.13** ॐ इत्येकाक्षरं ब्रह्म व्याहरन्मामनुस्मरन् ।
यः प्रयाति त्यजन्देहं स याति परमां गतिम् ॥१३॥

*oṁ ity ekākṣaraṁ brahma, vyāharan mām anusmaran*
*yaḥ prayāti tyajan dehaṁ, sa yāti paramāṁ gatim*

*oṁ :* l'*oṁkāra,* la combinaison de lettres ; *iti :* ainsi ; *eka-akṣaram :* la syllabe unique ; *brahma :* absolue ; *vyāharan :* faisant vibrer ; *mām :* Moi (Kṛṣṇa) ; *anusmaran :* se souvenant de ; *yaḥ :* quiconque ; *prayāti :* part ; *tyajan :* quittant ; *deham :* ce corps ; *saḥ :* il ; *yāti :* atteint ; *paramām :* suprême ; *gatim :* la destination.

**En pratiquant ainsi le yoga et en prononçant la syllabe sacrée oṁ, suprême combinaison de lettres, celui qui à l'instant de quitter le corps pense à Moi, Dieu, la Personne Suprême, atteint les planètes spirituelles.**

Ce verset affirme, dans les termes les plus clairs, que le son *oṁ,* le Brahman et Kṛṣṇa Lui-même, ne diffèrent en rien les uns des autres. *Oṁ* est la représentation sonore impersonnelle de Kṛṣṇa, et se trouve contenu dans le mantra Hare Kṛṣṇa. Il est d'autre part établi que, dans l'âge présent, celui qui aura sur les lèvres le mantra Hare Kṛṣṇa – Hare Kṛṣṇa Hare Kṛṣṇa Kṛṣṇa Kṛṣṇa Hare Hare/Hare Rāma Hare Rāma Rāma Rāma Hare Hare – au moment de la mort atteindra l'une ou l'autre des planètes spirituelles, selon ce qu'aura été sa pratique individuelle. Ainsi, les dévots de Kṛṣṇa atteindront Goloka Vṛndāvana, la planète de Kṛṣṇa, tandis que d'autres personnalistes iront sur l'une ou l'autre des innombrables planètes Vaikuṇṭhas du monde spirituel. Les impersonnalistes, pour leur part, ne dépasseront jamais le *brahmajyoti.*

**8.14** अनन्यचेताः सततं यो मां स्मरति नित्यशः ।
तस्याहं सुलभः पार्थ नित्ययुक्तस्य योगिनः ॥१४॥

*ananya-cetāḥ satataṁ, yo māṁ smarati nityaśaḥ*
*tasyāhaṁ su-labhaḥ pārtha, nitya-yuktasya yoginaḥ*

*ananya-cetāḥ :* sans déviation du mental; *satatam :* toujours; *yaḥ :* quiconque; *mām :* de Moi (Kṛṣṇa); *smarati :* se souvient; *nityaśaḥ :* régulièrement; *tasya :* pour lui; *aham :* Je suis; *su-labhaḥ :* très facile à obtenir; *pārtha :* ô fils de Pṛthā; *nitya :* régulièrement; *yuktasya :* engagé; *yoginaḥ :* pour le dévot.

**Parce qu'il est constamment absorbé dans le service de dévotion, celui qui toujours se souvient de Moi sans jamais dévier M'atteint sans peine, ô fils de Pṛthā.**

Ce verset traite particulièrement de la destination finale des purs dévots du Seigneur Suprême, qui Le servent par le biais du *bhakti-yoga*. Les versets des chapitres précédents décrivaient quatre catégories d'hommes qui se vouent à Dieu - le malheureux, le curieux, celui qui poursuit quelque gain matériel et le philosophe spéculatif - ainsi que diverses méthodes de libération, comme le *karma-yoga,* le *jñāna-yoga* et le *haṭha-yoga*. Chacune de ces pratiques contient une part de *bhakti,* mais ici, c'est le pur *bhakti-yoga* que Kṛṣṇa nous dépeint, dépourvu de toute trace de ces autres *yogas*. Comme le suggère le mot *ananya-cetāḥ,* le dévot ne s'intéresse à rien d'autre que Kṛṣṇa. L'élévation aux planètes édéniques, la fusion dans le *brahmajyoti,* le salut, la libération des souffrances matérielles, rien de cela ne présente d'attrait pour lui. Le *Caitanya-caritāmṛta* dit d'un tel dévot du Seigneur, dénué de tout désir personnel, qu'il est *niṣkāma*. Lui seul goûte la paix véritable, que n'atteindra jamais celui qui poursuit son propre intérêt. Alors que le *jñāna-yogī,* le *karma-yogī* et le *haṭha-yogī* ont chacun leur désir personnel, le pur *bhakta* n'a d'autre souhait que de plaire à Dieu, la Personne Suprême. C'est pourquoi il peut aisément L'atteindre, comme le lui a promis le Seigneur.

Le pur dévot qui peut offrir selon son choix son service et son amour à l'une ou l'autre des formes absolues du Seigneur (Rāma, Nṛsiṁha...), ne rencontre aucune des difficultés qui assaillent les adeptes des autres yogas. Le *bhakti-yoga* est pur, simple, d'application aisée. On peut commencer à servir le Seigneur simplement en chantant Hare Kṛṣṇa. Comme nous l'avons déjà vu, le Seigneur prodigue Sa miséricorde à tous, mais plus particulièrement encore à ceux qui Le servent sans se laisser distraire. Il les aide de maintes et maintes façons. Les Védas (*Kaṭha Upaniṣad* 1.2.23) disent : *yam evaiṣa vṛṇute tena labhyas/tasyaiṣa ātmā vivṛṇute tanuṁ svām* - celui qui est totalement soumis au Seigneur Suprême et Le sert avec dévotion peut

Le connaître tel qu'Il est. Comme l'indique la *Bhagavad-gītā* (10.10) : *dadāmi buddhi-yogaṁ tam* - le Seigneur donne à ce dévot l'intelligence requise pour Le rejoindre dans le royaume spirituel.

La qualité spécifique du pur dévot est de pouvoir fixer continuellement ses pensées sur Kṛṣṇa, quels que soient le lieu et les circonstances. Rien ne saurait lui faire obstacle. Il est capable d'offrir son service au Seigneur en tous temps et en tous lieux. On dit parfois que le dévot devrait demeurer en des lieux saints, comme Vṛndāvana ou quelque autre endroit où le Seigneur a vécu, mais le pur *bhakta* peut vivre n'importe où, et y recréer, par son service dévotionnel, l'atmosphère spirituelle de Vṛndāvana. Śrī Advaita illustra ce fait par ces paroles, adressées à Caitanya Mahāprabhu : « Partout où Tu es, ô Seigneur, se trouve Vṛndāvana. »

Ce souvenir constant de Kṛṣṇa, cette méditation ininterrompue, est suggéré par les mots *satatam* et *nityaśaḥ,* qui signifient « toujours », « régulièrement » ou « chaque jour ». Cette absorption est la marque distinctive du pur dévot, pour lequel le Seigneur est le plus facilement accessible. Au-dessus de tout autre yoga, c'est le *bhakti-yoga* que préconise la *Gītā*.

On compte généralement cinq sortes de *bhakti-yogīs :* (1) le *śānta-bhakta,* qui sert Kṛṣṇa dans une relation neutre ; (2) le *dāsya-bhakta,* qui Le sert comme un serviteur sert son maître ; (3) le *sakhya-bhakta,* qui Le sert comme un ami ; (4) le *vātsalya-bhakta,* qui Le sert comme des parents servent leur enfant ; (5) le *mādhurya-bhakta,* qui Le sert dans une relation amoureuse. Mais quelle que soit la nature de sa relation, le pur dévot s'immerge constamment, avec amour, dans le service transcendantal du Seigneur Suprême, et ne peut L'oublier. C'est donc sans peine qu'il atteint le Seigneur. À l'instar de Son dévot qui ne L'oublie jamais, fût-ce une seconde, le Seigneur Suprême n'oublie jamais Son serviteur. Telle est la bénédiction sublime que confère le chant du *mahā-mantra* - Hare Kṛṣṇa Hare Kṛṣṇa Kṛṣṇa Kṛṣṇa Hare Hare/Hare Rāma Hare Rāma Rāma Rāma Hare Hare.

**8.15** मामुपेत्य पुनर्जन्म दुःखालयमशाश्वतम् ।
नाप्नुवन्ति महात्मानः संसिद्धिं परमां गताः ॥१५॥

*mām upetya punar janma, duḥkhālayam aśāśvatam*
*nāpnuvanti mahātmānaḥ, saṁsiddhiṁ paramāṁ gatāḥ*

*mām :* Moi ; *upetya :* atteignant ; *punaḥ :* encore ; *janma :* naissance ; *duḥkha-ālayam :* au lieu de souffrance ; *aśāśvatam :* transitoire ; *na :* jamais ; *āpnuvanti :* ne vont ; *mahā-*

*ātmānaḥ :* les grandes âmes ; *saṁsiddhim :* la perfection ; *paramām :* ultime ; *gatāḥ :* ayant atteint.

**Quand ces grandes âmes, les bhakti-yogīs, M'ont atteint, jamais plus elles ne reviennent en ce monde transitoire où règne la souffrance, car elles sont parvenues à la plus haute perfection.**

L'univers matériel est un lieu de souffrance, où il faut endurer la naissance, la maladie, la vieillesse et la mort. Aussi, les âmes qui obtiennent l'ultime perfection et atteignent la planète spirituelle suprême, Kṛṣṇaloka, ou Goloka Vṛndāvana, n'ont-elles aucun désir d'y retourner. Kṛṣṇaloka, disent les Écritures védiques, est *avyakta, akṣara* et *paramā gati.* C'est-à-dire qu'elle est au-delà de notre vision matérielle, inconcevable, mais qu'y parvenir constitue le but ultime, la destination des *mahātmās* (grandes âmes). Ceux-ci reçoivent le message transcendantal de dévots réalisés et développent ainsi graduellement leur dévotion et leur attitude de service dans la conscience de Kṛṣṇa. Ils deviennent tellement pris par ce service transcendantal qu'ils n'éprouvent plus le moindre attrait pour les planètes édéniques, et renoncent même au désir d'être promus aux planètes spirituelles. Leur seul et unique souhait est de pouvoir toujours vivre en compagnie de Kṛṣṇa. Ce verset parle spécifiquement des personnalistes, des dévots du Seigneur Suprême ; ils atteignent la plus haute perfection de l'existence, et ce sont les âmes les plus élevées.

**8.16** आब्रह्मभुवनाल्लोकाः पुनरावर्तिनोऽर्जुन ।
मामुपेत्य तु कौन्तेय पुनर्जन्म न विद्यते ॥१६॥

*ā-brahma-bhuvanāl lokāḥ, punar āvartino 'rjuna*
*mām upetya tu kaunteya, punar janma na vidyate*

*ā-brahma-bhuvanāt :* jusqu'à la planète Brahmaloka ; *lokāḥ :* les systèmes planétaires ; *punaḥ :* encore ; *āvartinaḥ :* retournant ; *arjuna :* ô Arjuna ; *mām :* à Moi ; *upetya :* arrivant ; *tu :* mais ; *kaunteya :* ô fils de Kuntī ; *punaḥ janma :* renaissance ; *na :* jamais ; *vidyate :* n'a lieu.

**Ô fils de Kuntī, toutes les planètes de l'univers, de la plus évoluée à la plus basse, sont des lieux de souffrance où se succèdent la naissance et la mort. Mais il n'est plus de renaissance pour l'âme qui atteint Mon royaume.**

Les différents *yogīs – karma-yogīs, jñāna-yogīs, haṭha-yogīs,* etc. – devront tous, à un moment ou à un autre, atteindre la perfection dévotionnelle dans le *bhakti-yoga,* la conscience de Kṛṣṇa, s'ils veulent se rendre jusqu'à la demeure absolue de Kṛṣṇa et ne plus jamais retourner dans l'univers matériel. Car même ceux qui atteignent les planètes des *devas,* les plus hautes planètes matérielles, demeurent prisonniers du cycle des morts et des renaissances. Pendant que certaines âmes s'élèvent, allant de la terre aux planètes édéniques, telles Brahmaloka, Candraloka, ou Indraloka, d'autres se dégradent et quittent ces lieux de délices pour retourner sur terre. La pratique du sacrifice appelé *pañcāgni-vidyā* par exemple - que recommande la *Chāndogya Upaniṣad* - permet à l'homme d'atteindre Brahmaloka ; mais si, une fois là, il ne cultive pas la conscience de Kṛṣṇa, il devra fatalement retourner sur terre. Par contre, si un être progresse dans la conscience de Kṛṣṇa lors de son séjour sur les planètes supérieures, il ira sur des planètes de plus en plus évoluées, jusqu'au jour de la destruction universelle, où il se verra transporté au royaume éternel de Dieu. Baladeva Vidyābhūṣaṇa cite le verset suivant dans son commentaire de la *Bhagavad-gītā :*

*brahmaṇā saha te sarve, samprāpte pratisañcare*
*parasyānte kṛtātmānaḥ, praviśanti paraṁ padam*

« Au moment de la dévastation de l'univers matériel, Brahmā et son entourage, qui tous sont constamment absorbés dans la conscience de Kṛṣṇa, sont transférés au monde spirituel et se rendent, selon leurs désirs, sur telle ou telle planète spirituelle. »

**8.17** सहस्रयुगपर्यन्तमहर्यद् ब्रह्मणो विदुः ।
रात्रिं युगसहस्रान्तां तेऽहोरात्रविदो जनाः ॥१७॥

*sahasra-yuga-paryantam, ahar yad brahmaṇo viduḥ*
*rātriṁ yuga-sahasrāntāṁ, te 'ho-rātra-vido janāḥ*

*sahasra :* mille ; *yuga :* âges ; *paryantam :* incluant ; *ahaḥ :* un jour ; *yat :* ce que ; *brahmaṇaḥ :* de Brahmā ; *viduḥ :* ils connaissent ; *rātrim :* une nuit ; *yuga :* d'âges ; *sahasra-antām :* de même, à la fin d'un millier ; *te :* ils ; *ahaḥ-rātra :* le jour et la nuit ; *vidaḥ :* qui comprennent ; *janāḥ :* les hommes.

**À l'échelle humaine, un jour de Brahmā équivaut à mille des différents âges, et autant sa nuit.**

La durée de l'univers matériel est limitée. Elle se répartit en cycles de *kalpas.* Chaque *kalpa* correspond à un jour de la vie de Brahmā et compte mille cycles de quatre âges, ou *yugas* : le Satya-yuga, le Tretā-yuga, le Dvāpara-yuga et le Kali-yuga. Le Satya-yuga, où règnent la vertu, la sagesse et la religion, où l'ignorance et le vice sont quasiment inexistants, dure 1 728 000 ans. Le Tretā-yuga, où le vice fait son apparition, dure 1 296 000 années. Le Dvāpara-yuga, durant lequel la vertu et la religion déclinent encore tandis que le vice augmente, dure 864 000 ans. Et le Kali-yuga (l'ère présente qui commença il y a 5 000 ans), qui voit abonder les conflits, l'ignorance, l'irréligion et le vice, où la vraie vertu a pratiquement disparu, dure 432 000 ans. En cet âge, l'immoralité s'accroît à tel point que lorsqu'il s'achève, le Seigneur Suprême apparaît en personne, sous la forme de l'*avatāra* Kalki, pour vaincre les populations démoniaques, sauver Ses dévots, et instaurer un nouveau Satya-yuga. Puis le cycle reprend.

Ces quatre *yugas* répétés mille fois forment une journée de la vie de Brahmā, et chacune de ses nuits a une durée analogue. Brahmā vit cent ans, qui correspondent donc à 311 040 milliards de nos années terrestres, puis meurt. Toutefois, cette longévité formidable, pour nous presque infinie, ne représente qu'un bref éclair sur le plan de l'éternité. L'Océan Causal renferme d'innombrables Brahmā, qui apparaissent et disparaissent comme des bulles dans l'Atlantique. Parce qu'ils appartiennent à l'univers matériel, Brahmā et sa création connaissent un flux et un reflux continuels.

Nul dans l'univers matériel, pas même Brahmā, n'échappe à la naissance, la vieillesse, la maladie et la mort. Cependant, du fait qu'il sert directement le Seigneur Suprême en régissant l'univers, Brahmā est immédiatement libéré après la mort. C'est sur sa planète, Brahmaloka – qui est la plus évoluée de l'univers et qui survit même à la destruction des niveaux supérieurs du système planétaire –, que vont les *sannyāsīs* avancés. Pour autant, de par les lois de la nature matérielle, ni Brahmā ni les habitants de Brahmaloka n'échappent à la mort.

**8.18** अव्यक्ताद्व्यक्तयः सर्वाः प्रभवन्त्यहरागमे ।
रात्र्यागमे प्रलीयन्ते तत्रैवाव्यक्तसंज्ञके ॥१८॥

*avyaktād vyaktayaḥ sarvāḥ, prabhavanty ahar-āgame*
*rātry-āgame pralīyante, tatraivāvyakta-saṁjñake*

*avyaktāt :* du non-manifesté; *vyaktayaḥ :* les êtres; *sarvāḥ :* tous; *prabhavanti :* deviennent manifestés; *ahaḥ-āgame :* au début du jour; *rātri-āgame :* à la tombée de la nuit; *pralīyante :* sont annihilés; *tatra :* en cela; *eva :* certes; *avyakta :* le non-manifesté; *saṁjñake :* qui est appelé.

**Quand vient le jour de Brahmā, tous les êtres vivants sortent de l'état non manifesté, et ils y retournent à la tombée de la nuit.**

**8.19** भूतग्रामः स एवायं भूत्वा भूत्वा प्रलीयते ।
रात्र्यागमेऽवशः पार्थ प्रभवत्यहरागमे ॥१९॥

*bhūta-grāmaḥ sa evāyaṁ, bhūtvā bhūtvā pralīyate*
*rātry-āgame 'vaśaḥ pārtha, prabhavaty ahar-āgame*

*bhūta-grāmaḥ :* l'ensemble de tous les êtres ; *saḥ :* ces ; *eva :* certes ; *ayam :* cela ; *bhūtvā bhūtvā :* naissant encore et encore ; *pralīyate :* est annihilé ; *rātri :* de la nuit ; *āgame :* à l'arrivée ; *avaśaḥ :* automatiquement ; *pārtha :* ô fils de Pṛthā ; *prabhavati :* est manifesté ; *ahaḥ :* du jour ; *āgame :* à l'arrivée.

**Ô fils de Pṛthā, chaque jour de Brahmā, des myriades d'êtres sont à nouveau ramenés à l'existence, et la nuit venue, tous sont anéantis sans qu'ils puissent s'y soustraire.**

Les êtres de moindre intelligence, qui veulent demeurer dans l'univers matériel, peuvent s'élever jusqu'aux planètes supérieures, mais ils retombent sur terre. Ils sont actifs durant le jour de Brahmā, grâce aux divers corps qui leur sont accordés pour agir matériellement sur les planètes les plus hautes aux plus basses de l'univers. Mais quand vient la nuit de Brahmā, ils sont dépouillés de leurs corps et rassemblés dans le corps de Viṣṇu. Ils ne seront de nouveau manifestés qu'à l'aube d'un autre jour de Brahmā. *Bhūtvā bhūtvā pralīyate* : ils sont manifestés le jour et anéantis la nuit. Et ce cycle se répète jusqu'à la fin de la vie de Brahmā, où ils demeurent non manifestés pendant plusieurs millions d'années. Lorsque enfin naît le Brahmā suivant, ils réapparaissent.

Tel est le destin des êtres qui se laissent ensorceler par le monde de la matière. Il en est toutefois qui font preuve d'intelligence et adoptent la conscience de Kṛṣṇa. Ils utilisent pleinement leur forme humaine au service du Seigneur qu'ils louent en chantant Hare Kṛṣṇa Hare Kṛṣṇa Kṛṣṇa Kṛṣṇa Hare Hare/Hare Rāma Hare Rāma Rāma Rāma Hare Hare. Aussi se voient-ils transférés, à la fin de cette vie même, sur la planète spirituelle de Kṛṣṇa, où ils connaissent l'éternelle félicité, libérés désormais du cycle des morts et des renaissances.

**8.20** परस्तस्मात्तु भावोऽन्योऽव्यक्तोऽव्यक्तात्सनातनः ।
यः स सर्वेषु भूतेषु नश्यत्सु न विनश्यति ॥२०॥

*paras tasmāt tu bhāvo 'nyo, 'vyakto 'vyaktāt sanātanaḥ*
*yaḥ sa sarveṣu bhūteṣu, naśyatsu na vinaśyati*

*paraḥ* : transcendantale ; *tasmāt* : à cela ; *tu* : mais ; *bhāvaḥ* : nature ; *anyaḥ* : une autre ; *avyaktaḥ* : non manifestée ; *avyaktāt* : au non-manifesté ; *sanātanaḥ* : éternelle ; *yaḥ saḥ* : ce qui ; *sarveṣu* : toute ; *bhūteṣu* : manifestation ; *naśyatsu* : étant anéantie ; *na* : jamais ; *vinaśyati* : n'est anéanti.

**Il existe cependant une autre nature non manifestée, qui est éternelle et se situe au-delà des états manifesté et non manifesté de la matière. Indestructible et suprême, elle demeure intacte quand tout en l'univers matériel est dissous.**

L'énergie spirituelle, ou énergie supérieure de Kṛṣṇa, est éternelle et absolue. Elle transcende les mutations de la nature matérielle, qui se trouve manifestée puis annihilée durant les jours et les nuits de Brahmā. Elle est, qualitativement, l'inverse de la matière. Ces deux énergies, supérieure et inférieure, ont déjà été analysées dans le septième chapitre.

**8.21** अव्यक्तोऽक्षर इत्युक्तस्तमाहुः परमां गतिम् ।
यं प्राप्य न निवर्तन्ते तद्धाम परमं मम ॥२१॥

*avyakto 'kṣara ity uktas, tam āhuḥ paramāṁ gatim*
*yaṁ prāpya na nivartante, tad dhāma paramaṁ mama*

*avyaktaḥ* : non manifesté ; *akṣaraḥ* : infaillible ; *iti* : ainsi ; *uktaḥ* : est dit ; *tam* : cela ; *āhuḥ* : est connu comme ; *paramām* : l'ultime ; *gatim* : destination ; *yam* : que ; *prāpya* : gagnant ; *na* : jamais ; *nivartante* : ne revient ; *tat* : cela ; *dhāma* : royaume ; *paramam* : suprême ; *mama* : Mon.

**Cet endroit dont on ne retombe jamais une fois qu'on l'a atteint, que les védantistes décrivent comme non manifesté et impérissable, cette destination ultime est Ma demeure suprême.**

La *Brahma-saṁhitā* nomme la demeure absolue de Kṛṣṇa, la Personne Suprême, *cintāmaṇi-dhāma,* le lieu où tous les désirs sont comblés. On trouve sur Goloka Vṛndāvana d'innombrables palais, bâtis en pierres philosophales, des arbres-à-souhaits qui peuvent produire une infinie variété d'aliments, et des vaches *surabhis* qui prodiguent leur lait sans fin. Des centaines de milliers de Lakṣmīs, ou déesses de la fortune, y servent Govinda, le Seigneur originel, cause de toutes les causes. Rien, dans toute la création, ne saurait rivaliser avec la forme transcendantale et fascinante de ce merveilleux joueur de flûte (*veṇuṁ kvaṇantam*). Ses yeux sont pareils aux pétales du lotus, Son teint a la couleur des nuages. Il porte des habits jaune safran, une guirlande entoure Son cou et une plume de paon orne Ses cheveux. Sa beauté surpasse celle de milliers de Cupidon.

Le Seigneur ne fait, dans la *Bhagavad-gītā,* qu'une brève description de Sa demeure personnelle, Goloka Vṛndāvana, planète suprême du monde spirituel. Mais la *Brahma-saṁhitā* nous en donne un tableau détaillé. Les Textes védiques (*Kaṭha Upaniṣad* 1.3.11) disent qu'il n'est rien au-delà de la demeure du Seigneur Suprême, ultime destination de tous les êtres (*puruṣān na paraṁ kiñcit sā kāṣṭhā paramā gatiḥ*). Quiconque l'atteint ne retourne jamais dans l'univers matériel. Il n'existe, d'ailleurs, aucune différence entre Kṛṣṇa et Sa demeure absolue : tous deux participent d'une seule et même nature. Sur terre, en Inde, dans le district de Mathurā, à 150 km au sud de Delhi et couvrant une surface de 218 km², Vṛndāvana est la réplique exacte de Goloka Vṛndāvana dans le monde spirituel. C'est là que Kṛṣṇa Se divertit dans Son enfance lorsqu'Il descendit sur notre planète.

**8.22** पुरुषः स परः पार्थ भक्त्या लभ्यस्त्वनन्यया ।
यस्यान्तःस्थानि भूतानि येन सर्वमिदं ततम् ॥२२॥

*puruṣaḥ sa paraḥ pārtha, bhaktyā labhyas tv ananyayā*
*yasyāntaḥ-sthāni bhūtāni, yena sarvam idaṁ tatam*

*puruṣaḥ :* la Personne Suprême ; *saḥ :* Lui ; *paraḥ :* l'Être Suprême, à qui personne n'est supérieur ; *pārtha :* ô fils de Pṛthā ; *bhaktyā :* par le service de dévotion ; *labhyaḥ :* peut être obtenu ; *tu :* mais ; *ananyayā :* sans mélange, sans déviation ; *yasya :* qui ; *antaḥ-sthāni :* dans ; *bhūtāni :* toute la manifestation matérielle ; *yena :* par qui ; *sarvam :* tout ; *idam :* quoi que l'on voie ; *tatam :* est pénétré.

**La dévotion pure permet d'atteindre Dieu, la Personne Suprême, Lequel est supérieur à tous, ô fils de Pṛthā. Bien qu'Il vive toujours en Son royaume, Il pénètre en toute chose, et en Lui tout repose.**

Ce verset dit nettement que la destination ultime, le lieu d'où l'on ne revient pas, est la demeure de Kṛṣṇa, la Personne Suprême. Lieu, ajoute la *Brahma-saṁhitā,* où tout est félicité spirituelle (*ānanda-cinmaya-rasa*). Les formes variées qu'on y trouve sont constituées de félicité spirituelle - rien n'y est matériel. Cette diversité est une émanation du Seigneur Suprême, car, comme l'enseignait le septième chapitre, tout y est fait d'énergie spirituelle. C'est là que réside éternellement le Seigneur, bien qu'Il soit également omniprésent dans notre univers à travers Son énergie matérielle. Il est donc partout simultanément, tant dans les univers matériel que spirituel, par le biais de Ses deux énergies. *Yasyāntaḥ-sthāni* signifie que tout est en lui, en Son énergie matérielle ou spirituelle.

Ce verset rappelle en outre avec le mot *bhaktyā* que seule la *bhakti,* le service de dévotion, peut donner accès aux planètes Vaikuṇṭhas ou à la demeure suprême du Seigneur. Dans la *Gopāla-tāpanī Upaniṣad* (3.1.21) les Védas décrivent la Personne Divine et Son séjour suprême : *eko vaśī sarva-gaḥ kṛṣṇaḥ.* Dans le royaume spirituel, il n'existe qu'un seul et unique Dieu, Divinité miséricordieuse suprême, dont le nom est Kṛṣṇa. Mais pour régner sur chacune de ces planètes Il S'est multiplié en des milliards de manifestations plénières, toutes dotées de quatre bras et portant différents noms : Puruṣottama, Trivikrama, Keśava, Mādhava, Aniruddha, Hṛṣīkeśa, Saṅkarṣaṇa, Pradyumna, Śrīdhara, Vāsudeva, Dāmodara, Janārdana, Nārāyaṇa, Vāmana, Padmanābha, etc. Les Védas comparent le Seigneur à un arbre portant toute une variété de fruits, de fleurs et de feuilles.

La *Brahma-saṁhitā* (5.37) confirme elle aussi que tout en résidant dans Sa demeure suprême, Goloka Vṛndāvana, le Seigneur est partout présent pour veiller à la bonne marche de l'univers entier (*goloka eva nivasaty akhilātma-bhūtaḥ*). Comme l'indiquent les Védas (*Śvetāśvatara Upaniṣad* 6.8) : *parāsya śaktir vividhaiva śrūyate/svābhāvikī jñāna-bala-kriyā ca* – bien que le Seigneur soit très loin, en raison de leur extraordinaire omniprésence, Ses énergies régissent de façon systématique et sans la moindre erreur l'entière manifestation cosmique.

**8.23** यत्र काले त्वनावृत्तिमावृत्तिं चैव योगिनः ।
प्रयाता यान्ति तं कालं वक्ष्यामि भरतर्षभ ॥२३॥

*yatra kāle tv anāvṛttim, āvṛttiṁ caiva yoginaḥ*
*prayātā yānti taṁ kālaṁ, vakṣyāmi bharatarṣabha*

*yatra :* durant lequel ; *kāle :* le temps ; *tu :* et ; *anāvṛttim :* pas de retour ; *āvṛttim :* retour ; *ca :* aussi ; *eva :* certes ; *yoginaḥ :* les différents types de *yogīs* mystiques ; *prayātāḥ :* ayant quitté le monde ; *yānti :* atteignent ; *tam :* ce ; *kālam :* temps ; *vakṣyāmi :* Je vais décrire ; *bharata-ṛṣabha :* ô meilleur des Bhāratas.

**Ô meilleur des Bhāratas, laisse-Moi à présent te décrire les moments propices pour quitter ce monde et n'y plus revenir et ceux qui, au contraire, forcent un yogī à retourner sur terre.**

Les purs dévots du Seigneur, âmes totalement abandonnées, ne se soucient guère du moment ou de la façon dont ils quitteront leur corps. Ils s'en remettent totalement à Kṛṣṇa et ainsi retournent à Lui aisément, et dans la joie. Ceux, par contre, qui ont recours à d'autres méthodes de réalisation spirituelle, comme le *karma-yoga,* le *jñāna-yoga* ou le *haṭha-yoga,* ne devront quitter leur corps qu'à un moment propice, bien déterminé, s'ils veulent ne plus avoir à revenir en ce monde de morts et de renaissances. Le *yogī* accompli peut choisir l'instant et le lieu de son départ du monde matériel; s'il est moins avancé, son succès dépendra du fait qu'il quitte accidentellement son corps à un moment opportun. Le moment le plus favorable pour quitter le corps est décrit dans le verset suivant.

Notons enfin que le mot sanskrit *kāla* employé ici se rapporte, selon Baladeva Vidyābhūṣaṇa Ācārya, au *deva* qui régit le temps.

**8.24** अग्निर्ज्योतिरहः शुक्लः षण्मासा उत्तरायणम् ।
तत्र प्रयाता गच्छन्ति ब्रह्म ब्रह्मविदो जनाः ॥२४॥

*agnir jyotir ahaḥ śuklaḥ, ṣaṇ-māsā uttarāyaṇam*
*tatra prayātā gacchanti, brahma brahma-vido janāḥ*

*agniḥ :* le feu; *jyotiḥ :* la lumière; *ahaḥ :* le jour; *śuklaḥ :* les quinze jours de la lune blanche; *ṣaṭ-māsāḥ :* les six mois; *uttara-ayanam :* où le soleil passe au nord; *tatra :* là; *prayātāḥ :* ceux qui meurent; *gacchanti :* vont; *brahma :* à l'Absolu; *brahma-vidaḥ :* qui connaissent l'Absolu; *janāḥ :* les personnes.

**L'être qui connaît le Brahman Suprême parviendra jusqu'à Lui s'il quitte ce monde sous le signe du deva du feu, à un moment propice de la journée, en pleine lumière, pendant les quinze jours où croît la lune ou les six mois durant lesquels le soleil passe au septentrion.**

Lorsqu'on fait mention ici du feu, de la lumière, du jour et du cycle lunaire, on doit comprendre que derrière chacune de ces manifestations des *devas* agissent pour faciliter le passage de l'âme. Au moment de la mort, le mental transporte l'âme vers une autre vie. Si l'on quitte son corps, volontairement ou fortuitement, au moment décrit dans ce verset, on pourra atteindre le *brahmajyoti* impersonnel. Les *yogīs* accomplis sauront choisir le lieu et le moment propices à leur départ, tandis que les autres n'auront aucun contrôle sur le moment de leur mort. Si, par chance, ils quittent leur corps à un moment favorable, ils n'auront pas à continuer à naître et à mourir de façon répétée, mais dans tous les autres cas, ils seront pratiquement assurés de revenir en ce monde. Le pur dévot, lui, ne court aucun risque de renaître, que le moment où il quitte son corps soit propice ou non, que la chose arrive par accident ou par un arrangement défini.

8.25 धूमो रात्रिस्तथा कृष्णः षण्मासा दक्षिणायनम् ।
तत्र चान्द्रमसं ज्योतिर्योगी प्राप्य निवर्तते ॥२५॥

*dhūmo rātris tathā kṛṣṇaḥ, ṣaṇ-māsā dakṣiṇāyanam*
*tatra cāndramasaṁ jyotir, yogī prāpya nivartate*

*dhūmaḥ :* la brume; *rātriḥ :* la nuit; *tathā :* aussi; *kṛṣṇaḥ :* la quinzaine où la lune s'assombrit; *ṣaṭ-māsāḥ :* les six mois; *dakṣiṇa-ayanam :* où le soleil passe au sud; *tatra :* là; *cāndra masam :* la lune; *jyotiḥ :* la lumière; *yogī :* le *yogī* mystique; *prāpya :* atteignant; *nivartate :* revient.

**S'il part dans la brume, la nuit, pendant les quinze jours du déclin de la lune ou durant les six mois de soleil austral, le yogī atteindra l'astre lunaire, mais devra tout de même revenir sur terre.**

Dans le troisième Chant du *Śrīmad-Bhāgavatam,* Kapila Muni nous apprend que ceux qui, sur terre, s'adonnent aux rituels d'oblations et aux bonnes œuvres atteignent la lune après leur mort. S'étant ainsi élevés, ils y vivent pendant quelque 10 000 ans (selon la mesure des *devas*) et jouissent de la vie en buvant le *soma-rasa.* Néanmoins, un jour ou l'autre, ils doivent retourner sur terre. Ceci suggère qu'il existe des êtres sur la lune, supérieurs à ceux qui habitent la terre, bien que nos sens grossiers ne puissent les percevoir.

8.26 शुक्लकृष्णे गती ह्येते जगतः शाश्वते मते ।
एकया यात्यनावृत्तिमन्ययावर्तते पुनः ॥२६॥

*śukla-kṛṣṇe gatī hy ete, jagataḥ śāśvate mate*
*ekayā yāty anāvṛttim, anyayāvartate punaḥ*

*śukla :* la lumière; *kṛṣṇe :* l'obscurité; *gatī :* façons de s'en aller; *hi :* certes; *ete :* ces deux; *jagataḥ :* du monde matériel; *śāśvate :* des Védas; *mate :* dans l'opinion; *ekayā :* par l'un; *yāti :* va; *anāvṛttim :* pour ne pas revenir; *anyayā :* par l'autre; *āvartate :* revient; *punaḥ :* encore.

**Il y a, d'après les Védas, deux façons de quitter ce monde : dans l'obscurité ou dans la lumière. L'une est la voie du retour, l'autre du non-retour.**

Baladeva Vidyābhūṣaṇa Ācārya reprend, dans ses écrits, un passage de la *Chāndogya Upaniṣad* (5.10.3-5) qui fait état de ce concept de départ et de retour. Les philosophes spéculatifs et les hommes qui convoitent les fruits de leur labeur ne font qu'aller et venir dans l'univers matériel depuis des temps immémoriaux. Parce qu'ils refusent de s'abandonner à Kṛṣṇa, aucun d'entre eux n'atteint la libération ultime.

**8.27** नैते सृती पार्थ जानन् योगी मुह्यति कश्चन ।
तस्मात्सर्वेषु कालेषु योगयुक्तो भवार्जुन ॥२७॥

*naite sṛtī pārtha jānan, yogī muhyati kaścana*
*tasmāt sarveṣu kāleṣu, yoga-yukto bhavārjuna*

*na :* jamais ; *ete :* ces deux ; *sṛtī :* différentes voies ; *pārtha :* ô fils de Pṛthā ; *jānan :* même s'il connaît ; *yogī :* le dévot du Seigneur ; *muhyati :* n'est égaré ; *kaścana :* aucune ; *tasmāt :* donc ; *sarveṣu kāleṣu :* toujours ; *yoga-yuktaḥ :* engagé dans la conscience de Kṛṣṇa ; *bhava :* deviens simplement ; *arjuna :* ô Arjuna.

**Si les dévots connaissent ces deux voies, ils ne s'en soucient pas. Sois donc, ô Arjuna, toujours ferme dans la dévotion.**

Kṛṣṇa conseille ici à Arjuna de ne pas s'inquiéter des diverses voies que peut emprunter l'âme au moment de quitter l'univers matériel. Que ce départ s'effectue par choix ou par accident, le dévot du Seigneur ne doit pas s'en soucier. Il doit savoir qu'il ne gagnera que de vaines inquiétudes à s'en préoccuper ; qu'il s'applique simplement à chanter Hare Kṛṣṇa et se fixe dans la conscience de Kṛṣṇa. Il n'y a pas de meilleur moyen pour cela qu'une constante absorption dans le service du Seigneur. C'est le chemin le plus sûr et le plus direct vers le royaume spirituel.

Le terme *yoga-yukta* est très éloquent : il indique que la fermeté dans la pratique du yoga consiste à être, dans tous ses actes, constamment absorbé dans la conscience de Kṛṣṇa. Śrīla Rūpa Gosvāmī nous conseille de nous détacher des choses matérielles et de n'agir que dans la conscience de Kṛṣṇa : *anāsaktasya viṣayān yathārham upayuñjataḥ* – ce *yukta-vairāgya* nous mènera à la perfection. Parce qu'il sait avec certitude qu'il atteindra la demeure suprême par la pratique du service de dévotion, le dévot n'est pas concerné par les conditions de départ de ce monde décrites précédemment.

**8.28** वेदेषु यज्ञेषु तपःसु चैव दानेषु यत्पुण्यफलं प्रदिष्टम् ।
अत्येति तत्सर्वमिदं विदित्वा योगी परं स्थानमुपैति चाद्यम् ॥२८॥

*vedeṣu yajñeṣu tapaḥsu caiva*
*dāneṣu yat puṇya-phalaṁ pradiṣṭam*
*atyeti tat sarvam idaṁ viditvā*
*yogī paraṁ sthānam upaiti cādyam*

*vedeṣu :* par l'étude des Védas ; *yajñeṣu :* par les sacrifices (*yajñas*) ; *tapaḥsu :* en se soumettant à différents types d'austérités ; *ca :* aussi ; *eva :* certes ; *dāneṣu :* en donnant en charité ; *yat :* ce qui ; *puṇya-phalam :* le résultat des actes pieux ; *pradiṣṭam :* indiqués ; *atyeti :* surpasse ; *tat sarvam :* tous ceux-là ; *idam :* cela ; *viditvā :* sachant ; *yogī :* le dévot ; *param :* suprême ; *sthānam :* la demeure ; *upaiti :* atteint ; *ca :* aussi ; *ādyam :* originelle.

**Celui qui emprunte la voie du service de dévotion n'est en rien privé des fruits que confèrent l'étude des Védas, les sacrifices, les austérités, les actes charitables, la recherche philosophique et l'action intéressée. Par sa seule pratique dévotionnelle, il les obtient tous et atteint à la fin le royaume suprême et éternel.**

Ce verset résume les septième et huitième chapitres, qui traitent tout particulièrement de la conscience de Kṛṣṇa et du service de dévotion. Il est essentiel d'étudier les Védas sous la direction d'un maître spirituel et d'accepter de vivre auprès de lui une vie de grande austérité. Le *brahmacārī* doit vivre sous le toit du maître spirituel, en humble serviteur, et demander l'aumône de maison en maison pour la lui rapporter. Il ne doit prendre son repas que sur son ordre, et, si un jour cet ordre ne vient pas, il jeûne. Ce sont là quelques-uns des principes védiques du *brahmacarya.*

Après avoir étudié les Védas, de l'âge de cinq ans jusqu'à sa vingtième année, sous la conduite de son maître spirituel, le *brahmacārī* pourra devenir un homme de parfait caractère. L'étude des Védas, en effet, n'est pas un passe-temps pour des penseurs occupés à spéculer au fond de leur fauteuil, mais sert à former des hommes parfaits. Après avoir reçu cette formation, le *brahmacārī* peut se marier et fonder un foyer. Il effectue dès lors toutes sortes d'oblations afin de poursuivre son cheminement spirituel. Il donne en charité en tenant compte du temps et des circonstances, ainsi que de la nature de la personne à qui s'adressent les dons. Il sait discerner, à la lumière de la *Bhagavad-gītā,* la charité relevant de la vertu, de la passion ou de l'ignorance. Enfin, en temps opportun, il quitte la vie familiale et sociale pour embrasser le *vānaprastha,* où il entreprend une ascèse sévère : il habite la forêt, s'habille avec l'écorce des arbres, ne se rase plus, etc. L'homme passant ainsi du *brahmacārya* au *gṛhastha-*

*āśrama,* puis du *vānaprastha-āśrama* au *sannyāsa,* s'élève jusqu'au stade le plus parfait de l'existence. Parmi les hommes qui suivent ce processus certains iront sur les planètes édéniques, et ceux qui progresseront encore davantage atteindront une destination purement spirituelle : soit le *brahmajyoti,* soit les planètes Vaikuṇṭhas, soit Kṛṣṇaloka. Telle est la voie tracée par les Écritures védiques.

La remarquable particularité de la conscience de Kṛṣṇa, toutefois, est qu'elle permet de dépasser d'un coup, par la pratique du service de dévotion, tous les rites propres aux quatre ordres mentionnés.

Les mots *idaṁ viditvā* indiquent qu'il faut chercher à comprendre l'enseignement dispensé par Kṛṣṇa dans les septième et huitième chapitres de la *Bhagavad-gītā.* Et cela en les étudiant avec des dévots, et non pas en comptant sur notre érudition ou nos spéculations intellectuelles. Les chapitres sept à douze forment l'essence de la *Bhagavad-gītā.* Particulièrement chers au Seigneur, ils sont étayés par les six premiers et les six derniers chapitres de l'ouvrage. Si une personne a le bonheur de comprendre la *Bhagavad-gītā* en la compagnie de dévots, et plus particulièrement les six chapitres du milieu, sa vie devient plus glorieuse que si elle avait fait tous les sacrifices, austérités, aumônes et spéculations possible ; elle obtient tous les bénéfices de ces différentes pratiques par la seule conscience de Kṛṣṇa.

Si l'on a la moindre foi en la *Bhagavad-gītā,* il faut en étudier les enseignements auprès d'un dévot, car il est le seul, comme le confirme le début du quatrième chapitre, qui en saisisse parfaitement le sens et l'objet. La foi nous incite à recevoir de lui la *Bhagavad-gītā,* plutôt que de n'importe quel spéculateur. En recherchant et en gardant la compagnie des dévots, on en vient à étudier puis à comprendre la *Bhagavad-gītā.* On entame alors la pratique du service de dévotion, lequel dissipe tous nos doutes, toutes nos erreurs sur Kṛṣṇa, Sa forme, Son nom, Ses divertissements, Ses activités, etc. Dès lors, on se fixe dans son étude. On en retire une grande joie et en fin de compte, on parvient au stade où l'on demeure toujours conscient de Kṛṣṇa. Au stade le plus élevé, l'amour de Kṛṣṇa submerge le dévot. Ce niveau de perfection le conduit jusqu'à Goloka Vṛndāvana, demeure de Kṛṣṇa dans le monde spirituel, où il goûte le bonheur éternel.

*Ainsi s'achèvent les teneurs et portées de Bhaktivedanta sur le huitième chapitre de la* Śrīmad Bhagavad-gītā *traitant de la voie menant au Suprême.*

NEUVIÈME CHAPITRE

# Le plus secret des savoirs

9.1 श्रीभगवानुवाच
इदं तु ते गुह्यतमं प्रवक्ष्याम्यनसूयवे ।
ज्ञानं विज्ञानसहितं यज्ज्ञात्वा मोक्ष्यसेऽशुभात् ॥ १ ॥

*śrī-bhagavān uvāca*
*idaṁ tu te guhyatamaṁ, pravakṣyāmy anasūyave*
*jñānaṁ vijñāna-sahitaṁ, yaj jñātvā mokṣyase 'śubhāt*

*śrī-bhagavān uvāca :* Dieu, la Personne Suprême, dit ; *idam :* cette ; *tu :* mais ; *te :* à toi ; *guhya-tamam :* les plus confidentielles ; *pravakṣyāmi :* J'énonce ; *anasūyave :* à celui qui n'est pas envieux ; *jñānam :* la connaissance ; *vijñāna :* la connaissance réalisée ; *sahitam :* avec ; *yat :* lesquelles ; *jñātvā :* sachant ; *mokṣyase :* tu seras soulagé ; *aśubhāt :* de cette misérable existence matérielle.

**Dieu, la Personne Suprême, dit : Mon cher Arjuna, parce que jamais tu ne Me jalouses, Je vais te donner la connaissance la plus secrète et la réalisation la plus confidentielle. Ainsi seras-tu soulagé des souffrances de l'existence matérielle.**

Plus le dévot entend parler des gloires du Seigneur, et plus sa vision spirituelle grandit. Un tel processus est ainsi recommandé dans le *Śrīmad-Bhāgavatam* : « Le message de Dieu, la Personne Suprême, est omnipotent, et l'on réalise sa puissance lorsqu'on s'entretient du Seigneur en compagnie de dévots. » Ni les érudits, ni les penseurs spéculatifs ne peuvent être d'aucune aide, car il s'agit d'un savoir qui doit être réalisé.

Le dévot est constamment absorbé dans le service du Seigneur Suprême. C'est pourquoi, conscient de l'état d'esprit et de la sincérité de celui qui a adopté la conscience de Kṛṣṇa, Dieu lui donne l'intelligence de comprendre la science divine, en compagnie d'autres dévots. Le fait de s'entretenir de Kṛṣṇa possède en soi un si grand pouvoir que ceux qui ont la bonne fortune de participer à de tels échanges en s'efforçant d'en assimiler le contenu, sont assurés de progresser sur la voie de la réalisation spirituelle. Aussi, dans ce neuvième chapitre, Kṛṣṇa révèle-t-Il à Arjuna une connaissance plus secrète encore que tout ce qu'Il a dévoilé jusqu'ici pour l'encourager à s'élever toujours davantage dans la pratique de Son service tout-puissant.

Le premier chapitre de la *Bhagavad-gītā* est en quelque sorte une introduction au reste de l'ouvrage. Les deuxième et troisième chapitres dévoilent un savoir spirituel dit confidentiel. Les septième et huitième chapitres, traitant tout particulièrement du service de dévotion, nous éclairent sur la conscience de Kṛṣṇa et sont donc considérés plus confidentiels encore. Mais ce neuvième chapitre, qui décrit la dévotion pure, sans mélange, est le plus confidentiel, le plus secret de tous. Et celui qui possède cette connaissance la plus haute de Kṛṣṇa se situe naturellement au niveau transcendantal. Bien qu'il vive encore dans l'univers matériel, il n'en connaît plus les souffrances. Le *Bhakti-rasāmṛta-sindhu* enseigne qu'un être animé du désir sincère de servir le Seigneur Suprême avec amour doit être vu comme libéré, même s'il subit encore le conditionnement de l'existence matérielle. La *Bhagavad-gītā* confirme également dans le dixième chapitre que quiconque prend part au service d'amour du Seigneur est un être libéré.

Il faut accorder une importance particulière au premier verset de ce chapitre. Les mots *idaṁ jñānam* (ce savoir) renvoient au pur service de dévotion, qui comprend neuf activités : écouter les propos qui se rapportent au Seigneur, Le glorifier, se rappeler de Lui, Le servir, L'adorer, Lui adresser des prières, Lui obéir, se lier d'amitié avec Lui et tout Lui abandonner. Ces neuf pratiques dévotionnelles nous élèvent jusqu'à la conscience spirituelle, la conscience de Kṛṣṇa. Ce n'est qu'au moment où le cœur est purifié de toute souillure matérielle qu'il devient possible de comprendre la science de Kṛṣṇa. Il ne suffit pas de comprendre que l'être n'est pas matériel. Il s'agit certes là du début de la réalisation spirituelle; mais il faut encore savoir distinguer les activités matérielles liées au corps des activités spirituelles de celui qui comprend qu'il est distinct du corps.

Dans le septième chapitre, nous avons traité de la puissance de Dieu, la Personne Suprême, de Ses différentes énergies (les natures inférieure et supérieure) ainsi que de l'entière manifestation matérielle. Ce neuvième chapitre à présent va dépeindre les gloires du Seigneur.

Arrêtons-nous, dans ce verset, sur la signification du mot sanskrit *anasūyave,* « celui qui n'envie pas les autres ». En général, les commentateurs de la *Bhagavad-gītā,* même les plus érudits, sont envieux de Kṛṣṇa, la Personne Suprême, et commentent le texte de manière tout à fait erronée. Parce qu'ils éprouvent de l'envie à l'égard de Kṛṣṇa, leurs observations sont dénuées de toute valeur. Par contre, les commentaires faits par les dévots du Seigneur sont, eux, tout à fait authentiques. Car nul, s'il est malveillant, ne peut expliquer la *Bhagavad-gītā* ou transmettre parfaitement la connaissance de Kṛṣṇa. Quiconque, d'ailleurs, critique Kṛṣṇa sans même Le connaître ne peut être qu'un insensé. Il faut donc soigneusement éviter de lire de tels commentaires. Mais qui comprend que Kṛṣṇa est Dieu, la Personne Suprême pure et absolue, pourra bénéficier pleinement de ces chapitres.

**9.2** राजविद्या राजगुह्यं पवित्रमिदमुत्तमम् ।
प्रत्यक्षावगमं धर्म्यं सुसुखं कर्तुमव्ययम् ॥ २ ॥

*rāja-vidyā rāja-guhyaṁ, pavitram idam uttamam*
*pratyakṣāvagamaṁ dharmyaṁ, su-sukhaṁ kartum avyayam*

*rāja-vidyā :* le roi de tout enseignement ; *rāja-guhyam :* le roi du savoir secret ; *pavitram :* le plus pur ; *idam :* ce ; *uttamam :* transcendantal ; *pratyakṣa :* par expérience directe ; *avagamam :* compris ; *dharmyam :* le principe de la religion ; *su-sukham :* très joyeux ; *kartum :* à exécuter ; *avyayam :* impérissable.

**D'entre tous les enseignements, ce savoir est le roi, le secret d'entre les secrets, la connaissance la plus pure. Et parce qu'il nous fait percevoir directement le soi grâce à une réalisation interne, il représente la perfection de la religion. Il est impérissable et d'application joyeuse.**

On considère le savoir que renferme ce chapitre de la *Bhagavad-gītā* comme le roi de tout enseignement, car il est l'essence même de toutes les doctrines et philosophies analysées précédemment.

Parmi les principaux philosophes que l'Inde nous a donnés, citons Gautama, Kaṇāda, Kapila, Yājñavalkya, Śāṇḍilya, Vaiśvānara et enfin Vyāsadeva, l'auteur du *Vedānta-sūtra*. Il n'y a donc aucune pénurie de connaissance dans le domaine philosophique et spirituel. Or, le Seigneur dit ici que de tout ce savoir, ce chapitre est le roi, qu'il constitue l'essence de toute la connaissance acquise par l'étude des Védas et des diverses philosophies. Il est le plus confidentiel, car le savoir spirituel implique initialement d'avoir réalisé ce qui différencie l'âme du corps et atteint son apogée dans le service de dévotion.

Instruits exclusivement dans la connaissance matérielle (politique, sociologie, physique, chimie, mathématiques, astronomie, technologie, etc.), la plupart des hommes n'ont pas reçu ce savoir confidentiel. Malheureusement, aucune institution scolaire, aucune des nombreuses universités de notre planète n'enseigne la science de l'âme. Pourtant, dans le corps, l'âme est l'élément le plus important ; sans elle, celui-ci perd toute valeur. Malgré tout, l'homme persiste à mettre l'accent sur les besoins du corps, sans se soucier de l'âme qui l'anime.

La *Bhagavad-gītā* souligne précisément, surtout à partir du second chapitre, l'importance primordiale de l'âme. Dès le début, le Seigneur enseigne qu'à l'inverse du corps, l'âme est impérissable (*antavanta ime dehā nityasyoktāḥ śarīriṇaḥ*). Or, ce savoir qui permet de distinguer l'âme du corps et d'en connaître la nature immuable, indestructible et éternelle, bien que confidentiel, ne donne encore sur l'âme aucune information positive. Ainsi, certains pensent qu'à la mort de l'enveloppe corporelle, l'âme est libérée et devient impersonnelle, s'abîmant dans le vide. Hypothèse totalement non fondée : comment l'âme, si active dans le corps, pourrait-elle cesser d'agir une fois libérée du corps ? L'âme est toujours active. Éternelle, elle est éternellement active, et la connaissance de ses activités dans le monde spirituel constitue, d'après ce verset, l'aspect le plus confidentiel du savoir spirituel, le roi d'entre les savoirs.

Les Écritures védiques enseignent qu'il n'y a rien de plus pur que cette connaissance. Le *Padma Purāṇa*, lorsqu'il analyse les actes coupables de l'homme, montre qu'ils sont la conséquence d'une succession constante de péchés. Car ceux qui agissent pour jouir des fruits de l'acte sont aussitôt enchaînés aux suites de leurs actes, sous diverses formes et à différents stades. Pour illustrer cela, prenons l'exemple de la graine d'un arbre. Lorsqu'on plante la graine, l'arbre n'apparaît pas aussitôt ; sa croissance demande un certain temps. D'abord un germe pousse, qui devient un arbuste, puis un arbre.

Viennent ensuite les fleurs, puis les fruits, que celui qui a planté la graine peut alors goûter. De même, les péchés d'un homme ne fructifient qu'après un certain laps de temps ; ils passent par différentes étapes. Même si l'acte coupable a été accompli il y a un certain temps par l'individu, ce dernier doit néanmoins en subir les contrecoups. Il y a des fautes qui attendent toujours à l'état de semence tandis que d'autres ont déjà fructifié et donnent maintenant leurs fruits, comme autant de chagrins et de douleurs.

Comme on l'a vu au verset vingt-huit du chapitre sept, celui qui a mis définitivement un terme aux suites de ses activités pécheresses et se consacre pleinement à des actes vertueux, est libéré des dualités de ce monde et dès lors se voue au service de Dieu, la Personne Suprême, Kṛṣṇa. Autrement dit, quiconque sert avec dévotion le Seigneur Suprême n'est plus soumis aux conséquences de ses actes. Le *Padma Purāṇa* confirme ainsi ce point :

*aprārabdha-phalaṁ pāpaṁ, kūṭaṁ bījaṁ phalonmukham*
*krameṇaiva pralīyeta, viṣṇu-bhakti-ratātmanām*

Les répercussions des péchés d'un dévot, qu'elles soient mûres, bientôt prêtes à apparaître ou encore à l'état de semence, disparaissent graduellement. Telle est la puissance purificatrice du service de dévotion qui, pour cette raison, est qualifié de *pavitram uttamam,* le plus pur. Le mot *uttama* signifie « transcendantal ». *Tamas* désigne ce monde de ténèbres, et *uttama,* ce qui transcende les activités matérielles. Les actes de dévotion ne doivent jamais être considérés comme matériels, même si le dévot semble parfois agir comme un homme ordinaire. Celui qui possède une vision claire et connaît le service de dévotion sait que ces activités sont purement spirituelles, non souillées par les trois *guṇas.*

La pratique du service de dévotion est si sublime qu'on en peut percevoir les effets de façon directe. L'expérience nous montre que quiconque chante ou récite sans offense les saints noms de Kṛṣṇa (Hare Kṛṣṇa Hare Kṛṣṇa Kṛṣṇa Kṛṣṇa Hare Hare/Hare Rāma Hare Rāma Rāma Rāma Hare Hare) ressent une joie transcendantale et se purifie très rapidement de toute souillure matérielle. On peut observer cela très nettement. De surcroît, si en plus de l'écoute et du chant, on s'efforce de répandre la pratique du service de dévotion ou de contribuer aux activités missionnaires de la conscience de Kṛṣṇa, on se sentira graduellement progresser sur la voie spirituelle. Et ce progrès ne dépendra nullement de notre éducation ou de nos qualifications antérieures. La méthode en elle-même est si pure que par le simple fait de la suivre, on se purifie.

Le *Vedāntra-sūtra* (3.2.26) corrobore ce qui vient d'être exposé : *prakāśaś ca karmaṇy abhyāsāt* – « La puissance du service de dévotion est telle qu'immanquablement, quiconque s'y engage devient éclairé. » La vie de Nārada en est un bon exemple. D'humble naissance, fils d'une servante, il n'avait reçu aucune éducation. Toutefois, comme sa mère était au service de grands dévots du Seigneur, Nārada, qui l'assistait, avait l'occasion chaque fois qu'elle s'absentait de la remplacer auprès d'eux. Le *Śrīmad-Bhāgavatam* (1.5.25) rapporte ses paroles :

*ucchiṣṭa-lepān anumodito dvijaiḥ*
*sakṛt sma bhuñje tad-apāsta-kilbiṣaḥ*
*evaṁ pravṛttasya viśuddha-cetasas*
*tad-dharma evātma-ruciḥ prajāyate*

Dans ce verset, Nārada raconte à son disciple Vyāsadeva comment, au cours de sa vie précédente, tout jeune, il servit des purs dévots du Seigneur pendant les quatre mois que dura leur séjour, et comment il eut avec eux un contact très intime. Parfois, les sages laissaient un peu de nourriture, et le jeune garçon, qui nettoyait leurs assiettes, voulut un jour goûter leurs restes. Il demanda donc à ces grands dévots la permission de le faire, ce qui lui fut accordé. Ces aliments sanctifiés délivrèrent Nārada des suites de tous ses actes coupables et, au fur et à mesure qu'il les mangeait, son cœur devint progressivement aussi pur que celui des saints hommes. Ces grands dévots goûtaient l'extase du service dévotionnel toujours croissant du Seigneur, en écoutant et en chantant Ses gloires. Nārada, à leur contact, développa le même attrait. Nārada continue ainsi :

*tatrānv-ahaṁ kṛṣṇa-kathāḥ pragāyatām*
*anugraheṇāśṛṇavaṁ mano-harāḥ*
*tāḥ śraddhayā me 'nu-padaṁ viśṛṇvataḥ*
*priyaśravasy aṅga mamābhavad ruciḥ*

C'est ainsi, en la compagnie des grands sages, qu'il prit goût à entendre les louanges du Seigneur et à Le glorifier et que grandit en lui l'ardent désir d'adopter le service de dévotion. Comme l'explique le *Vedānta-sūtra* : *prakāśaś ca karmany abhyāsāt* – tout s'éclaire, tout se révèle automatiquement à celui qui pratique le service de dévotion. Cette perception directe est définie par l'emploi du mot *pratyakṣa.*

Nārada, simple fils d'une servante, n'avait connu aucune scolarisation et se contentait d'assister sa mère dans son travail. Par bonheur, sa mère se mit au service de dévots du Seigneur et il eut ainsi l'occasion, tout enfant, de les servir lui aussi. Ce simple contact lui permit d'atteindre le but ultime de toutes les religions. Dans notre verset, le mot *dharmyam* signifie « la voie de la religion ». Le but ultime de toute religion est le service de dévotion, tel que le définit le *Śrīmad-Bhāgavatam* (*sa vai puṁsāṁ paro dharmo yato bhaktir adhokṣaje*). Ceux qui pratiquent une religion ignorent en général que la perfection de toute religion consiste à servir Dieu avec dévotion. Bien qu'il faille d'ordinaire, comme nous l'avons dit dans le dernier verset du chapitre huit (*vedeṣu yajñeṣu tapaḥsu caiva*), posséder la connaissance védique pour suivre le sentier de la réalisation spirituelle, Nārada recueillit les plus hauts bienfaits que confère l'étude des Védas, sans jamais avoir reçu les enseignements d'un maître spirituel ou même avoir été instruit sur les principes védiques. Ce processus a un pouvoir tel qu'il permet d'atteindre la plus haute perfection de la religion même sans en accomplir régulièrement les rites. Comment cela est-il possible ? Les Védas nous l'expliquent : *ācāryavān puruṣo veda.* Même s'il n'a reçu aucune éducation, même s'il n'a étudié aucun des Védas, celui qui entre en contact avec de grands *ācāryas* peut acquérir toute la connaissance nécessaire à la réalisation spirituelle.

La pratique du service de dévotion est joyeuse (*su-sukham*). Pourquoi ? Parce qu'elle consiste simplement à écouter et à chanter les gloires du Seigneur (*śravaṇaṁ kīrtanaṁ viṣṇoḥ*). Ainsi, il suffit d'entendre louer le Seigneur ou d'assister aux discours philosophiques traitant de la connaissance transcendantale donnés par des *ācāryas* reconnus. Par le simple fait de s'asseoir pour écouter, on peut apprendre. Et l'on peut également savourer les reliefs sanctifiés de la merveilleuse nourriture offerte au Seigneur. La méthode est donc joyeuse quelle que soit notre condition, et elle est accessible même aux plus pauvres. Le Seigneur dit qu'Il accepte de Son dévot la plus mince offrande, qu'il s'agisse d'une feuille, d'une fleur, d'un morceau de fruit ou d'un peu d'eau (*patraṁ puṣpaṁ phalaṁ toyam*), choses que partout dans le monde on peut se procurer. Il accueille l'offrande de tous, sans distinction de statut social, pour peu que l'oblation soit faite avec amour. Le *bhakti-yoga* est donc une méthode de réalisation spirituelle très plaisante, qui s'accomplit dans la joie. L'histoire en offre de nombreux exemples : celui, entre autres, de Sanat-kumāra, qui devint un grand dévot du Seigneur simplement pour avoir goûté les feuilles de *tulasī* offertes à Ses pieds pareils-au-lotus. Dieu ne prend en compte que l'amour avec lequel on Lui offre les choses.

Ce verset ajoute que, contrairement à ce que prétendent les philosophes *māyāvādīs,* le service de dévotion est éternel. Les *māyāvādīs* pratiquent parfois un culte qu'ils appellent indûment service divin. Mais ce n'est là pour eux qu'une disposition transitoire, qu'ils comptent abandonner dès qu'ils auront atteint la libération, et atteint leur véritable but - « ne faire qu'un avec Dieu. » Ce service intéressé et provisoire n'a rien de commun avec le pur service de dévotion. Le véritable service de dévotion se poursuit même après la libération. Quand le dévot atteint le monde spirituel, le royaume de Dieu, il continue de servir le Seigneur Suprême, sans jamais chercher à se fondre en Lui.

En fait, nous le verrons plus loin, le vrai service de dévotion commence après la libération, lorsqu'on a atteint le *brahma-bhūta,* le niveau du Brahman (*samaḥ sarveṣu bhūteṣu mad-bhaktiṁ labhate parām*). On ne peut comprendre Dieu, la Personne Suprême, par la seule pratique du *karma-yoga,* du *jñāna-yoga,* de l'*aṣṭāṅga-yoga* ou de toute autre forme de yoga. Par ces pratiques on peut progresser sur la voie qui mène au *bhakti-yoga,* mais, à moins de parvenir au service de dévotion, il est impossible de comprendre la Personne Divine. D'autre part, le *Śrīmad-Bhāgavatam* confirme que ce n'est qu'après s'être purifié par la pratique du service de dévotion, particulièrement en entendant des lèvres d'âmes réalisées le *Śrīmad-Bhāgavatam* et la *Bhagavad-gītā,* que l'on est en mesure de comprendre la science de Kṛṣṇa, la science de Dieu. *Evaṁ prasanna-manaso bhagavad-bhakti-yogataḥ.* Ce n'est qu'après avoir purifié son cœur de toute souillure que l'on devient à même de comprendre Dieu. Aussi le service de dévotion, la conscience de Kṛṣṇa, est-il roi entre tous les enseignements, entre tous les savoirs secrets. Il est la forme la plus pure de la religion et s'accomplit joyeusement et sans peine. Chaque homme devrait donc l'adopter.

**9.3** अश्रद्दधानाः पुरुषा धर्मस्यास्य परन्तप ।
अप्राप्य मां निवर्तन्ते मृत्युसंसारवर्त्मनि ॥ ३ ॥

*aśraddadhānāḥ puruṣā, dharmasyāsya paran-tapa*
*aprāpya māṁ nivartante, mṛtyu-saṁsāra-vartmani*

*aśraddadhānāḥ :* ceux qui n'ont pas foi; *puruṣāḥ :* ces gens; *dharmasya :* voie de la spiritualité; *asya :* en cette; *param-tapa :* ô vainqueur de l'ennemi; *aprāpya :* sans obtenir; *mām :* Moi; *nivartante :* reviennent; *mṛtyu :* la mort; *saṁsāra :* dans l'existence matérielle; *vartmani :* sur le sentier de.

**Ô vainqueur de l'ennemi, ceux qui n'ont pas foi dans le service de dévotion ne peuvent M'atteindre. Ils reviennent naître et mourir dans le monde matériel.**

Ce verset nous permet de comprendre qu'on ne peut adopter la pratique du service de dévotion sans avoir la foi. Et cette foi s'acquiert au contact des dévots du Seigneur. Il existe cependant des êtres assez infortunés pour ne développer aucune foi en Dieu, même après avoir entendu des lèvres de grands sages toutes les preuves fournies par les Écritures védiques. Ils demeurent hésitants et ne parviennent pas à se fixer dans le service dévotionnel du Seigneur. Ainsi, la foi est un élément de première importance pour progresser dans la conscience de Kṛṣṇa. Le *Caitanya-caritāmṛta* enseigne ce qu'est la véritable foi : c'est la ferme conviction que le simple fait de servir Kṛṣṇa, le Seigneur Suprême, permet d'atteindre la perfection. Le *Śrīmad-Bhāgavatam* (4.31.14) explique à ce propos :

*yathā taror mūla-niṣecanena, tṛpyanti tat-skandha-bhujopaśākhāḥ*
*prāṇopahārāc ca yathendriyāṇāṁ, tathaiva sarvārhaṇam acyutejyā*

« De même qu'en arrosant la racine d'un arbre, on nourrit ses branches et ses feuilles, qu'en nourrissant l'estomac, on satisfait toutes les parties du corps, on satisfait automatiquement tous les *devas* et tous les êtres de l'univers en pratiquant le service transcendantal du Seigneur Suprême. »

Par conséquent, après avoir lu la *Bhagavad-gītā*, il faut rapidement en réaliser la conclusion : on doit abandonner toute autre activité pour adopter le service du Seigneur Suprême, Kṛṣṇa. Avoir la foi, c'est être convaincu de la vérité de cette philosophie.

Le processus de la conscience de Kṛṣṇa représente le développement graduel de cette foi. Aussi peut-on diviser en trois catégories les êtres conscients de Kṛṣṇa : ceux qui n'ont pas la foi font partie de la troisième catégorie. Même s'ils sont officiellement engagés dans le service de dévotion, ils ne pourront atteindre la plus haute perfection. Il est presque inéluctable qu'ils dévient au bout d'un certain temps. Bien qu'ils servent effectivement le Seigneur, il leur est très difficile, à cause d'un manque de foi et de conviction, de demeurer dans la conscience de Kṛṣṇa. Nous en avons fait nous-même l'expérience au cours de nos activités missionnaires. Certaines personnes adoptent la conscience de Kṛṣṇa pour des motifs inavoués. Dès que leur situation financière s'améliore, ils abandonnent leur pratique et retournent à leurs anciennes habitudes. Seule la foi, donc, permet de progresser dans la conscience de Kṛṣṇa. Celui qui a développé une foi inébranlable et qui possède une vaste connaissance des textes qui enseignent le service de dévotion est donc un dévot de la première catégorie. Quant au dévot de second ordre, sa compréhension des Écritures n'est pas très profonde, mais il est fermement convaincu que le service du Seigneur, la *kṛṣṇa-bhakti*, constitue la meilleure de toutes les voies. Alors, en toute sincérité, il l'adopte. Il est donc supérieur aux hommes appartenant à la troisième catégorie, qui n'ont, eux, ni une connaissance parfaite des Écritures ni une foi très solide, mais qui essaient, en toute simplicité, grâce à la fréquentation de dévots, de suivre le processus.

Les dévots de troisième ordre peuvent déchoir, ce qui est impossible pour les dévots de premier ou de second ordre. Les dévots de premier ordre sont assurés de progresser jusqu'au but final, tandis que ceux de la troisième catégorie, même s'ils ont foi en la valeur du service dévotionnel rendu au Seigneur, n'ont pas encore acquis une connaissance adéquate de Kṛṣṇa en étudiant des Écritures comme le *Śrīmad-Bhāgavatam* et la *Bhagavad-gītā*. Ils peuvent se sentir attirés vers le *karma-yoga* et le *jñāna-yoga*, et parfois même voir leur foi ébranlée. Mais aussitôt qu'ils échappent à leur emprise, ils s'élèvent au second, ou même au premier degré de la conscience de Kṛṣṇa.

Le *Śrīmad-Bhāgavatam* décrit également trois degrés de foi en Kṛṣṇa, et, dans le onzième Chant, trois niveaux d'attachement. Ceux qui, même après avoir entendu parler de Kṛṣṇa et de l'excellence du service de dévotion, ne développent aucune foi, considérant ces éloges excessifs, trouvent très ardue la voie dévotionnelle, dans laquelle ils ne sont en fait qu'apparemment engagés. Il y a peu d'espoir qu'ils atteignent la perfection. Tout ceci nous montre l'importance primordiale de la foi dans l'accomplissement du service de dévotion.

**9.4** मया ततमिदं सर्वं जगदव्यक्तमूर्तिना ।
मत्स्थानि सर्वभूतानि न चाहं तेष्ववस्थितः ॥ ४ ॥

*mayā tatam idaṁ sarvaṁ, jagad avyakta-mūrtinā*
*mat-sthāni sarva-bhūtāni, na cāhaṁ teṣv avasthitaḥ*

*mayā :* par Moi ; *tatam :* pénétrée ; *idam :* cette ; *sarvam :* toute ; *jagat :* manifestation cosmique ; *avyakta-mūrtinā :* par la forme non manifestée ; *mat-sthāni :* en Moi ; *sarva-bhūtāni :* tous les êtres ; *na :* ne pas ; *ca :* aussi ; *aham :* Je ; *teṣu :* en eux ; *avasthitaḥ :* situé.

**Cet univers, Je le pénètre tout entier dans Ma forme non manifestée. Tous les êtres sont en Moi, mais Je ne suis pas en eux.**

Les sens matériels grossiers ne peuvent percevoir Dieu, la Personne Suprême. Le *Bhakti-rasāmṛta-sindhu* (1.2.234) l'exprime ainsi :

*ataḥ śrī-kṛṣṇa-nāmādi, na bhaved grāhyam indriyaiḥ*
*sevonmukhe hi jihvādau, svayam eva sphuraty adaḥ*

Les sens matériels ne peuvent nous permettre de comprendre ni le nom, ni les divertissements, ni la renommée, ni les autres attributs de Kṛṣṇa. Le Seigneur ne Se révèle qu'à celui qui, correctement guidé, Le sert avec une dévotion pure. Dans la *Brahma-saṁhitā* (5.38), il est écrit : *premāñjana-cchurita-bhakti-vilocanena santaḥ sadaiva hṛdayeṣu vilokayanti* – celui qui a développé un sentiment d'amour transcendantal peut à chaque instant voir Dieu, la Personne Suprême, Govinda, tant à l'intérieur qu'à l'extérieur de lui-même. Pour le commun des hommes, donc, Dieu demeure invisible. Comme l'indiquent dans notre verset les mots *avyakta-mūrtinā,* Il reste, malgré Son omniprésence, inaccessible aux sens matériels. Mais, bien que nous ne puissions Le voir, il n'en demeure pas moins vrai que tout repose en Lui. Nous avons vu, en effet, dans le septième chapitre, que l'entière manifestation cosmique n'est que la combinaison de Ses deux énergies, supérieure (spirituelle) et inférieure (matérielle). L'énergie de Dieu embrasse la création entière, à la manière du soleil qui illumine l'ensemble de l'univers. Tout repose sur cette énergie.

Il ne faut pas en conclure pour autant qu'en Se diffusant ainsi dans l'entière création, le Seigneur perd Son individualité, Son existence propre. Pour réfuter un tel argument, Kṛṣṇa dit Lui-même : « Bien que Je sois partout, que tout soit en Moi, Je demeure au-delà de tout. » Prenons l'exemple du souverain d'un État. Le gouvernement qu'il dirige n'est en fait que la manifestation de sa puissance. Ses divers ministères représentent ses différentes énergies et tous relèvent de son pouvoir. Mais on ne peut évidemment pas s'attendre à ce que le roi soit présent en personne dans chacun de ses ministères. De même, tout ce que nous voyons, tout ce qui existe dans les mondes matériel et spirituel, repose sur l'énergie de Dieu, la Personne Suprême. La création s'opère par le déploiement de Ses diverses énergies et, comme l'enseigne la *Bhagavad-gītā* (*viṣṭabhyāham idaṁ kṛtsnam*), Il est partout présent à travers ce déploiement même, qui Le représente.

9.5 न च मत्स्थानि भूतानि पश्य मे योगमैश्वरम् ।
भूतभृन्न च भूतस्थो ममात्मा भूतभावनः ॥ ५ ॥

*na ca mat-sthāni bhūtāni, paśya me yogam aiśvaram*
*bhūta-bhṛn na ca bhūta-stho, mamātmā bhūta-bhāvanaḥ*

*na :* jamais ; *ca :* aussi ; *mat-sthāni :* située en Moi ; *bhūtāni :* toute la création ; *paśya :* vois ; *me :* Mon ; *yogam aiśvaram :* inconcevable pouvoir surnaturel ; *bhūta-bhṛt :* le soutien de tous les êtres ; *na :* jamais ; *ca :* aussi ; *bhūta-sthaḥ :* dans la manifestation cosmique ; *mama :* Mon ; *ātmā :* Être ; *bhūta-bhāvanaḥ :* la source de toutes les manifestations.

**Simultanément, rien de ce qui est créé n'est en Moi. Vois Ma puissance surnaturelle ! Bien que Je soutienne tous les êtres et que Je sois partout présent, Je ne fais pas partie de cette manifestation cosmique, car Je suis la source même de toute création.**

Lorsque le Seigneur affirme que tout repose en Lui (*mat-sthāni sarva-bhūtāni*), il faut bien saisir le sens de Ses paroles. Il ne S'occupe pas directement de maintenir et de préserver les univers matériels. Tout le monde connaît cette image d'Atlas épuisé, portant sur ses épaules l'immense globe terrestre. Cette représentation ne correspond en rien à la façon dont Kṛṣṇa soutient l'univers qu'Il a créé. Il affirme que, bien que tout repose en Lui, Il demeure au-delà de Sa création. Bien que les systèmes planétaires flottent dans l'espace, lequel est l'une de Ses énergies, Lui-même est différent de l'espace. Il Se situe au-delà. C'est pourquoi Il déclare : « Bien que tout repose sur Mon inconcevable énergie, Je suis au-delà de tout, car Je suis Dieu, la Personne Suprême. » Telle est la puissance inconcevable du Seigneur.

Le dictionnaire védique *Nirukti* nous apprend : *yujyate 'nena durghaṭeṣu kāryeṣu* – « Le Seigneur Suprême, en déployant Son énergie, S'adonne à des divertissements inconcevables et merveilleux. » Sa personne recèle d'innombrables et puissantes énergies, et Sa volonté est en soi une réalité concrète. C'est ainsi que l'on doit comprendre Dieu, la Personne Suprême.

L'homme rencontre beaucoup d'obstacles lorsqu'il cherche à satisfaire ses désirs, et il lui est parfois impossible d'agir comme il le voudrait. Kṛṣṇa, par contre, en vertu de Sa seule volonté, peut tout accomplir, et à un tel degré de perfection qu'on ne saurait même imaginer les mécanismes de Ses actes. Le Seigneur explique Lui-même ce phénomène : bien qu'Il préserve et soutienne l'univers matériel entier, Il n'entre jamais en contact direct avec lui. Sa volonté suprême suffit à tout créer, soutenir, préserver et détruire. Comme Il est purement spirituel et absolu, il n'existe aucune différence entre Son mental et Lui (alors qu'il y a une différence entre notre mental matériel actuel et notre propre personne). Mais un esprit profane ne pourra jamais comprendre comment, tout en étant simultanément en toutes choses, le Seigneur puisse posséder une forme personnelle distincte. Exister hors de toute manifestation matérielle quand tout repose en Lui, est l'expression du pouvoir mystique, surnaturel, de Dieu, la Personne Suprême, ici qualifié de *yogam aiśvaram.*

**9.6** यथाकाशस्थितो नित्यं वायुः सर्वत्रगो महान् ।
तथा सर्वाणि भूतानि मत्स्थानीत्युपधारय ॥ ६ ॥

*yathākāśa-sthito nityaṁ, vāyuḥ sarvatra-go mahān*
*tathā sarvāṇi bhūtāni, mat-sthānīty upadhāraya*

*yathā :* de même que ; *ākāśa-sthitaḥ :* situé dans le ciel ; *nityam :* toujours ; *vāyuḥ :* le vent ; *sarvatra-gaḥ :* soufflant partout ; *mahān :* grand ; *tathā :* pareillement ; *sarvāṇi bhūtāni :* tous les êtres créés ; *mat-sthāni :* situés en Moi ; *iti :* ainsi ; *upadhāraya :* essaie de comprendre.

**Tout comme le vent puissant qui souffle dans toutes les directions réside en permanence dans le ciel, comprends qu'en Moi résident tous les êtres créés.**

Il est pratiquement impossible, pour l'homme du commun, de concevoir comment l'énorme création matérielle repose en Dieu. Aussi, pour nous aider à comprendre, Celui-ci nous donne un exemple : le ciel est la plus gigantesque manifestation que nous puissions concevoir, et l'air, ou le vent, la deuxième grande manifestation que renferme la première. Les mouvements d'air influent sur les déplacements de toute chose. Mais bien que le vent soit puissant, il reste confiné dans les limites du ciel. De même, les remarquables manifestations cosmiques n'existent que par la volonté suprême du Seigneur, et Lui sont toutes subordonnées. Pas un brin d'herbe ne bouge sans la volonté de Dieu, dit-on communément. Ainsi, par Sa seule volonté, tout se meut, tout est créé, préservé et détruit. Pourtant, Lui-même reste au-delà de tout, à la manière du ciel qui demeure indépendant des mouvements du vent.

Il est dit dans la *Taittirīya Upaniṣad* (2.8.1) : *yad-bhīṣā vātaḥ pavate* – « C'est par crainte du Seigneur Suprême que le vent souffle. » La *Bṛhad-āraṇyaka Upaniṣad* (3.8.9) ajoute : *etasya vā akṣarasya praśāsane gārgi sūrya-candramasau vidhṛtau tiṣṭhata etasya vā akṣarasya praśāsane gārgi dyāv-āpṛthivyau vidhṛtau tiṣṭhataḥ* – « La Lune, le Soleil et les autres planètes se meuvent selon l'ordre souverain de Dieu, sous Sa directe supervision. » Ce que confirme la *Brahma-saṁhitā* (5.52) lorsqu'elle décrit le mouvement du Soleil :

*yac-cakṣur eṣa savitā sakala-grahāṇāṁ*
*rājā samasta-sura-mūrtir aśeṣa-tejāḥ*
*yasyājñayā bhramati sambhṛta-kāla-cakro*
*govindam ādi-puruṣaṁ tam ahaṁ bhajāmi*

Le Soleil est l'œil du Seigneur et possède l'immense pouvoir de diffuser chaleur et lumière. Pourtant, c'est sur l'ordre de Govinda, de par Sa volonté suprême, qu'il parcourt son orbite. Ainsi, les Écrits védiques corroborent la domination absolue de Dieu, la Personne Suprême, sur la création matérielle, pour nous si grande et merveilleuse. Les versets suivants développeront cette idée.

**9.7** सर्वभूतानि कौन्तेय प्रकृतिं यान्ति मामिकाम् ।
कल्पक्षये पुनस्तानि कल्पादौ विसृजाम्यहम् ॥ ७ ॥

*sarva-bhūtāni kaunteya, prakṛtiṁ yānti māmikām*
*kalpa-kṣaye punas tāni, kalpādau visṛjāmy aham*

*sarva-bhūtāni* : tous les êtres créés ; *kaunteya* : ô fils de Kuntī ; *prakṛtim* : nature ; *yānti* : entrent en ; *māmikām* : Ma ; *kalpa-kṣaye* : à la fin d'un cycle d'âges ; *punaḥ* : encore ; *tāni* : tous ceux-ci ; *kalpa-ādau* : au début du cycle d'âges ; *visṛjāmi* : crée ; *aham* : Je.

**À la fin d'un cycle d'âges, ô fils de Kuntī, toutes les manifestations matérielles rentrent en la nature cosmique qui est Mienne, et au début du suivant, en vertu de Ma puissance, Je les recrée toutes.**

Création, soutien et destruction du monde matériel sont entièrement subordonnés à la volonté suprême de Dieu. L'expression « à la fin d'un cycle d'âges », dans ce verset, signifie à la mort de Brahmā. La durée de la vie de Brahmā est de cent ans, cent années dont chaque jour équivaut à 4 320 000 000 de nos années terrestres, et autant chaque nuit. Ses mois comptent trente de ces jours et de ces nuits ; ses années, douze de ces mois. C'est après cent de ces années, à la mort de Brahmā donc, que survient la dévastation, la destruction de l'univers matériel. Ce qui signifie que l'énergie déployée par le Seigneur Suprême au moment de la création se résorbe en Lui. Lorsque ensuite, il devient nécessaire de manifester à nouveau le cosmos, seule intervient la volonté du Seigneur. *Bahu syām* – « Je suis un, mais Je Me ferai multiple », énonce l'aphorisme védique extrait de la *Chāndogya Upaniṣad* (6.2.3). Dieu Se déploie à travers l'énergie matérielle et génère à nouveau la manifestation cosmique.

**9.8** प्रकृतिं स्वामवष्टभ्य विसृजामि पुनः पुनः ।
भूतग्राममिमं कृत्स्नमवशं प्रकृतेर्वशात् ॥ ८ ॥

*prakṛtiṁ svām avaṣṭabhya, visṛjāmi punaḥ punaḥ*
*bhūta-grāmam imaṁ kṛtsnam, avaśaṁ prakṛter vaśāt*

*prakṛtim :* la nature matérielle ; *svām :* de Ma Personne ; *avaṣṭabhya :* entrant dans ; *visṛjāmi :* Je crée ; *punaḥ punaḥ :* encore et encore ; *bhūta-grāmam :* toutes les manifestations cosmiques ; *imam :* ces ; *kṛtsnam :* en totalité ; *avaśam :* automatiquement ; *prakṛteḥ :* de la force de la nature ; *vaśāt :* sous l'obligation.

**L'ordre cosmique tout entier dépend de Moi. Par Ma volonté, il est automatiquement manifesté puis anéanti, indéfiniment.**

Le monde matériel, nous l'avons expliqué à maintes reprises, n'est autre que la manifestation de l'énergie inférieure de Dieu, la Personne Suprême. Au moment de la création, l'énergie matérielle est libérée et devient le *mahat-tattva*, dans lequel entre le Seigneur sous la forme de Mahā-Viṣṇu, le premier *puruṣa-avatāra.* Il S'allonge sur l'Océan Causal, et à chacune de Ses expirations émanent de Son corps une infinité d'univers. Le Seigneur entre alors en chacun d'eux sous la forme de Garbhodakaśāyī Viṣṇu. Ainsi sont créés tous les univers. Enfin, Il entre en chaque être et en chaque chose, y compris l'atome infime, sous la forme de Kṣīrodakaśāyī Viṣṇu. C'est ce qu'indique notre verset.

Les êtres vivants, pour leur part, sont injectés dans le sein de la nature matérielle et s'y développent dans des conditions variées, fruit de leurs actes passés. C'est ainsi que l'univers s'anime. Dès le tout début de la création, les multiples variétés d'êtres entrent en activité. Il n'est nullement question d'une évolution progressive des espèces. Toutes les espèces vivantes – hommes, animaux, oiseaux, etc. – sont créées simultanément, en même temps que l'univers, car les désirs qui habitaient les êtres conditionnés lors de la destruction antérieure se manifestent à nouveau. En outre, le mot *avaśam* montre de façon explicite que les êtres n'interviennent en rien dans ce processus de création. L'état de conscience qui était le leur à la fin de leur vie précédente, au cours de la dernière création, se manifeste tel quel lors de cette nouvelle création. Tout s'opère par la volonté du Seigneur. Telle est la puissance inconcevable de Dieu, la Personne Suprême. Enfin, après les avoir créées, le Seigneur n'a aucun contact avec les multiples espèces vivantes : Il crée pour satisfaire les désirs respectifs des êtres, mais jamais Il n'est Lui-même pris dans l'engrenage de Sa création.

**9.9** न च मां तानि कर्माणि निबध्नन्ति धनञ्जय ।
उदासीनवदासीनमसक्तं तेषु कर्मसु ॥ ९ ॥

*na ca māṁ tāni karmāṇi, nibadhnanti dhanañ-jaya*
*udāsīna-vad āsīnam, asaktaṁ teṣu karmasu*

*na :* jamais; *ca :* aussi; *mām :* Moi; *tāni :* tous ces; *karmāṇi :* actes; *nibadhnanti :* ne lient; *dhanam-jaya :* ô conquérant des richesses; *udāsīna-vat :* comme neutre; *āsīnam :* situé; *asaktam :* sans attirance; *teṣu :* pour ces; *karmasu :* actes.

**Mais ces actes ne sauraient Me lier, ô Dhanañjaya. Toujours détaché d'eux, Je demeure neutre.**

Gardons-nous de penser, en lisant ce verset, que Dieu, la Personne Suprême, reste inactif. Dans le monde spirituel, Il est constamment occupé. La *Brahma-saṁhitā* (5.6) explique : *ātmārāmasya tasyāsti prakṛtyā na samāgamaḥ* – « Il est toujours absorbé dans Ses activités spirituelles, éternelles et bienheureuses, mais n'est pas impliqué dans les activités matérielles du monde. » Ce sont Ses diverses puissances qui prennent en charge l'univers matériel. Lui-même demeure neutre face aux activités inhérentes au monde créé. C'est ce qu'indiquent, dans notre verset, les mots *udāsīna-vat.* Bien qu'Il contrôle jusque dans le moindre détail les activités matérielles, Il reste neutre, à la manière d'un juge de Cour suprême. Par ordre du juge, un homme est pendu, un autre jeté en prison, un autre largement indemnisé, pourtant lui-même reste neutre, impartial quant à la perte ou le gain. De même, le Seigneur est toujours neutre, bien qu'Il supervise chaque domaine d'activité. *Vaiṣamya-nairghṛṇye na* – « Il transcende les dualités de l'univers matériel », nous dit le *Vedānta-sūtra* (2.1.34). Il n'est attaché ni à la création, ni à la destruction de l'univers matériel. En outre, Il n'intervient pas lorsque les êtres conditionnés prennent différents corps, au sein de différentes espèces, selon ce que furent leurs actes passés.

**9.10** मयाध्यक्षेण प्रकृतिः सूयते सचराचरम् ।
हेतुनानेन कौन्तेय जगद्विपरिवर्तते ॥१०॥

*mayādhyakṣeṇa prakṛtiḥ, sūyate sa-carācaram*
*hetunānena kaunteya, jagad viparivartate*

*mayā :* de Moi; *adhyakṣeṇa :* sous la direction; *prakṛtiḥ :* la nature matérielle; *sūyate :* manifeste; *sa :* les deux; *cara-acaram :* mobile et immobile; *hetunā :* pour la raison; *anena :* cette; *kaunteya :* ô fils de Kuntī; *jagat :* la manifestation cosmique; *viparivartate :* fonctionne.

**La nature matérielle, qui est l'une de Mes énergies, agit sous Ma direction, ô fils de Kuntī, engendrant tous les êtres, mobiles et immobiles. Régi par ses lois, le cosmos est créé puis anéanti dans un cycle sans fin.**

Ce verset ne laisse subsister aucun doute : bien qu'Il soit bien audelà des activités de ce monde, le Seigneur n'en demeure pas moins le régisseur suprême. Il est la volonté suprême qui se tient à l'arrière-plan de la manifestation matérielle, dont la direction proprement dite s'opère par le biais de l'énergie matérielle.

Dans la *Bhagavad-gītā,* Kṛṣṇa déclare être le père de tous les êtres, quelles que soient leur forme ou leur espèce. À l'exemple du père qui dépose dans le ventre de la mère la semence dont naîtra l'enfant, le Seigneur Suprême, de Son seul regard, injecte les êtres dans le sein de la nature matérielle, d'où ils apparaissent sous diverses formes, en différentes espèces, selon leurs actes et leurs désirs passés. Bien que tous naissent du regard du Seigneur, ce sont leurs propres actes et leurs propres désirs qui déterminent les corps qu'ils doivent revêtir. Le Seigneur n'est donc pas directement connecté à la création matérielle. Il lance un simple regard sur la nature matérielle, regard qui suffit à la mettre en mouvement et à amorcer la création. Il exerce donc, par ce regard, un rôle actif, cela ne fait aucun doute, mais il s'agit d'un rôle qui ne L'implique pas directement dans la création de l'univers matériel. La *smṛti* explique ce phénomène par l'exemple suivant : lorsqu'on se trouve à proximité d'une fleur, l'odorat entre en contact avec le parfum, mais l'odorat et la fleur n'en demeurent pas moins détachés l'un de l'autre. Un rapport semblable existe entre Dieu et l'univers matériel : Il crée l'univers de Son regard et donne Ses décrets, mais n'est pas lié à lui. En bref, disons que la nature matérielle ne peut rien faire sans la sanction du Seigneur Suprême, et pourtant, Celui-ci est entièrement détaché de toutes les activités matérielles.

**9.11** अवजानन्ति मां मूढा मानुषीं तनुमाश्रितम् ।
परं भावमजानन्तो मम भूतमहेश्वरम् ॥११॥

*avajānanti māṁ mūḍhā, mānuṣīṁ tanum āśritam*
*paraṁ bhāvam ajānanto, mama bhūta-maheśvaram*

*avajānanti :* dénigrent ; *mām :* Moi ; *mūḍhāḥ :* les sots ; *mānuṣīm :* dans une forme humaine ; *tanum :* un corps ; *āśritam :* assumant ; *param :* transcendantale ; *bhāvam :* nature ; *ajānantaḥ :* ne connaissant pas ; *mama :* Ma ; *bhūta :* de tout ce qui est ; *mahā-īśvaram :* le possesseur suprême.

**Les sots Me dénigrent lorsque sous forme humaine Je descends en ce monde. Ils ignorent que, Seigneur Suprême de tout ce qui est, Ma nature est transcendantale.**

Les explications données dans les versets précédents ont clairement montré que Dieu, la Personne Suprême, même s'Il apparaît comme un homme, n'est pas un être ordinaire. Celui qui régit la création, le maintien et la destruction de l'entière manifestation cosmique, ne saurait évidemment pas être comparé à l'un de nous. Pourtant, nombreux sont les insensés qui ne voient en Kṛṣṇa qu'un puissant personnage et rien d'autre. À la vérité, Kṛṣṇa est Dieu, la Personne Suprême originelle, ainsi que l'établit la *Brahma-saṁhitā* (*īśvaraḥ paramaḥ kṛṣṇaḥ*). Il est le Seigneur Suprême.

Il existe une multitude d'*īśvaras*, c'est-à-dire d'êtres exerçant un pouvoir sur autrui, qui jouissent chacun d'une influence plus ou moins grande. Dans toutes les administrations gouvernementales du monde, il y a des fonctionnaires, des secrétaires d'État, des ministres et un président. Chacun a sous ses ordres des subordonnés et répond lui-même à des supérieurs. Dans l'univers matériel comme dans le monde spirituel, certaines personnes en dirigent d'autres, mais au sommet règne Kṛṣṇa, le maître absolu (*īśvaraḥ paramaḥ kṛṣṇaḥ*), dont le corps *sac-cid-ānanda* n'est pas matériel.

Son corps est spirituel, omniscient et bienheureux. Aucun corps matériel ne pourrait accomplir les actes merveilleux décrits dans les versets qui précèdent. Des insensés dénigrent pourtant le Seigneur et Le considèrent comme un être humain. À bien des égards, Il en joue le rôle (d'où ici le qualificatif de *mānuṣīm*), en tant qu'ami d'Arjuna, ou en tant qu'homme politique dans la bataille de Kurukṣetra, mais Il n'en est certes pas un. Son corps est en réalité *sac-cid-ānanda-vigraha*, connaissance absolue et félicité éternelle. Les Textes védiques (*Gopāla-tāpanī Upaniṣad* 1.1) le répètent : *sac-cid-ānanda-rūpāya kṛṣṇāya* – « Je rends mon hommage à Kṛṣṇa, Dieu, la Personne Suprême, forme éternelle de connaissance et de félicité. » Ou encore (*Gopāla-tāpanī Upaniṣad* 1.38) : *tam ekaṁ govindam* – « Tu es Govinda, le plaisir des sens et la joie des vaches, » et *sac-cid-ānanda-vigraham* – « Ta forme est transcendantale, toute d'éternité, de connaissance et de félicité. »

Pourtant, malgré les qualités transcendantales du corps de Kṛṣṇa, son omniscience et sa béatitude, de prétendus érudits, de pseudo-exégètes de la *Bhagavad-gītā* considèrent le Seigneur comme un homme ordinaire. Même s'il a pu, en vertu de ses bonnes actions passées, devenir un homme remarquable, l'érudit qui se forge une telle conception du Seigneur fait preuve d'un pauvre fonds de connaissance, et mérite le qualificatif de *mūḍha*. Car, seul un sot, ignorant tout des activités intimes et des diverses énergies de Dieu, peut prendre Kṛṣṇa pour un homme ordinaire. Seul un insensé, ne connaissant pas Ses attributs spirituels et absolus, incapable de voir que Son corps représente la connaissance et le bonheur parfaits, ignorant que tout Lui appartient et qu'Il peut accorder la libération à tous les êtres, peut Le dénigrer de la sorte.

Il ne comprend pas non plus que lorsque Dieu, la Personne Suprême, apparaît en ce monde, c'est grâce à Sa puissance interne. Dieu est le maître de l'énergie matérielle. Lui-même a déclaré à plusieurs reprises (*mama māyā duratyayā*) que cette énergie, bien que très puissante, est sous Son contrôle, et que quiconque s'abandonne à Lui s'affranchit par là même de son joug. Par conséquent, si en s'abandonnant à Kṛṣṇa une âme conditionnée peut échapper à l'emprise de l'énergie matérielle, comment se pourrait-il que Dieu, maître de la création, de la préservation et de la destruction de l'univers matériel, possède un corps de matière semblable au nôtre ? Pure ineptie. Pourtant les sots ne peuvent concevoir que la Personne Suprême, Kṛṣṇa, puisse apparaître comme un homme ordinaire et soit en même temps maître de l'atome et de la gigantesque manifestation de la forme universelle. L'infini comme l'infinitésimal dépassent leur entendement, aussi ne peuvent-ils imaginer qu'un être à l'apparence humaine puisse gérer l'un et l'autre, simultanément. En fait, non seulement le

Seigneur les commande, mais en outre, Il est Lui-même situé au-delà de leurs manifestations. Il est clairement établi qu'en vertu de Son inconcevable puissance spirituelle (*yogam aiśvaram*), Il peut diriger de façon simultanée le fini et l'infini, tout en demeurant au-delà des deux. Mais si les insensés ne peuvent concevoir que Kṛṣṇa, apparaissant comme un être humain, possède de tels pouvoirs, les purs dévots, pour leur part, les Lui reconnaissent pleinement, car ils savent qu'Il est Dieu, la Personne Suprême. Ils se donnent entièrement à Lui, et Le servent avec amour et dévotion dans la conscience de Kṛṣṇa.

L'apparition du Seigneur sous les traits d'un homme a fait l'objet de nombreuses polémiques opposant personnalistes et impersonnalistes. Mais nous pouvons comprendre, à la lumière des textes autorisés traitant de la science de Dieu que sont la *Bhagavad-gītā* et le *Śrīmad-Bhāgavatam,* que Kṛṣṇa est Dieu, la Personne Suprême. Il n'est pas un simple mortel, bien que sur terre Il en ait joué le rôle. Dans le *Śrīmad-Bhāgavatam* (1.1.20), où sont rapportées les questions des grands sages représentés par Śaunaka, on peut lire le passage suivant au sujet des actes de Kṛṣṇa :

*kṛtavān kila karmāṇi, saha rāmeṇa keśavaḥ*
*ati-martyāni bhagavān, gūḍhaḥ kapaṭa-mānuṣaḥ*

« Kṛṣṇa, Dieu, la Personne Suprême, jouait avec Balarāma tel un être humain et, sous ce masque, accomplissait des prouesses surhumaines. » Son avènement en tant qu'homme déroute les sots. Car nul homme n'aurait pu agir d'une façon aussi extraordinaire que Lui durant Son séjour sur terre. Ainsi, lorsqu'à Sa naissance Il apparut devant Son père et Sa mère, Vasudeva et Devakī, Il avait quatre bras. Ce n'est qu'après en avoir été prié par Ses parents qu'Il prit la forme d'un enfant ordinaire. Ce que le *Bhāgavatam* (10.3.46) décrit par ces mots : *babhūva prākṛtaḥ śiśuḥ* – « Il Se transforma en enfant, en un être ordinaire. » Cette apparence humaine, ordinaire, est l'une des caractéristiques de Son corps transcendantal. Nous trouvons également, cette fois dans le onzième chapitre de la *Bhagavad-gītā,* un passage où Arjuna prie Kṛṣṇa de lui montrer Sa forme à quatre bras (*tenaiva rūpeṇa catur-bhujena*). Après la lui avoir dévoilée, Kṛṣṇa, à la requête d'Arjuna, reprend Sa forme originelle, d'apparence humaine (*mānuṣaṁ rūpam*). Tous ces traits merveilleux ne sauraient être le fait d'un homme ordinaire.

Certains de ceux qui subissent l'influence de la philosophie *māyāvādī* et dénigrent Kṛṣṇa s'appuient sur le verset suivant du *Śrīmad-*

*Bhāgavatam* (3.29.21) pour prouver que Kṛṣṇa n'est qu'un homme ordinaire : *ahaṁ sarveṣu bhūteṣu bhūtātmāvasthitaḥ sadā* - « Le Suprême est présent en chaque être. » Mais plutôt que de suivre les interprétations de commentateurs non autorisés qui déprécient Kṛṣṇa, intéressons-nous aux explications qu'en donnent les *ācāryas vaiṣṇavas* tels que Jīva Gosvāmī ou Viśvanātha Cakravartī Ṭhākura. Dans son commentaire sur ce verset, Jīva Gosvāmī dit que Kṛṣṇa, sous la forme du Paramātmā, vit en chaque être, mobile ou immobile, en tant qu'Âme Suprême. Aussi, ajoute-t-il, la dévotion du néophyte qui d'un côté adore l'*arcā-mūrti*, la forme du Seigneur dans le temple, et de l'autre, manque de respect aux autres entités vivantes, est-elle tout à fait vaine. Les dévots du Seigneur, nous l'avons vu, sont de trois ordres, et au plus bas niveau se trouve le néophyte. Il prête plus attention à la *mūrti* dans le temple qu'aux autres dévots. Viśvanātha Cakravartī Ṭhākura nous avertit qu'une mentalité de ce genre doit être corrigée. Un dévot doit reconnaître la présence de Kṛṣṇa dans le cœur de chacun, en tant que le Paramātmā, et donc voir en chaque corps le temple du Seigneur Suprême ; en conséquence, il aura pour tous les êtres, demeures du Paramātmā, le même respect que pour le temple du Seigneur. Chaque être doit être respecté. Nul ne doit être négligé.

Beaucoup d'impersonnalistes discréditent également le culte du Seigneur dans le temple. « Si Dieu est partout, disent-ils, pourquoi se limiter à L'adorer dans le temple ? » À cela nous répondrons que si Dieu est partout, n'est-Il pas aussi dans le temple et dans la *mūrti* ?

Personnalistes et impersonnalistes débattront toujours sur ce point. Mais le parfait dévot purement conscient de Kṛṣṇa, sait que tout en étant une personne individuelle, la Personne Suprême, Kṛṣṇa est aussi omniprésent, comme le certifie la *Brahma-saṁhitā*. Bien qu'Il réside éternellement à Goloka Vṛndāvana, Il est également présent, à travers Ses diverses énergies et Son émanation plénière, dans toutes les parties des mondes matériel et spirituel.

**9.12** मोघाशा मोघकर्माणो मोघज्ञाना विचेतसः ।
राक्षसीमासुरीं चैव प्रकृतिं मोहिनीं श्रिताः ॥१२॥

*moghāśā mogha-karmāṇo, mogha-jñānā vicetasaḥ*
*rākṣasīm āsurīṁ caiva, prakṛtiṁ mohinīṁ śritāḥ*

*mogha-āśāḥ :* déçus dans leurs espoirs ; *mogha-karmāṇaḥ :* déçus dans leurs actes intéressés ; *mogha-jñānāḥ :* déçus dans leur connaissance ; *vicetasaḥ :* fourvoyés ; *rākṣasīm :* démoniaque ; *āsurīm :* athée ; *ca :* et ; *eva :* certes ; *prakṛtim :* une nature ; *mohinīm :* qui égare ; *śritāḥ :* prenant refuge en.

**Ainsi fourvoyés, ils sont séduits par les vues démoniaques et athées. Leur égarement neutralise tous leurs espoirs de libération, leurs actes intéressés et leur culture du savoir.**

Beaucoup de dévots croient être conscients de Kṛṣṇa, de Dieu, la Personne Suprême, et s'imaginent Le servir, alors qu'ils ne L'acceptent pas au fond de leur cœur comme la Vérité Absolue. Ceux-là ne pourront jamais goûter le fruit du service de dévotion, qui est de retourner à Dieu. Quant à ceux qui espèrent s'affranchir des chaînes de la matière par la pratique d'une piété intéressée, eux non plus ne connaîtront jamais le succès, parce qu'ils dénigrent Dieu, la Personne Suprême, Kṛṣṇa. En fait, pour railler Kṛṣṇa, il faut être athée ou démoniaque, et, comme l'expliquait le septième chapitre, jamais de tels incroyants ne s'abandonnent à Dieu.

Les spéculations intellectuelles auxquelles ils se livrent pour atteindre la Vérité Absolue les amènent à conclure faussement que rien ne distingue Kṛṣṇa du commun des mortels. Ainsi égarés, ils s'imaginent qu'aussitôt libérés de l'énergie matérielle qui les recouvre, plus rien ne les différenciera de Dieu. Croire qu'on peut ainsi parvenir à ne plus faire qu'un avec Kṛṣṇa est pure illusion. Comme l'indique notre verset, il ne sert à rien, pour un athée ou un homme de mentalité démoniaque, de cultiver le savoir spirituel. Leur étude des Écrits védiques, tels que le *Vedānta-sūtra* et les *Upaniṣads*, ne les mènera à rien.

On commet une grave offense si l'on considère que Kṛṣṇa, Dieu, la Personne Suprême, est un homme ordinaire. Qui commet une telle erreur est sans aucun doute en proie à l'illusion, car il ne comprend pas la forme éternelle du Seigneur. Le *Bṛhad-viṣṇu-smṛti* le dit clairement :

*yo vetti bhautikaṁ dehaṁ, kṛṣṇasya paramātmanaḥ*
*sa sarvasmād bahiṣ-kāryaḥ, śrauta-smārta-vidhānataḥ*
*mukhaṁ tasyāvalokyāpi, sa-celaḥ snānam ācaret*

« Il est interdit à quiconque pense que le corps de Kṛṣṇa est matériel de participer aux rites et aux activités relevant de la *śruti* et de la *smṛti.* Quiconque, par accident, voit le visage d'un tel offenseur doit aussitôt se baigner dans le Gange pour se purifier de cette souillure. » Railler Kṛṣṇa, c'est être jaloux de Dieu, la Personne Suprême. Un tel acte conduit à une perpétuelle renaissance au sein d'espèces démoniaques et athées. La véritable connaissance chez de tels êtres restera toujours voilée par l'illusion et ils régresseront graduellement jusqu'aux régions les plus obscures de la création.

**9.13** महात्मानस्तु मां पार्थ दैवीं प्रकृतिमाश्रिताः ।
भजन्त्यनन्यमनसो ज्ञात्वा भूतादिमव्ययम् ॥१३॥

*mahātmānas tu māṁ pārtha, daivīṁ prakṛtim āśritāḥ*
*bhajanty ananya-manaso, jñātvā bhūtādim avyayam*

*mahā-ātmānaḥ :* les grandes âmes ; *tu :* mais ; *mām :* en Moi ; *pārtha :* ô fils de Pṛthā ; *daivīm :* divine ; *prakṛtim :* la nature ; *āśritāḥ :* ayant pris refuge en ; *bhajanti :* servent ; *ananya-manasaḥ :* sans que leur mental ne dévie ; *jñātvā :* sachant ; *bhūta :* de la création ; *ādim :* l'origine ; *avyayam :* inexhaustible.

**Mais les mahātmās, les grandes âmes qui jamais ne s'abusent, ô fils de Pṛthā, sont sous la protection de la nature divine. Sachant que Je suis Dieu, la Personne Suprême, originelle et inexhaustible, ils s'absorbent pleinement dans le service de dévotion.**

Ce verset donne une description claire du *mahātmā.* La première caractéristique en est qu'il vit déjà sous l'égide de la nature divine. La nature matérielle ne le domine pas. Comment cela est-il possible ? La réponse a été donnée dans le septième chapitre : celui qui s'abandonne à Kṛṣṇa s'affranchit aussitôt du joug de la nature matérielle. Une fois libéré de cette sujétion, l'être distinct, parce qu'il est l'énergie marginale du Seigneur, vit désormais sous la tutelle de la nature spirituelle, qu'on appelle également *daivī prakṛti,* ou nature divine. Celui qui s'élève ainsi, en s'abandonnant à Dieu, la Personne Suprême, atteint le stade de *mahātmā* ; il devient une grande âme.

Rien ne détourne son attention de Kṛṣṇa, car il sait en toute certitude qu'Il est la Personne Suprême originelle, la cause de toutes les causes. Un *mahātmā* se forme au contact d'autres *mahātmās,* purs dévots de Kṛṣṇa. Ceux-ci, du reste, ne sont pas attirés par les autres formes du Seigneur, telle la forme à quatre bras de Mahā-Viṣṇu, et certainement moins encore par la forme d'un *deva* ou d'un humain. Seule la forme à deux bras de Kṛṣṇa les attire. Ils ne méditent que sur Lui, qu'ils servent avec une constance sans défaut, dans la conscience de Kṛṣṇa.

**9.14** सततं कीर्तयन्तो मां यतन्तश्च दृढव्रताः ।
नमस्यन्तश्च मां भक्त्या नित्ययुक्ता उपासते ॥१४॥

*satataṁ kīrtayanto māṁ, yatantaś ca dṛḍha-vratāḥ*
*namasyantaś ca māṁ bhaktyā, nitya-yuktā upāsate*

*satatam :* toujours ; *kīrtayantaḥ :* chantant ; *mām :* à Mon sujet ; *yatantaḥ :* s'efforçant pleinement ; *ca :* aussi ; *dṛḍha-vratāḥ :* avec détermination ; *namasyantaḥ :* offrant leur hommage ; *ca :* et ; *mām :* Moi ; *bhaktyā :* dans la dévotion ; *nitya-yuktāḥ :* engagés perpétuellement ; *upāsate :* adorent.

**Chantant toujours Mes gloires, se prosternant devant Moi, grandement déterminées dans leur effort spirituel, ces âmes élevées M'adorent à tout jamais dans la dévotion.**

Il ne suffit pas d'apposer une étiquette sur un homme ordinaire pour que celui-ci devienne un *mahātmā*. Il doit répondre à la description qu'en donne ce verset : ne pas se soucier d'autre chose que de chanter constamment les gloires du Seigneur Suprême, Kṛṣṇa. Le *mahātmā* n'est donc évidemment pas un impersonnaliste. Louer Dieu, c'est exalter Son saint nom, Sa forme éternelle, Ses attributs transcendantaux et Ses divertissements extraordinaires. Il faut ainsi glorifier le Seigneur sous tous ces aspects. Le *mahātmā* est par conséquent l'être qui s'attache à Dieu, la Personne Suprême.

En aucun cas la *Gītā* ne présente comme un *mahātmā* un homme que séduit l'aspect impersonnel du Seigneur, le *brahmajyoti*. Comme nous le verrons dans le prochain verset, les caractéristiques du *mahātmā* sont bien différentes. Il prend toujours part aux diverses activités du service de dévotion que décrit le *Śrīmad-Bhāgavatam*, c'est-à-dire écouter et chanter les gloires de Viṣṇu (et non celles de quelque *deva* ou être humain), ainsi que Le garder toujours en mémoire (*śravaṇaṁ kīrtanaṁ viṣṇoḥ smaraṇam*). Le *mahātmā* est fermement déterminé à atteindre le but ultime, c'est-à-dire gagner la compagnie du Seigneur Suprême dans le cadre de l'un des cinq *rasas* spirituels. Dans cet objectif, il met son mental, son corps et sa voix au service du Seigneur Suprême, Śrī Kṛṣṇa. C'est ce qu'on appelle la conscience de Kṛṣṇa.

Le service de dévotion comporte des activités bien définies : par exemple, jeûner certains jours, comme le onzième jour après la nouvelle et la pleine lune (*ekādaśī*), ou le jour commémorant l'avènement de Kṛṣṇa sur terre. Les grands *ācāryas* recommandent l'observance de ces règles à quiconque désire sérieusement être admis auprès du Seigneur Suprême, dans le monde spirituel. Les *mahātmās* les observent strictement, et sont ainsi assurés d'atteindre le but recherché.

Comme l'expliquait le second verset de ce chapitre, non seulement la pratique du service de dévotion est aisée, mais elle est aussi joyeuse. Il n'est pas nécessaire de recourir à des austérités sévères. Que l'on soit *gṛhastha, sannyāsī* ou *brahmacārī,* quel que soit notre lieu de résidence en ce monde, on peut, sous la direction d'un maître spirituel qualifié, dédier sa vie au service dévotionnel de la Personne Suprême, et ainsi devenir un *mahātmā,* une grande âme.

**9.15** ज्ञानयज्ञेन चाप्यन्ये यजन्तो मामुपासते ।
एकत्वेन पृथक्त्वेन बहुधा विश्वतोमुखम् ॥१५॥

*jñāna-yajñena cāpy anye, yajanto mām upāsate*
*ekatvena pṛthaktvena, bahudhā viśvato-mukham*

*jñāna-yajñena :* par la culture de la connaissance; *ca :* aussi; *api :* certes; *anye :* d'autres; *yajantaḥ :* en sacrifiant; *mām :* Moi; *upāsate :* adorent; *ekatvena :* dans l'unité; *pṛthaktvena :* dans la dualité; *bahudhā :* dans la diversité; *viśvataḥ-mukham :* et dans la forme universelle.

**D'autres, dont le sacrifice consiste à cultiver le savoir, adorent le Seigneur Suprême en tant que l'un sans second, l'Être qui Se manifeste en une multiplicité de formes, ou encore la forme universelle.**

Ce verset complète ceux qui le précèdent. Kṛṣṇa vient d'expliquer à Arjuna que les *mahātmās* sont des hommes purement conscients de Sa personne et ne vivant que pour Lui. Il existe cependant des êtres qui, sans être des *mahātmās,* L'adorent eux aussi, de façon différente. Certains ont déjà été décrits : le malheureux, le curieux, l'homme en quête de richesse et celui qui cultive le savoir. Mais, à un niveau moins élevé, on distingue trois autres groupes : 1) celui qui s'identifie au Seigneur Suprême et rend un culte à sa propre personne; 2) celui qui adore une forme de Dieu née de sa propre imagination; 3) celui qui voue un culte à la *viśva-rūpa,* la forme universelle du Seigneur Suprême. D'entre ces trois catégories, la moins élevée, qui est aussi la plus répandue, rassemble tous ceux qui, sous le nom de monistes, se prennent pour Dieu et, dans cet esprit, rendent un culte à leur propre personne. Ce culte de soi, ordinairement pratiqué par les impersonnalistes, peut être considéré comme une manière d'adorer Dieu, car, au moins, ceux qui l'adoptent ont conscience d'être des âmes spirituelles et non des corps de matière. La seconde catégorie comprend les adorateurs des *devas,* ceux qui, par pure imagination, considèrent toute forme comme étant celle du Seigneur. Et la troisième catégorie est composée des hommes qui, étant incapables de concevoir qu'il puisse y avoir quelque chose au-delà de notre univers – qui, du reste, est aussi une forme du Seigneur – voient en lui l'organisme suprême et, à ce titre, lui rendent un culte.

**9.16** अहं क्रतुरहं यज्ञः स्वधाहमहमौषधम् ।
मन्त्रोऽहमहमेवाज्यमहमग्निरहं हुतम् ॥१६॥

*ahaṁ kratur ahaṁ yajñaḥ, svadhāham aham auṣadham*
*mantro 'ham aham evājyam, aham agnir ahaṁ hutam*

*aham :* Je ; *kratuḥ :* le rituel védique ; *aham :* Je ; *yajñaḥ :* le sacrifice ; *svadhā :* l'oblation ; *aham :* Je ; *aham :* Je ; *auṣadham :* l'herbe médicinale ; *mantraḥ :* le chant transcendantal ; *aham :* Je ; *aham :* Je ; *eva :* certes ; *ājyam :* le beurre fondu ; *aham :* Je ; *agniḥ :* le feu ; *aham :* Je ; *hutam :* l'offrande.

**En vérité, Je suis le rite et le sacrifice, l'oblation aux ancêtres, l'herbe médicinale et le chant transcendantal. Je suis et le beurre et le feu et l'offrande.**

Les sacrifices védiques appelés *jyotiṣṭoma* et *mahā-yajña* dont parle la *smṛti* représentent tous deux Kṛṣṇa. L'oblation aux ancêtres habitant Pitṛloka – faite de beurre clarifié et considérée comme un remède – représente également Kṛṣṇa, tout comme les mantras récités en cette occasion et les offrandes de produits laitiers. Le feu aussi est Kṛṣṇa puisqu'il est l'un des cinq éléments matériels et constitue l'une de Ses énergies externes, séparées. En d'autres mots, les sacrifices recommandés dans la partie *karma-kāṇḍa* des Védas représentent tous Kṛṣṇa. Par conséquent, quiconque se voue avec dévotion au service de Kṛṣṇa doit être considéré comme ayant accompli tous les sacrifices recommandés dans les Védas.

**9.17** पिताहमस्य जगतो माता धाता पितामहः ।
वेद्यं पवित्रमोंकार ऋक्साम यजुरेव च ॥१७॥

*pitāham asya jagato, mātā dhātā pitāmahaḥ*
*vedyaṁ pavitram oṁkāra, ṛk sāma yajur eva ca*

*pitā :* le père ; *aham :* Je ; *asya :* de cet ; *jagataḥ :* univers ; *mātā :* la mère ; *dhātā :* le support ; *pitāmahaḥ :* le grand-père ; *vedyam :* ce qui doit être su ; *pavitram :* ce qui purifie ; *om-kāraḥ :* la syllabe *oṁ* ; *ṛk :* le *Ṛg-veda* ; *sāma :* le *Sāma-veda* ; *yajuḥ :* le *Yajur-veda* ; *eva :* certes ; *ca :* et.

**Je suis le père, la mère, le support et l'aïeul de cet univers, l'objet du savoir, le purificateur et la syllabe oṁ. Je suis aussi le Ṛg-veda, le Sāma-veda et le Yajur-veda.**

Toutes les manifestations mobiles et immobiles de l'univers sont dues à l'action de l'énergie de Kṛṣṇa. Dans la vie matérielle, nous créons divers liens avec d'autres êtres, que nous considérons comme nos père, mère, grand-père, grand-mère, etc., alors qu'en réalité, ils sont eux aussi des éléments constituants de l'énergie marginale de Kṛṣṇa, Ses parties intégrantes. Cela est vrai non seulement de notre père, de notre mère, mais également de leurs propres géniteurs (dans ce verset, le mot *dhātā* signifie créateur), c'est-à-dire notre grand-père, notre grand-mère, etc. En fait, parce qu'ils font partie intégrante de Kṛṣṇa, on peut dire de tous les êtres de la création qu'ils représentent Kṛṣṇa, qu'ils sont Kṛṣṇa.

C'est vers Kṛṣṇa seul que convergent tous les Védas. Toute forme de connaissance que nous pourrons y puiser nous fera faire un pas de plus vers la compréhension de Kṛṣṇa. La connaissance purificatrice qui nous aide à recouvrer notre condition immanente représente tout particulièrement Kṛṣṇa. Quant à celui qui cherche à appréhender l'ensemble des principes védiques, il fait lui aussi partie intégrante de Kṛṣṇa, et à ce titre il est aussi Kṛṣṇa. Enfin, du fait que la vibration sonore spirituelle *oṁ* – aussi appelée le *praṇava*, ou l'*oṁkāra* – utilisée dans les mantras védiques est Kṛṣṇa et qu'elle occupe une position prédominante dans tous les hymnes des quatre Védas (le *Sāma*, le *Yajur*, le *Ṛg* et l'*Atharva*), ceux-ci représentent également Kṛṣṇa.

**9.18** गतिर्भर्ता प्रभुः साक्षी निवासः शरणं सुहृत् ।
प्रभवः प्रलयः स्थानं निधानं बीजमव्ययम् ॥१८॥

*gatir bhartā prabhuḥ sākṣī, nivāsaḥ śaraṇaṁ suhṛt*
*prabhavaḥ pralayaḥ sthānaṁ, nidhānaṁ bījam avyayam*

*gatiḥ :* le but ; *bhartā :* le soutien ; *prabhuḥ :* le Seigneur ; *sākṣī :* le témoin ; *nivāsaḥ :* la demeure ; *śaraṇam :* le refuge ; *su-hṛt :* l'ami le plus intime ; *prabhavaḥ :* la création ; *pralayaḥ :* la dissolution ; *sthānam :* la base ; *nidhānam :* le lieu de repos ; *bījam :* la semence ; *avyayam :* impérissable.

**Je suis le but, le soutien, le maître, le témoin, la demeure, le refuge et l'ami le plus cher. Je suis la création et l'annihilation, la base de toute chose, le lieu de repos et l'éternelle semence.**

*Gati* désigne la destination que l'on s'est fixée. Or, bien que beaucoup de gens l'ignorent, Kṛṣṇa est le but ultime. Aussi dit-on que celui qui ne Le connaît pas se fourvoie et n'accomplit que de pseudo-progrès, partiels ou illusoires. Beaucoup se donnent pour but de rejoindre différents *devas* et, en appliquant de façon stricte les diverses méthodes qui leur sont prescrites, ils parviennent aux planètes où vivent ces *devas,* telles que Candraloka, Sūryaloka, Indraloka, Maharloka, etc. Or, toutes ces planètes (*lokas*), parce qu'elles sont des créations de Dieu, sont Kṛṣṇa et, en même temps, sont distinctes de Lui. Manifestations de l'énergie de Kṛṣṇa, elles Le représentent, mais, simultanément, elles ne constituent qu'une étape vers la réalisation de Sa personne. Approcher Ses énergies, c'est venir à Lui indirectement. Il est donc préférable de L'approcher directement, en personne, et ainsi économiser du temps et de l'énergie. Pourquoi prendre un escalier et en gravir les marches une à une quand un ascenseur peut directement nous conduire au sommet ?

Tout repose sur l'énergie de Kṛṣṇa ; de tout Il est le refuge et rien ne saurait donc exister hors de Lui. Il est le maître absolu, car tout Lui appartient et tout est maintenu par Ses énergies. Situé dans le cœur de chaque être, Il est le témoin suprême. Nos demeures, nos pays, nos planètes sont toutes, elles aussi, Kṛṣṇa. Refuge ultime, c'est auprès de Lui qu'il faut chercher asile si l'on désire être protégé ou mettre fin à ses souffrances. Lorsque nous avons besoin de protection, nous ne devons pas oublier que seule une force vivante a le pouvoir de nous protéger. Kṛṣṇa est l'Être Suprême. Attendu donc qu'Il est la source de tous les êtres, le père originel, nul ne pourrait être un meilleur ami ou un plus grand bienfaiteur que Lui. Kṛṣṇa est la source générante de la création, mais aussi son repos ultime après son annihilation. Par conséquent, Il est l'éternelle cause de toutes les causes.

**9.19** तपाम्यहमहं वर्षं निगृह्णाम्युत्सृजामि च ।
अमृतं चैव मृत्युश्च सदसच्चाहमर्जुन ॥१९॥

*tapāmy aham ahaṁ varṣaṁ, nigṛhṇāmy utsṛjāmi ca*
*amṛtaṁ caiva mṛtyuś ca, sad asac cāham arjuna*

*tapāmi :* donne la chaleur ; *aham :* Je ; *aham :* Je ; *varṣam :* la pluie ; *nigṛhṇāmi :* retiens ; *utsṛjāmi :* envoie ; *ca :* et ; *amṛtam :* l'immortalité ; *ca :* et ; *eva :* certes ; *mṛtyuḥ :* la mort ; *ca :* et ; *sat :* l'esprit ; *asat :* la matière ; *ca :* et ; *aham :* Je ; *arjuna :* ô Arjuna.

**J'apporte la chaleur, Je donne et Je retiens les pluies. Je suis l'immortalité et Je suis la mort personnifiée. Ô Arjuna, l'esprit et la matière sont l'un et l'autre en Moi.**

Grâce à Ses diverses énergies, Kṛṣṇa diffuse chaleur et lumière par l'intermédiaire du soleil et de la force électrique. C'est Lui également qui retient les pluies pendant l'été, pour ensuite, la saison venue, permettre qu'elles tombent en abondance. Il est l'énergie qui nous garde en vie le plus longtemps possible, mais aussi la mort qui nous attend. En procédant à l'analyse de ces nombreuses énergies de Kṛṣṇa, nous voyons nettement qu'il n'existe pour Lui aucune distinction entre le matériel et le spirituel, qu'Il est à la fois l'un et l'autre. Une fois parvenu à un stade élevé dans la conscience de Kṛṣṇa, on ne les distingue plus soi-même non plus. On voit Kṛṣṇa, et seulement Lui, en chaque chose.

Puisque Kṛṣṇa est à la fois matière et esprit, Il peut tout autant apparaître dans Sa gigantesque forme universelle, laquelle renferme toutes les manifestations matérielles, que dans Sa forme personnelle et suprême, Śyāmasundara, à deux bras, qui joue de la flûte et Se divertit à Vṛndāvana.

**9.20** त्रैविद्या मां सोमपाः पूतपापा यज्ञैरिष्ट्वा स्वर्गतिं प्रार्थयन्ते ।
ते पुण्यमासाद्य सुरेन्द्रलोकमश्नन्ति दिव्यान्दिवि देवभोगान् ॥२०॥

*trai-vidyā māṁ soma-pāḥ pūta-pāpā*
*yajñair iṣṭvā svar-gatiṁ prārthayante*
*te puṇyam āsādya surendra-lokam*
*aśnanti divyān divi deva-bhogān*

*trai-vidyāḥ :* ceux qui connaissent les trois Védas ; *mām :* Moi ; *soma-pāḥ :* ceux qui boivent le *soma* ; *pūta :* purifiés ; *pāpāḥ :* des péchés ; *yajñaiḥ :* avec des sacrifices ; *iṣṭvā :* adorant ; *svaḥ-gatim :* le passage aux planètes édéniques ; *prārthayante :* prient pour ; *te :* ils ; *puṇyam :* pieux ; *āsādya :* atteignant ; *sura-indra :* d'Indra ; *lokam :* le monde ; *aśnanti :* jouissent des ; *divyān :* célestes ; *divi :* sur les planètes édéniques ; *deva-bhogān :* plaisirs des *devas*.

**Ceux qui étudient les Védas et boivent le soma pour gagner les planètes édéniques M'adorent indirectement. Purifiés des suites de leurs péchés ils renaissent sur la planète édénique et pieuse d'Indra, où ils jouissent de plaisirs célestes.**

Le mot *trai-vidyāḥ* renvoie aux trois Védas (le *Sāma*, le *Yajur* et le *Ṛk*), et on appelle *tri-vedī* le *brāhmaṇa* qui en possède la connaissance. Ceux qui s'attachent à l'étude de ces trois Védas gagnent le respect de la société. Malheureusement, un grand nombre de ces érudits ignorent l'objet final des études védiques. C'est pourquoi Kṛṣṇa déclare ici être le but ultime des *tri-vedīs*. Les véritables *tri-vedīs* prennent refuge aux pieds pareils-au-lotus de Kṛṣṇa et, pour Lui plaire, Le servent avec une dévotion pure.

On entame la pratique du service de dévotion en récitant le mantra Hare Kṛṣṇa et en s'efforçant de comprendre Kṛṣṇa tel qu'Il est. Ceux dont l'étude des Védas ne revêt qu'un caractère formel sont malheureusement davantage attirés par les sacrifices offerts aux différents *devas*, tels Indra et Candra. Ce culte, il est vrai, les purifie des souillures que génèrent les influences inférieures de la nature et les élève jusqu'aux planètes édéniques, dans les systèmes planétaires supérieurs (Maharloka, Janaloka, Tapaloka...) où ils peuvent satisfaire leur désir de jouissance matérielle mille fois mieux que sur terre.

**9.21** ते तं भुक्त्वा स्वर्गलोकं विशालं क्षीणे पुण्ये मर्त्यलोकं विशन्ति ।
एवं त्रयीधर्ममनुप्रपन्ना गतागतं कामकामा लभन्ते ॥२१॥

*te taṁ bhuktvā svarga-lokaṁ viśālaṁ*
*kṣīṇe puṇye martya-lokaṁ viśanti*
*evaṁ trayī-dharmam anuprapannā*
*gatāgataṁ kāma-kāmā labhante*

*te :* ils ; *tam :* cela ; *bhuktvā :* jouissant de ; *svarga-lokam :* planète édénique ; *viśālam :* vaste ; *kṣīṇe :* étant épuisés ; *puṇye :* les fruits de leurs actes pieux ; *martya-lokam :* sur la terre des mortels ; *viśanti :* tombent ; *evam :* ainsi ; *trayī :* des trois Védas ; *dharmam :* les doctrines ; *anuprapannāḥ :* suivant ; *gata-āgatam :* la mort et la naissance ; *kāma-kāmāḥ :* souhaitant le plaisir des sens ; *labhante :* obtiennent.

**Quand ils ont joui de ces plaisirs paradisiaques et épuisé les fruits de leurs actes pieux, ils reviennent sur la terre, où vivent les mortels. Ainsi, ceux qui suivent les principes des trois Védas pour trouver le plaisir des sens n'obtiennent que la répétition des morts et des renaissances.**

Un être qui accède aux systèmes planétaires supérieurs obtient une durée d'existence plus longue et des facilités plus grandes pour jouir du plaisir des sens, mais il ne peut y demeurer éternellement. Une fois épuisés les fruits de sa piété, il est renvoyé sur terre. L'homme qui n'a pas atteint la perfection du savoir, telle que le décrit le *Vedānta-sūtra* (*janmādy asya yataḥ*), ou qui, en d'autres mots, n'est pas parvenu à connaître Kṛṣṇa, la cause de toutes les causes, échoue dans sa tentative d'atteindre le but ultime de l'existence. Il se prend ainsi au piège du continuel va-et-vient entre les planètes supérieures et inférieures, tantôt montant, tantôt descendant, comme sur une grande roue. Plutôt que de gagner le monde spirituel, d'où l'on ne retombe pas, il demeure prisonnier du cycle des morts et des renaissances dans les systèmes planétaires supérieurs et inférieurs. Il est donc préférable d'avoir accès au monde spirituel et d'y jouir d'une existence éternelle dans la connaissance et la félicité absolues, sans avoir jamais à revenir pour retrouver les conditions misérables de l'existence matérielle.

9.22 अनन्याश्चिन्तयन्तो मां ये जनाः पर्युपासते ।
तेषां नित्याभियुक्तानां योगक्षेमं वहाम्यहम् ॥२२॥

*ananyāś cintayanto māṁ, ye janāḥ paryupāsate*
*teṣāṁ nityābhiyuktānāṁ, yoga-kṣemaṁ vahāmy aham*

*ananyāḥ :* n'ayant d'autre objet ; *cintayantaḥ :* se concentrant ; *mām :* sur Moi ; *ye :* celles qui ; *janāḥ :* les personnes ; *paryupāsate :* adorent correctement ; *teṣām :* à elles ; *nitya :* toujours ; *abhiyuktānām :* fixes dans la dévotion ; *yoga :* les besoins ; *kṣemam :* la protection ; *vahāmi :* apporte ; *aham :* Je.

**Quant à ceux qui M'adorent avec une dévotion sans partage, en méditant sur Ma forme absolue, Je comble leurs manques et Je préserve leurs biens.**

Celui qui ne peut vivre un instant hors de la conscience de Kṛṣṇa, ne peut que penser à Kṛṣṇa à chaque instant du jour et de la nuit, car il est sans cesse absorbé dans le service du Seigneur. Toujours il écoute ou il chante Ses gloires, toujours il se souvient de Lui, Le prie et L'adore, sert Ses pieds pareils-au-lotus et Lui offre toutes sortes de services, se lie d'amitié avec Lui et s'abandonne totalement à Lui. De tels actes sont entièrement bénéfiques et chargés d'une puissance spirituelle qui mène infailliblement le dévot à la perfection de la réalisation spirituelle. À ce stade, il n'a d'autre aspiration que de vivre en la compagnie de la Personne Suprême, et il y parvient facilement. Voilà ce qu'on appelle yoga. Grâce à la miséricorde et à la protection divine (*kṣema*), le dévot ne retourne jamais à la vie matérielle. Le Seigneur l'aide à devenir conscient de Sa personne par le biais du yoga, puis, quand il est parvenu à la plénitude de cette conscience, le protège en l'empêchant de sombrer à nouveau dans une existence conditionnée misérable.

9.23 येऽप्यन्यदेवताभक्ता यजन्ते श्रद्धयान्विताः ।
तेऽपि मामेव कौन्तेय यजन्त्यविधिपूर्वकम् ॥२३॥

*ye 'py anya-devatā-bhaktā, yajante śraddhayānvitāḥ*
*te 'pi mām eva kaunteya, yajanty avidhi-pūrvakam*

*ye :* ceux qui ; *api :* aussi ; *anya :* des autres ; *devatā : devas* ; *bhaktāḥ :* dévots ; *yajante :* adorent ; *śraddhayā anvitāḥ :* avec foi ; *te :* ils ; *api :* aussi ; *mām :* Moi ; *eva :* seulement ; *kaunteya :* ô fils de Kuntī ; *yajanti :* ils adorent ; *avidhi-pūrvakam :* d'une mauvaise façon.

**Ceux qui avec foi adorent les devas n'adorent en fait que Moi, ô fils de Kuntī, mais ils ne le font pas de la bonne façon.**

Kṛṣṇa dit : « Ceux qui adorent les *devas* ne sont pas très intelligents, même si, indirectement, c'est Moi qu'ils adorent. » En effet, un homme qui arroserait les feuilles et les branches d'un arbre sans en arroser les racines, ou qui nourrirait les membres de son corps au lieu de son estomac, ferait preuve d'un bien médiocre savoir ou d'une grande négligence des lois naturelles les plus élémentaires. Les *devas* ne sont, pour ainsi dire, que des fonctionnaires et des ministres dans le gouvernement du Seigneur Suprême. De même qu'on doit suivre les lois édictées par le chef du gouvernement et non celles émises par les fonctionnaires et les ministres, c'est au Seigneur seul qu'il faut vouer son adoration. Ses auxiliaires seront alors eux aussi satisfaits. Fonctionnaires et ministres sont nommés par le chef du gouvernement pour le représenter. Il est illégal de les soudoyer. Ainsi se traduit l'idée qu'expriment dans ce verset les mots *avidhi-pūrvakam*. Kṛṣṇa réprouve donc la vaine adoration des *devas*.

**9.24** अहं हि सर्वयज्ञानां भोक्ता च प्रभुरेव च ।
न तु मामभिजानन्ति तत्त्वेनातश्च्यवन्ति ते ॥२४॥

*ahaṁ hi sarva-yajñānāṁ, bhoktā ca prabhur eva ca*
*na tu mām abhijānanti, tattvenātaś cyavanti te*

*aham :* Je ; *hi :* sûrement ; *sarva :* de tous ; *yajñānām :* les sacrifices ; *bhoktā :* le bénéficiaire ; *ca :* et ; *prabhuḥ :* le Seigneur ; *eva :* aussi ; *ca :* et ; *na :* ne pas ; *tu :* mais ; *mām :* Moi ; *abhijānanti :* ils connaissent ; *tattvena :* en réalité ; *ataḥ :* par suite ; *cyavanti :* tombent ; *te :* ils.

**Je suis l'unique bénéficiaire, le maître de tous les sacrifices, et ceux qui ne reconnaissent pas Ma nature véritable, transcendantale, déchoient.**

Ce verset indique que, si les Écritures védiques recommandent divers types de *yajñas* (sacrifices), tous ont pour réel objet la satisfaction du Seigneur Suprême. *Yajña* signifie Viṣṇu. Le troisième chapitre de la *Bhagavad-gītā* l'affirme : le but de tous nos actes doit être la satisfaction de Yajña (Viṣṇu). C'est là l'objectif du *varṇāśrama-dharma,* le type de civilisation le plus parfait. Kṛṣṇa explique donc ici qu'étant le maître suprême, Il est le bénéficiaire légitime de tous les sacrifices. Malgré tout, des gens peu intelligents, ignorant ces vérités, rendent un culte aux *devas* en vue d'obtenir d'eux des bienfaits éphémères. Mais cette voie ne les mène pas au but ultime de la vie et ils retournent à l'existence matérielle. Si l'on souhaite satisfaire certains désirs matériels, il est préférable, même s'il ne s'agit pas là de pure dévotion, de prier à cette fin le Seigneur, et d'obtenir de Lui l'objet de nos aspirations.

**9.25** यान्ति देवव्रता देवान् पितॄन् यान्ति पितृव्रताः ।
भूतानि यान्ति भूतेज्या यान्ति मद्याजिनोऽपि माम् ॥२५॥

*yānti deva-vratā devān, pitṝn yānti pitṛ-vratāḥ*
*bhūtāni yānti bhūtejyā, yānti mad-yājino 'pi mām*

*yānti :* vont ; *deva-vratāḥ :* ceux qui rendent un culte aux *devas* ; *devān :* aux *devas* ; *pitṝn :* aux ancêtres ; *yānti :* vont ; *pitṛ-vratāḥ :* ceux qui rendent un culte aux ancêtres ; *bhūtāni :* aux spectres et aux autres esprits ; *yānti :* vont ; *bhūta-ijyāḥ :* ceux qui rendent un culte aux spectres et aux autres esprits ; *yānti :* vont ; *mat :* Mes ; *yājinaḥ :* dévots ; *api :* mais ; *mām :* à Moi.

**Ceux qui vouent leur adoration aux devas renaîtront parmi les devas ; ceux qui vénèrent les ancêtres parmi les ancêtres, et parmi les spectres et autres esprits ceux qui leur rendent un culte. Mais ceux qui M'adorent, c'est auprès de Moi qu'ils vivront.**

On peut, si l'on souhaite aller sur la Lune, le Soleil, ou n'importe quelle autre planète, se conformer aux principes védiques énoncés à cette fin, et suivre notamment un procédé techniquement appelé le *darśa-paurṇamāsī.* L'une des sections des Védas qui traite de l'action intéressée expose en détail ces principes et recommande à celui qui aspire à se rendre sur une planète édénique, le culte du *deva* qui y règne. D'autres types de *yajñas* permettent d'atteindre les planètes des *pitās* (ancêtres), et d'autres encore celles des esprits, où l'on devient un *yakṣa*, un *rakṣa* ou un *piśāca*. Le culte des *piśācas*, plus connu sous le nom de « magie noire », est complètement matériel, bien que ses nombreux adeptes le considèrent spirituel.

Mais adorer Dieu, la Personne Suprême, et Lui seul, conduit le pur dévot aux planètes Vaikuṇṭhas ou à Kṛṣṇaloka. En effet, comme le montre cet important verset, pourquoi le pur dévot du Seigneur n'atteindrait-il pas la planète de Viṣṇu, ou celle de Kṛṣṇa, quand l'adorateur des *devas*, des *pitās* ou des esprits obtient de gagner leurs planètes respectives ? Par malheur, un grand nombre d'hommes ignorent tout des planètes sublimes où vivent Kṛṣṇa et Viṣṇu, et cette ignorance les contraint à déchoir. Les impersonnalistes eux-mêmes sont forcés, un jour ou l'autre, de choir du *brahmajyoti*. C'est pourquoi le Mouvement pour la Conscience de Kṛṣṇa répand partout dans le monde cet enseignement sublime : le simple chant du mantra Hare Kṛṣṇa permet d'atteindre la perfection en cette vie même et de retourner en sa demeure première, auprès de Dieu, la Personne Suprême.

**9.26** पत्रं पुष्पं फलं तोयं यो मे भक्त्या प्रयच्छति ।
तदहं भक्त्युपहृतमश्नामि प्रयतात्मनः ॥२६॥

*patraṁ puṣpaṁ phalaṁ toyaṁ*
*yo me bhaktyā prayacchati*
*tad ahaṁ bhakty-upahṛtam*
*aśnāmi prayatātmanaḥ*

*patram :* une feuille ; *puṣpam :* une fleur ; *phalam :* un fruit ; *toyam :* de l'eau ; *yaḥ :* quiconque ; *me :* à Moi ; *bhaktyā :* avec dévotion ; *prayacchati :* offre ; *tat :* ceci ; *aham :* Je ; *bhakti-upahṛtam :* offert avec dévotion ; *aśnāmi :* accepte ; *prayata-ātmanaḥ :* de celui qui a une conscience pure.

**Que l'on M'offre avec amour et dévotion une feuille, une fleur, un fruit ou un peu d'eau, et cette offrande, Je l'accepterai.**

Il est essentiel pour l'homme intelligent d'adopter la conscience de Kṛṣṇa et de se dédier au service d'amour transcendantal du Seigneur afin de connaître le bonheur éternel dans le royaume de la félicité. Le processus qui permet d'obtenir ce merveilleux résultat est simple d'application ; même le plus indigent peut l'adopter et, de surcroît, il ne requiert aucune qualification matérielle particulière. La seule qualification requise est d'être un pur dévot du Seigneur. Peu importe notre situation ou ce que nous sommes. Cette méthode est si facile qu'il suffit d'offrir une feuille, un fruit ou un peu d'eau avec un amour sincère pour que le Seigneur l'accueille avec joie. Ainsi, nul n'est inapte à adopter la conscience de Kṛṣṇa, car elle est simple et universelle. Qui serait assez sot pour refuser d'être aussi facilement conscient de Kṛṣṇa et d'atteindre la perfection d'une existence éternelle, toute de connaissance et de félicité ?

Kṛṣṇa ne désire qu'un service d'amour et rien d'autre. Il accepte même une petite fleur de la part de Son pur dévot. Il refuse, par contre, tout ce qui provient de non-dévots. Bien qu'Il soit satisfait en Lui-même et qu'Il n'ait besoin de rien, Il accepte l'offrande de Son dévot dans un échange d'amour et d'affection. Le fait de développer la conscience de Kṛṣṇa est la plus haute perfection de l'existence. Le mot *bhakti* est mentionné deux fois dans ce verset. Cette répétition sert à montrer que seul le service de dévotion permet d'approcher Kṛṣṇa. Rien, hormis la *bhakti,* ne peut forcer le Seigneur Suprême à accepter ce qu'on Lui offre. Ni la position brahmanique, ni l'érudition, ni la richesse ou la connaissance philosophique ne peuvent L'y obliger. La *bhakti* est sans motivation. C'est un processus éternel, un acte direct au service de l'Absolu.

Après avoir montré qu'Il est le Seigneur originel, le bénéficiaire suprême et le véritable objet de tous les sacrifices, Kṛṣṇa révèle quel type d'oblation Il désire Se voir offrir. Si nous désirons pratiquer le service de dévotion pour nous purifier et atteindre le but de l'existence - le service d'amour absolu du Seigneur - il convient de savoir en premier lieu ce qu'Il attend de nous. Celui qui aime Kṛṣṇa Lui offrira tout ce qu'Il désire, et non, bien sûr, ce qui Lui déplaît ou ce qu'Il n'a pas demandé. Aussi ne doit-on pas Lui offrir de viande, de poisson ou d'œufs. S'Il avait voulu ces choses, Il n'aurait pas manqué de le mentionner. Au contraire, le Seigneur indique clairement dans ce verset les offrandes qu'Il désire qu'on Lui fasse et qu'Il acceptera : une feuille, un fruit, une fleur, de l'eau. Nous pouvons en conclure qu'Il n'accepte ni viande, ni poisson, ni œufs. Légumes, céréales, fruits, lait et eau constituent une nourriture appropriée pour l'être humain et sont recommandés par Kṛṣṇa Lui-même. Aucun autre aliment ne doit donc Lui être offert, puisqu'Il le refusera. D'ailleurs, si l'on ne respecte pas Ses désirs, comment parler d'amour et de dévotion pour Dieu.

Kṛṣṇa expliquait au verset treize du troisième chapitre, que seuls les reliefs d'aliments offerts au préalable en sacrifice sont purs, et propres à nourrir ceux qui cherchent à progresser et à s'arracher de l'engluement matériel. Ceux qui n'offrent pas leur nourriture en sacrifice, ajoutait-Il dans ce même verset, ne mangent que du péché. En d'autres mots, chaque bouchée qu'ils avalent les enfonce plus profondément dans les intrications de la nature matérielle. Par contre, préparer des plats végétariens simples et savoureux, les offrir devant l'image ou la *mūrti* de Kṛṣṇa, en se prosternant et en Le priant d'accepter notre humble offrande, voilà qui nous permet de progresser d'un pas sûr dans la vie, de purifier notre corps, de produire des tissus cérébraux plus fins, et donc de clarifier nos pensées. Ce qui importe le plus, c'est que l'offrande soit faite avec un sentiment d'amour. Kṛṣṇa n'a nul besoin de nourriture puisqu'Il possède déjà tout, mais Il accepte l'offrande de celui qui désire Lui plaire ainsi. L'élément essentiel, tant dans la préparation que dans la présentation ou l'offrande de tels mets, est l'amour pour Kṛṣṇa.

Le philosophe impersonnaliste, parce qu'il désire maintenir que l'Absolu est dépourvu de sens, ne peut comprendre ce verset de la *Bhagavad-gītā*. Pour lui, il s'agit soit d'une métaphore, soit d'une preuve de la matérialité de Kṛṣṇa. Mais en vérité, Kṛṣṇa, la Personne Suprême, possède des sens spirituels. Il est même dit que chacun de Ses sens peut remplir les fonctions de tous les autres. C'est ce qu'implique l'adjectif « absolu » attribué à Kṛṣṇa. S'Il n'avait pas de sens, comment pourrait-on dire de Lui qu'Il possède toutes les perfections ? Dans le septième chapitre, Kṛṣṇa expliquait comment Il féconde la nature matérielle en l'ensemençant d'entités vivantes de Son seul regard. Et ici, nous pouvons comprendre que rien qu'en entendant les mots d'amour de Son dévot en train de lui présenter une offrande, Il mange véritablement, goûte les aliments qu'on place devant Lui. Ce point important est à souligner : parce que Kṛṣṇa est absolu, Son sens de l'ouïe peut remplir les fonctions de Son sens du goût ; pour Lui, entendre, manger, goûter, sont équivalents. Seul le dévot qui, sans vaine interprétation, accepte Kṛṣṇa tel qu'Il Se décrit Lui-même, peut comprendre que la Vérité Absolue puisse prendre de la nourriture et S'en délecter.

**9.27** यत्करोषि यदश्नासि यज्जुहोषि ददासि यत् ।
यत्तपस्यसि कौन्तेय तत्कुरुष्व मदर्पणम् ॥२७॥

*yat karoṣi yad aśnāsi, yaj juhoṣi dadāsi yat*
*yat tapasyasi kaunteya, tat kuruṣva mad-arpaṇam*

*yat :* quoi que ; *karoṣi :* tu fasses ; *yat :* quoi que ; *aśnāsi :* tu manges ; *yat :* quoi que ; *juhoṣi :* tu offres ; *dadāsi :* tu donnes ; *yat :* quoi que ; *yat :* quelques ; *tapasyasi :* austérités que tu fasses ; *kaunteya :* ô fils de Kuntī ; *tat :* cela ; *kuruṣva :* fais ; *mat :* à Moi ; *arpaṇam :* en offrande.

**Quoi que tu fasses, que tu manges, sacrifies ou prodigues, quelque austérité que tu pratiques, que ce soit pour M'en faire l'offrande, ô fils de Kuntī.**

Il est du devoir de chacun d'organiser sa vie de façon à ne jamais oublier Kṛṣṇa, quelles que soient les circonstances. Tout homme doit travailler s'il veut maintenir l'âme dans le corps ; Kṛṣṇa recommande ici que l'on travaille pour Lui. Tout homme doit manger pour vivre ; qu'il n'accepte alors pour nourriture que les reliefs de la nourriture offerte à Kṛṣṇa. Tout homme civilisé a aussi le devoir d'accomplir des rites religieux ; qu'il les destine à Kṛṣṇa (*arcanā*) comme Lui-même le recommande ici. Tout homme est également enclin à faire la charité ; aussi Kṛṣṇa dit-Il ici que ces dons Lui soient faits, en utilisant tout excédent de ses biens à la propagation du Mouvement pour la Conscience de Kṛṣṇa. Et puisque les gens sont attirés par la méditation, pourtant impraticable de nos jours, qu'ils adoptent la méditation sur Kṛṣṇa vingt-quatre heures par jour, en récitant sur un chapelet le mantra Hare Kṛṣṇa. Car, de celui qui pratique cette forme de méditation, le Seigneur affirme dans le sixième chapitre qu'il est le plus grand des *yogīs*.

**9.28** शुभाशुभफलैरेवं मोक्ष्यसे कर्मबन्धनैः ।
सन्न्यासयोगयुक्तात्मा विमुक्तो मामुपैष्यसि ॥२८॥

*śubhāśubha-phalair evaṁ, mokṣyase karma-bandhanaiḥ*
*sannyāsa-yoga-yuktātmā, vimukto mām upaiṣyasi*

*śubha :* propices ; *aśubha :* et funestes ; *phalaiḥ :* des résultats ; *evam :* ainsi ; *mokṣyase :* tu seras délivré ; *karma :* à l'action ; *bandhanaiḥ :* de l'enchaînement ; *sannyāsa :* du renoncement ; *yoga :* le yoga ; *yukta-ātmā :* ayant le mental fermement fixé sur ; *vimuktaḥ :* libéré ; *mām :* à Moi ; *upaiṣyasi :* tu viendras.

**Ainsi, tu te soustrairas à l'enchaînement des actes et de leurs suites propices ou funestes. Le mental fixé sur Moi en vertu de ce principe de renoncement, tu seras libéré et viendras jusqu'à Moi.**

Le terme *yukta* désigne celui qui agit dans la conscience de Kṛṣṇa suivant les directives d'une autorité supérieure. Techniquement, l'expression exacte est *yukta-vairāgya*. Rūpa Gosvāmī, du reste, la définit fort bien.

*anāsaktasya viṣayān, yathārham upayuñjataḥ*
*nirbandhaḥ kṛṣṇa-sambandhe, yuktaṁ vairāgyam ucyate*
(*Bhakti-rasāmṛta-sindhu* 1.2.255)

Il dit ici qu'aussi longtemps que nous vivons dans l'univers matériel, il nous faut agir ; il nous est impossible de faire autrement. Mais si, lorsque l'action est accomplie, on en offre les fruits à Kṛṣṇa, elle devient *yukta-vairāgya*. Accomplie sous le signe du renoncement, elle clarifie le miroir du mental, et son auteur, en progressant sur la voie de la réalisation spirituelle, finit par s'abandonner entièrement à Dieu, la Personne Suprême. Il obtient ainsi la libération, mais la libération que spécifie ce verset. C'est-à-dire qu'une fois libéré, il ne fusionne pas avec le *brahmajyoti,* mais se rend sur la planète du Seigneur Suprême. Notre verset le dit clairement : *mām upaiṣyasi* – « Il vient à Moi » ; il retourne en sa demeure, auprès de Dieu, la Personne Suprême.

Il y a cinq différents niveaux de libération. Ce verset précise que le dévot qui a suivi ici-bas, tout au long de son existence, les directives du Seigneur Suprême s'est élevé jusqu'au point où il peut, après avoir quitté son corps, retourner auprès de Lui, pour vivre en Sa compagnie.

Celui qui n'a d'autre désir que de dédier sa vie au service du Seigneur est dans les faits un *sannyāsī.* Toujours, il se considère comme un serviteur éternel de Dieu et dépend de Sa volonté suprême. Tous ses actes ont pour dessein de Lui plaire. Il ne prête que peu d'attention aux actes intéressés ou aux devoirs prescrits par les Védas, sur lesquels l'homme du commun doit régler sa vie. Pour autant, jamais le pur dévot pleinement absorbé dans le service du Seigneur ne va à l'encontre des devoirs édictés dans les Écritures, même si cela semble parfois le cas. Les autorités *vaiṣṇavas* disent à ce propos que même le plus intelligent ne peut comprendre les desseins et les actes du pur dévot. Les termes exacts sont *tāṅra vākya, kriyā, mudrā vijñeha nā bujhaya* (*Caitanya-caritāmṛta, Madhya* 23.39). Celui qui se consacre totalement au service du Seigneur ou en absorbe ses pensées doit être vu comme parfaitement libéré dans le présent ; et dans l'avenir, son retour à Dieu est assuré. Il se situe, à l'exemple de Kṛṣṇa, au-delà de toute critique d'ordre matériel.

**9.29** समोऽहं सर्वभूतेषु न मे द्वेष्योऽस्ति न प्रियः ।
ये भजन्ति तु मां भक्त्या मयि ते तेषु चाप्यहम् ॥२९॥

*samo 'haṁ sarva-bhūteṣu, na me dveṣyo 'sti na priyaḥ*
*ye bhajanti tu māṁ bhaktyā, mayi te teṣu cāpy aham*

*samaḥ* : égal envers ; *aham* : Je ; *sarva-bhūteṣu* : tous les êtres ; *na* : personne ; *me* : pour Moi ; *dveṣyaḥ* : objet de haine ; *asti* : est ; *na* : non plus ; *priyaḥ* : cher ; *ye* : ceux qui ; *bhajanti* : servent spirituellement ; *tu* : cependant ; *mām* : Moi ; *bhaktyā* : avec dévotion ; *mayi* : sont en Moi ; *te* : ces personnes ; *teṣu* : en elles ; *ca* : aussi ; *api* : certes ; *aham* : Je.

**Je n'envie et Je ne favorise personne ; envers tous Je suis impartial. Toutefois, quiconque Me sert avec dévotion vit en Moi. Il est un ami pour Moi, comme J'en suis un pour lui.**

On pourrait se demander ici pourquoi Kṛṣṇa, s'Il est l'ami de tous, impartial envers tous, accorde une attention plus particulière à Ses dévots qui sont toujours absorbés dans Son service. Il ne s'agit pas là de favoritisme. Son attitude est parfaitement naturelle. Dans l'univers matériel également, un homme, fût-il très charitable, accordera toujours une attention particulière à ses propres enfants. Ainsi, le Seigneur, qui reconnaît tous les êtres comme Ses fils, quelle que soit leur forme, subvient généreusement aux besoins de tous, comme le nuage qui déverse la pluie aussi bien sur le roc stérile ou l'eau que sur la terre. Mais Il prend néanmoins un soin tout particulier de Ses dévots.

Les dévots, dit ce verset, sont ceux qui, toujours absorbés dans la conscience de Kṛṣṇa, vivent éternellement en le Seigneur. L'expression même « conscience de Kṛṣṇa » indique que ceux qui ont une telle conscience sont de purs spiritualistes vivant dans le Seigneur. *Mayi te,* dit-Il sans ambiguïté, « en Moi ». Ils sont en Lui, et le Seigneur, réciproquement, est en eux. Cela éclaire également le sens des mots : *ye yathā māṁ prapadyante tāṁs tathaiva bhajāmy aham* – « Je prends soin d'eux en fonction de leur abandon à Moi. » Cette réciprocité transcendantale s'explique par le fait que le Seigneur et Son dévot sont tous deux conscients.

Serti dans un anneau d'or, un diamant est admirable. L'éclat de l'or et celui du diamant s'exaltent l'un l'autre. Ainsi du Seigneur et de l'être distinct qui possèdent, chacun, un éclat éternel : le Seigneur est un diamant ; l'être enclin à Le servir, une monture d'or. Leur combinaison donne un résultat magnifique. On appelle « dévots » les êtres distincts qui ont retrouvé leur état pur. Le Seigneur Se fait Lui-même le dévot de Ses dévots. D'ailleurs, s'il n'existait cette réciprocité entre le Seigneur et Son dévot, on ne pourrait parler de personnalisme. Cette relation, cet échange entre le Seigneur et l'être distinct, est absente dans la philosophie impersonnaliste, alors qu'elle existe dans la philosophie personnaliste.

On compare souvent le Seigneur à un arbre-à-souhaits, qui comble tous les désirs. Ce verset élabore ce point : Kṛṣṇa S'occupe tout particulièrement de Ses dévots, et cette attention est l'expression de la miséricorde spéciale qu'Il leur donne. Il ne faut pas penser, toutefois, que le Seigneur répond ainsi aux sentiments de Ses dévots sous l'effet de la loi du karma. Non. Leurs échanges relèvent de la transcendance. Le service de dévotion offert au Seigneur n'a rien d'une activité matérielle. Il appartient au monde spirituel où règnent éternité, connaissance et félicité.

9.30 अपि चेत्सुदुराचारो भजते मामनन्यभाक् ।
साधुरेव स मन्तव्यः सम्यग्व्यवसितो हि सः ॥३०॥

*api cet su-durācāro, bhajate mām ananya-bhāk*
*sādhur eva sa mantavyaḥ, samyag vyavasito hi saḥ*

*api :* même ; *cet :* si ; *su-durācāraḥ :* celui qui commet les actions les plus abominables ; *bhajate :* est engagé dans le service de dévotion ; *mām :* à Moi ; *ananya-bhāk :* sans déviation ; *sādhuḥ :* comme un saint ; *eva :* certes ; *saḥ :* il ; *mantavyaḥ :* doit être considéré ; *samyak :* complètement ; *vyavasitaḥ :* situé dans la détermination ; *hi :* certes ; *saḥ :* il.

**Commettrait-il les actes les plus détestables, quiconque est engagé dans le service de dévotion doit être considéré comme un saint homme, car sa détermination à servir le Seigneur est juste.**

Le terme *su-durācāraḥ* est ici d'une grande importance. Il faut bien comprendre sa signification. Lorsqu'un être traverse l'état conditionné, il accomplit deux sortes d'activités : celles qui se rapportent à son conditionnement, et celles qui se rapportent à son essence propre. Tous les actes relatifs à l'existence matérielle, comme protéger son corps, suivre les lois de la société, de l'État - dévolus aux dévots également - sont qualifiés de « conditionnés ». Toutefois, les êtres pleinement conscients de leur nature spirituelle, ajoutent à cela, de par le service dévotionnel qu'ils offrent au Seigneur dans la conscience de Kṛṣṇa, des activités purement transcendantales. Ces activités, qui sont l'expression de leur nature intrinsèque, de leur essence, sont techniquement connues sous le nom de « service de dévotion ».

À l'état conditionné, le service de dévotion et le service en relation avec le corps suivent tantôt des voies parallèles tantôt des voies divergentes. Dans la mesure du possible, le dévot prend bien garde de ne rien faire qui puisse rompre l'équilibre d'une condition saine. Il sait que la perfection de ses actes dépend de sa réalisation progressive de la conscience de Kṛṣṇa. Il arrive néanmoins qu'un dévot accomplisse occasionnellement un acte qui, dans un cadre social ou politique donné, puisse être fort répréhensible, mais cet écart fortuit et temporaire ne le disqualifie nullement. Le *Śrīmad-Bhāgavatam* dit en effet, à ce propos, que si une personne engagée de tout son être dans le service absolu du Seigneur Suprême s'oublie et commet une faute, le Seigneur, en son cœur, la purifie et lui pardonne son erreur, si grande soit-elle. Le pouvoir de contamination de la matière est si grand que même un *yogī* totalement absorbé dans le service du Seigneur succombe parfois. Mais la conscience de Kṛṣṇa possède un pouvoir supérieur et le relève aussitôt de sa chute. La voie du service de dévotion conduit donc toujours à la réussite. Nul ne devrait, par conséquent, condamner un dévot pour avoir accidentellement dévié du sentier idéal car, comme l'expliquera le prochain verset, il ne connaîtra plus ces écarts dès qu'il sera complètement fixé dans la conscience de Kṛṣṇa.

On doit considérer qu'un être bien établi dans la conscience de Kṛṣṇa, récitant avec détermination Hare Kṛṣṇa Hare Kṛṣṇa Kṛṣṇa Kṛṣṇa Hare Hare/Hare Rāma Hare Rāma Rāma Rāma Hare Hare, se situe toujours au niveau absolu, même lorsqu'il chute accidentellement.

Les mots *sādhur eva,* « il est un saint homme » sont ici lourds de sens. Ils nous mettent en garde contre le fait de discréditer un dévot du Seigneur qui aurait dévié, et nous suggèrent au contraire de le considérer tout de même comme un saint homme, avec l'emphase qu'apporte le mot *mantavyaḥ*. Celui qui n'observe pas cette règle et manque de respect au dévot pour avoir failli accidentellement offense la volonté du Seigneur Suprême. L'unique qualification du dévot est qu'il est engagé exclusivement, et constamment, dans le service de dévotion.

Le verset suivant est tiré du *Nṛsiṁha Purāṇa :*

*bhagavati ca harāv ananya-cetā*
*bhṛśa-malino 'pi virājate manuṣyaḥ*
*na hi śaśa-kaluṣa-cchabiḥ kadācit*
*timira-parābhavatām upaiti candraḥ*

Il signifie que s'il arrive qu'une personne dédiée au service dévotionnel du Seigneur commette parfois des actes abominables, ces actes doivent être vus comme les taches qu'on discerne sur la lune, lesquelles ne ternissent en rien son éclat. Il en va de même pour le dévot : un écart accidentel ne le rend pas mauvais pour autant.

Il ne faudrait pas, cependant, tomber dans l'excès contraire, et conclure qu'un dévot du Seigneur peut, dans le cadre du service de dévotion, commettre toutes sortes d'actes répréhensibles. Notre verset ne parle que d'erreurs fortuites, dues à la force terrible des influences matérielles. Servir Kṛṣṇa avec dévotion, c'est en quelque sorte déclarer la guerre à l'énergie illusoire, et tant qu'il n'est pas assez fort pour repousser les assauts de *māyā*, le dévot encourt des chutes occasionnelles. Mais, comme nous l'avons déjà dit, tout danger sera écarté dès qu'il aura acquis la résistance nécessaire. Nul ne doit donc s'appuyer sur ce verset pour se livrer à des actes infâmes en se considérant toujours comme un dévot du Seigneur. Ne pas améliorer son comportement malgré la pratique du service de dévotion témoigne d'un bien maigre progrès dans la voie spirituelle.

**9.31** क्षिप्रं भवति धर्मात्मा शश्वच्छान्तिं निगच्छति ।
कौन्तेय प्रतिजानीहि न मे भक्तः प्रणश्यति ॥३१॥

*kṣipraṁ bhavati dharmātmā, śaśvac-chāntiṁ nigacchati*
*kaunteya pratijānīhi, na me bhaktaḥ praṇaśyati*

*kṣipram :* très bientôt ; *bhavati :* devient ; *dharma-ātmā :* vertueux ; *śaśvat-śāntim :* une paix permanente ; *nigacchati :* obtient ; *kaunteya :* ô fils de Kuntī ; *pratijānīhi :* déclare ; *na :* jamais ; *me :* Mon ; *bhaktaḥ :* dévot ; *praṇaśyati :* ne périt.

**Rapidement, il devient vertueux et trouve pour toujours la paix. Tu peux le proclamer avec force, ô fils de Kuntī, jamais Mon dévot ne périra.**

Ne nous méprenons pas sur le sens de ce verset. Le Seigneur, dans le septième chapitre, enseignait que celui qui commet toutes sortes d'actes répréhensibles ne peut devenir Son dévot, et que celui qui n'a pas de dévotion pour Dieu est dénué de qualités. Comment, dès lors, peut-on être un pur dévot si, par accident ou par intention, on agit d'horrible façon ? Les mécréants, ainsi que les décrivait le septième chapitre, ne pratiquent jamais le service du Seigneur et sont, comme le confirme le *Śrīmad-Bhāgavatam*, entièrement dépourvus de bonnes qualités. Normalement, le dévot qui pratique les neuf activités dévotionnelles purifie son cœur de toute souillure matérielle. Il garde le Seigneur Suprême dans son cœur et se voit naturellement lavé de la souillure de ses péchés. En pensant constamment à Lui, il retrouve sa pureté naturelle. Il n'a donc nul besoin d'accomplir les rites purificatoires prescrits dans les Védas pour ceux qui choient d'une position élevée. En vertu de son souvenir constant de la Personne Suprême, le processus de purification se déroule dans son cœur même. Pour se garder d'une chute accidentelle et ainsi s'affranchir à jamais de la moindre souillure matérielle, il lui suffit de constamment chanter

Hare Kṛṣṇa Hare Kṛṣṇa Kṛṣṇa Kṛṣṇa Hare Hare/Hare Rāma Hare Rāma Rāma Rāma Hare Hare.

9.32 मां हि पार्थ व्यपाश्रित्य येऽपि स्युः पापयोनयः ।
स्त्रियो वैश्यास्तथा शूद्रास्तेऽपि यान्ति परां गतिम् ॥३२॥

*māṁ hi pārtha vyapāśritya, ye 'pi syuḥ pāpa-yonayaḥ*
*striyo vaiśyās tathā śūdrās, te 'pi yānti parāṁ gatim*

*mām :* en Moi ; *hi :* certes ; *pārtha :* ô fils de Pṛthā ; *vyapāśritya :* prenant particulièrement refuge ; *ye :* ceux qui ; *api :* aussi ; *syuḥ :* sont ; *pāpa-yonayaḥ :* nés d'une famille inférieure ; *striyaḥ :* les femmes ; *vaiśyāḥ :* les marchands ; *tathā :* aussi ; *śūdrāḥ :* les hommes de classe plus basse ; *te api :* même eux ; *yānti :* vont ; *parām :* suprême ; *gatim :* à la destination.

**Ceux qui en Moi prennent refuge, ô fils de Pṛthā, qu'il s'agisse des hommes de basse naissance, des femmes, des vaiśyas [classe mercantile] ou des śūdras [classe ouvrière], peuvent tous atteindre le but suprême.**

Le Seigneur Suprême dit clairement ici qu'on ne fait aucune distinction, dans le service de dévotion, entre les gens des couches inférieures ou supérieures de la société. De telles divisions n'existent qu'au niveau matériel et ne s'appliquent pas aux personnes qui se dédient au service dévotionnel. Tout le monde peut atteindre le but suprême. Le *Śrīmad-Bhāgavatam* (2.4.18) affirme que même les hommes les plus bas, les *caṇḍālas* (mangeurs de chiens), peuvent s'élever au contact d'un pur dévot. Le service de dévotion et les directives d'un pur dévot du Seigneur sont si puissants qu'ils effacent toute distinction de rang ou de classe. Tout le monde peut en profiter. L'homme, même le plus simple, s'il prend refuge en un pur dévot se purifiera sous sa tutelle.

Selon les *guṇas* qui les influencent, les hommes se rangent en diverses catégories : les *brāhmaṇas* (pour la vertu), les *kṣatriyas* (pour la passion), les *vaiśyas* (pour la passion et l'ignorance) et les *śūdras* (pour l'ignorance). Plus bas encore, on trouve les *caṇḍālas*, issus de familles souillées par le péché. Généralement, ceux qui naissent dans une famille de très basse condition sont rejetés par les groupes supérieurs. Or, même eux peuvent, par la puissance du service de dévotion et du pur dévot, atteindre la plus haute perfection. Il faut, pour cela, prendre refuge en Kṛṣṇa - ce que traduit ici le mot *vyapāśritya*. On est alors en mesure de dépasser, et de beaucoup, les plus grands des *jñānīs* et des *yogīs.*

9.33 किं पुनर्ब्राह्मणाः पुण्या भक्ता राजर्षयस्तथा ।
अनित्यमसुखं लोकमिमं प्राप्य भजस्व माम् ॥३३॥

*kiṁ punar brāhmaṇāḥ puṇyā, bhaktā rājarṣayas tathā*
*anityam asukhaṁ lokam, imaṁ prāpya bhajasva mām*

*kim :* combien; *punaḥ :* encore; *brāhmaṇāḥ :* les *brāhmaṇas*; *puṇyāḥ :* justes; *bhaktāḥ :* les dévots; *rāja-ṛṣayaḥ :* les saints rois; *tathā :* aussi; *anityam :* temporaire; *asukham :* plein de misère; *lokam :* monde; *imam :* ce; *prāpya :* gagnant; *bhajasva :* sers avec amour; *mām :* Moi.

**Que dire alors des brāhmaṇas, des dévots et des saints rois. Vivant en ce monde éphémère, en ce monde de souffrances, consacre-toi avec amour à Mon service.**

Le monde matériel comporte des hommes de toutes sortes, mais il n'est de toute façon un lieu de félicité pour personne. Comme l'indique notre verset : *anityam asukhaṁ lokam.* Ce monde éphémère, où règne la souffrance, n'est habitable par aucun homme sain d'esprit. Toutefois, même si le Seigneur le décrit ici comme temporaire et misérable, la *Bhagavad-gītā* nous fait comprendre qu'il n'est pas faux, comme le prétendent certains philosophes, *māyāvādīs* en particulier. Car il existe une différence fondamentale entre le faux et le provisoire. En outre, au-delà de cet univers temporaire et misérable, il est un monde éternel plein de félicité.

Arjuna est issu d'une famille sainte et royale. Cependant, à lui aussi le Seigneur ordonne : « Sers-Moi avec amour et dévotion, et reviens rapidement à Moi, en ta vraie demeure. » Nul ne doit rester en ce monde temporaire, en ce lieu de souffrances, mais bien plutôt rechercher la compagnie intime du Seigneur Suprême, afin de connaître le bonheur éternel. Seul le service de dévotion permet de résoudre tous les problèmes de toutes les classes d'hommes. Aussi chacun doit-il adopter la conscience de Kṛṣṇa pour rendre sa vie parfaite.

9.34 मन्मना भव मद्भक्तो मद्याजी मां नमस्कुरु ।
मामेवैष्यसि युक्त्वैवमात्मानं मत्परायणः ॥३४॥

*man-manā bhava mad-bhakto, mad-yājī māṁ namaskuru*
*mām evaiṣyasi yuktvaivam, ātmānaṁ mat-parāyaṇaḥ*

*mat-manāḥ :* pensant toujours à Moi; *bhava :* deviens; *mat :* Mon; *bhaktaḥ :* dévot; *mat :* Mon; *yājī :* fidèle; *mām :* à Moi; *namaskuru :* offre ton hommage; *mām :* à Moi; *eva :* complètement; *eṣyasi :* tu viendras; *yuktvā :* étant absorbé; *evam :* ainsi; *ātmānam :* ton âme; *mat-parāyaṇaḥ :* dévouée à Moi.

**Emplis toujours de Moi tes pensées, deviens Mon dévot, offre-Moi ton hommage et voue-Moi ton adoration. Entièrement absorbé en Moi, certes tu viendras à Moi.**

Ce verset donne clairement la conscience de Kṛṣṇa comme le seul moyen d'échapper aux griffes de ce monde matériel impur. Toute dévotion, tout service, doit être offert à Kṛṣṇa, Dieu, la Personne Suprême. Mais des commentateurs sans scrupules en trahissent malheureusement le sens, pourtant évident, et mènent ainsi leurs lecteurs à des conclusions inadmissibles. Ils ignorent qu'aucune différence n'existe entre Kṛṣṇa et Son mental. Kṛṣṇa n'a rien d'un homme ordinaire : Il est la Vérité Absolue. Son corps, Son mental et Lui-même sont un et absolus. Cette vérité est du reste corroborée dans un verset du *Kūrma Purāṇa,* que cite Bhaktisiddhānta Sarasvatī Gosvāmī dans son *Anubhāṣya,* son exégèse du *Caitanya-caritāmṛta* (*Ādi-līlā* 5.41-48) : *deha-dehi-vibhedo 'yaṁ neśvare vidyate kvacit.* Il n'y a aucune différence entre Kṛṣṇa, le Seigneur Suprême, et Son corps. Parce qu'ils ignorent la science de Kṛṣṇa, ces commentateurs Le dissimulent en séparant Sa personne de Son mental et de Son corps. Ils nagent dans l'ignorance la plus complète, mais ne tirent pas moins profit de l'erreur dans laquelle ils plongent leurs lecteurs.

Il existe des êtres, de nature démoniaque, qui pensent eux aussi à Kṛṣṇa, mais de façon hostile. Ainsi du roi Kaṁsa, l'oncle de Kṛṣṇa, qui pensait constamment à Lui, mais en tant que son ennemi. Miné par l'angoisse, il méditait sans répit sur le moment que choisirait Kṛṣṇa pour venir le tuer. Cette sorte d'absorption en le Seigneur ne peut nous être d'aucune aide : c'est avec amour et dévotion qu'il convient de penser à Kṛṣṇa. Telle est la définition de la *bhakti.* Il faut donc sans cesse approfondir notre connaissance du Seigneur, laquelle, pour engendrer un sentiment favorable à Son égard, doit être acquise auprès d'un maître qualifié. Kṛṣṇa, nous l'avons maintes fois expliqué, est Dieu, la Personne Suprême : Son corps n'est en rien matériel; il est éternel, tout de connaissance et de félicité. C'est donc en discutant positivement de Sa personne que l'on deviendra un dévot. Une compréhension erronée de Kṛṣṇa, due à de mauvaises sources d'informations, ne mènera à aucun résultat.

Il faut, par conséquent, concentrer son mental sur la forme originelle et éternelle de Kṛṣṇa et L'adorer, en étant convaincu qu'Il est le Suprême. On trouve, en Inde, des milliers de temples dédiés au culte de Kṛṣṇa où l'on pratique le service dévotionnel. Cette adoration implique qu'on rende son hommage au Seigneur, qu'on s'incline devant la *mūrti* et qu'on engage tout son être - son corps, son mental et ses actes - à Son service. Ces pratiques permettront à l'homme d'être absorbé en Kṛṣṇa pleinement, sans jamais dévier, pour finalement atteindre Sa demeure, Kṛṣṇaloka. Il faut s'engager dans le service de dévotion sous ses neuf formes, en commençant par écouter et chanter les gloires de Kṛṣṇa, sans se laisser fourvoyer par des commentateurs sans scrupules. Car le pur service de dévotion est l'apogée de toutes les réussites de l'homme.

C'est lui qu'ont décrit les septième et huitième chapitres, en le distinguant de la connaissance spéculative, du yoga mystique et de l'action intéressée. Ceux qui ne sont pas encore parfaitement purifiés peuvent être attirés par des aspects partiels du Seigneur, comme le *brahmajyoti* (le Brahman impersonnel), ou le Paramātmā, mais le pur dévot, lui, prend directement part au service du Seigneur Suprême.

Un très beau poème dédié à Kṛṣṇa énonce clairement que ceux qui adorent les *devas* font preuve de la plus basse intelligence et ne gagneront jamais la faveur suprême, Kṛṣṇa. Même si, par moments, alors qu'il est encore au stade de néophyte, le dévot s'écarte de la norme spirituelle, il doit être reconnu comme supérieur à tout philosophe ou *yogī*. Celui qui s'absorbe pleinement dans la conscience de Kṛṣṇa est le saint par excellence. Peu à peu, ses écarts accidentels de la voie dévotionnelle se font moins nombreux, et il atteint bientôt, sans qu'il soit permis d'en douter, l'entière perfection. Dès lors, il ne risque plus de chuter ou de commettre un écart, puisque le Seigneur en personne prend soin de Son pur dévot. Tout homme intelligent devrait donc adopter directement la conscience de Kṛṣṇa pour ainsi vivre heureux dans le monde matériel et finalement obtenir la récompense suprême, Kṛṣṇa.

*Ainsi s'achèvent les teneurs et portées de Bhaktivedanta sur le neuvième chapitre de la* Śrīmad Bhagavad-gītā *traitant du plus secret des savoirs.*

DIXIÈME CHAPITRE

# L'opulence de l'Absolu

**10.1** श्रीभगवानुवाच
भूय एव महाबाहो शृणु मे परमं वचः ।
यत्तेऽहं प्रीयमाणाय वक्ष्यामि हितकाम्यया ॥ १ ॥

*śrī-bhagavān uvāca*
*bhūya eva mahā-bāho, śṛṇu me paramaṁ vacaḥ*
*yat te 'haṁ prīyamāṇāya, vakṣyāmi hita-kāmyayā*

*śrī-bhagavān uvāca :* Dieu, la Personne Suprême, dit ; *bhūyaḥ :* encore ; *eva :* certes ; *mahā-bāho :* ô Arjuna aux bras puissants ; *śṛṇu :* écoute seulement ; *me :* Mon ; *paramam :* suprême ; *vacaḥ :* enseignement ; *yat :* ce que ; *te :* à toi ; *aham :* Je ; *prīyamāṇāya :* te considérant comme très cher ; *vakṣyāmi :* dis ; *hita-kāmyayā :* pour ton bien.

**Dieu, la Personne Suprême, dit : Ô Arjuna aux bras puissants, Je te prie d'être attentif à nouveau. Parce que tu es Mon ami très cher et que Je veux ton bien, Je vais te donner une connaissance qui dépasse tout ce que Je t'ai déjà expliqué.**

D'après Parāśara Muni, le mot *bhagavān* désigne celui qui possède les six opulences divines – beauté, richesse, renommée, puissance, sagesse et renoncement – c'est-à-dire Dieu, la Personne Suprême. Les grands sages comme Parāśara Muni ont tous reconnu en Kṛṣṇa cette Personne Suprême, puisqu'Il révéla toutes ces perfections lors de Son séjour sur terre.

Dans le septième chapitre, Kṛṣṇa décrivait à Arjuna Ses différentes énergies ainsi que leur fonctionnement. Dans le neuvième chapitre, Il reprenait cette description afin de donner à l'homme une foi profonde en la voie dévotionnelle. À présent, Il donne une connaissance plus intime encore de Son opulence et de Ses actes, et continue d'entretenir Arjuna de Ses manifestations.

Plus on entend parler de l'Être Suprême, plus on se renforce dans le service de dévotion. Aussi doit-on toujours écouter les gloires du Seigneur en compagnie de dévots. Cela nous stimulera dans notre service de dévotion. Seuls ceux qui ont le désir intense d'être conscients de Kṛṣṇa peuvent prendre part à ces discussions sur le Seigneur. Pour les autres, c'est une chose impossible. Kṛṣṇa l'exprime clairement dans ce verset : c'est parce que Arjuna Lui est très cher que, pour son bien, Il va S'entretenir avec lui.

**10.2** न मे विदुः सुरगणाः प्रभवं न महर्षयः ।
अहमादिर्हि देवानां महर्षीणां च सर्वशः ॥ २ ॥

*na me viduḥ sura-gaṇāḥ, prabhavaṁ na maharṣayaḥ*
*aham ādir hi devānāṁ, maharṣīṇāṁ ca sarvaśaḥ*

*na :* jamais ; *me :* Mes ; *viduḥ :* ne connaissent ; *sura-gaṇāḥ :* les *devas* ; *prabhavam :* origine et opulence ; *na :* jamais ; *mahā-ṛṣayaḥ :* les grands sages ; *aham :* Je suis ; *ādiḥ :* l'origine ; *hi :* certes ; *devānām :* des *devas* ; *mahā-ṛṣīṇām :* et des grands sages ; *ca :* aussi ; *sarvaśaḥ :* à tous les égards.

**Parce qu'ils procèdent tous de Moi, ni les devas, ni les grands sages ne connaissent Mon origine et Mon opulence.**

Kṛṣṇa est le Seigneur Suprême, la cause de toutes les causes ; nul ne peut Le surpasser. Cet enseignement extrait de la *Brahma-saṁhitā* est ici corroboré par le Seigneur en personne, lorsqu'Il affirme que tous les sages et les *devas* procèdent de Lui. Les *devas* et les sages ne peuvent donc véritablement Le comprendre, appréhender ce que sont Son nom et Sa personnalité. Que dire alors des prétendus érudits de notre insignifiante planète. Nul n'est en mesure de comprendre pourquoi le Seigneur Suprême vient sur terre tel un homme ordinaire et Se comporte de façon extraordinaire. L'érudition n'est pas la qualité requise pour connaître Kṛṣṇa. La preuve en est que, comme l'explique le *Śrīmad-Bhāgavatam,* même les *devas* et les grands sages n'ont pas réussi à Le connaître par la spéculation intellectuelle. Leurs spéculations, limitées par des sens imparfaits, peuvent les conduire à la conclusion impersonnaliste, à la compréhension que Dieu n'est pas une manifestation des trois *guṇas,* ou à Lui trouver une définition imaginaire, mais elles ne leur permettent pas de saisir Sa vraie nature.

Dans ce verset, indirectement, Kṛṣṇa dit à quiconque veut connaître la Vérité Absolue : « Je suis Dieu, la Personne Suprême. Je suis l'Absolu. » Ce n'est pas parce qu'on ne parvient pas à Le comprendre, en raison de Sa nature inconcevable, qu'Il n'existe pas. Par la simple étude de Ses paroles, rapportées dans la *Bhagavad-gītā* et le *Śrīmad-Bhāgavatam,* on peut connaître Sa personnalité, Sa nature éternelle, omnisciente et bienheureuse. Tant qu'on subira le conditionnement de Son énergie inférieure, on parviendra à Le concevoir en tant que Brahman impersonnel ou en tant que puissance dominante, mais ce n'est qu'au stade spirituel pur qu'on pourra concevoir Sa Divine Personnalité.

Comme la plupart des gens ne peuvent Le comprendre tel qu'Il est, Kṛṣṇa, dans Sa grâce immotivée, descend sur terre pour prodiguer Sa miséricorde à ceux qui spéculent sur Sa nature. Mais parce qu'ils sont véritablement aveuglés par l'énergie matérielle, en dépit de Ses actes merveilleux, ceux-ci persistent à croire que le Brahman impersonnel est l'aspect suprême de Dieu. Seuls les dévots qui s'en remettent totalement au Seigneur Suprême réussissent, par Sa grâce, à comprendre que Kṛṣṇa est cet aspect suprême. Ils ne se soucient pas du Brahman, l'aspect impersonnel de Dieu. Leur foi et leur dévotion les amènent à s'abandonner tout de suite au Seigneur Suprême, Kṛṣṇa ; par Sa grâce immotivée, ils parviennent à Le comprendre, ce qui est impossible pour tout autre. Aussi les grands sages s'entendent-ils sur la position de l'*ātmā,* du Suprême : Il est Celui que nous devons adorer.

**10.3** यो मामजमनादिं च वेत्ति लोकमहेश्वरम् ।
असम्मूढः स मर्त्येषु सर्वपापैः प्रमुच्यते ॥ ३ ॥

*yo māṁ ajam anādiṁ ca, vetti loka-maheśvaram*
*asammūḍhaḥ sa martyeṣu, sarva-pāpaiḥ pramucyate*

*yaḥ :* quiconque ; *mām :* Me ; *ajam :* non né ; *anādim :* sans commencement ; *ca :* aussi ; *vetti :* sait ; *loka :* des planètes ; *mahā-īśvaram :* maître suprême ; *asammūḍhaḥ :* non illusionné ; *saḥ :* il ; *martyeṣu :* parmi ceux qui sont sujets à la mort ; *sarva-pāpaiḥ :* de toutes les suites des péchés ; *pramucyate :* est délivré.

**Celui-là seul, sans illusion parmi les hommes, qui Me sait non né, sans commencement et souverain de toutes les planètes, se libère à jamais du péché.**

Comme le mentionnait le troisième verset du septième chapitre (*manuṣyāṇāṁ sahasreṣu kaścid yatati siddhaye*), ceux qui tentent de se réaliser spirituellement ne sont pas des hommes ordinaires. Ils s'élèvent au-dessus des millions d'êtres qui ne savent rien de la réalisation spirituelle. Et parmi ceux qui s'efforcent de connaître leur identité spirituelle, ceux qui parviennent à comprendre que Kṛṣṇa est Dieu, la Personne Suprême, le Non-né, le possesseur de tout ce qui est, connaissent la réalisation spirituelle la plus haute. À ce stade seulement, pleinement conscients de la position suprême de Kṛṣṇa, peuvent-ils s'affranchir complètement des conséquences de leurs actes.

Dans ce verset, le mot *aja,* « non-né », s'applique, non pas à l'être distinct, comme ce fut le cas dans le second chapitre, mais à Dieu. Le Seigneur diffère des âmes conditionnées qui, par attachement matériel, doivent naître et mourir. Tandis que le corps des âmes conditionnées change sans cesse, le Sien demeure immuable : Il reste non né, même lorsqu'Il descend dans l'univers matériel. Aussi le quatrième chapitre a-t-il montré qu'en vertu de Sa puissance interne le Seigneur n'est jamais assujetti à l'énergie inférieure (l'énergie matérielle). Il Se situe toujours dans l'énergie supérieure.

Dans ce verset, les mots *vetti loka-maheśvaram* indiquent que l'on doit savoir que Kṛṣṇa est le possesseur suprême de tous les systèmes planétaires de l'univers. Distinct de Sa création, Il existait avant elle. Il n'a pas, comme les *devas,* été créé avec le monde matériel. On ne saurait donc même L'assimiler aux plus illustres *devas* de l'univers, Brahmā et Śiva. Parce qu'Il est leur créateur et celui de tous les autres *devas,* Il est, dans toutes les planètes, la Suprême Personne.

Quiconque sait Kṛṣṇa distinct de tout ce qui est créé est aussitôt affranchi des effets de ses actes coupables – ce qui est indispensable pour connaître le Seigneur Suprême. La *Bhagavad-gītā* nous explique que cette connaissance ne peut venir que du service de dévotion.

Nous ne devons jamais voir Kṛṣṇa comme un homme ordinaire. Les versets précédents l'ont clairement affirmé : croire que Kṛṣṇa est semblable au commun des hommes ne peut être que le fait d'un sot. Nous retrouvons ici la même idée, mais sous un angle différent. Celui qui, au contraire du sot, possède assez d'intelligence pour comprendre la position immanente de Dieu, se voit à jamais délivré des répercussions de ses péchés.

On pourrait se demander comment il est possible que Kṛṣṇa soit non né puisqu'on Le connaît en tant que fils de Devakī. Le *Śrīmad-Bhāgavatam* l'explique : Kṛṣṇa ne prit pas naissance comme un enfant ordinaire. Il Se transforma en nourrisson seulement après être apparu devant Ses parents sous Sa forme originelle.

Tout acte accompli sous la tutelle du Seigneur est transcendantal et ne peut être souillé par aucune réaction matérielle, favorable ou défavorable. D'ailleurs, les notions de favorable et de défavorable dans l'univers matériel ne sont ni plus ni moins que des créations mentales, car rien en ce monde n'est propice. Tout y est de mauvais augure, puisque c'est le propre de la nature matérielle d'être ainsi. Y voir d'heureux auspices est pure imagination. Seuls sont propices les actes accomplis dans la conscience de Kṛṣṇa, dans la dévotion et le service. Donc, si nous souhaitons rendre nos actes favorables, nous devons nous conformer aux directives du Seigneur Suprême, transmises par les Écritures révélées comme la *Bhagavad-gītā* ou le *Śrīmad-Bhāgavatam,* ou à celles d'un maître spirituel authentique. Le maître spirituel étant le représentant de Kṛṣṇa, ses instructions sont celles du Seigneur Suprême. Le maître spirituel, les sages et les Écritures, donnent exactement le même enseignement. Ils ne se contredisent pas. Tout acte accompli sous leur autorité n'entraîne donc pas les conséquences qu'engendrent les actes matériels coupables ou vertueux. L'attitude transcendantale du dévot dans toutes ses activités constitue le véritable renoncement, le *sannyāsa.* Dans le premier verset du sixième chapitre, nous avons vu que celui qui agit par devoir, conformément à la volonté du Seigneur Suprême, et qui ne recherche pas les fruits de ses actes (*anāśritaḥ karma-phalam*) est le vrai renonçant. Celui qui agit sous la conduite du Seigneur Suprême est le véritable *sannyāsī,* le véritable *yogī,* et non pas le pseudo-*yogī* ou l'homme qui ne fait que porter l'habit du *sannyāsī.*

**10.4–5** बुद्धिर्ज्ञानमसम्मोहः क्षमा सत्यं दमः शमः ।
सुखं दुःखं भवोऽभावो भयं चाभयमेव च ॥ ४ ॥
अहिंसा समता तुष्टिस्तपो दानं यशोऽयशः ।
भवन्ति भावा भूतानां मत्त एव पृथग्विधाः ॥ ५ ॥

*buddhir jñānam asammohaḥ*
*kṣamā satyaṁ damaḥ śamaḥ*
*sukhaṁ duḥkhaṁ bhavo 'bhāvo*
*bhayaṁ cābhayam eva ca*

*ahiṁsā samatā tuṣṭis*
*tapo dānaṁ yaśo 'yaśaḥ*
*bhavanti bhāvā bhūtānāṁ*
*matta eva pṛthag-vidhāḥ*

***buddhiḥ :*** l'intelligence ; ***jñānam :*** le savoir ; ***asammohaḥ :*** l'affranchissement du doute et de l'illusion ; ***kṣamā :*** la clémence ; ***satyam :*** la véracité ; ***damaḥ :*** la maîtrise des sens ;

*śamaḥ :* la maîtrise du mental ; *sukham :* le bonheur ; *duḥkham :* le malheur ; *bhavaḥ :* la naissance ; *abhāvaḥ :* la mort ; *bhayam :* la peur ; *ca :* aussi ; *abhayam :* l'absence de peur ; *eva :* aussi ; *ca :* et ; *ahiṁsā :* la non-violence ; *samatā :* l'équilibre d'esprit ; *tuṣṭih:* la satisfaction ; *tapaḥ :* la pénitence ; *dānam :* la charité ; *yaśaḥ :* la gloire ; *ayaśaḥ :* l'opprobre ; *bhavanti :* procèdent ; *bhāvāḥ :* les natures ; *bhūtānām :* des êtres ; *mattaḥ :* de Moi ; *eva :* certes ; *pṛthak-vidhāḥ :* diversement ordonnées.

**L'intelligence, le savoir, l'affranchissement du doute et de l'illusion, la clémence, le véracité, la maîtrise des sens et du mental, le bonheur et le malheur, la naissance et la mort, la peur et l'intrépidité, la non-violence, l'équanimité, la satisfaction, l'austérité, la charité, la gloire et l'opprobre – tous ces aspects de la nature humaine sont par Moi seul créés.**

Bon ou mauvais, tout ce qui se rapporte à l'homme et se trouve énuméré ici est créé par Kṛṣṇa.

L'intelligence est le pouvoir d'analyser les choses dans leur juste perspective, et le véritable savoir, la capacité à distinguer le spirituel du matériel. La connaissance ordinaire acquise à l'université, qui fait de la matière son seul objet, n'est pas acceptée ici comme le vrai savoir. L'éducation moderne demeure incomplète, car elle ne jette aucune lumière sur le spirituel. Elle s'arrête aux éléments matériels et aux besoins du corps.

L'être peut s'affranchir du doute et de l'illusion (*asammoha*) lorsqu'il devient résolu et comprend la philosophie spirituelle qui transcende la matière. Lentement mais sûrement, il sort de l'état de perplexité dans lequel il était plongé. Mais c'est l'attention et la prudence, et non une acceptation aveugle, qui permettent d'y arriver.

Tout homme doit faire preuve de clémence (*kṣamā*) en montrant de la tolérance et en pardonnant les offenses mineures d'autrui. La véracité (*satyam*) consiste à présenter, pour le bien de tous, les faits tels qu'ils sont. Les conventions sociales nous poussent à ne dire la vérité que lorsqu'elle est plaisante. Mais quel genre de véracité est-ce là ? Les faits ne doivent pas être déformés. La vérité doit être exposée directement, franchement, pour que chacun voie les choses comme elles sont. Dire la vérité, c'est par exemple prévenir les gens qu'un homme est un voleur s'il en est un, fût-ce là une vérité déplaisante. Par définition, donc, la véracité exige que les faits soient présentés tels quels, pour le bénéfice de tous.

Maîtriser ses sens, c'est être capable de ne pas les employer pour des plaisirs personnels inutiles. Il n'est certes pas interdit de répondre aux besoins naturels des sens, mais abuser des plaisirs matériels compromet le progrès spirituel. De même, on ne doit pas absorber son mental en de vaines pensées. Cette discipline du mental a pour nom *śama*. Il faut éviter de perdre son temps à méditer sur les moyens de s'enrichir, car c'est faire mauvais usage de ses facultés mentales dont le rôle essentiel est de comprendre, à partir de sources authentiques, le besoin primordial de l'homme. Le pouvoir de la pensée doit s'accroître au contact d'hommes qui l'ont déjà hautement développé, au contact d'exégètes reconnus des Écritures, de saints hommes ou de maîtres spirituels.

On trouvera le plaisir ou le bonheur (*sukham*) dans ce qui favorise le développement de la connaissance spirituelle dans la conscience de Kṛṣṇa et inversement, la peine ou la souffrance dans ce qui ne favorise pas le plein développement de cette conscience. En clair, tout ce qui favorise le développement du savoir doit être accepté et tout ce qui lui est préjudiciable doit être rejeté.

La naissance (*bhava*) ne peut concerner que le corps, puisque, comme cela a été expliqué dans le second chapitre, il n'existe pour l'âme ni naissance ni mort. La naissance et la mort n'affectent que l'enveloppe charnelle.

La peur (*bhayam*) se manifeste lorsqu'on appréhende l'avenir. Le dévot ignore la peur car, par ses actes, il est assuré de retourner au monde spirituel, auprès de Dieu. Par conséquent, son avenir s'annonce très brillant. Toute autre personne éprouve une anxiété continuelle, ne sachant pas ce que sera l'avenir, dans cette vie comme dans la suivante. Le meilleur moyen d'échapper à cette angoisse, à cette peur, est de connaître Kṛṣṇa et de vivre toujours en pleine conscience de Sa personne. Le *Śrīmad-Bhāgavatam* (11.2.37) explique que la crainte vient de notre absorption dans l'énergie illusoire (*bhayaṁ dvitīyābhiniveśataḥ syāt*). Elle n'atteint donc plus quiconque est libéré du joug de cette énergie, quiconque est conscient de ne pas être un corps de matière mais un être spirituel, partie intégrante de Dieu et qui par conséquent est engagé dans le service absolu de la Personne Suprême. La peur est le tribut de l'homme dénué de conscience de Kṛṣṇa. Seul l'homme conscient de Kṛṣṇa connaît l'absence de peur (*abhayam*).

La non-violence (*ahiṁsā*) implique que l'on ne fasse rien qui puisse provoquer la douleur ou la confusion chez autrui. Si les programmes proposés par les hommes politiques, les sociologues, les philanthropes et autres n'apportent que de piètres résultats, c'est que leurs auteurs ne possèdent pas la vision spirituelle et ne savent pas ce qui est vraiment bon pour l'humanité. *Ahiṁsā* implique qu'il faut éduquer les gens de façon à ce qu'ils puissent tirer pleinement parti de leur forme humaine. Le corps humain étant essentiellement destiné à la réalisation spirituelle, tout programme qui ne tend pas à ce but lui fait violence. En définitive, la non-violence est ce qui favorise le bonheur spirituel futur de l'humanité.

L'équanimité (*samatā*), c'est se libérer de l'attachement et de l'aversion. Être trop attaché, ou ne pas l'être du tout, n'est pas bon en soi. Le monde matériel doit être accepté de façon égale, sans attachement ni aversion. On doit accepter tout ce qui favorise la conscience de Kṛṣṇa et rejeter tout ce qui peut lui faire obstacle. Voilà ce qu'on appelle *samatā,* l'équanimité. Le dévot n'a ni aversion ni attachement, et son acceptation ou son rejet d'une chose ne dépend que de l'utilité que celle-ci peut avoir dans la pratique de la conscience de Kṛṣṇa.

La satisfaction (*tuṣṭi*), c'est ne pas chercher à toujours accroître ses biens matériels, mais au contraire se contenter de ce que le Seigneur Suprême nous accorde par Sa grâce.

L'austérité, ou pénitence (*tapas*), inclut les nombreux principes régulateurs que recommandent les Védas. Se lever tôt le matin, par exemple, et se laver. Se lever de très bonne heure peut être parfois bien désagréable. C'est pourquoi tout effort volontaire qu'on accomplira afin de se soumettre à ces règles sera qualifié d'austérité. Des jeûnes sont également prescrits en certains jours du mois. On peut avoir du mal à les observer, mais quiconque est fermement déterminé à progresser dans la science de la conscience de Kṛṣṇa n'hésitera pas à supporter ces désagréments. Il ne s'agit pas néanmoins, de jeûner sans raison ou au mépris de ce que conseillent les Écritures, par exemple pour des raisons politiques. La *Bhagavad-gītā* explique que ces sortes de jeûnes relèvent de l'ignorance. Or, aucun acte inspiré par l'ignorance ou la passion ne saurait engendrer de bienfait spirituel. En revanche, tout ce qui relèvera du mode d'influence de la vertu nous fera progresser. Ainsi, le jeûne accompli en accord avec les injonctions védiques permettra-t-il d'enrichir notre connaissance spirituelle.

Pour ce qui est de la charité, tout homme doit donner la moitié de son revenu pour le service d'une bonne cause. Cette cause doit être la conscience divine, qui est non seulement une bonne cause, mais aussi la meilleure : Kṛṣṇa étant infiniment bon, Sa cause l'est tout naturellement elle aussi. Il s'agit donc de faire la charité à ceux qui œuvrent dans cette voie, aux *brāhmaṇas,* disent les Écritures védiques. Cette pratique est toujours suivie en Inde, bien que de nos jours la plupart des gens ne l'appliquent plus vraiment selon les normes scripturaires. On pourrait évidemment se demander pourquoi il faut faire la charité aux *brāhmaṇas* : tout simplement parce qu'ils cultivent à chaque instant de leur existence la connaissance spirituelle la plus haute, et qu'ayant voué leur vie entière à comprendre le Brahman, ils n'ont pas le loisir de gagner de l'argent. Celui qui connaît le Brahman est un *brāhmaṇa* (*brahma jānātīti brāhmaṇaḥ*). Les *sannyāsīs* doivent eux aussi bénéficier de la charité. Du reste, s'ils demandent l'aumône de porte en porte, ce n'est pas pour s'enrichir, mais bien pour satisfaire aux exigences missionnaires de leur vocation. Ils vont de maison en maison pour aider les familles qui n'ont plus conscience du vrai but de la vie, à sortir des ténèbres de l'ignorance. Sous couvert de mendicité, ils encouragent les chefs de famille à raviver leur conscience de Kṛṣṇa. Ils dispensent l'enseignement des Védas qui exhortent les hommes à s'éveiller aux perfections que leur doit la vie humaine, en même temps qu'ils leur indiquent la méthode qui y conduit. C'est donc pour de bonnes causes qu'il faut donner, comme le maintien des *sannyāsīs* et des *brāhmaṇas,* et non pour des causes frivoles.

Le véritable renom (*yaśas*) doit correspondre à la définition qu'en a donnée Śrī Caitanya : un homme n'est illustre que s'il est célébré pour sa grande dévotion, pour ce qu'il accomplit dans la conscience de Kṛṣṇa. Toute autre forme de gloire est sans valeur.

Les vertus que nous venons d'énumérer se manifestent chez les *devas* et chez les humains des différentes planètes de l'univers. Ceux qui prennent part au service de dévotion développent naturellement toutes les bonnes qualités créées par le Seigneur Suprême.

Kṛṣṇa est à l'origine de tout ce qui existe, le bon comme le mauvais. Rien ne se manifeste dans l'univers matériel qui ne soit déjà en Lui. Qui sait cela possède le vrai savoir. Bien que les manifestations en cet univers soient diverses, Kṛṣṇa est leur source unique.

**10.6** महर्षयः सप्त पूर्वे चत्वारो मनवस्तथा ।
मद्भावा मानसा जाता येषां लोक इमाः प्रजाः ॥ ६ ॥

*maharṣayaḥ sapta pūrve, catvāro manavas tathā*
*mad-bhāvā mānasā jātā, yeṣāṁ loka imāḥ prajāḥ*

*mahā-ṛṣayaḥ :* grands sages ; *sapta :* les sept ; *pūrve :* avant ; *catvāraḥ :* les quatre ; *manavaḥ :* Manus ; *tathā :* aussi ; *mat-bhāvāḥ :* nés de Moi ; *mānasāḥ :* du mental ; *jātāḥ :* nés ; *yeṣām :* d'eux ; *loke :* dans le monde ; *imāḥ :* toute cette ; *prajāḥ :* population.

**Les sept grands sages, les quatre sages qui les précédèrent et les Manus [les pères de l'humanité] sont tous nés de Mon mental. Tous les êtres qui peuplent ce monde sont leurs descendants.**

Le Seigneur résume ici l'arbre généalogique universel. Brahmā, né de l'énergie d'Hiraṇyagarbha, le Seigneur Suprême, est la créature originelle. De lui sont issus les sept grands sages, les quatre Kumāras (Sanaka, Sananda, Sanātana et Sanat-kumāra) qui les précédèrent dans l'ordre de la création, et les quatorze Manus. Ces vingt-cinq grands sages sont les ancêtres de l'immense variété d'entités vivantes qui peuplent les innombrables planètes des différents univers. Brahmā dut pratiquer une ascèse sur une période correspondant à mille années des *devas* pour comprendre, par la grâce de Kṛṣṇa, comment il lui fallait procéder pour créer. De lui vinrent Sanaka, Sananda, Sanātana et Sanat-kumāra, puis Rudra, et les sept sages. Ainsi, tous les *brāhmaṇas* et les *kṣatriyas* naquirent de l'énergie de Dieu, la Personne Suprême. Comme l'expliquera le trente-neuvième verset du onzième chapitre, Brahmā est l'aïeul (*pitāmaha*) de tous les êtres, et Kṛṣṇa, le père de cet aïeul (*prapitāmaha*).

**10.7** एतां विभूतिं योगं च मम यो वेत्ति तत्त्वतः ।
सोऽविकल्पेन योगेन युज्यते नात्र संशयः ॥ ७ ॥

*etāṁ vibhūtiṁ yogaṁ ca, mama yo vetti tattvataḥ*
*so 'vikalpena yogena, yujyate nātra saṁśayaḥ*

*etām :* toute cette; *vibhūtim :* opulence; *yogam :* puissance mystique; *ca :* et cette; *mama :* de Moi; *yaḥ :* quiconque; *vetti :* connaît; *tattvataḥ :* en vérité; *saḥ :* il; *avikalpena :* sans partage; *yogena :* dans le service de dévotion; *yujyate :* est engagé; *na :* jamais; *atra :* ici; *saṁśayaḥ :* de doute.

**Qui est véritablement convaincu de Ma grandeur et de Ma puissance mystique Me sert avec une dévotion sans partage. C'est là un fait certain.**

Connaître Dieu, la Personne Suprême, c'est atteindre le sommet de la perfection spirituelle. À moins d'être fermement convaincu des multiples splendeurs du Seigneur Suprême, il est impossible de prendre part au service de dévotion. Bien que les gens sachent en général que Dieu est grand, ils ignorent les attributs de Sa grandeur qui sont décrits ici en détail. Or celui qui connaît concrètement la grandeur de Dieu s'abandonne tout naturellement à Lui et Le sert avec dévotion. Dès le moment où l'on connaît les opulences spirituelles du Seigneur que décrivent la *Bhagavad-gītā*, le *Śrīmad-Bhāgavatam* et bien d'autres écrits, il n'est pas d'autre choix que de s'abandonner à Lui.

Il existe de nombreux *devas* qui peuplent l'ensemble des systèmes planétaires et veillent à la gestion de l'univers. À leur tête se trouvent Brahmā, Śiva, les quatre Kumāras et tous les autres patriarches. Ce sont tous les ancêtres de la population de l'univers et tous sont issus du Seigneur Suprême, Kṛṣṇa, l'ancêtre originel, le père de tous les ancêtres.

Telles sont quelques-unes des excellences du Seigneur. Qui est véritablement convaincu que toutes ces perfections Lui appartiennent place en Lui toute sa foi et, libéré du doute, se consacre à Son service. Il est essentiel, quand on souhaite accroître son désir de servir le Seigneur avec amour et dévotion, de connaître dans le détail la splendeur divine. Nul ne doit négliger de comprendre Kṛṣṇa dans toute Sa grandeur, car un tel savoir aide à se fixer en toute sincérité dans le service de dévotion.

**10.8** अहं सर्वस्य प्रभवो मत्तः सर्वं प्रवर्तते ।
इति मत्वा भजन्ते मां बुधा भावसमन्विताः ॥ ८ ॥

*ahaṁ sarvasya prabhavo, mattaḥ sarvaṁ pravartate*
*iti matvā bhajante māṁ, budhā bhāva-samanvitāḥ*

*aham :* Je; *sarvasya :* de tout; *prabhavaḥ :* source de création; *mattaḥ :* de Moi; *sarvam :* tout; *pravartate :* émane; *iti :* ainsi; *matvā :* sachant; *bhajante :* deviennent dévoués; *mām :* à Moi; *budhāḥ :* ceux qui ont la connaisance; *bhāvasamanvitāḥ :* avec une grande attention.

**Des mondes spirituel et matériel Je suis la source, de Moi tout émane. Les sages qui connaissent parfaitement cette vérité Me servent et M'adorent de tout leur cœur.**

L'érudit pleinement versé dans l'étude des Védas, qui a reçu son enseignement d'autorités telles que Śrī Caitanya et sait l'appliquer, est à même de comprendre que Kṛṣṇa est l'origine de tout ce qui est dans les mondes matériel et spirituel. Cette parfaite connaissance lui permet de se fixer dans le service du Seigneur Suprême, et ni les sots, ni leurs commentaires les plus absurdes, aussi nombreux soient-ils, ne peuvent l'égarer. Tous les Écrits védiques s'accordent sur le fait que Kṛṣṇa est la source de Brahmā, de Śiva et des autres *devas.* Dans l'*Atharva-veda* (*Gopāla-tāpanī Upaniṣad* 1.24), il est dit : *yo brahmāṇaṁ vidadhāti pūrvaṁ yo vai vedāṁś ca gāpayati sma kṛṣṇaḥ* – « Au début de la création, Kṛṣṇa transmit à Brahmā le savoir védique. C'est aussi Lui qui de tout temps le dissémina de par le monde. » Dans la *Nārāyaṇa Upaniṣad* (1), on peut lire : *atha puruṣo ha vai nārāyaṇo 'kāmayata prajāḥ sṛjeyeti* – « Nārāyaṇa, la Personne Suprême, désira alors créer les êtres. » Puis : *nārāyaṇād brahmā jāyate, nārāyaṇād prajāpatiḥ prajāyate, nārāyaṇād indro jāyate, nārāyaṇād aṣṭau vasavo jāyante, nārāyaṇād ekādaśa rudrā jāyante, nārāyaṇād dvādaśa-ādityāḥ* – « Nārāyaṇa donna naissance à Brahmā et aux patriarches, mais aussi à Indra, aux huit Vasus, aux onze Rudras et aux douze Ādityas. » Nārāyaṇa est une émanation de Kṛṣṇa.

Toujours dans la *Nārāyaṇa Upaniṣad* (4), il est écrit : *brahmaṇyo devakī-putraḥ,* « Le fils de Devakī, Kṛṣṇa, est la Personne Suprême. » Et dans la *Mahā Upaniṣad* (1.2) : *eko vai nārāyaṇa āsīn na brahmā neśāno nāpo nāgni-somau neme dyāv-āpṛthivī na nakṣatrāṇi na sūryah,* « Au début de la création, seul était Nārāyaṇa, la Personne Suprême. Ni Brahmā, ni Śiva, ni l'eau, ni le feu, la lune, les cieux, la terre, les étoiles ou le soleil n'existaient. » La *Mahā Upaniṣad* dit aussi que Śiva est né du front du Seigneur Suprême. C'est pourquoi les Védas déclarent que l'unique objet d'adoration est le Seigneur Suprême, le créateur de Brahmā et de Śiva.

Kṛṣṇa Lui-même affirme dans le *Mokṣa-dharma,* une des sections du *Mahābhārata* :

*prajāpatiṁ ca rudraṁ cāpy, aham eva sṛjāmi vai*
*tau hi māṁ na vijānīto, mama māyā-vimohitau*

« Je suis Celui qui a créé les patriarches, Śiva et les autres. Mais ils l'ignorent parce qu'ils sont illusionnés par Mon énergie externe. » Et le *Varāha Purāṇa* d'ajouter :

*nārāyaṇaḥ paro devas, tasmāj jātaś caturmukhaḥ*
*tasmād rudro 'bhavad devaḥ, sa ca sarva-jñatāṁ gataḥ*

« Nārāyaṇa est Dieu, la Personne Suprême. Il donna naissance à Brahmā, lequel créa Śiva. »

Source de toute la création, Kṛṣṇa est la cause efficiente de toute chose : « Je suis l'origine de tout, car tout est né de Moi. Tout M'est subordonné et nul ne M'est supérieur. » Il n'est pas de maître suprême autre que Kṛṣṇa. Celui qui comprend le Seigneur à la lumière des Écritures, à l'aide d'un maître spirituel authentique, emploie toute son énergie dans la conscience de Kṛṣṇa et devient un véritable érudit. En comparaison, ceux qui ne connaissent pas Kṛṣṇa dans toute Sa splendeur ne sont que des sots. Car seul un sot peut prendre Kṛṣṇa pour un homme ordinaire. Le dévot ne doit jamais se laisser abuser par l'un ou l'autre de ces ignorants. Il doit éviter de lire tout commentaire ou interprétation non autorisé de la *Bhagavad-gītā,* et doit poursuivre son action dans la conscience de Kṛṣṇa avec fermeté et détermination.

**10.9** मच्चित्ता मद्गतप्राणा बोधयन्तः परस्परम् ।
कथयन्तश्च मां नित्यं तुष्यन्ति च रमन्ति च ॥ ९ ॥

*mac-cittā mad-gata-prāṇā, bodhayantaḥ parasparam*
*kathayantaś ca māṁ nityaṁ, tuṣyanti ca ramanti ca*

*mat-cittāḥ :* leurs pensées totalement absorbées en Moi; *mat-gata-prāṇāḥ :* leurs vies consacrées à Moi; *bodhayantaḥ :* prêchant; *parasparam :* entre eux; *kathayantaḥ :* parlant; *ca :* aussi; *mām :* de Moi; *nityam :* perpétuellement; *tuṣyanti :* deviennent satisfaits; *ca :* aussi; *ramanti :* jouissent d'une joie transcendantale; *ca :* aussi.

**Mes purs dévots absorbent en Moi leurs pensées et consacrent leur existence à Mon service. À toujours s'éclairer les uns les autres et s'entretenir de Moi, ils trouvent une satisfaction et une joie immenses.**

Ce verset décrit spécifiquement les caractéristiques des purs dévots. Ils se dédient pleinement au service d'amour du Seigneur. Rien ne peut détourner leurs pensées des pieds pareils-au-lotus de Kṛṣṇa. Ils n'abordent que des sujets purement spirituels. Vingt-quatre heures par jour, ils louent Ses qualités et Ses hauts faits. L'âme et le cœur constamment absorbés en Kṛṣṇa, ils éprouvent une joie immense à parler de Lui en compagnie d'autres dévots.

Au stade préliminaire du service de dévotion, le dévot goûte un bonheur spirituel provenant du service lui-même. Quand son service arrive à maturité, il baigne dans le pur amour de Dieu. Une fois situé à ce niveau transcendantal, il savoure la perfection suprême que le Seigneur manifeste en Son royaume. Śrī Caitanya compare le service de dévotion à une graine plantée dans le cœur de l'être. Parmi les innombrables entités vivantes qui évoluent sur les différentes planètes de l'univers, quelques-unes seulement ont la bonne fortune de rencontrer un pur dévot et l'opportunité de comprendre le service de dévotion. Si, une fois la graine du service de dévotion plantée dans son cœur, l'homme écoute et récite avec persévérance Hare Kṛṣṇa Hare Kṛṣṇa Kṛṣṇa Kṛṣṇa Hare Hare/Hare Rāma Hare Rāma Rāma Rāma Hare Hare, cette semence fructifiera, comme une graine régulièrement arrosée. La plante spirituelle du service de dévotion commencera à pousser, à grandir, jusqu'à percer l'enveloppe de l'univers matériel et à entrer dans l'éclat du *brahmajyoti.* Dans le monde spirituel, elle continuera de croître jusqu'à atteindre la planète la plus élevée, Goloka Vṛndāvana, où vit le Seigneur, Kṛṣṇa. Alors, elle prendra refuge à Ses pieds de lotus pour y demeurer. Graduellement, elle fleurira, puis donnera des fruits, et le dévot continuera de l'arroser en écoutant et en récitant les gloires de Kṛṣṇa. Le *Caitanya-caritāmṛta* (*Madhya-līlā,* chap.19), qui donne une description détaillée de cette plante de la dévotion, explique comment, une fois que la plante entièrement épanouie trouve refuge aux pieds du Seigneur Suprême, le dévot s'abîme totalement dans l'amour de Dieu. Comme un poisson qui ne peut vivre hors de l'eau, il ne saurait vivre, fût-ce un instant, sans Kṛṣṇa et il acquiert à Son contact toutes les qualités spirituelles.

Le *Śrīmad-Bhāgavatam* regorge de passages décrivant la relation qui unit le Seigneur Suprême à Ses dévots. C'est pourquoi cet ouvrage leur est très cher. Le *Bhāgavatam* (12.13.18) lui-même le confirme : *śrīmad-bhāgavataṁ purāṇam amalaṁ yad vaiṣṇavānāṁ priyam.* Il n'y a rien dans ce récit qui concerne les actes matériels, la prospérité économique, les plaisirs sensoriels ou même la libération. C'est le seul ouvrage qui décrive de manière exhaustive la nature absolue du Seigneur Suprême et de Ses dévots. C'est pourquoi, tout comme au niveau matériel un jeune homme et une jeune fille ressentent une grande joie lorsqu'ils sont ensemble, au niveau spirituel, les êtres réalisés conscients de Kṛṣṇa éprouvent une joie constante à entendre les narrations de ces écrits transcendantaux.

**10.10** तेषां सततयुक्तानां भजतां प्रीतिपूर्वकम् ।
दादामि बुद्धियोगं तं येन मामुपयान्ति ते ॥१०॥

*teṣāṁ satata-yuktānāṁ, bhajatāṁ prīti-pūrvakam*
*dadāmi buddhi-yogaṁ taṁ, yena māṁ upayānti te*

*teṣām :* à eux ; *satata-yuktānām :* toujours engagés ; *bhajatām :* dans le service de dévotion ; *prīti-pūrvakam :* dans l'extase d'amour ; *dadāmi :* Je donne ; *buddhi-yogam :* la vraie intelligence ; *tam :* ce ; *yena :* par quoi ; *mām :* à Moi ; *upayānti :* viennent ; *te :* ils.

**À qui, avec amour, se voue sans fin à Mon service, Je donne l'intelligence requise pour venir à Moi.**

Arrêtons-nous sur le sens du mot *buddhi-yogam,* mentionné dans ce verset, et souvenons-nous que dans le second chapitre, le Seigneur expliquait à Arjuna qu'après l'avoir entretenu de différents sujets, Il désirait aussi l'instruire du *buddhi-yoga.* Le Seigneur affirme ici que le *buddhi-yoga* n'est autre que l'action dans la conscience de Kṛṣṇa, ce qui est le signe de la plus haute intelligence. *Buddhi* signifie « intelligence » et yoga « action spirituelle » ou « élévation spirituelle ». Le *buddhi-yoga* est donc le mode d'action de celui qui, désireux de retourner en son éternelle demeure, auprès de Dieu, la Personne Suprême, se dédie pleinement à Son service. En d'autres mots, le *buddhi-yoga* permet de se libérer des chaînes de la matière. L'homme, de façon générale, ignore que Kṛṣṇa est le but ultime de tout progrès. Aussi, pour que se dissipe son ignorance, il est essentiel qu'il soit au contact d'un *ācārya* et d'autres dévots. Mais il faut d'abord qu'il reconnaisse que Kṛṣṇa est le but ultime. Une fois cette conviction acquise, il progressera, lentement mais sûrement, sur la voie qui mène à Kṛṣṇa, et parviendra jusqu'à Lui.

Celui qui a compris que Kṛṣṇa est le but de la vie mais convoite tout de même les fruits de ses actes pratique ce que l'on appelle le *karma-yoga*. Et celui qui reconnaît le Seigneur comme l'objectif ultime, mais qui aime spéculer sur Sa nature, pratique le *jñāna-yoga*. Par contre, celui qui connaît le but et recherche Kṛṣṇa à travers le service de dévotion, dans la conscience de Kṛṣṇa, pratique le *bhakti-yoga*, le *buddhi-yoga* - le plus complet des yogas - ce qui est le stade le plus haut dans la quête de la perfection de l'existence.

Un homme aura beau avoir un maître spirituel authentique et être attaché à une communauté spirituelle, il pourra lui manquer l'intelligence nécessaire pour progresser. Kṛṣṇa en personne lui donnera alors, de l'intérieur, les instructions nécessaires pour qu'il parvienne jusqu'à Lui sans difficulté. La seule condition requise est de s'engager constamment dans la conscience de Kṛṣṇa et de servir le Seigneur de toutes les façons possibles, avec amour et dévotion. Même s'il n'a pas suffisamment d'intelligence pour progresser dans la voie de la réalisation spirituelle, si seulement il est sincère et pratique assidûment le service de dévotion, le Seigneur lui donnera la possibilité de progresser et d'arriver jusqu'à Lui.

**10.11** तेषामेवानुकम्पार्थमहमज्ञानजं तमः ।
नाशयाम्यात्मभावस्थो ज्ञानदीपेन भास्वता ॥११॥

*teṣām evānukampārtham, aham ajñāna-jaṁ tamaḥ*
*nāśayāmy ātma-bhāva-stho, jñāna-dīpena bhāsvatā*

*teṣām :* pour eux ; *eva :* certes ; *anukampā-artham :* pour montrer une miséricorde spéciale ; *aham :* Je ; *ajñāna-jam :* dues à l'ignorance ; *tamaḥ :* les ténèbres ; *nāśayāmi :* dissipe ; *ātma-bhāva :* à l'intérieur de leur cœur ; *sthaḥ :* situé ; *jñāna :* de la connaissance ; *dīpena :* avec la lampe ; *bhāsvatā :* brillante.

**Moi qui vis en leur cœur, Je leur accorde une grâce particulière. Du flambeau lumineux de la connaissance, Je dissipe les ténèbres nées de l'ignorance.**

Lorsque à Bénarès, Śrī Caitanya propageait le chant du mantra Hare Kṛṣṇa Hare Kṛṣṇa Kṛṣṇa Kṛṣṇa Hare Hare/Hare Rāma Hare Rāma Rāma Rāma Hare Hare, des milliers de personnes Le suivaient. Prakāśānanda Sarasvatī, un érudit très influent et de grand renom, Le dénigra en l'accusant de sentimentalisme. Il arrive parfois, en effet, que des philosophes *māyāvādīs* critiquent les dévots, qu'ils prennent pour des sentimentaux naïfs et ignorants. Erreur grossière, car très nombreux en fait sont les érudits qui ont promulgué la philosophie de la dévotion. Et quand bien même un dévot sincèrement engagé dans le service de dévotion ne tirerait pas parti des avantages que lui offrent les Écritures ou son maître spirituel, Kṛṣṇa, présent dans son cœur, l'aidera. Le dévot sincère ne demeure donc jamais dans l'ignorance. Il n'est nullement besoin d'autre qualification que de servir le Seigneur avec dévotion, d'être pleinement absorbé dans la conscience de Kṛṣṇa.

Les philosophes *māyāvādīs* pensent que sans être grand penseur, l'on ne peut posséder la connaissance pure. Mais le Seigneur Suprême en personne leur répond dans ce verset que même s'ils manquent d'éducation, même si leur connaissance des principes védiques est insuffisante, ceux qui Le servent avec une dévotion pure reçoivent Son aide.

En outre, le Seigneur apprend à Arjuna qu'il est fondamentalement impossible de connaître la Vérité Absolue, Dieu, la Personne Suprême, par de simples spéculations intellectuelles. Il est en effet si grand qu'il s'avère impossible de Le connaître ou de L'approcher par un simple effort mental. S'il ne Lui est pas dévoué, s'il ne Lui donne pas son amour, l'homme aura beau s'évertuer à spéculer à Son sujet des millions d'années durant, jamais il ne réalisera Kṛṣṇa, la Vérité Suprême. Seul le service de dévotion est en mesure de satisfaire Kṛṣṇa, Lequel en vertu de Son inconcevable énergie, Se révèle dans le cœur de Son pur dévot. Le pur dévot garde toujours en son cœur Kṛṣṇa, qui, tel un soleil, dissipe aussitôt les ténèbres de l'ignorance. C'est la grâce spéciale que le Seigneur Suprême lui accorde.

Parce qu'il est contaminé par un séjour de plusieurs millions de vies dans la matière, l'être a le cœur recouvert de la poussière du matérialisme. Mais qu'il serve le Seigneur avec dévotion, qu'il récite constamment le mantra Hare Kṛṣṇa et cette poussière s'en ira rapidement. Il se verra alors élevé à la connaissance pure. Répétons-le, ni la spéculation intellectuelle, ni la controverse ne permettent d'atteindre le but ultime, Viṣṇu. Seuls y conduisent le chant de ce mantra et le service de dévotion. Le pur dévot n'a plus à se préoccuper des nécessités de la vie car, une fois que les ténèbres de son cœur ont été dissipées, le Seigneur Suprême, satisfait par son amour et son service, comble automatiquement tous ses besoins. Ainsi, le dévot se voit délivré de la nécessité de fournir des efforts matériels pour assurer sa subsistance. Tel est, en essence, l'enseignement de la *Bhagavad-gītā,* dont l'étude conduit l'homme à s'abandonner entièrement au Seigneur Suprême et à Le servir dans un sentiment de dévotion pure.

**10.12–13**

अर्जुन उवाच
परं ब्रह्म परं धाम पवित्रं परमं भवान् ।
पुरुषं शाश्वतं दिव्यमादिदेवमजं विभुम् ॥१२॥

आहुस्त्वामृषयः सर्वे देवर्षिर्नारदस्तथा ।
असितो देवलो व्यासः स्वयं चैव ब्रवीषि मे ॥१३॥

*arjuna uvāca*
*paraṁ brahma paraṁ dhāma, pavitraṁ paramaṁ bhavān*
*puruṣaṁ śāśvataṁ divyam, ādi-devam ajaṁ vibhum*

*āhus tvām ṛṣayaḥ sarve, devarṣir nāradas tathā*
*asito devalo vyāsaḥ, svayaṁ caiva bravīṣi me*

*arjunaḥ uvāca :* Arjuna dit; *param :* suprême; *brahma :* la vérité; *param :* suprême; *dhāma :* le soutien; *pavitram :* pur; *paramam :* suprême; *bhavān :* Toi; *puruṣam :* la Personne; *śāśvatam :* éternelle; *divyam :* transcendantale; *ādi-devam :* le Seigneur originel; *ajam :* le Non-né; *vibhum :* le plus grand, omniprésent; *āhuḥ :* disent; *tvām :* de Toi; *ṛṣayaḥ :* les sages; *sarve :* tous; *deva-ṛṣiḥ :* le sage parmi les *devas*; *nāradaḥ :* Nārada; *tathā :* aussi; *asitaḥ :* Asita; *devalaḥ :* Devala; *vyāsaḥ :* Vyāsa; *svayam :* personnellement; *ca :* aussi; *eva :* certes; *bravīṣi :* Tu expliques; *me :* à moi.

**Arjuna dit : Tu es Dieu, la Personne Suprême, l'ultime demeure, la Vérité Absolue. Tu es la Personne originelle, transcendantale et éternelle. Tu es le Non-né, le plus pur et le plus grand. Tous les grands sages, Nārada, Asita, Devala et Vyāsa le proclament, et Toi-même à présent me le révèles.**

Les paroles qu'Arjuna prononce dans ces deux versets permettent au Seigneur d'offrir aux philosophes *māyāvādīs* l'opportunité de comprendre que l'Âme Suprême et l'âme infinitésimale se distinguent très nettement l'une de l'autre. Après avoir écouté les quatre versets essentiels de la *Bhagavad-gītā* (10.8-11), Arjuna n'est plus en proie au moindre doute. Convaincu que Kṛṣṇa est Dieu, la Personne Suprême, il déclare hardiment : « Tu es le *paraṁ brahma,* Dieu, la Personne Suprême. » Kṛṣṇa S'est en effet décrit comme l'origine de tout être et de toute chose. Les *devas* et les humains dépendent tous de Lui, bien que parfois leur ignorance les conduise à se croire absolus et indépendants de Lui. Cette ignorance, toutefois, comme Kṛṣṇa l'a expliqué dans le verset précédent, se dissipe entièrement lorsqu'on pratique le service de dévotion. Par la grâce même du Seigneur, Arjuna reconnaît maintenant, conformément aux affirmations des Écritures, que Kṛṣṇa est la Vérité Suprême. Ce n'est pas que, par amitié, Arjuna flatte Kṛṣṇa en L'appelant Dieu, la Personne Suprême, la Vérité Absolue. Chaque mot prononcé dans ces deux versets est confirmé par les Védas, lesquels certifient en outre que seul le dévot engagé dans le service de dévotion est en mesure de comprendre le Seigneur Suprême.

Kṛṣṇa a expliqué que tout repose en Lui. Ce que confirme la *Kena Upaniṣad* lorsqu'elle établit que tout repose en le Brahman Suprême, et par la *Muṇḍaka Upaniṣad* lorsqu'elle atteste que seul un homme absorbé dans la pensée du Seigneur, en qui tout repose, est à même de Le réaliser. Ce souvenir permanent est l'une des pratiques du service de dévotion, qui a pour nom *smaraṇam.* C'est donc par le service de dévotion, et par lui seul, que l'homme aura connaissance de sa condition réelle et sera en mesure de se libérer du corps matériel.

Les Védas dépeignent le Seigneur Suprême comme le plus pur d'entre les purs. Celui qui réalise cet attribut de Kṛṣṇa et s'abandonne à Lui se purifie de tous ses actes coupables. Il n'existe pas d'autre moyen. Le fait qu'Arjuna reconnaisse Kṛṣṇa comme tel atteste que sa vision est parfaitement conforme à celle des Écritures védiques, à celle des plus grands érudits ayant à leur tête Nārada.

Kṛṣṇa étant Dieu, la Personne Suprême, on doit à chaque instant méditer sur Lui et goûter la relation transcendantale qui nous unit à Lui. Il est l'Être Suprême que ne touchent ni les besoins corporels, ni la naissance et la mort, ainsi que l'affirment, à l'instar d'Arjuna, l'ensemble des Écrits védiques, les *Purāṇas* et les récits historiques. Le Seigneur, du reste, explique en personne dans le quatrième chapitre que bien qu'Il soit non né, Il apparaît sur terre pour rétablir les principes de la spiritualité. Rien n'est à l'origine de Son existence, car Il est l'origine de tout, la cause de toutes les causes, de qui tout émane. Et ce n'est qu'en vertu de Sa grâce que l'être a la possibilité de bénéficier de ce savoir parfait.

C'est par cette grâce qu'Arjuna peut ici s'exprimer. Il en résulte que pour comprendre la *Bhagavad-gītā,* il faut croire en les paroles qu'Arjuna énonce dans ces deux versets. En agissant ainsi, on suivra les principes de la *paramparā,* la filiation spirituelle. Pour ceux qui n'appartiennent pas à une succession disciplique, comprendre la *Bhagavad-gītā* par l'érudition académique est impossible. Malheureusement, ceux qui s'en tiennent orgueilleusement à leur érudition ne pourront jamais la comprendre et continueront obstinément à prendre Kṛṣṇa pour un homme ordinaire, en dépit des multiples évidences dont regorgent les Écritures védiques.

**10.14** सर्वमेतदृतं मन्ये यन्मां वदसि केशव ।
न हि ते भगवन् व्यक्तिं विदुर्देवा न दानवाः ॥१४॥

*sarvam etad ṛtaṁ manye, yan māṁ vadasi keśava*
*na hi te bhagavan vyaktiṁ, vidur devā na dānavāḥ*

*sarvam :* toutes ; *etat :* ces ; *ṛtam :* vérités ; *manye :* j'accepte ; *yat :* lesquelles ; *mām :* à moi ; *vadasi :* Tu dis ; *keśava :* ô Kṛṣṇa, qui as de longs cheveux fins ; *na :* jamais ; *hi :* certes ; *te :* Ta ; *bhagavan :* ô Personne Souveraine ; *vyaktim :* révélation ; *viduḥ :* ne peuvent connaître ; *devāḥ :* les *devas* ; *na :* ni ; *dānavāḥ :* les démons.

**Ô Kṛṣṇa, tout ce que Tu m'as dit est pour moi l'entière vérité. Ni les devas ni les démons ne peuvent connaître Ta personne, ô Seigneur.**

Arjuna confirme ici que les hommes démoniaques dénués de foi ne peuvent connaître Kṛṣṇa. Quand on sait que même les *devas* ne le peuvent, on comprend aisément que les pseudo-érudits du monde moderne soient encore moins à même de Le connaître. Par la grâce du Seigneur cependant, Arjuna a réalisé que la Vérité Absolue est Kṛṣṇa, qu'Il est l'Être parfait. Suivons donc le chemin tracé par Arjuna, qui est l'autorité en ce qui concerne la *Bhagavad-gītā.* Comme on l'a vu au quatrième chapitre, la filiation spirituelle (*paramparā*) destinée à faire comprendre le message de la *Bhagavad-gītā* ayant fini par se rompre, Kṛṣṇa choisit Arjuna pour la rétablir parce que celui-ci, depuis toujours, Lui témoigne une amitié intime et une dévotion profonde. C'est donc par le biais de la *paramparā,* ainsi que nous l'avons mentionné dans notre introduction que l'on devra comprendre la *Bhagavad-gītā,* à l'exemple d'Arjuna qui accepte ici tout ce que Kṛṣṇa lui enseigne. Alors en saisirons-nous l'essence, et seulement alors saurons-nous comprendre que Kṛṣṇa est Dieu, la Personne Suprême.

**10.15** स्वयमेवात्मनात्मानं वेत्थ त्वं पुरुषोत्तम ।
भूतभावन भूतेश देवदेव जगत्पते ॥१५॥

*svayam evātmanātmānaṁ, vettha tvaṁ puruṣottama*
*bhūta-bhāvana bhūteśa, deva-deva jagat-pate*

*svayam :* personnellement; *eva :* certes; *ātmanā :* par Toi-même; *ātmānam :* Toi-même; *vettha :* connais; *tvam :* Tu; *puruṣa-uttama :* ô Personne Suprême; *bhūta-bhāvana :* ô origine de tout; *bhūta-īśa :* ô Seigneur de tous; *deva-deva :* ô Seigneur des *devas*; *jagat-pate :* ô Seigneur de l'univers entier.

**En vérité, ô Personne Suprême, origine de toute chose, Seigneur de tous les êtres et souverain de l'univers, Dieu même des devas, de par Ta puissance interne, Toi seul Te connais.**

Ne peuvent connaître le Seigneur que ceux qui, à l'exemple d'Arjuna et de ses successeurs, Le servent avec dévotion. Les gens athées ou de mentalité démoniaque ne pourront jamais y parvenir. La spéculation mentale qui nous éloigne de Kṛṣṇa est une faute très grave. C'est pourquoi celui qui ne connaît pas Kṛṣṇa doit s'abstenir de commenter la *Bhagavad-gītā*. Ce texte contient les paroles mêmes du Seigneur ; il renferme la science de Kṛṣṇa. On doit donc le comprendre tel qu'Arjuna l'a compris, tel qu'il fut énoncé par Kṛṣṇa, et ne jamais prêter l'oreille aux interprétations qu'en donnent les athées.

Le *Śrīmad-Bhāgavatam* (1.2.11) dit :

*vadanti tat tattva-vidas, tattvaṁ yaj jñānam advayam*
*brahmeti paramātmeti, bhagavān iti śabdyate*

La Vérité Absolue Se réalise sous trois aspects : le Brahman impersonnel, le Paramātmā sis dans le cœur de chaque être, et la Personne Suprême, Dieu. Parvenir à réaliser l'aspect personnel de Dieu est la dernière étape de la réalisation de la Vérité Absolue. L'homme ordinaire, et même l'homme libéré qui a réalisé le Brahman impersonnel ou le Paramātmā, l'aspect localisé de la Vérité Absolue, peuvent ne pas comprendre la personnalité de Dieu. S'ils veulent comprendre Son caractère personnel, ils doivent étudier la *Bhagavad-gītā* qui fut énoncée par cette Personne même, Kṛṣṇa. Il arrive parfois que des impersonnalistes reconnaissent que Kṛṣṇa est Bhagavān, ou qu'ils reconnaissent Son autorité en matière spirituelle. Il n'empêche que beaucoup d'êtres libérés sont incapables de comprendre que Kṛṣṇa est la Personne Suprême. C'est d'ailleurs pour souligner ce point qu'Arjuna Le nomme Puruṣottama, la Personne Suprême. Pour ceux qui ne connaissent pas Sa paternité universelle, il Le désigne du nom de Bhūta-bhāvana, père de tous les êtres. Puis il Lui donne le nom de Bhūteśa, maître suprême, au cas où ceux qui Le verraient comme le père de tous les êtres Lui refuseraient malgré tout la qualité de Souverain Suprême. Et s'il L'appelle peu après Deva-deva, Celui qu'adorent tous les *devas,* c'est pour ceux qui Le reconnaissent comme le maître de tous les êtres, mais ignorent qu'Il est aussi à l'origine de tous les *devas.* Et en dernier lieu, afin que ceux qui L'acceptent comme tel n'ignorent pas Sa qualité de possesseur suprême, il Lui donne aussi le nom de Jagat-pati. Arjuna, par sa propre réalisation de Kṛṣṇa, établit ici la vérité concernant la nature du Seigneur. Qui veut connaître Kṛṣṇa tel qu'Il est doit marcher sur les traces d'Arjuna.

**10.16** वक्तुमर्हस्यशेषेण दिव्या ह्यात्मविभूतयः ।
याभिर्विभूतिभिर्लोकानिमांस्त्वं व्याप्य तिष्ठसि ॥१६॥

*vaktum arhasy aśeṣeṇa, divyā hy ātma-vibhūtayaḥ*
*yābhir vibhūtibhir lokān, imāṁs tvaṁ vyāpya tiṣṭhasi*

***vaktum :*** dire ; ***arhasi :*** daigne ; ***aśeṣeṇa :*** en détail ; ***divyāḥ :*** divines ; ***hi :*** certes ; ***ātma :*** Tes propres ; ***vibhūtayaḥ :*** opulences ; ***yābhiḥ :*** par lesquelles ; ***vibhūtibhiḥ :*** opulences ; ***lokān :*** toutes les planètes ; ***imān :*** ces ; ***tvam :*** Tu ; ***vyāpya :*** pénétrant ; ***tiṣṭhasi :*** demeures.

**Je T'en prie, instruis-moi en détail de Tes divines splendeurs par lesquelles Tu pénètres tous ces mondes.**

Ce verset montre qu'Arjuna est à présent satisfait de sa connaissance de Kṛṣṇa. Par Sa grâce, il a l'expérience, l'intelligence, le savoir, et tout ce qui en découle, et il a réalisé qu'Il est Dieu, la Personne Suprême. Il n'éprouve plus le moindre doute, et s'il pose encore des questions à Kṛṣṇa concernant Sa nature omniprésente, ce n'est pas dans un but personnel, mais pour les hommes, et particulièrement les impersonnalistes, qui pour la plupart s'intéressent surtout à l'aspect omniprésent du Suprême. Il Lui demande d'expliquer comment Il est présent en toute chose à travers Ses diverses énergies. Il faut bien comprendre qu'Arjuna présente cette requête pour le bien des hommes en général, et non pour le sien propre.

**10.17** कथं विद्यामहं योगिंस्त्वां सदा परिचिन्तयन् ।
केषु केषु च भावेषु चिन्त्योऽसि भगवन्मया ॥१७॥

*kathaṁ vidyām ahaṁ yogiṁs, tvāṁ sadā paricintayan*
*keṣu keṣu ca bhāveṣu, cintyo 'si bhagavan mayā*

*katham :* comment ; *vidyām aham :* connaîtrai-je ; *yogin :* ô mystique suprême ; *tvām :* Toi ; *sadā :* toujours ; *paricintayan :* pensant à ; *keṣu :* en quelles ; *keṣu :* en quelles ; *ca :* aussi ; *bhāveṣu :* natures ; *cintyaḥ asi :* Tu dois être gardé en mémoire ; *bhagavan :* ô Être Suprême ; *mayā :* par moi.

**Ô Kṛṣṇa, ô suprême mystique, comment dois-je méditer sur Toi, comment puis-je Te connaître, et sous quelle forme dois-je Te garder en mémoire, ô Personne Souveraine ?**

Comme cela a été montré dans le chapitre précédent, Dieu, la Personne Suprême, est voilé par Son énergie *yoga-māyā.* Seuls Ses dévots, les âmes soumises, ont la possibilité de Le voir. Arjuna est convaincu que son grand ami Kṛṣṇa est bien le Seigneur Suprême. Mais il désire à présent L'entendre exposer la méthode qui aidera l'homme du commun à percevoir à son tour le Seigneur omniprésent. Car au regard des profanes, dont les hommes démoniaques et les athées, Kṛṣṇa demeure invisible, gardé par Son énergie *yoga-māyā.* Ils ne sont donc pas en mesure de Le connaître. Redisons-le, c'est pour leur bien qu'Arjuna pose ces questions. Le dévot avancé se soucie non seulement de sa propre compréhension, mais également de celle de l'humanité entière. Parce qu'il est un *vaiṣṇava,* un dévot de Kṛṣṇa, Arjuna, par compassion, ouvre la voie qui permettra à tous les hommes de comprendre l'omniprésence du Seigneur Suprême. Il nomme spécifiquement Kṛṣṇa *yogin,* pour souligner qu'Il est le maître de l'énergie *yoga-māyā,* qui Le voile et Le dévoile au commun des mortels.

L'homme ordinaire, parce qu'il est dénué d'amour pour Kṛṣṇa, ne peut penser à Lui constamment. Aussi est-il la plupart du temps absorbé en des pensées matérielles. Arjuna est conscient de cet état d'esprit. Les mots *keṣu keṣu ca bhāveṣu* se réfèrent à la nature matérielle (le mot *bhāva* signifie « choses matérielles »). C'est pourquoi l'esprit pénétré de matérialisme, incapable de comprendre Kṛṣṇa d'un point de vue spirituel, devra d'abord se concentrer sur des manifestations physiques et essayer de voir comment Kṛṣṇa Se manifeste en elles.

**10.18** विस्तरेणात्मनो योगं विभूतिं च जनार्दन ।
भूयः कथय तृप्तिर्हि शृण्वतो नास्ति मेऽमृतम् ॥१८॥

*vistareṇātmano yogaṁ, vibhūtiṁ ca janārdana*
*bhūyaḥ kathaya tṛptir hi, śṛṇvato nāsti me 'mṛtam*

*vistareṇa :* en détail ; *ātmanaḥ :* Ton ; *yogam :* pouvoir mystique ; *vibhūtim :* opulences divines ; *ca :* aussi ; *jana-ardana :* ô Toi qui anéantis les athées ; *bhūyaḥ :* encore ; *kathaya :* décris ; *tṛptiḥ :* satisfaction ; *hi :* certes ; *śṛṇvataḥ :* en entendant ; *na asti :* il n'y a pas ; *me :* de moi ; *amṛtam :* le nectar.

**Ô Janārdana, conte-moi encore le détail du pouvoir mystique qui s'attache à Tes divines opulences. Le nectar de Tes propos est tel que rien ne saurait étancher ma soif d'entendre parler de Toi.**

Les *ṛṣis* de Naimiṣāraṇya, avec à leur tête Śaunaka, adressèrent des paroles semblables à Sūta Gosvāmī :

*vayaṁ tu na vitṛpyāma, uttama-śloka-vikrame*
*yac chṛṇvatāṁ rasa-jñānāṁ, svādu svādu pade pade*

« On ne saurait se lasser d'entendre les divertissements transcendantaux de Kṛṣṇa, que louent d'admirables prières. Ceux qui ont établi une relation avec Kṛṣṇa savourent à chaque instant les récits de Ses divertissements. » (*Śrīmad-Bhāgavatam* 1.1.19) Arjuna désire donc entendre parler de Kṛṣṇa, et particulièrement de la façon dont Il manifeste Son omniprésence.

Arjuna use du mot *amṛtam,* « nectar », car toute narration ayant trait à Kṛṣṇa a la saveur du nectar, nectar que l'expérience peut nous faire goûter. Ce qui distingue de façon marquante les traités d'histoire actuels, romans, contes et nouvelles, des textes où sont décrits les divertissements sublimes du Seigneur, c'est que les premiers finissent par lasser rapidement, tandis que les seconds excitent à chaque instant notre désir d'entendre louer Kṛṣṇa. C'est pourquoi les Écrits védiques, et tout particulièrement les *Purāṇas,* qui content l'histoire de l'univers, regorgent de récits où sont décrits les divertissements du Seigneur Suprême dans Ses multiples formes. Ainsi, ces textes gardent à jamais leur fraîcheur et leur nouveauté, les lirait-on maintes et maintes fois.

**10.19**

श्रीभगवानुवाच
हन्त ते कथयिष्यामि दिव्या ह्यात्मविभूतयः ।
प्राधान्यतः कुरुश्रेष्ठ नास्त्यन्तो विस्तरस्य मे ॥१९॥

*śrī-bhagavān uvāca*
*hanta te kathayiṣyāmi, divyā hy ātma-vibhūtayaḥ*
*prādhānyataḥ kuru-śreṣṭha, nāsty anto vistarasya me*

*śrī-bhagavān uvāca :* Dieu, la Personne Suprême, dit ; *hanta :* oui ; *te :* à toi ; *kathayiṣyāmi :* Je parlerai ; *divyāḥ :* divines ; *hi :* certes ; *ātma-vibhūtayaḥ :* des opulences personnelles ; *prādhānyataḥ :* qui sont principales ; *kuru-śreṣṭha :* ô meilleur des Kurus ; *na asti :* il n'y a pas ; *antaḥ :* de limite ; *vistarasya :* à l'étendue ; *me :* de Mes.

**Dieu, la Personne Suprême, répond : Ô Arjuna, les manifestations de Ma splendeur étant infinies, Je ne vais te décrire que les plus remarquables.**

Il n'est guère possible de connaître l'étendue de la grandeur et de l'opulence de Kṛṣṇa. Parce qu'ils sont limités, les sens de l'âme individuelle ne lui permettent pas de comprendre dans leur totalité la nature et les actes de Kṛṣṇa. Les dévots essaient pourtant de connaître Kṛṣṇa, mais ce n'est pas qu'ils escomptent parvenir un jour à Le comprendre entièrement à une étape donnée de leur progrès. Plutôt, ils se réjouissent seulement de savourer le récit des descriptions qui s'attachent à Sa personne, lesquelles sont pour eux un véritable nectar. Parler des excellences de Kṛṣṇa et de Ses diverses énergies emplit leur cœur d'une joie transcendantale. Aussi brûlent-ils d'entendre la description de Ses gloires et d'en discuter entre eux. Comme Il sait que les êtres n'ont pas la capacité de comprendre toute l'étendue de Ses opulences divines, Kṛṣṇa décide de ne décrire que les principales manifestations de Ses diverses énergies. Le mot *prādhānyataḥ* (principales) souligne ce point. Nous ne pouvons comprendre que quelques-uns des principaux attributs du Seigneur Suprême, car ils sont illimités. Quant au terme *vibhūti,* il désigne ici les opulences spirituelles avec lesquelles Kṛṣṇa dirige l'univers tout entier.

*Vibhūti,* d'après le dictionnaire *Amara-kośa,* désigne une opulence exceptionnelle.

L'impersonnaliste et le panthéiste ne peuvent comprendre ni les perfections exceptionnelles du Seigneur Suprême, ni les manifestations de Son énergie divine. Kṛṣṇa a de multiples énergies qui se manifestent partout dans les univers matériel et spirituel, mais Il ne va en décrire maintenant qu'une partie, celle que l'homme du commun sera en mesure de percevoir directement.

**10.20** अहमात्मा गुडाकेश सर्वभूताशयस्थितः ।
अहमादिश्च मध्यं च भूतानामन्त एव च ॥२०॥

*aham ātmā guḍākeśa, sarva-bhūtāśaya-sthitaḥ*
*aham ādiś ca madhyaṁ ca, bhūtānām anta eva ca*

*aham :* Je ; *ātmā :* âme ; *guḍākeśa :* ô toi qui as vaincu les ténèbres du sommeil ; *sarva-bhūta :* tous les êtres ; *āśaya-sthitaḥ :* située dans le cœur ; *aham :* Je suis ; *ādiḥ :* l'origine ; *ca :* aussi ; *madhyam :* le milieu ; *ca :* aussi ; *bhūtānām :* de tous les êtres ; *antaḥ :* la fin ; *eva :* certes ; *ca :* et.

**Je suis l'Âme Suprême, ô Guḍākeśa, sise dans le cœur de chaque être. De tous, Je suis le commencement, le milieu et la fin.**

Kṛṣṇa appelle ici Arjuna Guḍākeśa, « celui qui a vaincu les ténèbres du sommeil ». Ainsi indique-t-Il que les hommes qui sommeillent dans les ténèbres de l'ignorance ne sont pas en mesure de comprendre comment Il Se manifeste dans les mondes matériel et spirituel. La Personne Suprême accepte de décrire Ses diverses splendeurs à Arjuna parce qu'il a transcendé les ténèbres de cette ignorance.

Tout d'abord, sous la forme de Sa première émanation plénière, Kṛṣṇa révèle être l'âme de l'entière manifestation cosmique. Avant la création du monde, le Seigneur Suprême, par le biais de Son émanation plénière, revêt plusieurs formes, celles des *puruṣa-avatāras.* C'est ainsi que tout commence en Lui. Il est l'*ātmā,* l'âme du *mahat-tattva* – l'agrégat des éléments matériels. L'énergie matérielle n'est donc pas à l'origine de la création. C'est Mahā-Viṣṇu, le premier *puruṣa-avatāra,* qui entre dans le *mahat-tattva* et l'anime. Il est l'âme de l'énergie matérielle tout entière. Une fois, donc, que Mahā-Viṣṇu a pénétré les différents univers qu'Il a créés, Il Se manifeste en chaque être sous la forme du Paramātmā. Nous savons par expérience que le corps ne saurait exister ou se développer sans la présence de l'étincelle spirituelle. De même, la manifestation matérielle ne peut entrer en mouvement à moins que l'Âme Suprême, Kṛṣṇa, n'y pénètre. On trouve à ce sujet dans la *Subāla Upaniṣad* les mots suivants : *prakṛty-ādi-sarva-bhūtāntar-yāmī sarva-śeṣī ca nārāyaṇaḥ* – « Dieu, la Personne Suprême, vit en chaque univers dans Sa forme d'Âme Suprême. »

Le *Śrīmad-Bhāgavatam* ainsi que le *Nārada Pañcarātra* – un des *Sātvata-tantras* – décrivent ainsi les trois *puruṣa-avatāras* : *viṣṇos tu trīṇi rūpāṇi puruṣākhyāny atho viduḥ* – « Dieu, la Personne Suprême, Se manifeste dans la création matérielle sous trois aspects : Kāraṇodakaśāyī Viṣṇu, Garbhodakaśāyī Viṣṇu et Kṣīrodakaśāyī Viṣṇu. » Mahā-Viṣṇu, appelé aussi Kāraṇodakaśāyī Viṣṇu, est décrit dans la *Brahma-saṁhitā* (5.47) : *yaḥ kāraṇārṇava-jale bhajati sma yoga-nidrām* – Dieu, la Personne Suprême, Kṛṣṇa, la cause de toutes les causes, repose sur l'océan cosmique dans Sa forme de Mahā-Viṣṇu. Il est donc bien l'origine, le soutien et la cessation de l'énergie matérielle.

**10.21** आदित्यानामहं विष्णुर्ज्योतिषां रविरंशुमान् ।
मरीचिर्मरुतामस्मि नक्षत्राणामहं शशी ॥२१॥

*ādityānām ahaṁ viṣṇur, jyotiṣāṁ ravir aṁśumān*
*marīcir marutām asmi, nakṣatrāṇām ahaṁ śaśī*

*ādityānām :* des Ādityas ; *aham :* Je suis ; *viṣṇuḥ :* le Seigneur Suprême ; *jyotiṣām :* de tous les corps célestes lumineux ; *raviḥ :* le soleil ; *aṁśu-mān :* radieux ; *marīciḥ :* Marīci ; *marutām :* des Maruts ; *asmi :* Je suis ; *nakṣatrāṇām :* des étoiles ; *aham :* Je suis ; *śaśī :* la lune.

**D'entre les Ādityas, Je suis Viṣṇu, et d'entre les Maruts, Marīci. Des corps célestes lumineux, Je suis le soleil radieux, et des étoiles, la lune.**

D'entre les douze Ādityas, Kṛṣṇa est le principal. Et le soleil est le plus important des corps célestes illuminant le ciel. La *Brahma-saṁhitā* dit qu'il est l'œil du Seigneur Suprême. Marīci, qui régit les cinquante sortes de vents qui soufflent dans l'air, représente Kṛṣṇa.

D'entre les étoiles qui brillent la nuit, la lune est la plus brillante. C'est pourquoi elle représente Kṛṣṇa. Ce verset compte la lune au nombre des étoiles ; les étoiles qui scintillent dans le ciel reflètent donc aussi la lumière du soleil. La théorie selon laquelle il existerait plusieurs soleils dans l'univers n'est pas reconnue par les Védas. Le soleil est unique. Si la lune est lumineuse parce qu'elle réfléchit la lumière du soleil, il en est de même des étoiles. Puisque la *Bhagavad-gītā* mentionne que la lune est une étoile, les étoiles scintillantes ne sauraient être des soleils. Bien plutôt s'apparentent-elles à l'astre lunaire.

**10.22** वेदानां सामवेदोऽस्मि देवानामस्मि वासवः ।
इन्द्रियाणां मनश्चास्मि भूतानामस्मि चेतना ॥२२॥

*vedānāṁ sāma-vedo 'smi, devānām asmi vāsavaḥ*
*indriyāṇāṁ manaś cāsmi, bhūtānām asmi cetanā*

*vedānām :* de tous les Védas ; *sāma-vedaḥ :* le *Sāma-veda* ; *asmi :* Je suis ; *devānām :* de tous les *devas* ; *asmi :* Je suis ; *vāsavaḥ :* le roi des planètes édéniques ; *indriyāṇām :* de tous les sens ; *manaḥ :* le mental ; *ca :* aussi ; *asmi :* Je suis ; *bhūtānām :* de tous les êtres ; *asmi :* Je suis ; *cetanā :* la force vitale.

**Des Védas, Je suis le Sāma-veda, et des devas, Indra, le roi des planètes édéniques. D'entre les sens, Je suis le mental, et en les êtres, la force vitale [la conscience].**

L'esprit se distingue de la matière dans la mesure où cette dernière, contrairement à l'entité vivante, est dénuée de conscience. Cette conscience, suprême et éternelle, ne saurait être le produit d'une combinaison d'éléments matériels.

**10.23** रुद्राणां शङ्करश्चास्मि वित्तेशो यक्षरक्षसाम् ।
वसूनां पावकश्चास्मि मेरुः शिखरिणामहम् ॥२३॥

*rudrāṇāṁ śaṅkaraś cāsmi, vitteśo yakṣa-rakṣasām*
*vasūnāṁ pāvakaś cāsmi, meruḥ śikhariṇām aham*

*rudrāṇām :* de tous les Rudras ; *śaṅkaraḥ :* Śiva ; *ca :* aussi ; *asmi :* Je suis ; *vitta-īśaḥ :* le maître des trésors des *devas* ; *yakṣa-rakṣasām :* des Yakṣas et des Rākṣasas ; *vasūnām :* des Vasus ; *pāvakaḥ :* le feu ; *ca :* aussi ; *asmi :* Je suis ; *meruḥ :* Meru ; *śikhariṇām :* de toutes les montagnes ; *aham :* Je suis.

**Parmi les Rudras, Je suis Śiva, et parmi les Yakṣas et les Rākṣasas, le maître des richesses [Kuvera]. Des Vasus, Je suis le feu [Agni], et des montagnes, le mont Meru.**

Il existe onze Rudras, parmi lesquels le plus important est Śaṅkara, Śiva. Manifestation du Seigneur Suprême, il dirige, dans l'univers matériel, le mode d'influence de l'ignorance. Pour sa part, Kuvera, le trésorier des *devas,* est à la tête des Yakṣas et des Rākṣasas. Il représente lui aussi le Seigneur Suprême. Quant au mont Meru, il est réputé pour ses richesses naturelles.

10.24 पुरोधसां च मुख्यं मां विद्धि पार्थ बृहस्पतिम् ।
सेनानीनामहं स्कन्दः सरसामस्मि सागरः ॥२४॥

*purodhasāṁ ca mukhyaṁ māṁ*
*viddhi pārtha bṛhaspatim*
*senānīnām ahaṁ skandaḥ*
*sarasām asmi sāgaraḥ*

*purodhasām :* de tous les prêtres ; *ca :* aussi ; *mukhyam :* le principal ; *mām :* Moi ; *viddhi :* comprends ; *pārtha :* ô fils de Pṛthā ; *bṛhaspatim :* Bṛhaspati ; *senānīnām :* de tous les chefs militaires ; *aham :* Je suis ; *skandaḥ :* Kārttikeya ; *sarasām :* de toutes les étendues d'eau ; *asmi :* Je suis ; *sāgaraḥ :* l'océan.

**Des prêtres, ô Arjuna, sache que Je suis Bṛhaspati, le plus grand. D'entre les chefs militaires, Je suis Kārttikeya, et d'entre les étendues d'eau, l'océan.**

Indra, le souverain des planètes édéniques, est le chef des *devas.* La planète sur laquelle il règne s'appelle Indraloka. Bṛhaspati remplit auprès de lui les fonctions de prêtre. Il est donc le plus grand d'entre les prêtres puisque Indra est le roi de tous les rois. De même, Skanda, ou Kārttikeya, fils de Śiva et de Pārvatī, est à la tête de tous les chefs militaires. L'océan, pour sa part, est la plus grande de toutes les étendues d'eau. Toutes ces représentations de Kṛṣṇa ne donnent ici qu'un aperçu de Sa grandeur.

10.25 महर्षीणां भृगुरहं गिरामस्म्येकमक्षरम् ।
यज्ञानां जपयज्ञोऽस्मि स्थावराणां हिमालयः ॥२५॥

*maharṣīṇāṁ bhṛgur ahaṁ, girām asmy ekam akṣaram*
*yajñānāṁ japa-yajño 'smi, sthāvarāṇāṁ himālayaḥ*

*mahā-ṛṣīṇām :* parmi les grands sages ; *bhṛguḥ :* Bhṛgu ; *aham :* Je suis ; *girām :* des vibrations sonores ; *asmi :* Je suis ; *ekam akṣaram :* le *praṇava* ; *yajñānām :* des sacrifices ; *japa-yajñaḥ :* le chant ; *asmi :* Je suis ; *sthāvarāṇām :* des choses inébranlables ; *himālayaḥ :* les Himalayas.

**Parmi les grands sages, Je suis Bhṛgu, et d'entre les vibrations sonores, la syllabe transcendantale oṁ. Des sacrifices, Je suis le chant des saints noms [japa], et des masses inébranlables, les Himālayas.**

Brahmā, le premier être créé de l'univers, conçut un grand nombre de fils qui engendrèrent à leur tour les diverses espèces vivantes. L'un d'entre eux, Bhṛgu, est le plus puissant des sages. D'entre les vibrations transcendantales, le son *oṁ* (*oṁkāra*) représente Kṛṣṇa. D'entre les sacrifices, le *japa,* le chant du mantra Hare Kṛṣṇa Hare Kṛṣṇa Kṛṣṇa Kṛṣṇa Hare Hare/Hare Rāma Hare Rāma Rāma Rāma Hare Hare est la plus pure représentation du Seigneur. Bien qu'ils soient parfois prescrits, les sacrifices d'animaux revêtent un caractère violent que l'on ne trouve pas dans le sacrifice du chant du mantra Hare Kṛṣṇa. Il est le plus simple, le plus pur des sacrifices. En définitive, toute chose sublime en ce monde représente Kṛṣṇa. Ainsi des Himālayas, les plus hautes montagnes de la planète. Bien que dans l'un des versets précédents, le mont Meru ait été présenté comme une montagne de renom, les Himālayas le surpassent, dans la mesure où elles sont inébranlables quand lui n'est pas toujours fixe.

**10.26** अश्वत्थः सर्ववृक्षाणां देवर्षीणां च नारदः ।
गन्धर्वाणां चित्ररथः सिद्धानां कपिलो मुनिः ॥२६॥

*aśvatthaḥ sarva-vṛkṣāṇāṁ, devarṣīṇāṁ ca nāradaḥ*
*gandharvāṇāṁ citrarathaḥ, siddhānāṁ kapilo muniḥ*

*aśvatthaḥ :* le banian; *sarva-vṛkṣāṇām :* de tous les arbres; *deva-ṛṣīṇām :* de tous les sages parmi les *devas*; *ca :* et; *nāradaḥ :* Nārada; *gandharvāṇām :* des habitants de Gandharvaloka; *citrarathaḥ :* Citraratha; *siddhānām :* de ceux qui ont atteint la perfection; *kapilaḥ muniḥ :* Kapila Muni.

**De tous les arbres, Je suis le banian, et d'entre les devas, Nārada. D'entre les Gandharvas, Je suis Citraratha, et parmi les âmes accomplies, le sage Kapila.**

Le banian (*aśvattha*) est l'un des plus beaux et des plus grands arbres. En Inde, les gens lui rendent souvent un culte lors des rites quotidiens du matin. Ils vénèrent également Nārada, lequel est considéré dans l'univers comme le plus grand dévot de Kṛṣṇa parmi les *devas.* Ainsi représente-t-il lui aussi Kṛṣṇa. La planète Gandharva est peuplée de chantres aux chants merveilleux, dont le plus doué est Citraratha. Parmi les êtres parfaits, Kapila, le fils de Devahūti, représente Kṛṣṇa. Il compte au nombre des *avatāras* et Sa philosophie est exposée dans le *Śrīmad-Bhāgavatam.* Distinguons-le d'un autre Kapila qui vint plus tard et acquit une grande renommée en propageant une philosophie athée, car un abîme les sépare.

**10.27** उच्चैःश्रवसमश्वानां विद्धि माममृतोद्भवम् ।
ऐरावतं गजेन्द्राणां नराणां च नराधिपम् ॥२७॥

*uccaiḥśravasam aśvānāṁ, viddhi mām amṛtodbhavam*
*airāvataṁ gajendrāṇāṁ, narāṇāṁ ca narādhipam*

*uccaiḥśravasam :* Uccaiḥśravā ; *aśvānām :* parmi les chevaux ; *viddhi :* sache ; *mām :* Moi ; *amṛta-udbhavam :* issu du barattage de l'océan ; *airāvatam :* Airāvata ; *gaja-indrāṇām :* des nobles éléphants ; *narāṇām :* parmi les humains ; *ca :* et ; *nara-adhipam :* le roi.

**Apprends que des chevaux, Je suis Uccaiḥśravā, né du barattage de l'océan de nectar. D'entre les nobles éléphants, Je suis Airāvata, et parmi les hommes, le monarque.**

Les *devas* (dévots du Seigneur) et les *asuras* (êtres démoniaques) entreprirent un jour de baratter la mer. Ils obtinrent et du nectar et du poison. Après que Śiva eut bu le poison, du nectar sortirent de merveilleuses créatures dont le cheval Uccaiḥśravā et l'éléphant Airāvata. Parce qu'ils sont nés du nectar, ces deux animaux ont une importance particulière et représentent Kṛṣṇa.

Parce qu'il est choisi pour ses saintes qualités, qu'il soutient son royaume comme Kṛṣṇa soutient l'univers, le monarque est, parmi les hommes, le représentant de Dieu, à l'exemple de Mahārāja Yudhiṣṭhira, de Mahārāja Parīkṣit et du Seigneur Rāmacandra qui furent tous trois des rois de la plus haute vertu, toujours soucieux du bien-être de leurs sujets. Les Textes védiques dépeignent le roi comme le représentant de Dieu. En cet âge, cependant, la monarchie s'est dégradée pour n'avoir su préserver les principes religieux, jusqu'à être finalement abolie. Les Écritures nous montrent toutefois que, jadis, les gens vivaient plus heureux, sous la tutelle de rois justes et vertueux.

**10.28** आयुधानामहं वज्रं धेनूनामस्मि कामधुक् ।
प्रजनश्चास्मि कन्दर्पः सर्पाणामस्मि वासुकिः ॥२८॥

*āyudhānām ahaṁ vajraṁ, dhenūnām asmi kāmadhuk*
*prajanaś cāsmi kandarpaḥ, sarpāṇām asmi vāsukiḥ*

*āyudhānām :* de toutes les armes ; *aham :* Je suis ; *vajram :* la foudre ; *dhenūnām :* des vaches ; *asmi :* Je suis ; *kāma-dhuk :* la vache *surabhi* ; *prajanaḥ :* la cause de la procréation ; *ca :* et ; *asmi :* Je suis ; *kandarpaḥ :* le *deva* de l'amour ; *sarpāṇām :* des serpents ; *asmi :* Je suis ; *vāsukiḥ :* Vāsuki.

**Parmi les armes, Je suis la foudre, et parmi les causes de la procréation, Kandarpa, le deva de l'amour. Des vaches, Je suis la surabhi, et des serpents, Vāsuki.**

La foudre, qui est bien évidemment une arme puissante, représente la force de Kṛṣṇa. Sur Kṛṣṇaloka, dans le monde spirituel, vivent les vaches *surabhis.* Elles donnent du lait aussi souvent et en aussi grande quantité qu'on le désire. De telles vaches n'existent naturellement pas dans le monde matériel, mais les Écritures nous indiquent que sur Kṛṣṇaloka le Seigneur aime à les conduire dans les pâturages.

Au contraire du désir sexuel auquel on s'abandonne pour la seule jouissance, Kandarpa incarne le désir sexuel destiné à engendrer de bons enfants. Il représente donc également Kṛṣṇa.

**10.29** अनन्तश्चास्मि नागानां वरुणो यादसामहम् ।
पितॄणामर्यमा चास्मि यमः संयमतामहम् ॥२९॥

*anantaś cāsmi nāgānāṁ, varuṇo yādasām aham*
*pitṝṇām aryamā cāsmi, yamaḥ saṁyamatām aham*

*anantaḥ :* Ananta ; *ca :* aussi ; *asmi :* Je suis ; *nāgānām :* de tous les serpents aux multiples têtes ; *varuṇaḥ :* le *deva* des eaux ; *yādasām :* de tous les êtres aquatiques ; *aham :* Je suis ; *pitṝṇām :* des ancêtres ; *aryamā :* Aryamā ; *ca :* aussi ; *asmi :* Je suis ; *yamaḥ :* le souverain de la mort ; *saṁyamatām :* de tous les régisseurs ; *aham :* Je suis.

**D'entre les serpents Nāgas aux multiples têtes, Je suis Ananta, et parmi les êtres aquatiques, le deva Varuṇa. Des ancêtres, Je suis Aryamā, et des législateurs, Yama, le souverain de la mort.**

Ananta, le plus important des serpents Nāgas aux multiples têtes, et le *deva* Varuṇa, le plus important des êtres aquatiques, représentent tous deux Kṛṣṇa, de même qu'Aryamā, qui règne sur la planète des Pitās, les ancêtres. Quant à Yama, il dirige les nombreux êtres chargés de punir les impies et vit sur une planète voisine de la terre, où sont transférés, après leur mort, les êtres les plus pécheurs. Là, Yama veille à leurs châtiments respectifs.

**10.30** प्रह्लादश्चास्मि दैत्यानां कालः कलयतामहम् ।
मृगाणां च मृगेन्द्रोऽहं वैनतेयश्च पक्षिणाम् ॥३०॥

*prahlādaś cāsmi daityānāṁ, kālaḥ kalayatām aham*
*mṛgāṇāṁ ca mṛgendro 'haṁ, vainateyaś ca pakṣiṇām*

*prahlādaḥ :* Prahlāda ; *ca :* aussi ; *asmi :* Je suis ; *daityānām :* des êtres démoniaques ; *kālaḥ :* le temps ; *kalayatām :* des asservisseurs ; *aham :* Je suis ; *mṛgāṇām :* des animaux ; *ca :* et ; *mṛga-indraḥ :* le lion ; *aham :* Je suis ; *vainateyaḥ :* Garuḍa ; *ca :* aussi ; *pakṣiṇām :* des oiseaux.

**Parmi les démoniaques Daityas, Je suis le dévoué Prahlāda, et de tous les jougs, Je suis le temps. Parmi les animaux, Je suis le lion, et d'entre les oiseaux, Garuḍa.**

Diti et Aditi sont deux sœurs. Les Ādityas, fils d'Aditi, sont tous des dévots du Seigneur. Par contre, ceux de Diti, les Daityas, sont des athées. Prahlāda, bien que né parmi les Daityas, fut dès son plus jeune âge un très grand dévot du Seigneur. Son service dévotionnel et sa sainteté lui valent de représenter Kṛṣṇa.

Parce qu'il détruit irrémédiablement tout ce qui se trouve dans l'univers, le temps surpasse toute autre cause d'asservissement. Il représente donc Kṛṣṇa. Le lion est le plus puissant et le plus féroce des animaux, et Garuḍa, qui porte Viṣṇu, le plus important d'entre les millions d'espèces d'oiseaux.

**10.31** पवनः पवतामस्मि रामः शस्त्रभृतामहम् ।
झषाणां मकरश्चास्मि स्रोतसामस्मि जाह्नवी ॥३१॥

*pavanaḥ pavatām asmi, rāmaḥ śastra-bhṛtām aham*
*jhaṣāṇāṁ makaraś cāsmi, srotasām asmi jāhnavī*

*pavanaḥ :* le vent ; *pavatām :* de tout ce qui purifie ; *asmi :* Je suis ; *rāmaḥ :* Rāma ; *śastra-bhṛtām :* de ceux qui portent des armes ; *aham :* Je suis ; *jhaṣāṇām :* des poissons ; *makaraḥ :* le requin ; *ca :* aussi ; *asmi :* Je suis ; *srotasām :* des fleuves qui coulent ; *asmi :* Je suis ; *jāhnavī :* le Gange.

**De tout ce qui purifie, Je suis le vent, et d'entre ceux qui portent les armes, Je suis Rāma. Des poissons, Je suis le requin, et des fleuves, le Gange.**

Le requin appartient incontestablement à l'espèce aquatique la plus dangereuse pour l'homme. Il est, d'autre part, l'un des plus grands animaux marins. Aussi représente-t-il Kṛṣṇa.

**10.32** सर्गाणामादिरन्तश्च मध्यं चैवाहमर्जुन ।
अध्यात्मविद्या विद्यानां वादः प्रवदतामहम् ॥३२॥

*sargāṇām ādir antaś ca, madhyaṁ caivāham arjuna*
*adhyātma-vidyā vidyānām, vādaḥ pravadatām aham*

*sargāṇām :* de toutes les créations; *ādiḥ :* le début; *antaḥ :* la fin; *ca :* et; *madhyam :* le milieu; *ca :* aussi; *eva :* certes; *aham :* Je suis; *arjuna :* ô Arjuna; *adhyātma-vidyā :* la connaissance spirituelle; *vidyānām :* de toutes les sciences; *vādaḥ :* la conclusion naturelle; *pravadatām :* des arguments logiques; *aham :* Je suis.

**De toute création, ô Arjuna, Je suis le début, le milieu et la fin. D'entre toutes les sciences, Je suis la science spirituelle du soi, et de l'argumentation logique, la juste conclusion.**

Dans l'ordre de la création, les éléments matériels apparaissent en premier. Comme on l'a déjà expliqué, l'entière manifestation cosmique est créée puis dirigée par Mahā-Viṣṇu, Garbhodakaśāyī Viṣṇu et Kṣīrodakaśāyī Viṣṇu, et enfin détruite par Śiva. Brahmā n'est que le second créateur. Tous ces agents responsables de la création, de la préservation et de la destruction de l'univers incarnent les qualités matérielles appartenant au Seigneur Suprême. Celui-ci est donc le commencement, l'entre-deux et la fin de toute création.

On trouve la science spirituelle exposée dans de nombreux ouvrages, tels les quatre Védas, leurs six suppléments, le *Vedānta-sūtra,* les livres de logique, les ouvrages religieux et les *Purāṇas.* Ce qui fait quatorze catégories de livres éducatifs. D'entre tous, l'ouvrage qui présente l'*adhyātma-vidyā,* la connaissance spirituelle - plus précisément le *Vedānta-sūtra* - représente Kṛṣṇa.

La logique, en tant que discipline, comprend différents types d'argumentation : la présentation d'arguments soutenant les deux théories (*jalpa*), la tentative de réfutation des arguments opposés (*vitaṇḍā*) et la conclusion finale (*vāda*). Cette conclusion est Kṛṣṇa.

**10.33** अक्षराणामकारोऽस्मि द्वन्द्वः सामासिकस्य च ।
अहमेवाक्षयः कालो धाताहं विश्वतोमुखः ॥३३॥

*akṣarāṇām a-kāro 'smi, dvandvaḥ sāmāsikasya ca*
*aham evākṣayaḥ kālo, dhātāhaṁ viśvato-mukhaḥ*

*akṣarāṇām :* des lettres; *a-kāraḥ :* la première; *asmi :* Je suis; *dvandvaḥ :* le double; *sāmāsikasya :* des mots composés; *ca :* et; *aham :* Je suis; *eva :* certes; *akṣayaḥ :* éternel; *kālaḥ :* le temps; *dhātā :* le créateur; *aham :* Je suis; *viśvataḥ-mukhaḥ :* Brahmā.

**Dans l'alphabet, Je suis le A, et parmi les mots composés, le dvandva. Je suis également le temps inexhaustible, et d'entre les créateurs, Brahmā.**

*A-kāra,* la première lettre de l'alphabet sanskrit, est au commencement de la littérature védique, et rien ne peut être exprimé sans cette lettre. Elle est donc à l'origine du son. Il existe, en sanskrit, beaucoup de mots composés, dont le *dvandva*. *Rāma-kṛṣṇa*, par exemple, est un *dvandva*, car *rāma* et *kṛṣṇa* ont la même forme grammaticale.

Le temps qui détruit tout est le pire des meurtriers. Parce que, le moment venu, un feu destructeur consume l'univers entier, le temps représente Kṛṣṇa. Brahmā, qui est doté de quatre têtes, est le plus grand des créateurs. Il représente aussi Kṛṣṇa.

**10.34** मृत्युः सर्वहरश्चाहमुद्भवश्च भविष्यताम् ।
कीर्तिः श्रीर्वाक्च नारीणां स्मृतिर्मेधा धृतिः क्षमा ॥३४॥

*mṛtyuḥ sarva-haraś cāham, udbhavaś ca bhaviṣyatām*
*kīrtiḥ śrīr vāk ca nārīṇāṁ, smṛtir medhā dhṛtiḥ kṣamā*

*mṛtyuḥ* : la mort ; *sarva-haraḥ* : qui dévore tout ; *ca* : aussi ; *aham* : Je suis ; *udbhavaḥ* : le principe générateur ; *ca* : aussi ; *bhaviṣyatām* : des manifestations futures ; *kīrtiḥ* : le renom ; *śrīḥ* : l'opulence ou la beauté ; *vāk* : le beau langage ; *ca* : aussi ; *nārīṇām* : des femmes ; *smṛtiḥ* : la mémoire ; *medhā* : l'intelligence ; *dhṛtiḥ* : la constance ; *kṣamā* : la patience.

**Je suis la mort qui tout dévore et le principe générateur des choses à venir. D'entre les femmes, Je suis la renommée, la fortune, le beau langage, la mémoire, l'intelligence, la constance et la patience.**

À compter du moment où il a pris naissance, l'homme meurt un peu à chaque instant. La mort dévore les êtres à chaque instant, et ce qu'on nomme la mort proprement dite n'est que le dernier coup qu'elle leur porte. Cette mort est Kṛṣṇa.

Les êtres doivent tous franchir les six étapes de l'existence que sont la naissance, la croissance, la stabilisation, la reproduction, le déclin et la mort. La première, la délivrance de la matrice, initiatrice de toutes les activités à venir, représente elle aussi Kṛṣṇa.

Les sept qualités énumérées ici – le renom, la fortune, le beau langage, la mémoire, l'intelligence, la constance et la patience – sont représentées par sept déesses. Une personne est glorieuse si elle les possède toutes ou même si elle n'en possède que quelques-unes. On louera, par exemple, un homme réputé pour sa droiture. Et l'on glorifiera le sanskrit car c'est une langue parfaite. Avoir une bonne mémoire (*smṛti*), c'est pouvoir se souvenir de l'objet de son étude. La véritable intelligence (*medhā*) consiste non seulement à lire un grand nombre de livres sur divers sujets, mais aussi à les comprendre et à mettre en pratique leurs enseignements au bon moment. La fermeté, ou constance (*dhṛti*), est la faculté à combattre en soi l'irrésolution. Celui qui, même doté de grandes qualifications, sait rester humble et aimable, qui considère avec équanimité la joie et la peine, est doté de cette merveilleuse qualité, la patience (*kṣamā*).

**10.35** बृहत्साम तथा साम्नां गायत्री छन्दसामहम् ।
मासानां मार्गशीर्षोऽहमृतूनां कुसुमाकरः ॥३५॥

*bṛhat-sāma tathā sāmnāṁ, gāyatrī chandasām aham*
*māsānāṁ mārga-śīrṣo 'ham, ṛtūnāṁ kusumākaraḥ*

*bṛhat-sāma :* le *Bṛhat-sāma* ; *tathā :* aussi ; *sāmnām :* des hymnes du *Sāma-veda* ; *gāyatrī :* les versets de la Gāyatrī ; *chandasām :* de toute poésie ; *aham :* Je suis ; *māsānām :* des mois ; *mārga-śīrṣaḥ :* les mois de novembre et décembre ; *aham :* Je suis ; *ṛtūnām :* de toutes les saisons ; *kusuma-ākaraḥ :* le printemps.

**Je suis, parmi les hymnes du Sāma-veda, le Bṛhat-sāma, et d'entre les poèmes, la Gāyatrī. Des mois, Je suis le Mārgaśīrṣa [novembre-décembre], et des saisons, le printemps fleurissant.**

Le Seigneur a déjà expliqué que parmi les Védas, Il est le *Sāma-veda*. Le *Sāma-veda* renferme ces beaux chants que les *devas* aiment interpréter. Le *Bṛhat-sāma* compte au nombre de ces hymnes ; on le chante à minuit sur une mélodie exquise.

La poésie sanskrite suit des règles précises. La rime et le mètre n'y sont pas capricieux comme dans la plupart des œuvres modernes. Le *gāyatrī-mantra* que chantent les *brāhmaṇas* dûment qualifiés, et dont le *Śrīmad-Bhāgavatam* fait mention, est le plus important des poèmes composés selon ces règles. Particulièrement destiné à la réalisation spirituelle, il représente le Seigneur Suprême. Il est réservé aux personnes spirituellement avancées. Le chanter avec succès permet de pénétrer la nature absolue du Seigneur. Mais pour le chanter, il faut d'abord acquérir les qualités d'une personne parfaitement située, les qualités s'attachant au *guṇa* de la vertu. Le *gāyatrī-mantra,* qui tient une grande place dans la culture védique, est considéré comme la manifestation sonore du Brahman. Brahmā en fut l'initiateur et le transmit par le biais de la filiation spirituelle.

Les mois de novembre et décembre sont considérés, en Inde, comme les meilleurs mois, car ils correspondent à la saison des récoltes, saison qui réjouit les cœurs. Quant au printemps, c'est une saison universellement aimée, car non seulement les arbres bourgeonnent et les fleurs s'épanouissent, mais il n'y fait ni trop chaud ni trop froid.

Le printemps offre aussi l'occasion de nombreuses cérémonies commémorant les divertissements de Kṛṣṇa. Considéré comme la plus joyeuse des saisons, il représente donc Kṛṣṇa, le Seigneur Suprême.

**10.36** द्यूतं छलयतामस्मि तेजस्तेजस्विनामहम् ।
जयोऽस्मि व्यवसायोऽस्मि सत्त्वं सत्त्ववतामहम् ॥३६॥

*dyūtaṁ chalayatām asmi, tejas tejasvinām aham*
*jayo 'smi vyavasāyo 'smi, sattvaṁ sattvavatām aham*

*dyūtam :* jeux de hasard ; *chalayatām :* de tous les tricheurs ; *asmi :* Je suis ; *tejaḥ :* la splendeur ; *tejasvinām :* de tout ce qui est splendide ; *aham :* Je suis ; *jayaḥ :* la victoire ; *asmi :* Je suis ; *vyavasāyaḥ :* l'aventure ; *asmi :* Je suis ; *sattvam :* la force ; *sattva-vatām :* du fort ; *aham :* Je suis.

**Je suis le jeu du tricheur et la splendeur de tout ce qui resplendit. Je suis la victoire, l'aventure et la force du fort.**

Il existe toutes sortes de tricheurs dans l'univers. Les jeux de hasard étant ce qui se fait de mieux pour duper autrui, il est dit que ceux-ci représentent Kṛṣṇa. Kṛṣṇa étant suprême, Il peut l'être également dans la ruse. S'Il choisit de tromper quelqu'un, Il le fera mieux qu'aucun autre. Sa grandeur n'est pas limitée à un aspect seulement ; elle s'applique à tous les domaines.

Victoire du victorieux, splendeur du splendide, Il est aussi, parmi les gens entreprenants et industrieux, le plus dynamique, parmi les aventuriers, le plus intrépide, et le plus fort d'entre les forts. Lorsque Kṛṣṇa était sur terre, nul homme ne pouvait Le surpasser en force. Tout jeune, Il souleva la colline Govardhana. Nul, encore une fois, ne peut Le surpasser, ni dans la ruse, ni dans la splendeur, la victoire, la hardiesse ou la force.

**10.37** वृष्णीनां वासुदेवोऽस्मि पाण्डवानां धनञ्जयः ।
मुनीनामप्यहं व्यासः कवीनामुशना कविः ॥३७॥

*vṛṣṇīnāṁ vāsudevo 'smi, pāṇḍavānāṁ dhanañ-jayaḥ*
*munīnām apy ahaṁ vyāsaḥ, kavīnām uśanā kaviḥ*

*vṛṣṇīnām :* des descendants de Vṛṣṇi ; *vāsudevaḥ :* Kṛṣṇa à Dvārakā ; *asmi :* Je suis ; *pāṇḍavānām :* des Pāṇḍavas ; *dhanam-jayaḥ :* Arjuna ; *munīnām :* des sages ; *api :* aussi ; *aham :* Je suis ; *vyāsaḥ :* Vyāsa, qui mit par écrit tous les Textes védiques ; *kavīnām :* de tous les grands penseurs ; *uśanā :* Uśanā ; *kaviḥ :* le penseur.

**Parmi les descendants de Vṛṣṇi, Je suis Vāsudeva, et parmi les Pāṇḍavas, Arjuna. Chez les sages, Je suis Vyāsa, et chez les grands penseurs, Uśanā.**

Kṛṣṇa est Dieu, la Personne Suprême, originelle, et Baladeva en est la première émanation. Kṛṣṇa et Baladeva étant apparu tous deux sur terre en tant que les fils de Vasudeva, Ils sont tous deux appelés Vāsudeva. Il y a une autre signification à ce nom. Comme Kṛṣṇa ne quitte jamais Vṛndāvana, toutes les manifestations de Sa personne qui apparaissent ailleurs sont Ses émanations. Vāsudeva étant Son émanation directe, Ils ne diffèrent pas l'un de l'autre. Le Vāsudeva dont parle notre verset est Baladeva, ou Balarāma, car Il est la source de toutes les émanations, et donc la source de Vāsudeva. Les émanations directes du Seigneur sont appelées *svāṁśa* (émanations personnelles) et les autres *vibhinnāṁśa* (émanations distinctes).

L'un des fils de Pāṇḍu, Arjuna, est réputé pour les hauts faits qui lui valurent le nom de Dhanañjaya. Étant le meilleur des hommes, lui aussi représente Kṛṣṇa. Vyāsa est le plus important des *munis* (érudits versés dans la connaissance védique) parce qu'il exposa le savoir védique sous diverses formes pour la masse des hommes de l'âge de Kali. Vyāsa est un *avatāra* et à ce titre représente Kṛṣṇa. Parmi les *kavis* (on désigne sous ce nom les hommes capables de réfléchir profondément sur n'importe quel sujet), Uśanā, ou Śukrācārya, qui fut le maître spirituel des *asuras,* représente également l'une des opulences de Kṛṣṇa. Il était un homme politique extrêmement intelligent et aux vues fort étendues.

**10.38** दण्डो दमयतामस्मि नीतिरस्मि जिगीषताम् ।
मौनं चैवास्मि गुह्यानां ज्ञानं ज्ञानवतामहम् ॥३८॥

*daṇḍo damayatām asmi, nītir asmi jigīṣatām*
*maunaṁ caivāsmi guhyānāṁ, jñānaṁ jñānavatām aham*

*daṇḍaḥ :* le châtiment ; *damayatām :* de tous les moyens de répression ; *asmi :* Je suis ; *nītiḥ :* la moralité ; *asmi :* Je suis ; *jigīṣatām :* de ceux qui cherchent la victoire ; *maunam :* le silence ; *ca :* et ; *eva :* aussi ; *asmi :* Je suis ; *guhyānām :* des secrets ; *jñānam :* la connaissance ; *jñāna-vatām :* du sage ; *aham :* Je suis.

**De tous les moyens de rétablir la loi, Je suis le châtiment, et en ceux qui cherchent la victoire, la moralité. Des choses secrètes, Je suis le silence, et du sage, la sagesse.**

Nombreux sont les moyens de répression, mais les plus importants sont ceux qui punissent les mécréants. Aussi dit-on que l'agent du châtiment représente Kṛṣṇa. Pour ceux qui recherchent la victoire, la moralité est l'élément le plus important. Parmi les actes profonds et secrets que sont l'écoute, la pensée et la méditation, le silence est l'ingrédient majeur car il permet de progresser rapidement. Le sage est l'homme capable de distinguer le matériel du spirituel, la nature inférieure de la nature supérieure. Un tel savoir est Kṛṣṇa Lui-même.

**10.39** यच्चापि सर्वभूतानां बीजं तदहमर्जुन ।
न तदस्ति विना यत्स्यान्मया भूतं चराचरम् ॥३९॥

*yac cāpi sarva-bhūtānāṁ, bījaṁ tad aham arjuna*
*na tad asti vinā yat syān, mayā bhūtaṁ carācaram*

*yat :* quoi que ; *ca :* aussi ; *api :* peut être ; *sarva-bhūtānām :* de toutes les créations ; *bījam :* la semence ; *tat :* ce ; *aham :* Je suis ; *arjuna :* ô Arjuna ; *na :* ne pas ; *tat :* ce ; *asti :* il y a ; *vinā :* sans ; *yat :* que ; *syāt :* existe ; *mayā :* par Moi ; *bhūtam :* créé ; *cara-acaram :* mobile et immobile.

**Je suis en outre, ô Arjuna, la semence de tout ce qui existe. Aucun être mobile ou immobile ne saurait exister sans Moi.**

Tout a une cause, et cette cause, cette semence de toute manifestation, est Kṛṣṇa. Rien ne peut exister sans Son énergie, c'est pourquoi on Le dit omnipotent. Sans Sa puissance, aucun être vivant, qu'il soit mobile ou immobile, ne pourrait exister. De fait, toute existence non fondée sur l'énergie de Kṛṣṇa est « *māyā* », ou « ce qui n'est pas ».

**10.40** नान्तोऽस्ति मम दिव्यानां विभूतीनां परन्तप ।
एष तूद्देशतः प्रोक्तो विभूतेर्विस्तरो मया ॥४०॥

*nānto 'sti mama divyānāṁ, vibhūtīnāṁ paran-tapa*
*eṣa tūddeśataḥ prokto, vibhūter vistaro mayā*

*na :* ne pas ; *antaḥ :* de limite ; *asti :* il y a ; *mama :* à Mes ; *divyānām :* divines ; *vibhūtīnām :* opulences ; *param-tapa :* ô vainqueur de l'ennemi ; *eṣaḥ :* tout ceci ; *tu :* mais ; *uddeśataḥ :* comme exemple ; *proktaḥ :* dits ; *vibhūteḥ :* des opulences ; *vistaraḥ :* le déploiement ; *mayā :* par Moi.

**Mes manifestations divines ne connaissent pas de limites, ô puissant conquérant. Je ne t'ai donné qu'une indication de Mon opulence infinie.**

Comme l'indiquent les Écritures védiques, les opulences spirituelles et les énergies du Seigneur Suprême, bien qu'on les perçoive de différentes manières, sont sans limites. On ne peut donc les décrire toutes. Si Kṛṣṇa a livré à Arjuna ces quelques exemples, c'est afin d'apaiser sa curiosité.

**10.41** यद्यद्विभूतिमत्सत्त्वं श्रीमदूर्जितमेव वा ।
तत्तदेवावगच्छ त्वं मम तेजोंऽशसम्भवम् ॥४१॥

*yad yad vibhūtimat sattvaṁ, śrīmad ūrjitam eva vā*
*tat tad evāvagaccha tvaṁ, mama tejo-'ṁśa-sambhavam*

*yat yat :* quelles que ; *vibhūti :* opulences ; *mat :* ayant ; *sattvam :* l'existence ; *śrī-mat :* beau ; *ūrjitam :* glorieux ; *eva :* certes ; *vā :* ou ; *tat tat :* toutes ces choses ; *eva :* certes ; *avagaccha :* dois savoir ; *tvam :* tu ; *mama :* de Ma ; *tejaḥ :* splendeur ; *aṁśa :* une partie ; *sambhavam :* nées de.

**Comprends que tout ce qui est opulent, beau et glorieux, jaillit d'une simple étincelle de Ma splendeur.**

Comprenons bien que tout ce qui existe de glorieux ou de beau, dans le monde matériel comme dans le monde spirituel, n'est qu'un fragment de la splendeur de Kṛṣṇa. Tout ce qui est extrêmement grandiose représente Son opulence divine.

**10.42** अथ वा बहुनैतेन किं ज्ञातेन तवार्जुन ।
विष्टभ्याहमिदं कृत्स्नमेकांशेन स्थितो जगत् ॥४२॥

*atha vā bahunaitena, kiṁ jñātena tavārjuna*
*viṣṭabhyāham idaṁ kṛtsnam, ekāṁśena sthito jagat*

*atha vā :* ou ; *bahunā :* nombreux ; *etena :* par cette sorte ; *kim :* ce que ; *jñātena :* sachant ; *tava :* toi ; *arjuna :* ô Arjuna ; *viṣṭabhya :* pénétrant ; *aham :* Je ; *idam :* cet ; *kṛtsnam :* entier ; *eka :* par une ; *aṁśena :* partie ; *sthitaḥ :* Je suis situé ; *jagat :* univers.

**Mais à quoi bon, ô Arjuna, tout ce détail ? D'une part infime de Ma personne, Je pénètre et soutiens l'univers tout entier.**

Le Seigneur Suprême, qui pénètre en chaque chose en Sa forme d'Âme Suprême, est partout manifesté dans l'univers matériel. Il est vain, dit-il à Arjuna, de voir la grandeur et l'excellence des choses dans leur singularité. Il faut savoir que toutes n'existent que grâce à la présence en chacune d'elles de l'Âme Suprême. Depuis Brahmā, l'être le plus gigantesque, jusqu'à la minuscule fourmi, tous n'existent que parce qu'Il est en eux et les préserve.

Il existe une mission en Inde qui promulgue une théorie selon laquelle il serait tout à fait possible d'atteindre Dieu, la Personne Suprême, en adorant n'importe quel *deva*. Mais ce chapitre entend nous éloigner du culte des *devas,* puisque même les plus grands d'entre eux, Brahmā et Śiva, ne représentent qu'un fragment de la grandeur du Seigneur Suprême. Kṛṣṇa est l'origine de tout ce qui naît, et comme l'indique le mot *asamaurdhva,* nul ne L'égale ou ne Lui est supérieur. Le *Padma Purāṇa* nous avertit que de mettre le Seigneur, Kṛṣṇa, sur le même plan que les *devas,* s'agirait-il de Brahmā ou de Śiva, fait aussitôt de nous un athée. Celui, par contre, qui étudie consciencieusement les descriptions des opulences divines et des manifestations de l'énergie de Kṛṣṇa comprendra sans le moindre doute Sa position. Il pourra, sans jamais dévier, fixer sur Lui son mental et L'adorer. Le Seigneur est omniprésent, car Il pénètre en chaque être et en chaque chose sous la forme de Sa représentation partielle, l'Âme Suprême. Par conséquent, les purs dévots absorbent leurs pensées dans le service de dévotion, en pleine conscience de Kṛṣṇa et demeurent sur un plan transcendantal. Les versets huit à onze de ce chapitre ont clairement défini le service de dévotion et l'adoration de Kṛṣṇa, traçant ainsi la voie de la pure *bhakti.* Le chapitre tout entier a d'ailleurs décrit en détail la manière d'atteindre la plus haute perfection dévotionnelle de l'union au Seigneur Suprême. Śrīla Baladeva Vidyābhūṣaṇa, grand *ācārya* de la succession disciplique issue de Kṛṣṇa, conclut ainsi son propre commentaire sur ce chapitre :

*yac-chakti-leśāt sūryādyā, bhavanty aty-ugra-tejasaḥ*
*yad-aṁśena dhṛtaṁ viśvaṁ, sa kṛṣṇo daśame 'rcyate*

On doit adorer Kṛṣṇa car de Sa formidable énergie, même le puissant soleil tire sa force, et de Son émanation partielle, Il soutient le monde.

*Ainsi s'achèvent les teneurs et portées de Bhaktivedanta*
*sur le dixième chapitre de la* Śrīmad Bhagavad-gītā
*traitant de l'opulence de l'Absolu.*

ONZIÈME CHAPITRE

# La forme universelle

11.1 अर्जुन उवाच
मदनुग्रहाय परमं गुह्यमध्यात्मसंज्ञितम् ।
यत्त्वयोक्तं वचस्तेन मोहोऽयं विगतो मम ॥ १ ॥

*arjuna uvāca*
*mad-anugrahāya paramaṁ, guhyam adhyātma-saṁjñitam*
*yat tvayoktaṁ vacas tena, moho 'yaṁ vigato mama*

*arjunaḥ uvāca :* Arjuna dit ; *mat-anugrahāya :* simplement pour me montrer Ta faveur ; *paramam :* suprême ; *guhyam :* sujet confidentiel ; *adhyātma :* spirituel ; *saṁjñitam :* en matière de ; *yat :* que ; *tvayā :* par Toi ; *uktam :* dis ; *vacaḥ :* mots ; *tena :* par cela ; *mohaḥ :* illusion ; *ayam :* ceci ; *vigataḥ :* est dissipée ; *mama :* mon.

**Arjuna dit : Parce qu'avec bonté Tu m'as révélé Tes enseignements sur les sujets spirituels les plus secrets, mon illusion s'est maintenant dissipée.**

Ce chapitre nous révèle que Kṛṣṇa est la cause de toutes les causes. Mahā-Viṣṇu en personne, Duquel émanent tous les univers matériels, trouve en Lui Sa cause. Kṛṣṇa n'est pas un *avatāra,* puisqu'Il est la source de tous les *avatāras.* Le chapitre précédent l'a du reste parfaitement expliqué.

Arjuna annonce maintenant à Kṛṣṇa que l'illusion dont il était la proie s'est dissipée, c'est-à-dire qu'il ne prend plus le Seigneur pour un homme ordinaire qui serait son ami, mais reconnaît en Lui la source de toute chose. Ainsi éclairé, Arjuna éprouve le bonheur d'avoir

Kṛṣṇa pour ami, mais il a également conscience que certains peuvent refuser ce que lui-même accepte, à savoir que Kṛṣṇa est la source de tout. Aussi, pour établir que Kṛṣṇa est Dieu, il va, dans ce chapitre, Lui demander de dévoiler Sa forme universelle. En fait, quiconque voit cette forme universelle de Kṛṣṇa est aussitôt saisi d'effroi. Arjuna sera terrifié jusqu'à ce que le Seigneur, dans Sa grande bonté, manifeste à nouveau Sa forme originelle.

Arjuna reconnaît que Kṛṣṇa ne lui parle que pour son bien. Il comprend que les événements auxquels il se trouve confronté sont une manifestation de la grâce du Seigneur. Il est à présent fermement convaincu que Kṛṣṇa est la cause de toutes les causes, qu'Il est l'Âme Suprême qui vit dans le cœur de chacun.

**11.2** भवाप्ययौ हि भूतानां श्रुतौ विस्तरशो मया ।
त्वत्तः कमलपत्राक्ष माहात्म्यमपि चाव्ययम् ॥ २ ॥

*bhavāpyayau hi bhūtānāṁ, śrutau vistaraśo mayā*
*tvattaḥ kamala-patrākṣa, māhātmyam api cāvyayam*

*bhava :* l'apparition ; *apyayau :* la disparition ; *hi :* certes ; *bhūtānām :* de tous les êtres ; *śrutau :* ont été entendues ; *vistaraśaḥ :* en détail ; *mayā :* par moi ; *tvattaḥ :* de Toi ; *kamala-patrākṣa :* ô Kṛṣṇa, dont les yeux sont pareils-au-lotus ; *māhātmyam :* les gloires ; *api :* aussi ; *ca :* et ; *avyayam :* inépuisables.

**De Tes lèvres mêmes, ô Seigneur aux yeux de lotus, j'ai appris en détail ce que sont l'apparition et la disparition des êtres vivants. J'ai réalisé que Tes gloires sont infinies.**

Comme il éprouve une immense joie, Arjuna s'adresse à Kṛṣṇa par les mots « Seigneur aux yeux de lotus » – en effet, les yeux de Kṛṣṇa ressemblent aux pétales de lotus. S'il ressent un tel bonheur, c'est parce que le Seigneur lui a révélé dans un chapitre précédent : *ahaṁ kṛtsnasya jagataḥ prabhavaḥ pralayas tathā* – « Je suis l'origine et la cause de l'apparition et de la disparition de l'entière manifestation matérielle. » Le Seigneur lui a décrit ces phénomènes de façon détaillée. En outre, il sait que Kṛṣṇa, tout en étant la source de la naissance et de l'anéantissement de toute chose, est au-delà de ces phénomènes. Comme le Seigneur l'explique dans le neuvième chapitre, Il est omniprésent sans être pour autant personnellement partout. Telle est l'inconcevable puissance de Kṛṣṇa qu'Arjuna dit ici avoir pleinement réalisée.

11.3 एवमेतद्यथात्थ त्वमात्मानं परमेश्वर ।
द्रष्टुमिच्छामि ते रूपमैश्वरं पुरुषोत्तम ॥ ३ ॥

*evam etad yathāttha tvam, ātmānaṁ parameśvara*
*draṣṭum icchāmi te rūpam, aiśvaraṁ puruṣottama*

*evam :* ainsi ; *etat :* cela ; *yathā :* tel quel ; *āttha :* as dit ; *tvam :* Tu ; *ātmānam :* Toi-même ; *parama-īśvara :* ô Seigneur Suprême ; *draṣṭum :* voir ; *icchāmi :* je souhaite ; *te :* Ta ; *rūpam :* forme ; *aiśvaram :* divine ; *puruṣottama :* ô Personne Suprême.

**Ô Personne Suprême, ô forme souveraine, je Te vois devant moi tel que Tu es, tel que Tu T'es décrit, mais j'aimerais voir la forme avec laquelle Tu pénètres l'entière manifestation cosmique.**

Le Seigneur a enseigné que l'univers matériel n'existe et ne subsiste que parce qu'Il y pénètre au moyen de Son émanation personnelle. Arjuna est pour sa part vivifié par les paroles de Kṛṣṇa, mais pour convaincre les générations à venir et leur éviter de prendre Kṛṣṇa pour une personne ordinaire, il demande au Seigneur de lui montrer Sa forme universelle. Arjuna veut voir comment le Seigneur agit à l'intérieur de l'univers, bien qu'Il en soit distinct.

Qu'Arjuna s'adresse au Seigneur par le terme « *puruṣottama* » revêt ici une importance particulière. Puisque Kṛṣṇa est Dieu, la Personne Suprême, Il est présent en Arjuna et connaît ses désirs. Il peut donc comprendre que ce dernier est pleinement satisfait de Le contempler dans Sa forme de Kṛṣṇa et qu'il ne demande à voir Sa forme universelle que pour convaincre autrui. Lui-même n'a pas besoin d'une confirmation visuelle. Mais Arjuna souhaite Le voir en Sa forme universelle pour une autre raison, également connue du Seigneur : il veut que soit irréfutablement établi un critère d'authenticité de l'*avatāra,* car il se doute que dans l'avenir, nombre d'hommes se prétendront Dieu. Les gens doivent être toujours vigilants et exiger de voir la forme universelle de quiconque se prétend Kṛṣṇa.

11.4 मन्यसे यदि तच्छक्यं मया द्रष्टुमिति प्रभो ।
योगेश्वर ततो मे त्वं दर्शयात्मानमव्ययम् ॥ ४ ॥

*manyase yadi tac chakyaṁ, mayā draṣṭum iti prabho*
*yogeśvara tato me tvaṁ, darśayātmānam avyayam*

*manyase :* Tu penses ; *yadi :* si ; *tat :* cela ; *śakyam :* peut ; *mayā :* par moi ; *draṣṭum :* être vu ; *iti :* ainsi ; *prabho :* ô Seigneur ; *yogeśvara :* ô maître de tous les pouvoirs surnaturels ; *tataḥ :* alors ; *me :* à moi ; *tvam :* Tu ; *darśaya :* montres ; *atmānam :* Ton moi ; *avyayam :* éternel.

**Ô Seigneur, ô maître de tous les pouvoirs surnaturels, si Tu estimes que je peux contempler Ta forme cosmique, montre-moi, je T'en prie, cet Être universel infini.**

Les Écritures védiques enseignent que nul ne peut voir, entendre, comprendre ou percevoir le Seigneur Suprême, Kṛṣṇa, à travers ses sens matériels. Pour autant, le Seigneur Se révèle tout entier à celui qui, dès le départ, se consacre avec amour à Son service transcendantal. Arjuna, parce qu'il est un dévot, admet que l'être distinct, minuscule étincelle spirituelle, est limité et ne peut voir ou comprendre le Seigneur Suprême par la seule puissance de ses spéculations. Il reconnaît que la position spirituelle de Kṛṣṇa est inconcevable et comprend que l'être infime ne peut saisir la nature de ce qui est infini, illimité, sauf si l'infini, en vertu de Sa miséricorde, Se révèle à lui.

Le mot *yogeśvara* dans ce verset indique précisément le pouvoir inconcevable du Seigneur. Bien qu'infini, Celui-ci peut, s'Il le désire, Se révéler par l'effet de Sa grâce. Aussi Arjuna implore-t-il Kṛṣṇa de lui accorder cette exceptionnelle miséricorde. Il n'emploie évidemment pas un ton de commandement, car jamais le Seigneur n'est contraint de Se manifester à qui que ce soit, si ce n'est à celui qui s'absorbe dans le service de dévotion et s'abandonne entièrement à Lui, en pleine conscience de Sa personne. Aussi l'homme qui ne peut compter que sur ses spéculations est-il dans l'incapacité de voir Kṛṣṇa.

**11.5** श्रीभगवानुवाच

पश्य मे पार्थ रूपाणि शतशोऽथ सहस्रशः ।
नानाविधानि दिव्यानि नानावर्णाकृतीनि च ॥ ५ ॥

*śrī-bhagavān uvāca*
*paśya me pārtha rūpāṇi, śataśo 'tha sahasraśaḥ*
*nānā-vidhāni divyāni, nānā-varṇākṛtīni ca*

*śrī-bhagavān uvāca :* Dieu, la Personne Suprême, dit ; *paśya :* vois ; *me :* Mes ; *pārtha :* ô fils de Pṛthā ; *rūpāṇi :* formes ; *śataśaḥ :* des centaines ; *atha :* aussi ; *sahasraśaḥ :* des milliers ; *nānā-vidhāni :* variées ; *divyāni :* divines ; *nānā :* variées ; *varṇa :* des couleurs ; *akṛtīni :* des formes ; *ca :* aussi.

**Dieu, la Personne Suprême, dit : Mon cher Arjuna, ô fils de Pṛthā, contemple maintenant Mon opulence, des centaines de milliers de formes divines, diverses et multicolores.**

Arjuna désirait voir Kṛṣṇa dans Sa forme universelle, laquelle, bien que transcendantale, n'est manifestée que dans le monde matériel et se trouve donc soumise à la durée temporaire de cette manifestation cosmique. Comme la nature matérielle, la forme universelle de Kṛṣṇa est tantôt manifestée, tantôt non manifestée. Elle n'a pas, comme Ses autres formes, une place éternelle dans le monde spirituel.

Le dévot, en général, n'aspire pas à voir cette forme, mais puisque Arjuna Lui en fait la demande, Kṛṣṇa consent à la manifester. L'homme du commun n'a pas accès à la vision de cette forme universelle, car il faut d'abord recevoir de Kṛṣṇa le pouvoir de la contempler.

**11.6** पश्यादित्यान् वसून् रुद्रानश्विनौ मरुतस्तथा ।
बहून्यदृष्टपूर्वाणि पश्याश्चर्याणि भारत ॥ ६ ॥

*paśyādityān vasūn rudrān, aśvinau marutas tathā*
*bahūny adṛṣṭa-pūrvāṇi, paśyāścaryāṇi bhārata*

*paśya :* vois ; *ādityān :* les douze fils d'Aditi ; *vasūn :* les huit Vasus ; *rudrān :* les onze formes de Rudra ; *aśvinau :* les deux Aśvinīs ; *marutaḥ :* les quarante-neuf Maruts (*devas* du vent) ; *tathā :* aussi ; *bahūni :* nombreuses : *adṛṣṭa :* que tu n'as pas vues ; *pūrvāṇi :* avant ; *paśya :* vois ; *āścaryāṇi :* toutes les merveilles ; *bhārata :* ô meilleur des Bhāratas.

**Ô meilleur des Bhāratas, contemple les innombrables manifestations que jamais jusqu'ici nul n'a connues, et vois les Ādityas, les Vasus, les Rudras, les Aśvinī-kumāras et tous les autres devas.**

Bien qu'il soit l'ami intime du Seigneur et que son savoir dépasse celui du plus grand des érudits, Arjuna ne peut connaître complètement Kṛṣṇa. Ce verset nous enseigne en effet qu'aucun homme jusque-là n'a connu, directement ou indirectement, ces formes et ces manifestations multiples et merveilleuses que Kṛṣṇa révèle maintenant à Arjuna.

**11.7** इहैकस्थं जगत्कृत्स्नं पश्याद्य सचराचरम् ।
मम देहे गुडाकेश यच्चान्यद्द्रष्टुमिच्छसि ॥ ७ ॥

*ihaika-sthaṁ jagat kṛtsnaṁ, paśyādya sa-carācaram*
*mama dehe guḍākeśa, yac cānyad draṣṭum icchasi*

*iha :* dans cet ; *eka-stham :* endroit unique ; *jagat :* l'univers ; *kṛtsnam :* complètement ; *paśya :* vois ; *adya :* immédiatement ; *sa :* avec ; *cara :* le mobile ; *acaram :* et l'immobile ; *mama :* à Moi ; *dehe :* dans ce corps ; *guḍākeśa :* ô Arjuna, vainqueur du sommeil ; *yat :* ce que ; *ca :* aussi ; *anyat :* autre ; *draṣṭum :* voir ; *icchasi :* tu veux.

**Ô Guḍākeśa, tout ce qu'à l'instant tu désires connaître, mais aussi tout ce qu'à l'avenir tu souhaiteras découvrir, contemple-le maintenant en Mon corps, cette forme universelle, car tout, le mobile comme l'immobile, est ici rassemblé en un lieu unique.**

Nul ne peut voir, d'un lieu unique, l'univers matériel tout entier. Même les plus grands hommes de science ne sauraient mesurer ou connaître tout ce qui existe dans l'univers. Par contre, un dévot comme Arjuna le peut. Par la grâce de Kṛṣṇa, par le pouvoir qu'Il lui confère, Arjuna est à même de voir tout ce qu'il désire, le passé, le présent et l'avenir.

**11.8** न तु मां शक्यसे द्रष्टुमनेनैव स्वचक्षुषा ।
दिव्यं ददामि ते चक्षुः पश्य मे योगमैश्वरम् ॥ ८ ॥

*na tu māṁ śakyase draṣṭum, anenaiva sva-cakṣuṣā*
*divyaṁ dadāmi te cakṣuḥ, paśya me yogam aiśvaram*

*na :* jamais ; *tu :* mais ; *mām :* Moi ; *śakyase :* es capable ; *draṣṭum :* de voir ; *anena :* avec ces ; *eva :* certes ; *sva-cakṣuṣā :* tes propres yeux ; *divyam :* divins : *dadāmi :* Je donne ; *te :* à toi ; *cakṣuḥ :* des yeux ; *paśya :* voir ; *me :* Mon ; *yogam aiśvaram :* pouvoir mystique inconcevable.

**Mais tu ne saurais Me voir avec tes yeux actuels. Je te confère donc des yeux divins avec lesquels tu pourras contempler Ma mystique opulence.**

Le pur dévot n'aspire pas à voir Kṛṣṇa sous une autre forme que Sa forme à deux bras. Cependant, s'il lui arrive de vouloir contempler la forme universelle, il le peut par la grâce du Seigneur, à l'aide d'yeux spirituels, et non par la force du mental. C'est pourquoi le Seigneur dit à Arjuna qu'il faut que sa vision soit changée, et non pas son mental. La forme universelle, comme le montrent clairement les versets suivants, ne constitue pas un aspect fondamental du Seigneur. Néanmoins, pour répondre au désir d'Arjuna, Kṛṣṇa lui accorde la vision adéquate pour qu'il puisse voir cette forme.

Les dévots unis à Kṛṣṇa par une relation purement spirituelle sont attirés par Son charme personnel, et non par le déploiement de Ses puissances. Jamais les compagnons de jeu du Seigneur, Ses amis, Ses parents, ne désirent voir Ses opulences divines. Ils sont à tel point immergés dans l'amour et la dévotion purs qu'ils oublient même que

Kṛṣṇa est Dieu, la Personne Suprême. Le *Śrīmad-Bhāgavatam* enseigne que les jeunes garçons qui se divertissent avec Kṛṣṇa sont des âmes infiniment pieuses parvenues, après de très nombreuses existences, à partager Ses jeux. Pour eux, Kṛṣṇa est un ami intime. Ils ne savent pas qu'Il est Dieu. Śukadeva Gosvāmī récitait ce verset qui illustre de belle manière nos propos :

*itthaṁ satāṁ brahma-sukhānubhūtyā*
*dāsyaṁ gatānāṁ para-daivatena*
*māyāśritānāṁ nara-dārakeṇa*
*sākaṁ vijahruḥ kṛta-puṇya-puñjāḥ*

« Tel est le Seigneur Suprême : les grands sages Le considèrent comme le Brahman impersonnel ; les hommes du commun, comme une création de la nature matérielle ; et les dévots, comme Dieu, la Personne Suprême. Quant à ces jeunes garçons, parce qu'ils ont accompli dans leurs vies passées de nombreuses activités pieuses, il leur est donné de jouer avec Lui. » (*Śrīmad-Bhāgavatam* 10.12.11)

Le dévot, répétons-le, n'a pas le moindre désir de voir la *viśvarūpa,* la forme universelle du Seigneur. Arjuna ne demande à Kṛṣṇa de la manifester que pour confirmer l'authenticité de Ses dires. Ainsi, dans le futur, les hommes pourront-ils comprendre que Kṛṣṇa ne S'est pas seulement présenté comme l'Être Suprême de façon théorique et philosophique mais qu'Il S'est aussi manifesté comme tel. Arjuna doit avoir cette confirmation car il est le premier chaînon de la *paramparā,* la succession disciplique. Celui qui cherche vraiment sincèrement à connaître Dieu, Kṛṣṇa, et qui marche sur les traces d'Arjuna, doit comprendre que Kṛṣṇa S'est non seulement présenté comme le Suprême, mais S'est aussi révélé être le Suprême.

Si Kṛṣṇa dote Arjuna du pouvoir de connaître Sa forme universelle, c'est que, nous l'avons vu, la requête de ce dernier n'est pas motivée par des désirs personnels.

**11.9** सञ्जय उवाच
एवमुक्त्वा ततो राजन्महायोगेश्वरो हरिः ।
दर्शयामास पार्थाय परमं रूपमैश्वरम् ॥ ९ ॥

*sañjaya uvāca*
*evam uktvā tato rājan, mahā-yogeśvaro hariḥ*
*darśayām āsa pārthāya, paramaṁ rūpam aiśvaram*

*sañjayaḥ uvāca :* Sañjaya dit; *evam :* ainsi; *uktvā :* disant; *tataḥ :* ensuite; *rājan :* ô roi; *mahā-yogeśvaraḥ :* Celui qui possède les plus grands pouvoirs surnaturels; *hariḥ :* Dieu, la Personne Suprême, Kṛṣṇa; *darśayām āsa :* montra; *pārthāya :* à Arjuna; *paramam :* divine; *rūpam aiśvaram :* la forme universelle.

**Sañjaya dit : Sur ces mots, ô roi, Dieu, la Personne Suprême, le maître de tous les pouvoirs surnaturels, montre à Arjuna Sa forme universelle.**

**11.10–11**

अनेकवक्त्रनयनमनेकाद्भुतदर्शनम् ।
अनेकदिव्याभरणं दिव्यानेकोद्यतायुधम् ॥१०॥

दिव्यमाल्याम्बरधरं दिव्यगन्धानुलेपनम् ।
सर्वाश्चर्यमयं देवमनन्तं विश्वतोमुखम् ॥११॥

*aneka-vaktra-nayanam*
*anekādbhuta-darśanam*
*aneka-divyābharaṇaṁ*
*divyānekodyatāyudham*

*divya-mālyāmbara-dharaṁ*
*divya-gandhānulepanam*
*sarvāścarya-mayaṁ devam*
*anantaṁ viśvato-mukham*

*aneka :* variées; *vaktra :* bouches; *nayanam :* yeux; *aneka :* variés; *adbhuta :* merveilleuses; *darśanam :* visions; *aneka :* nombreux; *divya :* divins; *ābharaṇam* ornements; *divya :* divines; *aneka :* variées; *adyata :* brandies; *āyudham :* armes; *divya :* divines; *mālya :* des guirlandes; *ambara :* des vêtements; *dharam :* portant; *divya :* divins; *gandha :* de parfums; *anulepanam :* enduite; *sarva :* toute; *aścarya-mayam :* merveilleuse; *devam :* brillante; *anantam :* illimitée; *viśvataḥ-mukham :* omniprésente.

**De prodigieuses visions se dévoilent aux yeux d'Arjuna. Dotée d'innombrables yeux et d'innombrables bouches, cette forme universelle brandit des armes divines. Elle est vêtue d'habits somptueux et parée de joyaux sublimes, couverte de guirlandes et ointe de parfums célestes. Tout cela est magnifique, étincelant, omniprésent et infini.**

Ces deux versets indiquent que les mains du Seigneur, Ses bouches, Ses jambes, etc., sont innombrables. Bien que ces manifestations s'étendent partout dans l'univers, qu'elles soient infinies, par la grâce du Seigneur, par Son pouvoir inconcevable, Arjuna peut maintenant les voir toutes.

**11.12** दिवि सूर्यसहस्रस्य भवेद्युगपदुत्थिता ।
यदि भाः सदृशी सा स्याद्भासस्तस्य महात्मनः ॥१२॥

*divi sūrya-sahasrasya, bhaved yugapad utthitā*
*yadi bhāḥ sadṛśī sā syād, bhāsas tasya mahātmanaḥ*

*divi :* dans le ciel; *sūrya :* de soleils; *sahasrasya :* de plusieurs milliers; *bhavet :* il y avait; *yugapat :* simultanément; *utthitā :* présente; *yadi :* si; *bhāḥ :* la lumière; *sadṛśī :* comme cela; *sā :* que; *syāt :* peut-être; *bhāsaḥ :* la radiance; *tasya :* de Lui; *mahātmanaḥ :* le Seigneur très grand.

**Si des milliers et des milliers de soleils se levaient ensemble dans le ciel, leur éclat approcherait peut-être celui de la forme universelle de la Personne Suprême.**

Bien que ce qu'Arjuna contemple soit impossible à décrire, Sañjaya s'efforce néanmoins d'en évoquer l'image dans l'esprit de Dhṛtarāṣṭra. Ni Sañjaya ni Dhṛtarāṣṭra ne sont présents devant la forme universelle du Seigneur, mais Sañjaya, par la grâce de Vyāsa qui l'a doté d'un pouvoir de vision, peut tout connaître des événements qui sont en train de se dérouler. Il donne de la scène une image encore à la mesure de notre entendement et la compare à un phénomène accessible à notre imagination : l'apparition de plusieurs milliers de soleils.

**11.13** तत्रैकस्थं जगत्कृत्स्नं प्रविभक्तमनेकधा ।
अपश्यद्देवदेवस्य शरीरे पाण्डवस्तदा ॥१३॥

*tatraika-sthaṁ jagat kṛtsnaṁ, pravibhaktam anekadhā*
*apaśyad deva-devasya, śarīre pāṇḍavas tadā*

*tatra :* là; *eka-stham :* en un endroit; *jagat :* l'univers; *kṛtsnam :* complet; *pravibhaktam :* divisé en; *anekadhā :* plusieurs sortes; *apaśyat :* put voir; *deva-devasya :* de Dieu, la Personne Suprême; *śarīre :* dans la forme universelle; *pāṇḍavaḥ :* Arjuna, fils de Pāṇḍu; *tadā :* à ce moment.

**Arjuna découvre alors les innombrables formes que renferme l'univers, toutes rassemblées malgré leur infinie diversité en un point unique, la forme universelle du Seigneur.**

Le mot *tatra* (là), dans ce verset, est très significatif. Il indique que Kṛṣṇa et Arjuna sont dans leur char au moment où le Seigneur dévoile Sa forme universelle. Toutefois, les autres guerriers présents eux aussi sur le champ de bataille ne peuvent la voir. Parce qu'il a été doté par Kṛṣṇa d'un pouvoir de vision particulier, Arjuna est le seul qui puisse voir dans le corps du Seigneur des milliers de planètes. Les Écrits védiques nous enseignent à ce propos qu'il existe d'innombrables univers et d'innombrables planètes. Certaines sont faites de terre, d'autres d'or, d'autres encore de joyaux. Il en est d'immenses, d'autres moins étendues, etc. Bien que se tenant dans le char, Arjuna peut toutes les contempler. Et cela sans que personne sur le champ de bataille ne soupçonne ce qui arrive.

**11.14** ततः स विस्मयाविष्टो हृष्टरोमा धनञ्जयः ।
प्रणम्य शिरसा देवं कृताञ्जलिरभाषत ॥१४॥

*tataḥ sa vismayāviṣṭo, hṛṣṭa-romā dhanañ-jayaḥ*
*praṇamya śirasā devaṁ, kṛtāñjalir abhāṣata*

*tataḥ :* ensuite ; *saḥ :* il ; *vismayāviṣṭaḥ :* frappé d'émerveillement ; *hṛṣṭa-romā :* ses poils se dressant à cause de sa grande extase ; *dhanam-jayaḥ :* Arjuna, conquérant des richesses ; *praṇamya :* offrant son hommage ; *śirasā :* avec la tête ; *devam :* à Dieu, la Personne Suprême ; *kṛtāñjaliḥ :* les mains jointes ; *abhāṣata :* commença à dire.

**Alors, déconcerté, frappé d'émerveillement, les poils hérissés, Arjuna s'incline pour rendre hommage au Seigneur, puis, les mains jointes, commence à Lui offrir des prières.**

Aussitôt la vision divine révélée, la relation qui unit Arjuna à Kṛṣṇa change de nature. Une étroite relation d'amitié a toujours uni Arjuna au Seigneur, mais ici, après avoir perçu Sa forme universelle, il Lui rend avec grand respect son hommage et joint les mains pour Lui offrir des prières louant Sa forme universelle. Sa relation d'amitié avec Kṛṣṇa se métamorphose en une relation d'admiration.

Les grands dévots voient Kṛṣṇa comme le réservoir de toutes les relations échangées entre les hommes, entre les *devas,* ou entre le Seigneur et Ses dévots. Douze relations fondamentales sont mentionnées dans les Écritures. Arjuna est pour sa part, en cet instant, inspiré par une relation d'admiration émerveillée, qui suscite en lui, d'ordinaire si modéré, si calme et si serein, l'extase. Les poils de son corps se hérissent et, les mains jointes, il rend hommage au Seigneur Suprême.

Ce n'est pas que la peur s'empare de lui. Il est simplement frappé par les gloires merveilleuses du Seigneur Suprême. Et c'est cet émerveillement qui, troublant le lien naturel d'amitié profonde qui l'unit au Seigneur, provoque en lui le comportement que décrit ce verset.

**11.15** अर्जुन उवाच
पश्यामि देवांस्तव देव देहे सर्वांस्तथा भूतविशेषसङ्घान् ।
ब्रह्माणमीशं कमलासनस्थमृषींश्च सर्वानुरगांश्च दिव्यान् ॥१५॥

*arjuna uvāca*
*paśyāmi devāṁs tava deva dehe*
*sarvāṁs tathā bhūta-viśeṣa-saṅghān*
*brahmāṇam īśaṁ kamalāsana-stham*
*ṛṣīṁś ca sarvān uragāṁś ca divyān*

*arjunaḥ uvāca :* Arjuna dit; *paśyāmi :* je vois; *devān :* tous les *devas*; *tava :* de Toi; *deva :* ô Seigneur; *dehe :* dans le corps; *sarvān :* tous; *tathā :* aussi; *bhūta :* les êtres; *viśeṣa-saṅghān :* précisément assemblés; *brahmāṇam :* Brahmā; *īśam :* Śiva; *kamala-āsana-stham :* assis sur la fleur de lotus : *ṛṣīn :* les grands sages; *ca :* aussi; *sarvān :* tous; *uragān :* les serpents; *ca :* aussi; *divyān :* divins.

**Arjuna dit : Ô Kṛṣṇa, mon cher Seigneur, je vois, en Ton corps réunis, les devas et tous les autres êtres. J'aperçois Brahmā, assis sur la fleur de lotus, mais aussi Śiva, les sages et les serpents divins.**

Arjuna voit l'univers dans sa totalité : Brahmā, le premier être créé, ainsi que, dans les régions les plus basses de l'univers, le serpent céleste sur lequel S'allonge Garbhodakaśāyī Viṣṇu. On le désigne du nom de Vāsuki (d'autres serpents portent également ce nom). De Garbhodakaśāyī Viṣṇu jusqu'au sommet de l'univers – la planète en forme de fleur de lotus où demeure Brahmā, le premier être créé –, de là où il commence jusque là où il s'arrête, Arjuna, sur son char, peut contempler tout l'univers, et cela par la seule grâce du Seigneur Suprême, Kṛṣṇa.

**11.16** अनेकबाहूदरवक्त्रनेत्रं पश्यामि त्वां सर्वतोऽनन्तरूपम् ।
नान्तं न मध्यं न पुनस्तवादिं पश्यामि विश्वेश्वर विश्वरूप ॥१६॥

*aneka-bāhūdara-vaktra-netraṁ*
*paśyāmi tvāṁ sarvato 'nanta-rūpam*
*nāntaṁ na madhyaṁ na punas tavādiṁ*
*paśyāmi viśveśvara viśva-rūpa*

*aneka :* nombreux ; *bāhu :* bras ; *udara :* ventres ; *vaktra :* bouches ; *netram :* yeux ; *paśyāmi :* je vois ; *tvām :* à Toi ; *sarvataḥ :* de tous côtés ; *ananta-rūpam :* la forme illimitée ; *na antam :* sans fin ; *na madhyam :* sans milieu ; *na punaḥ :* sans non plus ; *tava :* de Toi ; *ādim :* le début ; *paśyāmi :* je vois ; *viśveśvara :* ô Seigneur de l'univers ; *viśva-rūpa :* dans la forme de l'univers.

**Ô Seigneur de l'univers, ô forme universelle, je vois en Ton corps une multitude de bouches, d'yeux, de bras et de ventres, étendus à l'infini. Il semble n'avoir ni fin, ni milieu, ni commencement.**

Kṛṣṇa est Dieu, la Personne Suprême. Il est infini. En Lui, toute chose peut être contemplée.

**11.17** किरीटिनं गदिनं चक्रिणं च तेजोराशिं सर्वतो दीप्तिमन्तम् ।
पश्यामि त्वां दुर्निरीक्ष्यं समन्ताद् दीप्तानलार्कद्युतिमप्रमेयम् ॥१७॥

*kirīṭinaṁ gadinaṁ cakriṇaṁ ca*
*tejo-rāśiṁ sarvato dīptimantam*
*paśyāmi tvāṁ durnirīkṣyaṁ samantād*
*dīptānalārka-dyutim aprameyam*

*kirīṭinam :* avec des couronnes ; *gadinam :* avec des masses ; *cakriṇam :* avec des disques ; *ca :* et ; *tejo-rāśim :* la radiance ; *sarvataḥ :* de tous côtés ; *dipti-mantam :* brillante ; *paśyāmi :* je vois ; *tvām :* Toi ; *durnirīkṣyam :* difficile à voir ; *samantāt :* partout ; *dīpta-anala :* le feu ardent ; *arka :* du soleil ; *dyutim :* le rayonnement ; *aprameyam :* infini.

**Avec son éblouissante radiance qui illumine de toutes parts à la manière d'un feu ardent ou d'un soleil au rayonnement infini, Ta forme est difficile à contempler. Je la vois néanmoins partout, cette forme étincelante, parée de multiples couronnes, de masses et de disques.**

**11.18** त्वमक्षरं परमं वेदितव्यं त्वमस्य विश्वस्य परं निधानम् ।
त्वमव्ययः शाश्वतधर्मगोप्ता सनातनस्त्वं पुरुषो मतो मे ॥१८॥

*tvam akṣaraṁ paramaṁ veditavyaṁ*
*tvam asya viśvasya paraṁ nidhānam*
*tvam avyayaḥ śāśvata-dharma-goptā*
*sanātanas tvaṁ puruṣo mato me*

*tvam :* Toi ; *akṣaram :* l'Infaillible ; *paramam :* suprême ; *veditavyam :* à comprendre ; *tvam :* Toi ; *asya :* de cet ; *viśvasya :* univers ; *param :* suprême ; *nidhānam :* la base ;

*tvam :* Toi; *avyayaḥ :* intarissable; *śāśvata-dharma-goptā :* le soutien de la religion; *sanātanaḥ :* éternelle; *tvam :* Toi; *puruṣaḥ :* la Personne Suprême; *mataḥ me :* telle est mon opinion.

**Tu es le but premier, suprême, l'ultime repos de l'univers entier. Intarissable, de tous le plus ancien, Tu es Dieu, la Personne Suprême, qui soutient la religion éternelle. Telle est ma conviction.**

**11.19** अनादिमध्यान्तमनन्तवीर्यमनन्तबाहुं शशिसूर्यनेत्रम् ।
पश्यामि त्वां दीप्तहुताशवक्त्रं स्वतेजसा विश्वमिदं तपन्तम् ॥१९॥

*anādi-madhyāntam ananta-vīryam*
*ananta-bāhuṁ śaśi-sūrya-netram*
*paśyāmi tvāṁ dīpta-hutāśa-vaktraṁ*
*sva-tejasā viśvam idaṁ tapantam*

*anādi :* sans début; *madhya :* milieu; *antam :* ou fin; *ananta :* illimitée; *vīryam :* la gloire; *ananta :* illimités; *bāhum :* les bras; *śaśi :* la lune; *sūrya :* et le soleil; *netram :* les yeux; *paśyāmi :* je vois; *tvām :* de Toi; *dīpta :* brûlant; *hutāśa-vaktram :* le feu qui sort de Ta bouche; *sva-tejasā :* par Ta radiance; *viśvam :* univers; *idam :* cet; *tapantam :* chauffant.

**Sans commencement, sans fin, sans milieu, doté d'innombrables bras, d'une bouche d'où jaillit un feu brûlant, Tu incendies l'univers entier de Ta radiance. Le soleil et la lune sont Tes yeux. On ne saurait mesurer l'étendue de Ta gloire.**

Les six opulences spirituelles du Seigneur Suprême sont chacune infinies. Dans ce verset, comme dans bon nombre d'autres, on trouvera des répétitions, mais les Écrits védiques nous enseignent que la répétition des gloires de Kṛṣṇa ne constitue en rien une faiblesse littéraire. N'arrive-t-il pas, lorsqu'on est émerveillé, déconcerté ou saisi d'une grande extase, que l'on répète maintes fois les mêmes choses ? On ne saurait voir dans ces répétitions la moindre imperfection.

**11.20** द्यावापृथिव्योरिदमन्तरं हि व्याप्तं त्वयैकेन दिशश्च सर्वाः ।
दृष्ट्वाद्भुतं रूपमुग्रं तवेदं लोकत्रयं प्रव्यथितं महात्मन् ॥२०॥

*dyāv ā-pṛthivyor idam antaraṁ hi*
*vyāptaṁ tvayaikena diśaś ca sarvāḥ*
*dṛṣṭvādbhutaṁ rūpam ugraṁ tavedaṁ*
*loka-trayaṁ pravyathitaṁ mahātman*

*dyau :* de l'espace ; *ā-pṛthivyoḥ :* à la terre ; *idam :* ce ; *antaram :* entre ; *hi :* certes ; *vyāptam :* pénétré ; *tvayā :* par Toi ; *ekena :* seul ; *diśaḥ :* les directions ; *ca :* et ; *sarvāḥ :* toutes ; *dṛṣṭvā :* en voyant ; *adbhutam :* merveilleuse ; *rūpam :* forme ; *ugram :* terrible ; *tava :* de Toi ; *idam :* cette ; *loka :* les systèmes planétaires ; *trayam :* trois ; *pravyathitam :* troublés ; *mahātman :* ô Toi, si grand.

**Bien que Tu Te déploies partout dans le ciel, les planètes et l'espace, Tu demeures une unité indivisible. Ô grand d'entre les grands, les trois mondes sont plongés dans une extrême confusion à la vue de Ta forme terrible et merveilleuse.**

Les mots *dyāv ā-pṛthivyoḥ* (l'espace entre les cieux et la terre) et *loka-trayam* (les trois mondes) sont ici lourds de sens : ils montrent que la forme universelle du Seigneur que contemple Arjuna est également contemplée par d'autres personnes, en d'autres systèmes planétaires. Cette vision n'est pas un songe, puisque tous ceux que Kṛṣṇa a dotés d'yeux divins la contemplent également.

**11.21** अमी हि त्वां सुरसङ्घा विशन्ति केचिद्भीताः प्राञ्जलयो गृणन्ति ।
स्वस्तीत्युक्त्वा महर्षिसिद्धसङ्घाः स्तुवन्ति त्वां स्तुतिभिः पुष्कलाभिः ॥२१॥

*amī hi tvāṁ sura-saṅghā viśanti*
*kecid bhītāḥ prāñjalayo gṛṇanti*
*svastīty uktvā maharṣi-siddha-saṅghāḥ*
*stuvanti tvāṁ stutibhiḥ puṣkalābhiḥ*

*amī :* tous ces ; *hi :* certes ; *tvām :* en Toi ; *sura-saṅghāḥ :* groupes de *devas* ; *viśanti :* entrent ; *kecit :* certains d'entre eux ; *bhītāḥ :* de peur ; *prāñjalayaḥ :* les mains jointes ; *gṛṇanti :* offrent des prières à ; *svasti :* toute paix ; *iti :* ainsi ; *uktvā :* parlant ; *maharṣi :* les grands sages ; *siddha-saṅghāḥ :* les êtres accomplis ; *stuvanti :* chantent les hymnes ; *tvām :* à Toi ; *stutibhiḥ :* avec des prières ; *puṣkalābhiḥ :* les hymnes védiques.

**Une multitude de devas se soumettent et entrent en Toi. Terrifiés, les mains jointes, certains T'adressent des prières, pendant qu'une foule de sages et d'êtres accomplis s'exclament « Paix ! Paix ! » et prient en chantant des hymnes védiques.**

Les *devas,* dans tous les systèmes planétaires, sont effrayés par la forme universelle et sa radiance éblouissante. C'est pourquoi ils prient pour implorer la protection du Seigneur.

**11.22** रुद्रादित्या वसवो ये च साध्या विश्वेऽश्विनौ मरुतश्चोष्मपाश्च ।
गन्धर्वयक्षासुरसिद्धसङ्घा वीक्षन्ते त्वां विस्मिताश्चैव सर्वे ॥२२॥

*rudrādityā vasavo ye ca sādhyā*
*viśve 'śvinau marutaś coṣmapāś ca*
*gandharva-yakṣāsura-siddha-saṅghā*
*vīkṣante tvāṁ vismitāś caiva sarve*

*rudra :* les manifestations de Śiva ; *ādityāḥ :* les Ādityas ; *vasavaḥ :* les Vasus ; *ye :* tous ceux-là ; *ca :* et ; *sādhyāḥ :* les Sādhyas ; *viśve :* les Viśvadevas ; *aśvinau :* les Aśvinī-kumāras ; *marutaḥ :* les Maruts ; *ca :* et ; *usmapāḥ :* les ancêtres ; *ca :* et ; *gandharva :* des Gandharvas ; *yakṣa :* les Yakṣas ; *asura :* les êtres démoniaques ; *siddha :* les *devas* accomplis ; *saṅghāḥ :* les assemblées ; *vīkṣante :* voient ; *tvām :* Toi ; *vismitāḥ :* avec émerveillement ; *ca :* aussi ; *eva :* certes ; *sarve :* toutes.

**Les différentes manifestations de Śiva, les Ādityas, les Vasus, les Sādhyas, les Viśvadevas, les deux Aśvīns, les Maruts, les ancêtres, les Gandharvas, les Yakṣas, les Asuras et les devas qui ont atteint la perfection, tous Te contemplent émerveillés.**

**11.23** रूपं महत्ते बहुवक्त्रनेत्रं महाबाहो बहुबाहूरुपादम् ।
बहूदरं बहुदंष्ट्राकरालं दृष्ट्वा लोकाः प्रव्यथितास्तथाहम् ॥२३॥

*rūpaṁ mahat te bahu-vaktra-netraṁ*
*mahā-bāho bahu-bāhūru-pādam*
*bahūdaraṁ bahu-daṁṣṭrā-karālaṁ*
*dṛṣṭvā lokāḥ pravyathitās tathāham*

*rūpam :* la forme ; *mahat :* très grande ; *te :* de Toi ; *bahu :* nombreux ; *vaktra :* visages ; *netram :* et yeux ; *mahā-bāho :* ô Toi aux bras puissants ; *bahu :* nombreux ; *bāhu :* bras ; *ūru :* cuisses ; *pādam :* jambes ; *bahu-udaram :* nombreux ventres ; *bahu-daṁṣṭrā :* nombreuses dents ; *karālam :* horribles ; *dṛṣṭvā :* en voyant ; *lokāḥ :* toutes les planètes ; *pravyathitāḥ :* troublées ; *tathā :* pareillement ; *aham :* je.

**À la vue de Tes visages et de Tes yeux sans nombre, de Tes bras, de Tes ventres, de Tes cuisses, de Tes jambes, toutes et tous innombrables, à la vue de Tes terribles dents, ô Toi dont les bras sont puissants, les planètes et leurs devas sont ébranlés, comme je le suis moi-même.**

**11.24** नभःस्पृशं दीप्तमनेकवर्णं व्यात्ताननं दीप्तविशालनेत्रम् ।
दृष्ट्वा हि त्वां प्रव्यथितान्तरात्मा धृतिं न विन्दामि शमं च विष्णो ॥२४॥

*nabhaḥ-spṛśaṁ dīptam aneka-varṇaṁ*
*vyāttānanaṁ dīpta-viśāla-netram*

*dṛṣṭvā hi tvāṁ pravyathitāntar-ātmā*
*dhṛtiṁ na vindāmi śamaṁ ca viṣṇo*

*nabhaḥ spṛśam :* touchant le ciel ; *dīptam :* éblouissantes ; *aneka :* nombreuses ; *varṇam :* les couleurs ; *vyātta :* ouvertes ; *ānanam :* les bouches ; *dīpta :* brillants ; *viśāla :* très grands ; *netram :* les yeux ; *dṛṣṭvā :* en voyant ; *hi :* certes ; *tvām :* Toi ; *pravyathita :* troublée ; *antaḥ :* à l'intérieur ; *ātmā :* l'âme ; *dhṛtim :* l'équilibre ; *na :* ne pas ; *vindāmi :* j'ai ; *śamam :* la paix d'esprit ; *ca :* aussi ; *viṣṇo :* ô Seigneur, Viṣṇu.

**Tes couleurs multiples, éblouissantes, emplissent les cieux. Face à Tes immenses yeux flamboyants et Tes bouches béantes, la crainte m'envahit, ô Viṣṇu, Toi qui pénètres tout, et je ne saurais demeurer en paix plus longtemps.**

**11.25** दंष्ट्राकरालानि च ते मुखानि दृष्ट्वैव कालानलसन्निभानि ।
दिशो न जाने न लभे च शर्म प्रसीद देवेश जगन्निवास ॥२५॥

*daṁṣṭrā-karālāni ca te mukhāni*
*dṛṣṭvaiva kālānala-sannibhāni*
*diśo na jāne na labhe ca śarma*
*prasīda deveśa jagan-nivāsa*

*daṁṣṭrā :* dents ; *karālāni :* terribles ; *ca :* aussi ; *te :* Tes ; *mukhāni :* visages ; *dṛṣṭvā :* voyant ; *eva :* ainsi ; *kālānala :* le feu de la mort ; *sannibhāni :* comme si ; *diśaḥ :* les directions ; *na :* ne pas ; *jāne :* je sais ; *na :* ne pas ; *labhe :* j'obtiens ; *ca :* et ; *śarma :* la grâce ; *prasīda :* sois satisfait ; *deveśa :* ô Seigneur des seigneurs ; *jagat-nivāsa :* ô refuge des mondes.

**Lorsque je vois Tes visages ardents comme la mort, Tes dents terribles, mon esprit chancelle et la confusion m'assaille de toutes parts. Ô Seigneur des seigneurs, refuge des mondes, accorde-moi Ta grâce.**

**11.26–27** अमी च त्वां धृतराष्ट्रस्य पुत्राः सर्वे सहैवावनिपालसङ्घैः ।
भीष्मो द्रोणः सूतपुत्रस्तथासौ सहास्मदीयैरपि योधमुख्यैः ॥२६॥

वक्त्राणि ते त्वरमाणा विशन्ति दंष्ट्राकरालानि भयानकानि ।
केचिद्विलग्ना दशनान्तरेषु सन्दृश्यन्ते चूर्णितैरुत्तमाङ्गैः ॥२७॥

*amī ca tvāṁ dhṛtarāṣṭrasya putrāḥ*
*sarve sahaivāvani-pāla-saṅghaiḥ*
*bhīṣmo droṇaḥ sūta-putras tathāsau*
*sahāsmadīyair api yodha-mukhyaiḥ*

*vaktrāṇi te tvaramāṇā viśanti*
*daṁṣṭrā-karālāni bhayānakāni*
*kecid vilagnā daśanāntareṣu*
*sandṛśyante cūrṇitair uttamāṅgaiḥ*

*amī :* tous ceux-là ; *ca :* aussi ; *tvām :* Tu ; *dhṛtarāṣṭrasya :* de Dhṛtarāṣṭra ; *putrāḥ :* les fils ; *sarve :* tous ; *saha :* avec ; *eva :* en vérité ; *avanipāla :* des rois guerriers ; *saṅghaiḥ :* les groupes ; *bhīṣmaḥ :* Bhīṣmadeva ; *droṇaḥ :* Droṇācārya ; *sūta-putraḥ :* Karṇa ; *tathā :* aussi ; *asau :* cela ; *saha :* avec ; *asmadīyaiḥ :* nos ; *api :* aussi ; *yodha-mukhyaiḥ :* chefs parmi les combattants ; *vaktrāṇi :* bouches ; *te :* Tes ; *tvaramāṇāḥ :* effroyables ; *viśanti :* entrent ; *daṁṣṭrā :* dents ; *karālāni :* terribles ; *bhayānakāni :* très effrayantes ; *kecit :* certains d'entre eux ; *vilagnāḥ :* étant pris ; *daśanāntareṣu :* entre les dents ; *sandṛśyante :* sont vues ; *cūrṇitaiḥ :* écrasées ; *uttama-aṅgaiḥ :* les têtes.

**Les fils de Dhṛtarāṣṭra, leurs royaux alliés, ainsi que Bhīṣma, Droṇa, Karṇa et les plus éminents de nos guerriers, tous se précipitent dans Tes bouches effroyables. J'en vois qui, écrasés entre Tes dents, ont la tête broyée.**

Comme nous l'avons vu dans un verset précédent, Kṛṣṇa S'est engagé à montrer à Son ami des choses susceptibles de l'intéresser grandement. Et en effet, Arjuna découvre ici les chefs de l'armée rivale (Bhīṣma, Droṇa, Karṇa et tous les fils de Dhṛtarāṣṭra), leurs hommes, ainsi que ses propres guerriers. Tous sont anéantis. Cette vision annonce la victoire d'Arjuna, alors que les deux armées seront presque entièrement décimées. Même Bhīṣma, réputé invincible, succombera ; Karṇa également. Mais les grands guerriers de l'armée rivale ne seront pas les seuls à trouver la mort ; certains chefs du camp d'Arjuna périront avec eux.

**11.28** यथा नदीनां बहवोऽम्बुवेगाः समुद्रमेवाभिमुखा द्रवन्ति ।
तथा तवामी नरलोकवीरा विशन्ति वक्त्राण्यभिविज्वलन्ति ॥२८॥

*yathā nadīnāṁ bahavo 'mbu-vegāḥ*
*samudram evābhimukhā dravanti*
*tathā tavāmī nara-loka-vīrā*
*viśanti vaktrāṇy abhivijvalanti*

*yathā :* comme ; *nadīnām :* des fleuves ; *bahavaḥ :* les nombreuses ; *ambu-vegāḥ :* vagues de l'eau ; *samudram :* l'océan ; *eva :* certes ; *abhimukhāḥ :* vers ; *dravanti :* coulant ; *tathā :* pareillement ; *tava :* de Toi ; *amī :* tous ces ; *nara-loka-vīrāḥ :* rois de la société humaine ; *viśanti :* entrent ; *vaktrāṇi :* dans les bouches ; *abhivijvalanti :* et sont embrasés.

**Semblables aux nombreux fleuves qui se jettent dans l'océan, ces grands guerriers se ruent dans Tes bouches et s'embrasent.**

**11.29** यथा प्रदीप्तं ज्वलनं पतङ्गा विशन्ति नाशाय समृद्धवेगाः ।
तथैव नाशाय विशन्ति लोकास्तवापि वक्त्राणि समृद्धवेगाः ॥२९॥

*yathā pradīptaṁ jvalanaṁ pataṅgā*
*viśanti nāśāya samṛddha-vegāḥ*
*tathaiva nāśāya viśanti lokās*
*tavāpi vaktrāṇi samṛddha-vegāḥ*

*yathā :* comme ; *pradīptam :* ardent ; *jvalanam :* dans un feu ; *pataṅgāḥ :* les phalènes ; *viśanti :* entrent ; *nāśāya :* pour la destruction ; *samṛddha :* en pleine ; *vegāḥ :* vitesse ; *tathā eva :* pareillement ; *nāśāya :* pour la destruction ; *viśanti :* entrent ; *lokāḥ :* tous les gens ; *tava :* de Toi ; *api :* aussi ; *vaktrāṇi :* dans les bouches ; *samṛddha-vegāḥ :* à toute vitesse.

**Je les vois s'y précipiter comme les phalènes qui se jettent dans un feu brûlant et y trouvent la mort.**

**11.30** लेलिह्यसे ग्रसमानः समन्ताल्लोकान् समग्रान् वदनैर्ज्वलद्भिः ।
तेजोभिरापूर्य जगत्समग्रं भासस्तवोग्राः प्रतपन्ति विष्णो ॥३०॥

*lelihyase grasamānaḥ samantāl*
*lokān samagrān vadanair jvaladbhiḥ*
*tejobhir āpūrya jagat samagraṁ*
*bhāsas tavogrāḥ pratapanti viṣṇo*

*lelihyase :* Tu lèches ; *grasamānaḥ :* dévores ; *samantāt :* de toutes les directions ; *lokān :* les gens ; *samagrān :* tous ; *vadanaiḥ :* par les bouches ; *jvaladbhiḥ :* enflammées ; *tejobhiḥ :* par la radiance ; *āpūrya :* couvrant ; *jagat :* l'univers ; *samagram :* tous ; *bhāsaḥ :* rayons ; *tava :* Tes ; *ugrāḥ :* terribles ; *pratapanti :* brûlent ; *viṣṇo :* ô Seigneur omniprésent.

**De toutes parts, ô Viṣṇu, Tes bouches enflammées engloutissent tous ces êtres. Enveloppant l'univers de Ta radiance, Tu manifestes de terribles rayons ardents.**

**11.31** आख्याहि मे को भवानुग्ररूपो नमोऽस्तु ते देववर प्रसीद ।
विज्ञातुमिच्छामि भवन्तमाद्यं न हि प्रजानामि तव प्रवृत्तिम् ॥३१॥

*ākhyāhi me ko bhavān ugra-rūpo*
*namo 'stu te deva-vara prasīda*
*vijñātum icchāmi bhavantam ādyaṁ*
*na hi prajānāmi tava pravṛttim*

*ākhyāhi :* daigne expliquer ; *me :* à moi ; *kaḥ :* qui ; *bhavān :* Toi ; *ugra-rūpaḥ :* forme terrible ; *namaḥ astu :* hommage ; *te :* à Toi ; *deva-vara :* ô grand parmi les *devas* ; *prasīda :* répands Ta grâce ; *vijñātum :* savoir ; *icchāmi :* je souhaite ; *bhavantam :* Toi ; *ādyam :* l'originel ; *na :* ne pas ; *hi :* certes ; *prajānāmi :* je connais ; *tava :* Ta ; *pravṛttim :* mission.

**Ô maître des devas, Toi dont la forme est si terrible, je T'en prie, dis-moi qui Tu es. Je Te rends mon hommage et Te demande de m'accorder Ta grâce. Ô Seigneur originel, je voudrais en savoir davantage à Ton sujet, car je ne puis comprendre Ton dessein.**

**11.32** श्रीभगवानुवाच

कालोऽस्मि लोकक्षयकृत्प्रवृद्धो लोकान् समाहर्तुमिह प्रवृत्तः ।
ऋतेऽपि त्वां न भविष्यन्ति सर्वे येऽवस्थिताः प्रत्यनीकेषु योधाः ॥३२॥

*śrī-bhagavān uvāca*
*kālo 'smi loka-kṣaya-kṛt pravṛddho*
*lokān samāhartum iha pravṛttaḥ*
*ṛte 'pi tvāṁ na bhaviṣyanti sarve*
*ye 'vasthitāḥ praty-anīkeṣu yodhāḥ*

*śrī-bhagavān uvāca :* Dieu, la Personne Suprême, dit ; *kālaḥ :* le temps ; *asmi :* Je suis ; *loka :* des mondes ; *kṣaya-kṛt :* le destructeur ; *pravṛddhaḥ :* grand ; *lokān :* tous les gens ; *samāhartum :* à détruire ; *iha :* en ce monde ; *pravṛttaḥ :* occupé ; *ṛte :* excepté ; *api :* même ; *tvām :* vous ; *na :* jamais ; *bhaviṣyanti :* seront ; *sarve :* tous ; *ye :* qui ; *avasthitāḥ :* situés ; *prati-anīkeṣu :* dans les camps opposés ; *yodhāḥ :* les soldats.

**Dieu, la Personne Suprême, dit : Je suis le temps, grand destructeur des mondes, venu engloutir tous les hommes. Vous exceptés [les Pāṇḍavas], tous les guerriers des deux camps périront.**

Bien qu'Arjuna sache que Kṛṣṇa, son ami, est Dieu, la Personne Suprême, il est pour le moins dérouté par les diverses formes qu'Il manifeste devant lui. C'est pourquoi il souhaiterait connaître les véritables intentions de cette puissance dévastatrice. Les Védas enseignent que la Vérité Absolue finit par tout détruire, même les *brāhmaṇas.* La *Kaṭha Upaniṣad* (1.2.25) dit :

*yasya brahma ca kṣatraṁ ca, ubhe bhavata odanaḥ*
*mṛtyur yasyopasecanaṁ, ka itthā veda yatra saḥ*

Les *brāhmaṇas,* les *kṣatriyas,* tous les êtres finissent un jour par être anéantis par le Suprême. Le Seigneur, sous la forme du temps qui engloutit tout, ressemble à un ogre insatiable. C'est donc sous cet aspect qu'Il Se présente ici. À l'exception de quelques combattants du camp des Pāṇḍavas, tous les guerriers présents sur le champ de bataille seront dévorés par Lui.

Arjuna n'est pas favorable au combat, car il lui semble qu'en l'évitant, on évitera du même coup toutes sortes de frustrations. Mais le Seigneur lui fait comprendre que même s'il refuse de combattre, tous ces guerriers périront, car tel est Son dessein. Quand bien même Arjuna déciderait de ne pas combattre, ils mourraient par quelque autre voie. Tous, en vérité, sont déjà morts, car rien ne peut arrêter la mort. Le temps est synonyme de destruction, et, conformément à la volonté du Seigneur, toute manifestation en ce monde est vouée à l'anéantissement. Les lois de la nature sont ainsi.

11.33 तस्मात्त्वमुत्तिष्ठ यशो लभस्व जित्वा शत्रून् भुङ्क्ष्व राज्यं समृद्धम् ।
मयैवैते निहताः पूर्वमेव निमित्तमात्रं भव सव्यसाचिन् ॥३३॥

*tasmāt tvam uttiṣṭha yaśo labhasva*
*jitvā śatrūn bhuṅkṣva rājyaṁ samṛddham*
*mayaivaite nihatāḥ pūrvam eva*
*nimitta-mātraṁ bhava savya-sācin*

*tasmāt :* donc; *tvam :* tu; *uttiṣṭha :* te lèves; *yaśaḥ :* la renommée; *labhasva :* gagne; *jitvā :* en conquérant; *śatrūn :* les ennemis; *bhuṅkṣva :* jouis de; *rājyam :* un royaume; *samṛddham :* florissant; *mayā :* par Moi; *eva :* certes; *ete :* tous ceux-là; *nihatāḥ :* tués; *pūrvam eva :* par des dispositions antérieures; *nimittamātram :* seulement l'instrument; *bhava :* deviens; *savya-sācin :* ô habile archer.

**Aussi, lève-toi et prépare-toi à combattre et à te couvrir de gloire. Triomphant de tes ennemis, tu jouiras d'un royaume prospère. Tous, conformément à Mon divin décret, sont déjà tués. Ô Savyasācī, tu ne peux être dans cette lutte qu'un instrument dans Ma main.**

Kṛṣṇa nomme ici Arjuna *savya-sācin,* nom qui s'applique à l'archer très habile, au guerrier qui de ses flèches peut, sur le champ de bataille, anéantir tous ses ennemis. Les mots *nimitta-mātram,* « deviens seulement l'instrument », ont également une grande importance. Bien que le monde entier se meuve selon le plan de Dieu, la Personne Suprême, les sots, les gens dont le savoir est limité, pensent que la nature agit sans la volonté d'une autorité supérieure. Pour eux, toute manifestation n'est qu'accidentelle. On rencontre nombre de ces pseudo-savants qui concoctent leurs propres explications sur la création et les mouvements de la nature matérielle avec des

« peut-être » et des « il est fort possible ». Mais il n'est jamais question de « peut-être », car l'univers matériel obéit toujours à un plan bien défini.

La manifestation cosmique offre aux âmes conditionnées l'opportunité de retourner chez elles, auprès de Dieu, la Personne Suprême. Toutefois ces âmes demeureront conditionnées aussi longtemps qu'elles garderont leur mentalité dominatrice, qu'elles s'efforceront de régner sur la nature matérielle. Quiconque, cependant, parviendra à comprendre le dessein du Seigneur et cultivera la conscience de Kṛṣṇa fera preuve de la plus haute intelligence. La création et la destruction de la manifestation matérielle s'accomplissent toujours sous la conduite de Dieu. Il en sera de même pour la bataille de Kurukṣetra : elle sera livrée selon les plans du Seigneur. À Arjuna qui refuse de livrer bataille, Kṛṣṇa déclare qu'il devra combattre pour satisfaire Son désir. Seulement ainsi trouvera-t-il le bonheur. L'homme parfait est celui qui, absorbé dans la conscience de Kṛṣṇa, se voue au service absolu du Seigneur.

**11.34** द्रोणं च भीष्मं च जयद्रथं च कर्णं तथान्यानपि योधवीरान् ।
मया हतांस्त्वं जहि मा व्यथिष्ठा युध्यस्व जेतासि रणे सपत्नान् ॥३४॥

*droṇaṁ ca bhīṣmaṁ ca jayadrathaṁ ca*
*karṇaṁ tathānyān api yodha-vīrān*
*mayā hatāṁs tvaṁ jahi mā vyathiṣṭhā*
*yudhyasva jetāsi raṇe sapatnān*

*droṇam ca :* aussi Droṇa ; *bhīṣmam ca :* aussi Bhīṣma ; *jayadratham ca :* aussi Jayadratha ; *karṇam :* Karṇa ; *tathā :* aussi ; *anyān :* autres ; *api :* certes ; *yodha-vīrān :* grands guerriers ; *mayā :* par Moi ; *hatān :* déjà tués ; *tvam :* tu ; *jahi :* détruits ; *mā :* ne pas ; *vyathiṣṭhāḥ :* sois troublé ; *yuddhyasva :* bats-toi simplement ; *jetāsi :* tu vaincras ; *raṇe :* dans le combat ; *sapatnān :* les ennemis.

**J'ai déjà déterminé la mort de Droṇa, Bhīṣma, Jayadratha et Karṇa, ainsi que celle des autres valeureux guerriers. Tu peux donc les tuer la conscience sereine. Simplement combats et tu vaincras tes ennemis.**

Bien que tout s'accomplisse par Sa volonté, Dieu est si bon et si miséricordieux envers les dévots qui servent Ses desseins qu'Il veut leur attribuer tous les mérites. C'est pourquoi tous les êtres devraient comprendre le Seigneur Suprême par le biais du maître spirituel et consacrer leur existence à la conscience de Kṛṣṇa. Par la miséricorde du Seigneur, ils pourront connaître Sa volonté. Ils n'auront alors qu'à s'y conformer – ou se conformer à celle de Ses dévots, qui a tout autant de valeur – pour sortir victorieux de la lutte pour l'existence.

**11.35** सञ्जय उवाच

एतच्छ्रुत्वा वचनं केशवस्य कृताञ्जलिर्वेपमानः किरीती ।
नमस्कृत्वा भूय एवाह कृष्णं सगद्गदं भीतभीतः प्रणम्य ॥३५॥

*sañjaya uvāca*
*etac chrutvā vacanaṁ keśavasya*
*kṛtāñjalir vepamānaḥ kirītī*
*namaskṛtvā bhūya evāha kṛṣṇaṁ*
*sa-gadgadaṁ bhīta-bhītaḥ praṇamya*

*sañjayaḥ uvāca :* Sañjaya dit ; *etat :* ainsi ; *śrutvā :* entendant ; *vacanam :* les paroles ; *keśavasya :* de Kṛṣṇa ; *kṛtāñjaliḥ :* les mains jointes ; *vepamānaḥ :* tremblant ; *kirītī :* Arjuna ; *namaskṛtvā :* rendant son hommage ; *bhūyaḥ :* encore ; *eva :* aussi ; *āha :* dit ; *kṛṣṇam :* à Kṛṣṇa ; *sa-gadgadam :* d'une voix tremblante ; *bhīta-bhītaḥ :* effrayé ; *praṇamya :* rendant son hommage.

**Sañjaya dit à Dhṛtarāṣṭra : Ô roi, après avoir entendu les paroles du Seigneur Suprême, Arjuna, tremblant, les mains jointes, Lui rend encore et encore son hommage. D'une voix coupée par l'émotion et la crainte, il prononce ces mots.**

Comme nous l'avons préalablement expliqué, Arjuna est frappé de stupéfaction par la forme universelle du Seigneur. Encore et encore, il rend son hommage à Kṛṣṇa et, d'une voix émue, Lui adresse des prières, non plus comme un ami, mais comme un dévot que la grandeur de Dieu fascine.

**11.36** अर्जुन उवाच

स्थाने हृषीकेश तव प्रकीर्त्या जगत्प्रहृष्यत्यनुरज्यते च ।
रक्षांसि भीतानि दिशो द्रवन्ति सर्वे नमस्यन्ति च सिद्धसङ्घाः ॥३६॥

*arjuna uvāca*
*sthāne hṛṣīkeśa tava prakīrtyā*
*jagat prahṛṣyaty anurajyate ca*
*rakṣāṁsi bhītāni diśo dravanti*
*sarve namasyanti ca siddha-saṅghāḥ*

*arjunaḥ uvāca :* Arjuna dit ; *sthāne :* justement ; *hṛṣīkeśa :* ô maître de tous les sens ; *tava :* de Tes ; *prakīrtyā :* gloires ; *jagat :* le monde entier ; *prahṛṣyati :* se réjouit ; *anu-*

*rajyate :* devient attaché ; *ca :* et ; *rakṣāṁsi :* les êtres démoniaques ; *bhītāni :* de peur ; *diśaḥ :* dans toutes les directions ; *dravanti :* s'enfuient ; *sarve :* tous ; *namasyanti :* offrent leurs respects ; *ca :* aussi ; *siddha-saṅghāḥ :* les hommes accomplis.

**Arjuna dit : À Ton nom, ô Hṛṣīkeśa, le monde entier s'emplit de joie et, ainsi, s'attache à Toi. Les êtres accomplis Te rendent leur respectueux hommage tandis que les êtres démoniaques, saisis d'épouvante, s'enfuient de toutes parts. Tel est le bon ordre des choses.**

Ayant appris ce que sera l'issue de la bataille des lèvres de Kṛṣṇa, Arjuna est éclairé, et parce qu'il est un dévot et un ami du Seigneur, il admet que tout ce que Kṛṣṇa accomplit est juste et bon. Il confirme que Kṛṣṇa est le soutien, l'objet d'adoration des dévots et le destructeur des démons. Ses actes sont également bénéfiques pour tous. Arjuna comprend que, dans l'espace, nombre de *devas,* de *siddhas* et tous les êtres instruits qui vivent sur les planètes supérieures, observent le combat avec grand intérêt, car Kṛṣṇa y est présent en personne. Au moment où Arjuna contemple la forme universelle du Seigneur, les *devas* ressentent une immense satisfaction. Par contre, les autres, les athées, les *asuras,* ne peuvent supporter ces louanges adressées au Seigneur. Bien évidemment, ils craignent cette forme destructrice de Dieu et fuient devant elle. Arjuna glorifie Kṛṣṇa pour la façon dont Il traite Ses dévots, mais aussi pour la façon dont Il traite les athées. Le dévot glorifie toujours le Seigneur, car il sait que tout ce qu'Il accomplit est pour tous un bienfait.

**11.37** कस्माच्च ते न नमेरन्महात्मन् गरीयसे ब्रह्मणोऽप्यादिकर्त्रे ।
अनन्त देवेश जगन्निवास त्वमक्षरं सदसत्तत्परं यत् ॥३७॥

*kasmāc ca te na nameran mahātman*
*garīyase brahmaṇo 'py ādi-kartre*
*ananta deveśa jagan-nivāsa*
*tvam akṣaraṁ sad-asat tat paraṁ yat*

*kasmāt :* pourquoi ; *ca :* aussi ; *te :* à Toi ; *na :* ne pas ; *nameran :* ils offriraient leur hommage ; *mahā-ātman :* ô Toi si grand ; *garīyase :* qui est meilleur ; *brahmaṇaḥ :* que Brahmā ; *api :* bien que ; *ādi-kartre :* le créateur suprême ; *ananta :* ô illimité ; *deveśa :* ô souverain des *devas* ; *jagat-nivāsa :* ô refuge de l'univers ; *tvam :* Tu es ; *akṣaram :* impérissable ; *sat-asat :* la cause et l'effet ; *tat-param :* transcendantal ; *yat :* parce que.

**Pourquoi ne Te présenteraient-ils pas tous leur hommage, à Toi le plus grand, plus grand même que Brahmā, Toi le créateur originel.**

**Ô Être infini, souverain des devas, refuge de l'univers ! Tu es de tout la source impérissable, la cause de toutes les causes qui transcende la matière.**

En offrant ainsi son hommage à Kṛṣṇa, Arjuna montre que le Seigneur est digne de l'adoration de tous les êtres. Il est omniprésent. Il est l'Âme de chaque âme. Arjuna s'adresse à Kṛṣṇa par les mots *mahātmā, ananta* et *deveśa* : *mahātmā* parce qu'Il est infini et de tous le plus magnanime ; *ananta* car rien ne peut se soustraire à Ses énergies, à Son influence ; *deveśa,* enfin, pour montrer qu'Il est le maître de tous les *devas* et qu'Il leur est supérieur. Il est le refuge de l'univers entier.

Arjuna juge tout à fait normal que tous les puissants *devas* et êtres accomplis Lui rendent leur hommage respectueux, car nul ne Lui est supérieur. Il mentionne en particulier que Kṛṣṇa est plus grand que Brahmā, lequel fut par Lui créé. Brahmā est né de la fleur de lotus qui pousse du nombril de Garbhodakaśāyī Viṣṇu, Lui-même émanation plénière de Kṛṣṇa. Par conséquent, Brahmā, Śiva – né de Brahmā – et tous les *devas* doivent Lui offrir leur hommage. Le *Śrīmad-Bhāgavatam* affirme que le Seigneur est adoré par Śiva, Brahmā et tous les *devas.*

Le mot *akṣaram* dans ce verset est également significatif. Il indique que le Seigneur transcende la création matérielle soumise à la destruction. Étant la cause de toutes les causes, Il est supérieur à la nature matérielle et aux âmes qu'elle conditionne. Il est donc l'Être Suprême.

**11.38** त्वमादिदेवः पुरुषः पुराणस्त्वमस्य विश्वस्य परं निधानम् ।
वेत्तासि वेद्यं च परं च धाम त्वया ततं विश्वमनन्तरूप ॥३८॥

*tvam ādi-devaḥ puruṣaḥ purāṇas*
*tvam asya viśvasya paraṁ nidhānam*
*vettāsi vedyaṁ ca paraṁ ca dhāma*
*tvayā tataṁ viśvam ananta-rūpa*

*tvam :* Toi ; *ādi-devaḥ :* Dieu Suprême et originel ; *puruṣaḥ :* la personnalité ; *purāṇaḥ :* ancienne ; *tvam :* Toi ; *asya :* de cet ; *viśvasya :* univers ; *param :* transcendant ; *nidhānam :* le refuge ; *vettā :* Celui qui connaît ; *asi :* Tu es ; *vedyam ca :* et ce qu'on peut savoir ; *param :* transcendantal ; *ca :* et ; *dhāma :* le refuge ; *tvayā :* par Toi ; *tatam :* pénétré ; *viśvam :* l'univers ; *ananta-rūpa :* ô forme illimitée.

**Tu es Dieu, la Personne originelle, l'être le plus ancien, l'ultime sanctuaire de ce monde manifesté, le refuge suprême situé au-delà**

**des guṇas. Ô forme infinie, Tu es partout présent dans l'univers ; Toi qui connais tout, Tu es tout ce qui se peut connaître !**

Le mot *nidhānam* indique que tout, même le *brahmajyoti,* repose en Kṛṣṇa, Dieu, la Personne Suprême. Et parce que tout repose en Lui, on dit qu'Il est l'ultime sanctuaire. Tous les détails de cet univers Lui sont connus. Et si la connaissance a une fin, Il est cette fin. Aussi dit-on de Lui qu'Il est à la fois le connaissable et le connaissant. Par Son omniprésence, Il est l'objet du savoir. Puisqu'Il est la cause du monde spirituel – dans lequel Il est la Personne Suprême – Sa nature est transcendantale.

**11.39** वायुर्यमोऽग्निर्वरुणः शशाङ्कः प्रजापतिस्त्वं प्रपितामहश्च ।
नमो नमस्तेऽस्तु सहस्रकृत्वः पुनश्च भूयोऽपि नमो नमस्ते ॥३९॥

*vāyur yamo 'gnir varuṇaḥ śaśāṅkaḥ*
*prajāpatis tvaṁ prapitāmahaś ca*
*namo namas te 'stu sahasra-kṛtvaḥ*
*punaś ca bhūyo 'pi namo namas te*

*vāyuḥ :* l'air ; *yamaḥ :* le maître ; *agniḥ :* le feu ; *varuṇaḥ :* l'eau ; *śaśāṅkaḥ :* la lune ; *prajāpatiḥ :* Brahmā ; *tvam :* Toi ; *prapitāmahaḥ :* l'aïeul ; *ca :* aussi ; *namaḥ :* mes respects ; *namaḥ :* encore mes respects ; *te :* à Toi ; *astu :* qu'il y ait ; *sahasra-kṛtvaḥ :* mille fois ; *punaḥ ca :* et encore ; *bhūyaḥ :* encore ; *api :* aussi ; *namaḥ :* offrant mes respects ; *namaḥ te :* T'offrant mes respects.

**Tu es l'air, le feu, l'eau et la lune. Tu es Brahmā, le premier être créé. Tu es l'aïeul, le maître suprême. C'est pourquoi je Te rends encore et encore, des milliers de fois, mon hommage respectueux !**

Parce que l'air pénètre tout, il est la représentation la plus importante de tous les *devas* et désigne donc ici Kṛṣṇa. Arjuna appelle également Kṛṣṇa « l'aïeul », car Il est le père de Brahmā, le premier être créé dans l'univers matériel.

**11.40** नमः पुरस्तादथ पृष्ठतस्ते नमोऽस्तु ते सर्वत एव सर्व ।
अनन्तवीर्यामितविक्रमस्त्वं सर्वं समाप्नोषि ततोऽसि सर्वः ॥४०॥

*namaḥ purastād atha pṛṣṭhatas te*
*namo 'stu te sarvata eva sarva*
*ananta-vīryāmita-vikramas tvaṁ*
*sarvaṁ samāpnoṣi tato 'si sarvaḥ*

*namaḥ* : rendant mon hommage ; *purastāt* : de devant ; *atha* : aussi ; *pṛṣṭhataḥ* : de derrière ; *te* : à Toi ; *namaḥ astu* : j'offre mes respects ; *te* : à Toi ; *sarvataḥ* : de toutes parts ; *eva* : en vérité ; *sarva* : parce que Tu es tout ; *ananta-vīrya* : puissance illimitée ; *amita-vikramaḥ* : et force illimitée ; *tvam* : Toi ; *sarvam* : tout ; *samāpnoṣi* : Tu couvres ; *tataḥ* : donc ; *asi* : Tu es ; *sarvaḥ* : tout.

**De devant, de derrière, de toutes parts, je Te rends hommage, ô puissance infinie, maître de pouvoirs sans mesure, Toi qui pénètres tout, et ainsi, qui es tout !**

Le cœur empli d'extase pour Kṛṣṇa, Arjuna, Son ami, Lui rend de toutes parts son hommage. Il reconnaît en Lui le maître de toute puissance, de toute prouesse, de loin supérieur à tous les grands guerriers assemblés sur le champ de bataille. Il est dit dans le *Viṣṇu Purāṇa* (1.9.69) :

*yo 'yaṁ tavāgato deva, samīpaṁ devatā-gaṇaḥ*
*sa tvam eva jagat-sraṣṭā, yataḥ sarva-gato bhavān*

« Ô Personne Suprême, il n'est nul être, fût-il un *deva,* qui puisse se présenter devant Toi qui n'appartienne à Ta création. »

**11.41–42** सखेति मत्वा प्रसभं यदुक्तं हे कृष्ण हे यादव हे सखेति ।
अजानता महिमानं तवेदं मया प्रमादात्प्रणयेन वापि ॥४१॥
यच्चावहासार्थमसत्कृतोऽसि विहारशय्यासनभोजनेषु ।
एकोऽथ वाप्यच्युत तत्समक्षं तत्क्षामये त्वामहमप्रमेयम् ॥४२॥

*sakheti matvā prasabhaṁ yad uktaṁ*
*he kṛṣṇa he yādava he sakheti*
*ajānatā mahimānaṁ tavedaṁ*
*mayā pramādāt praṇayena vāpi*

*yac cāvahāsārtham asat-kṛto 'si*
*vihāra-śayyāsana-bhojaneṣu*
*eko 'tha vāpy acyuta tat-samakṣaṁ*
*tat kṣāmaye tvām aham aprameyam*

*sakhā* : ami ; *iti* : ainsi ; *matvā* : pensant ; *prasabham* : impudemment ; *yat* : quoi que ; *uktam* : dit ; *he kṛṣṇa* : ô Kṛṣṇa ; *he yādava* : ô Yādava ; *he sakhe* : ô mon cher ami ; *iti* : ainsi ; *ajānatā* : sans savoir ; *mahimānam* : gloires ; *tava* : Tes ; *idam* : cela ; *mayā* : par moi ; *pramādāt* : par sottise ; *praṇayena* : par amour ; *va api* : ou ; *yat* : quoi que ; *ca* : aussi ; *avahāsārtham* : par plaisanterie ; *asat-kṛtaḥ* : déshonoré ; *asi* : Tu as été ; *vihāra* : dans la détente ; *śayyā* : allongés ; *āsana* : assis ; *bhojaneṣu* : ou en mangeant ensemble ; *ekaḥ* : seuls ; *athavā* : ou ; *api* : aussi ; *acyuta* : ô Toi qui es infaillible ; *tat-*

*samakṣam :* parmi des compagnons ; *tat :* tous ces ; *kṣāmaye :* demande pardon ; *tvām :* à Toi ; *aham :* je ; *aprameyam :* immensurable.

**Méconnaissant Tes gloires, je me suis, par le passé, impudemment adressé à Toi par ces mots : « Ô Kṛṣṇa, Ô Yādava, Ô mon ami ». Je Te prie de bien vouloir pardonner tout ce que j'ai pu faire par déraison ou par amour. Que de fois T'ai-je manqué de respect ; quand nous plaisantions dans les moments de détente, que nous nous allongions sur le même lit, que nous nous asseyions côte à côte ou partagions le même repas, parfois seuls, parfois devant plusieurs compagnons. Pour toutes ces offenses, ô Acyuta, je Te demande pardon.**

Bien que Kṛṣṇa Se révèle à présent devant lui dans Sa forme universelle, Arjuna n'oublie pas le lien d'amitié qui les unit. Il implore donc Son pardon pour toutes les familiarités amicales qu'il s'est jadis permises. Il reconnaît que jamais il n'aurait cru que le Seigneur soit capable de manifester une telle forme, même lorsque dans leurs échanges d'amitié Celui-ci lui en avait parlé. Arjuna ne peut compter le nombre de fois où il a pu manquer de respect au Seigneur en L'appelant « Ô mon ami », « Ô Kṛṣṇa », « Ô Yādava », sans avoir conscience de Sa grandeur. Mais Kṛṣṇa est si bon et si miséricordieux que, malgré cette gloire, Il a entretenu avec Arjuna des rapports d'amitié. De tels échanges d'amour transcendantaux unissent en effet le Seigneur à Ses dévots. Comme l'attitude d'Arjuna l'indique dans ce verset, le lien qui unit l'être distinct au Seigneur est immuable, éternel et inoubliable. Aussi, bien qu'il ait contemplé la forme universelle du Seigneur dans toute sa splendeur, Arjuna ne peut oublier la relation d'amitié qui l'unit à Kṛṣṇa.

**11.43** पितासि लोकस्य चराचरस्य त्वमस्य पूज्यश्च गुरुर्गरीयान् ।
न त्वत्समोऽस्त्यभ्यधिकः कुतोऽन्यो लोकत्रयेऽप्यप्रतिमप्रभाव ॥४३॥

*pitāsi lokasya carācarasya*
*tvam asya pūjyaś ca gurur garīyān*
*na tvat-samo 'sty abhyadhikaḥ kuto 'nyo*
*loka-traye 'py apratima-prabhāva*

*pitā :* le père ; *asi :* Tu es ; *lokasya :* de tout le monde ; *cara :* mobile ; *acarasya :* et immobile ; *tvam :* Tu es ; *asya :* de ceci ; *pūjyaḥ :* vénérable ; *ca :* aussi ; *guruḥ :* le maître ; *garīyān :* glorieux ; *na :* jamais ; *tvat-samaḥ :* égal à Toi ; *asti :* il n'y a ; *abhyadhikaḥ :* plus grand ; *kutaḥ :* comment est-il possible ; *anyaḥ :* un autre ; *loka-traye :* dans les trois systèmes planétaires ; *api :* aussi ; *apratima :* sans mesure ; *prabhāva :* puissance.

**Tu es le père de l'entière manifestation cosmique, des entités mobiles et immobiles, le véritable souverain, le maître spirituel suprême. Ô Toi dont la puissance est sans mesure, parce que nul ne T'égale ou n'est pareil à Toi, aucun être dans les trois mondes ne T'est supérieur.**

Tout comme un père mérite d'être révéré par ses fils, Kṛṣṇa, Dieu, est digne d'être révéré et adoré par tous les êtres. Il est le maître spirituel originel, puisqu'au début de la création Il confia à Brahmā la connaissance védique, de même qu'Il enseigne maintenant la *Bhagavad-gītā* à Arjuna. C'est pourquoi, aujourd'hui, nul ne peut se prétendre maître spirituel authentique s'il n'appartient à une succession disciplique remontant à Kṛṣṇa Lui-même. Comment, en effet, pourrait-on, sans représenter Kṛṣṇa, enseigner la connaissance transcendantale ou occuper la fonction de maître spirituel ?

Le Seigneur Se voit ici honoré à tous les égards. Sa grandeur est sans mesure. Dans les mondes matériel et spirituel, nul ne L'égale ou ne Le dépasse. Il est Dieu, la Personne Suprême, et tous les êtres Lui sont subordonnés. La *Śvetāśvatara Upaniṣad* (6.8) explique :

*na tasya kāryaṁ karaṇaṁ ca vidyate*
*na tat-samaś cābhyadhikaś ca dṛśyate*

Le Seigneur Suprême, Kṛṣṇa, possède, comme les êtres humains, un corps et des sens. Mais en ce qui Le concerne, il n'y a pas de distinction entre Ses sens, Son corps, Son mental et Sa personne. Les sots qui ne connaissent pas vraiment Sa nature affirment qu'Il est distinct de Son âme, de Son mental, de Son cœur, etc. Mais Kṛṣṇa est bel et bien absolu, suprême. Ses actes et Ses puissances le sont donc également. Les Écritures enseignent que Ses sens ne sont ni limités ni imparfaits comme les nôtres : leur champ d'action est infini. Comme tous les êtres Lui sont subordonnés, nul ne peut L'égaler. Que dire de Le surpasser.

Le savoir, la puissance et les activités de la Personne Suprême sont tous transcendantaux. La *Bhagavad-gītā* (4.9) explique cela fort bien :

*janma karma ca me divyam, evaṁ yo vetti tattvataḥ*
*tyaktvā dehaṁ punar janma, naiti mām eti so 'rjuna*

Celui qui connaît la nature transcendantale du corps de Kṛṣṇa, de Ses actes et de Sa perfection, retourne à Lui après avoir quitté son corps, et jamais plus ne renaît en ce monde de souffrance. Il nous faut comprendre que les actes de Kṛṣṇa Le distinguent du commun des mortels. La meilleure voie à suivre est de se parfaire en suivant les principes qu'Il a établis.

Les Écritures affirment d'autre part que nul ne domine le Seigneur et que tous les êtres sont Ses serviteurs. Le *Caitanya-caritāmṛta* (*Ādi* 5.142) le confirme : *ekale īśvara kṛṣṇa, āra saba bhṛtya* – Kṛṣṇa seul est Dieu, et tous sont Ses serviteurs. Chaque être agit sous Sa direction. Nul n'échappe à Son ordre. Comme l'enseigne, du reste, la *Brahma-saṁhitā,* Kṛṣṇa est la cause de toutes les causes.

**11.44** तस्मात्प्रणम्य प्रणिधाय कायं प्रसादये त्वामहमीशमीड्यम् ।
पितेव पुत्रस्य सखेव सख्युः प्रियः प्रियायार्हसि देव सोढुम् ॥४४॥

*tasmāt praṇamya praṇidhāya kāyaṁ*
*prasādaye tvām aham īśam īḍyam*
*piteva putrasya sakheva sakhyuḥ*
*priyaḥ priyāyārhasi deva soḍhum*

*tasmāt :* donc; *praṇamya :* offrant mon hommage; *praṇidhāya :* étendant; *kāyam :* le corps; *prasādaye :* pour implorer la miséricorde; *tvām :* auprès de Toi; *aham :* je; *īśam :* au Seigneur Suprême; *īḍyam :* qui est digne d'adoration; *pitā iva :* comme un père; *putrasya :* d'un fils; *sakhā iva :* comme un ami; *sakhyuḥ :* d'un ami; *priyaḥ :* comme une amante; *priyāyāḥ :* du bien-aimé; *arhasi :* Tu devrais; *deva :* mon Seigneur; *soḍhum :* tolérer.

**Tu es le Seigneur Suprême que tous doivent adorer. Je me prosterne donc à Tes pieds pour T'offrir mon hommage et implorer Ta miséricorde. Comme un père tolère l'impudence de son fils, un ami l'impertinence de son ami, une épouse la familiarité de son mari, je Te prie de bien vouloir souffrir les fautes que j'ai pu commettre à Ton endroit.**

Les liens qui unissent Kṛṣṇa à Ses dévots sont multiples. Certains se comportent avec le Seigneur comme s'Il était leur fils, d'autres leur époux, et d'autres encore voient en Lui leur ami ou leur maître. C'est une relation d'amitié qui lie Arjuna à Kṛṣṇa. Comme un père, un époux, ou un maître, Kṛṣṇa fait toujours preuve de tolérance envers Son ami.

**11.45** अदृष्टपूर्वं हृषितोऽस्मि दृष्ट्वा भयेन च प्रव्यथितं मनो मे ।
तदेव मे दर्शय देव रूपं प्रसीद देवेश जगन्निवास ॥४५॥

*adṛṣṭa-pūrvaṁ hṛṣito 'smi dṛṣṭvā*
*bhayena ca pravyathitaṁ mano me*

*tad eva me darśaya deva rūpaṁ*
*prasīda deveśa jagan-nivāsa*

*adṛṣṭa-pūrvam :* jamais vu auparavant ; *hṛṣitaḥ :* réjoui ; *asmi :* je suis ; *dṛṣṭvā :* en voyant ; *bhayena :* d'effroi ; *ca :* aussi ; *pravyathitam :* troublé ; *manaḥ :* mental ; *me :* mon ; *tat :* cela ; *eva :* certes ; *me :* à moi ; *darśaya :* montre ; *deva :* ô Seigneur ; *rūpam :* la forme ; *prasīda :* accorde Ta grâce ; *deveśa :* ô Seigneur des seigneurs ; *jagat-nivāsa :* ô refuge de l'univers.

**Même si je me réjouis de pouvoir contempler cette forme universelle que je n'avais encore jamais vue, mon mental est saisi d'effroi. C'est pourquoi je Te prie de bien vouloir reprendre Ta forme personnelle. Ô refuge de l'univers, Seigneur des seigneurs, accorde-moi cette grâce.**

Parce qu'il est son ami très cher, Arjuna entretient toujours une relation intime avec Kṛṣṇa. Tout comme un homme est heureux de connaître l'opulence d'un ami très cher, Arjuna est rempli de joie lorsqu'il voit que Kṛṣṇa est Dieu, la Personne Suprême, et qu'Il peut manifester un aspect de Lui-même aussi merveilleux que la forme universelle. Toutefois, à la vue de cette forme, il éprouve également de la crainte. N'a-t-il pas offensé le Seigneur en se montrant trop amical avec Lui ? Bien que cette crainte n'ait pas lieu d'être, son esprit s'en trouve perturbé. Arjuna implore donc Kṛṣṇa de révéler à présent Sa forme de Nārāyaṇa. Le Seigneur, en effet, peut prendre la forme qu'Il désire. S'Il vient de montrer Sa forme universelle, matérielle et éphémère comme ce monde, il faut savoir que sur les planètes Vaikuṇṭhas, Il vit dans Sa forme spirituelle de Nārāyaṇa, dotée de quatre bras. Les planètes du monde spirituel sont innombrables, et Kṛṣṇa est présent sur chacune d'elles à travers Ses émanations plénières, qui portent différents noms et sont toutes dotées de quatre bras et de quatre symboles : la conque, la masse, la fleur de lotus et le disque. Selon l'ordre dans lequel elles tiennent ces symboles, ces formes portent différents noms, mais Kṛṣṇa et les Nārāyaṇas ne sont qu'une seule et même personne. Aussi Arjuna demande-t-il au Seigneur de Se montrer à lui dans Sa forme à quatre bras.

**11.46** किरीटिनं गदिनं चक्रहस्तमिच्छामि त्वां द्रष्टुमहं तथैव ।
तेनैव रूपेण चतुर्भुजेन सहस्रबाहो भव विश्वमूर्ते ॥४६॥

*kirīṭinaṁ gadinaṁ cakra-hastam*
*icchāmi tvāṁ draṣṭum ahaṁ tathaiva*

*tenaiva rūpeṇa catur-bhujena*
*sahasra-bāho bhava viśva-mūrte*

*kirīṭinam :* avec une tiare; *gadinam :* avec la masse d'arme; *cakrahastam :* le disque en main; *icchāmi :* souhaite; *tvām :* Toi; *draṣṭum :* voir; *aham :* je; *tathā eva :* dans cette position; *tena eva :* dans cette; *rūpeṇa :* forme; *catur-bhujena :* à quatre bras; *sahasra-bāho :* ô Toi qui as des milliers de bras; *bhava :* deviens simplement; *viśva-murte :* ô forme universelle.

**Ô forme universelle, Seigneur aux mille bras, je désire Te contempler dans Ta forme à quatre bras, coiffé de la tiare, portant la masse, le disque, la conque et la fleur de lotus. Je languis de Te voir dans cette forme.**

La *Brahma-saṁhitā* (5.39) nous informe que le Seigneur possède éternellement, et de façon simultanée, des milliers de formes, dont les principales sont celles de Rāma, Nṛsiṁha, Nārāyaṇa, etc. (*rāmādi-mūrtiṣu kalā-niyamena tiṣṭhan*). Arjuna sait que Kṛṣṇa est l'Être Suprême originel ayant revêtu Sa forme universelle temporaire. Il Lui demande à présent de montrer Sa forme purement spirituelle de Nārāyaṇa. Ce verset corrobore de façon définitive la déclaration du *Śrīmad-Bhāgavatam* : Kṛṣṇa est Dieu, la Personne Suprême originelle, et toutes les autres formes divines émanent de Lui. Il n'est pas différent de Ses émanations plénières. En chacune de Ses innombrables formes, Il demeure toujours Dieu. Et dans toutes ces formes, Il garde la fraîcheur d'un jeune homme. Telle est la caractéristique permanente de Dieu, la Personne Suprême. Qui connaît Kṛṣṇa est aussitôt affranchi de toute souillure matérielle.

**11.47** श्रीभगवानुवाच
मया प्रसन्नेन तवार्जुनेदं रूपं परं दर्शितमात्मयोगात् ।
तेजोमयं विश्वमनन्तमाद्यं यन्मे त्वदन्येन न दृष्टपूर्वम् ॥४७॥

*śrī-bhagavān uvāca*
*mayā prasannena tavārjunedaṁ*
*rūpaṁ paraṁ darśitam ātma-yogāt*
*tejo-mayaṁ viśvam anantam ādyaṁ*
*yan me tvad anyena na dṛṣṭa-pūrvam*

*śrī-bhagavān uvāca :* Dieu, la Personne Suprême, dit; *mayā :* par Moi; *prasannena :* avec joie; *tava :* à toi; *arjuna :* ô Arjuna; *idam :* cette; *rūpam :* forme; *param :* transcendantale; *darśitam :* montrée; *ātma-yogāt :* par Ma puissance interne; *tejomayam :* éblouissante; *viśvam :* l'univers entier; *anantam :* illimitée; *ādyam :* originelle; *yat :* ce que; *me :* à Moi; *tvat-anyena :* à part toi; *na dṛṣṭa-pūrvam :* nul n'a vu auparavant.

**Dieu, la Personne Suprême, dit : C'est avec joie, Mon cher Arjuna, que par le biais de Ma puissance interne, Je t'ai révélé Ma forme universelle, suprême en ce monde, originelle, infinie et éblouissante, que nul avant toi n'avait jamais vue.**

Du fait qu'Arjuna désirait la voir, le Seigneur Suprême lui fit la grâce de pouvoir contempler Sa forme universelle aux multiples visages sans cesse renouvelés, éclatante de splendeur et de lumière, éblouissante comme le soleil. Kṛṣṇa, en manifestant cette forme à travers Sa puissance interne – puissance que les spéculations humaines ne sauraient pénétrer – n'a d'autre but que de répondre au désir de Son ami Arjuna. Nul avant lui n'a pu voir cette forme universelle du Seigneur. Toutefois, comme elle lui est montrée, les dévots qui vivent sur les planètes édéniques ou ailleurs peuvent également la voir. Ainsi, tous les dévots du Seigneur peuvent voir, en même temps qu'Arjuna, la forme que par Sa grâce Il lui montre.

Un commentateur de la *Bhagavad-gītā* a déclaré que cette forme fut également révélée à Duryodhana, lorsque avant la bataille, Kṛṣṇa vint lui proposer la paix, qu'hélas il refusa. À vrai dire, ce que Kṛṣṇa a montré à Duryodhana n'est pas la forme que voit Arjuna, mais l'une de Ses autres formes universelles. Il est clairement établi dans notre verset, que nul avant Arjuna n'a contemplé la forme particulière que lui révèle le Seigneur.

**11.48** न वेदयज्ञाध्ययनैर्न दानैर्न च क्रियाभिर्न तपोभिरुग्रैः ।
एवंरूपः शक्य अहं नृलोके द्रष्टुं त्वदन्येन कुरुप्रवीर ॥४८॥

*na veda-yajñādhyayanair na dānair*
*na ca kriyābhir na tapobhir ugraiḥ*
*evaṁ-rūpaḥ śakya ahaṁ nṛ-loke*
*draṣṭuṁ tvad anyena kuru-pravīra*

*na :* jamais ; *veda-yajña :* par le sacrifice ; *adhyayanaiḥ :* ou l'étude des Védas ; *na :* jamais ; *dānaiḥ :* par la charité ; *na :* jamais ; *ca :* aussi ; *kriyābhiḥ :* par la piété ; *na :* jamais ; *tapobhiḥ :* par des austérités ; *ugraiḥ :* sévères ; *evam-rūpaḥ :* en cette forme ; *śakyaḥ :* peut ; *aham :* Je ; *nṛ-loke :* dans cet univers matériel ; *draṣṭum :* être vu ; *tvat :* que toi ; *anyena :* par un autre ; *kuru-pravīra :* ô meilleur des guerriers Kurus.

**Ni l'étude des Védas, ni les sacrifices, la charité, la piété, ou même les sévères austérités, ne donnent de voir Ma forme universelle. Nul avant toi, ô meilleur des guerriers Kurus, n'a pu Me contempler sous cet aspect-là.**

Qu'est-ce que la vision divine, et qui en est doté ? Il est nécessaire, pour comprendre ce verset, d'en bien saisir le sens. Par « divine », il faut entendre « en union avec Dieu ». Nul ne sera jamais doté de la vision divine sans avoir préalablement élevé sa conscience au niveau divin des *devas*. Car qu'est-ce qu'un *deva*, si ce n'est, comme nous l'enseignent les Écrits védiques, un dévot de Viṣṇu (*viṣṇu-bhaktāḥ smṛto daivāḥ*). Les athées, qui ne croient pas en l'existence de Viṣṇu, ou qui considèrent comme seul suprême l'aspect impersonnel du Seigneur, ne peuvent avoir cette vision divine. Nul être doté d'une semblable vision ne saurait en effet blasphémer le Seigneur. Comment pourrait-on, par ailleurs, posséder la vision divine sans être soi-même divin ? Ainsi, ce qu'Arjuna voit, quiconque possède la vision divine peut le voir également.

Parce que Kṛṣṇa a révélé à Arjuna Sa *viśva-rūpa*, Sa forme universelle jusqu'alors ignorée, les hommes peuvent à leur tour l'appréhender par le biais de la *Bhagavad-gītā*. Les êtres aux qualités divines peuvent voir cette forme. Mais ces qualités divines ne se trouvent que chez les purs dévots de Kṛṣṇa, lesquels, bien que dotés d'une nature et d'une vision divines, ne sont pas réellement désireux de voir le Seigneur dans Sa forme universelle. Comme nous l'avons appris au verset quarante-cinq, Arjuna est effrayé par cette forme universelle et demande au Seigneur, Śrī Kṛṣṇa, de lui révéler Sa forme de Viṣṇu à quatre bras.

On trouve, dans notre verset, plusieurs termes sanskrits présentant un intérêt particulier, tel *veda-yajñādhyayanaiḥ* par exemple, qui réfère à l'étude des Védas et aux règles qu'il faut observer dans l'accomplissement des sacrifices. Le mot *veda* désigne tous les écrits védiques, notamment les quatre Védas (le *Ṛk*, le *Yajur*, le *Sāma* et l'*Atharva*), les dix-huit *Purāṇas*, les *Upaniṣads* et le *Vedānta-sūtra*. Mais il existe également des *sūtras*, comme les *Kalpa-sūtras* et les *Mīmāṁsā-sūtras*, qui enseignent les diverses pratiques sacrificielles. On peut étudier ces écrits n'importe où, chez soi ou ailleurs. Le mot *dānaiḥ*, lui, renvoie aux actes de charité accomplis au profit de personnes qui en sont dignes, tels les *brāhmaṇas* et les *vaiṣṇavas*, qui toujours prennent part au service absolu du Seigneur. Le mot *kriyābhiḥ* désigne les actes de piété, comme l'*agni-hotra* et les devoirs qui échoient à chacun conformément à son appartenance à tel ou tel *varṇa*. Le mot *tapasya* se rapporte quant à lui aux ascèses auxquelles on se soumet de son plein gré. Quand bien même on s'imposerait toutes ces pratiques, l'ascèse, la charité, l'étude des Védas, etc., à moins de devenir un dévot comme Arjuna, jamais on ne sera en mesure de voir la forme universelle du Seigneur. Ainsi des impersonnalistes qui s'imaginent qu'ils voient la forme universelle. La *Bhagavad-gītā* nous montre clairement qu'ils ne sont pas des dévots, et que pour cette raison ils ne peuvent contempler cette forme particulière du Seigneur.

Il n'est pas rare de rencontrer des gens qui fabriquent de toutes pièces des *avatāras* à partir d'hommes ordinaires. Leurs dires ne sont que pure ineptie, car ils ne se réfèrent nullement aux instructions de la *Bhagavad-gītā*. Nul, sans elle, ne saurait jamais atteindre le parfait savoir spirituel. Et bien que l'étude de cet ouvrage soit considérée comme une sorte de préliminaire à l'étude de la science de Dieu, il n'en est pas moins vrai que connaître ce texte sacré permet de voir les choses sous leur vrai jour. Les disciples d'un prétendu *avatāra* peuvent toujours se targuer d'avoir vu Dieu dans Son incarnation sublime, dans Sa forme universelle, il n'empêche que c'est un fait inadmissible puisque selon ce verset nul ne peut, sans devenir un dévot de Kṛṣṇa, voir la forme universelle de Dieu. Que l'on devienne donc d'abord un pur dévot de Kṛṣṇa. Seulement ensuite pourra-t-on affirmer avoir vu la forme universelle et la dévoiler à d'autres. Un dévot de Kṛṣṇa ne saurait en aucun cas accepter un prétendu *avatāra* ou les disciples d'un tel imposteur.

**11.49** मा ते व्यथा मा च विमूढभावो दृष्ट्वा रूपं घोरमीदृङ्‌ ममेदम् ।
व्यपेतभीः प्रीतमनाः पुनस्त्वं तदेव मे रूपमिदं प्रपश्य ॥४९॥

*mā te vyathā mā ca vimūḍha-bhāvo*
*dṛṣṭvā rūpaṁ ghoram īdṛṅ mamedam*
*vyapeta-bhīḥ prīta-manāḥ punas tvaṁ*
*tad eva me rūpam idaṁ prapaśya*

*mā :* qu'il n'y ait plus ; *te :* en toi ; *vyathā :* de trouble ; *mā :* qu'il n'y ait plus ; *ca :* aussi ; *vimūḍha-bhāvaḥ :* de confusion ; *dṛṣṭvā :* en voyant ; *rūpam :* forme ; *ghoram :* horrible ; *īdṛk :* comme elle est ; *mama :* Ma ; *idam :* cela ; *vyapeta-bhīḥ :* libre de toute peur ; *prīta-manāḥ :* le mental satisfait ; *punaḥ :* encore ; *tvam :* tu ; *tat :* que ; *eva :* ainsi ; *me :* Ma ; *rūpam :* forme ; *idam :* cela ; *prapaśya :* vois.

**Ma terrible forme t'a bouleversé. Mais que ta crainte se dissipe et que cesse ton trouble. En toute sérénité, contemple maintenant la forme que tu désires voir.**

Nous avons vu, au début de la *Bhagavad-gītā*, qu'Arjuna était troublé à l'idée de tuer Bhīṣma et Droṇa, ses aïeul et maître vénérés.

Mais Kṛṣṇa lui a dit de ne pas avoir peur de les tuer. Il lui a rappelé que lorsque les fils de Dhṛtarāṣṭra tentèrent publiquement de dévêtir Draupadī, ni Bhīṣma ni Droṇa n'intervinrent. Pour un tel manquement à leur devoir, ils méritent de mourir. Si Kṛṣṇa révèle à Arjuna Sa forme universelle, c'est pour lui montrer que ces guerriers sont déjà mis à mort en raison de leurs actes répréhensibles. Et Kṛṣṇa a d'autant plus le désir de lui dévoiler cette scène qu'Il sait que Ses dévots sont des êtres paisibles, incapables de commettre de telles horreurs.

L'objet de la révélation de Sa forme universelle atteint, le Seigneur répond ensuite au désir d'Arjuna, lequel voudrait Le voir dans Sa forme à quatre bras. Un dévot n'éprouve pas beaucoup d'intérêt pour la forme universelle, car on ne peut échanger de sentiments d'amour avec cet aspect du Seigneur. Il désire soit rendre un culte respectueux au Seigneur dans Sa forme à quatre bras, soit voir Kṛṣṇa dans Sa forme à deux bras pour Le servir dans une relation d'amour partagé.

**11.50** सञ्जय उवाच
इत्यर्जुनं वासुदेवस्तथोक्त्वा स्वकं रूपं दर्शयामास भूयः ।
आश्वासयामास च भीतमेनं भूत्वा पुनः सौम्यवपुर्महात्मा ॥५०॥

*sañjaya uvāca*
*ity arjunaṁ vāsudevas tathoktvā*
*svakaṁ rūpaṁ darśayām āsa bhūyaḥ*
*āśvāsayām āsa ca bhītam enaṁ*
*bhūtvā punaḥ saumya-vapur mahātmā*

*sañjayaḥ uvāca :* Sañjaya dit; *iti :* ainsi; *arjunam :* à Arjuna; *vāsudevaḥ :* Kṛṣṇa, le fils de Vasudeva; *tathā :* de cette façon; *uktvā :* parlant; *svakam :* Sa propre; *rūpam :* forme; *darśayām-āsa :* montra; *bhūyaḥ :* encore; *āśvāsayām-āsa :* rassura; *ca :* aussi; *bhītam :* effrayé; *enam :* lui; *bhūtvā :* devenant; *punaḥ :* encore; *saumya-vapuḥ :* la belle forme; *mahā-ātmā :* Lui, si grand.

**Sañjaya dit à Dhṛtarāṣṭra : Kṛṣṇa, Dieu, la Personne Suprême, dévoile alors à Arjuna, terrifié, Sa forme à quatre bras, puis reprend Sa forme à deux bras pour le rassurer.**

Lorsque Kṛṣṇa Se manifesta comme le fils de Vasudeva et de Devakī, Il Se montra d'abord sous Sa forme à quatre bras, qui est celle de Nārāyaṇa, puis, pour répondre à la demande de Ses parents, Il prit l'apparence d'un enfant ordinaire. Bien qu'Il sache que Sa forme à quatre bras n'intéresse pas vraiment Arjuna, Kṛṣṇa la lui révèle pour répondre à sa demande puis, comme Il le fit avec Ses parents, Il lui montre Sa forme à deux bras. Dans notre verset, les mots *saumya-vapuḥ* présentent un intérêt particulier : ils désignent une forme de la plus grande beauté. Lorsque Kṛṣṇa était présent sur notre planète, Sa forme à elle seule fascinait tous les êtres. Parce qu'Il est le maître de l'univers, le Seigneur dissipe sans peine la peur d'Arjuna, Son dévot, et lui montre à nouveau Sa belle forme de Kṛṣṇa. La *Brahma-saṁhitā* (5.38) nous enseigne que seuls les êtres dont les yeux sont oints du baume de l'amour peuvent contempler la merveilleuse forme de Śrī Kṛṣṇa (*premāñjana-cchurita-bhakti-vilocanena*).

**11.51** अर्जुन उवाच
दृष्ट्वेदं मानुषं रूपं तव सौम्यं जनार्दन ।
इदानीमस्मि संवृत्तः सचेताः प्रकृतिं गतः ॥५१॥

*arjuna uvāca*
*dṛṣṭvedaṁ mānuṣaṁ rūpaṁ, tava saumyaṁ janārdana*
*idānīm asmi saṁvṛttaḥ, sa-cetāḥ prakṛtiṁ gataḥ*

*arjunaḥ uvāca :* Arjuna dit ; *dṛṣṭvā :* voyant ; *idam :* cette ; *mānuṣam :* humaine ; *rūpam :* forme ; *tava :* de Toi : *saumyam :* très belle ; *janārdana :* ô Toi, qui châties les ennemis ; *idānīm :* à ce moment même ; *asmi :* je suis ; *saṁvṛttaḥ :* rassuré ; *sa-cetāḥ :* dans ma conscience ; *prakṛtim :* à ma propre nature ; *gataḥ :* je reviens.

**À la vue de la forme originelle de Kṛṣṇa, Arjuna s'exclame : Ô Janārdana, cette forme aux traits humains, si merveilleusement belle, apaise mon mental, et je recouvre à l'instant ma vraie nature.**

Dans ce verset, les mots *mānuṣaṁ rūpam* indiquent sans équivoque que la forme originelle de Dieu, la Personne Suprême, est une forme à deux bras. Ils montrent également que les sots qui dénigrent Kṛṣṇa en Le prenant pour une personne ordinaire ignorent tout de Sa nature divine. Si Kṛṣṇa n'était qu'un homme ordinaire, comment aurait-Il pu manifester la forme universelle, puis la forme de Nārāyaṇa à quatre bras ? La *Bhagavad-gītā* démontre donc clairement que certains commentateurs égarent leurs lecteurs en présentant Kṛṣṇa comme un homme ordinaire et en affirmant que c'est le Brahman impersonnel, par l'intermédiaire de Kṛṣṇa, qui énonce la *Bhagavad-gītā*. En agissant ainsi, ils causent à autrui le plus grand tort qui soit. Kṛṣṇa vient réellement de manifester Sa forme universelle et Sa forme de Viṣṇu à quatre bras. Comment, dès lors, pourrait-Il n'être qu'un homme ordinaire ? Jamais le pur dévot ne se laisse égarer par de tels commentaires car il connaît la véritable nature des choses. Les versets originels de la *Bhagavad-gītā* sont aussi lumineux que le soleil. Pourquoi donc faudrait-il, pour les éclairer, les faibles lumières de commentateurs insensés?

**11.52** श्रीभगवानुवाच
सुदुर्दर्शमिदं रूपं दृष्टवानसि यन्मम ।
देवा अप्यस्य रूपस्य नित्यं दर्शनकाङ्क्षिणः ॥५२॥

*śrī-bhagavān uvāca*
*su-durdarśam idaṁ rūpaṁ, dṛṣṭavān asi yan mama*
*devā apy asya rūpasya, nityaṁ darśana-kāṅkṣiṇaḥ*

*śrī-bhagavān uvāca :* Dieu, la Personne Suprême, dit; *su-durdarśana :* très difficile à voir; *idam :* cette; *rūpam :* forme; *dṛṣṭavān asi :* telle que tu l'as vue; *yat :* laquelle; *mama :* Mienne; *devāḥ :* les *devas*; api : aussi; *asya :* cette; *rūpasya :* forme; *nityam :* éternellement; *darśana-kāṅkṣiṇaḥ :* aspirent à voir.

**Dieu, la Personne Suprême, dit : Mon cher Arjuna, on ne parvient que fort difficilement à voir la forme que tu contemples maintenant. Cette forme, si chère à tous, même les devas aspirent sans cesse à la voir.**

Comme nous l'avons vu au verset quarante-huit, après avoir mis fin à la révélation de Sa forme universelle, Kṛṣṇa dit à Arjuna qu'on ne peut la voir au prix de multiples activités pieuses, sacrifices, ou autres pratiques semblables. À présent, le Seigneur, par l'emploi du mot *su-durdarśam,* indique que Sa forme à deux bras est encore plus secrète, plus difficile à voir. On pourrait à la rigueur, en ajoutant un peu de *bhakti* – de service dévotionnel – aux diverses pratiques que sont l'étude des Védas, les ascèses sévères, la spéculation philosophique, etc., voir la forme universelle du Seigneur. Mais sans *bhakti* c'est impossible.

Au-delà de cette forme universelle se trouve la forme à deux bras de Kṛṣṇa. Elle est encore plus difficile à connaître, même pour des *devas* aussi puissants que Brahmā et Śiva, lesquels désirent tous la contempler. Le *Śrīmad-Bhāgavatam* corrobore ce point lorsqu'il dit que tous vinrent des planètes édéniques pour voir le merveilleux Kṛṣṇa et Lui offrir des prières alors qu'Il Se trouvait encore dans le sein de Sa mère, Devakī. Ils durent même patienter pour Le voir. Par conséquent, il faut comprendre que dénigrer Kṛṣṇa, Le considérer comme une personne ordinaire, ou offrir ses respects non pas à Lui mais à ce « quelque chose » d'impersonnel en Lui, ne peut être que le fait d'un sot, puisque des *devas* du rang de Brahmā et de Śiva aspirent à contempler le Seigneur dans Sa forme à deux bras.

La *Bhagavad-gītā* (9.11) confirme également que Kṛṣṇa ne saurait être vu par ces sots qui Le raillent (*avajānanti māṁ mūḍhā mānuṣīṁ tanum āśritam*). Son corps, comme l'enseignent la *Brahma-saṁhitā* et le Seigneur Lui-même dans la *Bhagavad-gītā,* est entièrement spirituel, tout de félicité et d'éternité. Son corps n'a rien de matériel. Pour certains, cependant, qui cherchent à Le comprendre en lisant la *Bhagavad-gītā* ou d'autres Écrits védiques, Kṛṣṇa demeure un problème. En effet, tous ceux qui étudient ces écrits avec des yeux matériels pensent que Kṛṣṇa n'est qu'un important personnage historique, ou au mieux un philosophe au vaste savoir, mais toujours un être humain ordinaire doté d'un corps matériel, et cela malgré Son immense puissance. Ils finissent par conclure que la Vérité Absolue est impersonnelle et que Kṛṣṇa n'en est qu'un aspect personnel lié à la nature matérielle. Il s'agit là d'une conception matérielle du Seigneur Suprême.

L'approche spéculative conduit à la même idée. Les *jñānīs,* en quête de la connaissance, élaborent sur Kṛṣṇa toutes sortes de théories, et Le considèrent comme moins important que la forme universelle de l'Absolu. Ils croient que la forme universelle manifestée par Kṛṣṇa devant Arjuna est plus importante que Sa forme personnelle. Selon eux, cette forme personnelle n'est qu'imaginaire. Ils croient qu'au stade ultime la Vérité Absolue n'est pas une personne. Mais le processus transcendantal qui permet de connaître Kṛṣṇa se trouve décrit au quatrième chapitre de la *Bhagavad-gītā* : il faut recevoir cette connaissance des lèvres de maîtres faisant autorité en la matière. Tel est le véritable processus védique. Kṛṣṇa devient cher aux spiritualistes qui suivent la lignée disciplique védique et qui reçoivent des lèvres de personnes autorisées toujours plus de détails sur Sa personne.

Nous l'avons exposé maintes fois : Kṛṣṇa est voilé par Sa puissance *yoga-māyā*. Il ne peut être vu de tous. Seule l'âme à qui Il a bien voulu Se révéler est à même de Le contempler. Ce que corroborent les Écrits védiques : l'âme soumise est la seule qui puisse vraiment comprendre la Vérité Absolue. Les yeux spirituels des spiritualistes constamment absorbés dans la conscience de Kṛṣṇa, dans le service dévotionnel du Seigneur, s'ouvrent et Kṛṣṇa Se révèle. C'est du reste parce qu'une telle révélation est hors de leur portée que les *devas* eux-mêmes ont du mal à comprendre Kṛṣṇa. Les plus évolués d'entre eux aspirent d'ailleurs toujours à Le voir dans Sa forme à deux bras. Nous pouvons donc en conclure que s'il est déjà extrêmement délicat de pouvoir contempler la forme universelle de Kṛṣṇa – faveur qui n'est pas accordée à tout le monde – il est plus difficile encore de connaître Sa forme personnelle, celle de Śyāmasundara.

11.53 नाहं वेदैर्न तपसा न दानेन न चेज्यया ।
शक्य एवंविधो द्रष्टुं दृष्टवानसि मां यथा ॥५३॥

*nāhaṁ vedair na tapasā, na dānena na cejyayā*
*śakya evaṁ-vidho draṣṭuṁ, dṛṣṭavān asi māṁ yathā*

*na :* jamais ; *aham :* Je ; *vedaiḥ :* par l'étude des Védas ; *na :* jamais ; *tapasā :* par de grandes austérités ; *na :* jamais ; *dānena :* par la charité ; *na :* jamais ; *ca :* non plus ; *ijyayā :* par l'adoration ; *śakyaḥ :* il n'est possible ; *evam-vidhaḥ :* comme cela ; *draṣṭum :* de voir ; *dṛṣṭavān :* voyant ; *asi :* tu es ; *mām :* Moi ; *yathā :* comme.

**Il ne suffit pas simplement d'étudier les Védas, de pratiquer de sévères austérités, ou de se contenter d'actes charitables ou d'une adoration formelle pour comprendre cette forme que tes yeux spirituels contemplent en ce moment. Nul ne saurait ainsi Me voir tel que Je suis.**

Kṛṣṇa ne parut pas immédiatement devant Ses parents, Vasudeva et Devakī, dans Sa forme à deux bras. Il dévoila d'abord Sa forme à quatre bras. Il s'agit là d'un mystère fort difficile à percer, tant pour un athée que pour une personne qui ne pratique pas le service de dévotion. Les érudits qui se contentent d'étudier les Védas par le biais de la connaissance grammaticale ou par leur seule qualification académique ne peuvent comprendre Kṛṣṇa. Quant à ceux qui L'adorent officiellement en rendant de temps à autre une visite purement formelle aux lieux de culte, ils ne sauraient, eux non plus, saisir la véritable nature de Kṛṣṇa. Car seul le service de dévotion permet de connaître le Seigneur dans toute Son authenticité. Il l'expliquera Lui-même dans le verset suivant.

11.54 भक्त्या त्वनन्यया शक्य अहमेवंविधोऽर्जुन ।
ज्ञातुं द्रष्टुं च तत्त्वेन प्रवेष्टुं च परन्तप ॥५४॥

*bhaktyā tv ananyayā śakya, aham evaṁ-vidho 'rjuna*
*jñātuṁ draṣṭuṁ ca tattvena, praveṣṭuṁ ca paran-tapa*

*bhaktyā :* par le service de dévotion ; *tu :* mais ; *ananyayā :* sans mélange avec les actes intéressés ou avec la recherche spéculative de la connaissance ; *śakyaḥ :* possible ; *aham :* Je ; *evam-vidhaḥ :* comme ceci ; *arjuna :* ô Arjuna ; *jñātum :* de savoir ; *draṣṭum :* de voir ; *ca :* et ; *tattvena :* en fait ; *praveṣṭum :* de pénétrer dans ; *ca :* aussi ; *param-tapa :* ô vainqueur de l'ennemi.

**Mon cher Arjuna, ce n'est qu'en Me servant avec une dévotion sans mélange qu'on peut Me comprendre tel que Je suis vraiment et Me voir tel que Je suis devant toi. On ne saurait percer autrement le mystère de Ma personne, ô Parantapa.**

Il n'est pas d'autre moyen pour comprendre Kṛṣṇa que de Le servir avec un amour et une dévotion sans partage. Voilà ce qu'explique ici le Seigneur de façon très nette afin de montrer aux commentateurs non autorisés qui cherchent à pénétrer le sens de la *Bhagavad-gītā* par la spéculation intellectuelle, que leurs efforts sont vains. Ils ne peuvent comprendre comment Kṛṣṇa a pu paraître devant Ses parents dans une forme à quatre bras, et prendre aussitôt après une forme à deux bras. Cependant, ceux qui sont très versés dans l'étude des Écrits védiques pourront, par maintes voies, apprendre à Le connaître. Ils trouveront de nombreuses règles, de nombreux principes, auxquels ils pourront se conformer pour orienter leurs austérités. Pour faire pénitence, par exemple, ils pourront jeûner le jour de Janmāṣṭamī (le jour d'apparition de Kṛṣṇa) et les jours d'*Ekādaśī* (le onzième jour après la nouvelle lune et le onzième jour après la pleine lune).

Les actes charitables, naturellement, doivent être accomplis au profit des dévots de Kṛṣṇa qui Le servent en se consacrant à la propagation de la science de Dieu - la conscience de Kṛṣṇa - à travers le monde. Cette conscience de Kṛṣṇa est un bienfait pour l'humanité tout entière. Rūpa Gosvāmī dit de Śrī Caitanya Mahāprabhu qu'Il fit preuve de la charité la plus libérale parce qu'Il distribua librement l'amour de Kṛṣṇa à tous les êtres - amour qu'il est d'ordinaire fort difficile d'obtenir. Ainsi, si l'on donne en charité à ceux qui répandent la conscience de Kṛṣṇa, on accomplit le plus bel acte charitable qui soit. Et se vouer à l'adoration de Dieu dans un temple (dans tous les temples en Inde, on trouve habituellement des formes sculptées de Viṣṇu ou Kṛṣṇa), conformément aux règles du culte, permet également de progresser spirituellement. Au demeurant, pour qui commence tout juste à pratiquer le service de dévotion, il est essentiel d'adorer Dieu dans le temple, ainsi que l'atteste la *Śvetāśvatara Upaniṣad* (6.23) :

*yasya deve parā bhaktir, yathā deve tathā gurau*
*tasyaite kathitā hy arthāḥ, prakāśante mahātmanaḥ*

Le Seigneur Se révèle à celui qui est résolu dans sa dévotion pour la Personne Suprême et a une foi ferme en le maître spirituel qui le guide. Sans avoir reçu une formation personnelle, sous la direction d'un maître spirituel authentique, on ne peut acquérir la moindre connaissance de Kṛṣṇa. Le mot *tu* employé ici indique qu'on ne peut utiliser ou recommander aucune autre méthode, qu'aucune autre ne permet de comprendre Kṛṣṇa.

Les formes personnelles de Kṛṣṇa à deux et quatre bras diffèrent en tout point de Sa forme universelle, la forme temporaire qu'Il a montrée à Arjuna. Sa forme à quatre bras est celle de Nārāyaṇa et Sa forme à deux bras, celle de Kṛṣṇa. Toutes deux sont spirituelles et éternelles, tandis que Sa forme universelle, manifestée devant Arjuna, n'a qu'une durée d'existence limitée. Le mot *su-durdarśam* (difficile à voir) indique d'une part que nul n'a jamais vu auparavant cette forme universelle, et d'autre part que les dévots n'ont guère besoin de la connaître. Kṛṣṇa a manifesté cet aspect de Lui-même pour répondre favorablement à la requête d'Arjuna, et pour que l'on puisse, à l'avenir, éprouver quiconque se proclame un *avatāra* divin en lui demandant de montrer sa forme universelle. Quant au mot *na,* il est répété à maintes reprises dans le verset précédent pour indiquer que l'on ne doit pas s'enorgueillir de son instruction académique en matière d'études védiques. On doit prendre part au service de dévotion offert à Kṛṣṇa. Alors seulement pourra-t-on essayer de commenter la *Bhagavad-gītā.*

Kṛṣṇa passe de Sa forme universelle à Sa forme de Nārāyaṇa à quatre bras, puis à Sa forme originelle à deux bras. Il montre ainsi que Ses formes à quatre bras, mais aussi toutes celles que décrivent les Écritures védiques, sont des émanations de Sa forme originelle à deux bras. Kṛṣṇa est donc la source de toutes les émanations. Et s'Il est toujours distinct de celles-ci, à plus forte raison le sera-t-Il de Son aspect impersonnel. Même la forme à quatre bras (celle de Mahā-Viṣṇu allongé sur l'océan cosmique qui crée et résorbe d'innombrables univers en respirant) qui s'apparente le plus à la Sienne propre est une émanation de Sa personne. La *Brahma-saṁhitā* (5.48) dit :

*yasyaika-niśvasita-kālam athāvalambya*
*jīvanti loma-vila-jā jagad-aṇḍa-nāthāḥ*

*viṣṇur mahān sa iha yasya kalā-viśeṣo*
*govindam ādi-puruṣaṁ tam ahaṁ bhajāmi*

« Mahā-Viṣṇu qui, par Sa respiration, crée et résorbe les innombrables univers, est une émanation plénière de Kṛṣṇa. J'adore Govinda, Kṛṣṇa, la cause de toutes les causes. » Aussi la forme personnelle de Dieu, Kṛṣṇa, qui jouit de la connaissance et de la félicité éternelles, est-elle bien celle que le spiritualiste doit adorer. Comme le confirme la *Bhagavad-gītā,* cette forme de Kṛṣṇa est l'originelle Personne Suprême, source de toutes les formes d'*avatāras.*

Les Écrits védiques (*Gopāla-tāpanī Upaniṣad* 1.1) expliquent cela également :

*sac-cid-ānanda-rūpāya, kṛṣṇāyākliṣṭa-kāriṇe*
*namo vedānta-vedyāya, gurave buddhi-sākṣiṇe*

« Ô Kṛṣṇa, Toi dont la forme transcendantale est connaissance, éternité et félicité, je Te rends mon respectueux hommage, car Tu es le maître spirituel suprême et Te comprendre revient à comprendre les Védas. » Et aussi *kṛṣṇo vai paramaṁ daivatam* – « Kṛṣṇa est Dieu, la Personne Suprême. » (*Gopāla-tāpanī Upaniṣad* 1.3) *Eko vaśī sarva-gāḥ kṛṣṇa īḍyaḥ* – « Kṛṣṇa est Dieu, la Personne Suprême, et Il est digne d'adoration. » *Eko 'pi san bahudhā yo 'vabhāti* – « Bien que Kṛṣṇa soit une unité indivisible, Il Se manifeste en d'innombrables formes et *avatāras.* » (*Gopāla-tāpanī Upaniṣad* 1.21)

La *Brahma-saṁhitā* (5.1) explique elle aussi fort bien ce point :

*īśvaraḥ paramaḥ kṛṣṇaḥ, sac-cid-ānanda-vigrahaḥ*
*anādir ādir govindaḥ, sarva-kāraṇa-kāraṇam*

« Kṛṣṇa est Dieu, la Personne Suprême, dont le corps est tout de connaissance, d'éternité et de félicité. Il n'a pas d'origine parce qu'Il est à l'origine de toute chose. Il est la cause de toutes les causes. »

On trouve également : *yatrāvatīrṇaṁ kṛṣṇākhyaṁ param brahma narākṛti* – « La Vérité Suprême et Absolue est une personne. Son nom est Kṛṣṇa et Il descend parfois sur cette terre. » Et le *Śrīmad-Bhāgavatam* de dresser la liste des différents types d'*avatāras,* dans laquelle le nom de Kṛṣṇa apparaît avec cette mention que Kṛṣṇa n'est pas un *avatāra,* mais Dieu, la Personne Suprême, dans Sa forme originelle (*ete cāṁśa-kalāḥ puṁsaḥ kṛṣṇas tu bhagavān svayam*).

Dans la *Bhagavad-gītā,* le Seigneur déclare : *mattaḥ parataraṁ nānyat* – « Rien n'est supérieur à Ma forme de Kṛṣṇa, Dieu, la Personne Souveraine ». Et également : *aham ādir hi devānām* – « Je suis la source de tous les *devas.* » Enfin, lorsqu'il a compris la *Bhagavad-gītā,* l'enseignement reçu de Kṛṣṇa, Arjuna confirme Sa suprématie par ces paroles : *paraṁ brahma paraṁ dhāma pavitraṁ paramaṁ bhavān* – « Je réalise maintenant pleinement que Tu es Dieu, la Personne Suprême, la Vérité Absolue et le refuge de toute chose. » La forme universelle que Kṛṣṇa a dévoilée à Arjuna n'est donc pas la forme originelle de Dieu. La forme originelle est celle de Kṛṣṇa. La forme universelle avec ses milliers de têtes et de mains n'est manifestée que pour attirer l'attention des hommes qui n'ont pas encore développé leur amour pour Dieu. Répétons-le, elle n'est pas la forme originelle de Dieu.

Les purs dévots du Seigneur, qui sont unis à Lui par divers liens d'amour absolu, n'éprouvent aucun attrait pour Sa forme universelle. Du reste, dans Ses échanges d'amour transcendantaux, le Seigneur Suprême Se montre toujours à Ses purs dévots dans Sa forme originelle de Kṛṣṇa. Arjuna, dont on a vu précédemment qu'il était étroitement lié au Seigneur par une intime relation d'amitié ne trouve donc pas particulièrement agréable de voir cette forme universelle. Bien plutôt ressent-il de la crainte. Comprenons qu'il est un compagnon éternel du Seigneur ne ressemblant en rien à un homme ordinaire, et, qu'en vertu de sa vision spirituelle, il ne saurait être fasciné par la forme universelle. Les hommes qui cherchent à s'élever en accomplissant divers actes intéressés la trouvent peut-être merveilleuse, mais ceux qui pratiquent le service de dévotion lui préfèrent la forme infiniment chère de Kṛṣṇa à deux bras.

**11.55** मत्कर्मकृन्मत्परमो मद्भक्तः सङ्गवर्जितः ।
निर्वैरः सर्वभूतेषु यः स मामेति पाण्डव ॥५५॥

*mat-karma-kṛn mat-paramo*
*mad-bhaktaḥ saṅga-varjitaḥ*
*nirvairaḥ sarva-bhūteṣu*
*yaḥ sa mām eti pāṇḍava*

*mat-karma-kṛt :* agissant pour Moi ; *mat-paramaḥ :* Me considérant comme le Suprême ; *mat-bhaktaḥ :* engagé dans Mon service avec dévotion ; *saṅga-varjitaḥ :* lavé de la souillure des actes intéressés et de la spéculation mentale ; *nirvairaḥ :* sans aucun ennemi ; *sarva-bhūteṣu :* parmi tous les êtres ; *yaḥ :* celui qui ; *saḥ :* il ; *mām :* à Moi ; *eti :* vient ; *pāṇḍava :* ô fils de Pāṇḍu.

**Mon cher Arjuna, il parvient certes jusqu'à Moi celui qui, lavé des souillures que génèrent la spéculation intellectuelle et l'acte intéressé, s'absorbe toujours dans le service de dévotion pur, celui qui œuvre pour Moi, se montre bienveillant envers tous les êtres et fait de Moi le but suprême de l'existence.**

Quiconque désire approcher Dieu dans Sa forme suprême de Kṛṣṇa, quiconque aspire à se rendre sur Kṛṣṇaloka dans le monde spirituel pour se lier intimement à Lui, doit, pour ce faire, emprunter la voie préconisée par le Seigneur dans ce verset. Aussi considère-t-on que ce verset renferme l'essence de la *Bhagavad-gītā*.

La *Bhagavad-gītā* est un ouvrage destiné aux âmes conditionnées qui cherchent à dominer la nature matérielle parce qu'elles ignorent tout de la vraie vie spirituelle. Cet ouvrage a pour but de leur montrer comment réaliser leur nature spirituelle, comment recouvrer leur relation éternelle avec l'Être Spirituel Suprême afin de retourner à Dieu, en leur demeure éternelle. Notre verset indique sans équivoque que les activités spirituelles sont fructueuses si l'on emprunte la voie du service de dévotion.

Le spiritualiste doit réorienter son énergie pour que tous ses actes soient conscients de Kṛṣṇa. Le *Bhakti-rasāmṛta-sindhu* (1.2.255) l'explique :

*anāsaktasya viṣayān, yathārham upayuñjataḥ*
*nirbandhaḥ kṛṣṇa-sambandhe, yuktaṁ vairāgyam ucyate*

Aucun homme ne devrait accomplir la moindre tâche qui ne soit liée à Kṛṣṇa. Tel est le *kṛṣṇa-karma*. Bien que l'on soit en droit d'accomplir toutes sortes d'activités, on ne doit pas pour autant convoiter les fruits de son labeur. On doit plutôt les offrir au Seigneur. Un homme d'affaires, par exemple, peut fort bien rendre son travail conscient de Kṛṣṇa si simplement il œuvre pour le Seigneur. Puisque Kṛṣṇa est le réel propriétaire de l'entreprise, c'est Lui qui doit bénéficier des profits. Par ailleurs, si un homme possède une immense fortune, il peut également l'offrir à Kṛṣṇa. Voilà ce qu'on entend par travailler pour Kṛṣṇa. Il peut, au lieu de faire bâtir une grande résidence pour son propre plaisir, financer la construction d'un beau temple, y installer la forme *arcā* du Seigneur, et, conformément aux directives des écrits autorisés, Lui rendre un culte. Bien sûr, il pourra demeurer lui aussi en ce lieu, mais il devra toujours avoir conscience que le propriétaire de l'édifice est Kṛṣṇa. Ainsi, ses actes relèveront du *kṛṣṇa-*

*karma*. On ne doit pas s'attacher aux résultats de ses actes, mais au contraire les offrir tous à Dieu. Ce n'est qu'une fois l'offrande faite que l'on est en droit de goûter les reliefs de ce que l'on nomme *prasādam* (miséricorde de Kṛṣṇa).

Celui qui n'a pas les moyens de faire construire un temple pourra toujours entreprendre de nettoyer tout édifice où l'on se voue à l'adoration de Dieu. Un tel acte relèvera également du *kṛṣṇa-karma*. Ou bien, s'il préfère, il pourra cultiver un jardin. Quiconque possède ne serait-ce qu'un peu de terre (en Inde, même les pauvres possèdent un lopin de terre) peut aisément cultiver des fleurs et les offrir au Seigneur, ou même planter des graines de l'arbuste *tulasī* dont les feuilles occupent une place importante dans le service divin. Du reste, le Seigneur recommande dans la *Bhagavad-gītā* qu'on Lui offre une feuille, une fleur, un fruit ou un peu d'eau (*patraṁ puṣpaṁ phalaṁ toyam*) ; l'un ou l'autre de ces modestes présents suffisent à Le satisfaire. Et lorsqu'Il parle de feuille, Il pense tout particulièrement à la feuille de *tulasī*. Ainsi, même le plus pauvre d'entre les pauvres est en mesure d'offrir un service à Kṛṣṇa. Ces quelques exemples montrent comment l'on peut offrir son travail à Kṛṣṇa.

Le mot *mat-paramaḥ* désigne celui qui considère que la perfection de l'existence consiste à obtenir la compagnie de Kṛṣṇa en Sa demeure suprême. Un tel être n'éprouve aucun attrait ni pour les planètes supérieures que sont la lune, le soleil et l'ensemble des planètes édéniques, ni pour Brahmaloka, la plus élevée de toutes les planètes matérielles. Il ne souhaite qu'accéder au monde spirituel. Et même là il ne saurait se satisfaire d'une fusion dans le *brahmajyoti,* car il veut se rendre sur Kṛṣṇaloka, la planète spirituelle la plus haute, que l'on nomme aussi Goloka Vṛndāvana. Parce qu'il possède de cette planète une connaissance parfaite, il n'est pas du tout attiré par les autres. Et comme l'indique le mot *mad-bhaktaḥ,* il s'absorbe tout entier dans le service de dévotion, et plus spécifiquement dans les neuf activités spirituelles : écouter tout propos ayant pour objet le Seigneur, Le glorifier, se souvenir de Lui, servir Ses pieds pareils-au-lotus, L'adorer, Lui offrir des prières, se rendre à Ses désirs, se lier d'amitié avec Lui et tout Lui abandonner. En prenant part à ces neuf activités dévotionnelles, ou même à huit ou sept d'entre elles, voire à une, il parvient à la perfection ultime.

Remarquons le terme *saṅga-varjitaḥ*. Il indique que l'on ne doit plus fréquenter les êtres hostiles à Kṛṣṇa, c'est-à-dire les athées, mais aussi les hommes enclins à l'action intéressée ou à la spéculation intellectuelle. C'est du reste pour cette raison que Śrīla Rūpa Gosvāmī donne une description détaillée dans son *Bhakti-rasāmṛta-sindhu* (1.1.11) du pur service de dévotion :

*anyābhilāṣitā-śūnyaṁ, jñāna-karmādy-anāvṛtam*
*ānukūlyena kṛṣṇānu-, śīlanaṁ bhaktir uttamā*

On ne saurait accomplir purement le service de dévotion sans s'être au préalable purifié des souillures inhérentes au monde matériel, sans s'être soustrait à la compagnie d'un entourage qui se voue aux actes intéressés ou à la spéculation intellectuelle. On parvient à ce que l'on appelle le pur service de dévotion, quand on agit ainsi et que l'on cultive favorablement la conscience de Kṛṣṇa. *Ānukūlyasya saṅkalpaḥ prātikūlyasya varjanam* (*Hari-bhakti-vilāsa* 11.676). Il faut adopter une attitude positive lorsqu'on pense à Kṛṣṇa et qu'on agit pour Lui, à l'opposé de Kaṁsa, l'ennemi de Kṛṣṇa. Dès qu'il apprit l'avènement du Seigneur, Kaṁsa imagina toutes sortes de stratagèmes pour Le tuer, tant et si bien qu'il finit par ne plus penser qu'à Lui. Ses tentatives s'avérant toutes infructueuses, il se mit à méditer constamment sur Kṛṣṇa, qu'il travaille, qu'il mange ou qu'il dorme. Sa conscience était toujours absorbée en Lui, certes, mais on ne saurait dire qu'elle fut positive. C'est pourquoi il resta un être démoniaque que le Seigneur finit par tuer.

Quiconque est tué par le Seigneur atteint aussitôt la libération, mais celle-ci n'est pas le but du pur dévot. Il ne la désire aucunement, pas plus qu'il ne désire être promu à la planète spirituelle la plus élevée, Goloka Vṛndāvana. Il n'a pour seul désir que de servir Kṛṣṇa en tout lieu et en toute circonstance.

Parce qu'il est l'ami de tous, un dévot de Kṛṣṇa n'a pas d'ennemi (*nirvairaḥ*). Il sait par expérience que seul le service dévotionnel du Seigneur permettra de régler une fois pour toutes l'ensemble des problèmes de l'existence humaine. Il désire donc ardemment que cette voie spirituelle, la conscience de Kṛṣṇa, soit introduite dans la société. Par le passé, de nombreux dévots du Seigneur allèrent jusqu'à risquer leur vie pour répandre la conscience de Dieu. L'exemple le plus connu est celui de Jésus-Christ qui fut crucifié par des non-dévots. Il sacrifia sa vie pour la cause divine. Toutefois, il serait superficiel de croire qu'il ait pu être tué. En Inde, également, il y eut de nombreux cas semblables, comme Haridāsa Ṭhākura et Prahlāda Mahārāja. Si, donc, tous prirent de si grands risques, c'est qu'ils désiraient répandre la conscience de Kṛṣṇa, tâche extrêmement difficile. Le dévot a compris que la souffrance de l'homme ne provient que de son oubli de la relation éternelle qui l'unit à Kṛṣṇa. Le plus grand bienfait que l'on puisse apporter à l'humanité est de soulager son prochain de tous ses problèmes matériels. C'est ainsi que le pur dévot sert le Seigneur. Nous pouvons à présent imaginer à quel point Kṛṣṇa est miséricordieux envers ceux qui se dédient au service de dévotion et vont jusqu'à tout risquer pour Le satisfaire. Nul doute que de telles personnes atteindront, après avoir quitté leur corps, la planète suprême.

Nous dirons pour résumer que la forme universelle - manifestation temporaire du Seigneur -, la forme du temps qui tout dévore, et même la forme de Viṣṇu à quatre bras, ont toutes été dévoilées par Kṛṣṇa. Il en est donc la source et ne constitue nullement Lui-même une manifestation de l'originelle *viśva-rūpa,* ou de Viṣṇu. Kṛṣṇa est à l'origine de toutes les formes. Bien qu'il existe des milliers de formes de Viṣṇu, seule importe au dévot la forme originelle de Śyāmasundara à deux bras. La *Brahma-saṁhitā* enseigne que ceux qui s'attachent avec amour et dévotion à la forme Śyāmasundara de Kṛṣṇa sont en mesure de toujours Le contempler en leur cœur et ne voient rien d'autre. Ce qu'il faut comprendre de la teneur de ce onzième chapitre se résume à ceci : la forme de Kṛṣṇa est primordiale et suprême.

*Ainsi s'achèvent les teneurs et portées de Bhaktivedanta sur le onzième chapitre de la* Śrīmad Bhagavad-gītā *traitant de la forme universelle.*

DOUZIÈME CHAPITRE

# Le service de dévotion

**12.1** अर्जुन उवाच
एवं सततयुक्ता ये भक्तास्त्वां पर्युपासते ।
ये चाप्यक्षरमव्यक्तं तेषां के योगवित्तमाः ॥ १ ॥

*arjuna uvāca*
*evaṁ satata-yuktā ye, bhaktās tvāṁ paryupāsate*
*ye cāpy akṣaram avyaktaṁ, teṣāṁ ke yoga-vittamāḥ*

*arjunaḥ uvāca :* Arjuna dit ; *evam :* ainsi ; *satata :* toujours ; *yuktāḥ :* engagés ; *ye :* ceux qui ; *bhaktāḥ :* les dévots ; *tvām :* Toi ; *paryupāsate :* adorent correctement ; *ye :* ceux qui ; *ca :* aussi ; *api :* encore ; *akṣaram :* au-delà des sens ; *avyaktam :* le non-manifesté ; *teṣām :* entre eux ; *ke :* qui ; *yoga-vittamāḥ :* les plus parfaits dans la connaissance du yoga.

**Arjuna dit : Entre celui qui T'adore par le service de dévotion et celui qui voue un culte au Brahman impersonnel, au non-manifesté, lequel est le plus parfait ?**

Kṛṣṇa nous a jusqu'ici présenté Ses formes personnelle, impersonnelle et universelle et a décrit les différentes catégories de dévots et de *yogīs*. D'une façon générale, on dénombre deux groupes de spiritualistes : les personnalistes et les impersonnalistes. Les premiers emploient toute leur énergie au service du Seigneur Suprême, tandis que les seconds ne s'y engagent pas directement, mais adoptent la méditation sur le Brahman impersonnel, sur le non-manifesté. Or, ce chapitre nous révélera que de toutes les voies menant à la réalisation de la Vérité Absolue, le *bhakti-yoga,* ou service de dévotion, est la plus haute. Si l'on aspire vraiment à vivre en la compagnie de Dieu, la Personne Suprême, on doit pratiquer le service de dévotion.

Arjuna demande laquelle des deux voies, personnaliste ou impersonnaliste, est la meilleure. Kṛṣṇa lui répond que le *bhakti-yoga,* le service dévotionnel offert à Sa personne, est la plus haute des méthodes de réalisation de la Vérité Absolue. C'est la manière la plus directe, la plus aisée de L'atteindre et de vivre à Ses côtés.

Le Seigneur expliquait, dans le deuxième chapitre, que l'être est distinct du corps de matière, qu'il est une étincelle spirituelle du Tout, de la Vérité Absolue. Dans le septième chapitre, Il parlait de l'être distinct en tant que partie intégrante du Tout suprême et recommandait de porter son attention sur ce Tout. Dans le huitième chapitre, Il ajoutait que quiconque pense à Lui à l'instant de la mort se rend aussitôt dans Sa demeure au monde spirituel. Et, un peu avant, à la fin du sixième chapitre, Kṛṣṇa affirmait que d'entre tous les *yogīs,* celui qui, en son for intérieur, pense constamment à Lui est le plus parfait. Ainsi, presque tous les chapitres nous amènent à la conclusion qu'il faut s'attacher à la forme personnelle de Kṛṣṇa, car cela constitue la plus haute forme de spiritualité.

Il y a pourtant des gens qui ne sont pas attachés à cette forme personnelle. Ils en sont même tellement détachés qu'ils s'efforcent dans leurs commentaires de la *Bhagavad-gītā* de détourner les gens de Kṛṣṇa et les encouragent à se vouer au *brahmajyoti* impersonnel. Ils préfèrent méditer sur la forme impersonnelle et non manifestée de la Vérité Absolue, laquelle se situe au-delà de ce que peuvent percevoir les sens.

Arjuna, donc, aimerait savoir quel groupe de spiritualistes est le plus élevé et quelle est la voie la plus aisée. Il cherche en fait à savoir si sa conception est bien la meilleure car lui-même est attaché à la forme personnelle de Kṛṣṇa et n'éprouve aucune attirance pour le Brahman impersonnel. À vrai dire, la manifestation impersonnelle du Seigneur Suprême, que ce soit dans l'univers matériel ou dans le monde spirituel, se prête fort mal à la méditation, parce qu'elle ne se conçoit pas parfaitement. C'est la raison pour laquelle Arjuna s'interroge sur la valeur d'une telle méditation : n'est-elle pas, en fin de compte, qu'une simple perte de temps ? Lui-même a déjà compris par sa propre expérience – nous l'avons vu au onzième chapitre – qu'en s'attachant à la forme personnelle de Kṛṣṇa, il peut simultanément comprendre Ses autres formes, sans pour autant que son amour pour Kṛṣṇa n'en soit affecté. La réponse que Kṛṣṇa donnera à la question d'Arjuna nous permettra de bien comprendre la distinction entre les conceptions personnelle et impersonnelle de la Vérité Absolue.

**12.2** श्रीभगवानुवाच
मय्यावेश्य मनो ये मां नित्ययुक्ता उपासते ।
श्रद्धया परयोपेतास्ते मे युक्ततमा मताः ॥ २ ॥

*śrī-bhagavān uvāca*
*mayy āveśya mano ye māṁ, nitya-yuktā upāsate*
*śraddhayā parayopetās, te me yukta-tamā matāḥ*

*śrī-bhagavān uvāca :* Dieu, la Personne Suprême, dit ; *mayi :* sur Moi ; *āveśya :* fixant ; *manaḥ :* le mental ; *ye :* ceux qui ; *mām :* Moi ; *nitya :* toujours ; *yuktāḥ :* engagés ; *upāsate :* adorent ; *śraddhayā :* d'une foi ; *parayā :* transcendantale ; *upetāḥ :* dotés ; *te :* ils ; *me :* par Moi ; *yuktatamāḥ :* les plus parfaits dans le yoga ; *matāḥ :* sont considérés.

**Dieu, la Personne Suprême, dit : Celui qui fixe son mental sur Ma forme personnelle et toujours M'adore avec une foi transcendantale, Je le considère comme le plus parfait.**

Kṛṣṇa répond clairement à Arjuna que celui qui se concentre sur Sa forme personnelle et qui L'adore avec foi et dévotion doit être considéré comme ayant atteint la perfection du yoga. Celui qui possède une telle conscience de Kṛṣṇa n'agit pas matériellement puisqu'il n'agit que pour Kṛṣṇa. Le pur dévot est toujours absorbé dans le service du Seigneur. Tantôt il écoute Ses gloires, les lit ou les chante, tantôt il prépare du *prasādam,* nettoie Ses plats, lave Son temple ou achète diverses choses pour les Lui offrir. Jamais il ne se passe un instant sans qu'il ne dédie ses actions à Kṛṣṇa. De telles activités sont accomplies dans un parfait état de *samādhi*.

**12.3–4** ये त्वक्षरमनिर्देश्यमव्यक्तं पर्युपासते ।
सर्वत्रगमचिन्त्यं च कूटस्थमचलं ध्रुवम् ॥ ३ ॥

सन्नियम्येन्द्रियग्रामं सर्वत्र समबुद्धयः ।
ते प्राप्नुवन्ति मामेव सर्वभूतहिते रताः ॥ ४ ॥

*ye tv akṣaram anirdeśyam, avyaktaṁ paryupāsate*
*sarvatra-gam acintyaṁ ca, kūṭa-stham acalaṁ dhruvam*

*sanniyamyendriya-grāmaṁ, sarvatra sama-buddhayaḥ*
*te prāpnuvanti mām eva, sarva-bhūta-hite ratāḥ*

*ye :* ceux qui ; *tu :* mais ; *akṣaram :* ce qui est au-delà du pouvoir de perception des sens ; *anirdeśyam :* indéfini ; *avyaktam :* non manifesté ; *paryupāsate :* s'engagent complètement dans le culte de ; *sarvatra-gam :* omniprésent ; *acintyam :* inconcevable ; *ca :* aussi ; *kūṭa-stham :* invariable ; *acalam :* immuable ; *dhruvam :* fixe ; *sanniyamya :* maîtrisant ; *indriya-grāmam :* tous les sens ; *sarvatra :* partout ; *sama-buddhayaḥ :* de disposition égale ; *te :* ils ; *prāpnuvanti :* atteignent ; *mām :* Moi ; *eva :* certes ; *sarva-bhūta-hite :* au bien de tous les êtres ; *ratāḥ :* occupés.

**Quant à ceux qui tout entiers se vouent au non-manifesté – le concept impersonnel de la Vérité Absolue – inaccessible aux sens, omniprésent, inconcevable, invariable, immuable et fixe, en contrôlant leurs sens, en se montrant égal envers tous et en œuvrant pour le bien de tous les êtres, ils finissent aussi par M'atteindre.**

Ceux qui n'adorent pas directement Dieu, Kṛṣṇa, mais qui essayent d'obtenir le même résultat par des voies indirectes, en fin de compte, parviennent eux aussi jusqu'à Lui. La *Bhagavad-gītā* nous apprend en effet qu'après de nombreuses naissances, lorsqu'il comprend que Vāsudeva, Kṛṣṇa, est tout ce qui est, l'homme au vrai savoir prend refuge en Lui. Si l'on désire approcher Dieu par la méthode mentionnée dans le verset qui nous occupe, il nous faut apprendre à maîtriser nos sens, se faire le serviteur d'autrui et œuvrer au bien-être de tous. Ce verset implique également qu'il ne saurait y avoir de réalisation parfaite sans approcher Kṛṣṇa. Et avant de s'abandonner entièrement à Lui, il faut souvent accomplir de nombreuses austérités.

Pour percevoir l'Âme Suprême au cœur de l'âme individuelle, il faut mettre un terme à toute activité des sens (voir, entendre, goûter, toucher, sentir, agir). Seulement alors réalise-t-on l'omniprésence de l'Âme Suprême. L'ayant ainsi réalisée, on n'envie plus les autres entités vivantes. On ne fait plus de distinction entre les êtres (homme, animal...), car on contemple non pas les enveloppes extérieures, mais l'âme seule. Cependant, l'homme du commun aura toutes les peines du monde à emprunter la voie particulièrement ardue de la réalisation impersonnelle.

**12.5**

क्लेशोऽधिकतरस्तेषामव्यक्तासक्तचेतसाम् ।
अव्यक्ता हि गतिर्दुःखं देहवद्भिरवाप्यते ॥ ५ ॥

*kleśo 'dhika-taras teṣām, avyaktāsakta-cetasām*
*avyaktā hi gatir duḥkhaṁ, dehavadbhir avāpyate*

*kleśaḥ :* difficultés ; *adhikataraḥ :* beaucoup de ; *teṣām :* pour eux ; *avyakta :* au non-manifesté ; *āsakta :* attaché ; *cetasām :* pour ceux dont le mental ; *avyaktā :* vers le non-manifesté ; *hi :* certes ; *gatiḥ :* le progrès ; *duḥkham :* avec difficulté ; *dehavadbhiḥ :* par les êtres incarnés ; *avāpyate :* est obtenu.

**Toutefois, pour ceux dont le mental s'attache au non-manifesté, à l'aspect impersonnel de l'Absolu, il est fort pénible de progresser, car cette voie s'avère toujours ardue pour l'être incarné.**

Le spiritualiste qui se consacre à l'aspect impersonnel, inconcevable et non manifesté du Seigneur Suprême est un *jñāna-yogī.* Celui qui est pleinement absorbé dans la conscience de Kṛṣṇa, qui sert le Seigneur avec amour et dévotion, est un *bhakti-yogī.* La différence entre les deux se manifeste ici de façon décisive : la voie du *jñāna-yoga,* bien qu'elle conduise finalement au même but, est fort épineuse, alors que la voie du *bhakti-yoga* (servir directement le Seigneur Suprême) est infiniment plus aisée et convient naturellement à l'âme incarnée. L'âme conditionnée étant incarnée depuis des temps immémoriaux, il lui est très difficile de comprendre sur une base purement théorique qu'elle se distingue du corps matériel. Aussi, le *bhakti-yogī* adore Kṛṣṇa dans Sa forme *arcā,* laquelle lui permet d'appliquer justement la conception corporelle qu'il a de toute personne réelle. Il va sans dire que l'adoration du Seigneur Suprême dans Sa forme de *mūrti* n'est pas une pratique idolâtre. Les Écritures védiques précisent que le culte de Dieu peut être *saguṇa* ou *nirguṇa,* selon que l'on voit ou non le Seigneur avec Ses attributs. L'adoration de la *mūrti* est *saguṇa,* car le Seigneur y est représenté à l'aide des attributs de la matière. Toutefois, bien que l'on se serve de matériel comme le bois, la pierre ou la peinture à l'huile pour représenter la forme du Seigneur, cette dernière n'est pas matérielle. Telle est la nature absolue du Seigneur Suprême.

Prenons un exemple simple, mais fort approprié : une lettre postée dans une boîte agréée par la poste parviendra sans difficulté à son destinataire. Mais on ne pourra pas en dire autant d'une lettre jetée dans une boîte quelconque, ou dans une imitation de boîte à lettres, non reconnue par le bureau des postes. Ainsi, le Seigneur Suprême, Dieu, est-Il représenté par la *mūrti* (*arcā-vigraha*), Sa manifestation ici-bas. Puisqu'Il est omniprésent et tout-puissant, Kṛṣṇa peut, à travers Sa forme *arcā,* accepter le service de Son dévot et ainsi faciliter la pratique dévotionnelle de l'homme conditionné.

Il n'est donc pas difficile pour un dévot d'approcher l'Être Suprême immédiatement, directement, alors que ceux qui empruntent la voie de l'impersonnalisme rencontrent maints obstacles. Ces derniers doivent, pour comprendre l'aspect non manifesté de l'Absolu, étudier certains Écrits védiques comme les *Upaniṣads,* et donc apprendre la langue sanskrite. Ils doivent également arriver à comprendre des sentiments qui ne peuvent être perçus. Enfin, tout cela doit être parfaitement assimilé et réalisé, tâche bien malaisée pour un homme ordinaire. Le dévot absorbé dans le service de Kṛṣṇa n'a aucun mal à réaliser Dieu, la Personne Suprême, simplement en suivant les instructions d'un maître spirituel authentique, en rendant régulièrement son hommage à la *mūrti,* en écoutant les gloires du Seigneur et en faisant honneur aux reliefs sanctifiés de la nourriture qui Lui est offerte. De toute évidence, l'impersonnaliste emprunte inutilement un sentier ardu. Et il n'est même pas certain qu'il puisse un jour parvenir à réaliser la Vérité Absolue. Le personnaliste, par contre, y parviendra directement, sans risque et sans peine. On trouve dans le *Śrīmad-Bhāgavatam* un passage ressemblant fort à notre verset, qui déclare que si, au lieu de suivre la voie de la *bhakti,* au lieu de s'abandonner à Dieu, la Personne Suprême, on se risque, sa vie durant, à tenter de discerner ce qui est Brahman et ce qui ne l'est pas, on n'y gagnera que peines et difficultés. Ce verset conseille donc de ne pas se risquer à emprunter un chemin épineux, dont on ne peut être sûr qu'il mène à bon port.

L'être vivant est une âme éternellement distincte. En cherchant à se fondre dans le Tout absolu, il réalisera peut-être les aspects d'éternité et de connaissance propres à sa nature originelle, mais pas l'aspect de félicité qui lui est aussi inhérent. Il se peut néanmoins que ce spiritualiste versé dans la pratique du *jñāna-yoga,* en vienne un jour, par la grâce d'un dévot, au service de dévotion, le *bhakti-yoga*. Mais sa longue pratique de l'impersonnalisme lui créera de nouveaux problèmes, dans la mesure où il ne parviendra que difficilement à se défaire de ce concept. Ainsi, la méditation sur le non-manifesté n'offre que des difficultés à ceux qui s'y attachent, aussi bien dans la pratique que dans la réalisation. Chaque être est doté d'une indépendance partielle, mais il faut savoir en toute certitude que la voie du non-manifesté est contraire à la nature spirituelle et bienheureuse de l'âme. Il faut donc éviter de la suivre.

La conscience de Kṛṣṇa implique une absorption totale dans le service de Dieu. Elle est la meilleure voie. Celui qui délibérément se détourne du service dévotionnel court le risque de dévier vers l'athéisme. Comme l'exprime le présent verset, en tout âge, et plus encore dans le nôtre, la méthode de réalisation qui permet de fixer son attention sur l'inconcevable, le non-manifesté existant au-delà de toute approche des sens, ne doit jamais être encouragée. Le Seigneur, Kṛṣṇa, la déconseille.

**12.6–7** ये तु सर्वाणि कर्माणि मयि सन्न्यस्य मत्पराः ।
अनन्येनैव योगेन मां ध्यायन्त उपासते ॥ ६ ॥

तेषामहं समुद्धर्ता मृत्युसंसारसागरात् ।
भवामि न चिरात्पार्थ मय्यावेशितचेतसाम् ॥ ७ ॥

*ye tu sarvāṇi karmāṇi, mayi sannyasya mat-parāḥ*
*ananyenaiva yogena, māṁ dhyāyanta upāsate*

*teṣām ahaṁ samuddhartā, mṛtyu-saṁsāra-sāgarāt*
*bhavāmi na cirāt pārtha, mayy āveśita-cetasām*

*ye :* ceux qui; *tu :* mais; *sarvāṇi :* toutes; *karmāṇi :* les activités; *mayi :* à Moi; *sannyasya :* abandonnant; *mat-parāḥ :* étant attachés à Moi; *ananyena :* sans division; *eva :* certes; *yogena :* par la pratique du *bhakti-yoga*; *mām :* sur Moi; *dhyāyantaḥ :* méditant; *upāsate :* adorent; *teṣām :* pour eux; *aham :* Je suis; *samuddhartā :* le libérateur; *mṛtyu :* de la mort; *saṁsāra :* dans l'existence matérielle; *sāgarāt :* de l'océan; *bhavāmi :* Je deviens; *na :* pas; *cirāt :* après longtemps; *pārtha :* ô fils de Pṛthā; *mayi :* sur Moi; *āveśita :* fixé; *cetasām :* pour ceux dont le mental.

**Mais pour qui M'adore, ô fils de Pṛthā, pour qui M'abandonne tous ses actes et se voue à Moi sans partage, pour qui se consacre au service de dévotion et, le mental fixé sur Moi, fait de Moi l'objet de sa méditation, Je suis le libérateur qui très vite l'arrachera à l'océan des morts et des renaissances.**

Le Seigneur dit ici clairement qu'Il libère très rapidement Ses dévots de l'existence matérielle. Le pur service de dévotion conduit l'homme à réaliser la grandeur de Dieu et à comprendre que l'âme distincte Lui est subordonnée. Son devoir est de Le servir, autrement il servira *māyā*.

Comme nous l'avons vu, seul le service dévotionnel peut nous permettre de comprendre le Seigneur Suprême. Par conséquent, si l'on souhaite parvenir à Lui, on doit pleinement se vouer à Sa personne, n'agir que pour Lui et absorber pleinement son mental en Lui. Peu importe l'activité choisie, pourvu qu'elle Lui soit dédiée. Telle est la règle du service de dévotion. Le dévot ne désire pas autre chose que la satisfaction de Dieu, la Personne Suprême. Le but de sa vie étant de plaire à Kṛṣṇa, il est prêt à tout sacrifier pour Lui, comme le fit Arjuna sur le champ de bataille de Kurukṣetra. La méthode est très simple : se dévouer à Kṛṣṇa dans chacune de ses occupations en chantant ou récitant Hare Kṛṣṇa Hare Kṛṣṇa Kṛṣṇa Kṛṣṇa Hare Hare/Hare Rāma Hare Rāma Rāma Rāma Hare Hare. Par ce chant transcendantal, on développera de l'attachement pour Dieu.

Le Seigneur Suprême promet ici de sortir sans délai de l'océan de l'existence matérielle le pur dévot qui se voue à Son service. Les *yogīs* accomplis peuvent, par la pratique du yoga, se rendre sur la planète de leur choix – ce que l'on peut également obtenir par divers autres moyens. Mais le dévot a le privilège, comme cela est parfaitement expliqué ici, d'être emmené par le Seigneur Lui-même. Il n'a donc pas à attendre d'être très expérimenté pour se rendre au monde spirituel. Le *Varāha Purāṇa* le confirme :

*nayāmi paramaṁ sthānam, arcir-ādi-gatiṁ vinā*
*garuḍa-skandham āropya, yatheccham anivāritaḥ*

Le dévot n'a pas besoin de pratiquer l'*aṣṭāṅga-yoga* pour se rendre sur les planètes spirituelles. Le Seigneur Suprême assume cette responsabilité pour lui et le délivre. Tout comme un enfant est en sécurité sous la protection de ses parents, le dévot n'a pas besoin de pratiquer une autre forme de yoga pour se rendre sur d'autres planètes. Dans Son immense miséricorde, le Seigneur Suprême, chevauchant l'oiseau Garuḍa, vient Lui-même sortir Son dévot de l'existence matérielle. Car, quand bien même il lutterait pour sa vie avec acharnement, quand bien même il serait un excellent nageur, l'homme perdu au milieu de l'océan ne peut, seul, éviter la noyade. Mais qu'on vienne à le repêcher, et il sera sauvé. De la même manière, le Seigneur sauve Son dévot des flots de l'existence matérielle. Il suffit simplement de suivre la méthode de la conscience de Krsna et de s'absorber pleinement dans le service de dévotion. N'importe quel homme intelligent préférera la voie dévotionnelle à toute autre. Le *Nārāyaṇīya* ajoute d'ailleurs :

*yā vai sādhana-sampattiḥ, puruṣārtha-catuṣṭaye*
*tayā vinā tad āpnoti, naro nārāyaṇāśrayaḥ*

On ne devrait jamais s'adonner aux diverses formes d'action intéressée ou cultiver la connaissance par le biais de la spéculation intellectuelle, car quiconque se voue à la Personne Suprême peut jouir de tous les fruits des différents yogas, de la spéculation intellectuelle, des rites, des sacrifices, des actes de charité, etc. Telle est la bénédiction spéciale que confère le service de dévotion.

Simplement en chantant le saint nom de Kṛṣṇa – Hare Kṛṣṇa Hare Kṛṣṇa Kṛṣṇa Kṛṣṇa Hare Hare/Hare Rāma Hare Rāma Rāma Rāma Hare Hare – le dévot du Seigneur peut arriver, dans la joie et la facilité, à la destination suprême que nulle autre voie spirituelle ne permet d'atteindre. Du reste, dans le dix-huitième chapitre, la conclusion de la *Bhagavad-gītā* est sans équivoque :

*sarva-dharmān parityajya, mām ekaṁ śaraṇaṁ vraja*
*ahaṁ tvāṁ sarva-pāpebhyo, mokṣayiṣyāmi mā śucaḥ*

On doit abandonner toute autre voie de réalisation spirituelle et simplement exécuter le service dévotionnel dans la conscience de Kṛṣṇa. Ainsi pourra-t-on atteindre la plus haute perfection de l'existence. Et il n'est nullement besoin de s'inquiéter des actes coupables que l'on a commis dans sa vie passée, car le Seigneur Suprême nous prend totalement sous Sa protection. Qui souhaite se réaliser spirituellement n'a donc pas à chercher à se libérer par soi-même. Que chacun prenne refuge auprès du Seigneur Suprême omnipotent, Kṛṣṇa, car telle est la plus haute perfection de l'existence.

**12.8** मय्येव मन आधत्स्व मयि बुद्धिं निवेशय ।
निवसिष्यसि मय्येव अत ऊर्ध्वं न संशयः ॥ ८ ॥

*mayy eva mana ādhatsva, mayi buddhiṁ niveśaya*
*nivasiṣyasi mayy eva, ata ūrdhvaṁ na saṁśayaḥ*

*mayi :* sur Moi ; *eva :* certes ; *manaḥ :* le mental ; *ādhatsva :* fixe ; *mayi :* à Moi ; *buddhim :* l'intelligence ; *niveśaya :* applique ; *nivasiṣyasi :* tu vivras ; *mayi :* en Moi ; *eva :* certes ; *ataḥ ūrdhvam :* par la suite ; *na :* jamais ; *saṁśayaḥ :* de doute.

**Fixe simplement ton mental sur Moi, Dieu, la Personne Suprême, et place en Moi toute ton intelligence. Ainsi, tu seras sûr de toujours vivre en Moi.**

Celui qui sert Kṛṣṇa avec dévotion vit en relation directe avec Lui. Aussi, dès le début de sa pratique, sa position est en toute certitude spirituelle. Le dévot, en effet, ne vit pas sur le plan matériel. Il vit en Kṛṣṇa. Parce que le saint nom du Seigneur n'est pas différent du Seigneur Lui-même, Kṛṣṇa et Sa puissance interne dansent sur la langue du dévot lorsque celui-ci chante Hare Kṛṣṇa. Kṛṣṇa accepte directement la nourriture que Lui offre Son dévot, et ce dernier, en mangeant les reliefs de cette offrande, devient « kṛṣṇaïsé ». Mais celui qui n'adopte pas la pratique du service de dévotion ne pourra apprécier l'authenticité du processus, bien que la *Bhagavad-gītā* et d'autres Écrits védiques le recommandent.

**12.9** अथ चित्तं समाधातुं न शक्नोषि मयि स्थिरम् ।
अभ्यासयोगेन ततो मामिच्छाप्तुं धनञ्जय ॥ ९ ॥

*atha cittaṁ samādhātuṁ, na śaknoṣi mayi sthiram*
*abhyāsa-yogena tato, mām icchāptuṁ dhanañ-jaya*

*atha :* si donc ; *cittam :* le mental ; *samādhātum :* de fixer ; *na :* pas ; *śaknoṣi :* capable ; *mayi :* sur Moi ; *sthiram :* sans cesse ; *abhyāsa-yogena :* par la pratique du service dévotionnel ; *tataḥ :* alors ; *mām :* Moi ; *icchā :* le désir ; *āptum :* d'obtenir ; *dhanam-jaya :* ô Arjuna, conquérant des richesses.

**Mon cher Arjuna, toi qui conquis tant de richesses, si tu ne peux, sans faillir, fixer sur Moi ton mental, observe alors les principes régulateurs du bhakti-yoga et acquiers ainsi le désir de M'atteindre.**

Ce verset indique que le *bhakti-yoga* peut se pratiquer de deux façons. La première concerne ceux qui, parce qu'ils éprouvent un amour transcendantal pour Dieu, sont attachés à Kṛṣṇa, la Personne Suprême. Et la deuxième, ceux qui n'ont pas encore développé cet amour et cet attachement. Ces derniers pourront suivre certaines règles qui les amèneront finalement à s'attacher à Kṛṣṇa.

Le *bhakti-yoga* vise à la purification des sens. Leur emploi présent dans le cadre de l'existence conditionnée à des fins de plaisirs matériels rend nos sens impurs. Mais purifiés par le *bhakti-yoga,* ils entrent directement en contact avec le Seigneur Suprême. Dans l'existence matérielle, les hommes ne servent pas un maître parce qu'ils l'aiment, mais parce qu'ils souhaitent gagner de l'argent. Le maître n'éprouve pas non plus d'amour pour son subordonné. Il utilise seulement ses services et le paie en retour. Il n'est donc pas question d'amour. Dans la vie spirituelle, au contraire, on doit s'élever jusqu'à l'amour pur. Et l'on y parvient par la pratique du service de dévotion, accompli avec les sens dont on est à présent doté.

L'amour de Dieu sommeille dans le cœur de chacun. Il se manifeste sous diverses formes, mais il est contaminé par la matière. Le cœur doit donc être purifié de son contact avec la matière, et cet amour naturel ravivé. Telle est, en résumé, la voie du *bhakti-yoga*.

La pratique du *bhakti-yoga* consiste à suivre, sous la conduite d'un maître spirituel compétent, certains principes régulateurs. Ainsi de se lever de bonne heure le matin, se laver, entrer dans le temple pour y offrir des prières au Seigneur et chanter Hare Kṛṣṇa, cueillir des fleurs et les offrir à la *mūrti,* cuisiner pour Lui des mets délicats et les Lui offrir, en honorer les reliefs sanctifiés (*prasādam*), etc. Il faut également écouter sans cesse des lèvres des purs dévots le message de la *Bhagavad-gītā* et du *Śrīmad-Bhāgavatam*. Les pratiques accomplies conformément aux principes régulateurs du *bhakti-yoga,* sous la conduite d'un maître spirituel, aideront l'homme à s'élever jusqu'à l'amour de Dieu et lui permettront d'atteindre, en toute certitude, Son royaume spirituel.

**12.10** अभ्यासेऽप्यसमर्थोऽसि मत्कर्मपरमो भव ।
मदर्थमपि कर्माणि कुर्वन् सिद्धिमवाप्स्यसि ॥१०॥

*abhyāse 'py asamartho 'si, mat-karma-paramo bhava*
*mad-artham api karmāṇi, kurvan siddhim avāpsyasi*

*abhyāse :* dans la pratique; *api :* même si; *asamarthaḥ :* incapable; *asi :* tu es; *mat-karma :* Mon œuvre; *paramaḥ :* consacré à; *bhava :* deviens; *matartham :* pour Moi; *api :* même; *karmāṇi :* les actes; *kurvan :* accomplissant; *siddhim :* la perfection; *avāpsyasi :* tu atteindras.

**Si tu ne peux, toutefois, te conformer aux principes régulateurs du bhakti-yoga, alors essaie d'œuvrer pour Moi, car en agissant pour Moi tu parviendras à l'état de perfection.**

Celui qui ne parvient pas non plus à observer les principes régulateurs du *bhakti-yoga* sous la conduite d'un maître spirituel peut tout de même atteindre la perfection s'il œuvre pour le Seigneur. Nous avons déjà vu, dans le verset cinquante-cinq du chapitre onze, comment agir en ce sens.

Il faut encourager la propagation de la conscience de Kṛṣṇa. De nombreux dévots œuvrent déjà dans cette direction, mais ils ont besoin d'aide. Quand bien même on ne pourra directement observer les principes régulateurs du *bhakti-yoga,* on pourra au moins contribuer à cette expansion. Toute entreprise, qu'elle soit matérielle ou spirituelle, a besoin de terrains, de locaux, de capitaux, de main-d'œuvre, d'organisation, etc. Mais si la première ne vise que le contentement des sens, la seconde a pour but de satisfaire Kṛṣṇa. Celui qui possède suffisamment d'argent pourra financer l'érection d'un temple ou d'un centre pour la conscience de Kṛṣṇa, ou promouvoir un certain nombre de publications. La conscience de Kṛṣṇa offre suffisamment d'activités différentes auxquelles s'intéresser. L'homme qui ne parvient pas à faire l'offrande de tels travaux pourra au moins sacrifier un certain pourcentage de son temps ou de ses revenus à la propagation de la conscience de Kṛṣṇa. Ce service volontaire à la cause de la conscience de Kṛṣṇa l'aidera à développer son amour pour Dieu, ce qui l'amènera à la perfection.

**12.11** अथैतदप्यशक्तोऽसि कर्तुं मद्योगमाश्रितः ।
सर्वकर्मफलत्यागं ततः कुरु यतात्मवान् ॥११॥

*athaitad apy aśakto 'si, kartuṁ mad-yogam āśritaḥ*
*sarva-karma-phala-tyāgaṁ, tataḥ kuru yatātmavān*

*atha :* même si ; *etat :* cela ; *api :* aussi ; *aśaktaḥ :* incapable ; *asi :* tu es ; *kartum :* de faire ; *mat :* pour Moi ; *yogam :* dans le service de dévotion ; *āśritaḥ :* prenant refuge ; *sarva-karma :* de toutes les actions ; *phala :* aux résultats ; *tyāgam :* le renoncement ; *tataḥ :* alors ; *kuru :* fais ; *yata-ātma-vān :* situé dans le soi.

**Mais si tu ne peux non plus agir dans cette conscience divine, alors efforce-toi de renoncer aux fruits de ton labeur et de devenir maître de toi.**

Il se peut que, pour des raisons sociales, familiales, religieuses ou autres, un homme soit dans l'impossibilité de montrer qu'il apprécie les activités de la conscience de Kṛṣṇa. Il se peut qu'en le voyant s'attacher à ces activités, sa famille fasse obstacle à une adhésion directe, ou bien qu'il rencontre toutes sortes d'autres difficultés. Si tel est le cas, il faut au moins qu'il sacrifie pour une bonne cause les fruits de son travail. Les règles védiques prescrivent dans cette intention un certain nombre de sacrifices et d'activités particulières (*puṇya*) dans lesquels on peut investir les fruits de ses actes. Il parviendra alors graduellement à la connaissance. Il arrive que des gens, qui ne sont pas attirés par la conscience de Kṛṣṇa, donnent de l'argent aux hôpitaux, ou à des œuvres caritatives. Ce genre d'activité est également recommandé ici, car renoncer aux fruits durement acquis de son labeur purifie graduellement le mental et permet de mieux comprendre la conscience de Kṛṣṇa. Il ne faudrait toutefois pas en déduire que la conscience de Kṛṣṇa dépende d'autres pratiques, car elle suffit à elle seule à purifier le mental. Mais il est conseillé à celui qui, pour une raison ou pour une autre, ne peut se vouer entièrement à la conscience de Kṛṣṇa, d'offrir le résultat de ses actes. En effet, servir la communauté, la nation, la patrie, etc., pourra le conduire un jour à prendre part au service de dévotion pur. La *Bhagavad-gītā* (18.46) ne dit-elle pas : *yataḥ pravṛttir bhūtānām* – si on décide de sacrifier à la cause suprême, sans même savoir que cette cause est Kṛṣṇa, on en vient graduellement à comprendre, de par ce sacrifice même, que Kṛṣṇa est cette cause suprême.

**12.12** श्रेयो हि ज्ञानमभ्यासाज्ज्ञानाद्ध्यानं विशिष्यते ।
ध्यानात्कर्मफलत्यागस्त्यागाच्छान्तिरनन्तरम् ॥१२॥

*śreyo hi jñānam abhyāsāj, jñānād dhyānaṁ viśiṣyate*
*dhyānāt karma-phala-tyāgas, tyāgāc chāntir anantaram*

*śreyaḥ :* mieux ; *hi :* certes ; *jñānam :* la connaissance ; *abhyāsāt :* la pratique ; *jñānāt :* que la connaissance ; *dhyānam :* la méditation ; *viśiṣyate :* est considérée meilleure ; *dhyānāt :* que la méditation ; *karma-phala-tyāgaḥ :* le renoncement aux fruits des actes ; *tyāgāt :* par ce renoncement ; *śāntiḥ :* la paix ; *anantaram :* par la suite.

**Si à la pratique de la conscience de Kṛṣṇa tu ne peux te plier, alors cultive la connaissance. La méditation est cependant bien supérieure et le renoncement aux fruits de l'acte plus élevé encore, car il confère la paix de l'esprit.**

Les versets précédents nous ont montré deux aspects du service de dévotion : la voie de l'attachement total au Seigneur Suprême, par amour pour Lui, et la voie des principes régulateurs. À celui qui se trouve dans l'impossibilité de suivre ces principes de la conscience de Kṛṣṇa, il est conseillé de cultiver la connaissance, laquelle lui permettra de comprendre sa nature véritable. Cette connaissance, en se développant, mènera à la méditation, laquelle, en se développant à son tour, permettra graduellement de comprendre Dieu, la Personne Suprême.

Certaines pratiques conduisent leurs adeptes à se prendre pour Dieu, et cette forme de méditation est préférée de ceux qui sont incapables de se dédier au service de dévotion. Si l'on ne peut méditer, on peut au moins se conformer aux devoirs prescrits dans les Écritures védiques, lesquels concernent les *brāhmaṇas,* les *kṣatriyas,* les *vaiśyas* et les *śūdras,* dont nous trouverons la liste au dernier chapitre. Mais quel que soit ce devoir, il faut toujours renoncer au fruit de son labeur, c'est-à-dire employer le résultat de ses actes (karma) au service d'une bonne cause.

On voit donc, en résumé, que deux voies mènent au but suprême, à Dieu : l'une est directe, l'autre graduelle. La voie directe consiste à pratiquer le service de dévotion dans la conscience de Kṛṣṇa, et la voie indirecte à renoncer aux fruits de ses actes pour arriver à la connaissance, puis à la méditation, puis à la réalisation du Paramātmā et, finalement, à Dieu, la Personne Suprême. On peut donc prendre soit la voie rapide, soit la voie qui oblige à avancer pas à pas. Et parce que tous ne sont pas capables de suivre la première méthode, la seconde est également valable. Toutefois, comprenons bien que Kṛṣṇa ne recommande pas la voie indirecte à Arjuna, car celui-ci a déjà atteint l'étape du service d'amour et de dévotion à Dieu. La voie indirecte ne concerne que ceux qui n'ont pas encore atteint ce niveau. Ils doivent s'élever graduellement du renoncement à la connaissance, puis de la connaissance à la méditation et enfin réaliser l'Âme Suprême et le Brahman. La *Bhagavad-gītā,* quant à elle, souligne la voie directe, et conseille à tous de s'abandonner directement à Dieu, la Personne Suprême, Kṛṣṇa.

**12.13–14** अद्वेष्टा सर्वभूतानां मैत्रः करुण एव च ।
निर्ममो निरहङ्कारः समदुःखसुखः क्षमी ॥१३॥

सन्तुष्टः सततं योगी यतात्मा दृढनिश्चयः ।
मय्यर्पितमनोबुद्धिर्यो मद्भक्तः स मे प्रियः ॥१४॥

*adveṣṭā sarva-bhūtānāṁ*
*maitraḥ karuṇa eva ca*
*nirmamo nirahaṅkāraḥ*
*sama-duḥkha-sukhaḥ kṣamī*

*santuṣṭaḥ satataṁ yogī*
*yatātmā dṛḍha-niścayaḥ*
*mayy arpita-mano-buddhir*
*yo mad-bhaktaḥ sa me priyaḥ*

*adveṣṭā :* sans envie; *sarva-bhūtānām :* envers tous les êtres; *maitraḥ :* amical; *karuṇaḥ :* bon; *eva :* certes; *ca :* aussi; *nirmamaḥ :* sans esprit de possession; *nir-ahaṅkāraḥ :* sans faux ego; *sama :* égal; *duḥkhaḥ :* dans le malheur; *sukhaḥ :* et le bonheur; *kṣamī :* clément; *santuṣṭaḥ :* satisfait; *satatam :* toujours; *yogī :* engagé dans la dévotion; *yatā-ātmā :* maître de soi; *dṛḍha-niścayaḥ :* avec détermination; *mayi :*

en Moi; *arpita :* engagés; *manaḥ :* le mental; *buddhiḥ :* l'intelligence; *yaḥ :* celui qui; *mat-bhaktaḥ :* Mon dévot; *saḥ me :* à Moi; *priyaḥ :* très cher.

**Celui qui se comporte avec tous en ami bienveillant et n'envie personne, qui ne se croit le possesseur de rien et s'est affranchi du faux ego, celui-là, Mon dévot, M'est très cher. La peine ne l'affecte pas plus que la joie. Tolérant, maître de ses sens, il éprouve un inaltérable contentement. Il pratique le service de dévotion avec détermination, son mental et son intelligence toujours fixés sur Moi.**

Revenant sur le service de dévotion pur, le Seigneur décrit dans ces deux versets les qualités spirituelles du pur dévot. Il n'est jamais perturbé, quelles que soient les circonstances. Il n'est envieux de personne. Il ne devient jamais l'ennemi de son ennemi. Il pense que l'inimitié qu'on éprouve à son égard vient de ses propres méfaits passés. Il préfère donc souffrir plutôt que protester. Le *Śrīmad-Bhāgavatam* (10.14.8) enseigne d'ailleurs : *tat te 'nukampāṁ susamīkṣamāṇo bhuñjāna evātma-kṛtaṁ vipākam.* Qu'il soit plongé dans un profond désarroi ou confronté à des difficultés, le dévot se sent toujours béni par le Seigneur. Il pense : « Mes péchés furent tels que je devrais souffrir mille fois plus. Si je ne reçois pas la totalité du châtiment, ce n'est que parce que le Seigneur Suprême est miséricordieux. Par l'effet de Sa grâce, je n'en reçois qu'une portion infime. » C'est pourquoi il est toujours calme, serein et patient, même dans les pires circonstances. Le dévot par ailleurs fait preuve de bonté envers tous, même envers son ennemi.

Le terme *nirmama* indique que le dévot n'accorde qu'une importance relative aux douleurs et aux problèmes inhérents au corps, car il se sait parfaitement distinct de son enveloppe charnelle. Comme il ne s'y identifie pas, il est affranchi du faux ego et demeure égal dans la joie comme dans la peine. Il est tolérant et se satisfait de ce que Dieu lui donne miséricordieusement. Comme il n'accomplit pas d'efforts inconsidérés pour obtenir ce qui présente trop de difficulté, il est toujours joyeux et paisible. Il est le plus parfait des spiritualistes, car il suit rigoureusement les instructions de son maître spirituel. Et parce qu'il domine ses sens, il est doté d'une forte détermination. Aucun argument fallacieux ne l'ébranle. On ne peut affaiblir sa ferme volonté de servir le Seigneur avec dévotion. Comme il sait, en toute conscience, que Kṛṣṇa est le Seigneur éternel, il n'est troublé par personne. Et toutes ces qualités lui permettent de fixer complètement son mental et son intelligence sur le Seigneur. Bien qu'il soit sans aucun doute très rare de parvenir à un tel niveau de dévotion, le dévot l'atteint en suivant les principes régulateurs du *bhakti-yoga*. En outre, le Seigneur déclare qu'un tel dévot Lui est très cher, car ses actes, accomplis dans une conscience divine, Le satisfont toujours.

**12.15** यस्मान्नोद्विजते लोको लोकान्नोद्विजते च यः ।
हर्षामर्षभयोद्वेगैर्मुक्तो यः स च मे प्रियः ॥१५॥

*yasmān nodvijate loko, lokān nodvijate ca yaḥ*
*harṣāmarṣa-bhayodvegair, mukto yaḥ sa ca me priyaḥ*

*yasmāt :* par qui ; *na :* jamais ; *udvijate :* sont tracassés ; *lokaḥ :* les gens ; *lokāt :* les gens ; *na :* jamais ; *udvijate :* n'est troublé ; *ca :* aussi ; *yaḥ :* quiconque ; *harṣa :* du bonheur ; *amarṣa :* du malheur ; *bhaya :* de la crainte ; *udvegaiḥ :* et de l'anxiété ; *muktaḥ :* libéré ; *yaḥ :* qui ; *saḥ :* quiconque ; *ca :* aussi ; *me :* à Moi ; *priyaḥ :* très cher.

**Celui qui n'est jamais cause de tracas pour autrui et ne se laisse lui-même jamais troubler, que n'affectent ni la joie ni la peine, ni la crainte ni l'anxiété, celui-là M'est très cher.**

Ici se poursuit l'énumération des qualités du dévot. Bon envers tous, il n'est cause de difficulté, de crainte, d'angoisse ou de mécontentement pour personne. Même quand on tente de le perturber, il ne se tourmente pas, car, par la grâce du Seigneur, il a appris par expérience à tolérer les assauts du monde extérieur. En fait, la conscience de Kṛṣṇa et le service de dévotion l'absorbent à tel point que rien de matériel ne peut le déranger. En général, un matérialiste est satisfait quand ses sens et son corps jouissent de certains plaisirs, mais se ronge de chagrin et de jalousie quand un autre jouit d'un objet de plaisir auquel il n'a pas accès. Il vit dans la crainte lorsqu'il redoute la vengeance d'un ennemi, et devient morose s'il ne peut s'acquitter d'une tâche avec succès. C'est parce qu'il transcende toutes ces agitations que le dévot est très cher à Kṛṣṇa.

**12.16** अनपेक्षः शुचिर्दक्ष उदासीनो गतव्यथः ।
सर्वारम्भपरित्यागी यो मद्भक्तः स मे प्रियः ॥१६॥

*anapekṣaḥ śucir dakṣa, udāsīno gata-vyathaḥ*
*sarvārambha-parityāgī, yo mad-bhaktaḥ sa me priyaḥ*

*anapekṣaḥ :* neutre ; *śuciḥ :* pur ; *dakṣaḥ :* expert ; *udāsīnaḥ :* libre de soucis ; *gata-vyathaḥ :* libre de toute souffrance ; *sarva-ārambha :* à toute entreprise ; *parityāgī :*

celui qui renonce ; *yaḥ :* quiconque ; *mat-bhaktaḥ :* Mon dévot ; *saḥ :* il ; *me :* à Moi ; *priyaḥ :* très cher.

**Mon dévot, cet être pur, expert en tout, qui ne dépend pas du cours ordinaire des choses, qui est libre de tout souci, de toute souffrance, et qui ne recherche point le fruit de ses actes, M'est très cher.**

Le dévot peut accepter l'argent qu'on lui offre, mais ne lutte jamais pour en obtenir. Si par la grâce du Seigneur, l'argent lui vient, il ne s'en émeut pas. Il se lave systématiquement au moins deux fois par jour et se lève tôt le matin pour entreprendre ses activités dévotionnelles. Sa pureté, tant interne qu'externe, est ainsi garantie. Convaincu de l'autorité des Écritures, il agit toujours de façon experte, car il connaît le sens et la portée de toute action. Parce qu'il ne prend part à aucun conflit, il n'a aucun souci. Comme il est affranchi de toute désignation matérielle, il ne connaît jamais la douleur. Se sachant distinct du corps, il n'est pas affecté par les souffrances corporelles. Le pur dévot n'entreprend jamais rien qui aille à l'encontre des principes du service de dévotion. Construire un bâtiment, par exemple, requiert de grands efforts. Un dévot ne se lancera donc jamais dans une telle entreprise si elle ne favorise pas son progrès dans la conscience de Kṛṣṇa. Il construira, certes, un temple et acceptera tous les soucis que cela implique, mais jamais une maison luxueuse pour son utilisation personnelle.

**12.17** यो न हृष्यति न द्वेष्टि न शोचति न काङ्क्षति ।
शुभाशुभपरित्यागी भक्तिमान् यः स मे प्रियः ॥१७॥

*yo na hṛṣyati na dveṣṭi, na śocati na kāṅkṣati*
*śubhāśubha-parityāgī, bhaktimān yaḥ sa me priyaḥ*

*yaḥ :* celui qui ; *na :* jamais ; *hṛṣyati :* ne prend plaisir ; *na :* jamais ; *dveṣṭi :* ne s'attriste ; *na :* jamais ; *śocati :* ne s'afflige ; *na :* jamais ; *kāṅkṣati :* ne désire ; *śubha :* propice ; *aśubha :* funeste ; *parityāgī :* celui qui renonce ; *bhaktimān :* dévot ; *yaḥ :* celui qui ; *saḥ :* il est ; *me :* Mon ; *priyaḥ :* cher.

**Il M'est très cher le dévot que n'affectent ni la joie ni la peine, qui jamais ne s'afflige et jamais ne convoite, qui renonce tant aux situations propices que funestes.**

Une perte matérielle n'affecte pas plus le pur dévot qu'un gain ne le réjouit. Il n'est pas particulièrement désireux d'avoir un fils ou un disciple, et n'est pas non plus malheureux s'il n'en obtient pas. Il ne se lamente ni pour la perte de ce qui lui est cher, ni pour ce qu'il ne peut obtenir. Il demeure transcendantal, aussi bien face à ce qui est propice, qu'à ce qui est funeste ou condamnable. Mais pour satisfaire le Seigneur, il est prêt à accepter toutes sortes de risques, car rien ne saurait faire obstacle à son service de dévotion. Un tel dévot est très cher au Seigneur.

**12.18–19** समः शत्रौ च मित्रे च तथा मानापमानयोः ।
शीतोष्णसुखदुःखेषु समः सङ्गविवर्जितः ॥१८॥
तुल्यनिन्दास्तुतिर्मौनी सन्तुष्टो येन केनचित् ।
अनिकेतः स्थिरमतिर्भक्तिमान्मे प्रियो नरः ॥१९॥

*samaḥ śatrau ca mitre ca*
*tathā mānāpamānayoḥ*
*śītoṣṇa-sukha-duḥkheṣu*
*samaḥ saṅga-vivarjitaḥ*

*tulya-nindā-stutir maunī*
*santuṣṭo yena kenacit*
*aniketaḥ sthira-matir*
*bhaktimān me priyo naraḥ*

*samaḥ :* égal; *śatrau :* envers l'ennemi; *ca :* aussi; *mitre :* envers les amis; *ca :* aussi; *tatha :* ainsi; *māna :* dans l'honneur; *apamānayoḥ :* et le déshonneur; *śīta :* dans le froid; *uṣṇa :* la chaleur; *sukha :* le bonheur; *duḥkheṣu :* et le malheur; *samaḥ :* également disposé; *saṅga-vivarjitaḥ :* libre de tout contact; *tulya :* égal; *nindā :* dans la diffamation; *stutiḥ :* et le renom; *maunī :* silencieux; *santuṣṭaḥ :* satisfait; *yena kenacit :* de tout; *aniketaḥ :* n'ayant pas de demeure; *sthira :* fixe; *matiḥ :* détermination; *bhaktimān :* engagé dans la dévotion; *me :* à Moi; *priyaḥ :* cher; *naraḥ :* un homme.

**Celui qui traite pareillement l'ami et l'ennemi, qui demeure égal dans l'honneur et le déshonneur, la chaleur et le froid, le bonheur et le malheur, la gloire et la diffamation, qui toujours se garde des mauvaises fréquentations, qui, silencieux, satisfait de tout et insouciant du gîte, est établi dans la connaissance et Me sert avec amour et dévotion, celui-là M'est très cher.**

Un dévot ne vit jamais en mauvaise compagnie. Un homme est parfois loué, parfois diffamé, c'est la nature même de la société humaine qui le veut. Mais le dévot transcende toujours les catégories artificielles que sont la gloire et la diffamation, le bonheur et le malheur. Il est très patient. Comme il n'a pas d'autre sujet de conversation que Kṛṣṇa, on le dit silencieux. Être silencieux ne signifie pas se taire, mais s'abstenir de prononcer des sottises. On ne doit parler que de choses essentielles. Le Seigneur Suprême est donc au centre de toutes les conversations du dévot. Il est heureux quoi qu'il arrive. Qu'il ait ou non à manger des mets savoureux, il demeure satisfait. Peu lui importe le confort d'un logis ; vivre sous un arbre, vivre dans un palais, l'un n'a pas plus d'attrait que l'autre. Sa détermination et sa connaissance sont inébranlables. On objectera peut-être qu'il y a un certain nombre de répétitions dans cette liste, mais elles n'ont d'autre but que de souligner qu'il est indispensable qu'un dévot acquière toutes ces qualités. Sans elles, nul ne pourra devenir un pur dévot. Et quiconque n'est pas un dévot du Seigneur ne possède, à vrai dire, aucune bonne qualité (*harāv abhaktasya kuto mahad-guṇāḥ*). Le dévot doit donc acquérir ces qualités pour être reconnu en tant que tel mais il n'a pas à fournir d'efforts hors de la conscience de Kṛṣṇa pour les développer : le service de dévotion lui permet de les acquérir automatiquement.

**12.20** ये तु धर्मामृतमिदं यथोक्तं पर्युपासते ।
श्रद्दधाना मत्परमा भक्तास्तेऽतीव मे प्रियाः ॥२०॥

*ye tu dharmāmṛtam idaṁ, yathoktaṁ paryupāsate*
*śraddadhānā mat-paramā, bhaktās te 'tīva me priyāḥ*

*ye :* ceux qui ; *tu :* mais ; *dharmya :* de la religion ; *amṛtam :* nectar ; *idam :* ce ; *yathā :* comme ; *uktam :* dit ; *paryupāsate :* s'engagent complètement ; *śraddadhānāḥ :* avec foi ; *mat-paramāḥ :* considérant que le Seigneur Suprême est tout ; *bhaktāḥ :* les dévots ; *te :* ils ; *atīva :* très très ; *me :* à Moi ; *priyāḥ :* chers.

**Celui qui, plein de foi, s'engage tout entier dans cette impérissable voie du service de dévotion, faisant de Moi le but suprême, M'est infiniment cher.**

Des versets deux à vingt (de *mayy āveśya mano ye mām* – « celui qui fixe son mental sur Moi » – jusqu'à *ye tu dharmāmṛtam idam* – « cette impérissable voie du service de dévotion »), le Seigneur a décrit les différents procédés spirituels qui permettent d'aller jusqu'à Lui. Ces procédés sont très chers à Kṛṣṇa, qui reconnaît pour Sien quiconque les suit.

Arjuna demandait quelle était la meilleure voie, entre la recherche du Brahman impersonnel et le service offert à la Personne Suprême. Le Seigneur lui répond si explicitement qu'il est impossible de douter que le service dévotionnel offert à la Personne Suprême soit la meilleure méthode de réalisation spirituelle. En d'autres mots, ce chapitre certifie que la fréquentation de dévots nous amène à développer un attachement pour le pur service de dévotion et à accepter un maître spirituel authentique. On écoute alors de ses lèvres l'enseignement spirituel et l'on commence à chanter les gloires du Seigneur, à observer avec foi, attachement et dévotion les principes régulateurs du *bhakti-yoga.* Ainsi se trouve-t-on engagé au service transcendantal du Seigneur.

Tout le chapitre met l'accent sur cette voie. Il est donc certain que le service dévotionnel est le seul procédé qui mène de façon absolue à la réalisation spirituelle, à Dieu, la Personne Suprême. La conception impersonnelle de la Vérité Suprême et Absolue, qu'on trouve également décrite dans ce chapitre, n'est valable que jusqu'au moment où l'on se voue à la pleine réalisation spirituelle. En d'autres termes, elle est utile tant qu'on n'a pas eu l'opportunité de rencontrer un pur dévot. Celui qui suit la voie impersonnelle agit sans convoiter les fruits de ses actes. Il médite et cultive la connaissance afin de pouvoir distinguer le spirituel du matériel - activités nécessaires, répétons-le, tant que l'on n'a pas rencontré un pur dévot. Mais celui qui, par bonheur, trouve directement en lui le désir de suivre la voie de la conscience de Kṛṣṇa, en prenant part au service de dévotion pur, n'a pas à franchir une à une les étapes de la réalisation spirituelle. Le service de dévotion, décrit du chapitre sept au chapitre douze de la *Bhagavad-gītā,* convient mieux à l'être. Pour qui l'adopte, en effet, nul besoin de se soucier du maintien du corps, car, par la grâce du Seigneur, tout lui vient naturellement.

*Ainsi s'achèvent les teneurs et portées de Bhaktivedanta*
*sur le douzième chapitre de la* Śrīmad Bhagavad-gītā
*traitant du service de dévotion.*

TREIZIÈME CHAPITRE

# La nature, le bénéficiaire et la conscience

**13.1–2**

अर्जुन उवाच
प्रकृतिं पुरुषं चैव क्षेत्रं क्षेत्रज्ञमेव च ।
एतद्वेदितुमिच्छामि ज्ञानं ज्ञेयं च केशव ॥ १ ॥
श्रीभगवानुवाच
इदं शरीरं कौन्तेय क्षेत्रमित्यभिधीयते ।
एतद्यो वेत्ति तं प्राहुः क्षेत्रज्ञ इति तद्विदः ॥ २ ॥

*arjuna uvāca*
*prakṛtiṁ puruṣaṁ caiva, kṣetraṁ kṣetra-jñam eva ca*
*etad veditum icchāmi, jñānaṁ jñeyaṁ ca keśava*

*śrī-bhagavān uvāca*
*idaṁ śarīraṁ kaunteya, kṣetram ity abhidhīyate*
*etad yo vetti taṁ prāhuḥ, kṣetra-jña iti tad-vidaḥ*

*arjunaḥ uvāca :* Arjuna dit ; *prakṛtim :* la nature ; *puruṣam :* le bénéficiaire ; *ca :* aussi ; *eva :* certes ; *kṣetram :* le champ ; *kṣetrajñam :* celui qui connaît le champ ; *eva :* certes ; *ca :* aussi ; *etat :* tout ceci ; *veditum :* comprendre ; *icchāmi :* je souhaite ; *jñānam :* le savoir ; *jñeyam :* l'objet du savoir ; *ca :* aussi ; *keśava :* ô Kṛṣṇa ; *śrī-bhagavān uvāca :* Dieu, la Personne Suprême, dit ; *idam :* ce ; *śarīram :* corps ; *kaunteya :* ô fils de Kuntī ; *kṣetram :* le champ ; *iti :* ainsi ; *abhidhīyate :* est appelé ; *etat :* cela ; *yaḥ :* quiconque ; *vetti :* connaît ; *tam :* il ; *prāhuḥ :* est appelé ; *kṣetra-jñaḥ :* connaissant du champ ; *iti :* ainsi ; *tat-vidaḥ :* par ceux qui le savent.

**Arjuna dit : Ô mon cher Kṛṣṇa, j'aimerais savoir ce que sont la prakṛti [la nature], le puruṣa [le bénéficiaire], le champ, le connaissant du champ, le savoir et l'objet du savoir. Dieu, la Personne Suprême, répond : On appelle champ le corps, ô fils de Kuntī, et connaissant du champ celui qui connaît le corps.**

Arjuna demande ici à Kṛṣṇa ce que sont la *prakṛti* (la nature), le *puruṣa* (le bénéficiaire), le *kṣetra* (le champ), le *kṣetra-jña* (le connaissant du champ), le *jñāna* (le savoir) et le *jñeya* (l'objet du savoir). Kṛṣṇa lui répond que le champ et le connaissant du champ sont respectivement le corps et celui qui connaît le corps. Le corps est le champ d'action de l'âme conditionnée qui, bien qu'elle soit prisonnière de ce monde, s'efforce de dominer la nature matérielle. Elle obtient d'ailleurs pour ce faire un corps doté d'organes sensoriels spécifiques, lequel prend tel ou tel aspect selon son aptitude à dominer et à jouir des sens. Le corps est donc le champ d'action (*kṣetra*) de l'âme conditionnée. Le connaissant du champ (*kṣetra-jña*) est celui qui connaît le corps sans s'y identifier. On peut donc aisément distinguer le champ du connaissant. N'importe qui peut constater que le corps passe de l'enfance à la vieillesse en subissant plusieurs changements, mais que la personne, elle, demeure la même. Le connaissant du champ d'action est par conséquent bel et bien différent du champ proprement dit. Ainsi l'âme conditionnée peut comprendre qu'elle est distincte de son corps. Cela a déjà été expliqué au début de la *Bhagavad-gītā* : *dehino 'smin yathā dehe.* L'être qui vit à l'intérieur du corps - lequel passe de l'enfance à l'adolescence, puis de la jeunesse à la vieillesse - sait que celui-ci change avec le temps.

Nous avons dit que le possesseur du champ est le *kṣetra-jña*. Parfois l'on pense « Je suis heureux », « je suis en colère », « je suis un homme », « je suis une femme », « je suis un chien », « je suis un chat. » Autant de désignations corporelles appliquées au connaissant, lequel est pourtant totalement différent du champ d'action. Nous savons fort bien que nous sommes distincts de nos vêtements, comme, du reste, de tous les objets que nous utilisons. Nous devrions donc facilement réaliser que nous sommes également distincts du corps que nous revêtons. Ainsi, vous, moi, ou toute autre personne qui a un corps, sommes-nous les *kṣetra-jñas,* les connaissants du *kṣetra* (le champ d'action).

Les six premiers chapitres ont décrit ce connaissant du corps (l'être distinct) et les façons dont il peut comprendre le Seigneur Suprême.

Puis les chapitres sept à douze ont décrit le Seigneur et la relation qui unit l'âme distincte à l'Âme Suprême dans le cadre du service de dévotion. La suprématie de Dieu et la position subordonnée de l'âme individuelle furent aussi clairement établies. Toujours subordonné, l'être ne souffre que parce qu'il oublie sa position originelle. Toutefois, qu'il accomplisse des actes vertueux, et il approchera le Seigneur Suprême de diverses manières comme le font le malheureux, le curieux, celui qui cherche à s'enrichir ou celui qui aspire à la connaissance. À partir de ce treizième chapitre, nous apprendrons comment l'être entre en contact avec la matière et comment le Seigneur l'en libère par le biais des différentes méthodes que sont l'action intéressée, le développement de la connaissance et le service de dévotion. Ce chapitre nous expliquera également comment l'âme, bien que tout à fait distincte du corps, finit, d'une façon ou d'une autre, par lui être liée.

**13.3** क्षेत्रज्ञं चापि मां विद्धि सर्वक्षेत्रेषु भारत ।
क्षेत्रक्षेत्रज्ञयोर्ज्ञानं यत्तज्ज्ञानं मतं मम ॥ ३ ॥

*kṣetra-jñaṁ cāpi māṁ viddhi, sarva-kṣetreṣu bhārata*
*kṣetra-kṣetrajñayor jñānaṁ, yat taj jñānaṁ mataṁ mama*

*kṣetra-jñam :* celui qui connaît le champ; *ca :* aussi; *api :* certes; *mām :* Moi; *viddhi :* connaît; *sarva :* tout; *kṣetreṣu :* dans les champs que sont les corps; *bhārata :* ô descendant de Bharata; *kṣetra :* le champ d'action (le corps); *kṣetra-jñayoḥ :* et celui qui connaît le champ; *jñānam :* la connaissance de; *yat :* ce qui; *tat :* cette; *jñānam :* connaissance; *matam :* opinion; *mama :* Mon.

**Ô descendant de Bharata, comprends que Je suis Moi aussi le connaissant présent en chaque corps, et que le véritable savoir consiste à connaître et le corps et son connaissant. Telle est Ma pensée.**

Ces questions sur le corps, le connaissant du corps, l'âme et l'Âme Suprême, offrent trois sujets d'étude : le Seigneur, l'être distinct et la matière. Il y a en chaque corps, en chaque champ d'action, deux âmes : l'âme distincte et l'Âme Suprême. Cette dernière étant une émanation plénière de Sa personne, Kṛṣṇa dit à juste titre : « Je suis également le connaissant du champ, différent du connaissant individuel. J'en suis le connaissant suprême, présent dans tous les corps dans Ma forme de Paramātmā, d'Âme Suprême. » En analysant avec minutie ce qui se rapporte au champ d'action et à son connaissant, en s'appuyant sur la *Bhagavad-gītā,* on acquiert le savoir.

L'être distinct n'est le connaissant que de son propre corps, alors que le Seigneur Suprême, présent en chacun dans Sa forme d'Âme Suprême, connaît parfaitement tous les corps dans les différentes espèces vivantes. Un paysan peut connaître tout ce qui concerne son lopin de terre, mais le roi, outre son propre domaine, sait ce que possèdent tous ses sujets. C'est pourquoi le roi est le maître originaire du royaume, et ses sujets, les maîtres secondaires. Ainsi sommes-nous propriétaire d'un corps particulier, et le Seigneur, propriétaire suprême de tous les corps.

Le corps est constitué des sens. Or, on sait que le Seigneur est Hṛṣīkeśa, « le maître des sens », qui à l'origine régit tous les sens, tout comme le roi régit toutes les activités de son royaume – ses sujets ne jouissant que de pouvoirs secondaires. Donc, lorsqu'Il dit : « Je suis aussi le connaissant », cela signifie qu'Il est le connaissant suprême, quand l'âme distincte ne connaît que son propre corps. Les Védas le confirment :

*kṣetrāṇi hi śarīrāṇi, bījaṁ cāpi śubhāśubhe*
*tāni vetti sa yogātmā, tataḥ kṣetra-jña ucyate*

On appelle *kṣetra,* le corps, à l'intérieur duquel vivent son possesseur ainsi que le Seigneur Suprême. Comme ce dernier connaît parfaitement et le corps et son possesseur, on dit qu'Il est le connaissant de tous les champs d'action. Ainsi distingue-t-on le champ d'action, le connaissant et le connaissant suprême.

La parfaite connaissance de la nature du corps, de celle de l'âme distincte et de l'Âme Suprême, porte dans les Écrits védiques le nom de « *jñāna* ». C'est ce qu'explique Kṛṣṇa dans ce verset. Celui qui a la connaissance sait que l'âme distincte et l'Âme Suprême sont simultanément une et différentes. Si, par contre, il ignore ce qu'est le champ d'action et le connaissant du champ, c'est qu'il n'a pas encore obtenu le savoir parfait. Il faut connaître la position de la *prakṛti* (la nature), du *puruṣa* (le bénéficiaire) et de l'*īśvara* (le connaissant qui domine et la nature et l'âme distincte). On ne doit pas les confondre, tout comme on ne doit pas confondre l'artiste, la toile et le chevalet. La nature, le champ d'action, c'est le monde matériel, et celui qui en a jouissance, l'être distinct. Au-dessus d'eux Se trouve le maître absolu, Dieu, la Personne Suprême. Les Textes védiques (*Śvetāśvatara Upaniṣad* 1.12) précisent : *bhoktā bhogyaṁ preritāraṁ ca matvā/ sarvaṁ proktaṁ tri-vidhaṁ brahman etat.* Le mot Brahman recouvre

L'humble sage sait que le Seigneur Suprême est présent dans le cœur de tous les êtres. Aussi, voit-il d'un œil égal le brāhmaṇa érudit et bienveillant, la vache, l'éléphant, le chien et le mangeur de chien. Telle est la vision de celui qui détient le véritable savoir. (Page 244)

« Tout comme l'air véhicule les odeurs, l'être vivant, en ce monde, emporte d'un corps à un autre ses différentes conceptions de la vie. Ainsi revêt-il un certain type de corps puis le quitte pour en revêtir un autre. » (Page 597)

L'âme est le passager, et le corps matériel, le char. L'intelligence est le cocher, le mental, ce sont les rênes, et les sens, ce sont les chevaux. Ainsi, l'âme jouit ou souffre par l'intermédiaire du mental et des sens. (Page 286)

« S'il part dans la brume, la nuit, pendant les quinze jours du déclin de la lune ou durant les six mois de soleil austral, le yogī atteindra l'astre lunaire, mais devra tout de même revenir sur terre. » (Page 366)

La nature matérielle est constituée de trois guṇas : la vertu, la passion et l'ignorance. Les êtres sont dotés de corps différents correspondant chacun à l'un ou l'autre des divers aspects de la nature et, par conséquent, leurs actes sont également influencés par cette nature. (Page 567)

Le monde spirituel représente les trois-quart de l'entière création. On y trouve une multitude de planètes où règnent les opulences divines. Ce royaume, libre de toute souffrance, ni le soleil ni la lune ne l'éclaire car il baigne dans sa propre lumière. (Page 593)

« Pense toujours à Moi, deviens Mon dévot, offre-Moi ton hommage et voue-Moi ton adoration, et tu viendras à Moi assurément. Je te le promets car tu es Mon ami très cher. » (Page 702)

trois différents aspects : la *prakṛti* en tant que champ d'action ; le *jīva* (l'âme individuelle) qui cherche à dominer la nature matérielle ; et leur maître à tous deux, le maître absolu, le Brahman Suprême.

Nous verrons dans ce chapitre que d'entre les deux connaissants du corps, l'un est faillible, l'autre non, l'un est maître, l'autre subordonné. Affirmer que les deux connaissants ne font qu'un, c'est contredire le Seigneur Suprême qui, en personne, dit nettement dans ce verset : « Je suis Moi aussi le connaissant. » Celui, par exemple, qui prend un serpent pour une corde est dans l'illusion. Du fait que les êtres vivants ont chacun une propension particulière à dominer la nature matérielle, il existe toute une variété de corps. L'Être Suprême est pour Sa part présent en chaque corps et en est le véritable maître. Notre verset contient un mot important, *ca,* qui selon Śrīla Baladeva Vidyābhūṣaṇa, se rapporte à l'ensemble des corps. Kṛṣṇa est l'Âme Suprême, distinct de l'âme individuelle à l'intérieur de chaque corps. Il explique donc clairement ici que la vraie connaissance est de savoir que Son émanation, l'Âme Suprême, domine à la fois le champ d'action et l'âme individuelle, l'infime bénéficiaire.

**13.4** तत्क्षेत्रं यच्च यादृक्च यद्विकारि यतश्च यत् ।
स च यो यत्प्रभावश्च तत्समासेन मे शृणु ॥ ४ ॥

*tat kṣetraṁ yac ca yādṛk ca, yad-vikāri yataś ca yat*
*sa ca yo yat-prabhāvaś ca, tat samāsena me śṛṇu*

*tat :* ce ; *kṣetram :* champ d'action ; *yat :* quel ; *ca :* aussi ; *yādṛk :* est-il ; *ca :* aussi ; *yat :* ayant quels ; *vikāri :* changements ; *yataḥ :* d'où ; *ca :* aussi ; *yat :* quoi ; *saḥ :* il ; *ca :* aussi ; *yaḥ :* qui ; *yat :* ayant quelle ; *prabhāvaḥ :* influence ; *ca :* aussi ; *tat :* cela ; *samāsena :* en bref ; *me :* de Moi ; *śṛṇu :* comprends.

**Sois attentif à présent car Je vais, en peu de mots, te décrire le champ d'action, sa constitution, ses changements et son origine. Je te parlerai également du connaissant du champ et de son influence.**

Le Seigneur va décrire les natures respectives du champ d'action et du connaissant du champ. On doit savoir de quoi est fait le corps, quels sont les éléments qui le constituent. On doit comprendre ses différentes transformations – leur source, leurs causes, leurs raisons d'être – et apprendre à connaître Celui qui le dirige, mais aussi ce que peut être la forme originelle de l'âme distincte et son but ultime. Il est également nécessaire de savoir distinguer l'Âme Suprême de l'âme distincte, de connaître leurs influences et leurs capacités respectives, etc. En fait, pour acquérir ce savoir, il suffit de comprendre l'enseignement de la *Bhagavad-gītā* tel qu'il est donné par le Seigneur Lui-même et de ne pas confondre Dieu, la Personne Suprême, présent en chaque corps avec l'âme distincte, le *jīva* - ce qui reviendrait à mettre le puissant et l'impuissant sur un pied d'égalité.

**13.5** ऋषिभिर्बहुधा गीतं छन्दोभिर्विविधैः पृथक् ।
ब्रह्मसूत्रपदैश्चैव हेतुमद्भिर्विनिश्चितैः ॥ ५ ॥

*ṛṣibhir bahudhā gītaṁ, chandobhir vividhaiḥ pṛthak*
*brahma-sūtra-padaiś caiva, hetumadbhir viniścitaiḥ*

*ṛṣibhir* : par les sages ; *bahudhā* : de nombreuses façons ; *gītam* : décrits ; *chandobhiḥ* : hymnes védiques ; *vividhaiḥ* : en divers ; *pṛthak* : diversement ; *brahma-sūtra* : du *Vedānta* ; *padaiḥ* : dans les aphorismes ; *ca* : aussi ; *eva* : certes ; *hetumadbhiḥ* : avec cause et effet ; *viniścitaiḥ* : établis.

**Ce savoir qui traite du champ d'action et de son connaissant, de nombreux sages l'ont exposé dans divers Écrits védiques, notamment dans le Vedānta-sūtra où causes et effets sont présentés avec force raison.**

D'entre tous les maîtres qui sont à même de dispenser cette science, Kṛṣṇa, Dieu, la Personne Suprême, est le plus grand. Mais même Lui Se réfère aux textes reconnus, comme le *Vedānta,* pour expliquer le point controversé de la dualité et de la non-dualité de l'âme distincte et de l'Âme Suprême. Car même les sages et les érudits appuient leurs assertions sur les dires d'autorités antérieures. Kṛṣṇa Se réfère aux grands sages, en particulier à Vyāsadeva - l'auteur du *Vedānta-sūtra,* ouvrage dans lequel la dualité est parfaitement bien expliquée - et à son père, Parāśara, qui écrivait dans ses traités religieux : *ahaṁ tvaṁ ca tathānye...* - « Nous tous, vous, moi et les divers êtres, bien qu'actuellement prisonniers de corps matériels, sommes purement transcendantaux. Nous sommes maintenant tombés sous l'emprise des trois modes d'influence de la nature matérielle, chacun selon son karma. Ainsi nous trouvons-nous à des niveaux supérieurs ou inférieurs. Toutes ces conditions qui se manifestent dans une infinie variété d'espèces vivantes ont pour cause l'ignorance. L'Âme Suprême, par contre, infaillible de nature, demeure spirituelle et absolue et n'est jamais contaminée par ces trois *guṇas.* » Les Védas originels, et plus particulièrement la *Kaṭha Upaniṣad,* font aussi la distinction entre l'âme, l'Âme Suprême et le corps. Et d'entre les nombreux sages qui en ont parlé, Parāśara est le plus grand.

Le mot *chandobhiḥ* renvoie aux différentes Écritures védiques. La *Taittirīya Upaniṣad,* par exemple, tirée du *Yajur-veda,* décrit la nature, l'être vivant et Dieu, la Personne Suprême.

Comme nous l'avons déjà expliqué, le *kṣetra* est le champ d'action, et il existe deux types de *kṣetra-jñas* : l'âme individuelle et l'Être Suprême. La *Taittirīya Upaniṣad* (2.5) explique cela ainsi : *brahma puccham̐ pratiṣṭhā.* Lorsqu'on réalise que l'on dépend de la nourriture pour survivre, on possède une conception matérielle de l'Absolu, l'*anna-maya,* qui est une manifestation de l'énergie du Seigneur. Puis, quand on perçoit la Vérité Suprême et Absolue à travers les symptômes de la vie, les différentes formes d'existence, on parvient à la réalisation dite *prāṇa-maya.* Ensuite, quand on développe les fonctions du penser, du sentir et du vouloir, on atteint *jñāna-maya* qui précède *vijñāna-maya,* étape de la réalisation du Brahman où l'on perçoit le mental et les différents signes de vie comme distincts de soi. Enfin, dès qu'on réalise l'aspect de félicité de l'Absolu, on touche à la plus haute réalisation, *ānanda-maya.* Tels sont les cinq degrés de la réalisation du Brahman, ou *brahma puccham.*

Les trois premiers niveaux de la réalisation du Brahman - *anna-maya, prāṇa-maya* et *jñāna-maya* - se rapportent aux champs d'action des êtres individuels. Mais le Seigneur Suprême, que l'on nomme *ānanda-maya* et que le *Vedānta-sūtra* décrit comme *ānanda-mayo 'bhyāsāt* - Celui qui est par nature débordant de félicité - Se trouve au-delà de tous ces différents champs d'action. Pour goûter cette félicité transcendantale, Il Se déploie en *vijñāna-maya, jñāna-maya, prāṇa-maya* et *anna-maya.* Dans le champ d'action, l'être est considéré comme le bénéficiaire, mais il est distinct de l'*ānanda-maya.* Ce qui signifie que si l'être, dans son désir de jouissance, s'unit à l'*ānanda-maya,* il atteint la perfection. Voilà donc décrites avec précision les positions respectives du Seigneur Suprême (le connaissant suprême du champ), de l'être distinct (le connaissant subordonné), et de la nature du champ d'action. Cette connaissance est exposée dans le *Vedānta-sūtra,* ou *Brahma-sūtra.*

Le verset nous explique ici que les aphorismes (*sūtras*) du *Brahma-sūtra* sont présentés en termes de causes et effets. Certains de ces *sūtras* sont *na viyad aśruteḥ* (2.3.2), *nātmā śruteḥ* (2.3.18) et *parāt tu tac-chruteḥ* (2.3.40). Le premier aphorisme renvoie au champ d'action, le second à l'être vivant, et le troisième à l'Être Suprême, le plus grand de tous les êtres.

13.6–7 महाभूतान्यहङ्कारो बुद्धिरव्यक्तमेव च ।
इन्द्रियाणि दशैकं च पञ्च चेन्द्रियगोचराः ॥ ६ ॥

इच्छा द्वेषः सुखं दुःखं सङ्घातश्चेतना धृतिः ।
एतत्क्षेत्रं समासेन सविकारमुदाहृतम् ॥ ७ ॥

*mahā-bhūtāny ahaṅkāro, buddhir avyaktam eva ca*
*indriyāṇi daśaikaṁ ca, pañca cendriya-gocarāḥ*

*icchā dveṣaḥ sukhaṁ duḥkhaṁ, saṅghātaś cetanā dhṛtiḥ*
*etat kṣetraṁ samāsena, sa-vikāram udāhṛtam*

*mahā-bhūtāni :* les grands éléments; *ahaṅkāraḥ :* le faux ego; *buddhiḥ :* l'intelligence; *avyaktam :* le non-manifesté; *eva :* certes; *ca :* aussi; *indriyāṇi :* sens; *daśa ekam :* les onze; *ca :* aussi; *pañca :* les cinq; *ca :* aussi; *indriya-gocarāḥ :* objets des sens; *icchā :* le désir; *dveṣaḥ :* la haine; *sukham :* le bonheur; *duḥkham :* le malheur; *saṅghātaḥ :* l'agrégat; *cetanā :* les symptômes de la vie; *dhṛtiḥ :* la conviction; *etat :* tout ceci; *kṣetram :* le champ d'action; *samāsena :* en résumé; *sa-vikāram :* avec les interactions; *udāhṛtam :* exemplifié.

**Le champ d'action comprend, en résumé, l'ensemble des cinq grands éléments, le faux ego, l'intelligence, le non-manifesté, les dix organes sensoriels, le mental, les cinq objets des sens, et leur agrégat. Le désir et l'aversion, la joie et la peine, les symptômes de la vie et les convictions relèvent pour leur part des interactions du champ.**

Selon les grands sages, les hymnes védiques et les aphorismes du *Vedānta-sūtra,* le monde est constitué de terre, d'eau, de feu, d'air et d'éther, qu'on appelle les cinq grands éléments (le *mahā-bhūta*). On trouve ensuite le faux ego, l'intelligence, les trois modes d'influence de la nature matérielle à l'état non manifesté, les cinq organes de perception des sens par lesquels nous acquérons la connaissance (le nez, la langue, les yeux, la peau et les oreilles), et les cinq organes d'action (la bouche, les jambes, les bras, l'anus et les organes génitaux). Audelà des sens se trouve le mental, qu'on appelle aussi sens interne, ou onzième sens, puis les cinq sortes d'objets des sens : l'odeur, le goût, la forme, le toucher et le son. L'agrégat, c'est-à-dire l'ensemble de ces vingt-quatre éléments, constitue ce qu'on appelle le champ d'action, dont l'étude analytique permet d'acquérir une compréhension solide.

Le désir et l'aversion, ainsi que la joie et la peine, sont les manifestations des cinq grands éléments du corps physique, les produits de leurs interactions. Les symptômes de la vie, que sont la conscience et la conviction, sont des manifestations du corps subtil – le mental, l'intelligence et le faux ego. Ces éléments subtils sont également inclus dans le champ d'action.

Les cinq grands éléments (*mahā-bhūta*) sont une représentation grossière du faux ego, qui à son tour représente le premier stade du faux ego techniquement appelé « conception matérielle de la vie », ou *tāmasa-buddhi,* l'intelligence dans l'ignorance. Ceci représente ensuite l'état dit non manifesté des trois modes d'influence de la nature matérielle, le *pradhāna.* Pour connaître en détail ces vingt-quatre éléments et leurs interactions, dont la *Bhagavad-gītā* ne donne ici qu'un simple aperçu, il faut étudier en profondeur cette philosophie.

Le corps, qui est la somme de tous ces éléments réunis, traverse six étapes : il naît, grandit, se stabilise, se reproduit, dépérit pour finalement mourir. Le *kṣetra,* le champ, est par conséquent matériel et impermanent, contrairement au *kṣetra-jña,* le connaissant du champ, son possesseur.

**13.8–12** अमानित्वमदम्भित्वमहिंसा क्षान्तिरार्जवम् ।
आचार्योपासनं शौचं स्थैर्यमात्मविनिग्रहः ॥ ८ ॥

इन्द्रियार्थेषु वैराग्यमनहङ्कार एव च ।
जन्ममृत्युजराव्याधिदुःखदोषानुदर्शनम् ॥ ९ ॥

असक्तिरनभिष्वङ्गः पुत्रदारगृहादिषु ।
नित्यं च समचित्तत्वमिष्टानिष्टोपपत्तिषु ॥१०॥

मयि चानन्ययोगेन भक्तिरव्यभिचारिणी ।
विविक्तदेशसेवित्वमरतिर्जनसंसदि ॥११॥

अध्यात्मज्ञाननित्यत्वं तत्त्वज्ञानार्थदर्शनम् ।
एतज्ज्ञानमिति प्रोक्तमज्ञानं यदतोऽन्यथा ॥१२॥

*amānitvam adambhitvam, ahiṁsā kṣāntir ārjavam*
*ācāryopāsanaṁ śaucaṁ, sthairyam ātma-vinigrahaḥ*

*indriyārtheṣu vairāgyam, anahaṅkāra eva ca*
*janma-mṛtyu-jarā-vyādhi-, duḥkha-doṣānudarśanam*

*asaktir anabhiṣvaṅgaḥ, putra-dāra-gṛhādiṣu*
*nityaṁ ca sama-cittatvam, iṣṭāniṣṭopapattiṣu*

*mayi cānanya-yogena, bhaktir avyabhicāriṇī*
*vivikta-deśa-sevitvam, aratir jana-saṁsadi*

*adhyātma-jñāna-nityatvaṁ, tattva-jñānārtha-darśanam*
*etaj jñānam iti proktam, ajñānaṁ yad ato 'nyathā*

*amānitvam :* l'humilité ; *adambhitvam :* la modestie ; *ahiṁsā :* la non-violence ; *kṣāntiḥ :* la tolérance ; *ārjavam :* la simplicité ; *ācārya-upāsanam :* approchant un maître spirituel authentique ; *śaucam :* la pureté ; *sthairyam :* la constance ; *ātmavinigrahaḥ :* la maîtrise de soi ; *indriya-artheṣu :* en ce qui concerne les sens ; *vairāgyam :* le renoncement ; *anahaṅkāraḥ :* étant dénué de faux ego ; *eva :* certes ; *ca :* aussi ; *janma :* de la naissance ; *mṛtyu :* la mort ; *jarā :* la vieillesse ; *vyādhi :* et la maladie ; *duḥkha :* des souffrances ; *doṣa :* la faute ; *anudarśanam :* observant ; *asaktiḥ :* étant sans attachement ; *anabhiṣvaṅgaḥ :* étant sans contact ; *putra :* avec le fils ; *dāra :* l'épouse ; *gṛha-ādiṣu :* le foyer, etc. ; *nityam :* constant ; *ca :* aussi ; *sama-cittatvam :* l'équilibre ; *iṣṭa :* ce qui est désirable ; *aniṣṭaḥ :* et ce qui est indésirable ; *upapattiṣu :* étant parvenu ; *mayi :* à Moi ; *ca :* aussi ; *ananya-yogena :* par le service de dévotion inconditionnel ; *bhaktiḥ :* la dévotion ; *avyabhicāriṇī :* sans cessation ; *vivikta :* solitaire ; *deśa ;* à un endroit ; *sevitvam :* aspirant ; *aratiḥ :* étant sans attachement ; *jana-saṁsadi :* pour les gens en général ; *adhyātma :* ayant trait au soi ; *jñāna :* dans la connaissance ; *nityatvam :* l'application ; *tattva-jñāna :* de la connaissance de la vérité ; *artha :* pour l'objet ; *darśanam :* la philosophie ; *etat :* tout ceci ; *jñānam :* la connaissance ; *iti :* ainsi ; *proktam :* déclaré ; *ajñānam :* ignorance ; *yat :* ce qui ; *ataḥ :* que ceci ; *anyathā :* autre.

**L'humilité, la modestie, la non-violence, la tolérance, la simplicité, l'acceptation d'un maître spirituel authentique, la pureté, la constance, la maîtrise de soi, le renoncement aux objets du plaisir des sens, l'affranchissement du faux ego, la perception que naissance, maladie, vieillesse et mort sont des maux funestes, le détachement, l'émancipation des liens familiaux – femme, enfants, foyer et tout ce qui s'y rattache –, l'équanimité en toute situation, agréable ou pénible, la dévotion pure et assidue relèvent de la connaissance, laquelle implique aussi l'aspiration à vivre en un lieu solitaire, le désintérêt des fréquentations profanes, la reconnaissance de l'importance de la réalisation spirituelle et la quête philosophique de la Vérité Absolue. Tel est, Je le déclare, le savoir, et l'ignorance tout ce qui s'en écarte.**

Ce processus d'acquisition du savoir, certains hommes d'intelligence étroite le tiennent pour l'interaction des éléments du champ d'action, alors qu'il s'agit en fait de la voie véritable du savoir. Il permet à celui qui l'adopte d'approcher la Vérité Absolue. Non seulement il ne représente pas l'interaction des vingt-quatre éléments matériels décrits plus haut, mais il constitue en outre le moyen de lui échapper.

L'âme conditionnée est emprisonnée dans le corps fait de ces vingt-quatre éléments, et c'est justement le processus mentionné ici qui doit l'en libérer. On en trouve dans la première ligne du verset onze l'élément le plus important : la voie du savoir culmine dans le service de dévotion pur offert au Seigneur (*mayi cānanya-yogena bhaktir avyabhicāriṇī*). Si nous n'en arrivons pas au service de dévotion transcendantal, les dix-neuf autres éléments n'auront pas vraiment de valeur. Par contre, si nous adoptons le service de dévotion en pleine conscience de Kṛṣṇa, ces éléments se développeront naturellement en nous. Le *Śrīmad-Bhāgavatam* (5.18.12) le confirme : *yasyāsti bhaktir bhagavaty akiñcanā sarvair guṇais tatra samāsate surāḥ*. Toutes les bonnes qualités liées au savoir se développent en celui qui adopte le service de dévotion.

Le principe énoncé au verset huit, concernant l'acceptation d'un maître spirituel, est essentiel. Il est même primordial pour qui désire emprunter avec succès la voie de la dévotion, car la vie spirituelle ne commence vraiment qu'avec l'application de ce principe. Dieu, la Personne Suprême, Śrī Kṛṣṇa, établit clairement ici que cette voie du savoir est la véritable voie. Toute élucubration, tout ce qui s'en écarte, n'est qu'ineptie.

Les éléments présentés dans ce verset comme relevant du savoir peuvent être analysés comme suit. L'humilité, c'est ne pas rechercher la satisfaction de se voir honorer par autrui. En effet, notre conception matérielle de l'existence nous rend toujours anxieux de recevoir des honneurs ; tandis que pour l'homme doté de la vraie connaissance – à savoir qu'il est distinct de son corps – tout ce qui se rapporte au corps, comme l'honneur et le déshonneur, est vain. Il est donc sage de ne pas rechercher ces honneurs matériels trompeurs. Par ailleurs, les gens avides de faire étalage de leur grande piété, sans bien comprendre eux-mêmes les principes de la religion, adhèrent souvent à des mouvements spirituels qui n'observent pas ces principes, et se présentent ensuite comme des guides religieux. Dans la science spirituelle, il faut avoir un moyen d'évaluer réellement son progrès. Les éléments que nous étudions maintenant nous permettront de le faire.

On croit généralement que la non-violence implique seulement de ne pas tuer ou porter atteinte au corps, mais la véritable non-violence consiste à n'être cause d'aucune angoisse pour autrui. L'ignorance emprisonne la plupart des gens dans une conception matérielle de la vie, si bien qu'ils souffrent perpétuellement en ce monde. Par conséquent, on fera bel et bien preuve de violence à leur égard si on ne les élève pas à la connaissance spirituelle. On doit faire tout ce qui est en son pouvoir pour donner aux gens la véritable connaissance afin qu'ils soient éclairés et échappent à l'emprisonnement de la matière. Alors pourra-t-on parler de véritable non-violence.

La tolérance consiste à supporter les insultes et le déshonneur. Lorsqu'on cherche à cultiver le savoir spirituel, on se trouve exposé à bien des affronts. Ainsi le veut la nature matérielle. Même Prahlāda, un enfant de cinq ans qui déjà avait entrepris de développer le savoir spirituel, fut menacé par son père. Il n'empêche que lorsque ce dernier attenta à ses jours par différents moyens, Prahlāda fit preuve de tolérance. Ainsi, même si de nombreux obstacles se dressent sur la voie du progrès spirituel, on doit apprendre à être tolérant et à poursuivre ses efforts avec détermination.

Être simple, c'est être assez franc et direct pour pouvoir, sans détours diplomatiques, dévoiler la vérité pure, fût-ce à un ennemi. Quant à l'acceptation d'un maître spirituel authentique, elle est essentielle, car privé de ses instructions, on ne peut progresser dans la science spirituelle. Le disciple doit approcher son maître spirituel avec humilité, être toujours prêt à le servir, de sorte qu'il soit heureux d'accorder ses bénédictions. Parce qu'il est le représentant de Kṛṣṇa, la puissance de ses bénédictions est telle qu'elle garantit le progrès immédiat du disciple, quand bien même ce dernier n'observerait pas les principes régulateurs de la vie spirituelle. Ou bien ces principes lui seront plus faciles à observer s'il sert avec ardeur son maître spirituel.

La pureté est également indispensable au progrès spirituel. Lorsqu'on parle de pureté, on parle bien évidemment de pureté interne, mais également de propreté externe, laquelle exige que l'on se lave régulièrement. La pureté interne implique que l'on pense toujours à Kṛṣṇa en chantant assidûment Ses saints noms (Hare Kṛṣṇa Hare Kṛṣṇa Kṛṣṇa Kṛṣṇa Hare Hare/Hare Rāma Hare Rāma Rāma Rāma Hare Hare) pour débarrasser le mental de toute la poussière du karma passé.

Être constant, c'est être vraiment décidé à progresser dans la vie spirituelle, car sans détermination, il ne peut y avoir d'avancement tangible. La maîtrise de soi consiste à rejeter tout ce qui est susceptible de nuire au progrès spirituel. Elle constitue, en ce sens, le vrai renoncement. Les sens sont si impétueux qu'ils recherchent constamment de nouveaux plaisirs. Il faut donc refuser de céder à ces demandes qui ne sont pas du tout indispensables et ne satisfaire les sens que dans la mesure où cela est nécessaire pour maintenir le corps en bonne santé, pour remplir son devoir et progresser dans la vie spirituelle. L'organe des sens le plus important et le plus difficile à contrôler est la langue. Qu'on la maîtrise, et il deviendra alors parfaitement possible de dominer les autres sens. La langue a deux fonctions : goûter et faire vibrer des sons. Systématiquement, donc, et de façon réglée, il nous faut la maîtriser en lui faisant goûter les reliefs sanctifiés de la nourriture offerte à Kṛṣṇa et chanter le mantra Hare Kṛṣṇa. Pour ce qui est des yeux, il faut ne leur laisser voir que la forme fascinante de Kṛṣṇa. Ainsi seront-ils contrôlés. Les oreilles devraient écouter ce qui a trait à Kṛṣṇa, et le nez sentir le parfum des fleurs qui Lui sont offertes. Telle est la science du service de dévotion, et l'on peut voir, dans ce verset, que la *Bhagavad-gītā* n'a en réalité pas d'autre objectif que de l'enseigner. Certains commentateurs peu sensés tentent de détourner l'attention du lecteur vers d'autres sujets, mais en fait, la *Bhagavad-gītā* ne traite pas d'autre chose que du service de dévotion.

Le faux ego, c'est s'identifier à son corps. Mais celui qui a conscience d'être une âme spirituelle, parce qu'il se sait distinct du corps, connaît le véritable ego. L'ego est toujours là ; ce que l'on condamne est le faux ego, non pas le véritable ego. Les Textes védiques (*Bṛhad-āraṇyaka Upaniṣad* 1.4.10) nous enseignent : *ahaṁ brahmāsmi* – « Je suis Brahman, je suis de nature spirituelle. » Ce « je suis », cette perception de soi, continue d'exister même après la libération. Ce sens du moi, appliqué au corps, prend le nom de faux ego, tandis que s'il se rapporte au moi réel, il représente le véritable ego. Certains philosophes nous enjoignent d'abandonner notre ego, mais c'est là chose impossible, puisque ego est synonyme d'identité. Ce qu'il faut, en vérité, c'est abandonner toute identification au corps.

Il nous faut également prendre conscience des souffrances auxquelles nous exposent la naissance, la maladie, la vieillesse et la mort. Dans les Écrits védiques, on trouve de nombreuses descriptions de la naissance. Le *Śrīmad-Bhāgavatam,* par exemple, dépeint très nettement le monde où vit l'enfant qui n'est pas encore né, son séjour dans la matrice de la mère, ses souffrances, etc. Il faut bien comprendre à quel point il est pénible de naître. C'est parce que nous oublions les souffrances que nous avons connues dans le ventre de notre mère que nous ne cherchons pas à nous affranchir du cycle des morts et des renaissances. Et toutes sortes de souffrances nous attendent encore au moment de la mort, souffrances que décrivent également les Écritures védiques. Il est bon de connaître ces choses. Quant à la maladie et la vieillesse, nous en faisons tous, un jour ou l'autre, l'expérience. Bien qu'on ne souhaite ni tomber malade ni vieillir, on n'est pas pour autant en mesure de se soustraire à ces maux. Comprenons bien qu'à moins d'avoir une vision pessimiste de l'existence matérielle, en raison des tourments que génèrent la naissance, la vieillesse, la maladie et la mort, on risque de ne pas être suffisamment stimulé pour progresser spirituellement.

Pour ce qui est du détachement de la famille et du foyer, il ne s'agit pas de réprimer les sentiments naturels que suscitent en nous femme et enfants. Toutefois, quand ils font obstacle au progrès spirituel, il vaut mieux s'en détacher. Le meilleur moyen de rendre le foyer heureux est de devenir conscient de Kṛṣṇa. Il suffit de chanter Hare Kṛṣṇa Hare Kṛṣṇa Kṛṣṇa Kṛṣṇa Hare Hare / Hare Rāma Hare Rāma Rāma Rāma Hare Hare, de manger les restes sanctifiés de la nourriture offerte à Kṛṣṇa, de s'entretenir d'écrits comme la *Bhagavad-gītā* et le *Śrīmad-Bhāgavatam,* et de rendre un culte au Seigneur dans Sa forme *arcā*. Ces quatre activités rendront joyeux quiconque les adopte. Chacun devrait inciter les membres de sa famille à suivre cette voie. Soir et matin, tous peuvent se réunir et chanter Hare Kṛṣṇa Hare Kṛṣṇa Kṛṣṇa Kṛṣṇa Hare Hare/Hare Rāma Hare Rāma Rāma Rāma Hare Hare. Pour qui peut modeler sa vie familiale sur ces quatre principes et développer la conscience de Kṛṣṇa, il n'est nul besoin de quitter le foyer et d'adopter l'ordre du renoncement. Mais si les attaches familiales font obstacle au progrès spirituel, il ne faut pas hésiter à les trancher. On doit être prêt, à l'instar d'Arjuna, à tout sacrifier pour servir et réaliser Kṛṣṇa. Arjuna ne voulait pas tuer les membres de sa famille, mais lorsqu'il comprit que ceux-ci constituaient un obstacle à sa réalisation de Kṛṣṇa, il suivit Ses instructions et livra bataille. En toutes circonstances, nous devons nous détacher des joies et des peines de la vie familiale, car il est impossible, en ce monde, d'être totalement heureux ou totalement malheureux.

Joies et peines vont de pair avec l'existence matérielle. Il faut donc apprendre à les tolérer, comme le recommande la *Bhagavad-gītā*. Joies et peines vont et viennent sans qu'on n'y puisse rien. Mieux vaut donc se détacher du matérialisme et développer l'équanimité. D'ordinaire, nous nous réjouissons lorsqu'un événement favorable survient, et nous nous attristons dans le cas contraire. Mais au niveau spirituel, ces diverses conditions ne nous perturbent plus. Pour parvenir à cet état, nous devons pratiquer inflexiblement le service de dévotion. Servir Kṛṣṇa sans faire d'écart signifie adopter les neuf activités dévotionnelles (écouter, glorifier, se rappeler, adorer, offrir des prières, etc.), comme on l'a expliqué dans le dernier verset du neuvième chapitre. Il est important de suivre cette méthode.

Quand on est parvenu à se fixer dans la vie spirituelle, on évite tout naturellement la compagnie des matérialistes, car elle pourrait nuire à notre avancement. Aussi peut-on se mettre à l'épreuve en déterminant à quel point on désire vivre en un lieu solitaire, loin de tout contact indésirable. Un dévot n'a, par nature, aucun goût pour les sports futiles, le cinéma, les réceptions mondaines, parce qu'il comprend que ce n'est qu'une simple perte de temps. Bon nombre de chercheurs et de philosophes se penchent aujourd'hui sur divers sujets, comme la vie sexuelle par exemple. Mais la *Bhagavad-gītā* n'accorde aucune valeur à ce genre de recherches et de spéculations, toutes plus ou moins ineptes. Elle nous enjoint au contraire d'orienter notre étude, par l'analyse philosophique, sur la nature de l'âme, et de nous efforcer de comprendre le moi véritable.

En ce qui touche à la réalisation spirituelle, il est clairement établi ici qu'avec le *bhakti-yoga* s'ouvre la plus pratique des voies. Dès qu'il est question de dévotion, on doit nécessairement considérer la relation qui unit l'âme individuelle à l'Âme Suprême. En effet, l'âme individuelle et l'Âme Suprême ne peuvent être une seule et même personne. Cette idée va tout à fait à l'encontre du principe même de la *bhakti,* de la dévotion. C'est une relation de service qui unit l'âme distincte à l'Âme Suprême, relation au demeurant éternelle (*nityam*), comme l'établit clairement la *Bhagavad-gītā*. C'est pourquoi la *bhakti,* le service de dévotion, est, en elle-même, éternelle. Il faut en être convaincu philosophiquement.

Le *Śrīmad-Bhāgavatam* (1.2.11) enseigne : *vadanti tat tattva-vidas tattvaṁ yaj jñānam advayam* – « Ceux qui connaissent vraiment la Vérité Absolue savent que l'on réalise l'Être Suprême sous trois aspects : le Brahman, le Paramātmā et Bhagavān. » Bhagavān est l'aspect ultime de la Vérité Absolue. Parvenir au sommet de la réalisation spirituelle en prenant conscience de Dieu, la Personne Suprême, et en Le servant avec dévotion, c'est parvenir à la perfection de la connaissance.

Ce processus d'acquisition du savoir est à l'image d'un escalier. Il commence par la pratique de l'humilité pour aboutir à la réalisation de la Vérité Absolue, Dieu, la Personne Suprême. Nombreux sont ceux qui gravissent les premières marches mais à moins d'atteindre la dernière, celle de la connaissance de Kṛṣṇa, ils demeurent à un stade de savoir inférieur. Ajoutons que vouloir rivaliser avec Dieu, et en même temps progresser sur la voie spirituelle, ne mène à rien. Il est clairement établi qu'on ne peut atteindre la connaissance sans développer l'humilité. Or se croire Dieu est le comble de l'orgueil. L'entité vivante, constamment châtiée par la nature matérielle, ne peut continuer de penser « Je suis Dieu » que par pure ignorance. Le premier pas vers la connaissance, c'est donc l'humilité (*amānitva*). Il faut être humble et reconnaître que notre position est subordonnée à celle du Seigneur Suprême. D'autant que c'est notre rébellion contre Son autorité qui nous rend esclaves de la nature matérielle. Nous devons en être convaincus.

**13.13** ज्ञेयं यत्तत्प्रवक्ष्यामि यज्ज्ञात्वामृतमश्नुते ।
अनादि मत्परं ब्रह्म न सत्तन्नासदुच्यते ॥१३॥

*jñeyaṁ yat tat pravakṣyāmi, yaj jñātvāmṛtam aśnute*
*anādi mat-paraṁ brahma, na sat tan nāsad ucyate*

*jñeyam* : connaissable ; *yat* : ce ; *tat* : que ; *pravakṣyāmi* : J'expliquerai maintenant ; *yat* : ce que ; *jñātvā* : sachant ; *amṛtam* : le nectar ; *aśnute* : on goûte ; *anādi* : sans commencement ; *mat-param* : subordonné à Moi ; *brahma* : l'Esprit ; *na* : ne pas ; *sat* : cause ; *tat* : que ; *na* : non plus ; *asat* : effet ; *ucyate* : est dit être.

**Je vais maintenant t'instruire de l'objet du savoir, lequel te permettra de goûter l'éternité. Le Brahman, l'Esprit, est sans commencement, à Moi subordonné, et se situe au-delà des causes et des effets du monde matériel.**

Le Seigneur a décrit le champ d'action, le connaissant de ce champ, de même que le moyen d'appréhender ce connaissant. Il commence maintenant à décrire l'objet du savoir : l'âme distincte et l'Âme Suprême. Connaître ces deux connaissants, l'âme et l'Âme Suprême, permet de goûter le nectar de l'existence. L'âme, comme on l'a vu au second chapitre, est éternelle, ce que confirme ce verset. Les *jīvas* ne sont pas nés à un moment précis. Nul, en effet, ne saurait déterminer le temps où ils auraient émané du Seigneur Suprême. Ils sont sans commencement. Ce que corroborent les Textes védiques (*Kaṭha Upaniṣad* 1.2.18) : *na jāyate mriyate vā vipaścit* – « Jamais le connaissant du corps ne naît ni ne meurt et il a connaissance de tout. »

Ces mêmes textes (*Śvetāśvatara Upaniṣad* 6.16) décrivent également le Seigneur en tant qu'Âme Suprême : *pradhāna-kṣetrajña-patir guṇeśaḥ* – le Seigneur est le principal connaissant du corps et le maître des trois modes d'influence de la nature matérielle. Et la *smṛti* ajoute : *dāsa-bhūto harer eva nānyasyaiva kadācana* – les êtres distincts sont éternellement au service du Seigneur Suprême. Ce que confirme par ailleurs Śrī Caitanya dans Ses enseignements. Par suite, la description du Brahman, telle qu'elle est donnée dans ce verset, s'applique à l'âme infinitésimale. Lorsque, comme ici, le mot Brahman est utilisé pour désigner l'être distinct, c'est du *vijñāna-brahma* qu'il s'agit, par opposition à l'*ānanda-brahma,* qui désigne le Brahman, le Seigneur Suprême.

**13.14** सर्वतः पाणिपादं तत्सर्वतोऽक्षिशिरोमुखम् ।
सर्वतः श्रुतिमल्लोके सर्वमावृत्य तिष्ठति ॥१४॥

*sarvataḥ pāṇi-pādaṁ tat, sarvato 'kṣi-śiro-mukham*
*sarvataḥ śrutimal loke, sarvam āvṛtya tiṣṭhati*

*sarvataḥ :* partout ; *pāṇi :* mains ; *pādam :* jambes ; *tat :* cela ; *sarvataḥ :* partout ; *akṣi :* yeux ; *śiraḥ :* têtes ; *mukham :* visages ; *sarvataḥ :* partout ; *śrutimat :* ayant des oreilles ; *loke :* dans le monde ; *sarvam :* tout ; *āvṛtya :* couvrant ; *tiṣṭhati :* existe.

**Ses mains, Ses jambes, Ses yeux et Ses visages sont partout. Rien n'échappe à Son ouïe. Ainsi est l'Âme Suprême, omniprésente.**

Dieu, l'Âme Suprême, peut être comparé au soleil qui partout diffuse ses rayons illimités. Sa forme omniprésente Se déploie à l'infini, et en Lui vivent tous les êtres, tant Brahmā, le premier grand maître, que la minuscule fourmi. Il y a donc d'innombrables entités vivantes, des milliards de têtes, de jambes, de mains et d'yeux, qui tous vivent en l'Âme Suprême, par l'Âme Suprême. Celle-ci est donc omniprésente. L'être distinct, par contre, ne saurait affirmer qu'il étend partout ses mains, ses jambes et ses yeux, car cela lui est impossible. Et s'il lui arrive de penser qu'il s'agit seulement d'une question de conscience, qu'une fois son ignorance dissipée, il réalisera que ses bras et ses jambes se déploient partout, son raisonnement est paradoxal. Comment, en effet, un être susceptible d'être conditionné par la nature matérielle pourrait-il être suprême ?

En fait, seul l'Être Suprême peut déployer Ses membres à l'infini. Dans la *Bhagavad-gītā,* le Seigneur affirme que si on Lui offre une fleur, un fruit ou un peu d'eau, Il l'accepte. Mais comment peut-Il accepter nos offrandes en vivant si loin de nous ? Comprenons bien que le Seigneur est omnipotent, que de Sa demeure, qui se trouve à une distance considérable de la terre, Il étend Sa main pour prendre ce qu'on Lui offre. Telle est Sa puissance. Ce que confirme la *Brahma-saṁhitā* (5.37) : *goloka eva nivasaty akhilātma-bhūtaḥ* – bien qu'Il Se livre à toutes sortes de divertissements sur Sa planète spirituelle, le Seigneur n'en demeure pas moins omniprésent. Ce verset décrit donc l'Âme Suprême, l'Être Souverain, et non l'âme individuelle, qui, elle, ne peut se dire omniprésente.

**13.15** सर्वेन्द्रियगुणाभासं सर्वेन्द्रियविवर्जितम् ।
असक्तं सर्वभृच्चैव निर्गुणं गुणभोक्तृ च ॥१५॥

*sarvendriya-guṇābhāsaṁ, sarvendriya-vivarjitam*
*asaktaṁ sarva-bhṛc caiva, nirguṇaṁ guṇa-bhoktṛ ca*

*sarve :* de tous ; *indriya :* les sens ; *guṇa :* des attributs ; *ābhāsam :* la source originelle ; *sarva :* tous ; *indriya :* les sens ; *vivarjitam :* étant sans ; *asaktam :* sans attachement ; *sarva-bhṛt :* le soutien de tous les êtres ; *ca :* aussi ; *eva :* certes ; *nirguṇam :* sans attributs matériels ; *guṇa-bhoktṛ :* le maître des *guṇas* ; *ca :* aussi.

**Source originelle des sens de tous les êtres, l'Âme Suprême en est pourtant Elle-même dépourvue. Soutien de tous, Elle reste sans attache. Bien qu'Elle règne, souveraine, sur la nature matérielle, Elle en transcende les modes d'influence.**

Le Seigneur Suprême, bien qu'Il soit l'origine des sens de tous les êtres, n'a pas, comme eux, de sens matériels. En fait, les âmes distinctes possèdent également des sens spirituels. Mais à l'état conditionné, comme elles sont recouvertes par des éléments matériels, leurs activités sensorielles ne se manifestent qu'à travers la matière. Les sens du Seigneur Suprême, au contraire, sont purement spirituels et transcendent la matière. C'est pourquoi on les qualifie de *nirguṇa,* « non soumis aux influences matérielles ». Ses sens ne sont donc pas exactement semblables aux nôtres : bien qu'Il soit la source de toutes nos activités sensorielles, Ses sens demeurent spirituels. Ils ne sont jamais contaminés par la matière. C'est ce qu'explique merveilleusement la *Śvetāśvatara Upaniṣad* (3.19) : *apāṇi-pādo javano grahītā.* Dieu, la Personne Suprême, n'a pas de mains souillées par la matière, mais Il a des mains, avec lesquelles Il accepte toutes les oblations qui Lui sont offertes. Voilà ce qui distingue l'Âme Suprême de l'âme conditionnée.

L'Être Suprême voit tout, le passé, le présent et le futur. Il n'a pas d'yeux matériels, mais n'en possède pas moins des yeux – autrement, comment verrait-Il ? Il vit dans le cœur de chaque être, et connaît ses actes passés et présents, de même que ce que lui réserve l'avenir. La *Bhagavad-gītā* le confirme : Il connaît tout, mais Lui, nul ne Le connaît. Il est dit d'autre part que le Seigneur n'a pas de jambes comme nous en avons. Il n'empêche qu'Il peut voyager partout dans l'espace, car Il possède des jambes spirituelles. En d'autres mots, le Seigneur n'est pas impersonnel : Il a des yeux, des jambes, des mains et tout ce qui fait une personne, et c'est parce que nous en sommes parties intégrantes que nous sommes dotés des mêmes attributs. Toutefois, Ses mains, Ses jambes, Ses yeux et Ses sens ne sont jamais souillés comme les nôtres par la nature matérielle.

La *Bhagavad-gītā* corrobore également le fait que lorsque le Seigneur descend dans l'univers matériel par Sa puissance interne, Il demeure tel qu'Il est. Il n'est pas souillé par l'énergie matérielle, puisqu'Il en est le maître. Les Textes védiques nous expliquent par ailleurs que tout Son être est purement spirituel, que Sa forme est éternelle (*sac-cid-ānanda-vigraha*). Il est doté de toutes les excellences. Il possède toutes les richesses, l'intelligence suprême et la connaissance absolue, et Il est le maître de toutes les énergies. Tels sont quelques-uns des aspects de Dieu, la Personne Suprême. Il est en outre le soutien de tous les êtres et le témoin de toute action. Pour autant que nous puissions Le comprendre d'après les Écrits védiques, Il transcende toujours la matière. Ce n'est pas parce que nous ne pouvons pas voir Sa tête, Son visage, Ses mains ou Ses jambes, qu'Il en est dépourvu. Nous ne pourrons voir Sa forme que lorsque nous serons élevés au niveau spirituel. En fait, nous ne pouvons la voir maintenant parce que nos sens sont souillés par la matière. Ce qui explique aussi pourquoi les impersonnalistes, encore contaminés par la matière, ne peuvent comprendre Dieu en tant que personne.

**13.16** बहिरन्तश्च भूतानामचरं चरमेव च ।
सूक्ष्मत्वात्तदविज्ञेयं दूरस्थं चान्तिके च तत् ॥१६॥

*bahir antaś ca bhūtānām, acaraṁ caram eva ca*
*sūkṣmatvāt tad avijñeyaṁ, dūra-sthaṁ cāntike ca tat*

*bahiḥ :* à l'extérieur ; *antaḥ :* à l'intérieur ; *ca :* aussi ; *bhūtānām :* de tous les êtres ; *acaram :* immobiles ; *caram :* mobiles ; *eva :* aussi ; *ca :* et ; *sūkṣmatvāt :* parce que subtil ; *tat :* cela ; *avijñeyam :* inconnaissable ; *dūrastham :* très loin ; *ca :* aussi ; *antike :* près ; *ca :* et ; *tat :* cela.

**La Vérité Suprême est présente en chaque être, mobile ou immobile, mais aussi en dehors. Subtile, Elle Se situe au-delà du pouvoir**

**de perception et d'entendement des sens matériels. Infiniment lointaine, Elle est aussi très proche.**

Nous comprenons, à la lumière des Textes védiques, que Nārāyaṇa, la Personne Suprême, vit en chaque être mais aussi en dehors. Il est simultanément présent dans les mondes spirituel et matériel. Bien que fort éloigné de nous, Il est également très proche. Ainsi Le décrivent les Écritures (*Kaṭha Upaniṣad* 1.2.21) : *āsīno dūraṁ vrajati śayāno yāti sarvataḥ.* Si nous ne pouvons voir, ou comprendre, comment, toujours plongé dans la félicité absolue, Il a jouissance de toutes Ses perfections, c'est que nos sens matériels nous en empêchent. Les Écrits védiques expliquent fort à propos que nos sens et notre mental matériels ne peuvent Le comprendre. Toutefois, que l'on en vienne à purifier son mental et ses sens par la pratique du service de dévotion dans la conscience de Kṛṣṇa et on Le verra à chaque instant. Ce que confirme la *Brahma-saṁhitā* lorsqu'elle dit que le dévot qui a développé son amour pour Dieu, le Seigneur Suprême, Le voit constamment. La *Bhagavad-gītā* (11.54) affirme à son tour que seul le service de dévotion permet de Le connaître et de Le voir (*bhaktyā tv ananyayā śakyaḥ*).

**13.17** अविभक्तं च भूतेषु विभक्तमिव च स्थितम् ।
भूतभर्तृ च तज्ज्ञेयं ग्रसिष्णु प्रभविष्णु च ॥१७॥

*avibhaktaṁ ca bhūteṣu, vibhaktam iva ca sthitam*
*bhūta-bhartṛ ca taj jñeyaṁ, grasiṣṇu prabhaviṣṇu ca*

*avibhaktam :* sans division; *ca :* aussi; *bhūteṣu :* en chaque être; *vibhaktam :* divisé; *iva :* comme si; *ca :* aussi; *sthitam :* situé; *bhūta-bhartṛ :* le soutien de tous les êtres; *ca :* aussi; *tat :* cela; *jñeyam :* doit être compris; *grasiṣṇu :* dévorant; *prabhaviṣṇu :* développant; *ca :* aussi.

**Bien qu'Elle puisse sembler fragmentée, répartie en chacun, l'Âme Suprême demeure une unité indivisible. Si c'est Elle qui maintient tous les êtres, comprends que c'est Elle aussi qui les fait apparaître et, le moment venu, les résorbe.**

Ce n'est pas parce que le Seigneur est présent dans le cœur de chacun dans Sa forme d'Âme Suprême qu'Il S'est pour autant divisé. Il demeure toujours un. On Le compare au soleil qui, bien qu'il soit situé au méridien, en un point précis, brille toujours au-dessus de toutes les têtes. Nous pouvons parcourir des milliers de kilomètres et demander où se trouve le soleil, chacun répondra qu'il brille juste au-dessus de Lui. Les Textes védiques donnent cet exemple pour montrer que, bien qu'Il semble divisé, le Seigneur demeure toujours un et indivisible. Ils expliquent que Viṣṇu, par Sa toute-puissance, est partout présent, tout comme le soleil est simultanément présent aux yeux de divers êtres en divers endroits.

Et le Seigneur Suprême, qui maintient tous les êtres, les résorbe tous également, lorsque vient l'annihilation. Déjà, dans le onzième chapitre, le Seigneur disait qu'Il était venu pour résorber en Lui tous les guerriers présents sur le champ de bataille de Kurukṣetra. Plus loin, Il expliqua que, sous la forme du temps, Il dévore tout. On Le connaît donc, pour toutes ces raisons, comme le destructeur suprême. Au temps de la création, Il sort tous les êtres de leur état originel, et au temps de l'annihilation, les résorbe tous. Les hymnes védiques confirment aussi qu'Il est l'origine et le refuge de tous les êtres. De l'instant où Il crée jusqu'au moment où tout s'annihile et retourne sommeiller en Lui, tout repose sur Son omnipotence : *yato vā imāni bhūtāni jāyante yena jātāni jīvanti yat prayanty abhisaṁviśanti tad brahma tad vijijñāsasva.* (*Taittirīya Upaniṣad* 3.1)

**13.18** ज्योतिषामपि तज्ज्योतिस्तमसः परमुच्यते ।
ज्ञानं ज्ञेयं ज्ञानगम्यं हृदि सर्वस्य विष्ठितम् ॥१८॥

*jyotiṣām api taj jyotis, tamasaḥ param ucyate*
*jñānaṁ jñeyaṁ jñāna-gamyaṁ, hṛdi sarvasya viṣṭhitam*

*jyotiṣām :* dans tous les objets lumineux; *api :* aussi; *tat :* cela; *jyotiḥ :* la source de la lumière; *tamasaḥ :* de l'obscurité; *param :* au-delà; *ucyate :* est dit; *jñānam :* la connaissance; *jñeyam :* ce qu'il faut connaître; *jnāna-gamyam :* ce qu'on doit approcher par la connaissance; *hṛdi :* dans le cœur; *sarvasya :* de chacun; *viṣṭhitam :* situé.

**Source de lumière de tout ce qui est lumineux, non manifestée et toujours située au-delà des ténèbres de la matière, l'Âme Suprême réside dans le cœur de chaque être et constitue le savoir, son objet et son but.**

L'Âme Suprême, Dieu, est la source de lumière de tous les corps célestes lumineux que sont le soleil, la lune et les étoiles. Les Écritures védiques nous apprennent que le monde spirituel, éclairé par la radiance du Seigneur Suprême, n'a nul besoin du soleil ou de la lune. Dans l'univers matériel cependant, ce *brahmajyoti,* la radiance spirituelle du Seigneur, est voilé par le *mahat-tattva* – l'ensemble des éléments matériels. Aussi, diverses sources lumineuses, telles que le soleil, la lune ou l'énergie électrique, sont donc nécessaires. Les Textes védiques établissent clairement que dans le monde spirituel toute chose est éclairée par la brillante radiance du Seigneur. Il est donc aisé d'en conclure qu'Il n'habite pas le monde matériel. De fait, Il vit dans le monde spirituel, bien au-delà de notre univers. Les Écritures védiques (*Śvetāśvatara Upaniṣad* 3.8) confirment qu'Il est comparable au soleil, éternellement rayonnant, mais qu'Il Se trouve bien au-delà des ténèbres matérielles : *āditya-varṇaṁ tamasaḥ parastāt.*

Le Seigneur dispose d'un savoir transcendantal. Les Écrits védiques attestent que le Brahman est le concentré du pur savoir spirituel. Celui qui désire ardemment atteindre le monde spirituel reçoit du Seigneur, présent dans le cœur de chacun, la connaissance nécessaire pour y parvenir. Un mantra védique (*Śvetāśvatara Upaniṣad* 6.18) ajoute que quiconque aspire vraiment à la libération doit s'abandonner à Dieu, la Personne Suprême : *taṁ ha devam ātma-buddhi-prakāśaṁ mumukṣur vai śaraṇam ahaṁ prapadye.* Quant à l'objet ultime de la connaissance, on le trouve également décrit dans les Écritures (*Śvetāśvatara Upaniṣad* 3.8) : *tam eva viditvāti mṛtyum eti* – « Seul celui qui Le connaît peut franchir les frontières de la naissance et de la mort. »

Le Seigneur, en tant que maître suprême, vit dans le cœur de tous les êtres. Il a des jambes et des bras, partout déployés, ce qui ne saurait être le cas, répétons-le, de l'âme infinitésimale. On doit donc admettre qu'il y a bien deux connaissants du champ d'action : l'âme infinitésimale et l'Âme Suprême. L'être distinct n'étend ses bras et ses jambes que dans un cercle relativement restreint, alors que Kṛṣṇa les déploie dans toutes les directions. La *Śvetāśvatara Upaniṣad* (3.17) le certifie : *sarvasya prabhum iśānaṁ sarvasya śaraṇaṁ bṛhat.* Dieu, la Personne Suprême, est le maître (*prabhu*) de toutes les entités vivantes, Il en est le refuge ultime. Ainsi, on ne saurait contester que l'âme infinitésimale et l'Âme Suprême sont toujours distinctes l'une de l'autre.

**13.19** इति क्षेत्रं तथा ज्ञानं ज्ञेयं चोक्तं समासतः ।
मद्भक्त एतद्विज्ञाय मद्भावायोपपद्यते ॥१९॥

*iti kṣetraṁ tathā jñānaṁ, jñeyaṁ coktaṁ samāsataḥ*
*mad-bhakta etad vijñāya, mad-bhāvāyopapadyate*

*iti* : ainsi ; *kṣetram* : le champ d'action (le corps) ; *tathā* : aussi ; *jñānam* : la connaissance ; *jñeyam* : le connaissable ; *ca* : aussi ; *uktam* : décrits ; *samāsataḥ* : en résumé ; *mat-*

*bhaktaḥ :* Mon dévot ; *etat :* tout ceci ; *vijñāya :* après avoir compris ; *mat-bhāvāya :* Ma nature ; *upapadyate :* atteint.

**Ainsi t'ai-Je brièvement décrit ce que sont le champ d'action [le corps], le savoir et l'objet du savoir. Seuls Mes dévots peuvent comprendre parfaitement ces choses et ainsi participer de Ma nature.**

Le Seigneur a donné une description sommaire du corps, du savoir et de l'objet du savoir. Le savoir comporte trois facteurs : le connaissant, l'objet de la connaissance et le processus qui conduit à la connaissance. Ces trois facteurs réunis constituent ce qu'on appelle la science du savoir, ou *vijñāna.* Seuls les purs dévots du Seigneur sont à même d'atteindre directement la connaissance parfaite. Nul autre ne le peut. Les monistes prétendent qu'à la fin, ces trois facteurs se confondent pour ne plus faire qu'un, mais les dévots rejettent cette thèse. Le savoir et son développement impliquent la compréhension de notre vraie nature dans le cadre de la conscience de Kṛṣṇa. Nous sommes maintenant guidés par une conscience matérielle, mais si nous devenons conscients des activités de Kṛṣṇa et réalisons que Kṛṣṇa est tout ce qui existe, nous parviendrons au savoir réel. En d'autres termes, le savoir n'est que l'étape préliminaire de la compréhension parfaite du service de dévotion - ce que nous verrons dans le quinzième chapitre.

Nous dirons, pour résumer, que les versets six et sept, de *mahābhūtāni* jusqu'à *cetanā dhṛtiḥ,* analysent les éléments matériels et certaines manifestations des symptômes de la vie qui, assemblés, forment le corps (le champ d'action); que les versets huit à douze, de *amānitvam* jusqu'à *tattva-jñānārtha-darśanam,* décrivent le processus qui permet de comprendre les deux types de connaissants du champ d'action - l'âme individuelle et l'Âme Suprême; et que les versets treize à dix-huit, de *anādi mat-param* jusqu'à *hṛdi sarvasya viṣṭhitam,* décrivent l'âme et le Seigneur Suprême (l'Âme Suprême).

Trois sujets furent donc décrits : le champ d'action (le corps), le processus d'acquisition du savoir, les âmes individuelle et le Suprême. Il est clairement expliqué ici que seuls les purs dévots du Seigneur peuvent comprendre parfaitement ces trois sujets. La *Bhagavad-gītā* est pour eux d'une grande utilité, car eux seuls peuvent atteindre le but suprême : participer de la nature du Seigneur, Kṛṣṇa. Autrement dit, seuls les dévots peuvent comprendre la *Bhagavad-gītā* et en récolter les fruits.

13.20 प्रकृतिं पुरुषं चैव विद्ध्यनादी उभावपि ।
विकारांश्च गुणांश्चैव विद्धि प्रकृतिसम्भवान् ॥२०॥

*prakṛtiṁ puruṣaṁ caiva, viddhy anādī ubhāv api*
*vikārāṁś ca guṇāṁś caiva, viddhi prakṛti-sambhavān*

*prakṛtim* : la nature matérielle ; *puruṣam* : les êtres ; *ca* : aussi ; *eva* : certes ; *viddhi* : tu dois savoir ; *anādī* : sans commencement ; *ubhau* : tous deux ; *api* : aussi ; *vikārān* : les transformations ; *ca* : aussi ; *guṇān* : les trois *guṇas* ; *ca* : aussi ; *eva* : certes ; *viddhi* : sache ; *prakṛti* : la nature matérielle ; *sambhavān* : produits de.

**Il faut savoir que la nature matérielle et les êtres distincts existent depuis toujours. Leurs transformations, mais aussi les différents guṇas, sont des produits de la nature matérielle.**

Ce chapitre permet de comprendre ce que sont le corps (le champ d'action) et les connaissants du corps (l'âme infinitésimale et l'Âme Suprême). Le corps est le champ d'action produit par la nature matérielle. Quant à l'être distinct incarné qui a jouissance des activités du corps, il est le *puruṣa*. Il est l'un des connaissants du corps – l'autre étant l'Âme Suprême. Tous deux, sachons-le, sont des manifestations de Dieu, la Personne Suprême. L'être infinitésimal fait partie de Ses énergies, et l'Âme Suprême de Ses émanations personnelles.

La nature matérielle et l'être distinct sont tous deux éternels. Ils existaient avant la création cosmique. Tous deux relèvent des énergies du Seigneur : la nature matérielle, de Son énergie inférieure, et l'âme individuelle, de Son énergie supérieure. La nature matérielle contenue en Mahā-Viṣṇu, le Seigneur Suprême, est en temps voulu manifestée par le biais du *mahat-tattva*. Les êtres sont également contenus en Lui, mais comme ils sont conditionnés, ils n'éprouvent aucune envie de Le servir et ne peuvent donc accéder au monde spirituel. Toutefois, lors de la manifestation de la nature matérielle, ces êtres se voient à nouveau offrir la possibilité d'agir dans le cadre de l'univers matériel pour se préparer à entrer dans le monde spirituel. Tel est le mystère de la création.

En réalité, l'être distinct est à l'origine un être spirituel, une partie intégrante du Seigneur Suprême. Mais sa nature rebelle l'expose au conditionnement matériel. Il n'est pas essentiel de savoir comment ces êtres de nature supérieure, parties intégrantes du Seigneur Suprême, en sont venus à entrer en contact avec la nature matérielle. Pour autant, Dieu, la Personne Suprême, sait comment et pourquoi cela s'est produit. Il affirme dans les Écritures que ceux qui se laissent fasciner par la nature matérielle doivent mener un dur combat pour vivre. Comprenons bien, à la lumière de ces quelques versets, que toutes les transformations du monde manifesté ainsi que les diverses influences qu'exercent les *guṇas* sont des produits de la nature matérielle, et que les changements et la diversité dont nous avons parlé ne concernent que les corps des entités vivantes, car au niveau spirituel, tous les êtres sont de même nature.

**13.21** कार्यकारणकर्तृत्वे हेतुः प्रकृतिरुच्यते ।
पुरुषः सुखदुःखानां भोक्तृत्वे हेतुरुच्यते ॥२१॥

*kārya-kāraṇa-kartṛtve, hetuḥ prakṛtir ucyate*
*puruṣaḥ sukha-duḥkhānāṁ, bhoktṛtve hetur ucyate*

*kārya :* de l'effet; *kāraṇa :* et de la cause; *kartṛtve :* en ce qui concerne la création; *hetuḥ :* l'instrument; *prakṛtiḥ :* la nature matérielle; *ucyate :* est dite être; *puruṣaḥ :* l'être vivant; *sukha :* du bonheur; *duḥkhānām :* du malheur; *bhoktṛtve :* dans la jouissance; *hetuḥ :* l'instrument; *ucyate :* est dit être.

**La nature est la cause de toute cause et de tout effet matériels, et l'être vivant, de toutes souffrances et de tous plaisirs en ce monde.**

La nature matérielle octroie une grande variété de corps aux êtres vivants; 8 400 000 exactement. Elle crée ces formes de vie pour satisfaire leur désir de jouir de tel ou tel plaisir dans tel ou tel type de corps. À partir du moment où l'être distinct s'incarne, il éprouve un certain nombre de joies et de peines, qui toutes proviennent du corps et non de lui, alors que dans sa condition originelle, il ne connaît que le bonheur. Celle-ci est donc sa condition naturelle. Il ne doit vivre en ce monde que parce qu'il désire dominer la nature matérielle. Un tel désir n'a pas sa place dans le monde spirituel, car celui-ci est pur.

Dans l'univers matériel, chacun lutte durement pour goûter tous les plaisirs possibles. Le corps est le produit des sens, lesquels sont des instruments mis à la disposition de l'être pour satisfaire ses désirs. Quand la nature matérielle lui offre cet ensemble corps-sens, elle prend en compte ses désirs mais aussi ce que furent ses actes passés. Ainsi, comme l'expliquera le prochain verset, parfois elle le bénit, parfois elle le punit. L'être est donc responsable du type d'enveloppe corporelle qu'il reçoit et des joies et des peines concomitantes. Une fois placé dans un corps particulier, il tombe sous le joug de la nature matérielle, car le corps, fait de matière, agit selon ses lois. Et l'être ne peut rien y changer. S'il obtient un corps de chien, par exemple, il devra agir comme un chien. Il ne pourra faire autrement. Dans un corps de porc, il se verra forcé de manger des excréments et d'agir comme un porc. Et s'il obtient un corps de *deva,* il devra également agir comme tel. Telle est la loi de la nature. Mais en toutes circonstances, l'Âme Suprême accompagne l'âme individuelle. C'est ce qu'expliquent les Védas (*Muṇḍaka Upaniṣad* 3.1.1) : *dvā suparṇā sayujā sakhāyaḥ.* Le Seigneur est si bon envers les êtres incarnés, que toujours Il les accompagne dans Sa forme de Paramātmā, d'Âme Suprême.

**13.22** पुरुषः प्रकृतिस्थो हि भुङ्क्ते प्रकृतिजान् गुणान् ।
कारणं गुणसङ्गोऽस्य सदसद्योनिजन्मसु ॥२२॥

*puruṣaḥ prakṛti-stho hi, bhuṅkte prakṛti-jān guṇān*
*kāraṇaṁ guṇa-saṅgo 'sya, sad-asad-yoni-janmasu*

*puruṣaḥ :* l'être ; *prakṛti-sthaḥ :* étant situé dans l'énergie matérielle ; *hi :* certes ; *bhuṅkte :* jouit ; *prakṛti-jān :* produits par la nature matérielle ; *guṇān :* des *guṇas* ; *kāraṇam :* la cause ; *guṇa-saṅgaḥ :* le contact avec les *guṇas* ; *asya :* de l'être ; *sat-asat :* dans de bonnes et de mauvaises ; *yoni :* espèces vivantes ; *janmasu :* dans les naissances.

**Au contact de la nature matérielle, l'être distinct connaît divers modes de vie en jouissant des trois guṇas. Dès lors, il rencontre plaisirs et souffrances dans des formes de vie variées.**

Ce verset, fort important, nous permet de comprendre le processus de la transmigration des âmes. Le second chapitre expliquait déjà que l'être incarné change de corps comme on change de vêtement. Or, ces changements de corps sont dus à son attachement à l'existence matérielle. Aussi longtemps qu'il sera captivé par cette manifestation illusoire, l'être devra continuer de transmigrer de corps en corps. Seul, en effet, son désir de dominer la nature matérielle l'oblige à traverser des conditions de vie indésirables, tantôt comme un *deva,* tantôt comme un sage, un homme, un mammifère, un oiseau, un ver, un poisson ou un insecte - toujours en fonction de ses désirs matériels. À chaque fois, il se croit maître de son destin, alors qu'il est asservi à la nature matérielle.

Notre verset explique comment l'être se voit attribuer ces divers corps. Cette transmigration est due à son contact avec les différents modes d'influence de la nature. C'est pourquoi il lui faut s'élever au-delà de ces influences matérielles, et atteindre le niveau spirituel. C'est ce qu'on appelle la conscience de Kṛṣṇa. À moins d'être conscients de Kṛṣṇa, nous sommes forcés, par notre conscience matérielle, de passer d'un corps à un autre, car nous nourrissons des désirs matériels depuis des temps immémoriaux. Il nous faut donc changer notre conception des choses, ce qui ne manquera pas de se produire si nous prêtons attention aux paroles venant de sources autorisées. Arjuna, qui reçoit la science de Dieu des lèvres mêmes de Kṛṣṇa, est l'exemple idéal. Si l'être conditionné accepte d'écouter comme il se doit, il perdra son désir si longtemps entretenu de dominer la nature matérielle, et graduellement, en proportion de l'amoindrissement de ce désir malsain, il connaîtra le bonheur spirituel. Un mantra védique explique qu'en proportion du savoir acquis au contact du Seigneur Suprême, on goûte une existence d'éternelle félicité.

**13.23** उपद्रष्टानुमन्ता च भर्ता भोक्ता महेश्वरः ।
परमात्मेति चाप्युक्तो देहेऽस्मिन् पुरुषः परः ॥२३॥

*upadraṣṭānumantā ca, bhartā bhoktā maheśvaraḥ*
*paramātmeti cāpy ukto, dehe 'smin puruṣaḥ paraḥ*

*upadraṣṭā :* Celui qui surveille ; *anumantā :* Celui qui permet ; *ca :* aussi ; *bhartā :* le maître ; *bhoktā :* le bénéficiaire suprême ; *maheśvaraḥ :* le Seigneur Suprême ; *paramātmā :* l'Âme Suprême ; *iti :* aussi ; *ca :* et ; *api :* en effet ; *uktaḥ :* est dit ; *dehe :* dans le corps ; *asmin :* ce ; *puruṣaḥ :* bénéficiaire ; *paraḥ :* transcendantal.

**Mais il y a dans le corps un autre bénéficiaire, Lequel transcende la matière. Il s'agit du Seigneur, qu'on nomme l'Âme Suprême, l'ultime possesseur, Celui qui tout observe et pour tout donne Sa sanction.**

Ce verset nous explique que l'Âme Suprême, qui accompagne toujours l'âme incarnée, est une manifestation du Seigneur. Elle n'est pas une âme ordinaire. Les philosophes monistes, parce qu'ils croient en l'existence d'un seul et unique connaissant du corps, pensent qu'il n'existe aucune différence entre l'Âme Suprême et l'âme distincte. Pour éclaircir ce point, le Seigneur affirme qu'Il Se manifeste dans chaque corps sous la forme du Paramātmā, et qu'Il est distinct de l'âme individuelle. Il est *para,* transcendantal. L'âme infinitésimale jouit des activités d'un champ d'action bien particulier, tandis que l'Âme Suprême, qui ne prend pas part aux actes ou jouissances limités du corps, les observe, les supervise, les sanctionne, et en est l'ultime bénéficiaire. On ne L'appelle pas *ātmā* mais Paramātmā, Âme Suprême et Absolue. Il est donc clair ici que l'*ātmā* et le Paramātmā diffèrent l'un de l'autre. L'Âme Suprême – contrairement à l'âme infinitésimale – a des bras et des jambes qui partout s'étendent. Et parce que le Paramātmā est le Seigneur Suprême, Il est présent dans le corps afin de donner Sa sanction aux désirs de l'âme distincte qui souhaite jouir des plaisirs matériels. Sans l'accord de l'Âme Suprême, l'âme distincte ne pourrait rien accomplir. L'âme individuelle est *bhukta,* « soutenue », et le Paramātmā est *bhoktā,* « le soutien ». Il existe d'innombrables êtres, et le Seigneur, qui est Leur ami, demeure en chacun d'eux.

L'âme distincte fait éternellement partie intégrante du Seigneur Suprême, et un lien d'amitié très étroit les unit. Mais l'être distinct a tendance à rejeter la sanction du Seigneur pour tenter indépendamment de dominer la nature. Parce qu'il a cette tendance, on l'appelle énergie marginale du Seigneur Suprême. L'être vivant peut se situer soit dans l'énergie matérielle, soit dans l'énergie spirituelle. Tant qu'il demeure conditionné par l'énergie matérielle, le Seigneur, en ami, l'accompagne, sous la forme de l'Âme Suprême, pour l'aider à retourner à l'énergie spirituelle. Le Seigneur, en effet, désire toujours ardemment ramener l'être à l'énergie spirituelle, mais son infime indépendance incite ce dernier à s'en détourner sans cesse. C'est ce mauvais usage de son indépendance qui est à l'origine de la lutte qu'il doit mener dans l'existence conditionnée. C'est pourquoi le Seigneur l'instruit constamment, de l'intérieur comme de l'extérieur. De l'extérieur, Il lui donne des instructions comme celles contenues dans la *Bhagavad-gītā,* et de l'intérieur, Il S'efforce de le convaincre que les activités qu'il accomplit dans le domaine matériel ne lui procurent pas le vrai bonheur. « Abandonne tout cela, dit-Il, et tourne-toi vers Moi avec foi. Alors tu seras heureux. » Ainsi, l'homme intelligent qui place sa foi en l'Âme Suprême, en Dieu, va au-devant d'une vie éternelle de connaissance et de félicité.

**13.24** य एवं वेत्ति पुरुषं प्रकृतिं च गुणैः सह ।
सर्वथा वर्तमानोऽपि न स भूयोऽभिजायते ॥२४॥

*ya evaṁ vetti puruṣaṁ, prakṛtiṁ ca guṇaiḥ saha*
*sarvathā vartamāno 'pi, na sa bhūyo 'bhijāyate*

*yaḥ :* quiconque ; *evam :* ainsi ; *vetti :* comprend ; *puruṣam :* l'être ; *prakṛtim :* la nature matérielle ; *ca :* et ; *guṇaiḥ :* les modes d'influence matérielle ; *saha :* avec ; *sarvathā :* de quelque façon; *vartamānaḥ* : situé; *api* : en dépit de; *na* : jamais; *sah* : il; *bhūyaḥ* : à nouveau; *abhijāyate* : prend naissance.

**Qui comprend cette philosophie traitant de la nature matérielle, de l'être vivant et de l'interaction des trois guṇas, obtient assurément la libération. Quelle que soit sa condition présente, jamais plus il n'aura à renaître en ce monde.**

Comprendre la nature matérielle, l'Âme Suprême, l'âme individuelle et les rapports qui existent entre elles, nous permet d'obtenir la libération et d'atteindre le monde spirituel, d'où l'on n'est pas contraint de retourner dans le monde matériel. Tel est le fruit du savoir. Il doit nous faire comprendre clairement que nous sommes tombés accidentellement dans l'existence matérielle. En accomplissant des efforts personnels et en bénéficiant de l'aide de diverses autorités, comme les saints hommes ou le maître spirituel, nous devons comprendre notre position, puis, éclairés par la *Bhagavad-gītā* que Dieu énonça en personne, revenir à la conscience spirituelle, à la conscience de Kṛṣṇa. Ainsi serons-nous assurés de ne jamais retourner à l'existence matérielle. Bien plutôt serons-nous transportés dans le monde spirituel pour y goûter une vie éternelle de connaissance et de félicité.

**13.25** ध्यानेनात्मनि पश्यन्ति केचिदात्मानमात्मना ।
अन्ये साङ्ख्येन योगेन कर्मयोगेन चापरे ॥२५॥

*dhyānenātmani paśyanti, kecid ātmānam ātmanā*
*anye sāṅkhyena yogena, karma-yogena cāpare*

*dhyānena* : par la méditation; *ātmani* : dans le soi; *paśyanti* : voient; *kecit* : certains; *ātmānam* : l'Âme Suprême; *ātmanā* : par le mental; *anye* : d'autres; *sāṅkhyena* : de la discussion philosophique; *yogena* : par la pratique du yoga; *karma-yogena* : en agissant sans aspirer aux fruits de l'acte; *ca* : aussi; *apare* : d'autres.

**Certains perçoivent l'Âme Suprême au tréfonds d'eux-mêmes par la méditation, d'autres par la recherche de la connaissance, d'autres encore par l'action désintéressée.**

Le Seigneur informe Arjuna que les âmes conditionnées peuvent être classées en deux catégories : celles qui n'ont aucune notion de la vie spirituelle, et celles qui s'y attachent avec foi. La première comprend les athées, les sceptiques et les agnostiques; la seconde, les dévots introspectifs, les philosophes et ceux qui ont renoncé aux fruits de l'acte. On inclut aussi dans le premier groupe ceux qui tentent d'établir la doctrine du monisme.

Les dévots du Seigneur sont dotés de la meilleure compréhension spirituelle, car ils comprennent qu'au-delà de la nature matérielle se trouvent le monde spirituel et Dieu, la Personne Suprême, Duquel émane le Paramātmā, l'Âme Suprême présente en toute chose et en chaque être. Naturellement, ceux qui cherchent à comprendre la Vérité Suprême et Absolue en cultivant le savoir appartiennent à la seconde catégorie. Les adeptes de la philosophie du *sāṅkhya* décomposent l'univers en vingt-quatre éléments ; l'âme distincte étant le vingt-cinquième. Lorsqu'ils parviennent à comprendre que l'âme individuelle est spirituelle, qu'elle transcende la matière, ils peuvent également comprendre qu'au-delà de l'âme distincte Se trouve Dieu, le vingt-sixième élément. Ils en viennent ainsi peu à peu au stade du service de dévotion, dans la conscience de Kṛṣṇa. Sont également sur la bonne voie ceux qui se contentent de renoncer aux fruits de l'acte. Ils obtiennent eux aussi de s'élever jusqu'au service de dévotion dans la conscience de Kṛṣṇa. Notre verset stipule que, d'autres, à la conscience pure, s'efforcent de trouver l'Âme Suprême par la méditation. Lorsqu'ils La découvrent à l'intérieur d'eux-mêmes, ils atteignent le niveau transcendantal. D'autres encore empruntent la voie du *haṭha-yoga* et, par ces pratiques puériles, s'efforcent de satisfaire le Seigneur Suprême.

**13.26** अन्ये त्वेवमजानन्तः श्रुत्वान्येभ्य उपासते ।
तेऽपि चातितरन्त्येव मृत्युं श्रुतिपरायणाः ॥२६॥

*anye tv evam ajānantaḥ, śrutvānyebhya upāsate*
*te 'pi cātitaranty eva, mṛtyuṁ śruti-parāyaṇāḥ*

*anye :* d'autres ; *tu :* mais ; *evam :* ainsi ; *ajānantaḥ :* sans connaissance spirituelle ; *śrutvā :* en écoutant ; *anyebhyaḥ :* auprès d'autres ; *upāsate :* commencent à adorer ; *te :* ils ; *api :* aussi ; *ca :* et ; *atitaranti :* transcendent ; *eva :* certes ; *mṛtyum :* le sentier de la mort ; *śruti-parāyaṇāḥ :* enclins à écouter.

**Puis il y a ceux qui, même peu versés dans le savoir spirituel, en viennent à adorer la Personne Suprême parce qu'ils en ont entendu parler. Prêtant volontiers l'oreille aux dires d'autorités, eux aussi triomphent du cycle des morts et des renaissances.**

Ce verset s'applique d'autant mieux à notre société moderne que l'éducation spirituelle y est pratiquement inexistante. On trouve aujourd'hui des gens apparemment athées, agnostiques ou philosophes, mais personne qui ait de véritable connaissance philosophique. Néanmoins, s'il possède quelque vertu, l'homme du commun pourra, par l'écoute, s'élever spirituellement. Ce processus est très important. On peut progresser si l'on prête l'oreille à l'enseignement d'une autorité spirituelle, et tout particulièrement si l'on écoute la vibration transcendantale du mantra Hare Kṛṣṇa Hare Kṛṣṇa Kṛṣṇa Kṛṣṇa Hare Hare/Hare Rāma Hare Rāma Rāma Rāma Hare Hare. Le Seigneur, Śrī Caitanya, qui enseigna la conscience de Kṛṣṇa dans notre ère, insistait beaucoup sur ce point. C'est pourquoi il est dit que tous les hommes doivent chercher à écouter les paroles des âmes réalisées afin d'arriver graduellement à tout comprendre. Alors, sans nul doute, en viendront-ils à adorer la Personne Suprême.

Śrī Caitanya enseignait que pour comprendre la Vérité Absolue dans notre âge, il n'est pas besoin d'abandonner sa position familiale et sociale, mais il est nécessaire de renoncer au raisonnement spéculatif. On doit apprendre à servir ceux qui ont la connaissance du Seigneur Suprême. Car si on a la bonne fortune de prendre refuge auprès d'un pur dévot, d'entendre de sa bouche ce qui a trait à la réalisation spirituelle et de marcher sur ses traces, on sera soi-même graduellement élevé au rang de pur dévot. Ce verset recommande tout particulièrement l'écoute comme la méthode la plus appropriée à l'homme du commun. Car même s'il n'a pas des facultés comparables à celles des soi-disant philosophes ou érudits, le fait d'écouter avec foi les paroles d'une personne faisant autorité en matière de spiritualité l'aidera à transcender l'existence matérielle et à retourner auprès de Dieu, en son séjour éternel.

**13.27** यावत्सञ्जायते किञ्चित्सत्त्वं स्थावरजङ्गमम् ।
क्षेत्रक्षेत्रज्ञसंयोगात्तद्विद्धि भरतर्षभ ॥२७॥

*yāvat sañjāyate kiñcit, sattvaṁ sthāvara-jaṅgamam*
*kṣetra-kṣetrajña-saṁyogāt, tad viddhi bharatarṣabha*

*yāvat :* quoi que; *saṁjāyate :* vient à être; *kiñcit :* quoi que ce soit; *sattvam :* existence; *sthāvara :* immobile; *jaṅgamam :* mobile; *kṣetra :* le corps; *kṣetra-jña :* et celui qui connaît le corps; *saṁyogāt :* l'union entre; *tat viddhi :* tu dois savoir ceci; *bharatarṣabha :* ô meilleur des Bhāratas.

**Apprends, ô meilleur des Bhāratas, que tout ce qui existe, le mobile comme l'immobile, n'est que le produit de l'interaction du champ et du connaissant.**

Ce verset explique ce que sont la nature matérielle et l'être distinct, lesquels existaient tous deux avant la création du cosmos. Tout ce qui est créé n'est que le produit de l'interaction de l'être et de la matière. Certaines manifestations, comme les arbres, les collines et les montagnes, sont privées de mouvement, tandis que d'autres se meuvent. Mais toutes ne sont que le produit des diverses combinaisons de la nature inférieure et de la nature supérieure. Sans la présence de la nature supérieure, de l'être vivant, rien ne saurait évoluer. La matière est éternellement liée à la nature supérieure, et c'est le Seigneur Suprême qui effectue cette combinaison. Il est donc maître des deux natures, inférieure et supérieure. Il crée la nature matérielle dans laquelle Il introduit la nature supérieure. Ainsi, toutes les activités peuvent s'accomplir, toutes les manifestations se produire.

**13.28** समं सर्वेषु भूतेषु तिष्ठन्तं परमेश्वरम् ।
विनश्यत्स्वविनश्यन्तं यः पश्यति स पश्यति ॥२८॥

*samaṁ sarveṣu bhūteṣu, tiṣṭhantaṁ parameśvaram*
*vinaśyatsv avinaśyantaṁ, yaḥ paśyati sa paśyati*

*samam :* également ; *sarveṣu :* dans tous ; *bhūteṣu :* les êtres ; *tiṣṭhantam :* résidant ; *parama-īśvaram :* l'Âme Suprême ; *vinaśyatsu :* dans ce qui est destructible ; *avinaśyantam :* non détruite ; *yaḥ :* quiconque ; *paśyati :* voit ; *saḥ :* il ; *paśyati :* voit vraiment.

**Celui qui voit que l'Âme Suprême accompagne l'âme individuelle dans tous les corps périssables et que ni l'une ni l'autre ne meurent jamais, voit les choses telles qu'elles sont.**

Quiconque, au contact d'une personne versée dans la spiritualité, peut voir la combinaison de ces trois choses - le corps, le possesseur du corps (l'âme distincte) et le compagnon de l'âme distincte - possède la véritable connaissance. Ceux, par contre, qui n'ont pas ce contact, restent dans l'ignorance. Ils ne voient que le corps et croient que tout périt avec lui. Ce qui n'est absolument pas le cas. Après la destruction du corps, l'âme et l'Âme Suprême continuent toutes deux d'exister et voyagent éternellement ensemble, d'une forme - mobile ou immobile - à une autre.

Le mot *parameśvara,* « maître suprême », est parfois traduit par « âme distincte » car l'âme est le maître du corps et en change lorsque celui-ci est détruit. Pour certains, ce terme désigne uniquement l'Âme Suprême. Mais dans un cas comme dans l'autre, l'âme distincte et l'Âme Suprême sont toutes deux éternelles. Elles ne peuvent être détruites. Celui qui a cette vision voit les choses telles qu'elles sont.

13.29 समं पश्यन् हि सर्वत्र समवस्थितमीश्वरम् ।
न हिनस्त्यात्मनात्मानं ततो याति परां गतिम् ॥२९॥

*samaṁ paśyan hi sarvatra, samavasthitam īśvaram*
*na hinasty ātmanātmānaṁ, tato yāti parāṁ gatim*

*samam :* également ; *paśyan :* voyant ; *hi :* certes ; *sarvatra :* partout ; *samavasthitam :* située également ; *īśvaram :* l'Âme Suprême ; *na :* ne pas ; *hinasti :* se dégrade ; *ātmanā :* par le mental ; *ātmānam :* l'âme ; *tataḥ :* alors ; *yāti :* atteint ; *parām :* transcendantale ; *gatim :* la destination.

**Qui voit l'Âme Suprême présente de manière égale partout et en chacun ne se laisse pas corrompre par le mental. Ainsi parvient-il au but spirituel absolu.**

Dans le monde matériel, l'homme se trouve dans une situation bien différente de celle qu'il connaît dans le monde spirituel. S'il comprend que l'Être Suprême est partout présent sous la forme du Paramātmā, ou, en d'autres mots, s'il voit la présence de Dieu, la Personne Suprême, en tout ce qui vit, il ne se dégradera pas sous l'effet d'une mentalité destructive. Il progressera graduellement jusqu'à atteindre le monde spirituel. Les activités du mental gravitent généralement autour de la recherche du plaisir des sens, mais si on les oriente vers l'Âme Suprême, on développera une conscience spirituelle.

13.30 प्रकृत्यैव च कर्माणि क्रियमाणानि सर्वशः ।
यः पश्यति तथात्मानमकर्तारं स पश्यति ॥३०॥

*prakṛtyaiva ca karmāṇi, kriyamāṇāni sarvaśaḥ*
*yaḥ paśyati tathātmānam, akartāraṁ sa paśyati*

*prakṛtyā :* par la nature matérielle ; *eva :* certes ; *ca :* aussi ; *karmāṇi :* les activités ; *kriyamāṇāni :* accomplies ; *sarvaśaḥ :* à tous égards ; *yaḥ :* quiconque ; *paśyati :* voit ; *tathā :* aussi ; *ātmānam :* le soi ; *akartāram :* celui qui n'agit pas ; *saḥ :* il ; *paśyati :* voit parfaitement.

**Qui comprend que le corps, né de la nature matérielle, accomplit toute action et que jamais le soi n'agit voit les choses dans leur juste perspective.**

La nature matérielle crée le corps selon les directives de l'Âme Suprême, et aucune activité liée au corps n'appartient à l'être lui-même. Tous ses actes, heureux ou malheureux, lui sont imposés par sa constitution corporelle. Le soi demeure distinct des activités physiques proprement dites. Le corps est obtenu en fonction des désirs passés de l'être. Pour les satisfaire, l'être utilise le corps qui lui a été donné. Autrement dit, le corps est une machine conçue par le Seigneur Suprême pour que l'être conditionné puisse combler ses désirs, lesquels sont source de difficultés tant dans le plaisir que dans la souffrance. Cette vision transcendantale de l'être permet, lorsqu'on la développe, de se détacher des activités du corps. Qui a cette vision voit les choses dans leur juste perspective.

**13.31** यदा भूतपृथग्भावमेकस्थमनुपश्यति ।
तत एव च विस्तारं ब्रह्म सम्पद्यते तदा ॥३१॥

*yadā bhūta-pṛthag-bhāvam, eka-stham anupaśyati*
*tata eva ca vistāraṁ, brahma sampadyate tadā*

*yadā* : quand ; *bhūta* : des êtres ; *pṛthak-bhāvam* : les identités séparées ; *eka-stham* : situées en une ; *anupaśyati* : on essaie de voir à travers l'autorité ; *tataḥ eva* : ensuite ; *ca* : aussi ; *vistāram* : la manifestation, partout ; *brahma* : l'Absolu ; *sampadyate* : on atteint ; *tadā* : alors.

**Quand l'homme intelligent cesse de voir autant d'identités que de corps, quand il ne voit que des âmes spirituelles partout manifestées, il obtient la vision du Brahman.**

Quand on voit que les divers corps ne sont que le fruit des différents désirs des âmes conditionnées, qu'ils n'appartiennent pas vraiment aux âmes elles-mêmes, on a la claire vision. Sur le plan matériel, nous voyons des *devas,* des humains, des chiens, des chats, etc., mais cette vision matérielle n'est pas juste. De telles distinctions relèvent d'une conception matérielle de la vie. Lorsqu'elle est au contact de la nature matérielle, l'âme spirituelle revêt différents types de corps, mais après leur destruction, elle ne change pas. Quand l'être obtient une telle vision spirituelle, il se libère des dénominations d'homme, d'animal, de grand, de petit, etc. Sa conscience ainsi purifiée, il peut désormais développer la conscience de Kṛṣṇa, en accord avec son identité spirituelle. Le verset suivant décrit sa façon de voir les choses.

13.32 अनादित्वान्निर्गुणत्वात्परमात्मायमव्ययः ।
शरीरस्थोऽपि कौन्तेय न करोति न लिप्यते ॥३२॥

*anāditvān nirguṇatvāt, paramātmāyam avyayaḥ*
*śarīra-stho 'pi kaunteya, na karoti na lipyate*

*anāditvāt :* parce que éternelle ; *nirguṇatvāt :* parce que spirituelle ; *param :* au-delà de la nature matérielle ; *ātmā :* âme ; *ayam :* cette ; *avyayaḥ :* inexhaustible ; *śarīra-sthaḥ :* située dans le corps ; *api :* bien que ; *kaunteya :* ô fils de Kuntī ; *na karoti :* ne fait jamais rien ; *na lipyate :* n'est pas non plus liée.

**Sa vision d'éternité lui permet de voir que l'âme impérissable est spirituelle, éternelle, et qu'elle est située au-delà des trois guṇas. Ô Arjuna, même au contact de ce corps de matière, jamais l'âme n'agit ni n'est liée.**

Parce que le corps naît, l'être qui l'habite semble également naître, mais il est en fait éternel. Il transcende la matière et demeure immortel, non né, bien que vivant dans un corps. Il est, par nature, plein de félicité et ne peut être détruit. Jamais il ne prend part aux activités matérielles. Par suite, les actes produits par son contact avec les corps de matière qu'il revêt ne l'assujettissent pas.

13.33 यथा सर्वगतं सौक्ष्म्यादाकाशं नोपलिप्यते ।
सर्वत्रावस्थितो देहे तथात्मा नोपलिप्यते ॥३३॥

*yathā sarva-gataṁ saukṣmyād, ākāśaṁ nopalipyate*
*sarvatrāvasthito dehe, tathātmā nopalipyate*

*yathā :* comme ; *sarva-gatam :* étendu partout ; *saukṣmyāt :* parce que subtil ; *ākāśam :* le ciel ; *na :* jamais ; *upalipyate :* ne se mélange ; *sarvatra :* partout ; *avasthitaḥ :* situé ; *dehe :* dans le corps ; *tathā :* aussi ; *ātmā :* le soi ; *na :* jamais ; *upalipyate :* ne se mélange.

**Tout comme le ciel, d'essence subtile, s'étend partout sans se mêler à rien, l'âme qui s'est fixée dans la vision du Brahman vit dans le corps sans se mêler à lui.**

Bien que l'air pénètre l'eau, la boue, les excréments et tout ce qui existe, il ne se mêle à rien. De même, bien qu'elle habite divers corps, l'âme reste, par sa nature subtile, toujours indépendante. Il est donc impossible de voir avec nos yeux matériels comment l'âme est en contact avec le corps et comment elle s'en sépare au moment de la mort. Nul homme de science ne peut expliquer ces choses.

13.34 यथा प्रकाशयत्येकः कृत्स्नं लोकमिमं रविः ।
क्षेत्रं क्षेत्री तथा कृत्स्नं प्रकाशयति भारत ॥३४॥

*yathā prakāśayaty ekaḥ, kṛtsnaṁ lokam imaṁ raviḥ*
*kṣetraṁ kṣetrī tathā kṛtsnaṁ, prakāśayati bhārata*

*yathā :* comme ; *prakāśayati :* illumine ; *ekaḥ :* unique ; *kṛtsnam :* la totalité ; *lokam :* de l'univers ; *imam :* ce ; *raviḥ :* soleil ; *kṣetram :* ce corps ; *kṣetrī :* l'âme ; *tathā :* pareillement ; *kṛtsnam :* tout ; *prakāśayati :* illumine ; *bhārata :* ô descendant de Bharata.

**Ô descendant de Bharata, semblable au soleil qui illumine à lui seul la totalité de l'univers, par sa seule présence, l'âme spirituelle éclaire de la conscience le corps tout entier.**

Il existe de nombreuses théories sur la conscience. La *Bhagavad-gītā* la compare ici à la lumière du soleil. En effet, semblable au soleil qui dispense d'un point fixe sa lumière à l'univers entier, l'étincelle spirituelle, depuis le cœur, éclaire de la conscience le corps tout entier. La conscience atteste donc la présence de l'âme, tout comme la lumière du soleil atteste la présence du soleil. Tant que l'âme est présente dans le corps, celui-ci est tout entier pénétré de conscience, mais dès qu'elle le quitte, la conscience disparaît avec elle. N'importe quel homme intelligent peut comprendre cela.

La conscience n'est donc pas le fruit d'une combinaison d'éléments matériels. Elle est le signe de la présence de l'âme. Bien que qualitativement une avec la conscience suprême, la conscience de l'être distinct n'en est pas pour autant suprême car elle ne s'étend qu'à un seul corps. Par contre, l'Âme Suprême, compagne de l'âme distincte et sise en tous les corps, est consciente de chacun d'eux. Voilà ce qui distingue la conscience individuelle de la conscience suprême.

13.35 क्षेत्रक्षेत्रज्ञयोरेवमन्तरं ज्ञानचक्षुषा ।
भूतप्रकृतिमोक्षं च ये विदुर्यान्ति ते परम् ॥३५॥

*kṣetra-kṣetrajñayor evam, antaraṁ jñāna-cakṣuṣā*
*bhūta-prakṛti-mokṣaṁ ca, ye vidur yānti te param*

*kṣetra :* entre le corps ; *kṣetra-jñayoḥ :* et le possesseur du corps ; *evam :* ainsi ; *antaram :* la différence ; *jñāna-cakṣuṣā :* par la vision de la connaissance ; *bhūta :* de l'être ; *prakṛti :* de la nature matérielle ; *mokṣam :* la libération ; *ca :* aussi ; *ye :* ceux qui ; *viduḥ :* savent ; *yānti :* atteignent ; *te :* ils ; *param :* le Suprême.

**Qui, à la lumière de la connaissance, voit ce qui distingue le corps du possesseur du corps et connaît également la voie qui libère de l'emprise de la nature matérielle, atteint le but suprême.**

Le message essentiel de ce treizième chapitre est qu'il faut savoir différencier le corps, le possesseur du corps et l'Âme Suprême. Il faut aussi connaître le processus de la libération, tel qu'il est décrit dans les versets huit à douze, et ainsi atteindre la destination suprême.

Tout homme de foi devrait d'abord rechercher la compagnie d'êtres qualifiés, auprès desquels il puisse entendre parler de Dieu, et ainsi recevoir la connaissance. Celui qui accepte un maître spirituel pourra apprendre à distinguer l'esprit de la matière, tremplin qui lui permettra de s'élever à une réalisation plus profonde. Le maître spirituel donne à ses disciples diverses instructions afin qu'ils se libèrent de tout concept matériel de l'existence. Ainsi voyons-nous, dans la *Bhagavad-gītā,* Kṛṣṇa instruire Arjuna afin de l'affranchir de toute considération matérielle.

On peut comprendre que le corps est fait de matière; on peut l'analyser et en décomposer les vingt-quatre éléments. Il constitue la manifestation grossière, tandis que la manifestation subtile est composée du mental et des phénomènes psychologiques. L'interaction de ces divers facteurs forme ce qu'on appelle les symptômes de la vie. Au-delà se trouve l'âme, puis l'Âme Suprême, distinctes l'une de l'autre. L'univers matériel tout entier est mû par la conjonction de l'âme et des vingt-quatre éléments matériels. Celui qui voit que l'entière manifestation matérielle est formée par une telle combinaison, et que l'Âme Suprême occupe une position souveraine, a les qualifications requises pour être transféré au monde spirituel. On doit méditer et réaliser ces points, et ce n'est qu'avec l'aide d'un maître spirituel que l'on pourra comprendre pleinement ce chapitre.

*Ainsi s'achèvent les teneurs et portées de Bhaktivedanta sur le treizième chapitre de la* Śrīmad Bhagavad-gītā *traitant de la nature, du bénéficiaire et de la conscience.*

QUATORZIÈME CHAPITRE

# Les trois guṇas

14.1 श्रीभगवानुवाच
परं भूयः प्रवक्ष्यामि ज्ञानानां ज्ञानमुत्तमम् ।
यज्ज्ञात्वा मुनयः सर्वे परां सिद्धिमितो गताः ॥ १ ॥

*śrī-bhagavān uvāca*
*paraṁ bhūyaḥ pravakṣyāmi, jñānānāṁ jñānam uttamam*
*yaj jñātvā munayaḥ sarve, parāṁ siddhim ito gatāḥ*

*śrī-bhagavān uvāca :* Dieu, la Personne Suprême, dit ; *param :* transcendantal ; *bhūyaḥ :* encore ; *pravakṣyāmi :* Je dirai ; *jñānānām :* de toute connaissance ; *jñānam :* la connaissance ; *uttamam :* suprême ; *yat :* laquelle ; *jñātvā :* sachant ; *munayaḥ :* les sages ; *sarve :* tous ; *parām :* spirituelle ; *siddhim :* perfection ; *itaḥ :* à partir de ce monde ; *gatāḥ :* atteinte.

**Dieu, la Personne Suprême, dit : Une fois encore, Je vais t'exposer cette sagesse suprême, ce savoir ultime qui a permis à tous les sages d'atteindre la plus haute perfection.**

Dans les chapitres sept à douze, Śrī Kṛṣṇa définit avec force détails la Vérité Absolue : Dieu, la Personne Suprême. Il va ici éclairer Arjuna encore davantage. Celui qui, par l'analyse philosophique, saisira la teneur de ce chapitre comprendra vraiment ce qu'est le service de dévotion. Nous avons vu clairement dans le chapitre treize que si l'homme cultive humblement la connaissance, il sera en mesure de se soustraire à l'asservissement de la matière. Nous y avons également appris que c'est le fait d'entrer en contact avec les trois modes d'influence de la nature matérielle (*guṇas*) qui l'enchaîne inéluctablement à l'univers matériel. À présent, le Seigneur Suprême décrit la nature de ces trois *guṇas,* comment ils agissent, enchaînent ou libèrent.

Il affirme d'autre part que le savoir ici révélé est supérieur à celui des chapitres précédents, savoir qu'Il va développer mieux encore. Nombreux sont les grands sages qui ont connu la perfection après l'avoir assimilé et qui ont atteint le monde spirituel. Ce savoir dépasse tous les modes d'acquisition de la connaissance énoncés jusque-là, et a permis à beaucoup d'hommes d'atteindre la perfection de la spiritualité. Ainsi, quiconque comprendra ce quatorzième chapitre deviendra lui aussi parfait.

**14.2** इदं ज्ञानमुपाश्रित्य मम साधर्म्यमागताः ।
सर्गेऽपि नोपजायन्ते प्रलये न व्यथन्ति च ॥ २ ॥

*idaṁ jñānam upāśritya, mama sādharmyam āgatāḥ*
*sarge 'pi nopajāyante, pralaye na vyathanti ca*

*idam :* cette; *jñānam :* connaissance; *upāśritya :* prenant refuge auprès de; *mama :* Ma; *sādharmyam :* même nature; *āgatāḥ :* ayant atteint; *sarge api :* même dans la création; *na :* jamais; *upajāyante :* ne naissent; *pralaye :* dans l'anéantissement; *na :* non plus; *vyathanti :* sont affectés; *ca :* aussi.

**Qui possède pleinement un tel savoir devient, comme Moi, transcendantal. Il ne renaît pas au temps de la création et n'est pas affecté quand sonne l'heure de la dissolution.**

Après avoir obtenu la parfaite connaissance spirituelle, l'être échappe au cycle des morts et des renaissances et devient qualitativement égal à Dieu, la Personne Suprême. Cela ne signifie pas toutefois qu'il perde son individualité. Les Écrits védiques stipulent que les âmes libérées qui ont atteint les planètes transcendantales du monde spirituel méditent toujours sur les pieds pareils-au-lotus du Seigneur en Le servant avec amour et dévotion. Ainsi, même après la libération, les dévots ne perdent jamais leur identité propre.

Si, en règle générale, tout savoir acquis en ce monde est souillé par les trois *guṇas,* le savoir transcendantal, lui, ne l'est pas. Dès que l'être le possède, il atteint le même niveau spirituel que la Personne Suprême. Les hommes ignorants du monde spirituel prétendent que les âmes spirituelles perdent et leur forme et leur diversité quand elles s'affranchissent des activités relatives au corps. En réalité, si ce monde matériel connaît la diversité, c'est que celle-ci existe déjà dans le monde spirituel. Ceux qui ignorent cette vérité croient l'existence spirituelle dénuée de la variété qui caractérise l'existence matérielle. Ils ne savent pas que dans ce royaume chacun possède sa propre forme spirituelle et que tous ont le loisir d'accomplir différentes activités dévotionnelles qui constituent la réalité spirituelle. Il n'y a pas la moindre trace d'imperfection. Chacun, qualitativement, est l'égal du Seigneur Suprême. Afin d'obtenir ce savoir absolu, l'homme doit développer en lui toutes les qualités spirituelles. Et une fois que ces qualités se sont épanouies, il ne sera plus affecté ni par la création ni par la destruction de l'univers matériel.

**14.3** मम योनिर्महद् ब्रह्म तस्मिन् गर्भं दधाम्यहम् ।
सम्भवः सर्वभूतानां ततो भवति भारत ॥ ३ ॥

*mama yonir mahad brahma*
*tasmin garbhaṁ dadhāmy aham*
*sambhavaḥ sarva-bhūtānāṁ*
*tato bhavati bhārata*

*mama :* à Moi : *yoniḥ :* la source de naissance; *mahat :* l'existence matérielle dans sa totalité; *brahma :* suprême; *tasmin :* dans cela; *garbham :* la fécondation; *dadhāmi :* crée; *aham :* Je; *sambhavaḥ :* la possibilité; *sarva-bhūtānām :* de tous les êtres; *tataḥ :* ensuite; *bhavati :* devient; *bhārata :* ô descendant de Bharata.

**Ô descendant de Bharata, Je féconde l'entière substance matérielle, nommée Brahman, siège de la conception, et rends ainsi possible la naissance de tous les êtres.**

Tout en ce monde matériel provient de l'union du *kṣetra* et du *kṣetra-jña,* du corps et de l'âme spirituelle. Le Seigneur Suprême en personne agit pour que cette combinaison entre la nature matérielle et l'être vivant puisse s'effectuer. Le *mahat-tattva* constitue la cause de l'entière manifestation matérielle. La substance globale de cette cause, qui comprend les trois *guṇas,* est parfois appelée Brahman. Elle est décrite dans les Écritures védiques (*Muṇḍaka Upaniṣad* 1.1.9) : *tasmād etad brahma nāma-rūpam annaṁ ca jāyate.* Le Seigneur Suprême féconde ce Brahman de Sa semence – les êtres vivants. Ainsi, les innombrables univers se manifestent. Les vingt-quatre éléments (la terre, l'eau, le feu, l'air...) appartiennent tous à l'énergie matérielle et forment ce qu'on appelle le *mahad brahma,* le grand Brahman, la nature matérielle.

Comme cela a été expliqué dans le chapitre sept, il existe bien au-delà de la nature matérielle une autre nature, dite supérieure, constituée d'êtres vivants. Par la volonté de Dieu, la Personne Suprême, nature spirituelle et nature matérielle se combinent. C'est ainsi que toutes les entités vivantes naissent de la nature matérielle.

Comme la femelle du scorpion aime pondre ses œufs dans un tas de riz, il arrive que certains disent que le scorpion naît du riz. Mais ce n'est certes pas le riz qui engendre le scorpion. Il sort évidemment de l'œuf déposé par la mère. De même, la nature matérielle ne saurait engendrer les êtres vivants. Bien que toutes ces entités semblent avoir été conçues par la seule nature matérielle, c'est Dieu en réalité qui donne la semence. Chaque être obtient, selon ce que furent ses actes passés, un corps bien défini créé par la nature matérielle. Il connaît dès lors, selon qu'il a été vertueux ou pécheur, la joie ou la peine. Mais le Seigneur est la cause de l'apparition des êtres dans l'univers matériel.

**14.4** सर्वयोनिषु कौन्तेय मूर्तयः सम्भवन्ति याः ।
तासां ब्रह्म महद्योनिरहं बीजप्रदः पिता ॥ ४ ॥

*sarva-yoniṣu kaunteya, mūrtayaḥ sambhavanti yāḥ*
*tāsāṁ brahma mahad yonir, ahaṁ bīja-pradaḥ pitā*

*sarva-yoniṣu :* dans toutes les espèces; *kaunteya :* ô fils de Kuntī; *mūrtayaḥ :* les formes; *sambhavanti :* elles apparaissent; *yāḥ :* dont; *tāsām :* de toutes; *brahman :* la suprême; *mahat yoniḥ :* source de la naissance dans la substance matérielle; *aham :* Je; *bīja-pradaḥ :* qui donne la semence; *pitā :* le père.

**Comprends, ô fils de Kuntī, que la nature matérielle donne naissance à toutes les formes de vie, et que Je suis le père qui donne la semence.**

Il est clairement expliqué ici que Kṛṣṇa, Dieu, la Personne Suprême, est le père originel de tous les êtres vivants. Ces derniers sont le fruit de la combinaison des natures spirituelle et matérielle. Ces êtres peuplent non seulement notre planète, mais chaque planète de l'univers matériel, jusqu'à la plus élevée où vit Brahmā. Les entités vivantes sont partout : dans la terre, l'eau, et même le feu. Toutes apparaissent parce que Kṛṣṇa, le père, féconde la nature matérielle, la mère. Pour conclure, nous dirons que les êtres sont injectés dans l'univers matériel et qu'ils apparaissent au moment de la création sous diverses formes, selon ce que furent leurs actes passés.

14.5 सत्त्वं रजस्तम इति गुणाः प्रकृतिसम्भवाः ।
निबध्नन्ति महाबाहो देहे देहिनमव्ययम् ॥ ५ ॥

*sattvaṁ rajas tama iti, guṇāḥ prakṛti-sambhavāḥ*
*nibadhnanti mahā-bāho, dehe dehinam avyayam*

*sattvam :* la vertu ; *rajaḥ :* la passion ; *tamaḥ :* l'ignorance ; *iti :* ainsi ; *guṇāḥ :* les propriétés ; *prakṛti :* la nature matérielle ; *sambhavāḥ :* produites par ; *nibadhnanti :* conditionnent ; *mahā-bāho :* ô Arjuna aux bras puissants ; *dehe :* dans le corps ; *dehinam :* l'être ; *avyayam :* éternel.

**La nature matérielle est constituée de trois guṇas : la vertu, la passion et l'ignorance. Lorsque l'être vivant éternel entre en contact avec elle, ô Arjuna aux bras puissants, il en subit le conditionnement.**

Parce qu'il est d'essence spirituelle, l'être vivant n'a rien à voir avec la nature matérielle. Toutefois, quand il en subit le conditionnement, il agit sous l'emprise des trois *guṇas*. Les êtres conditionnés sont dotés de corps différents, correspondant chacun à l'un ou l'autre des divers aspects de la nature et, par conséquent, leurs actes sont également influencés par cette nature. C'est du reste pourquoi ils éprouvent toute une variété de joies et de souffrances.

14.6 तत्र सत्त्वं निर्मलत्वात्प्रकाशकमनामयम् ।
सुखसङ्गेन बध्नाति ज्ञानसङ्गेन चानघ ॥ ६ ॥

*tatra sattvaṁ nirmalatvāt, prakāśakam anāmayam*
*sukha-saṅgena badhnāti, jñāna-saṅgena cānagha*

*tatra :* là ; *sattvam :* la vertu ; *nirmalatvāt :* le plus pur de la création matérielle ; *prakāśakam :* illuminant ; *anāmayam :* sans réaction pécheresse ; *sukha :* avec le bonheur ; *saṅgena :* par le contact ; *badhnāti :* conditionne ; *jñāna :* avec la connaissance ; *saṅgena :* par le contact ; *ca :* aussi ; *anagha :* ô toi qui es sans péché.

**Ô toi qui es sans péché, sache que la vertu, le plus pur des guṇas, illumine l'être et l'affranchit des suites de tous ses actes coupables. Sous son influence, il s'attache au bonheur et à la connaissance.**

Les êtres ne sont pas tous conditionnés de la même façon par la nature matérielle. Certains sont heureux, d'autres très actifs, et d'autres sans recours. Ces différents états psychologiques attestent de leur conditionnement. Ce chapitre explique les diverses manières dont les êtres sont conditionnés. L'homme conditionné par la vertu développera une sagesse supérieure à celle de l'homme dont le conditionnement est différent. Les souffrances de ce monde ne l'affecteront pas beaucoup et il sera enclin à progresser dans la voie de la connaissance matérielle. Le *brāhmaṇa,* en principe, en est l'exemple type. Si l'homme influencé par la vertu éprouve un sentiment de bonheur, c'est parce qu'il a conscience d'être plus ou moins affranchi des conséquences de ses actes coupables. Les Écritures védiques confirment en outre que la vertu se caractérise par le fait qu'elle permet d'obtenir une connaissance plus approfondie et qu'elle génère un sens du bonheur plus fort.

Toutefois, l'être vertueux aura tendance à se considérer avancé dans la connaissance et donc supérieur à autrui - ce qui constitue en soi une forme de conditionnement. Ainsi des philosophes et hommes de science qui sont tous très fiers de leur savoir. Et du fait que leurs conditions d'existence généralement s'améliorent, ils ressentent ce bonheur matériel dont nous avons parlé. C'est ce sentiment de bonheur profond dans la vie conditionnée qui les attache, par le biais de la vertu, à l'existence matérielle. Ils sont donc attirés par les actes que génère ce *guṇa.* Néanmoins, tant que durera cet attrait, ils devront revêtir de nouveaux corps matériels. Il est donc peu probable qu'ils puissent obtenir la libération ou atteindre le monde spirituel. Vie après vie, ils seront philosophe, homme de science ou poète, mais ils seront toujours confrontés aux affres de la naissance et de la mort. Illusionnés par l'énergie matérielle, ils continueront toutefois de croire qu'une telle existence est agréable.

**14.7** रजो रागात्मकं विद्धि तृष्णासङ्गसमुद्भवम् ।
तन्निबध्नाति कौन्तेय कर्मसङ्गेन देहिनम् ॥ ७ ॥

*rajo rāgātmakaṁ viddhi, tṛṣṇā-saṅga-samudbhavam*
*tan nibadhnāti kaunteya, karma-saṅgena dehinam*

*rajaḥ :* le mode d'infuence de la passion ; *rāga-ātmakam :* né du désir ou de la concupiscence ; *viddhi :* sache ; *tṛṣṇā :* avec une soif ardente ; *saṅga :* contact ; *samudbhavam :* produit du ; *tat :* cela ; *nibadhnāti :* lie ; *kaunteya :* ô fils de Kuntī ; *karma-saṅgena :* au contact des actes intéressés ; *dehinam :* l'âme incarnée.

**Ô fils de Kuntī, le mode d'influence de la passion naît de désirs ardents et illimités et lie l'âme incarnée aux actes intéressés.**

Le mode d'influence de la passion est caractérisé par l'attrait que l'homme et la femme exercent l'un sur l'autre. La femme est attirée par l'homme, et l'homme par la femme. Tel est l'effet de la passion. Et lorsque l'influence de ce *guṇa* augmente, le désir de jouir de la matière et des sens s'accroît. L'homme dominé par la passion veut, pour se satisfaire, recevoir les honneurs de la société ou de la patrie. Il aspire à une vie familiale heureuse, souhaite avoir de beaux enfants, une bonne épouse et un foyer confortable. Tels sont donc les fruits de la passion. Et tant que l'homme les convoitera, il devra s'astreindre à un dur labeur. C'est pourquoi ce verset nous explique clairement que celui qui est au contact des fruits de ses activités s'enchaîne à ses actes. Pour contenter sa femme, ses enfants, la société, et pour maintenir sa réputation, l'homme doit travailler. Le monde matériel tout entier est donc plus ou moins gouverné par la passion. La société moderne est considérée évoluée selon les critères de la passion, alors que jadis, c'était quand elle était régie par la vertu que l'on jugeait une civilisation avancée. S'il n'est pas de libération pour les êtres que gouverne la vertu, que dire de ceux qu'enchaîne la passion.

**14.8** तमस्त्वज्ञानजं विद्धि मोहनं सर्वदेहिनाम् ।
प्रमादालस्यनिद्राभिस्तन्निबध्नाति भारत ॥ ८ ॥

*tamas tv ajñāna-jaṁ viddhi, mohanaṁ sarva-dehinām*
*pramādālasya-nidrābhis, tan nibadhnāti bhārata*

*tamaḥ :* le mode d'influence de l'ignorance ; *tu :* mais ; *ajñāna-jam :* produit de l'ignorance ; *viddhi :* sache ; *mohanam :* l'égarement ; *sarva-dehinām :* de tous les êtres incarnés ; *pramāda :* avec la folie ; *ālasya :* l'indolence ; *nidrābhiḥ :* et le sommeil ; *tat :* cela ; *nibadhnāti :* enchaîne ; *bhārata :* ô descendant de Bharata.

**Quant au mode des ténèbres, né de l'ignorance, ô descendant de Bharata, il cause l'égarement de tous les êtres incarnés. Il génère folie, indolence et sommeil, lesquels enchaînent l'âme conditionnée.**

Dans ce verset, l'utilisation du mot *tu* est très significative : le mode d'influence de l'ignorance est une caractéristique très particulière de l'âme incarnée. Ce *guṇa* est totalement à l'opposé de la vertu. En cultivant la connaissance, les êtres régis par la vertu peuvent voir les choses dans leur juste relief. Mais sous l'empire de l'ignorance, ils perdent la raison. Et l'on sait qu'un fou ne peut voir les choses sous leur vrai jour. Au lieu de progresser, celui que gouverne l'ignorance se dégrade. Les Écrits védiques expliquent très bien cela : *vastu-yāthātmya-jñānāvarakaṁ viparyaya-jñāna-janakaṁ tamaḥ* – qui vit sous l'emprise de l'ignorance ne peut comprendre les choses telles qu'elles sont. Ainsi, les hommes, parce qu'ils ont tous vu mourir un jour leurs grands-parents, peuvent comprendre que l'homme est mortel, et qu'eux-mêmes et leurs enfants mourront un jour. La mort est inévitable. Or, malgré cela, ils continuent d'accumuler follement de l'argent, œuvrant jour et nuit avec acharnement sans jamais se soucier de l'âme éternelle. Dans leur folie, ils refusent d'emprunter la voie de la spiritualité. Grande est la paresse de ces êtres. Quand on les invite à comprendre la spiritualité, ils ne manifestent que peu ou pas d'intérêt. Ils n'ont pas même l'ardeur des hommes que domine la passion.

Un autre signe des hommes ensevelis dans l'ignorance est qu'ils dorment plus qu'il ne faut : au moins dix ou douze heures par jour, quand six suffisent. Ils ont toujours l'air déprimé et sont attachés aux intoxicants et au sommeil. Tels sont bien les symptômes que manifestent les hommes conditionnés par l'ignorance.

**14.9**

सत्त्वं सुखे सञ्जयति रजः कर्मणि भारत ।
ज्ञानमावृत्य तु तमः प्रमादे सञ्जयत्युत ॥ ९ ॥

*sattvaṁ sukhe sañjayati, rajaḥ karmaṇi bhārata*
*jñānam āvṛtya tu tamaḥ, pramāde sañjayaty uta*

*sattvam :* la vertu ; *sukhe :* au bonheur ; *sañjayati :* attache ; *rajaḥ :* la passion ; *karmaṇi :* aux actes intéressés ; *bhārata :* ô descendant de Bharata ; *jñānam :* la connaissance ; *āvṛtya :* couvrant ; *tu :* mais ; *tamaḥ :* l'ignorance ; *pramāde :* à la folie ; *sañjayaty :* attache ; *uta :* il est dit.

**Ô descendant de Bharata, conditionné par la vertu, l'être s'attache au bonheur ; la passion le lie au fruit de l'acte, et l'ignorance qui obscurcit le savoir le conduit à la folie.**

Les hommes que gouverne la vertu sont satisfaits de leurs activités et de leurs recherches intellectuelles. C'est le cas des philosophes, hommes de science et enseignants, qui se satisfont de leurs occupations respectives dans les différentes branches du savoir. Ceux que dominent la passion se livrent, eux, à l'action intéressée. Ils accumulent le plus de biens possible et donnent pour la bonne cause. Ils essaient même parfois de fonder des hôpitaux, de faire des dons aux œuvres caritatives, etc. Telles sont les caractéristiques de la passion. Quant à l'ignorance, elle voile la connaissance de l'être. Les actes de l'homme influencé par ce *guṇa* ne peuvent apporter rien de bon, ni à lui, ni aux autres.

**14.10** रजस्तमश्चाभिभूय सत्त्वं भवति भारत ।
रजः सत्त्वं तमश्चैव तमः सत्त्वं रजस्तथा ॥१०॥

*rajas tamaś cābhibhūya, sattvaṁ bhavati bhārata*
*rajaḥ sattvaṁ tamaś caiva, tamaḥ sattvaṁ rajas tathā*

*rajaḥ :* la passion; *tamaḥ :* l'ignorance; *ca :* aussi; *abhibhūya :* surpassant; *sattvam :* la vertu; *bhavati :* devient dominante; *bhārata :* ô descendant de Bharata; *rajaḥ :* la passion; *sattvam :* la vertu; *tamaḥ :* l'ignorance; *ca :* aussi; *eva :* comme cela; *tamaḥ :* l'ignorance; *sattvam :* la vertu; *rajaḥ :* la passion; *tathā :* ainsi.

**Parfois, le mode d'influence de la vertu domine les autres guṇas, parfois c'est celui de la passion ou celui de l'ignorance qui l'emporte. Ainsi, ô descendant de Bharata, jamais entre les guṇas ne cesse la lutte pour la suprématie.**

Tantôt, c'est la passion qui domine les autres *guṇas,* tantôt, c'est la vertu ou l'ignorance. Cette compétition entre les *guṇas* est constante. C'est pourquoi il faut les transcender si l'on désire vraiment progresser dans la conscience de Kṛṣṇa. L'empire qu'un *guṇa* particulier peut avoir sur un homme se manifeste à travers les rapports qu'il entretient avec autrui, les actes qu'il accomplit, la nourriture qu'il absorbe, etc. D'autres chapitres détailleront ces points. On peut toutefois vaincre les influences de la passion et de l'ignorance en cultivant la vertu. De même, on peut développer la passion, ou l'ignorance, qui l'emportera alors sur les deux autres. On peut toutefois, si l'on est suffisamment déterminé, en dépit de la formidable emprise des *guṇas,* se placer sous l'égide de la vertu, puis la dépasser pour atteindre la pure vertu. On parviendra alors à l'état *vasudeva,* où il est possible de comprendre la science de Dieu. Nous dirons, pour résumer, qu'à travers ses actes on peut savoir quel *guṇa* influence un être.

**14.11** सर्वद्वारेषु देहेऽस्मिन् प्रकाश उपजायते ।
ज्ञानं यदा तदा विद्याद्विवृद्धं सत्त्वमित्युत ॥११॥

*sarva-dvāreṣu dehe 'smin, prakāśa upajāyate*
*jñānaṁ yadā tadā vidyād, vivṛddhaṁ sattvam ity uta*

*sarva-dvāreṣu :* dans toutes les portes; *dehe asmin :* dans le corps; *prakāśaḥ :* la propriété d'éclairer; *upajāyate :* développe; *jñānam :* la connaissance; *yadā :* quand; *tadā :* à ce moment; *vidyāt :* sache; *vivṛddham :* s'est accrue; *sattvam :* la vertu; *iti :* ainsi; *uta :* il est dit.

**Quand toutes les portes du corps sont illuminées par la connaissance, l'être sent se manifester en lui l'influence de la vertu.**

Il y a neuf portes dans le corps : les deux yeux, les deux oreilles, les deux narines, la bouche, les organes génitaux et l'anus. Quand toutes ces portes sont illuminées par les symptômes de la vertu, on dit que l'être a atteint la vertu. Sous l'égide de ce *guṇa,* il peut voir, entendre et goûter les choses telles qu'elles sont. Il est en outre lavé des souillures internes et externes. Les symptômes du bonheur apparaissent aux portes de son corps. Telles sont en résumé les caractéristiques de l'être vertueux.

**14.12** लोभः प्रवृत्तिरारम्भः कर्मणामशमः स्पृहा ।
रजस्येतानि जायन्ते विवृद्धे भरतर्षभ ॥१२॥

*lobhaḥ pravṛttir ārambhaḥ, karmaṇām aśamaḥ spṛhā*
*rajasy etāni jāyante, vivṛddhe bharatarṣabha*

*lobhaḥ :* la convoitise; *pravṛttiḥ :* l'activité; *ārambhaḥ :* l'effort; *karmaṇām :* dans les activités; *aśamaḥ :* incontrôlable; *spṛhā :* le désir; *rajasi :* de la passion; *etāni :* tous ceux-là; *jāyante :* se développent; *vivṛddhe :* quand il y a un excès; *bharata-ṛṣabha :* ô meilleur des descendants de Bharata.

**Quand s'accroît l'influence de la passion, ô meilleur des Bhāratas, surviennent l'attachement excessif, les actes intéressés, les efforts intenses, les désirs et les appétits incontrôlables.**

Celui qui est influencé par la passion ne se satisfait jamais de sa situation. Il aspire toujours à plus. Désirant une maison, il se fera bâtir un palais, comme s'il allait y vivre pour l'éternité. Les sens étant insatiables, son ardent désir de jouir s'accroît constamment. Il souhaite pouvoir toujours vivre avec sa famille, dans sa demeure, et poursuivre sa recherche des plaisirs matériels. Tels sont les symptômes de la passion.

**14.13** अप्रकाशोऽप्रवृत्तिश्च प्रमादो मोह एव च ।
तमस्येतानि जायन्ते विवृद्धे कुरुनन्दन ॥१३॥

*aprakāśo 'pravṛttiś ca, pramādo moha eva ca*
*tamasy etāni jāyante, vivṛddhe kuru-nandana*

*aprakāśaḥ :* les ténèbres; *apravṛttiḥ :* l'inaction; *ca :* et; *pramādaḥ :* la folie; *mohaḥ :* l'illusion; *eva :* certes; *ca :* aussi; *tamasi :* l'ignorance; *etāni :* celles-ci; *jāyante :* sont manifestées; *vivṛddhe :* quand se développe; *kuru-nandana :* ô fils de Kuru.

**Et quand l'influence de l'ignorance devient prépondérante, ô fils de Kuru, les ténèbres, l'inertie, la folie et l'illusion apparaissent.**

Sans illumination, il n'est point de connaissance. Celui qui agit sous l'emprise de l'ignorance ne suit aucun principe régulateur. Il agit par caprice, sans aucun but. Bien qu'il soit tout à fait capable de travailler, il n'a pas envie de faire d'efforts. Il vit dans l'illusion. Bien que doté de conscience, il reste inactif. Voilà les caractéristiques qui distinguent celui qu'influence l'ignorance.

**14.14** यदा सत्त्वे प्रवृद्धे तु प्रलयं याति देहभृत् ।
तदोत्तमविदां लोकानमलान् प्रतिपद्यते ॥१४॥

*yadā sattve pravṛddhe tu, pralayaṁ yāti deha-bhṛt*
*tadottama-vidāṁ lokān, amalān pratipadyate*

*yadā :* quand ; *sattve :* la vertu ; *pravṛddhe :* développée ; *tu :* mais ; *pralayam :* à la dissolution ; *yāti :* va ; *deha-bhṛt :* l'être incarné ; *tadā :* à ce moment ; *uttamavidām :* des grands sages ; *lokān :* les planètes ; *amalān :* pures ; *pratipadyate :* atteint.

**Qui meurt dans la vertu atteint les planètes supérieures et pures où vivent les grands sages.**

Celui que gouverne la vertu finit par atteindre les systèmes planétaires supérieurs, tels que Brahmaloka ou Janaloka, où il peut jouir d'un bonheur céleste. Remarquons ici l'importance du mot *amalān :* il signifie « libre de la passion et de l'ignorance ». L'univers matériel est toujours impur. Toutefois, vivre dans la vertu représente la forme d'existence la plus pure. Il existe différentes sortes de planètes pour différentes sortes d'êtres. Ceux qui meurent dans la vertu sont promus aux planètes où vivent les grands sages et les grands dévots.

**14.15** रजसि प्रलयं गत्वा कर्मसङ्गिषु जायते ।
तथा प्रलीनस्तमसि मूढयोनिषु जायते ॥१५॥

*rajasi pralayaṁ gatvā, karma-saṅgiṣu jāyate*
*tathā pralīnas tamasi, mūḍha-yoniṣu jāyate*

*rajasi :* dans la passion ; *pralayam :* la dissolution ; *gatvā :* atteignant ; *karmasaṅgiṣu :* en la compagnie de ceux qui se vouent aux actes intéressés ; *jāyate :* naît ; *tathā :* pareillement ; *pralīnaḥ :* étant dissous ; *tamasi :* dans l'ignorance ; *mūḍha-yoniṣu :* dans les espèces animales ; *jāyate :* naît.

**Qui meurt dans la passion renaît parmi ceux qui se vouent à l'action intéressée. Et qui meurt dans l'ignorance renaît dans le monde animal.**

Certains croient qu'une fois parvenue à la forme humaine, l'âme incarnée ne peut retomber dans les espèces inférieures. C'est là une erreur, car d'après ce verset, l'homme qu'enveloppe l'ignorance devra choir après sa mort et revêtir un corps animal. Et ce n'est qu'en suivant un cycle d'évolution d'une espèce à une autre selon un processus croissant, qu'il recouvrera la forme humaine. C'est pourquoi les hommes qui considèrent vraiment avec sérieux la forme humaine doivent se placer sous l'égide de la vertu, puis, grâce à la compagnie d'âmes élevées, dépasser les trois *guṇas.* Ainsi deviendront-ils conscients de Kṛṣṇa, ce qui est le but ultime de la vie humaine. Autrement, rien ne peut leur assurer de bénéficier d'un corps humain dans leur vie future.

**14.16** कर्मणः सुकृतस्याहुः सात्त्विकं निर्मलं फलम् ।
रजसस्तु फलं दुःखमज्ञानं तमसः फलम् ॥१६॥

*karmaṇaḥ sukṛtasyāhuḥ, sāttvikaṁ nirmalaṁ phalam*
*rajasas tu phalaṁ duḥkham, ajñānaṁ tamasaḥ phalam*

*karmaṇaḥ :* des actes; *sukṛtasya :* pieux; *āhuḥ :* est dit; *sāttvikam :* sous l'influence de la vertu; *nirmalam :* purifié; *phalam :* le résultat; *rajasaḥ :* de la passion; *tu :* mais; *phalam :* le résultat; *duḥkham :* la détresse; *ajñānam :* la stupidité; *tamasaḥ :* de l'ignorance; *phalam :* le résultat.

**Si, quand la vertu exerce son influence, le fruit de l'acte est pur, quand la passion prévaut, l'acte engendre la détresse. Et quand l'ignorance exerce son emprise, il conduit à la sottise.**

Le fruit des actes pieux dictés par la vertu est pur. C'est pourquoi les sages, libres de l'illusion, connaissent le bonheur. En revanche, les actes qui relèvent de la passion ont pour résultat la souffrance. En fait, tout acte qui ne vise que le bonheur matériel est voué à l'échec. Si, par exemple, un homme d'affaires souhaite faire construire un gratte-ciel, il lui faudra imposer maintes souffrances à bon nombre d'hommes. Le financier devra à grand-peine rassembler les fonds nécessaires, et les ouvriers, comme des esclaves, se soumettre au dur labeur de la construction. Aussi la *Bhagavad-gītā* affirme-t-elle que toute activité accomplie sous l'influence de la passion entraîne toujours de grands tourments. Le mental éprouvera peut-être un certain contentement à l'idée de posséder telle somme d'argent ou telle demeure, mais il ne s'agit pas là d'un vrai bonheur.

Quant aux actes relevant de l'ignorance, puisque leurs auteurs sont dénués de la moindre connaissance, ils n'engendrent, dans l'immédiat, que le malheur et, dans le futur, la chute parmi les espèces animales. La vie des animaux est toujours misérable, mais illusionnés par *māyā,* ils n'en sont pas conscients. Relève également de l'ignorance l'abattage des animaux. Les hommes qui prennent part à ce carnage ignorent que dans une vie future les animaux qu'ils massacrent obtiendront un corps qui leur permettra de les tuer à leur tour. Telle est la loi de la nature. Dans la société humaine, un meurtrier doit être condamné à mort. Ainsi le veut la loi. À cause de leur ignorance, les hommes ne peuvent percevoir que l'univers matériel entier constitue un État dont le Seigneur Suprême est le maître. Chaque être créé est fils de Dieu, Lequel ne tolère pas même qu'une fourmi soit tuée. En aucun cas, le meurtre ne saurait rester impuni. C'est pourquoi le fait d'abattre des animaux pour le seul plaisir de la langue représente la forme d'ignorance la plus grossière. L'homme n'a absolument pas besoin de tuer des bêtes pour se nourrir, car Dieu lui donne déjà toutes sortes de délicieux aliments. Celui qui, malgré tout, persiste à consommer de la viande, agit sous l'emprise de l'ignorance et se prépare un avenir des plus sombres.

De toutes ces tueries, celle des vaches est la plus ignoble. En effet, par son lait, la vache nous procure les plaisirs les plus variés. La tuer, c'est commettre un acte relevant de l'ignorance la plus grossière. Dans les Écrits védiques (*Ṛg-veda* 9.4-64) les mots *gobhiḥ prīṇita-matsaram* indiquent que celui qui, pleinement satisfait du lait de la vache, désire tout de même la tuer, est dans la plus profonde ignorance. On trouve également dans les Écrits védiques (*Viṣṇu Purāṇa* 1.19.65) cette prière :

*namo brahmaṇya-devāya, go-brāhmaṇa-hitāya ca*
*jagad-dhitāya kṛṣṇāya, govindāya namo namaḥ*

« Ô Seigneur, Tu es l'ami bienveillant des vaches, des *brāhmaṇas,* de l'humanité et du monde entier. » Cette prière nous montre qu'il est important de protéger les vaches et les *brāhmaṇas*. Les *brāhmaṇas* symbolisent l'éducation spirituelle, et la vache, par le lait qu'elle donne, est le symbole du plus précieux des aliments. On doit donc les protéger l'un et l'autre. C'est à cela qu'on reconnaît une civilisation avancée.

Or, dans le monde moderne, l'éducation spirituelle est négligée et l'abattage de la vache encouragé. Il est donc facile de comprendre que l'humanité progresse dans le mauvais sens, et qu'elle se fraye un chemin qui la mène à sa perte. Une civilisation qui conduit ses citoyens à renaître dans les espèces animales ne mérite assurément pas le nom de civilisation humaine. Actuellement, la civilisation moderne se trouve bassement régie par la passion et l'ignorance. Comme notre âge regorge de dangers, les dirigeants de toutes les nations devraient offrir à leurs concitoyens la conscience de Kṛṣṇa, méthode aisée qui sauverait l'humanité du plus grand des dangers.

**14.17** सत्त्वात्सञ्जायते ज्ञानं रजसो लोभ एव च ।
प्रमादमोहौ तमसो भवतोऽज्ञानमेव च ॥१७॥

*sattvāt sañjāyate jñānaṁ, rajaso lobha eva ca*
*pramāda-mohau tamaso, bhavato 'jñānam eva ca*

*sattvāt :* de la vertu; *sañjāyate :* vient; *jñānam :* la connaissance; *rajasaḥ :* de la passion; *lobhaḥ :* l'avidité; *eva :* certes; *ca :* aussi; *pramāda :* la folie; *mohau :* et l'illusion; *tamasaḥ :* de l'ignorance; *bhavataḥ :* viennent; *ajñānam :* la stupidité; *eva :* certes; *ca :* aussi.

**De la vertu naît le savoir véritable, et de la passion l'avidité. La folie, la sottise et l'illusion naissent, pour leur part, de l'ignorance.**

Puisque la civilisation actuelle ne peut pas réellement répondre aux attentes légitimes des êtres, la conscience de Kṛṣṇa est vivement recommandée. Grâce à elle, la société pourra s'élever jusqu'à la vertu. Et quand la vertu prévaudra, les gens verront les choses telles qu'elles sont. Sous l'influence de l'ignorance, les hommes sont pareils aux animaux et ne peuvent voir les choses dans leur juste relief. Ils sont incapables, par exemple, de comprendre que s'ils abattent un animal, ils auront toutes les chances, dans leur prochaine vie, de se faire tuer à leur tour par ce même animal. Parce qu'ils ne reçoivent aucune véritable connaissance, les hommes d'aujourd'hui sont irresponsables. C'est donc pour que cesse cette inconscience qu'il est impératif d'établir dans la société un système d'éducation qui permette à chacun de développer la vertu. Alors, tous, parce qu'ils auront pleinement conscience des choses telles qu'elles sont, trouveront sobriété, bonheur et prospérité. Et même si la majorité de la population ne parvient pas à cet état, il suffit qu'un certain pourcentage seulement développe la conscience de Kṛṣṇa et se place sous l'égide de la vertu pour que la paix et la prospérité soient possibles. Mais si le monde continue à vivre sous l'emprise conjuguée de la passion et de l'ignorance, la chose restera impossible.

Sous l'ascendant de la passion, les êtres développent l'avidité, et leur ardeur à jouir des sens est sans mesure. Or, on sait bien que l'argent et les plaisirs du monde n'apportent jamais le bonheur ni la paix de l'esprit, que nul d'ailleurs ne connaîtra tant qu'il demeurera sous l'influence de la passion. Si un homme aspire vraiment au bonheur, son argent ne lui sera d'aucune aide. Il lui faut, par la pratique de la conscience de Kṛṣṇa, s'élever au stade de la vertu. Non seulement celui que domine la passion est malheureux en son for intérieur, mais sa profession, ses occupations, lui sont également pénibles. Il doit élaborer d'innombrables projets, se mêler à de nombreuses intrigues, afin d'obtenir suffisamment d'argent pour conserver sa position sociale. Sa vie entière est misérable.

Quant à ceux que recouvre l'ignorance, ils finissent par devenir fous. Parce que leur situation est particulièrement déprimante, ils se réfugient dans les intoxicants et s'enfoncent ainsi davantage dans l'ignorance. Leur avenir s'annonce des plus sombres.

**14.18** ऊर्ध्वं गच्छन्ति सत्त्वस्था मध्ये तिष्ठन्ति राजसाः ।
जघन्यगुणवृत्तिस्था अधो गच्छन्ति तामसाः ॥१८॥

*ūrdhvaṁ gacchanti sattva-sthā*
*madhye tiṣṭhanti rājasāḥ*
*jaghanya-guṇa-vṛtti-sthā*
*adho gacchanti tāmasāḥ*

*ūrdhvam :* vers le haut ; *gacchanti :* vont ; *sattva-sthāḥ :* ceux qui se trouvent dans la vertu ; *madhye :* dans le milieu ; *tiṣṭhanti :* vivent ; *rājasāḥ :* ceux qui sont sous l'influence de la passion ; *jaghanya :* abominable ; *guṇa :* de caractère ; *vṛtti-sthāḥ :* dont l'occupation ; *adhaḥ :* vers le bas ; *gacchanti :* vont ; *tāmasāḥ :* ceux qui sont sous l'influence de l'ignorance.

**Ceux que gouverne la vertu s'élèvent peu à peu aux planètes supérieures. Ceux que domine la passion demeurent sur les planètes intermédiaires, et ceux que recouvre l'abominable ignorance choient jusque dans les mondes infernaux.**

Ce verset décrit plus nettement encore ce que peuvent être les fruits des actes accomplis sous l'influence des différents *guṇas*. Il existe un système planétaire supérieur, édénique, où vivent des êtres très évolués. Selon son degré de vertu, l'homme sera promu sur l'une ou l'autre des planètes de ce système. Satyaloka, ou Brahmaloka, sur laquelle vit Brahmā, le premier être de notre univers, est la plus haute d'entre elles. Nous avons déjà vu combien il était difficile d'évaluer les merveilleuses conditions de vie qu'on trouve sur cette planète. Mais la plus haute condition d'existence, la vertu, pourra nous permettre d'y accéder.

La passion occupe une position intermédiaire entre la vertu et l'ignorance. Un être n'est pas influencé que par un *guṇa,* mais en admettant, par exemple, qu'il le soit par la seule passion, son destin sera de rester sur cette terre, en tant que roi ou personne très riche. Mais il se pourra que l'ignorance se mêle à la passion. En ce cas, il devra choir. Les habitants de la terre, principalement gouvernés par la passion ou l'ignorance, ne peuvent forcer l'entrée des planètes supérieures par leurs seuls moyens mécaniques. À cause de la passion un être peut aussi devenir fou dans sa vie prochaine.

Le plus bas des *guṇas,* l'ignorance, est ici qualifié d'abominable. L'accroissement de l'influence de ce *guṇa* peut s'avérer particulièrement néfaste. L'être court le risque de devoir renaître dans d'horribles conditions, dans l'une des huit millions d'espèces inférieures à l'homme : mammifères, oiseaux, reptiles, arbres, etc. La condition future de l'homme dépendra du degré d'ignorance qui se sera développé en lui. Le mot *tāmasāḥ* désigne ceux qui vivent constamment dans l'ignorance, sans jamais s'élever au *guṇa* supérieur. Leur avenir n'est que ténèbres.

Une voie, toutefois, peut mener jusqu'à la vertu les hommes que gouvernent la passion et l'ignorance. Cette voie est la conscience de Kṛṣṇa. Qui se refusera à l'emprunter devra demeurer sous l'influence des *guṇas* inférieurs.

**14.19** नान्यं गुणेभ्यः कर्तारं यदा द्रष्टानुपश्यति ।
गुणेभ्यश्च परं वेत्ति मद्भावं सोऽधिगच्छति ॥१९॥

*nānyaṁ guṇebhyaḥ kartāraṁ, yadā draṣṭānupaśyati*
*guṇebhyaś ca paraṁ vetti, mad-bhāvaṁ so 'dhigacchati*

*na :* ne pas ; *anyam :* autre ; *guṇebhyaḥ :* que les *guṇas* ; *kartāram :* l'auteur de l'acte ; *yadā :* quand ; *draṣṭā :* celui qui voit ; *anupaśyati :* comme il convient ; *guṇebhyaḥ ca :* aux *guṇas* ; *param :* transcendantal ; *vetti :* sait ; *mat-bhāvam :* à Ma nature spirituelle ; *saḥ :* il ; *adhigacchati :* est promu.

**Quiconque voit que tout acte n'a d'autre auteur que les modes d'influence de la nature, et connaît le Seigneur Suprême qui les transcende, vient à participer de Ma nature spirituelle.**

Apprendre de façon appropriée, c'est-à-dire des lèvres de personnes qualifiées, à comprendre l'action des trois *guṇas* suffit pour les transcender. Kṛṣṇa, qui est le véritable maître spirituel, transmet ce savoir absolu à Arjuna. Comme lui, nous devons apprendre cette science des actes influencés par les *guṇas* auprès d'une personne pleinement consciente de Kṛṣṇa. Sinon, notre vie ne pourra qu'être mal orientée. S'il accepte de recevoir les instructions d'un maître spirituel authentique, l'homme pourra connaître sa nature spirituelle, comprendre comment fonctionne son corps matériel et ses sens. Il pourra, en outre, réaliser qu'il est retenu captif, envoûté par les *guṇas*. Parce qu'il est dominé par eux, il semble n'y avoir pour lui aucun recours. Pourtant, répétons-le, s'il arrive à comprendre sa véritable nature, il pourra transcender les *guṇas* et atteindre le niveau absolu, ayant l'opportunité de suivre la voie spirituelle. En réalité, l'être conditionné n'est pas vraiment l'auteur de ses actes. Il se trouve contraint d'agir du fait qu'il possède un corps spécifique, régi par une combinaison particulière des *guṇas*. C'est seulement auprès d'une autorité spirituelle que l'homme peut comprendre sa position réelle, puis se fixer dans la conscience de Kṛṣṇa. L'être conscient de Kṛṣṇa n'est plus gouverné par les *guṇas*. Nous avons vu, au septième chapitre, que celui qui s'abandonne à Kṛṣṇa n'a plus à subir la pesante influence de la nature matérielle. Ainsi, pour l'être qui commence à voir les choses telles qu'elles sont, l'influence des trois *guṇas* s'estompe peu à peu.

**14.20** गुणानेतानतीत्य त्रीन्देही देहसमुद्भवान् ।
जन्ममृत्युजरादुःखैर्विमुक्तोऽमृतमश्नुते ॥२०॥

*guṇān etān atītya trīn, dehī deha-samudbhavān*
*janma-mṛtyu-jarā-duḥkhair, vimukto 'mṛtam aśnute*

*guṇān* : *guṇas*; *etān* : tous ces; *atītya* : transcendant; *trīn* : trois; *dehī* : l'âme incarnée; *deha* : le corps; *samudbhavān* : produites; *janma* : par la naissance; *mṛtyu* : la mort; *jarā* : la vieillesse; *duḥkhaiḥ* : des souffrances; *vimuktaḥ* : étant libéré; *amṛtam* : du nectar; *aśnute* : il jouit.

**Quand l'être incarné parvient à transcender l'influence que les trois guṇas exercent sur son corps, il s'affranchit de la naissance,**

**de la mort, de la vieillesse et des souffrances qu'elles génèrent. Il savoure, en cette vie même, le nectar spirituel.**

Notre verset explique comment il est possible, même en ce corps, de demeurer au niveau spirituel et absolu dans la pure conscience de Kṛṣṇa. Le mot sanskrit *dehī* signifie « incarné ». Même si elle est encore incarnée, l'âme peut, en cultivant le savoir spirituel, s'affranchir de l'influence des trois *guṇas* et jouir en cette vie même du bonheur que procure la vie spirituelle, car, après avoir quitté ce corps, elle est assurée d'aller au monde spirituel. En d'autres termes, comme l'enseignera le dix-huitième chapitre, on reconnaît l'homme qui s'est libéré de l'emprise des *guṇas* au fait qu'il pratique constamment le service de dévotion, la conscience de Kṛṣṇa. En effet, quand on est dégagé de l'influence des trois *guṇas,* on adopte le service de dévotion.

**14.21** अर्जुन उवाच
कैर्लिङ्गैस्त्रीन् गुणानेतानतीतो भवति प्रभो ।
किमाचारः कथं चैतांस्त्रीन् गुणानतिवर्तते ॥२१॥

*arjuna uvāca*
*kair liṅgais trīn guṇān etān, atīto bhavati prabho*
*kim-ācāraḥ katham caitāṁs, trīn guṇān ativartate*

*arjunaḥ uvāca* : Arjuna dit ; *kaiḥ* : par quels ; *liṅgaiḥ* : signes ; *trīn* : trois ; *guṇān* : *guṇas* ; *etān* : tous ces ; *atītaḥ* : ayant transcendé ; *bhavati* : est ; *prabho* : ô mon Seigneur ; *kim* : quel ; *ācāraḥ* : comportement ; *katham* : comment ; *ca* : aussi ; *etān* : ces ; *trīn* : trois ; *guṇān* : *guṇas* ; *ativartate* : transcende.

**Arjuna dit : À quels signes, ô Seigneur, reconnaît-on l'être qui a transcendé les trois guṇas ? Comment se comporte-t-il ? Et comment les surmonte-t-il ?**

Les questions d'Arjuna sont ici très pertinentes. Il désire en effet savoir comment il est possible de reconnaître le spiritualiste qui a transcendé les trois *guṇas*. Il s'enquiert tout d'abord des signes qui le caractérisent. Sa seconde question porte sur le comportement d'un tel spiritualiste, sur sa manière de vivre et sur ses actes. Sont-ils ou non soumis à une discipline ? Puis, par sa troisième question, Arjuna demande à Kṛṣṇa de l'instruire sur les façons d'atteindre le niveau absolu, au-delà des *guṇas*. Question essentielle, car comment serait-il possible de manifester tous les signes caractéristiques du spiritualiste qui a atteint ce niveau transcendantal sans connaître le moyen direct de s'y maintenir constamment? Toutes les questions d'Arjuna sont donc d'une grande importance, et le Seigneur y répondra dans les versets suivants.

**14.22–25**

श्रीभगवानुवाच
प्रकाशं च प्रवृत्तिं च मोहमेव च पाण्डव ।
न द्वेष्टि सम्प्रवृत्तानि न निवृत्तानि काङ्क्षति ॥२२॥

उदासीनवदासीनो गुणैर्यो न विचाल्यते ।
गुणा वर्तन्त इत्येवं योऽवतिष्ठति नेङ्गते ॥२३॥

समदुःखसुखः स्वस्थः समलोष्टाश्मकाञ्चनः ।
तुल्यप्रियाप्रियो धीरस्तुल्यनिन्दात्मसंस्तुतिः ॥२४॥

मानापमानयोस्तुल्यस्तुल्यो मित्रारिपक्षयोः ।
सर्वारम्भपरित्यागी गुणातीतः स उच्यते ॥२५॥

*śrī-bhagavān uvāca*
*prakāśaṁ ca pravṛttiṁ ca, moham eva ca pāṇḍava*
*na dveṣṭi sampravṛttāni, na nivṛttāni kāṅkṣati*

*udāsīna-vad āsīno, guṇair yo na vicālyate*
*guṇā vartanta ity evaṁ, yo 'vatiṣṭhati neṅgate*

*sama-duḥkha-sukhaḥ sva-sthaḥ, sama-loṣṭāśma-kāñcanaḥ*
*tulya-priyāpriyo dhīras, tulya-nindātma-saṁstutiḥ*

*mānāpamānayos tulyas, tulyo mitrāri-pakṣayoḥ*
*sarvārambha-parityāgī, guṇātītaḥ sa ucyate*

*śrī-bhagavān uvāca :* Dieu, la Personne Suprême, dit ; *prakāśam :* l'illumination ; *ca :* et ; *pravṛttim :* l'attachement ; *ca :* et ; *moham :* l'illusion ; *eva ca :* aussi ; *pāṇḍava :* ô fils de Pāṇḍu ; *na dveṣṭi :* ne hait pas ; *sampravṛttāni :* bien que manifesté ; *na nivṛttāni :* arrêtant le développement ; *kāṅkṣati :* ni ne désire ; *udāsīnavat :* comme neutre ; *āsīnaḥ :* situé ; *guṇaiḥ :* par les *guṇas* ; *yaḥ :* celui qui ; *na :* jamais ; *vicālyate :* n'est perturbé ; *guṇāḥ :* les *guṇas* ; *vartante :* agissent ; *iti evam :* sachant cela ; *yaḥ :* celui qui ; *avatiṣṭhati :* demeure ; *na :* jamais ; *iṅgate :* ne vacille ; *sama :* égal ; *duḥkha :* dans le malheur ; *sukhaḥ :* et dans le bonheur ; *sva-sthaḥ :* étant situé en lui-même ; *sama :* avec égalité ; *loṣṭa :* la motte de terre ; *aśma :* la pierre ; *kāncanaḥ :* l'or ; *tulya :* d'humeur égale ; *priya :* envers ce qui est désirable ; *apriyaḥ :* ce qui est indésirable ; *dhīraḥ :* ferme ; *tulya :* égal ; *nindā :* dans la diffamation ; *ātma-saṁstutiḥ :* devant l'éloge qu'on fait de lui ; *māna :* dans l'honneur ; *apamānayoḥ :* et le déshonneur ; *tulyaḥ :* égal ; *tulyaḥ :*

égal; *mitra :* amies; *ari :* et ennemies; *pakṣayoḥ :* envers les parties; *sarva :* à toutes; *ārambha :* les entreprises; *parityāgī :* celui qui renonce; *guṇa-atītaḥ :* transcender les trois *guṇas*; *saḥ :* il; *ucyate :* est dit.

**Dieu, la Personne Suprême, répond: Ô fils de Pāṇḍu, celui qui a transcendé les trois guṇas n'éprouve pas d'aversion pour l'illumination, l'attachement ou l'illusion lorsqu'ils se manifestent et ne les convoite pas quand ils disparaissent. Il n'est pas perturbé ou désorienté par les interactions des guṇas, et demeure neutre, transcendantal, car il sait qu'eux seuls agissent. Il a réalisé sa nature spirituelle, voit d'un même œil le bonheur et le malheur, et considère avec équanimité ce qui est plaisant et ce qui ne l'est pas. Pour lui, la motte de terre, l'or et la pierre sont d'égale valeur. Il est constant et tient pour identiques et l'éloge et le blâme, et la gloire et l'opprobre. Il traite amis et ennemis de la même façon et a renoncé à toute entreprise intéressée.**

Le Seigneur répond point par point aux trois questions d'Arjuna. Il montre d'abord, dans ces versets, que celui qui a transcendé les trois *guṇas* n'est envieux de personne et ne recherche pas les biens de ce monde. Si un être vivant demeure dans l'univers matériel, prisonnier du corps de matière, c'est que l'un des *guṇas* le garde sous son emprise. Et s'il se libère totalement du corps de matière, c'est qu'il a pu leur échapper. Quoi qu'il en soit, tant qu'il est incarné, il doit rester neutre. Il doit pratiquer le service de dévotion pour ne plus s'identifier au corps. Car tant qu'il ne se préoccupera que du corps matériel, ses actes n'auront pour finalité que le plaisir des sens, tandis que s'il absorbe sa conscience en Kṛṣṇa, cette recherche des plaisirs matériels cessera. L'être n'a nul besoin d'un corps matériel, et donc, dans l'absolu, nullement besoin d'accéder à ses demandes. L'influence que les *guṇas* exercent sur le corps continue d'agir, mais en tant qu'âme spirituelle, l'être n'en est pas affecté. Comment y parvenir ? En renonçant à jouir du corps sans pour autant chercher à s'en défaire. Le dévot qui est parvenu à ce niveau transcendantal est automatiquement délivré de l'influence des *guṇas*. Il n'a pas besoin de fournir d'efforts particuliers pour y parvenir.

Arjuna avait ensuite demandé comment se comporte l'homme qui a transcendé les *guṇas*. Contrairement au matérialiste, le spiritualiste n'est jamais troublé par les honneurs ou les discrédits liés au corps. Il s'acquitte de ses devoirs dans la conscience de Kṛṣṇa sans se soucier qu'on l'honore ou le blâme. Il accueille favorablement tout ce qui peut l'aider à remplir son devoir dans la conscience de Kṛṣṇa. Sinon, n'ayant nul besoin matériel, il ne considère pas plus l'or que le caillou. Quiconque l'aide dans sa pratique du service de dévotion est son ami très cher, mais il n'a pas pour autant de haine envers de soi-disant ennemis. Il est d'humeur toujours égale et voit toutes choses d'un même œil, car il se sait parfaitement étranger à l'existence matérielle. Les questions sociales et politiques ne l'affectent pas parce qu'il sait que les troubles et les bouleversements sont toujours éphémères. Il est prêt à entreprendre n'importe quoi pour satisfaire Kṛṣṇa, mais il ne fera rien pour sa seule satisfaction personnelle. Une telle attitude permet d'atteindre un état purement spirituel.

**14.26** मां च योऽव्यभिचारेण भक्तियोगेन सेवते ।
स गुणान् समतीत्यैतान् ब्रह्मभूयाय कल्पते ॥२६॥

*māṁ ca yo 'vyabhicāreṇa, bhakti-yogena sevate*
*sa guṇān samatītyaitān, brahma-bhūyāya kalpate*

*māṁ :* Moi; *ca :* aussi; *yaḥ :* la personne qui; *avyabhicāreṇa :* sans faillir; *bhakti-yogena :* par le service de dévotion; *sevate :* sert; *saḥ :* il; *guṇān : guṇas; samatītya :* transcendant; *etān :* tous ces; *brahma-bhūyāya :* élevé au niveau du Brahman; *kalpate :* devient.

**Celui qui tout entier s'absorbe dans le service de dévotion, sans jamais faillir, transcende aussitôt les modes d'influence de la nature matérielle et atteint le niveau du Brahman.**

Kṛṣṇa, dans ce verset, répond à la troisième question d'Arjuna : quelle voie faut-il emprunter pour atteindre le niveau absolu ? L'univers matériel, comme nous l'avons déjà vu, est régi par les trois *guṇas*. Mais on ne doit pas se laisser troubler par leurs actions. Plutôt que d'y absorber sa conscience, mieux vaut consacrer ses pensées aux actions centrées sur Kṛṣṇa. N'agir que pour Kṛṣṇa, tel est le *bhakti-yoga,* lequel comprend bien évidemment les actes accomplis pour Kṛṣṇa, mais également ceux accomplis pour Ses innombrables émanations plénières, tels Rāma et Nārāyaṇa. On dit de celui qui sert n'importe laquelle des formes de Kṛṣṇa, ou de Ses émanations plénières, qu'il a atteint le niveau absolu, qu'il a transcendé les *guṇas,* car toutes ces émanations sont pleinement spirituelles, éternelles, toutes de connaissance et de félicité. Dans chacune de Ses formes, le Seigneur manifeste Sa toute-puissance et Son omniscience, mais aussi Ses autres attributs transcendantaux. C'est pourquoi, en prenant part au service de Kṛṣṇa, ou de Ses émanations plénières, fort d'une détermination inflexible, on transcendera aisément les trois *guṇas,* d'ordinaire si difficiles à surmonter. Le septième chapitre l'expliquait déjà : qui s'abandonne à Kṛṣṇa transcende aussitôt l'influence des *guṇas.*

Être conscient de Kṛṣṇa, pratiquer le service de dévotion, permet d'obtenir une nature pareille à Dieu. Le Seigneur décrit Sa nature comme étant éternelle, omnisciente et bienheureuse. Ainsi qu'une pépite qui partage tous les attributs de la mine d'or, l'être vivant fait partie intégrante du Seigneur Suprême. Sa nature spirituelle est qualitativement égale à celle de Kṛṣṇa. Notons néanmoins qu'il est à jamais distinct du Seigneur – autrement il ne saurait être question de *bhakti-yoga,* lequel requiert la présence du Seigneur, celle de Son dévot, et leur échange d'amour. Dieu, la Personne Suprême, et l'être distinct sont deux identités séparées, ayant chacune une individualité propre. Sinon, répétons-le, quel sens aurait le *bhakti-yoga* ? Par ailleurs, si l'on n'était pas situé au même niveau absolu que le Seigneur Suprême, on ne pourrait Le servir. Comment, sans acquérir les qualités requises, pourrait-on servir un roi ? Il est par conséquent nécessaire de parvenir au niveau du Brahman, où l'on est lavé des souillures matérielles. Les Écrits védiques disent : *brahmaiva san brahmāpy eti.* On atteint le Brahman Suprême en devenant Brahman. Cela signifie que l'on doit qualitativement ne plus faire qu'un avec le Brahman. Mais jamais, en l'atteignant, on ne perd son identité éternelle d'âme spirituelle distincte.

**14.27** ब्रह्मणो हि प्रतिष्ठाहममृतस्याव्ययस्य च ।
शाश्वतस्य च धर्मस्य सुखस्यैकान्तिकस्य च ॥२७॥

*brahmaṇo hi pratiṣṭhāham, amṛtasyāvyayasya ca*
*śāśvatasya ca dharmasya, sukhasyaikāntikasya ca*

*brahmaṇaḥ :* du *brahmajyoti* impersonnel ; *hi :* certes ; *pratiṣṭhā :* le repos ; *aham :* Je suis ; *amṛtasya :* de l'immortel ; *avyayasya :* de l'impérissable ; *ca :* aussi ; *śāśvatasya :* de l'éternel ; *ca :* et ; *dharmasya :* de la constitution intrinsèque ; *sukhasya :* du bonheur ; *aikāntikasya :* ultime ; *ca :* aussi.

**Je suis la base du Brahman impersonnel, lequel est immortel, impérissable, éternel, et constitue le principe même du bonheur ultime.**

Immortalité, éternité et bonheur constituent la nature du Brahman. Le Brahman représente la première étape de la réalisation spirituelle, le Paramātmā, l'Âme Suprême, la seconde, et Bhagavān, la Personne Suprême, la réalisation ultime de la Vérité Absolue. La Personne Suprême englobe, par conséquent, le Brahman et le Paramātmā. Nous avons vu, au septième chapitre, que le Seigneur féconde la nature matérielle, la manifestation de Son énergie inférieure, en y injectant des fragments de l'énergie supérieure. C'est ainsi que l'élément spirituel se manifeste dans la nature matérielle. Lorsque l'être conditionné par la nature matérielle entreprend de cultiver le savoir spirituel, il dépasse cet état matériel et parvient graduellement jusqu'au concept du Brahman. Parce qu'il a atteint cette étape, la première dans la réalisation spirituelle, le spiritualiste a déjà dépassé le niveau matériel. Mais il n'a pas pour autant encore parfaitement réalisé le Brahman. Il pourra, s'il le désire, se maintenir à ce niveau, puis peu à peu s'élever pour réaliser le Paramātmā, puis Bhagavān, Dieu, la Personne Suprême. Les Écritures védiques nous en donnent de nombreux exemples, comme celui des quatre Kumāras qui réalisèrent le Brahman, la conception impersonnelle de la Vérité, avant de s'élever graduellement jusqu'au service de dévotion.

Mais il faut savoir que celui qui ne parvient pas à dépasser le niveau du Brahman, de la conception impersonnelle de la Vérité Absolue, risque de choir de sa position. Le *Śrīmad-Bhāgavatam* enseigne que celui qui parvient au stade du Brahman ne saurait posséder une intelligence parfaitement claire s'il ne s'élève au-delà et reste dépourvu de la connaissance de la Personne Suprême. Il encourra toujours le risque de choir de sa position s'il n'adopte le service de dévotion. Dans les Textes védiques, il est dit : *raso vai saḥ, rasaṁ hy evāyaṁ labdhvānandī bhavati* – « Celui qui parvient à connaître Kṛṣṇa, Dieu, la Personne Suprême, source intarissable de plaisir, connaît en vérité une félicité spirituelle absolue. » (*Taittirīya Upaniṣad* 2.7.1)

Le Seigneur Suprême possède pleinement les six opulences spirituelles, qu'Il partage avec le dévot qui L'approche, lequel, comme le serviteur du roi, jouit pratiquement des mêmes avantages que son maître. Ainsi, la vie éternelle, mais aussi une joie immortelle et intarissable, s'attachent au service de dévotion, lequel inclut la réalisation du Brahman, c'est-à-dire l'immortalité, l'éternité. Qui s'absorbe pleinement dans la pratique du service de dévotion possède déjà cette perfection.

L'être vivant, bien que Brahman par nature, désire dominer l'énergie matérielle, ce qui cause sa chute. Par sa nature constitutive, l'être est au-dessus des trois *guṇas.* Toutefois, dès qu'il est en contact avec la nature matérielle, il se prend dans les rets de la vertu, la passion et l'ignorance et cherche aussitôt à dominer le monde de la matière. Mais qu'il pratique le service dévotionnel, en pleine conscience de Kṛṣṇa, et il transcendera automatiquement les *guṇas.* Son désir illicite de devenir maître de la nature matérielle se dissipera. Il est donc essentiel de prendre part, en compagnie d'autres dévots, au service de dévotion, lequel comprend neuf aspects : écouter les gloires du Seigneur, les chanter, s'en souvenir, etc. La fréquentation assidue des dévots et l'influence du maître spirituel effacent peu à peu le désir matériel de domination, et nous permet de nous fixer dans la pratique du service d'amour sublime que l'on offre au Seigneur. Du vingt-deuxième au vingt-septième verset de notre chapitre, Kṛṣṇa recommande cette pratique dont l'exécution est aisée. Il suffit, en effet, de servir constamment le Seigneur, de partager les reliefs sanctifiés de la nourriture offerte à la *mūrti,* de sentir les fleurs offertes à Ses pieds pareils-au-lotus, de visiter les lieux saints où se déroulèrent Ses divertissements transcendantaux, de lire les ouvrages dans lesquels sont décrits Ses différentes activités et Ses échanges d'amour avec Ses dévots, de toujours chanter Ses saints noms – Hare Kṛṣṇa Hare Kṛṣṇa, Kṛṣṇa Kṛṣṇa Hare Hare/Hare Rāma Hare Rāma, Rāma Rāma Hare Hare – et d'observer les jours de jeûne commémorant Ses apparitions et disparitions en ce monde, ainsi que celles de Ses dévots. En se soumettant à de telles pratiques, on se détache entièrement de tout acte matériel. Celui qui peut ainsi pénétrer le *brahmajyoti* (ou les différents aspects du concept du Brahman) devient en qualité l'égal de Dieu, la Personne Suprême.

*Ainsi s'achèvent les teneurs et portées de Bhaktivedanta sur le quatorzième chapitre de la* Śrīmad Bhagavad-gītā *traitant des trois* guṇas.

QUINZIÈME CHAPITRE

# Le puruṣottama-yoga

15.1 श्रीभगवानुवाच
ऊर्ध्वमूलमधःशाखमश्वत्थं प्राहुरव्ययम् ।
छन्दांसि यस्य पर्णानि यस्तं वेद स वेदवित् ॥ १ ॥

*śrī-bhagavān uvāca*
*ūrdhva-mūlam adhaḥ-śākham, aśvatthaṁ prāhur avyayam*
*chandāṁsi yasya parṇāni, yas taṁ veda sa veda-vit*

*śrī-bhagavān uvāca :* Dieu, la Personne Suprême, dit ; *ūrdhva-mūlam :* avec des racines au-dessus ; *adhaḥ :* vers le bas ; *śākham :* des branches ; *aśvattham :* un banian ; *prāhuḥ :* est dit ; *avyayam :* infini ; *chandāṁsi :* les hymnes védiques ; *yasya :* desquels ; *parṇāni :* les feuilles ; *yaḥ :* quiconque ; *tam :* cela ; *veda :* sait ; *saḥ :* il ; *veda-vit :* le connaissant des Védas.

**Dieu, la Personne Suprême, dit : On dit qu'il y a un banian impérissable dont les racines pointent vers le haut et les branches vers le bas. Ses feuilles sont les hymnes védiques. Qui le connaît, connaît les Védas.**

Après avoir entendu parler de l'importance du *bhakti-yoga,* il se peut que certains s'interrogent sur les Védas. Ce chapitre nous enseigne précisément que leur étude a pour objet de connaître et de comprendre Kṛṣṇa. Par conséquent, l'être conscient de Kṛṣṇa qui prend part au service de dévotion connaît déjà les Védas.

Ce verset compare l'enchevêtrement du monde matériel à un banian; pour l'être voué aux actes intéressés cet arbre n'a pas de fin. Comme il possède d'innombrables branches, l'être erre sans cesse de l'une à l'autre et, parce qu'il y est attaché, ne peut s'en libérer.

Les hymnes védiques qui visent l'élévation spirituelle de l'être sont comparés aux feuilles de cet arbre. Ses racines pointent vers le haut parce qu'elles viennent de la planète la plus élevée de l'univers, la planète de Brahmā. Si l'on parvient à connaître cet arbre d'illusion, indestructible, on pourra s'en échapper.

Il faut bien comprendre comment l'on peut s'en dégager. Nous avons vu dans les chapitres précédents que de nombreuses méthodes permettent à l'homme de se libérer des intrications de la matière. Du reste, jusqu'au chapitre treize, le service de dévotion a été décrit comme la meilleure d'entre elles. Or, le détachement des actes matériels et l'attachement au service transcendantal de Dieu sont au fondement du service de dévotion. Le début de notre chapitre traite donc du moyen par lequel l'homme tranchera les liens qui le retiennent au monde de la matière. On dit que la racine de l'existence matérielle pousse vers le haut. Cela signifie qu'elle procède de l'entière substance matérielle partant de la plus haute planète, d'où se déploie tout l'univers, avec ses branches innombrables qui représentent les divers systèmes planétaires. Les fruits de cet arbre symbolisent les résultats des actes accomplis par les êtres : la religion, le développement économique, le plaisir des sens et la libération.

On pensera peut-être n'avoir encore jamais vu en ce monde d'arbre dont les branches pointent vers le bas et les racines vers le haut, mais on en trouve près des plans d'eau. Chaque arbre, sur les berges, se réfléchit dans l'onde, et sa réflexion a bien les branches en bas et les racines en haut. En d'autres mots, l'arbre de l'univers matériel n'est autre que le reflet de l'arbre véritable, le monde spirituel. Tout comme l'arbre se reflète dans l'eau, le monde spirituel se reflète dans le désir. Ce désir est donc la raison pour laquelle les choses apparaissent à la lumière réfléchie du monde matériel. Celui qui cherche à s'échapper de l'existence matérielle doit connaître cet arbre parfaitement, en l'étudiant de façon analytique. Alors il pourra trancher les liens qui l'y retiennent.

Parce que cet arbre est le reflet de l'arbre véritable, il en est aussi la réplique exacte. Tout ce qui existe ici existe également dans le monde spirituel. Les impersonnalistes disent que le Brahman est la racine de l'arbre matériel; et de la racine, selon la philosophie du *sāṅkhya,* procèdent la *prakṛti,* le *puruṣa,* les trois *guṇas,* les cinq éléments bruts (*pañca-mahā-bhūta*), les dix sens (*daśendriya*), le mental, etc. Ainsi divisent-ils le monde matériel en vingt-quatre éléments. Les mondes matériel et spirituel forment un cercle ayant le Brahman pour centre.

Cent quatre-vingts degrés de ce cercle embrassent le monde matériel, et cent quatre-vingts le monde spirituel. Puisque le monde matériel est le reflet dénaturé du monde spirituel, ce dernier doit posséder la même diversité, mais celle-ci est réelle. La *prakṛti* est l'énergie externe du Seigneur Suprême, et le *puruṣa* est le Seigneur en personne, ainsi que l'enseigne la *Bhagavad-gītā*. Le monde dans lequel nous vivons est matériel, et donc temporaire, car tout reflet ne peut être qu'éphémère, tantôt manifesté, tantôt non. Mais son origine est permanente.

Cet arbre, la réflexion matérielle de l'arbre réel, doit être abattu. De fait, connaître les Védas, c'est savoir trancher les liens qui nous retiennent au monde matériel. Et qui connaît cette méthode, connaît vraiment les Védas. Au contraire, celui qu'attirent les rituels védiques est séduit par les belles feuilles vertes de l'arbre matériel. Il ignore leur but véritable, qui est, comme le révèle le Seigneur Lui-même, d'abattre cet arbre-reflet pour parvenir à l'arbre véritable du monde spirituel.

**15.2** अधश्चोर्ध्वं प्रसृतास्तस्य शाखा गुणप्रवृद्धा विषयप्रवालाः ।
अधश्च मूलान्यनुसन्ततानि कर्मानुबन्धीनि मनुष्यलोके ॥ २ ॥

*adhaś cordhvaṁ prasṛtās tasya śākhā*
*guṇa-pravṛddhā viṣaya-pravālāḥ*
*adhaś ca mūlāny anusantatāni*
*karmānubandhīni manuṣya-loke*

*adhaḥ :* vers le bas ; *ca :* et ; *ūrdhvam :* vers le haut ; *prasṛtāḥ :* étendues ; *tasya :* ses ; *śākhāḥ :* branches ; *guṇa :* par les *guṇas* ; *pravṛddhāḥ :* développées ; *viṣaya :* les objets des sens ; *pravālāḥ :* les rameaux ; *adhaḥ :* vers le bas ; *ca :* et ; *mūlāni :* les racines ; *anusantatāni :* étendues ; *karma :* aux actes ; *anu-bandhīni :* liées ; *manuṣya-loke :* dans le monde de la société humaine.

**Les branches de cet arbre, nourries par les trois guṇas, s'étendent en hauteur comme en profondeur. Ses rameaux sont les objets des sens et certaines de ses racines, qui pointent vers le bas, sont liées aux actes intéressés accomplis dans le monde des hommes.**

La description de l'arbre banian se poursuit ici. Ses branches s'étendent dans toutes les directions. Sur leurs parties inférieures, on trouve diverses manifestations d'êtres vivants – hommes, chevaux, vaches, chiens, chats, etc. – et sur leurs parties supérieures, des êtres plus évolués : *devas,* Gandharvas et autres formes de vie élevées. Tout comme un arbre trouve sa subsistance dans l'eau, l'arbre du monde matériel est alimenté par les trois *guṇas*. On voit, par exemple, des terres désolées par manque d'eau, quand ailleurs croît une végétation luxuriante. De même, les espèces vivantes se manifestent en différents endroits, proportionnellement à l'intensité avec laquelle les différents *guṇas* influent sur ces lieux.

Les rameaux de l'arbre représentent les objets des sens. En subissant l'ascendant des *guṇas*, l'être acquiert des sens de qualités diverses avec lesquels il peut jouir de toute la gamme des objets des sens. Les extrémités des branches correspondent aux sens (l'ouïe, l'odorat, la vue, etc.), qui sont attachés à jouir de toutes sortes d'objets, et les rameaux sont les objets des sens – le son, l'odeur, la forme, etc. Les racines adventives sont l'attachement et l'aversion résultant des divers types de douleur et de plaisir des sens. De ces racines, qui elles aussi se déploient dans toutes les directions, naît la tendance à pencher vers la piété ou l'impiété. La racine-mère de l'arbre matériel part de Brahmaloka, et les racines adventives traversent les systèmes planétaires peuplés d'êtres humains. Après avoir joui du fruit de ses actes vertueux sur les planètes supérieures, l'être revient sur terre poursuivre ses activités intéressées pour de nouveau s'élever. C'est d'ailleurs pour cette raison que la terre est considérée comme le champ d'action.

**15.3–4** न रूपमस्येह तथोपलभ्यते नान्तो न चादिर्न च सम्प्रतिष्ठा ।
अश्वत्थमेनं सुविरूढमूल मसङ्गशस्त्रेण दृढेन छित्त्वा ॥ ३ ॥
ततः पदं तत्परिमार्गितव्यं यस्मिन् गता न निवर्तन्ति भूयः ।
तमेव चाद्यं पुरुषं प्रपद्ये यतः प्रवृत्तिः प्रसृता पुराणी ॥ ४ ॥

*na rūpam asyeha tathopalabhyate*
*nānto na cādir na ca sampratiṣṭhā*
*aśvattham enaṁ su-virūḍha-mūlam*
*asaṅga-śastreṇa dṛḍhena chittvā*

*tataḥ padaṁ tat parimārgitavyaṁ*
*yasmin gatā na nivartanti bhūyaḥ*
*tam eva cādyaṁ puruṣaṁ prapadye*
*yataḥ pravṛttiḥ prasṛtā purāṇī*

*na :* ne pas ; *rūpam :* la forme ; *asya :* de cet arbre ; *iha :* dans ce monde ; *tathā :* aussi ; *upalabhyate :* peut être perçue ; *na :* jamais ; *antaḥ :* de fin ; *na :* jamais ; *ca :* aussi ;

*ādiḥ :* de commencement ; *na :* jamais ; *ca :* aussi ; *sampratiṣṭhā :* de base ; *aśvattham :* banian ; *enam :* ce ; *suvirūḍha :* fortement ; *mūlam :* enraciné ; *asaṅga-śastreṇa :* par l'arme du détachement ; *dṛdhena :* fort ; *chittvā :* en coupant ; *tataḥ :* ensuite ; *padam :* situation ; *tat :* cette ; *parimārgitavyam :* doit être cherchée ; *yasmin :* où ; *gatāḥ :* allant ; *na :* jamais ; *nivartanti :* ne reviennent ; *bhūyaḥ :* à nouveau ; *tam :* à Lui ; *eva :* certes ; *ca :* aussi ; *ādyam :* originel ; *puruṣam :* Dieu, la Personne Suprême ; *prapadye :* s'abandonner ; *yataḥ :* de qui ; *pravṛttiḥ :* le commencement ; *prasṛtā :* est provenu ; *purāṇī :* très vieux.

**Nul ne peut percevoir en ce monde la forme exacte de cet arbre. Nul n'en peut voir la fin, le commencement ou la base. Il faut néanmoins, avec détermination, et fort de l'arme du détachement, couper cet arbre aux puissantes racines, chercher le lieu d'où l'on ne revient pas, puis s'abandonner à Dieu, la Personne Suprême, en qui tout a commencé et de qui tout émane depuis des temps immémoriaux.**

Il est clairement dit ici que la forme exacte de ce banian ne peut être perçue en ce monde. Parce que sa racine se situe vers le haut, l'arbre s'étend vers le bas. Celui qui se perd dans ses extensions matérielles n'en peut voir la fin, ni même le commencement. Toutefois, il faut bien en trouver la cause. Ainsi, si l'on cherche à connaître l'identité de notre père, puis celle du père de notre père, etc., on finira par remonter jusqu'à Brahmā, lui-même issu de Garbhodakaśāyī Viṣṇu. Une fois arrivé à Dieu, notre quête prendra fin. Pour que cette recherche sur l'origine de l'arbre matériel aboutisse, il faut s'entourer de gens qui ont connaissance de la Personne Suprême. De cette façon, on se détachera graduellement de ce reflet trompeur. Grâce à la connaissance, nous trancherons les liens qui nous retiennent prisonniers, et atteindrons l'arbre réel.

Le mot *asaṅga* illustre tout particulièrement nos propos, car l'attachement aux plaisirs des sens et à la domination matérielle est très puissant. C'est pourquoi l'on doit apprendre ce qu'est le détachement en s'entretenant de la science de la spiritualité fondée sur des Écritures autorisées et en écoutant les enseignements de personnes réellement établies dans la connaissance. Par de telles discussions, on se tournera progressivement vers le Seigneur Suprême. Alors, la première chose devra être de s'abandonner à Lui.

Le verset nous parle de ce lieu dont on ne revient jamais. Kṛṣṇa, Dieu, la Personne Suprême, est la racine originelle de qui tout émane. Pour obtenir Sa grâce, on doit simplement s'abandonner à Lui, chose que rend possible la pratique du service de dévotion (écouter et chanter les gloires du Seigneur, etc.). Le Seigneur est à l'origine du déploiement de l'univers matériel. Il l'enseigne, du reste, dans la *Bhagavad-gītā* : *ahaṁ sarvasya prabhavaḥ* – « De tout Je suis l'origine. » Aussi, l'homme qui désire échapper aux intrications de cet arbre puissant, le banian de l'existence matérielle, doit s'abandonner à Kṛṣṇa. De cette façon, il en viendra tout naturellement à se détacher de la manifestation matérielle.

**15.5** निर्मानमोहा जितसङ्गदोषा अध्यात्मनित्या विनिवृत्तकामाः ।
द्वन्द्वैर्विमुक्ताः सुखदुःखसंज्ञैर्गच्छन्त्यमूढाः पदमव्ययं तत् ॥ ५ ॥

*nirmāna-mohā jita-saṅga-doṣā*
*adhyātma-nityā vinivṛtta-kāmāḥ*
*dvandvair vimuktāḥ sukha-duḥkha-saṁjñair*
*gacchanty amūḍhāḥ padam avyayaṁ tat*

*nir :* sans ; *māna :* prétention ; *mohāḥ :* et illusion ; *jita :* ayant conquis ; *saṅga :* de la fréquentation ; *doṣāḥ :* les fautes ; *adhyātma :* dans la connaissance spirituelle ; *nityāḥ :* dans l'éternité ; *vinivṛtta :* dissociés ; *kāmāḥ :* de la concupiscence ; *dvandvaiḥ :* des dualités ; *vimuktāḥ :* libérés ; *sukha-duḥkha :* bonheur et malheur ; *saṁjñaiḥ :* nommées ; *gacchanti :* atteignent ; *amūdhāḥ :* sans être confus ; *padam :* situation ; *avyayam :* éternelle ; *tat :* cette.

**Les êtres dénués de prétention et de concupiscence, qui ne se laissent plus fourvoyer par l'illusion, les mauvaises relations, la dualité des joies et des peines, qui comprennent l'éternel et savent, sans confusion aucune, comment s'abandonner à la Personne Suprême, atteignent ce royaume éternel.**

La voie de l'abandon à la Personne Suprême est ici décrite avec précision. Il faut d'abord ne pas se laisser illusionner par l'orgueil. Car si l'être conditionné éprouve tant de mal à s'abandonner au Seigneur Suprême, c'est à cause de son orgueil qui lui fait croire qu'il est lui-même le maître de la nature matérielle. Il doit, en cultivant le savoir véritable, apprendre que la nature matérielle n'est pas sous son contrôle, mais sous celui de Dieu, la Personne Suprême. Seul un homme libre de l'illusion qu'engendre l'orgueil peut s'engager sur la voie de l'abandon au Seigneur Suprême. On ne peut, en effet, s'abandonner à Dieu quand on recherche, en ce monde, l'admiration des hommes. En fait, l'orgueil vient de l'illusion car, bien qu'il apparaisse sur terre pour y demeurer un temps très court puis disparaître, l'être a la sottise de se croire le seigneur et maître du monde. C'est pour cela qu'il rend toute chose complexe et connaît maintes difficultés. L'univers entier est mû par ce sentiment de domination qui habite les êtres.

L'homme se croyant en effet le possesseur de la terre qu'il occupe, a divisé la planète en différentes nations. Il doit s'affranchir du sentiment illusoire qu'il a d'être le propriétaire du monde. Dès lors, il ne sera plus fourvoyé par les relations qu'il s'est faites par affection pour la famille, la société, la nation, et qui le rivent au monde matériel. Cette étape franchie, il devra cultiver la connaissance spirituelle afin de savoir ce qui est vraiment à lui et ce qui ne l'est pas. Puis, lorsqu'il verra les choses telles qu'elles sont réellement, il ne sera plus soumis aux dualités (bonheur et malheur, plaisir et douleur...). Il aura alors la pleine connaissance, et pourra s'abandonner à Dieu, la Personne Suprême.

**15.6** न तद्भासयते सूर्यो न शशाङ्को न पावकः ।
यद्गत्वा न निवर्तन्ते तद्धाम परमं मम ॥ ६ ॥

*na tad bhāsayate sūryo, na śaśāṅko na pāvakaḥ*
*yad gatvā na nivartante, tad dhāma paramaṁ mama*

*na :* ne pas ; *tat :* cela ; *bhāsayate :* illumine ; *sūryaḥ :* le soleil ; *na :* non plus ; *śaśāṅkaḥ :* la lune ; *na :* non plus ; *pāvakaḥ :* le feu, l'électricité ; *yat :* où ; *gatvā :* allant ; *na :* jamais ; *nivartante :* ne reviennent ; *tat dhāma :* cette demeure ; *paramam :* suprême ; *mama :* à Moi.

**Ce royaume suprême, le Mien, ni le soleil ni la lune, ni le feu ou l'électricité ne l'éclairent. Pour qui l'atteint, il n'est point de retour en ce monde.**

Ce verset décrit le monde spirituel, la demeure de Kṛṣṇa, la Personne Suprême, demeure que l'on nomme Kṛṣṇaloka, ou Goloka Vṛndāvana. Là, nul besoin de la lumière du soleil ou de la lune, du feu ou de l'électricité, car toutes les planètes diffusent leur propre lumière irradiante, ce que, dans notre univers matériel, le soleil est seul à faire. L'éclatante radiance de l'ensemble des planètes spirituelles (Vaikuṇṭhas), son atmosphère irradiante, s'appelle le *brahmajyoti*. Elle émane originellement de la planète de Kṛṣṇa. L'univers matériel, le *mahat-tattva,* n'en occupe qu'un espace restreint, la plus grande part étant constellée d'innombrables planètes spirituelles – dont la principale est Goloka Vṛndāvana.

Tant que l'être réside dans l'univers matériel, où règnent les ténèbres, il est conditionné. En se dégageant du reflet perverti que constitue l'arbre du monde matériel, il atteint le monde spirituel, d'où il ne risque pas de choir. À l'état conditionné, l'être se croit possesseur et maître du monde, mais une fois libéré, il entre dans le royaume spirituel, pour vivre avec le Seigneur. Il jouit alors d'une vie et d'une félicité éternelles ainsi que d'une pleine connaissance.

On devrait être fasciné par ces descriptions et avoir le désir d'atteindre ce monde éternel pour échapper au reflet trompeur de la réalité. Car pour celui qui s'attache par trop à l'univers matériel, il est extrêmement difficile de trancher le lien qui le retient prisonnier, alors que pour qui adopte la conscience de Kṛṣṇa, les choses se font graduellement. Pour ce faire, on doit rechercher la compagnie des dévots, des êtres conscients de Kṛṣṇa. Afin d'apprendre à servir le Seigneur avec dévotion, on doit chercher une congrégation dédiée au service de Dieu. Ainsi pourra-t-on couper les attachements qui nous lient au monde matériel. Il ne suffit pas d'enfiler des habits safran pour se détacher des choses de ce monde. Encore faut-il s'attacher au service dévotionnel du Seigneur. On doit donc prendre très au sérieux le fait que le service de dévotion, tel qu'il est décrit dans le douzième chapitre, est en soi la seule voie qui permette de transcender le reflet trompeur de l'arbre réel. Le quatorzième chapitre a montré comment les différentes voies empruntées par l'homme sont contaminées par l'influence de la nature matérielle. Seul le service de dévotion y a été décrit comme purement transcendantal.

Les mots *paramaṁ mama* revêtent ici une grande importance. En effet, il n'y a pas le moindre espace matériel ou spirituel qui ne soit la propriété du Seigneur. Mais le monde spirituel, où règnent les six opulences divines, est Sa propriété suprême (*paramam*). La *Kaṭha Upaniṣad* (2.2.15) confirme également que le monde spirituel n'a nul besoin de la lumière du soleil, de la lune ou des étoiles (*na tatra sūryo bhāti na candra-tārakam*), car il baigne tout entier dans l'éclat de la puissance interne du Seigneur Suprême. Cette demeure suprême, seul l'abandon au Seigneur peut nous y mener.

**15.7** ममैवांशो जीवलोके जीवभूतः सनातनः ।
मनःषष्ठानीन्द्रियाणि प्रकृतिस्थानि कर्षति ॥ ७ ॥

*mamaivāṁśo jīva-loke, jīva-bhūtaḥ sanātanaḥ*
*manaḥ-ṣaṣṭhānīndriyāṇi, prakṛti-sthāni karṣati*

*mama :* Mes ; *eva :* certes ; *aṁśaḥ :* fragments ; *jīva-loke :* dans le monde de l'existence conditionnée ; *jīva-bhūtaḥ :* l'être conditionné ; *sanātanaḥ :* éternel ; *manaḥ :* avec le mental; *ṣasṭhāni:* les six; *indriyāṇi:* sens; *prakṛti:* dans la nature matérielle; *sthāni:* situés; *karṣati:* lutte durement.

**Les êtres en ce monde matériel sont des fragments éternels de Ma Personne. Mais parce qu'ils sont conditionnés, ils luttent avec acharnement contre les six sens, et parmi eux, le mental.**

Ce verset définit clairement l'identité de l'être distinct : il est de toute éternité un fragment infime du Seigneur Suprême. Ce n'est pas qu'une fois la libération obtenue, il perd cette individualité pour ne plus faire qu'un avec le Seigneur. Certes non. Il demeure éternellement une parcelle du Seigneur, comme le souligne, du reste, le mot *sanātanaḥ*. D'après les Écrits védiques, le Seigneur Suprême Se manifeste et Se multiplie en d'innombrables émanations. Les émanations immédiates portent le nom de *viṣṇu-tattvas* et les secondaires celui de *jīva-tattvas*. Autrement dit, les émanations *viṣṇu-tattvas* sont Ses émanations personnelles alors que les êtres vivants sont des émanations distinctes de Sa personne. Par le biais des premières, Il Se manifeste en des formes variées, tels Viṣṇumūrti, Rāma, Nṛsiṁhadeva, et toutes les émanations plénières régnant sur les planètes Vaikuṇṭhas. Les émanations distinctes du Seigneur, les êtres vivants, sont pour leur part Ses serviteurs éternels.

Les émanations personnelles de Dieu, la Personne Suprême, Ses formes individuelles, existent éternellement. Et de même, les émanations distinctes sont éternellement individuelles. Parce qu'ils font partie intégrante du Seigneur, les êtres distincts possèdent, mais en quantité infime, les mêmes attributs que Lui, parmi lesquels l'indépendance. Chaque être est une âme distincte, pourvue d'une individualité propre ainsi que d'une infime part d'indépendance. Qu'il fasse un mauvais usage de cette indépendance, et il devra connaître ce que l'on appelle l'état conditionné. Mais qu'il en fasse bon usage, et il demeurera à jamais à l'état libéré. Toutefois, dans l'un et l'autre cas, il est éternel, tout comme l'est le Seigneur. À l'état libéré, il n'est plus soumis aux conditions matérielles et prend activement part au service absolu du Seigneur; à l'état conditionné, il est dominé par les trois *guṇas* et oublie le service de dévotion au Seigneur. Il doit alors lutter pour le simple maintien de son existence dans l'univers matériel.

Les êtres, non seulement les hommes, les chats et les chiens, mais aussi les plus grands maîtres de l'univers – Brahmā, Śiva, et même Viṣṇu – font tous partie intégrante du Seigneur Suprême. Tous sont éternels, et non des manifestations éphémères. Le mot *karṣati* (lutter durement) qu'emploie ici notre verset est lourd de sens. L'âme conditionnée est retenue à la matière par le faux ego, comme par des chaînes d'acier. Et le mental est le principal agent responsable de ses pérégrinations dans le monde matériel. Lorsque la vertu gouverne son mental, ses actes s'imprègnent de droiture. Quand la passion domine, ses actes sont source d'angoisse. Et quand prévaut l'ignorance, elle doit errer dans les espèces de vie inférieures.

Ce verset est formel : l'âme conditionnée a revêtu un corps matériel, qui inclut des sens et un mental. Toutefois, la libération obtenue, cette enveloppe matérielle périt et le corps spirituel, lui, se manifeste alors dans son caractère propre. On apprend à ce propos dans la *Mādhyandi-nāyana-śruti* : *sa vā eṣa brahma-niṣṭha idaṁ śarīraṁ martyam atisṛjya brahmābhisampadya brahmaṇā paśyati brahmaṇā śṛṇoti brahmaṇaivedaṁ sarvam anubhavati.* Ce passage enseigne que lorsque l'âme quitte le corps matériel pour entrer dans le monde spirituel, elle ravive son corps spirituel et peut ainsi voir Dieu, la Personne Suprême, face à face. Elle peut directement L'entendre, Lui parler, Le connaître tel qu'Il est. La *smṛti* enseigne également : *vasanti yatra puruṣāḥ sarve vaikuṇṭha-mūrtayaḥ* – sur les planètes spirituelles, tous les êtres sont dotés de corps aux caractéristiques semblables à celles du Seigneur Suprême. Il n'y a, en ce qui concerne la nature des corps spirituels, aucune différence entre les êtres distincts et les émanations *viṣṇu-tattvas*. À la libération, l'être distinct obtient donc, par la grâce de Dieu, un corps spirituel.

Le mot *mamaivāṁśaḥ* (infimes fragments du Seigneur Suprême) revêt lui aussi une grande importance. Un fragment du Seigneur ne ressemble en rien au fragment d'un objet matériel qu'on aurait brisé. Le deuxième chapitre nous a déjà montré que jamais l'âme spirituelle ne peut être coupée en morceaux. Les fragments dont parle notre verset ne sont pas structurés comme la matière ; ils ne peuvent être divisés et assemblés à nouveau. L'usage, ici, du mot sanskrit *sanātana* (éternel) ne peut laisser aucun doute. Cet infime fragment est éternel. Dans le deuxième chapitre, on a également appris qu'un fragment infime du Seigneur Suprême habite individuellement chaque corps (*dehino 'smin yathā dehe*). Et quand ce fragment parvient à se libérer du corps matériel, il ravive son corps spirituel originel pour jouir de la compagnie du Seigneur sur l'une des planètes du monde spirituel. Bien entendu, parce qu'il est une infime partie de Sa personne, l'être distinct Lui est qualitativement égal, tout comme les paillettes d'or sont également de l'or.

15.8 शरीरं यदवाप्नोति यच्चाप्युत्क्रामतीश्वरः ।
गृहीत्वैतानि संयाति वायुर्गन्धानिवाशयात् ॥ ८ ॥

*śarīraṁ yad avāpnoti, yac cāpy utkrāmatīśvaraḥ*
*gṛhītvaitāni saṁyāti, vāyur gandhān ivāśayāt*

*śarīram* : un corps ; *yat* : comme ; *avāpnoti* : reçoit ; *yat* : comme ; *ca api* : aussi ; *utkrāmati* : abandonne ; *īśvaraḥ* : le possesseur du corps ; *gṛhītvā* : prenant ; *etāni* : toutes ces ; *saṁyāti* : s'en va ; *vāyuḥ* : l'air ; *gandhān* : les odeurs ; *iva* : comme ; *āśayāt* : de leur source.

**Tout comme l'air véhicule les odeurs, l'être vivant, en ce monde, emporte d'un corps à un autre ses différentes conceptions de la vie. Ainsi revêt-il un certain type de corps puis le quitte pour en revêtir un autre.**

L'être vivant est ici nommé *īśvara,* le maître de son propre corps. Il peut en effet, selon son désir, revêtir après la mort un corps plus évolué que le sien, ou transmigrer dans le corps d'une espèce inférieure. Il jouit d'une certaine indépendance, fût-elle infime, et de ce fait est responsable du corps qu'il aura dans sa prochaine existence. Car c'est le niveau de conscience auquel il est parvenu au moment de la mort qui déterminera la nature de cette nouvelle enveloppe charnelle. S'il s'est créé une conscience semblable à celle d'un chien ou d'un chat, il renaîtra dans un corps de chien ou de chat, tandis que si sa conscience est imprégnée des qualités divines, il prendra un corps de *deva*. Enfin, s'il est conscient de Kṛṣṇa, il atteindra Kṛṣṇaloka, dans le monde spirituel, pour y vivre auprès de Dieu.

C'est une erreur de croire qu'il n'y a plus rien après la mort. L'âme individuelle transmigrant d'une enveloppe corporelle à l'autre, son prochain corps dépend de son corps et de ses actes présents. Conformément aux lois du karma, elle acquerra un nouveau corps, qu'il lui faudra quitter par la suite. Ce verset explique que le corps grossier de l'entité vivante variera au gré des conceptions accumulées par le corps subtil. C'est cette transmigration d'un corps à l'autre et le combat que l'âme doit mener dans le corps, qu'on nomme *karṣati,* la lutte pour l'existence.

15.9 श्रोत्रं चक्षुः स्पर्शनं च रसनं घ्राणमेव च ।
अधिष्ठाय मनश्चायं विषयानुपसेवते ॥ ९ ॥

*śrotraṁ cakṣuḥ sparśanaṁ ca, rasanaṁ ghrāṇam eva ca*
*adhiṣṭhāya manaś cāyaṁ, viṣayān upasevate*

*śrotram :* oreilles ; *cakṣuḥ :* yeux ; *sparśanam :* toucher ; *ca :* aussi ; *rasanam :* langue ; *ghrāṇam :* pouvoir olfactif ; *eva :* aussi ; *ca :* et ; *adhiṣṭhāya :* étant situé dans ; *manah :* mental ; *ca :* aussi ; *ayam :* il ; *viṣayān :* objets des sens ; *upasevate :* jouit des.

**En revêtant un nouveau corps physique, l'être vivant se voit doté d'un sens déterminé de l'ouïe, de la vue, du goût, de l'odorat et du toucher, qui tous gravitent autour du mental. Il jouit ainsi d'une gamme propre d'objets des sens.**

Ce verset nous permet de comprendre que si l'homme laisse sa conscience se dégrader au niveau de celle d'un chien ou d'un chat, il devra, dans sa prochaine existence, revêtir un corps de chien ou de chat et jouir en conséquence. La conscience est originellement pure, tout comme l'eau. Mais cette dernière change après l'adjonction d'une substance colorante. De même, la conscience qui est pure – car l'âme est toujours pure – s'altère lorsque s'exerce l'influence des trois *guṇas*. La vraie conscience, toutefois, est la conscience de Kṛṣṇa. C'est pourquoi la vie de l'homme conscient de Kṛṣṇa est pure. Mais si cette conscience se laisse corrompre par des concepts matériels, l'homme devra revêtir dans son existence future un corps approprié à sa mentalité. Il ne renaîtra donc pas systématiquement dans un corps humain, mais pourra revêtir le corps d'un chien, d'un chat, d'un porc, d'un *deva*, ou celui de l'une des 8 400 000 espèces d'êtres.

**15.10** उत्क्रामन्तं स्थितं वापि भुञ्जानं वा गुणान्वितम् ।
विमूढा नानुपश्यन्ति पश्यन्ति ज्ञानचक्षुषः ॥१०॥

*utkrāmantaṁ sthitaṁ vāpi, bhuñjānaṁ vā guṇānvitam*
*vimūḍhā nānupaśyanti, paśyanti jñāna-cakṣuṣaḥ*

*utkrāmantam :* quittant le corps ; *sthitam :* situé dans le corps ; *vāpi :* non plus ; *bhuñjānam :* jouissant ; *vā :* ou ; *guṇa-anvitam :* envoûté par les trois *guṇas* ; *vimūḍhāḥ :* les sots ; *na :* jamais ; *anupaśyanti :* ne peuvent voir ; *paśyanti :* peuvent voir ; *jñāna-cakṣuṣaḥ :* ceux qui ont les yeux de la connaissance.

**Les sots ne peuvent concevoir la manière dont l'être vivant quitte son corps, pas plus qu'ils ne peuvent concevoir de quel type de corps il jouit, envoûté par les trois guṇas. Mais celui dont les yeux sont éclairés par la connaissance, lui, le voit.**

Les mots *jñāna-cakṣuṣaḥ* sont ici très significatifs. En effet, sans la connaissance, l'homme ne peut comprendre comment un être quitte son corps, ni quelle sorte de corps il devra revêtir dans sa prochaine vie, ni même pourquoi il vit dans tel ou tel corps. Comprendre ces choses requiert une grande connaissance ; connaissance que dispense la *Bhagavad-gītā* ou d'autres écrits similaires, et qu'on doit recevoir des lèvres d'un maître spirituel authentique. Qui reçoit une formation lui permettant de voir ces choses est grandement fortuné.

Chaque être acquiert un corps spécifique, le quitte en des circonstances particulières, et en jouit de certaine façon, envoûté par la nature matérielle. Ainsi, le jeu de l'illusion propre au plaisir des sens l'oblige à éprouver diverses joies et peines. Ceux qui se laissent perpétuellement tromper par le désir et la concupiscence perdent tout pouvoir de comprendre le mécanisme de la transmigration d'un corps à un autre et de leur séjour dans un corps déterminé. En aucune manière, ils ne peuvent comprendre ces choses. Par contre, ceux qui ont développé la connaissance spirituelle voient que l'âme est distincte du corps, qu'elle en jouit par des voies diverses pour finalement en changer. Qui possède un tel savoir peut également comprendre quelles sortes de souffrances l'existence matérielle réserve à l'être conditionné. Et parce qu'ils connaissent l'extrême douleur de la vie conditionnée, les êtres dont la conscience de Kṛṣṇa est très évoluée s'efforcent de faire partager ce savoir à tous les hommes. Car tous doivent pouvoir échapper à cette pénible existence, devenir conscients de Kṛṣṇa et obtenir la libération pour gagner le monde spirituel.

**15.11** यतन्तो योगिनश्चैनं पश्यन्त्यात्मन्यवस्थितम् ।
यतन्तोऽप्यकृतात्मानो नैनं पश्यन्त्यचेतसः ॥११॥

*yatanto yoginaś cainaṁ, paśyanty ātmany avasthitam*
*yatanto 'py akṛtātmāno, nainaṁ paśyanty acetasaḥ*

*yatantaḥ :* qui s'efforcent ; *yoginaḥ :* les spiritualistes ; *ca :* aussi ; *enam :* cela ; *paśyanti :* peuvent voir ; *ātmani :* dans le soi ; *avasthitam :* situés ; *yatantaḥ :* s'efforçant de ; *api :* bien que ; *akṛta-ātmānaḥ :* ceux qui n'ont pas de réalisation spirituelle ; *na :* ne pas ; *enam :* cela ; *paśyanti :* voient ; *acetasaḥ :* ayant un mental non développé.

**Ceux qui sont sur la voie de la réalisation spirituelle voient tout cela avec clarté, alors que ceux qui n'ont pas atteint cette réalisation, ceux dont l'esprit ne s'est pas encore développé, ne peuvent avoir cette vision quand bien même ils s'y emploieraient avec ardeur.**

Nombreux sont les spiritualistes engagés sur la voie de la réalisation de soi, mais ceux qui ne suivent pas cette voie ne peuvent voir comment l'être vivant change de corps. L'usage du mot *yoginaḥ* est à ce titre plein d'enseignement. Les nombreux soi-disant *yogīs* d'aujourd'hui qui pratiquent dans de pseudo-organisations sont en fait aveugles en matière de réalisation spirituelle. Ils se contentent, pour l'essentiel, d'une sorte de gymnastique, et se satisfont d'y gagner un corps sain et bien bâti. Voilà à quoi se résume leur connaissance du yoga. C'est pourquoi on dit qu'ils sont *yatanto'py akṛtātmānaḥ.* Bien qu'ils pratiquent une forme de yoga, ils ne se sont nullement réalisés spirituellement. Ils ne sauraient comprendre le mécanisme de la transmigration de l'âme. Seuls les vrais *yogīs,* ceux qui ont recouvré leur véritable identité, ceux dont l'intelligence pénètre la nature de l'univers matériel et du Seigneur Suprême – en d'autres mots, les *bhakti-yogīs,* qui toujours s'absorbent dans la conscience de Kṛṣṇa, dans le pur service de dévotion – peuvent comprendre comment les choses s'ordonnent.

**15.12** यदादित्यगतं तेजो जगद्भासयतेऽखिलम् ।
यच्चन्द्रमसि यच्चाग्नौ तत्तेजो विद्धि मामकम् ॥१२॥

*yad āditya-gataṁ tejo, jagad bhāsayate 'khilam*
*yac candramasi yac cāgnau, tat tejo viddhi māmakam*

*yat :* ce qui; *āditya-gatam :* dans la lumière du soleil; *tejaḥ :* splendeur; *jagat :* le monde entier; *bhāsayate :* illumine; *akhilam :* entièrement; *yat :* ce qui; *candramasi :* dans la lune; *yat :* ce qui; *ca :* aussi; *agnau :* dans le feu; *tat :* cette; *tejaḥ :* splendeur; *viddhi :* comprends; *māmakam :* de Moi.

**La splendeur du soleil qui dissipe les ténèbres de l'univers entier, comme celle de la lune et du feu, émane de Ma Personne.**

Il est impossible pour un homme dénué d'intelligence de comprendre comment les choses se produisent. Mais s'il saisit le sens des paroles du Seigneur, la connaissance viendra l'éclairer. Chacun a la possibilité de voir le soleil, la lune, le feu ou l'électricité. Il faut simplement essayer de comprendre que la splendeur du soleil, celle de la lune, celle de l'énergie électrique ou du feu, viennent de Dieu, la Personne Suprême. Car lorsque l'âme conditionnée acquiert une telle compréhension de la vie – compréhension qui est au fondement de la conscience de Kṛṣṇa – elle réalise un progrès considérable en ce monde. Les êtres distincts faisant partie intégrante de Sa personne, le Seigneur Suprême leur donne ici une indication sur la façon dont ils peuvent retourner à Lui, en leur demeure éternelle.

Ce verset nous indique que le soleil illumine à lui seul l'ensemble du système solaire. Il y a différents univers, différents systèmes solaires, et donc de nombreux soleils, lunes et planètes. La *Bhagavad-gītā* (10.21) nous dit d'ailleurs que la lune est une étoile (*nakṣatrāṇām ahaṁ śaśī*). La lumière du soleil provient originellement de la radiance spirituelle du royaume du Seigneur Suprême. On sait qu'au lever du soleil, les hommes s'activent, et que grâce au feu, ils peuvent accomplir une multitude de choses : la préparation des aliments, la mise en marche des usines, etc. Ainsi, l'être vivant apprécie le soleil, le feu, les rayons de la lune, qui lui sont d'une grande utilité. D'ailleurs, sans eux, nul ne pourrait vivre. Si, donc, on comprend que la lumière et la splendeur du soleil, de la lune et du feu, émanent de Kṛṣṇa, Dieu, la Personne Suprême, on verra la conscience de Kṛṣṇa s'éveiller en soi.

Par ses rayons, la lune nourrit tous les végétaux. Elle est si utile et si plaisante à l'homme qu'il lui est facile de comprendre qu'il ne vit qu'en vertu de la miséricorde du Seigneur Suprême, Kṛṣṇa. Sans cette miséricorde, il ne pourrait y avoir de soleil, de lune ou de feu. Et sans lune, soleil ou feu, il serait impossible de vivre. Ce sont là quelques réflexions destinées à raviver la conscience de Kṛṣṇa chez l'âme conditionnée.

**15.13** गामाविश्य च भूतानि धारयाम्यहमोजसा ।
पुष्णामि चौषधीः सर्वाः सोमो भूत्वा रसात्मकः ॥१३॥

*gām āviśya ca bhūtāni, dhārayāmy aham ojasā*
*puṣṇāmi cauṣadhīḥ sarvāḥ, somo bhūtvā rasātmakaḥ*

*gām :* dans les planètes ; *āviśya :* entrant ; *ca :* aussi ; *bhūtāni :* les êtres ; *dhārayāmi :* soutiens ; *aham :* Je ; *ojasā :* par Ma puissance ; *puṣṇāmi :* nourris ; *ca :* et ; *auṣadhīḥ :* les aliments végétaux ; *sarvāḥ :* tous ; *somaḥ :* la lune ; *bhūtvā :* devenant ; *rasa-ātmakaḥ :* donnant la saveur.

**Je pénètre chaque planète, et grâce à Mon énergie, les maintiens toutes dans leur orbite. Je deviens la lune, et donne ainsi la saveur à tous les végétaux.**

Comprenons que seule l'énergie du Seigneur permet aux planètes de flotter dans l'espace. Le Seigneur entre en chaque atome, en chaque planète et en chaque être vivant. La *Brahma-saṁhitā* nous enseigne en effet que le Paramātmā, l'émanation plénière de Dieu, la Personne Suprême, pénètre l'univers, les planètes, l'être vivant, et même l'atome. Et parce qu'Il pénètre ainsi en eux, toute chose se manifeste de façon appropriée. Tant que l'âme est présente, un homme peut flotter sur l'eau, mais dès que l'étincelle vivante s'en va, il coule. Certes, une fois décomposé, son corps flottera à nouveau, tel un brin de paille, mais à l'instant de la mort, il coule. De même, c'est parce que l'énergie souveraine de Dieu, la Personne Suprême, les pénètre que toutes les planètes flottent dans l'espace. Son énergie soutient chaque planète, comme si elles n'étaient qu'une poignée de poussière. Si l'on tient de la poussière dans son poing, elle ne risque pas de tomber, mais il en va tout autrement si on la projette en l'air. Ainsi, c'est le poing de la forme universelle du Seigneur qui tient les planètes qu'on voit flotter dans l'espace. Par Sa puissance et Son énergie, toute chose, mobile ou immobile, est maintenue à sa place.

Les hymnes védiques disent que c'est grâce à Dieu, la Personne Suprême, que le soleil brille et que les planètes poursuivent régulièrement leur course. Sans Lui, toutes les planètes, comme de la poussière jetée en l'air, s'éparpilleraient et se désagrégeraient. De même, c'est grâce à Lui que la lune nourrit l'ensemble des végétaux, qui acquièrent ainsi, sous l'influence de ses rayons, leur délicieuse saveur. Sans elle, ils ne pourraient ni pousser, ni devenir succulents. Les hommes ne travaillent, ne vivent confortablement et ne jouissent de la nourriture que par ce que leur donne le Seigneur Suprême. Sans Lui, l'espèce humaine ne pourrait survivre. Le mot *rasātmakaḥ* est à retenir : il indique que les aliments ne deviennent délectables que parce que le Seigneur agit par le biais de la lune.

**15.14** अहं वैश्वानरो भूत्वा प्राणिनां देहमाश्रितः ।
प्राणापानसमायुक्तः पचाम्यन्नं चतुर्विधम् ॥१४॥

*ahaṁ vaiśvānaro bhūtvā, prāṇināṁ deham āśritaḥ*
*prāṇāpāna-samāyuktaḥ, pacāmy annaṁ catur-vidham*

*aham :* Je ; *vaiśvānaraḥ :* par le feu de la digestion, Ma manifestation plénière ; *bhūtvā :* devenant ; *prāṇinām :* de tous les êtres ; *deham :* dans le corps ; *āśritaḥ :* situé ; *prāṇa :* l'air qui sort ; *apāna* : l'air qui descend ; *samāyuktaḥ :* gardant l'équilibre ; *pacāmi :* Je digère ; *annam :* nourriture ; *catur-vidham :* les quatre sortes de.

**Je suis le feu de la digestion en chaque être vivant et Je Me joins au souffle vital, inspiré comme expiré, pour que les quatre sortes d'aliments soient digérés.**

Nous comprenons à la lumière des *śāstras* ayurvédiques qu'un feu digère la nourriture dans l'estomac. Quand ce feu est faible, la faim ne se manifeste pas. Mais quand il gagne en vigueur, la faim se fait ressentir. Parfois, lorsqu'il cesse de brûler normalement, nous devons nous faire prescrire un traitement. Mais dans tous les cas, il représente Dieu, la Personne Suprême. Les mantras védiques (*Bṛhad-āraṇyaka Upaniṣad* 5.9.1) confirment également que le Seigneur Suprême, ou Brahman, siège sous la forme d'un feu dans l'estomac, et digère tous les aliments (*ayam agnir vaiśvānaro yo 'yam antaḥ puruṣe yenedam annaṁ pacyate*).

Aussi, puisque le Seigneur permet la digestion de la nourriture, l'entité vivante est-elle dépendante même pour s'alimenter. Si le Seigneur Suprême ne S'occupait pas de sa digestion, il lui serait impossible de se nourrir. C'est donc bien le Seigneur qui produit et digère tout aliment, et c'est bien par Sa grâce que les êtres jouissent de la vie. Le *Vedānta-sūtra* (1.2.27) affirme lui aussi que le Seigneur est présent dans le son, dans le corps, dans l'air et même dans l'estomac, où Il est la force digestive : *śabdādibhyo 'ntaḥ pratiṣṭhānāc ca*. Kṛṣṇa est cette force qui permet la digestion des quatre sortes d'aliments - ceux qu'on avale, mâche, lèche ou suce.

**15.15** सर्वस्य चाहं हृदि सन्निविष्टो मत्तः स्मृतिर्ज्ञानमपोहनं च ।
वेदैश्च सर्वैरहमेव वेद्यो वेदान्तकृद्वेदविदेव चाहम् ॥१५॥

*sarvasya cāhaṁ hṛdi sanniviṣṭo*
*mattaḥ smṛtir jñānam apohanaṁ ca*
*vedaiś ca sarvair aham eva vedyo*
*vedānta-kṛd veda-vid eva cāham*

*sarvasya :* de tous les êtres ; *ca :* et ; *aham :* Je ; *hṛdi :* dans le cœur ; *sanniviṣṭaḥ :* situé ; *mattaḥ :* de Moi ; *smṛtiḥ :* le souvenir ; *jñānam :* la connaissance ; *apohanam :* l'oubli ; *ca :* et ; *vedaiḥ :* par les Védas ; *ca :* aussi ; *sarvaiḥ :* tous ; *aham :* Je suis ; *eva :* certes ; *vedyaḥ :* connaissable ; *vedānta-kṛt :* Celui qui a composé le Vedānta ; *veda-vit :* Celui qui connaît les Védas ; *eva :* certes ; *ca :* et ; *aham :* Je.

**Je Me tiens dans le cœur de chaque être, et de Moi viennent le souvenir, le savoir et l'oubli. Le but de tous les Védas est de Me connaître. En vérité, Je suis Celui qui connaît les Védas et Celui qui composa le Vedānta.**

Le Seigneur Suprême Se trouve dans le cœur de chaque être sous la forme du Paramātmā, et Il est à l'origine de chacun de ses actes. L'être conditionné a tout oublié de sa vie passée, aussi doit-il agir conformément aux directives du Seigneur, témoin de toutes ses œuvres. Grâce au Seigneur, qui lui donne la connaissance nécessaire, mais aussi bien le souvenir et l'oubli, il peut agir, dans le juste prolongement des actes qu'il a accomplis dans sa vie passée. Non seulement le Seigneur S'épand partout, mais Il réside aussi dans le cœur de chaque être et lui accorde les fruits de ses actes intéressés.

On ne L'adore pas seulement en tant que Brahman impersonnel, en tant que Dieu, la Personne Suprême, ou en tant que Paramātmā localisé, on L'adore aussi dans Sa forme des Védas. Les Védas donnent à l'homme la juste orientation qui lui permettra de façonner sa vie pour retourner à Dieu, en son séjour éternel. Ils offrent la connaissance de Dieu, Śrī Kṛṣṇa, qui, en tant que l'*avatāra* Vyāsadeva, a compilé le *Vedānta-sūtra.* Le *Śrīmad-Bhāgavatam,* où ce même Vyāsadeva commente son propre *Vedānta-sūtra,* permet d'ailleurs de Le comprendre parfaitement. Le Seigneur Suprême n'est en rien limité, tant et si bien que pour permettre à l'âme conditionnée de se libérer, Il pourvoit et veille à la digestion de sa nourriture, est le témoin de ses actes, donne la connaissance sous la forme des Védas, et en tant que la Personne Suprême, Kṛṣṇa, enseigne la *Bhagavad-gītā.* Ainsi Dieu est-Il infiniment bon et miséricordieux, et digne de l'adoration de l'âme conditionnée.

*Antaḥ-praviṣṭaḥ śāstā janānām.* Dès qu'il quitte le corps, l'être vivant oublie tout, mais par la grâce du Seigneur Suprême, il reprend ses activités lors de sa nouvelle existence. Bien qu'il ne se souvienne pas de sa vie passée, le Seigneur lui donne l'intelligence nécessaire pour reprendre ses actes là où il les a laissés dans sa vie précédente. L'être conditionné ne reçoit pas seulement les directives qui lui font connaître en ce monde le plaisir ou la souffrance, mais il reçoit également la possibilité de comprendre les Védas. En effet, qu'il manifeste une réelle volonté de comprendre le savoir védique, et Kṛṣṇa lui accordera l'intelligence requise.

Pourquoi donne-t-Il la connaissance védique ? Parce que chacun a besoin de comprendre Dieu. Les Textes védiques le confirment : *yo 'sau sarvair vedair gīyate.* Du reste, toutes les Écritures védiques (les quatre Védas, le *Vedānta-sūtra,* les *Upaniṣads,* les *Purāṇas,* etc.) célèbrent les gloires du Seigneur Suprême. On peut donc atteindre Kṛṣṇa en accomplissant des rites védiques, en s'entretenant de la philosophie védique, ou encore en L'adorant dans le cadre du service de dévotion. Les Védas, nous venons de le voir, doivent nous permettre de comprendre Kṛṣṇa. Ils nous donnent pour cela les directives qui s'imposent, ainsi que la méthode appropriée. Le but ultime est Dieu, la Personne Suprême. Ce que confirme à son tour le *Vedānta-sūtra* (1.1.4) : *tat tu samanvayāt.* On peut atteindre la perfection en trois étapes : comprendre les Écrits védiques pour savoir quelle relation nous unit à Dieu, la Personne Suprême ; L'approcher en ayant recours à différents processus ; et enfin, L'atteindre, Lui, le but suprême. Ce verset définit donc clairement l'objet, la teneur et le but des Védas.

**15.16** द्वाविमौ पुरुषौ लोके क्षरश्चाक्षर एव च ।
क्षरः सर्वाणि भूतानि कूटस्थोऽक्षर उच्यते ॥१६॥

*dvāv imau puruṣau loke, kṣaraś cākṣara eva ca*
*kṣaraḥ sarvāṇi bhūtāni, kūṭa-stho 'kṣara ucyate*

*dvau :* deux ; *imau :* ces ; *puruṣau :* êtres ; *loke :* dans le monde ; *kṣaraḥ :* faillibles ; *ca :* et ; *akṣaraḥ :* infaillibles ; *eva :* certes ; *ca :* et ; *kṣaraḥ :* faillibles ; *sarvāṇi :* tous ; *bhūtāni :* les êtres ; *kūṭas-thaḥ :* dans l'unicité ; *akṣaraḥ :* infaillibles ; *ucyate :* il est dit.

**Il est deux sortes d'êtres : les faillibles et les infaillibles. Si, dans le monde matériel, tous sont faillibles, dans le monde spirituel, tous sont infaillibles.**

Comme nous l'avons déjà vu, c'est le Seigneur Lui-même, sous la forme de Vyāsadeva, qui a compilé le *Vedānta-sūtra.* Il nous fait brièvement part ici de son contenu. On peut ranger les innombrables êtres en deux catégories : les faillibles et les infaillibles. Tous sont des parties intégrantes éternellement distinctes de Dieu, la Personne Suprême. Notre verset range dans la catégorie des faillibles (*kṣaraḥ sarvāṇi bhūtāni*) les *jīva-bhūtas,* les êtres qui sont en contact avec le monde matériel, et dans le groupe des infaillibles, tous ceux qui ne font qu'un avec le Seigneur. L'expression « un avec le Seigneur » ne signifie pas qu'il n'existe pour eux aucune individualité, mais bien qu'ils sont totalement unis au Seigneur et qu'ils sont en accord avec le but de la création. Bien sûr, il n'y a pas à proprement parler de création dans le monde spirituel, mais ce concept existe, selon le *Vedānta-sūtra,* dans le sens où tout émane du Seigneur.

Le Seigneur enseigne donc dans notre verset qu'il existe deux sortes d'êtres vivants, ce que confirment par ailleurs les Védas. Il n'y a donc pas de place pour le doute. Les êtres en ce monde, qui sont aux prises avec le mental et les cinq sens, doivent subir, aussi longtemps qu'ils sont conditionnés, divers changements de corps. Leur corps change au contact de la matière. Et c'est bel et bien parce que la matière change que l'être semble changer. Mais dans le monde spirituel les corps des êtres n'étant pas faits de matière, aucun changement ne se produit. L'être dans l'univers matériel est soumis aux six phases de l'existence conditionnée : la naissance, la croissance, la maturité, la reproduction, le déclin et la mort. Tels sont les changements que doit subir le corps matériel. Mais dans le monde spirituel, le corps ne change pas : il n'existe ni vieillesse, ni naissance, ni mort. Tout y est un. Les mots *kṣaraḥ sarvāṇi-bhūtāni* montrent clairement que tous les êtres qui vivent dans le monde matériel, de Brahmā, le premier être créé, jusqu'à la petite fourmi, doivent changer de corps et sont donc tous faillibles. Par contre, dans le monde spirituel, tous ne font qu'un avec le Seigneur et sont éternellement libérés.

**15.17** उत्तमः पुरुषस्त्वन्यः परमात्मेत्युदाहृतः ।
यो लोकत्रयमाविश्य बिभर्त्यव्यय ईश्वरः ॥१७॥

*uttamaḥ puruṣas tv anyaḥ, paramātmety udāhṛtaḥ*
*yo loka-trayam āviśya, bibharty avyaya īśvaraḥ*

*uttamaḥ :* la meilleure ; *puruṣaḥ :* personne ; *tu :* mais ; *anyaḥ :* une autre ; *paramātmā :* l'Être Suprême ; *iti :* ainsi ; *udāhṛtaḥ :* est dit ; *yaḥ :* qui ; *loka :* de l'univers ; *trayam :* dans les trois divisions ; *āviśya :* entrant ; *bibharti :* soutient ; *avyayaḥ :* inexhaustible ; *īśvaraḥ :* le Seigneur.

**Il y a cependant un être qui les surpasse tous : l'Âme Suprême, le Seigneur immortel qui pénètre dans les trois mondes et les soutient.**

La teneur de ce verset est fort bien exprimée dans la *Kaṭha Upaniṣad* (2.2.13) et la *Śvetāśvatara Upaniṣad* (6.13). Il y est clairement dit que la Personne Suprême, le Paramātmā, surpasse les innombrables entités vivantes, dont certaines sont conditionnées et d'autres libérées. *Nityo nityānāṁ cetanaś cetanānām.* Ces mots signifient que parmi tous les êtres, conditionnés ou non, Se trouve un Être Souverain, Dieu, la Personne Suprême, qui les soutient et leur accorde, selon leurs actes, les moyens de jouir de l'existence. Dieu est présent dans le cœur de chacun sous la forme du Paramātmā. Seul l'homme sage qui parvient à Le connaître trouvera la paix parfaite.

**15.18** यस्मात्क्षरमतीतोऽहमक्षरादपि चोत्तमः ।
अतोऽस्मि लोके वेदे च प्रथितः पुरुषोत्तमः ॥१८॥

*yasmāt kṣaram atīto 'ham, akṣarād api cottamaḥ*
*ato 'smi loke vede ca, prathitaḥ puruṣottamaḥ*

*yasmāt :* parce que ; *kṣaram :* le faillible ; *atītaḥ :* transcendant ; *aham :* Je ; *akṣarāt :* au-delà de l'infaillible ; *api :* aussi ; *ca :* et ; *uttamaḥ :* le meilleur ; *ataḥ :* donc ; *asmi :* Je suis ; *loke :* dans le monde ; *vede :* dans les Écrits védiques ; *ca :* et ; *prathitaḥ :* célébré ; *puruṣottamaḥ :* comme la Personne Suprême.

**Parce que Je suis transcendantal, au-delà du faillible et de l'infaillible, et parce que Je suis le plus grand de tous, le monde et les Védas Me célèbrent comme cette Personne Suprême.**

Nulle âme, conditionnée ou libérée, ne pourra jamais dépasser Dieu, Kṛṣṇa. Il est donc le plus grand. Il est clair ici que les êtres vivants et la Personne Suprême sont des individus distincts. S'il subsiste toujours une différence, c'est parce que les êtres vivants, qu'ils soient conditionnés ou non, ne peuvent jamais quantitativement surpasser Ses puissances inconcevables. Il serait certes erroné de croire que les êtres distincts égalent en tout le Seigneur. Il faut garder présentes à l'esprit les notions d'infériorité et de supériorité. Le mot *uttama* indique qu'Il est au-delà de tous les êtres.

*Loke* signifie « dans le *pauruṣa āgama* » (les écrits *smṛti*). Le dictionnaire *Nirukti* le confirme : *lokyate vedārtho 'nena* – « Le but des Védas est expliqué par les écrits *smṛti* ».

Les Védas (*Chāndogya Upaniṣad* 8.12.3) décrivent Dieu, la Personne Suprême, sous Son aspect localisé de Paramātmā : *tāvad eṣa samprasādo 'smāc charīrāt samutthāya paraṁ jyoti-rūpaṁ sampadya svena rūpeṇābhiniṣpadyate sa uttamaḥ puruṣaḥ* – « L'Âme Suprême quitte le corps et entre dans le *brahmajyoti,* où Elle garde Sa forme et Son identité spirituelle. Cet Absolu, on L'appelle la Personne Suprême. » Cela signifie que la Personne Suprême manifeste et diffuse Sa radiance spirituelle, qui est la lumière ultime. Et quand le Seigneur apparaît sous la forme de Vyāsadeva, le fils de Parāśara et de Satyavatī, c'est pour expliquer le savoir védique.

**15.19** यो मामेवमसम्मूढो जानाति पुरुषोत्तमम् ।
स सर्वविद्भजति मां सर्वभावेन भारत ॥१९॥

*yo mām evam asammūḍho, jānāti puruṣottamam*
*sa sarva-vid bhajati māṁ, sarva-bhāvena bhārata*

*yah :* quiconque ; *mām :* Moi ; *evam :* ainsi ; *asammūḍhaḥ :* sans nul doute ; *janāti :* connaît ; *puruṣottamam :* Dieu, la Personne Suprême ; *saḥ :* il ; *sarva-vit :* celui qui sait tout ;

*bhajati :* sert avec dévotion ; *mām :* Moi ; *sarva-bhāvena :* à tous les égards ; *bhārata :* ô descendant de Bharata.

**Celui qui ne doute pas que Je suis Dieu, la Personne Suprême, connaît toute chose. C'est pourquoi, de tout son être, il Me sert avec dévotion, ô descendant de Bharata.**

On ne compte plus le nombre d'études philosophiques spéculatives qui traitent de la position constitutionnelle des êtres vivants et de la Vérité Suprême et Absolue. Dans ce verset, Kṛṣṇa exprime clairement que celui qui Le sait Dieu, la Personne Suprême, connaît tout. Quand on ne dispose que d'un savoir imparfait, inéluctablement, on élucubre des théories fantaisistes sur la Vérité Absolue. Inversement, quand on dispose d'une connaissance parfaite, on en vient tout naturellement à adopter directement la conscience de Kṛṣṇa et à se consacrer au service dévotionnel du Seigneur Suprême, sans plus perdre un temps précieux. Ce point est réitéré à maintes reprises d'un bout à l'autre de la *Bhagavad-gītā,* et malgré cela, bon nombre de commentateurs continuent obstinément de prétendre que rien ne distingue la Vérité Suprême et Absolue des êtres individuels.

Le savoir védique est appelé *śruti,* « savoir reçu par l'écoute ». Il faut en effet recevoir ce message védique de la bouche d'une autorité en la matière, qu'il s'agisse de Kṛṣṇa ou de l'un de Ses représentants. Ici, Dieu est particulièrement clair ; c'est donc de Lui qu'il faut obtenir le savoir. Ne nous contentons pas d'écouter comme un simple animal. Il s'agit de comprendre ce que l'on écoute en se faisant aider par une autorité qualifiée. Plutôt que de nous livrer à des spéculations académiques, écoutons avec attention la *Bhagavad-gītā* nous enseigner que les êtres distincts sont toujours subordonnés à Dieu, la Personne Suprême. Seul l'être qui est en mesure de comprendre ce point, tel que l'explique Śrī Kṛṣṇa, sait véritablement quel but poursuivent les Védas. Nul autre ne le peut.

Le mot *bhajati* mérite qu'on s'y arrête : intimement lié au service de dévotion, il est utilisé en de nombreux endroits. On doit comprendre que l'homme pleinement absorbé dans la conscience de Kṛṣṇa, dans le service divin, a parfaitement compris l'ensemble du savoir védique. La *paramparā vaiṣṇava* dit également que si l'on prend part au service dévotionnel du Seigneur, il n'est besoin d'aucune autre forme de pratique spirituelle pour comprendre la Vérité Suprême et Absolue. Le fait qu'on se consacre au service de dévotion montre qu'on est parvenu à la juste compréhension. On en a terminé avec toutes les voies préliminaires d'entendement spirituel. Mais si, après avoir passé un nombre considérable d'existences à élucubrer sur la Vérité Absolue, l'homme ne parvient pas à comprendre qu'il doit s'abandonner à Kṛṣṇa – parce qu'Il est Dieu, la Personne Suprême –, il n'aura fait que perdre son temps.

**15.20** इति गुह्यतमं शास्त्रमिदमुक्तं मयानघ ।
एतद् बुद्ध्वा बुद्धिमान् स्यात्कृतकृत्यश्च भारत ॥२०॥

*iti guhya-tamaṁ śāstram, idam uktaṁ mayānagha*
*etad buddhvā buddhimān syāt, kṛta-kṛtyaś ca bhārata*

*iti* : ainsi ; *guhyatamam* : la plus confidentielle ; *śāstram* : Écriture révélée ; *idam* : cela ; *uktam* : révélé ; *mayā* : par Moi ; *anagha* : ô toi qui es sans péché ; *etat* : cela ; *buddhvā* : comprenant ; *buddhimān* : intelligent ; *syāt* : on devient ; *kṛta-kṛtyaḥ* : le plus parfait dans ses efforts ; *ca* : et ; *bhārata* : ô descendant de Bharata.

**Ce que Je te révèle maintenant, ô toi qui es sans péché, est le message le plus confidentiel des Écritures védiques. Qui le comprend devient sage, ô descendant de Bharata, et voit ses efforts aboutir à la perfection.**

Le Seigneur explique ici avec clarté que ce savoir est l'essence de toutes les Écritures révélées. II faut donc le comprendre tel que le Seigneur Suprême le transmet, car c'est comme ça que l'être développera son intelligence et s'établira parfaitement dans le savoir absolu. En d'autres mots, si l'on comprend cette philosophie qui traite de Dieu, la Personne Suprême, si l'on se dédie à Son service transcendantal, on pourra se laver de la contamination des modes d'influence de la nature matérielle. Comme le service de dévotion permet d'obtenir la connaissance spirituelle, aucune souillure matérielle ne saurait subsister là où on le pratique. Le service dévotionnel et le Seigneur, parce que tous deux spirituels, sont une seule et même chose. Le service dévotionnel relève en effet de l'énergie interne du Seigneur. On dit du Seigneur qu'Il est le soleil, et que les ténèbres sont l'ignorance. Là où est le soleil, il n'y a pas d'obscurité. Et là où le service divin est présent, dirigé de façon appropriée par un maître spirituel authentique, il ne saurait être question d'ignorance.

Chacun se doit d'adopter la conscience de Kṛṣṇa, de prendre part au service de dévotion, car c'est comme ça que l'on devient intelligent et pur. À moins de comprendre Kṛṣṇa et d'adopter le service dévotionnel, on ne pourra jamais prétendre jouir d'une parfaite intelligence, quand bien même on passerait pour très intelligent aux yeux du commun des mortels.

Le mot *anagha,* « ô toi qui es sans péché », par lequel Kṛṣṇa S'adresse ici à Arjuna est particulièrement intéressant. Il indique qu'il est très difficile de comprendre Kṛṣṇa tant que l'on n'est pas délivré de toutes les suites de ses péchés. Pour comprendre Dieu, il faut d'abord se purifier, éliminer toute souillure, tout acte coupable. Or la puissance et la pureté du service de dévotion sont telles qu'on peut s'affranchir de tout péché simplement en le pratiquant.

Dans le cadre du service de dévotion que l'on accomplit en compagnie de purs dévots pleinement absorbés dans la conscience de Kṛṣṇa, certains éléments doivent être surmontés, en particulier nos faiblesses de cœur. La première cause de chute réside dans le désir que nous avons de dominer la nature matérielle. Il incite à délaisser le service transcendantal du Seigneur. Et lorsque cette tendance à dominer la nature matérielle s'accroît, alors se manifeste la seconde faiblesse : l'attachement à la matière et à sa possession. Tous les problèmes de l'existence matérielle ont pour origine ces faiblesses de cœur. Les cinq premiers versets du chapitre expliquent comment s'en affranchir, et les autres versets, du sixième au vingtième, traitent du *puruṣottama-yoga.*

*Ainsi s'achèvent les teneurs et portées de Bhaktivedanta sur le quinzième chapitre de la* Śrīmad Bhagavad-gītā *traitant du* puruṣottama-yoga, *le yoga de la Personne Suprême.*

SEIZIÈME CHAPITRE

# Natures divine et démoniaque

**16.1–3**

श्रीभगवानुवाच
अभयं सत्त्वसंशुद्धिर्ज्ञानयोगव्यवस्थितिः ।
दानं दमश्च यज्ञश्च स्वाध्यायस्तप आर्जवम् ॥ १ ॥

अहिंसा सत्यमक्रोधस्त्यागः शान्तिरपैशुनम् ।
दया भूतेष्वलोलुप्त्वं मार्दवं ह्रीरचापलम् ॥ २ ॥

तेजः क्षमा धृतिः शौचमद्रोहो नातिमानिता ।
भवन्ति सम्पदं दैवीमभिजातस्य भारत ॥ ३ ॥

*śrī-bhagavān uvāca*
*abhayaṁ sattva-saṁśuddhir, jñāna-yoga-vyavasthitiḥ*
*dānaṁ damaś ca yajñaś ca, svādhyāyas tapa ārjavam*

*ahiṁsā satyam akrodhas, tyāgaḥ śāntir apaiśunam*
*dayā bhūteṣv aloluptvaṁ, mārdavaṁ hrīr acāpalam*

*tejaḥ kṣamā dhṛtiḥ śaucam, adroho nāti-mānitā*
*bhavanti sampadaṁ daivīm, abhijātasya bhārata*

*śrī-bhagavān uvāca :* Dieu, la Personne Suprême, dit ; *abhayam :* l'absence de crainte ; *sattva-saṁśuddhiḥ :* la purification de l'existence ; *jñāna :* à la connaissance ; *yoga :* de se rattacher ; *vyavasthitiḥ :* le fait ; *dānam :* la charité ; *damaḥ :* la maîtrise du mental ; *ca :* et ; *yajñaḥ :* l'exécution des sacrifices ; *ca :* et ; *svādhyāyaḥ :* l'étude des Écritures védiques ; *tapaḥ :* l'austérité ; *ārjavam :* la simplicité ; *ahiṁsā :* la non-violence ; *satyam :* la véracité ; *akrodhaḥ :* l'absence de colère ; *tyāgaḥ :* le renoncement ; *śāntiḥ :* la sérénité ; *apaiśunam :* l'aversion pour la critique ; *dayā :* la compassion ; *bhūteṣu :* envers tous les êtres ; *aloluptvam :* l'absence de convoitise ; *mārdavam :* la douceur ; *hrīḥ :* la modestie ; *acāpalam :* la détermination ; *tejaḥ :* la vigueur ; *kṣamā :* le pardon ; *dhṛtiḥ :*

la force morale ; *śaucam :* la propreté, la pureté ; *adrohaḥ :* l'absence d'envie ; *na :* pas ; *ati-mānitā :* l'espoir d'honneur ; *bhavanti :* sont ; *sampadam :* les qualités ; *daivīm :* la nature transcendantale ; *abhijātasya :* de celui qui est né de ; *bhārata :* ô descendant de Bharata.

**Dieu, la Personne Suprême, dit : Le fait d'être dénué de crainte, de purifier son existence, de cultiver le savoir spirituel, de faire la charité, d'accomplir des sacrifices et des austérités, d'étudier les Védas, de se maîtriser, d'être simple, non violent, véridique, sans colère et sans convoitise, le fait de pratiquer le renoncement, d'éprouver de la compassion pour autrui et de l'aversion pour la critique, d'être serein, doux, modeste, animé d'une ferme détermination, d'être énergique, pur, enclin au pardon, doté de force morale mais dénué d'envie et de soif des honneurs, toutes ces qualités transcendantales, ô descendant de Bharata, sont le propre des hommes pieux dont la nature est divine.**

Au début du quinzième chapitre, l'arbre banian a été décrit comme la représentation schématique du monde matériel. Ses racines adventives représentent les activités des êtres vivants, activités tantôt favorables, tantôt défavorables. Il fut question d'autre part dans le neuvième chapitre des *devas,* les êtres pieux, et des *asuras,* les êtres démoniaques. D'après les enseignements védiques, les actes inspirés par la vertu favorisent le progrès sur la voie de la libération et sont dits de nature transcendantale (*daivī-prakṛti*). Les hommes qui sont dotés d'une telle nature avancent donc sur le chemin de la libération. Pour ceux, en revanche, qui agissent sous l'emprise de la passion et de l'ignorance, la libération est inaccessible. Ils doivent demeurer dans l'univers matériel et revêtir soit la forme humaine, soit celle d'un animal ou d'une espèce encore inférieure. Dans ce chapitre, le Seigneur va décrire les natures divine et démoniaque, détailler leurs attributs respectifs et mettre en évidence leurs aspects positifs et négatifs.

Le mot *abhijātasya* désigne tout homme qui dès la naissance se pare de qualités et de penchants divins. Il revêt ici une grande importance. Lorsque les Écrits védiques parlent de *garbhādhāna-saṁskāra,* ils font référence au fait d'engendrer un enfant dans une atmosphère divine. Si les parents souhaitent avoir un enfant doté d'attributs divins, ils doivent observer les dix *saṁskāras* (sacrements) recommandés dans la vie sociale de l'être humain. Nous avons vu dans un chapitre antérieur que l'acte sexuel, lorsqu'il vise à engendrer un enfant vertueux, représente Kṛṣṇa Lui-même. La vie sexuelle n'est pas condamnée, pourvu qu'elle s'accomplisse dans la conscience de Kṛṣṇa. Les dévots du Seigneur ne doivent évidemment pas engendrer des enfants comme le feraient des chiens ou des chats, car ils doivent veiller à ce que leur progéniture devienne à son tour consciente de Kṛṣṇa. Telle est la bénédiction que reçoit un enfant né d'un père et d'une mère absorbés dans la conscience de Kṛṣṇa.

Le système social appelé *varṇāśrama-dharma,* qui partage la société en quatre classes sociales et quatre ordres spirituels, n'est pas fondé sur le principe d'hérédité. Ces groupes sont déterminés par les qualifications et la formation personnelle des individus, et ont pour finalité la paix et la prospérité de la société.

Les qualités qu'énumère notre verset sont dites transcendantales car elles permettent à l'homme d'accroître son entendement spirituel, et par là de se libérer du monde matériel.

Dans le *varṇāśrama-dharma,* le *sannyāsī* (celui qui a embrassé l'ordre du renoncement) est considéré comme la tête, le maître spirituel de tous les *varṇas* et *āśramas*. Le *brāhmaṇa,* certes, est le maître spirituel des membres des trois autres classes sociales – *kṣatriyas, vaiśyas* et *śūdras* –, mais le *sannyāsī,* au sommet de l'institution du *varṇāśrama,* est un maître spirituel même pour le *brāhmaṇa*. Le *sannyāsī* doit tout d'abord être sans crainte. Parce qu'il lui faut vivre seul, sans soutien, ou sans certitude de soutien, il ne doit dépendre que de la miséricorde de Dieu, la Personne Suprême. Celui qui se demande encore comment il sera protégé une fois que seront tranchés ses liens avec la famille et la société ne doit pas accepter l'ordre du renoncement. Il doit être tout à fait convaincu que Kṛṣṇa, Dieu, la Personne Suprême, Se trouve toujours dans son cœur sous Son aspect localisé, le Paramātmā, et qu'ainsi Il voit tout et sait toujours tout de ses intentions. Il lui faut donc posséder une foi ferme en Kṛṣṇa, l'Âme Suprême, qui protège celui qui s'est abandonné à Lui. « Je ne serai jamais seul », doit-il penser, « et même au cœur des forêts les plus sombres, Kṛṣṇa sera présent et m'accordera toute protection. » Celui qui a cette conviction est *abhaya,* dénué de toute crainte. Un tel état d'esprit est indispensable au *sannyāsī.*

Le *sannyāsī* doit également purifier son existence. De nombreuses règles, de nombreux principes, doivent être observés à cet effet au sein de l'ordre du renoncement. Il lui est tout d'abord – et il s'agit du principe le plus important – strictement défendu d'entretenir des rapports intimes avec une femme. Il lui est même défendu de parler à une femme en un lieu solitaire. Caitanya Mahāprabhu montra l'exemple du parfait *sannyāsī* : quand Il était à Purī, Ses dévotes ne pouvaient même pas s'approcher de Lui pour présenter leurs hommages. Elles étaient invitées à se prosterner à distance. Il ne faut certes pas voir là une aversion pour les femmes, mais seulement un règlement qui commande au *sannyāsī* de n'avoir aucun lien étroit avec elles. Afin de purifier son existence, l'homme doit suivre les règles prescrites par ses *varṇa* et *āśrama* respectifs. Dans le cas du *sannyāsī,* il est strictement interdit d'entretenir des liens intimes avec les femmes, ou de posséder des richesses pour son seul profit.

Śrī Caitanya était le *sannyāsī* idéal, et nous avons vu que dans Sa vie, Il était très strict dans Ses rapports avec les femmes. Bien qu'Il ait pris sous Sa protection les âmes les plus déchues, et qu'on Le tienne donc pour l'*avatāra* le plus libéral, Il suivait strictement les règles du *sannyāsa* concernant le sexe opposé. L'un de Ses compagnons intimes, Choṭa Haridāsa, jeta en Sa présence un regard concupiscent sur une jeune femme. Śrī Caitanya était si strict qu'Il l'exclut aussitôt de Son entourage et prononça ces paroles : « Pour un *sannyāsī,* ou quiconque aspire à se défaire de l'emprise de la matière et s'efforce de s'élever spirituellement pour retourner à Dieu, en sa demeure éternelle, tourner son regard vers les biens matériels et les femmes (sans même en jouir, mais animé de ce désir) est un acte si condamnable, qu'il vaut mieux se suicider plutôt que de connaître des désirs aussi illicites. » Telles sont donc les voies de la purification.

Le prochain point concerne le *jñāna-yoga-vyavasthiti* : le développement du savoir spirituel. Le rôle du *sannyāsī* est de dispenser le savoir spirituel aux chefs de famille et plus généralement à tous ceux qui ont oublié que la vie humaine a pour but le progrès spirituel. Même si pour subvenir à ses besoins, le *sannyāsī* doit demander l'aumône de porte en porte, il ne convient évidemment pas de le voir comme un mendiant. Car c'est par pure humilité, autre qualité spirituelle de l'être accompli, qu'il va de porte en porte visiter les familles. Il le fait pour les sensibiliser à la conscience de Kṛṣṇa, et non pour mendier. Tel est le devoir du *sannyāsī*. Si un disciple est véritablement avancé dans la vie dévotionnelle, et que son maître spirituel le lui enjoint, il doit prêcher avec logique et raison la conscience de Kṛṣṇa. Mais s'il ne remplit pas cette condition, il vaut mieux pour lui éviter d'embrasser l'ordre du renoncement. Et s'il se trouve qu'il a accepté le *sannyāsa* sans posséder une connaissance suffisante, il doit alors cultiver le savoir en recevant l'enseignement d'un maître spirituel authentique. Le *sannyāsī,* donc, doit être dénué de toute crainte (*abhaya*), pur (*sattva-saṁśuddhi*) et avoir la connaissance (*jñāna-yoga*).

Les actes de charité concernent plus particulièrement le groupe des *gṛhasthas*. Ces derniers sont en effet tenus de gagner honnêtement leur vie et d'offrir la moitié de leur gain à des institutions qui se chargent de propager universellement la conscience de Kṛṣṇa. La charité doit être faite aux hommes qui en sont dignes. Comme l'enseignera plus loin la *Bhagavad-gītā*, on compte divers types d'actes charitables, qui relèvent soit de la vertu, soit de la passion, soit de l'ignorance. Si les Écritures recommandent les actes de charité accomplis dans la vertu, elles n'encouragent nullement la charité faite sous l'influence de la passion et de l'ignorance, qui n'est qu'un simple gaspillage. La charité ne doit avoir pour objet que la propagation de la conscience de Kṛṣṇa à travers le monde. Alors pourra-t-on parler de charité relevant de la vertu.

Bien que *dama* (la maîtrise de soi) soit propre à tous les *āśramas*, elle concerne néanmoins tout particulièrement le *gṛhastha*. Même s'il vit avec son épouse, le *gṛhastha* ne doit pas s'adonner sans restriction au plaisir sexuel. Il doit en effet s'astreindre à observer certaines règles. L'acte sexuel n'aura d'autre but que la procréation. Et si le *gṛhastha* ne souhaite pas avoir d'enfant, il devra s'abstenir des plaisirs de la chair. Les hommes d'aujourd'hui font usage de contraceptifs ou de méthodes plus odieuses encore, afin de jouir des plaisirs charnels sans avoir à assumer la responsabilité qu'implique la naissance d'un enfant. Ce n'est certes pas là un signe de nature divine, mais bien un signe de nature démoniaque. Quiconque désire progresser dans la voie spirituelle, fût-il marié, se doit de contrôler sa vie sexuelle et de ne pas engendrer de descendance si ce n'est pour servir Kṛṣṇa. Si un homme peut assurer que ses enfants deviendront conscients de Kṛṣṇa, qu'il en mette des centaines au monde, sinon, mieux vaut ne pas se livrer aux actes sexuels pour le simple plaisir des sens.

L'offrande d'oblations est plus particulièrement du ressort du *gṛhastha*, car elle nécessite de grosses sommes d'argent que ne possèdent pas les membres des autres ordres - *brahmacārīs*, *vānaprasthas* et *sannyāsīs* vivant d'aumônes. Les Écrits védiques recommandent différents sacrifices au *gṛhastha*, tel l'*agni-hotra* par exemple. Mais ce sacrifice requiert tant de richesses qu'aucun *gṛhastha* ne peut aujourd'hui l'accomplir. Aussi, le meilleur sacrifice pour notre âge, et le moins onéreux, est le *saṅkīrtana-yajña*, le chant du *mahā-mantra* : Hare Kṛṣṇa Hare Kṛṣṇa Kṛṣṇa Kṛṣṇa Hare Hare/Hare Rāma Hare Rāma Rāma Rāma Hare Hare. Tous peuvent l'adopter et en recevoir les bienfaits. Ainsi, la charité, la maîtrise des sens et les sacrifices sont particulièrement assignés au *gṛhastha*.

*Svādhyāya,* l'étude des Védas, concerne en premier lieu le *brahmacārī* (l'étudiant). Il doit éviter tout lien étroit avec les femmes. Sa vie doit être une vie de continence et d'absorption dans l'étude des Écritures védiques afin de cultiver le savoir spirituel.

L'austérité (*tapas*) se pratique plus particulièrement lorsque l'être entame la période dite de retraite. L'homme ne doit pas demeurer chef de famille toute sa vie. Il doit toujours se rappeler que la vie spirituelle comporte quatre ordres : le *brahmacarya,* le *gṛhastha,* le *vānaprastha* et le *sannyāsa.* Ainsi, après le *gṛhastha,* il doit abandonner les activités familiales et se retirer. Pour donner un ordre de grandeur approximatif, sur cent ans on devrait suivre le *brahmacarya* pendant vingt-cinq ans, pendant vingt-cinq le *gṛhastha,* vingt-cinq le *vānaprastha* et vingt-cinq le *sannyāsa.* Telle est la discipline spirituelle dans la société védique. En quittant la vie de famille, on doit pratiquer certaines austérités du corps, du mental et de la langue. C'est ce qu'on appelle *tapasya.*

En fait, ce *tapasya* est recommandé pour toutes les divisions du *varṇāśrama-dharma.* Sans *tapasya,* sans austérité, nul homme ne peut obtenir la libération. À aucun moment, la *Bhagavad-gītā* – et aucun autre Écrit védique d'ailleurs – ne fait état d'une théorie qui rejetterait les austérités ou qui admettrait qu'on puisse se livrer sans danger à toutes sortes de spéculations. Ces théories sont l'invention de spiritualistes de parade qui ne cherchent qu'à accroître le nombre de leurs disciples. Dès qu'il est question de suivre certaines règles, certaines restrictions, les gens deviennent réticents. Aussi, ceux qui, sous couvert de religion veulent des disciples pour la gloire, n'observent ni ne font observer à leurs élèves aucun principe régulateur. Les Védas n'approuvent pas de telles supercheries.

Quant à la simplicité, bien qu'elle soit une qualité brahmanique, elle doit être adoptée, non pas par les membres d'un *āśrama* particulier, mais bien par tous les hommes, qu'ils soient *brahmacārīs, gṛhasthas, vānaprasthas* ou *sannyāsīs.* Tous doivent être simples et francs.

*Ahiṁsā* signifie que l'on ne doit interrompre l'évolution spirituelle d'aucun être vivant. Gardons-nous de croire que, puisque l'étincelle spirituelle ne périt jamais et survit au corps, il n'y a aucun mal à massacrer les animaux pour la satisfaction de nos sens. Bien qu'il puisse abondamment se nourrir de céréales, de fruits et de lait, l'homme d'aujourd'hui reste attaché à manger de la chair animale. Il n'est nul besoin d'abattre les animaux. Et personne ne fait exception à cette règle. S'il n'était pas d'autre choix, on pourrait à la rigueur tuer un animal, mais il faudrait alors l'offrir en sacrifice. Pour résumer, nous dirons que l'homme désireux de progresser dans la réalisation spirituelle ne doit à aucun prix, quand abonde la nourriture, faire violence aux animaux. L'*ahiṁsā* véritable consiste à ne freiner la progression d'aucun être, quel qu'il soit. Les animaux, en transmigrant d'une espèce à une autre, suivent une évolution et progressent eux aussi. Quand un animal est tué, son progrès est freiné. Il devra, avant de s'élever à l'espèce animale supérieure, revenir dans la forme de vie qu'il a prématurément quittée pour y achever son dû de jours ou d'années. On ne doit donc pas ralentir l'évolution des animaux pour la seule satisfaction de son palais. C'est ce qu'on appelle *ahiṁsā*.

Le mot *satyam* nous indique que l'on ne doit pas déformer la vérité à des fins personnelles. Certains passages des Écrits védiques sont difficiles, aussi doit-on en étudier la signification et le but auprès d'un maître spirituel authentique. C'est la seule façon de comprendre les Védas. Le mot *śruti* signifie que l'on doit écouter et recevoir la connaissance des lèvres d'une personne qui fait autorité en la matière. On ne doit pas interpréter les Écritures afin de servir quelque motif personnel. Nombreux sont les commentaires sur la *Bhagavad-gītā* qui déforment le sens du texte originel. Mais on doit donner à chaque mot son vrai sens, et cela, répétons-le, seul un maître spirituel authentique est habilité à le faire.

*Akrodha* veut dire maîtriser la colère. Il faut tolérer même les provocations, car une fois que la colère éclate, le corps tout entier est souillé. La colère a pour origine l'action conjointe de la passion et de la concupiscence, et celui qui se trouve au niveau transcendantal doit donc s'en affranchir. *Apaiśunam* signifie que l'on ne doit pas rechercher les défauts chez les autres ou les corriger sans nécessité. Bien sûr, traiter de voleur un voleur n'est pas le critiquer, mais traiter de voleur un honnête homme constitue pour celui qui progresse sur la voie de la spiritualité une grave offense. *Hrī* indique que l'on doit faire preuve de réserve et se garder d'accomplir d'horribles actions. *Acāpalam,* la détermination, s'applique à celui qui n'est pas troublé ou frustré dans ses efforts. Une tentative peut rencontrer l'échec, mais plutôt que de s'en affliger, on doit poursuivre ses efforts avec patience et détermination.

Le mot *tejas* utilisé ici concerne les *kṣatriyas*. Ils se doivent, afin de protéger les faibles, d'être dotés d'une grande force. Eux, ne doivent jamais prétendre à la non-violence. Quand la violence est nécessaire, ils doivent en faire usage. Mais qui est en mesure de vaincre son ennemi peut se montrer clément en certaines circonstances. Il doit pouvoir pardonner les délits mineurs.

La pureté (*śaucam*) ne doit pas se limiter au corps et au mental. Elle doit aussi s'instaurer dans les rapports avec autrui. Elle s'applique tout particulièrement aux *vaiśyas,* les commerçants, qui sont tenus de ne jamais se livrer à des transactions clandestines. *Nāti-mānitā,* l'absence de soif des honneurs, concerne, elle, les *śūdras* (ouvriers, artisans et artistes) que le code védique classe en dernier. Le *śūdra* ne doit pas s'enorgueillir vainement ou rechercher les honneurs, mais demeurer dans les normes de son statut social. Son devoir lui commande de témoigner son respect aux membres des *varṇas* supérieurs, afin que soit maintenu l'ordre social.

Ces vingt-six qualités sont transcendantales. Chacun doit les développer, selon la classe sociale et l'ordre spirituel auxquels il appartient. Même si les conditions matérielles ici-bas sont misérables, ces qualités, développées par la pratique, peuvent graduellement élever l'homme, quel que soit son statut, au niveau le plus haut de la réalisation spirituelle.

**16.4** दम्भो दर्पोऽभिमानश्च क्रोधः पारुष्यमेव च ।
अज्ञानं चाभिजातस्य पार्थ सम्पदमासुरीम् ॥ ४ ॥

*dambho darpo 'bhimānaś ca, krodhaḥ pāruṣyam eva ca*
*ajñānaṁ cābhijātasya, pārtha sampadam āsurīm*

*dambhaḥ :* l'orgueil ; *darpaḥ :* l'arrogance ; *abhimānaḥ :* la vanité ; *ca :* et ; *krodhaḥ :* la colère ; *pāruṣyam :* la dureté ; *eva :* certes ; *ca :* et ; *ajñānam :* l'ignorance ; *ca :* et ; *abhijātasya :* de celui qui est né ; *pārtha :* ô fils de Pṛthā ; *sampadam :* les caractéristiques ; *āsurīm :* d'une nature démoniaque.

**Ô fils de Pṛthā, l'orgueil, l'arrogance, la vanité, la colère, la dureté et l'ignorance sont les traits caractéristiques des hommes dont la nature est démoniaque.**

Ce verset décrit la voie royale qui mène en enfer. Les hommes démoniaques veulent faire une impressionnante démonstration de foi et d'avancement dans la science spirituelle, alors qu'ils n'en suivent pas même les principes. Ils sont arrogants et très fiers de leur éducation et de leur richesse. Ils désirent qu'on les vénère, exigent qu'on les respecte, alors qu'ils n'ont rien pour inspirer le respect. Pour un oui ou pour un non, ils entrent dans de grandes colères et vocifèrent des paroles blessantes. Ils ignorent tout de ce que l'on doit ou ne doit pas faire. Leurs actes n'obéissent qu'à leurs seuls caprices, leurs seuls désirs, et ils ne reconnaissent aucune autorité. Ces traits démoniaques apparaissent dès les premiers instants de leur séjour dans un corps, dans le sein même de leur mère, et se manifestent lorsqu'ils grandissent.

**16.5** दैवी सम्पद्विमोक्षाय निबन्धायासुरी मता ।
मा शुचः सम्पदं दैवीमभिजातोऽसि पाण्डव ॥ ५ ॥

*daivī sampad vimokṣāya, nibandhāyāsurī matā*
*mā śucaḥ sampadaṁ daivīm, abhijāto 'si pāṇḍava*

*daivī :* transcendantales ; *sampat :* les qualités ; *vimokṣāya :* faites pour la libération ; *nibandhāya :* pour l'esclavage ; *āsurī :* les attributs démoniaques ; *matā :* on considère ; *mā :* ne pas ; *śucaḥ :* soucies ; *sampadam :* les qualités ; *daivīm :* spirituelles ; *abhijātaḥ :* né avec ; *asi :* tu es ; *pāṇḍava :* ô fils de Pāṇḍu.

**Les qualités transcendantales aident un être à se libérer alors que les qualités démoniaques l'asservissent. Mais n'aie crainte, ô fils de Pāṇḍu, car tu naquis avec les qualités divines.**

Kṛṣṇa réconforte Arjuna en lui affirmant qu'il n'est pas né avec les attributs démoniaques. Son implication dans la bataille ne relève pas d'une nature démoniaque car il en a pesé le pour et le contre. Le simple fait qu'il se demande si des êtres respectables, comme Bhīṣma et Droṇa, doivent être tués montre qu'il n'agit pas sous l'influence de la colère, de la vanité ou de la méchanceté. Sa nature n'est donc pas celle d'un démon. Pour un *kṣatriya,* un homme de guerre, combattre l'ennemi, lancer vers lui ses flèches, est un acte transcendantal, mais négliger ce devoir relève de la nature démoniaque. Arjuna n'a donc aucune raison de se lamenter. Tout homme qui observe les normes propres aux différents *varṇas* et *āśramas* se situe au-delà de la matière.

**16.6** द्वौ भूतसर्गौ लोकेऽस्मिन्दैव आसुर एव च ।
दैवो विस्तरशः प्रोक्त आसुरं पार्थ मे शृणु ॥ ६ ॥

*dvau bhūta-sargau loke 'smin, daiva āsura eva ca*
*daivo vistaraśaḥ prokta, āsuraṁ pārtha me śṛṇu*

*dvau :* deux ; *bhūta-sargau :* êtres créés ; *loke :* dans le monde ; *asmin :* ce ; *daivaḥ :* le divin ; *āsuraḥ :* le démoniaque ; *eva :* certes ; *ca :* et ; *daivaḥ :* le divin ; *vistaraśaḥ :* longuement ; *proktaḥ :* dit ; *āsuram :* le démoniaque ; *pārtha :* ô fils de Pṛthā ; *me :* de Moi ; *śṛṇu :* écoute seulement.

**On trouve en ce monde deux sortes d'êtres créés ; les uns sont divins, les autres, démoniaques. Comme Je t'ai précédemment longuement entretenu des attributs divins, entends maintenant de Ma bouche ce que sont les attributs démoniaques.**

Kṛṣṇa, ayant assuré à Arjuna qu'il est né avec les qualités divines, l'entretient à présent des êtres démoniaques. Les êtres conditionnés en ce monde sont classés en deux ordres. Les premiers, nés avec les qualités divines, se soumettent à certaines règles de vie ; en d'autres mots, ils suivent les préceptes des Écritures et les autorités en matière spirituelle. Chacun devrait, en effet, accomplir son devoir à la lumière d'écrits authentiques, c'est-à-dire dans un état d'esprit qu'on qualifie de divin.

Les seconds, ceux qui n'observent pas les principes régulateurs énoncés par les Écritures, qui agissent au gré de leur caprice, sont appelés *asuras,* ou démons. Nous voyons donc bien ici que le seul critère est l'obéissance aux principes régulateurs des Écritures. De fait, il est enseigné dans les Textes védiques que *devas* et *asuras* viennent tous de Prajāpati. Leur unique différence réside donc en ce que les uns se plient aux règles védiques, et les autres non.

**16.7** प्रवृत्तिं च निवृत्तिं च जना न विदुरासुराः ।
न शौचं नापि चाचारो न सत्यं तेषु विद्यते ॥ ७ ॥

*pravṛttiṁ ca nivṛttiṁ ca, janā na vidur āsurāḥ*
*na śaucaṁ nāpi cācāro, na satyaṁ teṣu vidyate*

*pravṛttim :* agir comme il convient ; *ca :* aussi ; *nivṛttim :* ne pas agir incorrectement ; *ca :* et ; *janāḥ :* les personnes ; *na :* jamais ; *viduḥ :* ne savent ; *āsurāḥ :* de nature démoniaque ; *na :* jamais ; *śaucam :* la pureté ; *na :* ne pas ; *api :* aussi ; *ca :* et ; *ācāraḥ :* le comportement ; *na :* jamais ; *satyam :* la véracité ; *teṣu :* en eux ; *vidyate :* il y a.

**Les êtres démoniaques ignorent ce qu'il convient de faire ou de ne pas faire. On ne trouve chez eux ni pureté, ni juste conduite, ni véracité.**

Il y a toujours, au fondement d'une société humaine civilisée, un certain nombre de règles scripturaires à suivre. Chez les *āryans,* ceux qui adoptent la culture védique - laquelle est reconnue comme la civilisation la plus avancée - on considère démoniaques ceux qui ne suivent pas les règles des Écritures. Aussi ce verset dit-il que la nature démoniaque est le propre de ceux qui ignorent les règles scripturaires ou répugnent à les suivre. Ils ne possèdent donc, pour la plupart, aucune connaissance de ces principes, et les rares qui les connaissent n'ont pas la moindre envie de les observer. Ils sont dénués de foi et refusent d'agir conformément aux règles védiques.

Cette catégorie d'hommes ignore tout de la pureté, qu'elle soit interne ou externe. On doit toujours veiller attentivement à garder le corps propre, se baigner, se brosser les dents, se raser, changer de vêtements, etc. Et l'on obtient la pureté interne lorsqu'on se souvient constamment des saints noms de Dieu, lorsque l'on chante le *mahā-mantra* : Hare Kṛṣṇa Hare Kṛṣṇa Kṛṣṇa Kṛṣṇa Hare Hare/Hare Rāma Hare Rāma Rāma Rāma Hare Hare. Les hommes démoniaques n'aiment ni ne suivent ces principes de pureté interne et externe.

Les règles de conduite abondent dans les Écritures, notamment dans la *Manu-saṁhitā,* le livre des lois destinées aux hommes que suivent aujourd'hui encore les hindous. Les lois qui régissent l'héritage des biens par exemple, comme beaucoup d'autres encore, ont toutes ce livre pour origine. Il recommande, entre autres, que les femmes ne soient pas livrées à elles-mêmes, car elles sont comme des enfants. Ce qui ne veut pas dire qu'elles doivent être traitées comme des esclaves. Ce n'est pas parce qu'on restreint la liberté d'un enfant qu'on le considère comme un esclave. Les êtres démoniaques ont maintenant délaissé ces règles et croient que la femme peut être tout aussi libre que l'homme. On peut pourtant aisément se rendre compte aujourd'hui que leurs tentatives n'ont en rien amélioré la condition humaine. En vérité, la femme doit être protégée à chaque étape de sa vie : par son père durant l'enfance, par son mari dans la jeunesse et l'âge mûr, et par ses fils dans ses vieux jours. Telle est, selon la *Manu-saṁhitā,* la juste conduite sociale. Mais l'éducation actuelle a créé un concept artificiel et présomptueux du statut féminin. C'est d'ailleurs pour cela que dans notre société, le mariage n'est pratiquement plus qu'une chimère. Et on ne peut pas dire non plus que la condition sociale de la femme y soit excellente. Les hommes démoniaques refusent donc toute instruction qui serait bénéfique pour la société. Parce qu'ils ne profitent pas de l'expérience des grands sages, ni ne suivent les règles qu'ils ont prescrites, leur condition d'existence est particulièrement misérable.

**16.8** असत्यमप्रतिष्ठं ते जगदाहुरनीश्वरम् ।
अपरस्परसम्भूतं किमन्यत्कामहैतुकम् ॥ ८ ॥

*asatyam apratiṣṭhaṁ te, jagad āhur anīśvaram*
*aparaspara-sambhūtaṁ, kim anyat kāma-haitukam*

*asatyam :* irréel; *apratiṣṭham :* sans fondement; *te :* ils; *jagat :* la manifestation cosmique; *āhuḥ :* disent; *anīśvaram :* sans maître; *aparaspara :* sans cause; *sambhūtam :* se produisit; *kim anyat :* il n'y a pas d'autre cause; *kāma-haitukam :* due à la concupiscence seulement.

**Ils prétendent que ce monde est irréel, sans fondement, qu'aucun Dieu ne le dirige, qu'il ne résulte que du désir sexuel et n'a d'autre cause que la concupiscence.**

Les hommes démoniaques en viennent à conclure que ce monde n'est que fantasmagorie. Il n'a, pour eux, ni cause et effet, ni maître, ni but : tout y est irréel. Ils affirment que la manifestation cosmique procède de l'interaction de phénomènes naturels régie par le hasard. Jamais ils n'envisagent que le monde ait pu être créé à dessein par Dieu. Ils ont leur propre théorie : le monde s'est créé de lui-même, et il n'y a aucune raison de croire qu'un Dieu en soit l'origine. Il n'y a, pour eux, aucune différence entre la matière et l'esprit, et ils rejettent le concept d'une Âme Suprême. Tout ne serait que matière, et l'univers dans son ensemble qu'un amas d'ignorance. Il n'y aurait que le vide. Toute manifestation, ainsi que toute diversité, n'existeraient que parce que notre perception repose sur l'ignorance, tout comme il nous arrive en rêve de créer mille formes illusoires qui n'ont, en fait, pas d'existence réelle puisqu'au réveil, nous réalisons que ce n'était qu'un rêve.

Ils prétendent donc que la vie est un songe, mais n'en sont pas moins versés dans l'art de jouir de ce songe. Ainsi, au lieu d'acquérir le savoir, ils s'enferment de plus en plus dans leur monde de rêves. Et ils affirment qu'à l'instar d'un enfant qui naît d'un simple rapport sexuel, ce monde est né sans aucune âme. Pour eux, les êtres vivants sont simplement issus d'une combinaison d'éléments matériels, et il ne saurait être question de l'existence d'une âme. De même que de nombreuses créatures semblent naître, sans cause aucune, de la transpiration, ou de la putréfaction d'un corps, tout ce qui vit est issu des diverses combinaisons des éléments de la manifestation cosmique. La nature matérielle en serait par conséquent la cause unique. Ils n'ont aucune foi dans les paroles de Kṛṣṇa, qui explique pourtant dans la *Bhagavad-gītā* : *mayādhyakṣeṇa prakṛtiḥ sūyate sa-carācaram* – « L'univers matériel tout entier se meut sous Ma direction ».

En fait, ces hommes démoniaques sont dépourvus de la connaissance parfaite de la création du monde. Chacun d'eux possède sa propre théorie sur la question. À leurs yeux, toutes les interprétations scripturaires se valent, puisqu'ils ne croient pas qu'il existe une norme pour la compréhension des enseignements donnés par les Écritures.

**16.9** एतां दृष्टिमवष्टभ्य नष्टात्मानोऽल्पबुद्धयः ।
प्रभवन्त्युग्रकर्माणः क्षयाय जगतोऽहिताः ॥ ९ ॥

*etāṁ dṛṣṭim avaṣṭabhya, naṣṭātmāno 'lpa-buddhayaḥ*
*prabhavanty ugra-karmāṇaḥ, kṣayāya jagato 'hitāḥ*

*etām :* cette ; *dṛṣṭim :* vision ; *avaṣṭabhya :* acceptant ; *naṣṭa :* s'étant perdus ; *ātmānaḥ :* eux-mêmes ; *alpa-buddhayaḥ :* les moins intelligents ; *prabhavanti :* prospèrent ; *ugra-karmāṇaḥ :* occupés à des activités qui font souffrir ; *kṣayāya :* pour la destruction ; *jagataḥ :* du monde ; *ahitāḥ :* non bénéfiques.

**Forts de telles conclusions, les êtres démoniaques, égarés, dénués d'intelligence, se livrent à des œuvres nuisibles et infâmes qui finiront par détruire le monde.**

Les hommes démoniaques se livrent à des actes qui mèneront le monde à sa destruction. Le Seigneur explique dans ce verset qu'ils sont de peu d'intelligence. Les matérialistes qui n'ont aucune notion de Dieu s'imaginent, en effet, avancer sur la voie du progrès, mais en fait, la *Bhagavad-gītā* nous enseigne qu'ils sont privés de la véritable intelligence et de tout sens commun. Comme ils cherchent à jouir au maximum du monde, ils inventent toujours quelque chose de nouveau pour satisfaire leurs sens. Bien qu'on tienne de telles inventions comme la marque du progrès de la civilisation, elles n'ont en réalité pour seul effet qu'un rapide accroissement de la violence et de la cruauté, envers les animaux comme envers les hommes. Les êtres démoniaques ignorent totalement comment se comporter avec autrui. L'abattage des animaux est d'ailleurs un fait marquant chez eux.

Ce sont les ennemis du monde, car ils finiront par inventer ou créer l'instrument qui en causera la destruction. Indirectement, ce verset prévoit l'apparition des armes atomiques dont le monde entier tire aujourd'hui un si grand orgueil. À tout moment la guerre peut éclater, et ces armes engendrer le chaos. Ces inventions ne visent, comme l'indique notre verset, que la destruction du monde. Parce que l'impiété règne au sein de la société humaine, de telles armes voient le jour. Elles n'ont bien évidemment pas pour objet la paix et la prospérité mondiale.

**16.10** काममाश्रित्य दुष्पूरं दम्भमानमदान्विताः ।
मोहाद् गृहीत्वासद्ग्राहान् प्रवर्तन्तेऽशुचिव्रताः ॥१०॥

*kāmam āśritya duṣpūraṁ, dambha-māna-madānvitāḥ*
*mohād gṛhītvāsad-grāhān, pravartante 'śuci-vratāḥ*

*kāmam :* concupiscence ; *āśritya :* prenant refuge en ; *duṣpūram :* l'insatiable ; *dambha :* de l'orgueil ; *māna :* et de la vanité ; *mada-anvitāḥ :* plongés dans l'infatuation ; *mohāt :* par l'illusion ; *gṛhītvā :* prenant ; *asat :* impermanentes ; *grāhān :* les choses ; *pravartante :* ils prospèrent ; *aśuci :* à ce qui est malsain ; *vratāḥ :* voués.

**Prenant refuge dans l'insatiable concupiscence, pleins d'orgueil et de vanité, les êtres démoniaques sont la proie de l'illusion. Fascinés par l'impermanent, ils s'adonnent invariablement à des actes malsains.**

Ce verset décrit l'état d'esprit des êtres démoniaques. Jamais leur convoitise ne connaît d'apaisement. Au contraire, ils multiplient sans fin leurs désirs insatiables de jouissance matérielle. Bien qu'ils n'en retirent qu'une perpétuelle angoisse ils n'ont de cesse, sous l'emprise de l'illusion, de rechercher les choses temporaires. Privés de connaissance, ils n'ont pas même conscience d'aller dans la mauvaise direction. Ils ne s'absorbent que dans ce qui est impermanent, et en conséquence, créent leur propre Dieu, et composent leurs propres hymnes qu'ils chantent à sa louange. Ainsi, deux choses les fascinent toujours plus : le plaisir sexuel et l'accumulation des richesses matérielles.

Les mots *aśuci-vratāḥ* (vœux malsains) méritent qu'on s'y attarde. Car ces hommes démoniaques n'éprouvent d'attrait que pour le vin, les femmes, le jeu et la consommation de chair animale. Telles sont leurs habitudes malsaines (*aśucis*). Parce qu'ils sont orgueilleux et prétentieux, ils fabriquent de toutes pièces des principes religieux que n'approuvent en rien les Écrits védiques. Bien qu'ils soient abominables, la société les pare artificiellement d'une renommée trompeuse. Et bien qu'ils glissent tous vers l'enfer, ils se considèrent très avancés.

**16.11–12** चिन्तामपरिमेयां च प्रलयान्तामुपाश्रिताः ।
कामोपभोगपरमा एतावदिति निश्चिताः ॥११॥

आशापाशशतैर्बद्धाः कामक्रोधपरायणाः ।
ईहन्ते कामभोगार्थमन्यायेनार्थसञ्चयान् ॥१२॥

*cintām aparimeyāṁ ca, pralayāntām upāśritāḥ*
*kāmopabhoga-paramā, etāvad iti niścitāḥ*

*āśā-pāśa-śatair baddhāḥ, kāma-krodha-parāyaṇāḥ*
*īhante kāma-bhogārtham, anyāyenārtha-sañcayān*

*cintām :* des peurs et des angoisses ; *aparimeyām :* incommensurables ; *ca :* et ; *pralayāntām :* jusqu'au moment de la mort ; *upāśritāḥ :* ayant pris refuge en ; *kāma-upabhoga :* le plaisir des sens ; *paramāḥ :* le but le plus haut de l'existence ; *etāvat :* ainsi ; *iti :* de ceci ; *niścitāḥ :* ayant acquis la certitude ; *āśā-pāśa :* de chaînes dans les rets de l'espoir ; *śataiḥ :* par des centaines ; *baddhāḥ :* étant liés ; *kāma :* de la concupiscence ; *krodha :* de la colère ; *parāyaṇāḥ :* toujours situés dans la mentalité ; *īhante :* ils désirent ; *kāma :* la concupiscence ; *bhoga :* du plaisir des sens ; *artham :* dans le but ; *anyāyena :* illégalement ; *artha :* de la fortune ; *sañcayān :* l'accumulation.

**Ils croient que combler ses sens est un impératif majeur pour l'homme. Aussi sont-ils, leur vie durant, plongés dans d'incommensurables angoisses. Captifs de milliers de désirs qui s'enchevêtrent, s'absorbant dans des pensées de concupiscence et de colère, ils s'enrichissent illégalement pour satisfaire leurs sens.**

Le plaisir des sens est pour l'être démoniaque le but ultime de la vie, et il s'accroche à cette idée jusqu'à la mort. Il ne croit ni en la vie après la mort, ni en le fait que l'âme doive revêtir différents genres de corps déterminés par son karma – ses actions en ce monde. Ses projets pour l'avenir, qu'il élabore jour après jour sans se lasser, n'aboutissent jamais. Nous avons nous-même connu un tel homme qui, à l'instant même de mourir, demanda à son médecin de prolonger sa vie de quatre années pour qu'il puisse achever la réalisation de ses projets. Cet insensé ignorait, comme ses semblables, qu'un médecin n'a pas le pouvoir de prolonger la vie, fût-ce d'un seul instant. Quand vient l'heure de la mort, nos désirs n'entrent pas en considération. Les lois de la nature ne nous accordent pas une seconde de plus que le temps qui nous était initialement imparti.

L'homme démoniaque, qui ne croit pas en Dieu, ou en l'Âme Suprême qui vit en lui, s'adonne à toutes sortes d'actes répréhensibles dans le seul but de jouir de ses sens. Il ne sait pas que dans son cœur Se trouve un témoin : l'Âme Suprême, qui l'observe dans tous ses actes. Comme l'enseignent les *Upaniṣads,* deux oiseaux sont perchés sur un arbre : pendant que l'un, actif, jouit ou souffre des fruits de l'arbre, l'autre l'observe. Mais comme l'être de nature démoniaque n'a aucune connaissance des Écrits védiques et n'a aucune foi, il se sent libre d'agir à sa guise pour satisfaire ses sens, quelles qu'en soient les conséquences.

**16.13–15** इदमद्य मया लब्धमिमं प्राप्स्ये मनोरथम् ।
इदमस्तीदमपि मे भविष्यति पुनर्धनम् ॥१३॥

असौ मया हतः शत्रुर्हनिष्ये चापरानपि ।
ईश्वरोऽहमहं भोगी सिद्धोऽहं बलवान् सुखी ॥१४॥

आढ्योऽभिजनवानस्मि कोऽन्योऽस्ति सदृशो मया ।
यक्ष्ये दास्यामि मोदिष्य इत्यज्ञानविमोहिताः ॥१५॥

*idam adya mayā labdham*
*imaṁ prāpsye manoratham*
*idam astīdam api me*
*bhaviṣyati punar dhanam*

*asau mayā hataḥ śatrur*
*haniṣye cāparān api*
*īśvaro 'ham ahaṁ bhogī*
*siddho 'haṁ balavān sukhī*

*āḍhyo 'bhijanavān asmi*
*ko 'nyo 'sti sadṛśo mayā*
*yakṣye dāsyāmi modiṣya*
*ity ajñāna-vimohitāḥ*

*idam :* ceci ; *adya :* aujourd'hui ; *mayā :* par moi ; *labdham :* gagné ; *imam :* cela ; *prāpsye :* je gagnerai ; *manoratham :* selon mes désirs ; *idam :* ceci ; *asti :* il y a ; *idam :* ceci ; *api :* aussi ; *me :* ma ; *bhaviṣyati :* s'accroîtra à l'avenir ; *punaḥ :* encore ; *dhanam :* fortune ; *asau :* cet ; *mayā :* par moi ; *hataḥ :* a été tué ; *śatruḥ :* ennemi ; *haniṣye :* je tuerai ; *ca :* aussi ; *aparān :* les autres ; *api :* certes ; *īśvaraḥ :* le seigneur ; *aham :* je suis ; *aham :*

je suis ; *bhogī :* le bénéficiaire ; *siddhaḥ :* parfait ; *aham :* je suis ; *balavān :* puissant ; *sukhī :* heureux ; *ādhyaḥ :* riche ; *abhijanavān :* entouré de hautes relations ; *asmi :* je suis ; *kaḥ :* qui ; *anyaḥ :* d'autre ; *asti :* il y a ; *sadṛśaḥ :* comme ; *mayā :* moi ; *yakṣye :* je sacrifierai ; *dāsyāmi :* je ferai la charité ; *modiṣye :* je me réjouirai ; *iti :* ainsi ; *ajñāna :* par l'ignorance ; *vimohitāḥ :* illusionné.

**L'être démoniaque pense : « Je suis très riche et grâce à mes intrigues, je le serai de plus en plus. Même si je possède déjà beaucoup, ma fortune s'accroîtra encore à l'avenir. J'ai tué cet homme parce qu'il était mon ennemi et je tuerai quiconque s'opposera à moi. De tout je suis le seigneur et le bénéficiaire. Je suis parfait, puissant, heureux ; je suis le plus riche, entouré de hautes relations. Nul n'est plus puissant ou plus heureux que moi. Je ferai des aumônes et des sacrifices afin de pouvoir me réjouir. » Ainsi le fourvoie l'ignorance.**

**16.16** अनेकचित्तविभ्रान्ता मोहजालसमावृताः ।
प्रसक्ताः कामभोगेषु पतन्ति नरकेऽशुचौ ॥१६॥

*aneka-citta-vibhrāntā, moha-jāla-samāvṛtāḥ*
*prasaktāḥ kāma-bhogeṣu, patanti narake 'śucau*

*aneka :* nombreuses ; *citta :* par les angoisses ; *vibhrāntāḥ :* plongés dans la perplexité ; *moha :* d'illusions ; *jāla :* par un filet ; *samāvṛtāḥ :* entourés ; *prasaktāḥ :* attachés ; *kāma-bhogeṣu :* au plaisir des sens ; *patanti :* ils sombrent ; *narake :* dans l'enfer ; *aśucau :* impurs.

**Déconcerté par les multiples angoisses qui l'assaillent et pris dans un filet d'illusions, il s'attache par trop au plaisir des sens et sombre en enfer.**

L'homme démoniaque désire toujours plus s'enrichir. Il ne pense qu'à ses richesses et cherche sans fin à les faire fructifier. Dans ce but, il n'hésite pas à agir de façon coupable et à se livrer au marché noir pour en retirer des bénéfices illégaux. Il s'attache passionnément aux biens qu'il possède déjà – famille, terre, demeure, compte en banque – et projette sans cesse de les faire croître en nombre ou en valeur. Il n'a foi qu'en son propre pouvoir, et ignore que tous ses biens sont le fruit d'actes vertueux accomplis par le passé. Il ne conçoit nullement les causes lointaines qui lui permettent aujourd'hui d'accumuler tant de biens, et croit qu'ils résultent de ses propres efforts. Ainsi, l'homme démoniaque croit en la force de son œuvre personnelle, mais non en la loi du karma. Or, d'après cette loi, on ne naît dans une famille noble, on ne devient riche, on ne reçoit une bonne éducation, ou on ne jouit d'une grande beauté, qu'en raison d'actes vertueux accomplis par le passé. Mais l'homme démoniaque croit que tout cela n'est dû qu'au hasard ou à ses propres efforts. Il ne peut concevoir qu'une intelligence est à l'origine de toutes ces variétés de peuples, de beauté et d'éducation. Quiconque entre en compétition avec lui devient son ennemi. Et comme ces êtres démoniaques sont nombreux, chacun est un ennemi pour l'autre. Cette hostilité prend inévitablement de l'ampleur : elle s'établit d'abord entre personnes, puis entre familles, entre sociétés, et enfin entre nations. Aussi le monde est-il tout entier le théâtre de conflits perpétuels, de guerres et d'hostilités.

Chacun d'eux croit pouvoir vivre au préjudice des autres. En général, comme tous se prennent pour Dieu, l'Être Suprême, l'on entend des prédicateurs diaboliques haranguer ainsi leurs disciples : « Pourquoi cherchez-vous Dieu partout ? Vous êtes tous Dieu ! Agissez à votre guise. Ne croyez pas en Dieu. Débarrassez-vous de Lui. Dieu est mort. » Telles sont les formes démoniaques de prédication.

Bien que l'être démoniaque soit confronté à nombre d'hommes tout aussi riches, ou influents que lui, sinon plus, il n'en continue pas moins de croire que nul ne l'égale en richesse ou en prestige. Il ne croit pas d'autre part qu'il faille accomplir des *yajñas,* des sacrifices, pour accéder aux systèmes planétaires supérieurs. Il pense que sa propre méthode de *yajña,* concoctée de toutes pièces, ou l'engin mécanique qu'il va construire, lui permettront d'accéder à ces planètes. Rāvaṇa en fut le meilleur exemple. Il promit en effet à son peuple d'ériger un escalier gigantesque qui permettrait à tous d'atteindre les planètes édéniques sans avoir à accomplir les sacrifices que prescrivent les Védas. On peut voir aujourd'hui que les hommes de nature démoniaque font preuve d'un comportement identique lorsqu'ils se proposent d'atteindre les systèmes planétaires supérieurs par des voies mécaniques. Voilà qui illustre bien la confusion, l'égarement dans lequel ils se trouvent. Même s'ils ne s'en rendent pas compte, ils glissent vers les régions infernales.

Les mots *moha-jāla* sont particulièrement chargés de sens. *Jāla* signifie en effet « filet ». Comme des poissons pris dans un filet, ils n'ont aucun moyen de s'échapper.

**16.17** आत्मसम्भाविताः स्तब्धा धनमानमदान्विताः ।
यजन्ते नामयज्ञैस्ते दम्भेनाविधिपूर्वकम् ॥१७॥

*ātma-sambhāvitāḥ stabdhā, dhana-māna-madānvitāḥ*
*yajante nāma-yajñais te, dambhenāvidhi-pūrvakam*

*ātma-sambhāvitāḥ :* imbus d'eux-mêmes ; *stabdhāḥ :* impudents ; *dhana-māna :* de la richesse et de la prétention ; *mada :* dans l'illusion ; *anvitāḥ :* absorbés ; *yajante :* ils accomplissent des sacrifices ; *nāma :* de nom seulement ; *yajñaiḥ :* avec les sacrifices ; *te :* ils ; *dambhena :* par orgueil ; *avidhi-pūrvakam :* sans suivre aucune règle.

**Imbus d'eux-mêmes, toujours impudents, égarés par la richesse et la prétention, ils accomplissent parfois des sacrifices dont ils s'enorgueillissent. Mais comme ils ne suivent ni principe ni règle, ceux-ci n'ont de sacrifice que le nom.**

Les hommes démoniaques accomplissent parfois quelque pseudo-rite religieux ou sacrificiel. Ils pensent qu'ils sont le centre de tout et ne se soucient nullement des autorités en la matière ou des Écritures. Et c'est parce qu'ils rejettent toute autorité qu'on les dit impudents. Telle est l'illusion qu'engendrent l'accumulation des richesses et la prétention.

Ils jouent parfois le rôle de prédicateurs et égarent les foules, qui les prennent pour des réformateurs religieux ou des incarnations divines. Ils font des sacrifices par ostentation, rendent un culte aux *devas,* ou fabriquent leur propre Dieu. Les masses les proclament Dieu et les adorent, et les sots les tiennent pour avancés dans les principes religieux et le savoir spirituel. Ils endossent l'habit de l'ordre du renoncement pour se livrer à toutes sortes d'inepties. Ils ne tiennent pas compte des restrictions auxquelles se soumet le véritable *sannyāsī,* celui qui a renoncé au monde. Ils croient que chacun peut inventer sa propre voie puisqu'il n'existe pas, selon eux, de voie établie. Dans ce verset, les mots *avidhi-pūrvakam* soulignent tout particulièrement le fait que ces hommes rejettent toute règle et toute discipline. Un tel comportement relève toujours de l'ignorance et de l'illusion.

**16.18** अहङ्कारं बलं दर्पं कामं क्रोधं च संश्रिताः ।
मामात्मपरदेहेषु प्रद्विषन्तोऽभ्यसूयकाः ॥१८॥

*ahaṅkāraṁ balaṁ darpaṁ*
*kāmaṁ krodhaṁ ca saṁśritāḥ*
*māṁ ātma-para-deheṣu*
*pradviṣanto 'bhyasūyakāḥ*

*ahaṅkāram :* le faux ego ; *balam :* la puissance ; *darpam :* l'orgueil ; *kāmam :* la concupiscence ; *krodham :* la colère ; *ca :* aussi ; *saṁśritāḥ :* ayant pris refuge en ; *mām :* Moi ; *ātma :* leur propre ; *para :* et en d'autres ; *deheṣu :* corps ; *pradviṣantaḥ :* blasphémant ; *abhyasūyakāḥ :* envieux.

**Égarés par le faux ego, la puissance, l'orgueil, la concupiscence et la colère, les démons blasphèment la vraie religion et M'envient, Moi la Personne Suprême, qui réside dans leurs corps et dans celui des autres.**

Parce qu'il est toujours hostile à la suprématie de Dieu, l'homme démoniaque répugne à croire en les Écritures. Il est envieux des Écritures et de Dieu, la Personne Suprême. Tel est le résultat de son soi-disant prestige, de sa richesse et de sa puissance. Il ignore que sa vie présente conditionne sa vie prochaine. Du reste, il est malveillant envers lui-même autant qu'envers les autres. C'est pourquoi il violente son propre corps, aussi bien que celui d'autrui. Dénué de savoir, il n'a que faire du contrôle souverain de la Personne Suprême. Et comme il est envieux, il avance des arguments non fondés pour nier toute existence divine et rejeter l'autorité scripturaire. Dans chacun de ses actes, il se croit indépendant et tout-puissant. Il s'imagine que puisque nul ne l'égale en force, en pouvoir ou en richesse, il peut agir à sa guise sans qu'on puisse l'en empêcher. Et s'il rencontre un ennemi qui risque d'entraver sa quête du plaisir des sens, il élabore toutes sortes de plans pour s'en défaire.

**16.19** तानहं द्विषतः क्रूरान् संसारेषु नराधमान् ।
क्षिपाम्यजस्रमशुभानासुरीष्वेव योनिषु ॥१९॥

*tān ahaṁ dviṣataḥ krūrān, saṁsāreṣu narādhamān*
*kṣipāmy ajasram aśubhān, āsurīṣv eva yoniṣu*

*tān :* ces ; *aham :* Je ; *dviṣataḥ :* envieux ; *krūrān :* malfaisants ; *saṁsāreṣu :* dans l'océan de l'existence matérielle ; *narādhamān :* les plus bas des hommes ; *kṣipāmi :* Je mets ; *ajasram :* pour toujours ; *aśubhān :* de mauvais augure ; *āsuriṣu :* démoniaques ; *eva :* certes ; *yoniṣu :* dans les matrices.

**Les envieux et malfaisants, les derniers des hommes, Je les plonge indéfiniment dans l'océan de l'existence matérielle, dans diverses formes de vie démoniaque.**

Ce verset indique clairement que placer telle ou telle âme distincte dans tel ou tel corps de matière est la prérogative du Suprême. L'être démoniaque peut ne pas reconnaître la suprématie du Seigneur et agir au gré de son caprice, il n'empêche que les circonstances de sa vie prochaine dépendront du Seigneur, et non de lui. Le *Śrīmad-Bhāgavatam,* dans le troisième Chant, explique qu'après la mort du corps, l'âme est placée dans la matrice d'une mère où, sous la direction d'une puissance supérieure, elle revêt un corps particulier. Ainsi y a-t-il, dans l'existence matérielle, d'innombrables formes de vie - bêtes, insectes, humains, etc. - qui toutes ont été conçues et ordonnées par cette puissance supérieure et non par le hasard. Quant aux êtres démoniaques, il est clairement expliqué ici qu'ils renaissent indéfiniment du sein d'*asuras*. Ils conservent donc leur nature envieuse et restent les derniers des hommes. Ils sont toujours concupiscents, violents, haineux et malpropres. On en trouve un exemple chez les chasseurs incultes vivant dans la jungle.

**16.20** आसुरीं योनिमापन्ना मूढा जन्मनि जन्मनि ।
मामप्राप्यैव कौन्तेय ततो यान्त्यधमां गतिम् ॥२०॥

*āsurīṁ yonim āpannā, mūḍhā janmani janmani*
*mām aprāpyaiva kaunteya, tato yānty adhamāṁ gatim*

*āsurīm :* démoniaques ; *yonim :* les espèces ; *āpannāḥ :* gagnant ; *mūḍhāḥ :* les sots ; *janmani janmani :* naissance après naissance ; *mām :* Moi ; *aprāpya :* sans atteindre ; *eva :* certes ; *kaunteya :* ô fils de Kuntī ; *tataḥ :* ensuite ; *yānti :* vont ; *adhamām :* condamnée ; *gatim :* destination.

**Ayant à renaître vie après vie au sein d'espèces démoniaques, jamais ils ne peuvent M'approcher, ô fils de Kuntī. Ils sombrent peu à peu dans les conditions d'existence les plus abominables.**

Chacun sait que Dieu est infiniment miséricordieux. Toutefois, nous apprenons ici qu'Il n'accorde jamais Sa miséricorde aux êtres démoniaques. Ce verset, en effet, nous l'indique clairement : vie après vie, ils doivent renaître du sein d'êtres tout aussi démoniaques. Privés de la miséricorde du Seigneur, ils sombrent toujours plus bas et finissent par revêtir des corps de chien, de chat ou de porc. Ils n'ont pratiquement aucune chance de recevoir la miséricorde de Dieu. Du reste, les Védas indiquent eux aussi que de tels êtres se dégradent peu à peu jusqu'à devenir des chiens et des porcs. Certains objecteront qu'on ne peut pas dire que Dieu est infiniment miséricordieux envers tous s'Il refuse Sa grâce aux êtres démoniaques. Le *Vedānta-sūtra* répond en expliquant que le Seigneur n'a de haine pour personne. Plonger les *asuras* dans les formes de vie les plus basses n'est en fait qu'un autre aspect de Sa miséricorde. Il arrive parfois qu'ils soient tués par le Seigneur, et un tel acte leur est bénéfique car, comme l'enseignent les Textes védiques, quiconque est mis à mort par le Seigneur obtient la libération. L'histoire nous offre de nombreux exemples d'*asuras* qui virent le Seigneur Se manifester devant eux sous diverses formes pour les anéantir. Ainsi de Rāvaṇa, Kaṁsa, Hiraṇyakaśipu. Les *asuras* bénéficient donc également de la miséricorde de Dieu quand ils ont la chance d'être tués par Lui.

**16.21** त्रिविधं नरकस्येदं द्वारं नाशनमात्मनः ।
कामः क्रोधस्तथा लोभस्तस्मादेतत्त्रयं त्यजेत् ॥२१॥

*tri-vidhaṁ narakasyedaṁ, dvāraṁ nāśanam ātmanaḥ*
*kāmaḥ krodhas tathā lobhas, tasmād etat trayaṁ tyajet*

*tri-vidham :* trois sortes de ; *narakasya :* enfer ; *idam :* cet ; *dvāram :* portes ; *nāśanam :* détruisant ; *ātmanaḥ :* le soi ; *kāmaḥ :* la concupiscence ; *krodhaḥ :* la colère ; *tathā :* ainsi que ; *lobhaḥ :* l'avidité ; *tasmāt :* donc ; *etat :* ces ; *trayam :* trois ; *tyajet :* on doit abandonner.

**Trois portes donnent sur cet enfer : la concupiscence, la colère et la cupidité. Que tout homme sain d'esprit les évite, car elles conduisent l'âme à sa perte.**

Ce verset décrit ce qui est à l'origine de la vie démoniaque. L'homme cherche à satisfaire sa concupiscence, et quand il n'y parvient pas, il tombe sous l'empire de la colère et de la cupidité. C'est pourquoi l'homme sain, qui ne veut pas choir dans les espèces démoniaques, doit essayer de se défaire de ces trois ennemis, qui étouffent l'âme au point de lui ôter toute chance de s'affranchir des rets de l'existence matérielle.

**16.22** एतैर्विमुक्तः कौन्तेय तमोद्वारैस्त्रिभिर्नरः ।
आचरत्यात्मनः श्रेयस्ततो याति परां गतिम् ॥२२॥

*etair vimuktaḥ kaunteya, tamo-dvārais tribhir naraḥ*
*ācaraty ātmanaḥ śreyas, tato yāti parāṁ gatim*

*etaiḥ :* de ces ; *vimuktaḥ :* étant libéré ; *kaunteya :* ô fils de Kuntī ; *tamaḥ-dvāraiḥ :* portes de l'ignorance ; *tribhiḥ :* trois sortes de ; *naraḥ :* un homme ; *ācarati :* accomplit ; *ātmanaḥ :* pour le soi ; *śreyaḥ :* bénédiction ; *tataḥ :* par la suite ; *yāti :* il va ; *parām :* suprême ; *gatim :* à la destination.

**Ô fils de Kuntī, celui qui a su éviter ces trois portes de l'enfer accomplit des actes qui favorisent la réalisation spirituelle. Ainsi atteint-il peu à peu le but suprême.**

Il faut se protéger de ces ennemis que sont la concupiscence, la colère et la cupidité. Plus l'homme s'en affranchit, plus son existence devient pure, et il lui devient alors très facile d'observer les règles des Écritures védiques. Alors, parce qu'il suit les principes régulateurs, il s'élève graduellement au stade de la réalisation spirituelle. Et si, en observant ces principes, il a la bonne fortune de suivre la voie de la conscience de Kṛṣṇa, ses actes seront couronnés de succès.

Pour parvenir au stade de la purification, les Textes védiques recommandent d'emprunter les voies de l'action intéressée dont le fondement est de s'émanciper de la concupiscence, de la colère et de la cupidité. En suivant ce processus, on pourra s'élever au plus haut niveau de réalisation spirituelle : le service de dévotion. Et l'on sait que quiconque pratique le service de dévotion est assuré d'obtenir la libération. Voilà pourquoi le système védique partage la société en quatre classes sociales et quatre ordres spirituels. En chacun de ces *varṇas* et *āśramas* il existe certains principes, certaines règles. Qui les observe s'élève tout naturellement au plus haut niveau de réalisation spirituelle. Sa libération ne fait plus aucun doute.

**16.23** यः शास्त्रविधिमुत्सृज्य वर्तते कामकारतः ।
न स सिद्धिमवाप्नोति न सुखं न परां गतिम् ॥२३॥

*yaḥ śāstra-vidhim utsṛjya, vartate kāma-kārataḥ*
*na sa siddhim avāpnoti, na sukhaṁ na parāṁ gatim*

*yaḥ :* quiconque ; *śāstra-vidhim :* les règles données par les Écritures ; *utsṛjya :* abandonnant ; *vartate :* demeure ; *kāma-kārataḥ :* agissant selon sa fantaisie dans la concupiscence ; *na :* jamais ; *saḥ :* il ; *siddhim :* la perfection ; *avāpnoti :* n'atteint ; *na :* jamais ; *sukham :* le bonheur ; *na :* jamais ; *parām :* suprême ; *gatim :* le niveau de perfection.

**Celui qui rejette les injonctions scripturaires pour agir au gré de sa fantaisie n'atteint ni la perfection, ni le bonheur, ni le but suprême.**

Comme nous l'avons déjà vu, les instructions des *śāstras,* ou *śāstra-vidhis,* varient suivant le groupe social et l'ordre spirituel. Ces règlements doivent être suivis de tous. Celui qui ne les observe pas et agit au gré de sa fantaisie, poussé par la concupiscence, le désir et la cupidité, ne peut escompter atteindre un jour la perfection. Autrement dit, même si quelqu'un a une connaissance théorique de ces principes, s'il ne les applique pas dans sa propre vie, il est le dernier des hommes. Une fois qu'il a obtenu la forme humaine, l'être vivant est censé devenir sain d'esprit et suivre les principes qui lui sont donnés pour atteindre la plus haute élévation; mais qu'il les néglige et il déchoira. D'autre part, même s'il suit ces règlements et ces principes moraux mais ne parvient pas, en dernier lieu, à connaître le Seigneur Suprême, toute la connaissance qu'il aura pu acquérir aura été vaine. Et même s'il admet l'existence de Dieu, ses efforts seront inutiles s'il ne prend pas part au service dévotionnel du Seigneur. Il faut donc s'élever graduellement au niveau de la conscience de Kṛṣṇa, car c'est le seul moyen d'obtenir la plus haute perfection.

Arrêtons-nous sur les mots *kāma-kārataḥ.* Ils nous apprennent que c'est la concupiscence qui incite un homme à violer sciemment les règles. En effet, l'homme accomplit souvent des actes défendus en sachant pertinemment qu'il outrepasse ses droits. Ou alors, il n'agit pas comme il devrait le faire. Voilà ce qu'on entend par agir au gré de sa fantaisie. Ces hommes-là sont condamnés par le Seigneur Suprême. Ils ne peuvent prétendre à la perfection, à laquelle la forme humaine est pourtant destinée. La forme humaine est en effet spécifiquement conçue pour que l'être se purifie. Qui refuse d'en observer les règles ne peut ni se purifier, ni trouver le bonheur véritable.

**16.24**

तस्माच्छास्त्रं प्रमाणं ते कार्याकार्यव्यवस्थितौ ।
ज्ञात्वा शास्त्रविधानोक्तं कर्म कर्तुमिहार्हसि ॥२४॥

*tasmāc chāstraṁ pramāṇaṁ te*
*kāryākārya-vyavasthitau*
*jñātvā śāstra-vidhānoktaṁ*
*karma kartum ihārhasi*

*tasmāt :* donc; *śāstram :* des Écritures; *pramāṇam :* la preuve; *te :* ton; *kārya :* devoir; *akārya :* et les actions interdites; *vyavasthitau :* en déterminant; *jñātva :* sachant; *śāstra :* des Écritures; *vidhāna :* les règles; *uktam :* comme déclarés; *karma :* les actes; *kartum :* faire; *iha :* en ce monde; *arhasi :* tu devrais.

**L'homme doit être en mesure, à la lumière des principes énoncés dans les Écritures, de déterminer ce qui relève ou non de son devoir. Puis, ayant connaissance de ces règles, il doit agir de manière à s'élever graduellement.**

Comme l'enseignait le quinzième chapitre, toutes les réglementations des Védas ont pour but de nous faire connaître Kṛṣṇa. Celui qui, à la lumière de la *Bhagavad-gītā,* comprend la nature de Dieu et se fixe dans la conscience de Kṛṣṇa en s'engageant dans le service de dévotion, a atteint la plus haute perfection du savoir offert par les

Écritures védiques. Śrī Caitanya Mahāprabhu a rendu cette méthode particulièrement accessible. Il demandait à tous de simplement chanter Hare Kṛṣṇa Hare Kṛṣṇa Kṛṣṇa Kṛṣṇa Hare Hare/Hare Rāma Hare Rāma Rāma Rāma Hare Hare, de servir le Seigneur avec amour et dévotion et de se nourrir des reliefs sanctifiés de la nourriture offerte à la *mūrti.* On doit voir en celui qui s'engage dans ces activités dévotionnelles, quelqu'un qui a préalablement étudié tous les Textes védiques et compris leurs conclusions. Bien entendu, l'homme non conscient de Kṛṣṇa, qui ne prend pas part au service de dévotion, doit apprendre, sur la base des préceptes védiques, ce qu'il faut faire et ne pas faire. Il doit agir selon ces préceptes, sans discuter. Voilà ce que l'on entend par observer les principes des *śāstras,* des Écritures. On ne trouve dans les *śāstras* aucune des imperfections propres à l'âme conditionnée : avoir des sens imparfaits, être sujet à l'illusion, commettre des erreurs et être porté à tromper autrui. À cause de ces quatre imperfections, l'être conditionné ne peut créer lui-même ni règle ni discipline. Voilà pourquoi les principes des *śāstras,* qui transcendent ces imperfections, sont acceptés tels quels par tous les grands saints, *ācāryas* et *mahātmās.*

Généralement, en Inde, les écoles qui dispensent la connaissance spirituelle se divisent en deux groupes : les impersonnalistes et les personnalistes. Mais les unes comme les autres insistent pour que leurs étudiants règlent leur vie sur les principes des Védas. Car sans agir ainsi, il est impossible d'atteindre la perfection. C'est pour cette raison qu'on dit que celui qui saisit vraiment la teneur des *śāstras* est grandement fortuné.

Dans la société humaine, l'aversion qu'on éprouve à l'égard des principes qui permettent de connaître Dieu est la cause de toutes les chutes. Éprouver une telle aversion est en soi la pire des offenses que puisse commettre l'être humain. Par suite, *māyā,* l'énergie matérielle du Seigneur Suprême, impose sans cesse, sous la forme des trois sortes de souffrances, d'innombrables tourments aux âmes conditionnées. Cette énergie matérielle est constituée des trois *guṇas,* et l'on doit au moins s'élever jusqu'à la vertu avant de pouvoir emprunter la voie qui mène à la connaissance de Dieu. Sinon, on sera toujours gouverné par la passion et l'ignorance, qui sont au fondement de l'existence démoniaque. Les hommes que dominent ces deux *guṇas* dénigrent les Écritures, les saints hommes et la science exacte de Dieu, la Personne Suprême. Ils ne suivent pas les instructions du maître spirituel et ne se soucient pas des règles scripturaires.

Même s'ils entendent parler des gloires du service de dévotion, ils n'éprouvent à son endroit aucune attirance. Ils préfèrent suivre leur propre voie.

Tels sont donc certains des défauts de la société qui conduisent à un mode de vie démoniaque. Mais quiconque sera guidé par un maître spirituel authentique, un maître capable de le diriger sur la voie de l'élévation, verra sa vie couronnée de succès.

*Ainsi s'achèvent les teneurs et portées de Bhaktivedanta*
*sur le seizième chapitre de la* Śrīmad Bhagavad-gītā
*traitant des natures divine et démoniaque.*

DIX-SEPTIÈME CHAPITRE

# Les branches de la foi

**17.1** अर्जुन उवाच

ये शास्त्रविधिमुत्सृज्य यजन्ते श्रद्धयान्विताः ।
तेषां निष्ठा तु का कृष्ण सत्त्वमाहो रजस्तमः ॥ १ ॥

*arjuna uvāca*
*ye śāstra-vidhim utsṛjya, yajante śraddhayānvitāḥ*
*teṣāṁ niṣṭhā tu kā kṛṣṇa, sattvam āho rajas tamaḥ*

*arjunaḥ uvāca :* Arjuna dit ; *ye :* ceux qui ; *śāstra-vidhim :* les règles prescrites dans les Écritures ; *utsṛjya :* abandonnant ; *yajante :* vouent un culte ; *śraddhayā :* une foi totale ; *anvitāḥ :* emplis de ; *teṣām :* d'eux ; *niṣṭhā :* la foi ; *tu :* mais ; *kā :* qu'est-ce que ; *kṛṣṇa :* ô Kṛṣṇa ; *sattvam :* dans la vertu ; *āho :* ou bien ; *rajaḥ :* dans la passion ; *tamaḥ :* dans l'ignorance.

**Arjuna dit : Ô Kṛṣṇa, quelles sont les conditions d'existence de ceux qui ne suivent pas les principes des Écritures et se vouent à un culte de leur invention ? Sont-ils sous l'influence de la vertu, de la passion ou de l'ignorance ?**

Dans le quatrième chapitre, le trente-neuvième verset enseignait que l'homme qui se voue à un culte particulier se voit graduellement élevé au niveau de la connaissance, et atteint par là les sommets de la paix et de la prospérité. Dans le seizième chapitre, il était en outre expliqué que l'on doit considérer comme un *asura,* un démon, celui qui omet de suivre les principes établis par les Écritures et comme un *deva* celui qui les observe avec foi. Mais qu'en est-il de celui qui suit avec foi des principes dont les Écritures ne font pas mention ? Kṛṣṇa va dissiper ici le doute d'Arjuna. L'adoration de celui qui fait d'un être humain un dieu et place en lui sa foi relève-t-elle de la vertu, de la passion ou de l'ignorance ? Obtient-il la véritable connaissance et atteint-il ainsi la perfection de l'existence ? Connaîtra-t-il le succès quand il ne suit pas les principes des Écritures, mais a pourtant foi en quelque chose, *deva* ou homme, dont il fait l'objet de son culte ? Telles sont les questions qu'Arjuna pose à Kṛṣṇa.

**17.2** श्रीभगवानुवाच
त्रिविधा भवति श्रद्धा देहिनां सा स्वभावजा ।
सात्त्विकी राजसी चैव तामसी चेति तां शृणु ॥ २ ॥

*śrī-bhagavān uvāca*
*tri-vidhā bhavati śraddhā, dehināṁ sā svabhāva-jā*
*sāttvikī rājasī caiva, tāmasī ceti tāṁ śṛṇu*

*śrī-bhagavān uvāca :* Dieu, la Personne Suprême, dit ; *tri-vidhā :* de trois sortes ; *bhavati :* devient ; *śraddhā :* la foi ; *dehinām :* de l'être incarné ; *sā :* que ; *svabhāva-jā :* selon le *guṇa* qui l'influence ; *sāttvikī :* la vertu ; *rājasī :* la passion ; *ca :* aussi ; *eva :* certes ; *tāmasī :* l'ignorance ; *ca :* et ; *iti :* ainsi ; *tām :* cela ; *śṛṇu :* entends de Moi.

**Dieu, la Personne Suprême, répond : Selon qu'il est influencé par tel ou tel guṇa, on dit que la foi de l'être incarné relève de la vertu, de la passion ou de l'ignorance. Maintenant, prête une oreille attentive à ce que Je vais te dire.**

Les hommes qui, malgré la connaissance qu'ils en ont, cessent d'observer par paresse ou indolence les principes régulateurs donnés dans les Écritures sont sous l'emprise des modes d'influence de la nature matérielle. Selon leurs activités passées, empreintes de vertu, de passion ou d'ignorance, ils acquièrent une nature particulière. Dès le premier instant où il entre en contact avec la nature matérielle, l'être vivant ne cesse d'être confronté aux *guṇas* et il hérite, selon leur influence spécifique, d'une certaine mentalité. Il lui sera toutefois possible de la modifier s'il approche un maître spirituel authentique et vit selon ses préceptes et ceux des Écritures. Graduellement, il pourra passer de l'ignorance ou de la passion, à la vertu. Pour conclure, nous dirons qu'une foi aveugle, prise dans la sphère d'un *guṇa* particulier, ne peut être d'aucun recours pour qui veut atteindre la perfection de l'existence. Il faut considérer les choses avec attention, avec intelligence, en la présence d'un maître spirituel authentique. Ainsi seulement peut-on progresser vers un *guṇa* plus élevé.

**17.3** सत्त्वानुरूपा सर्वस्य श्रद्धा भवति भारत ।
श्रद्धामयोऽयं पुरुषो यो यच्छ्रद्धः स एव सः ॥ ३ ॥

*sattvānurūpā sarvasya, śraddhā bhavati bhārata*
*śraddhā-mayo 'yaṁ puruṣo, yo yac-chraddhaḥ sa eva saḥ*

*sattva-anurūpā :* selon l'existence ; *sarvasya :* de chacun ; *śraddhā :* la foi ; *bhavati :* devient ; *bhārata :* ô fils de Bharata ; *śraddhā :* foi ; *mayaḥ :* plein de ; *ayam :* cette ; *puruṣaḥ :* l'être ; *yaḥ :* qui ; *yat :* l'ayant ; *śraddhaḥ :* la foi ; *saḥ :* ainsi ; *eva :* certes ; *saḥ :* il.

**En fonction des guṇas qu'il a acquis et de l'influence qu'ils exercent sur son existence, l'être développe une foi particulière, ô fils de Bharata. D'eux dépend la nature de sa foi.**

Il n'est personne, peu importe sa condition, qui n'ait une forme particulière de foi. Mais, selon la nature que l'individu a acquis au contact des *guṇas,* cette foi est dite appartenir à la vertu, à la passion ou à l'ignorance. Ainsi, selon la nature de sa foi, il recherchera la compagnie de telles ou telles personnes. Cependant, le fait est que chaque être vivant, comme l'enseigne le quinzième chapitre, fait originellement partie intégrante du Seigneur Suprême, et se situe donc au-delà de l'influence des *guṇas*. Mais qu'il oublie sa relation avec Dieu et entre en contact avec la nature matérielle dans l'existence conditionnée, et l'être détermine alors ses propres conditions d'existence en fonction des divers aspects de cette nature. La foi et le mode d'existence qui résultent de ce conditionnement ne sont que matériels, artificiels. Bien que l'être conditionné perçoive la vie d'une certaine manière, qu'il en ait une conception matérielle, il est par nature *nirguṇa,* et se trouve donc au-delà de la matière. Aussi lui faut-il, s'il veut retrouver sa relation avec le Seigneur Suprême, se purifier de la souillure matérielle qui le recouvre. Et ce n'est qu'en empruntant la voie de la conscience de Kṛṣṇa qu'il pourra retrouver cette relation en toute quiétude. Qui a adopté la conscience de Kṛṣṇa s'élève sans nul doute à la plus haute perfection. Mais qui n'emprunte pas cette voie de réalisation spirituelle devra vivre sous l'emprise des trois *guṇas*.

Le mot *śraddhā,* ou foi, est ici particulièrement significatif. En effet, la *śraddhā* a pour origine le mode d'influence de la vertu. Qu'elle se place en un *deva,* en un dieu fictif ou en quelque création mentale, c'est la foi ferme qui engendre les actes vertueux. Sachons, cependant, que nulle œuvre accomplie dans le cadre de l'existence conditionnée, au sein de la nature matérielle, n'est tout à fait pure. Nul acte ne relève de la seule vertu. Les autres *guṇas* sont toujours présents. La pure vertu, en effet, transcende la nature matérielle, et celui qui s'y établit peut comprendre la vraie nature de Dieu, la Personne Suprême. Tant que la foi ne relève pas de cette vertu totalement pure, elle est souillée par les *guṇas,* qui étendent leur influence jusqu'au cœur. Aussi est-ce la façon dont le cœur entre en contact avec un *guṇa* particulier qui détermine l'aspect que revêt la foi. Comprenons que la foi d'un homme, dont le cœur est vertueux, procède de la vertu et que la foi de celui dont le cœur est passionné est sous le signe de la passion. Quant à celui dont le cœur est recouvert par les ténèbres de l'ignorance, de l'illusion, sa foi en subira la souillure.

On trouvera en ce monde différentes sortes de religions pour exprimer sa foi. Le véritable principe de la foi religieuse, cependant, se situe dans la vertu pure, et c'est seulement parce que les autres *guṇas* affectent le cœur des êtres qu'il existe toute une variété de religions. Différentes croyances engendrent différentes sortes de cultes.

**17.4** यजन्ते सात्त्विका देवान् यक्षरक्षांसि राजसाः ।
प्रेतान् भूतगणांश्चान्ये यजन्ते तामसा जनाः ॥ ४ ॥

*yajante sāttvikā devān, yakṣa-rakṣāṁsi rājasāḥ*
*pretān bhūta-gaṇāṁś cānye, yajante tāmasā janāḥ*

*yajante :* vouent un culte ; *sāttvikāḥ :* ceux qui sont sous l'influence de la vertu ; *devān :* aux *devas* ; *yakṣa-rakṣāṁsi :* aux démons ; *rājasāḥ :* ceux qui sont sous l'influence de la passion ; *pretān :* aux esprits des morts ; *bhūtagaṇān :* aux fantômes ; *ca anye :* et autres ; *yajante :* vouent un culte ; *tāmasāḥ :* dans l'ignorance ; *janāḥ :* les gens.

**Les hommes qu'inspire la vertu vouent un culte aux devas, ceux que gouverne la passion, aux démons, et ceux que domine l'ignorance, aux fantômes et autres esprits.**

Dans ce verset, Dieu, la Personne Suprême, décrit diverses sortes d'adorateurs, classés d'après leur comportement. Les Écritures enseignent que seul le Seigneur Suprême est digne d'adoration, mais les hommes qui n'ont pas une grande connaissance des préceptes scripturaires, ou qui n'ont pas foi en eux, vénèrent divers objets, selon qu'ils sont influencés par tel ou tel *guṇa.* Ceux qu'inspire la vertu rendent généralement un culte aux *devas,* c'est-à-dire à Brahmā, Śiva, et de nombreux autres, comme Indra, Candra ou Vivasvān, le *deva* du soleil. Leur culte à un *deva* particulier est conditionné par le but qu'ils se proposent d'atteindre. De même, ceux que gouverne la passion vénèrent les êtres démoniaques. Nous nous souvenons à ce propos, d'un homme à Calcutta durant la seconde guerre mondiale, qui rendait un culte à Hitler car, en provoquant la guerre, celui-ci lui avait permis d'amasser une immense fortune au marché noir. Comme lui, ceux que dominent la passion et l'ignorance déifient souvent un homme chargé de pouvoir. Ils croient que n'importe qui peut être adoré comme Dieu sans que les résultats obtenus changent.

Il est donc clair ici que les hommes gouvernés par la passion créent de tels dieux et leur vouent un culte, tandis que l'ignorance pousse les êtres qu'elle enveloppe de ses ténèbres à vénérer les esprits des morts. Il leur arrive parfois d'offrir un culte sur la tombe d'un mort. Les rites sexuels relèvent également du mode d'influence de l'ignorance. On voit aussi en Inde, en des villages reculés, des gens qui vénèrent les spectres. Nous avons nous-même constaté que des gens de très basse condition se rendent parfois dans la forêt pour offrir des sacrifices à un arbre dans lequel vit un fantôme.

On ne peut évidemment pas assimiler ces pratiques à celles qui ont pour seul objet l'adoration de Dieu, car ces dernières ne concernent que les êtres qui se sont fixés dans la pure vertu, loin de la sphère d'influence des *guṇas*. Le *Śrīmad-Bhāgavatam* (4.3.23) enseigne : *sattvaṁ viśuddhaṁ vasudeva-śabditam* – « Quand un homme est établi dans la pure vertu, il adore Vāsudeva. » Ou en d'autres mots, l'être qui n'est plus souillé par les *guṇas* et qui s'est élevé au niveau transcendantal peut vouer son adoration à Dieu, la Personne Suprême.

En principe, les impersonnalistes sont conduits par la vertu et rendent un culte à cinq *devas* différents. Dans l'univers matériel, ils adorent l'impersonnel sous la forme de Viṣṇu, le Viṣṇu « philosophé. » Viṣṇu est une émanation du Seigneur Suprême, mais comme les impersonnalistes refusent de croire en Dieu en tant que personne, ils s'imaginent que la forme de Viṣṇu ne constitue qu'un autre aspect du Brahman impersonnel. Ils pensent également que Brahmā représente, sous le rapport du mode d'influence de la passion, la forme de ce même Brahman impersonnel. Ils en viennent donc à dire que l'on peut adorer cinq sortes de dieux. Mais comme ils croient que le Brahman impersonnel est l'unique vérité, ils se défont, à la fin, de tout objet d'adoration.

Concluons en disant qu'on peut se soustraire aux différentes influences des *guṇas* par le simple fait d'entrer au contact de personnes qui les ont transcendées.

**17.5-6** अशास्त्रविहितं घोरं तप्यन्ते ये तपो जनाः ।
दम्भाहङ्कारसंयुक्ताः कामरागबलान्विताः ॥ ५ ॥
कर्षयन्तः शरीरस्थं भूतग्राममचेतसः ।
मां चैवान्तः शरीरस्थं तान् विद्ध्यासुरनिश्चयान् ॥ ६ ॥

*aśāstra-vihitaṁ ghoraṁ, tapyante ye tapo janāḥ*
*dambhāhaṅkāra-saṁyuktāḥ, kāma-rāga-balānvitāḥ*

*karṣayantaḥ śarīra-sthaṁ, bhūta-grāmam acetasaḥ*
*māṁ caivāntaḥ śarīra-sthaṁ, tān viddhy āsura-niścayān*

*aśāstra :* pas dans les Écritures ; *vihitam :* ordonnées ; *ghoram :* nuisibles aux autres ; *tapyante :* s'infligent ; *ye :* ceux qui ; *tapaḥ :* des austérités ; *janāḥ :* les personnes ; *dambha :* avec orgueil ; *ahaṅkāra :* et égoïsme ; *saṁyuktāḥ :* engagées ; *kāma :* de la concupiscence ; *rāga :* de l'attachement ; *bala :* par la force ; *anvitāḥ :* poussées ; *karṣayantaḥ :* tourmentant ; *śarīra-stham :* située dans le corps ; *bhūta-grāmam :* la combinaison d'éléments matériels ; *acetasaḥ :* ayant une mentalité fourvoyée ; *mām :* Moi ; *ca :* aussi ; *eva :* certes ; *antaḥ :* à l'intérieur ; *śarīra-stham :* situé dans le corps ; *tān :* eux ; *viddhi :* comprends ; *āsura-niścayān :* des êtres démoniaques.

**Les insensés qui sont tout entiers gouvernés par la concupiscence et l'attachement, qui, par orgueil et égoïsme, s'imposent de sévères austérités et pénitences non conformes aux Écritures, perturbent l'agencement des éléments matériels du corps et Me tourmentent aussi, Moi, l'Âme Suprême sise en eux. Ils sont tenus pour démoniaques.**

Certains hommes s'inventent leurs propres modes d'austérité et de pénitence, dont les Écritures ne font pas mention : ils vont par exemple jeûner afin d'obtenir des résultats matériels, politiques ou autres. Mais les Écritures recommandent le jeûne qui sert l'avancement spirituel et non celui qui vise un but politique ou social. La *Bhagavad-gītā* est formelle : les hommes qui se livrent à de telles austérités sont démoniaques. Leurs actes s'opposent aux préceptes scripturaires et d'une manière générale n'apportent rien à l'humanité. Ils sont en fait motivés par l'orgueil, le faux ego, la concupiscence et l'attachement aux plaisirs matériels. Ces actes perturbent non seulement la combinaison des éléments matériels du corps, mais aussi le Seigneur Suprême qui y vit en personne. Ces austérités et ces jeûnes non autorisés, accomplis à des fins politiques, sont une grande source de gêne pour autrui. Une fois encore, ils ne sont en aucun cas mentionnés dans les Textes védiques. L'homme démoniaque croira peut-être que ces méthodes forceront son ennemi ou les partis adverses à se rendre à ses désirs, mais elles pourront également parfois le conduire à la mort. Ces pratiques ne sont pas approuvées par Dieu, qui enseigne au contraire que ceux qui s'y livrent sont démoniaques. Elles sont une insulte au Seigneur parce qu'elles vont à l'encontre des lois énoncées dans les Textes védiques.

Relevons à ce propos le mot *acetasaḥ.* Si les hommes dont le mental est sain ont pour devoir d'obéir aux règles des Écritures, les autres négligent les Védas et leur désobéissent en inventant leurs propres modes d'ascèse et de pénitence. Il faut toujours garder à l'esprit le destin de ces démons, tel qu'il est décrit dans le chapitre précédent. Le Seigneur les force à renaître du sein de quelque autre être démoniaque, et donc à vivre existence après existence selon des principes diaboliques, en ignorant tout du lien qui les unit à Dieu, la Personne Suprême. Mais par contre, s'ils ont la chance d'être dirigés sur la voie de la sagesse védique par un maître spirituel, ils pourront se libérer de cet enchaînement et atteindre le but suprême.

**17.7** आहारस्त्वपि सर्वस्य त्रिविधो भवति प्रियः ।
यज्ञस्तपस्तथा दानं तेषां भेदमिमं शृणु ॥ ७ ॥

*āhāras tv api sarvasya, tri-vidho bhavati priyaḥ*
*yajñas tapas tathā dānaṁ, teṣāṁ bhedam imaṁ śṛṇu*

*āhāraḥ :* la nourriture ; *tu :* certes ; *api :* aussi ; *sarvasya :* pour chacun ; *tri-vidhaḥ :* trois sortes ; *bhavati :* il y a ; *priyaḥ :* aimée ; *yajñaḥ :* le sacrifice ; *tapaḥ :* l'austérité ; *tathā :* aussi ; *dānam :* la charité ; *teṣām :* entre eux ; *bhedam :* les différences ; *imam :* cela ; *śṛṇu :* écoute.

**On peut, à l'instar des sacrifices, des actes de charité et des austérités, ranger les aliments auxquels vont nos préférences en trois catégories, chacune correspondant à l'influence particulière d'un guṇa. Écoute maintenant ce qui les distingue.**

On trouvera, correspondant aux diverses influences des *guṇas,* diverses manières de manger, d'accomplir des sacrifices, de pratiquer des austérités et de faire la charité. Elles ne se situent pas toutes à un même niveau. Celui qui peut comprendre, de façon analytique, de quel *guṇa* elles relèvent est un vrai sage, au contraire du sot qui ne sait pas distinguer entre les diverses formes de nourriture, sacrifice ou charité. Bien sûr, il y aura toujours des prédicateurs pour enseigner qu'on peut atteindre la perfection en agissant comme bon nous semble. Mais ces faux guides vont à l'encontre des Écritures. Ils inventent leurs propres méthodes et égarent les foules.

17.8 आयुःसत्त्वबलारोग्यसुखप्रीतिविवर्धनाः ।
रस्याः स्निग्धाः स्थिरा हृद्या आहाराः सात्त्विकप्रियाः ॥ ८ ॥

*āyuḥ-sattva-balārogya-, sukha-prīti-vivardhanāḥ*
*rasyāḥ snigdhāḥ sthirā hṛdyā, āhārāḥ sāttvika-priyāḥ*

*āyuḥ :* la durée de vie ; *sattva :* l'existence ; *bala :* force ; *ārogya :* santé ; *sukha :* bonheur ; *prīti :* et satisfaction ; *vivardhanāḥ :* augmentant ; *rasyāḥ :* juteux ; *snigdhāḥ :* gras ; *sthirāḥ :* substantiels ; *hṛdyāḥ :* qui réjouissent le cœur ; *āhārāḥ :* les aliments ; *sāttvika :* de celui qu'influence la vertu ; *priyāḥ :* appréciés.

**Les êtres influencés par la vertu se nourrissent d'aliments qui purifient l'existence et en prolongent la durée, procurant force, santé, joie et satisfaction. Ils sont juteux, riches, sains et réjouissent le cœur.**

17.9 कट्वम्ललवणात्युष्णतीक्ष्णरूक्षविदाहिनः ।
आहारा राजसस्येष्टा दुःखशोकामयप्रदाः ॥ ९ ॥

*kaṭv-amla-lavaṇāty-uṣṇa-, tīkṣṇa-rūkṣa-vidāhinaḥ*
*āhārā rājasasyeṣṭā, duḥkha-śokāmaya-pradāḥ*

*kaṭu :* amers ; *amla :* acides ; *lavaṇa :* salés ; *ati-uṣṇa :* trop épicés ; *tīkṣṇa :* pimentés ; *rūkṣa :* desséchés ; *vidāhinaḥ :* brûlants ; *āhārāḥ :* les aliments ; *rājasasya :* de celui qu'influence la passion ; *iṣṭāḥ :* appréciés ; *duḥkha :* la souffrance ; *śoka :* la misère ; *āmaya :* la maladie ; *pradāḥ :* causant.

**Les hommes qui subissent l'ascendant de la passion aiment les aliments trop amers, trop acides, trop salés, trop épicés, trop pimentés, desséchés ou brûlants, lesquels engendrent souffrance, malheur et maladie.**

17.10 यातयामं गतरसं पूति पर्युषितं च यत् ।
उच्छिष्टमपि चामेध्यं भोजनं तामसप्रियम् ॥१०॥

*yāta-yāmaṁ gata-rasaṁ, pūti paryuṣitaṁ ca yat*
*ucchiṣṭam api cāmedhyaṁ, bhojanaṁ tāmasa-priyam*

*yāta-yāmam :* la nourriture préparée trois heures avant d'être mangée ; *gata-rasam :* sans goût ; *pūti :* fétide ; *paryuṣitam :* décomposée ; *ca :* aussi ; *yat :* ce qui ; *ucchiṣṭam :*

les restes d'autrui; *api* : aussi; *ca* : et; *amedhyam* : intouchable; *bhojanam* : la nourriture; *tāmasa* : de celui qu'influence l'ignorance; *priyam* : aimée de.

**Ceux que gouverne l'ignorance préfèrent quant à eux les aliments préparés plus de trois heures avant d'être consommés, les aliments sans goût, fétides ou décomposés, les restes d'autrui et les choses intouchables.**

La nourriture a pour seule fonction d'accroître la longévité, de purifier le mental et de donner au corps santé et vigueur. De grandes autorités en la matière ont choisi, par le passé, les aliments qui répondent le mieux à ces critères, et qui sont, entre autres, les produits laitiers, le sucre, le riz, le blé, les fruits et les légumes. Ces aliments sont particulièrement prisés par les hommes qu'inspire la vertu. D'autres, tels que le maïs ou la mélasse, bien que peu savoureux s'ils sont consommés seuls deviennent délicieux une fois mélangés à du lait ou à d'autres aliments. On peut alors les compter au nombre des aliments vertueux. Tous sont naturellement purs, à l'inverse des choses intouchables que sont la viande et l'alcool. Quand le verset huit parle d'aliments riches et gras, il ne fait pas allusion aux graisses qui proviennent de l'abattage des animaux. Il s'agit de la graisse animale issue du lait, qui se trouve être le plus merveilleux de tous les aliments. Le lait, le beurre, le fromage et autres produits similaires donnent des graisses animales sous une forme qui exclut toute nécessité de tuer d'innocentes créatures. Seule une mentalité barbare permet que se poursuive ce massacre. La seule manière civilisée d'obtenir les matières grasses nécessaires à l'homme est de les puiser dans le lait. L'abattage des animaux est le propre des sous-hommes. Quant aux protéines, on les trouvera en abondance dans les pois cassés, le *dāl,* le blé complet, etc.

Les aliments de la passion - trop amers, trop salés, trop épicés ou trop pimentés - engendrent la souffrance, car ils dérèglent le taux de mucus dans l'estomac et sont à l'origine de maladies.

Les aliments de l'ignorance sont pour l'essentiel ceux qui ne sont pas frais. Tout aliment préparé plus de trois heures avant d'être consommé relève de l'ignorance (exception faite du *prasādam,* la nourriture d'abord offerte au Seigneur). Parce qu'en se décomposant ces aliments font naître de mauvaises odeurs qui souvent attirent les hommes sujets à l'ignorance, ils répugnent à ceux que gouverne la vertu. Les reliefs de nourriture ne peuvent être consommés que lorsqu'ils proviennent d'un repas d'abord offert au Seigneur Suprême ou aux saints hommes, notamment au maître spirituel. Sinon, tout reste de nourriture relève de l'ignorance et ne fait que répandre l'infection et la maladie. De tels aliments, bien qu'extrêmement agréables aux hommes dominés par l'ignorance, n'attirent jamais les hommes conduits par la vertu, qui ne veulent même pas y toucher.

Mais la meilleure nourriture est celle que l'on offre d'abord à Dieu, au Seigneur Suprême, Lequel enseigne dans la *Bhagavad-gītā* que si on les Lui offre avec dévotion, Il accepte les mets préparés à partir de légumes, de farine et de lait (*patraṁ puṣpaṁ phalaṁ toyam*). Bien entendu, l'amour et la dévotion accompagnant l'offrande sont, pour le Seigneur, les ingrédients les plus importants. Mais le *prasādam* n'en requiert pas moins une préparation particulière. Tout aliment ainsi préparé, en accord avec les critères des Écritures, et ensuite offert à Dieu, la Personne Suprême, peut être honoré même longtemps après avoir été cuisiné, car il est purement spirituel. C'est pourquoi si l'on désire rendre les aliments purs, comestibles et succulents pour tous, on doit d'abord les offrir à la Personne Suprême.

**17.11** अफलाकाङ्क्षिभिर्यज्ञो विधिदिष्टो य इज्यते ।
यष्टव्यमेवेति मनः समाधाय स सात्त्विकः ॥११॥

*aphalākāṅkṣibhir yajño, vidhi-dṛṣṭo ya ijyate*
*yaṣṭavyam eveti manaḥ, samādhāya sa sāttvikaḥ*

*aphala-ākāṅkṣibhiḥ :* par ceux qui n'attendent aucun résultat; *yajñaḥ :* le sacrifice; *vidhi-diṣṭaḥ :* conformément aux injonctions scripturaires; *yaḥ :* qui; *ijyate :* est accompli; *yaṣṭavyam :* doit être accompli; *eva :* certes; *iti :* ainsi; *manaḥ :* le mental; *samādhāya :* fixé sur; *saḥ :* cela; *sāttvikaḥ :* dans la vertu.

**De tous les sacrifices, celui qu'on accomplit par devoir, conformément aux injonctions scripturaires, et sans en attendre aucun fruit en retour, participe de la vertu.**

C'est en général pour satisfaire leurs désirs personnels que les gens offrent des sacrifices. Notre verset affirme néanmoins que l'oblation doit être faite par devoir et non pour répondre à des mobiles égoïstes. Prenons l'exemple des rites pratiqués dans les temples ou dans les églises. Ils sont en général motivés par le désir d'obtenir quelque avantage matériel, et ne sauraient donc relever de la vertu. Il faut aller au temple ou à l'église par devoir, y rendre son hommage à Dieu, la Personne Suprême, et Lui offrir des fleurs, de la nourriture, etc., sans en attendre un profit matériel. Tous croient, cependant, qu'il ne sert à rien de se rendre au temple à seule fin d'adorer Dieu. Rappelons-leur que l'adoration qui vise à l'obtention de biens matériels n'est nullement recommandée dans les Écritures. On ne doit se rendre au temple que pour offrir ses respects à la *mūrti*. En agissant ainsi, on restera sous l'égide de la vertu. Il va du devoir de tout homme civilisé d'obéir aux lois qu'énoncent les Écritures, et d'honorer le Seigneur Suprême.

**17.12** अभिसन्धाय तु फलं दम्भार्थमपि चैव यत् ।
इज्यते भरतश्रेष्ठ तं यज्ञं विद्धि राजसम् ॥१२॥

*abhisandhāya tu phalaṁ, dambhārtham api caiva yat*
*ijyate bharata-śreṣṭha, taṁ yajñaṁ viddhi rājasam*

*abhisandhāya :* désirant ; *tu :* mais ; *phalam :* le fruit ; *dambha :* orgueil ; *artham :* par ; *api :* aussi ; *ca :* et ; *eva :* certes ; *yat :* ce qui ; *ijyate :* est accompli ; *bharata-śreṣṭha :* ô meilleur des Bhāratas ; *tam :* ce ; *yajñam :* sacrifice ; *viddhi :* sache ; *rājasam :* dans la passion.

**Par contre, le sacrifice accompli par orgueil, ou en vue d'obtenir quelque bienfait matériel, naît de la passion, ô meilleur des Bhāratas.**

Sacrifices et rites sont parfois accomplis dans le but d'être promu aux planètes édéniques ou d'obtenir, en ce monde, des bienfaits matériels. Ils sont dits naître de la passion.

**17.13** विधिहीनमसृष्टान्नं मन्त्रहीनमदक्षिणम् ।
श्रद्धाविरहितं यज्ञं तामसं परिचक्षते ॥१३॥

*vidhi-hīnam asṛṣṭānnaṁ, mantra-hīnam adakṣiṇam*
*śraddhā-virahitaṁ yajñaṁ, tāmasaṁ paricakṣate*

*vidhi-hīnam :* sans suivre les directions des Écritures ; *asṛṣṭa-annam :* sans distribution de *prasāda* ; *mantra-hīnam :* sans chanter d'hymnes védiques ; *adakṣiṇam :* sans rémunération pour les prêtres ; *śraddhā :* foi ; *virahitam :* sans ; *yajñam :* le sacrifice ; *tāmasam :* dans l'ignorance ; *paricakṣate :* doit être considéré.

**Quant au sacrifice accompli sans foi aucune et hors des préceptes scripturaires, où nulle nourriture consacrée n'est distribuée, nul hymne chanté, et où les prêtres ne reçoivent aucun don en retour, il participe, lui, de l'ignorance.**

La foi qui relève des ténèbres de l'ignorance s'avère être plutôt un manque de foi. Certains adorent tel ou tel *deva* afin d'obtenir de l'argent qu'ils dépensent ensuite pour leur plaisir, au mépris des préceptes scripturaires. Ces cérémonieuses démonstrations de piété ne sauraient être tenues pour authentiques. Elles relèvent des ténèbres de l'ignorance. Elles engendrent une mentalité démoniaque et ne sont d'aucune aide pour l'humanité.

**17.14** देवद्विजगुरुप्राज्ञपूजनं शौचमार्जवम् ।
ब्रह्मचर्यमहिंसा च शारीरं तप उच्यते ॥१४॥

*deva-dvija-guru-prājña-, pūjanaṁ śaucam ārjavam*
*brahmacaryam ahiṁsā ca, śārīraṁ tapa ucyate*

*deva :* le Seigneur Suprême; *dvija :* les *brāhmaṇas*; *guru :* le maître spirituel; *prājña :* et les personnalités dignes de vénération; *pūjanam :* adorer; *śaucam :* la propreté; *ārjavam :* la simplicité; *brahmacaryam :* la continence; *ahiṁsā :* la non-violence; *ca :* aussi; *śārīram :* appartenir au corps; *tapaḥ :* l'austérité; *ucyate :* est dite.

**Adorer le Seigneur Suprême, le maître spirituel, vénérer les brāhmaṇas et tous ceux qui, comme nos parents, sont au-dessus de nous, observer la propreté, la simplicité, la continence et la non-violence, telles sont les austérités du corps.**

Le Seigneur Suprême décrit ici les différentes formes d'austérité et de pénitence. Il commence par énumérer les austérités du corps. Elles consistent à offrir, ou apprendre à offrir, l'hommage de notre respect à Dieu, mais aussi aux *devas,* aux *brāhmaṇas* accomplis et qualifiés, au maître spirituel, et à nos supérieurs, père, mère, ou quiconque est versé dans le savoir védique. À chacun d'eux, il faut offrir des marques appropriées de respect.

Il est également nécessaire d'apprendre à se purifier, à l'extérieur comme à l'intérieur, et à devenir simple dans son comportement. On ne doit jamais, par ailleurs, se livrer à des actes que réprouvent les Écritures, comme par exemple s'adonner à la vie sexuelle hors des liens du mariage. Les Écritures, en effet, ne sanctionnent la vie sexuelle que dans le cadre du mariage. C'est ce que l'on entend par continence. Telles sont donc les austérités et les pénitences du corps.

**17.15** अनुद्वेगकरं वाक्यं सत्यं प्रियहितं च यत् ।
स्वाध्यायाभ्यसनं चैव वाङ्मयं तप उच्यते ॥१५॥

*anudvega-karaṁ vākyaṁ, satyaṁ priya-hitaṁ ca yat*
*svādhyāyābhyasanaṁ caiva, vāṅ-mayaṁ tapa ucyate*

*anudvega-karam :* qui ne perturbent pas ; *vākyam :* des mots ; *satyam :* vrais ; *priya :* chers ; *hitam :* bénéfiques ; *ca :* aussi ; *yat :* qui ; *svādhyāya :* de l'étude des Védas ; *abhyasanam :* la pratique ; *ca :* aussi ; *eva :* certes ; *vāṅmayam :* de la voix ; *tapaḥ :* l'austérité ; *ucyate :* est dit être.

**User d'un langage vrai, plaisant, bénéfique, qui ne perturbe pas autrui, et réciter assidûment les Védas, telles sont les austérités du verbe.**

On doit s'abstenir d'user de paroles qui dérangent le mental d'autrui. Un précepteur peut naturellement instruire ses élèves de certaines vérités qu'il ne dira pas à d'autres si cela doit les perturber. Tel est l'un des aspects de l'ascèse du verbe. Mais il faut également s'abstenir de proférer des inepties. Celui qui prend la parole dans un cercle de spiritualistes doit appuyer ses dires sur les Écritures, qu'il citera immédiatement pour confirmer ce qu'il enseigne. Ses propos doivent également être plaisants à l'oreille. Ces échanges seront alors pour tous un grand bienfait et contribueront à faire progresser la société humaine. Il existe une infinité d'Écrits védiques qu'il nous faudrait étudier. Tout cela procède de l'ascèse du verbe.

**17.16** मनःप्रसादः सौम्यत्वं मौनमात्मविनिग्रहः ।
भावसंशुद्धिरित्येतत्तपो मानसमुच्यते ॥१६॥

*manaḥ-prasādaḥ saumyatvaṁ*
*maunam ātma-vinigrahaḥ*
*bhāva-saṁśuddhir ity etat*
*tapo mānasam ucyate*

*manaḥ-prasādaḥ :* la satisfaction du mental ; *saumyatvam :* l'absence de duplicité ; *maunam :* la gravité ; *ātma :* de soi ; *vinigrahaḥ :* la maîtrise ; *bhāva :* de sa propre nature ; *saṁśuddhiḥ :* la purification ; *iti :* ainsi ; *etat :* cela ; *tapaḥ :* l'austérité ; *mānasam :* du mental ; *ucyate :* est dit être.

**Sérénité, simplicité, gravité, maîtrise de soi et purification de l'existence, telles sont les austérités du mental.**

Pour que le mental devienne austère, il faut le détacher du plaisir des sens. On doit l'éduquer de façon à ce qu'il ne pense qu'au bien d'autrui, et pour cela l'idéal est de lui imposer la gravité de pensée. Il ne faut jamais dévier de la conscience de Kṛṣṇa et toujours se détourner du plaisir des sens. On n'est conscient de Kṛṣṇa que lorsqu'on se purifie au plus profond de soi. Et l'on ne devient serein, on ne satisfait le mental, que lorsqu'on écarte toute pensée de jouissance matérielle. Car plus on médite sur ces jouissances, plus le mental est frustré et insatisfait. Dans l'âge où nous vivons, les hommes s'absorbent inutilement et de tant de façons dans la recherche du plaisir des sens qu'il leur est impossible de connaître la paix du mental. La meilleure chose à faire est d'orienter le mental vers les Écrits védiques tels que les *Purāṇas* ou le *Mahābhārata,* qui sont pleins d'histoires passionnantes. On peut tirer parti du savoir qu'ils renferment et s'en trouver purifié.

Le mental doit être dénué de toute duplicité et s'imprégner de pensées qui visent au bien de tous. On appelle silence une telle immersion de la pensée dans la réalisation spirituelle. L'homme conscient de Kṛṣṇa, qui absorbe toujours ainsi ses pensées, est donc parfaitement silencieux. On obtient la maîtrise du mental en le détachant de la jouissance matérielle. On doit être franc et direct, et ainsi purifier son existence. Toutes ces qualités relèvent de l'austérité du mental.

**17.17** श्रद्धया परया तप्तं तपस्तत्त्रिविधं नरैः ।
अफलाकाङ्क्षिभिर्युक्तैः सात्त्विकं परिचक्षते ॥१७॥

*śraddhayā parayā taptaṁ, tapas tat tri-vidhaṁ naraiḥ*
*aphalākāṅkṣibhir yuktaiḥ, sāttvikaṁ paricakṣate*

*śraddhayā :* avec une foi; *parayā :* transcendantale; *taptam :* exécutée; *tapaḥ :* austérité; *tat :* cette; *tri-vidham :* de trois sortes; *naraiḥ :* par des hommes; *aphala-ākāṅkṣibhiḥ :* sans désir pour les fruits; *yuktaiḥ :* engagés; *sāttvikam :* dans la vertu; *paricakṣate :* est appelée.

**Ces trois types d'austérités, pratiquées avec une foi transcendantale par des hommes dont le but n'est pas d'obtenir quelque bienfait matériel, mais de satisfaire le Suprême, relèvent de la vertu.**

**17.18** सत्कारमानपूजार्थं तपो दम्भेन चैव यत् ।
क्रियते तदिह प्रोक्तं राजसं चलमध्रुवम् ॥१८॥

*satkāra-māna-pūjārthaṁ, tapo dambhena caiva yat*
*kriyate tad iha proktaṁ, rājasaṁ calam adhruvam*

*satkāra :* le respect ; *māna :* l'honneur ; *pūjā :* et la vénération ; *artham :* pour obtenir ; *tapaḥ :* l'austérité ; *dambhena :* avec orgueil ; *ca :* aussi ; *eva :* certes ; *yat :* qui ; *kriyate :* est accomplie ; *tat :* cette ; *iha :* dans ce monde ; *proktam :* est dite ; *rājasam :* dans la passion ; *calam :* vacillante ; *adhruvam :* temporaire.

**Quant aux austérités accomplies par orgueil afin d'être respecté, honoré, vénéré, on les dit inspirées par la passion. Elles ne sont ni fiables ni permanentes.**

Austérités et pénitences sont parfois accomplies pour attirer les hommes et obtenir d'eux respect, honneur et vénération. Ceux que domine la passion s'arrangent pour être vénérés de leurs subordonnés, qui leur lavent les pieds et leur offrent des richesses. Ces pénitences artificielles relèvent de la passion. Leurs fruits sont éphémères et on ne peut s'y livrer que pendant un certain laps de temps.

**17.19** मूढग्राहेणात्मनो यत्पीडया क्रियते तपः ।
परस्योत्सादनार्थं वा तत्तामसमुदाहृतम् ॥१९॥

*mūḍha-grāheṇātmano yat, pīḍayā kriyate tapaḥ*
*parasyotsādanārthaṁ vā, tat tāmasam udāhṛtam*

*mūḍha :* stupide ; *grāheṇa :* avec effort ; *ātmanaḥ :* de soi-même ; *yat :* qui ; *pīḍayā :* par la torture ; *kriyate :* est accomplie ; *tapaḥ :* l'austérité ; *parasya :* des autres ; *utsādanārtham :* pour provoquer la destruction ; *vā :* ou ; *tat :* celle-ci ; *tāmasam :* dans l'ignorance ; *udāhṛtam :* est dite être.

**Enfin, relèvent de l'ignorance les austérités accomplies par sottise, pour se mortifier, ou pour blesser ou tuer autrui.**

Jadis certains êtres démoniaques, comme Hiraṇyakaśipu, accomplirent de terribles austérités pour devenir immortels et anéantir les *devas.* Bien qu'Hiraṇyakaśipu eût prié Brahmā de lui octroyer ces faveurs, il fut tout de même tué par le Seigneur Suprême. Entreprendre une ascèse pour atteindre l'impossible, voilà qui relève de l'ignorance.

**17.20** दातव्यमिति यद्दानं दीयतेऽनुपकारिणे ।
देशे काले च पात्रे च तद्दानं सात्त्विकं स्मृतम् ॥२०॥

*dātavyam iti yad dānaṁ, dīyate 'nupakāriṇe*
*deśe kāle ca pātre ca, tad dānaṁ sāttvikaṁ smṛtam*

*dātavyam :* faite à bon escient ; *iti :* ainsi ; *yat :* ce qui ; *dānam :* la charité ; *dīyate :* est donnée ; *anupakāriṇe :* sans rien attendre en retour ; *deśe :* le lieu ; *kāle :* le temps ; *ca :*

aussi; *pātre :* à la personne convenable; *ca :* et; *tat :* cette; *dānam :* charité; *sāttvikam :* dans la vertu; *smṛtam :* est considérée.

**La charité faite par devoir sans rien attendre en retour, en de justes conditions de temps et de lieu, et à qui en est digne, procède de la vertu.**

Les Écritures védiques recommandent la charité faite aux hommes dont les activités sont spirituelles. On ne trouve nulle part qu'elles cautionnent la charité faite sans discernement. Le but doit en être la perfection spirituelle. Aussi est-il conseillé de donner en charité aux *brāhmaṇas* qualifiés ou aux *vaiṣṇavas* (dévots), en des lieux de pèlerinage ou dans des temples, lors d'une éclipse solaire ou lunaire, ou à la fin du mois. Mais il faut ne rien attendre en retour. L'aumône est parfois accordée aux pauvres, par compassion, mais on ne fait aucun progrès spirituel si les pauvres à qui l'on donne n'en sont pas dignes. En d'autres mots, la charité faite sans discernement n'est pas recommandée par les Textes védiques.

**17.21** यत्तु प्रत्युपकारार्थं फलमुद्दिश्य वा पुनः ।
दीयते च परिक्लिष्टं तद्दानं राजसं स्मृतम् ॥२१॥

*yat tu pratyupakārārthaṁ, phalam uddiśya vā punaḥ*
*dīyate ca parikliṣṭaṁ, tad dānaṁ rājasaṁ smṛtam*

*yat :* ce qui; *tu :* mais; *prati-upakāra-artham :* pour avoir quelque chose en retour; *phalam :* un résultat; *uddiśya :* désirant; *vā :* ou; *punaḥ :* encore; *dīyate :* est donnée; *ca :* aussi; *parikliṣṭam :* à contrecœur; *tat :* cette; *dānam :* charité; *rājasam :* dans la passion; *smṛtam :* est reconnue être.

**Mais la charité dont on attend qu'elle nous soit rendue, qui vise un résultat matériel, ou qui est faite à contrecœur, cette charité ressort de la passion.**

On fait parfois la charité parce qu'on souhaite atteindre les planètes édéniques. Il arrive aussi qu'on la fasse avec réticence et qu'elle soit suivie de remords : « Pourquoi ai-je ainsi tant dépensé ? » D'autres fois, c'est par obligation, à la demande d'un supérieur. Toutes ces formes de charité relèvent de la passion.

Il existe de nombreuses fondations charitables qui font des dons à des institutions où les plaisirs des sens sont encouragés. De tels actes de charité ne sont pas recommandés dans les Écrits védiques. Seuls le sont ceux qui procèdent de la vertu.

**17.22** अदेशकाले यद्दानमपात्रेभ्यश्च दीयते ।
असत्कृतमवज्ञातं तत्तामसमुदाहृतम् ॥२२॥

*adeśa-kāle yad dānam, apātrebhyaś ca dīyate*
*asat-kṛtam avajñātaṁ, tat tāmasam udāhṛtam*

*adeśa :* dans un endroit impur ; *kāle :* en un temps impur ; *yat :* ce qui est ; *dānam :* charité ; *apātrebhyaḥ :* à qui n'en est pas digne ; *ca :* aussi ; *dīyate :* est donnée ; *asat-kṛtam :* sans respect ; *avajñātam :* sans l'attention qui convient ; *tat :* cette ; *tāmasam :* dans l'ignorance ; *udāhṛtam :* est dite être.

**Quant à la charité qui est faite en un lieu impropre et en temps inopportun, à des gens qui n'en sont pas dignes, ou bien qui s'exerce de façon irrespectueuse et méprisante, elle procède de l'ignorance.**

Ce verset rejette les aumônes qui serviront à l'intoxication et aux jeux de hasard. Elles appartiennent au mode d'influence de l'ignorance. Non seulement elles n'apportent aucun bienfait, mais en plus elles encouragent le péché. De même, si l'on fait la charité à une personne qui en est digne, mais de façon irrespectueuse, sans y mettre toute l'attention qui convient, elle est également considérée comme relevant des ténèbres de l'ignorance.

**17.23** ॐ तत्सदिति निर्देशो ब्रह्मणस्त्रिविधः स्मृतः ।
ब्राह्मणास्तेन वेदाश्च यज्ञाश्च विहिताः पुरा ॥२३॥

*oṁ tat sad iti nirdeśo, brahmaṇas tri-vidhaḥ smṛtaḥ*
*brāhmaṇās tena vedāś ca, yajñāś ca vihitāḥ purā*

*oṁ :* désignation de l'Absolu ; *tat :* cette : *sat :* éternelle ; *iti :* ainsi ; *nirdeśaḥ :* désignation : *brahmaṇaḥ :* de l'Absolu ; *tri-vidhaḥ :* de trois sortes ; *smṛtaḥ :* est considérée ; *brāhmaṇāḥ :* les *brāhmaṇas* ; *tena :* avec cela ; *vedāḥ :* les Écritures védiques ; *ca :* aussi ; *yajñāḥ :* le sacrifice ; *ca :* aussi ; *vihitaḥ :* utilisaient ; *purā :* jadis.

**Depuis les origines de la création, les mots oṁ tat sat ont servi à désigner la Vérité Suprême et Absolue. Pour satisfaire le Seigneur, les brāhmaṇas utilisent ces trois représentations symboliques lorsqu'ils font des sacrifices ou chantent les hymnes védiques.**

Nous avons vu que la nourriture, le sacrifice, l'austérité et la charité peuvent être rangés dans trois catégories : la vertu, la passion et l'ignorance. Qu'elles soient de premier, de second ou de troisième ordre, toutes ces pratiques restent conditionnées, touchées par les *guṇas*. Cependant, si on les oriente vers l'Absolu – *oṁ tat sat* : Dieu, la Personne Suprême, l'Éternel – elles deviendront facteur d'élévation spirituelle, ce qui est l'objectif des préceptes scripturaires. Les trois mots *oṁ tat sat* se réfèrent spécifiquement à la Vérité Absolue, Dieu, la Personne Suprême. Le mot *oṁ* est d'ailleurs constamment employé dans les hymnes védiques.

Celui qui ne suit pas les principes des Écritures ne parviendra jamais à atteindre la Vérité Absolue. Il obtiendra sûrement quelque résultat temporaire, mais n'atteindra pas le but réel de la vie. Le sacrifice, l'austérité et la charité, doivent donc se placer sous le signe de la vertu, car marqués de la passion ou de l'ignorance, leur valeur est moindre.

Les trois mots *oṁ tat sat* sont prononcés conjointement au saint nom du Seigneur Suprême, comme par exemple dans *oṁ tad viṣṇoḥ.* Les Védas expliquent que chaque fois que l'on chante un hymne védique ou le saint nom du Seigneur, on y joint *oṁ.* Ces trois mots proviennent des hymnes védiques. *Oṁ ity etad brahmaṇo nediṣṭhaṁ nāma* indique le premier but. *Tat tvam asi* (*Chāndogya Upaniṣad* 6.8.7), le second, et *sad eva saumya* (*Chāndogya Upaniṣad* 6.2.1), le troisième. Combinés, ils deviennent *oṁ tat sat.* Jadis, lorsque Brahmā, le premier être créé, offrit des sacrifices, il désigna par ces trois mots Dieu, la Personne Suprême, et ce principe est toujours en vigueur dans la succession disciplique.

Cet hymne ayant donc une très grande importance, la *Bhagavad-gītā* recommande que toute œuvre soit accomplie pour *oṁ tat sat,* pour Dieu, la Personne Suprême. Celui qui fait un sacrifice, une austérité ou un acte de charité en prononçant ces trois mots agit dans la conscience de Kṛṣṇa. La conscience de Kṛṣṇa est en effet l'exécution scientifique d'activités spirituelles, qui permettent aux êtres de retourner à Dieu, en leur demeure éternelle. En agissant ainsi, on ne subit aucune perte d'énergie.

**17.24** तस्मादों इत्युदाहृत्य यज्ञदानतपःक्रियाः ।
प्रवर्तन्ते विधानोक्ताः सततं ब्रह्मवादिनाम् ॥२४॥

*tasmād oṁ ity udāhṛtya, yajña-dāna-tapaḥ-kriyāḥ*
*pravartante vidhānoktāḥ, satataṁ brahma-vādinām*

*tasmāt :* donc; *oṁ :* commençant par *oṁ*; *iti :* ainsi; *udāhṛtya :* indiquant; *yajña :* de sacrifice; *dāna :* de charité; *tapaḥ :* d'austérité; *kriyāḥ :* les actes; *pravartante :* commencent; *vidhāna-uktāḥ :* selon les règles des Écritures; *satatam :* toujours; *brahma-vādinām :* des spiritualistes.

**Ainsi, parce qu'ils souhaitent atteindre l'Absolu, les spiritualistes font toujours précéder du son oṁ tout acte de sacrifice, de charité ou d'austérité, conformément aux règles scripturaires.**

*Oṁ tad viṣṇoḥ paramaṁ padam* (*Ṛg-veda* 1.22.20) : les pieds pareils-au-lotus de Viṣṇu constituent l'objet suprême de la dévotion. Accomplir toute chose pour la satisfaction de Dieu, la Personne Suprême, c'est rendre parfait tous ses actes.

**17.25** तदित्यनभिसन्धाय फलं यज्ञतपःक्रियाः ।
दानक्रियाश्च विविधाः क्रियन्ते मोक्षकाङ्क्षिभिः ॥२५॥

*tad ity anabhisandhāya, phalaṁ yajña-tapaḥ-kriyāḥ*
*dāna-kriyāś ca vividhāḥ, kriyante mokṣa-kāṅkṣibhiḥ*

*tat :* cela ; *iti :* ainsi ; *anabhisandhāya :* sans désirer ; *phalam :* de bénéfices matériels ; *yajña :* de sacrifice ; *tapaḥ :* et d'austérité ; *kriyāḥ :* les actes ; *dāna :* de charité ; *kriyāḥ :* les actes ; *ca :* aussi ; *vividhāḥ :* variés ; *kriyante :* sont faits ; *mokṣa-kāṅkṣibhiḥ :* par ceux qui désirent vraiment la libération.

**On doit accomplir sacrifices, austérités et actes charitables en prononçant le mot tat sans en attendre aucun bénéfice matériel, car le but de ces activités transcendantales est de s'affranchir des chaînes de la matière.**

Qui souhaite atteindre le niveau spirituel ne doit convoiter aucun profit matériel. Il faut agir afin d'obtenir le plus précieux des biens : le retour à Dieu, dans le royaume spirituel.

**17.26–27** सद्भावे साधुभावे च सदित्येतत्प्रयुज्यते ।
प्रशस्ते कर्मणि तथा सच्छब्दः पार्थ युज्यते ॥२६॥

यज्ञे तपसि दाने च स्थितिः सदिति चोच्यते ।
कर्म चैव तदर्थीयं सदित्येवाभिधीयते ॥२७॥

*sad-bhāve sādhu-bhāve ca*
*sad ity etat prayujyate*
*praśaste karmaṇi tathā*
*sac-chabdaḥ pārtha yujyate*

*yajñe tapasi dāne ca*
*sthitiḥ sad iti cocyate*

*karma caiva tad-arthīyaṁ*
*sad ity evābhidhīyate*

*sat-bhāve :* dans le sens de la nature de l'Absolu; *sādhu-bhāve :* dans le sens de la nature du dévot; *ca :* aussi; *sat :* le mot *sat*; *iti :* ainsi; *etat :* cela; *prayujyate :* est employé; *praśaste :* authentiques; *karmaṇi :* pour les activités; *tathā :* aussi; *sat-śabdaḥ :* le son; *pārtha :* ô fils de Pṛthā; *yujyate :* est employé; *yajñe :* pour le sacrifice; *tapasi :* pour l'austérité; *dāne :* pour la charité; *ca :* aussi; *sthitiḥ :* la situation; *sat :* l'Absolu; *iti :* ainsi; *ca :* et; *ucyate :* est prononcé; *karma :* l'action; *ca :* aussi; *eva :* certes; *tat :* pour cela; *arthīyam :* destinée; *sat :* l'Absolu; *iti :* ainsi; *eva :* certes; *abhidhīyate :* est indiqué.

**Ô fils de Pṛthā, on désigne par le mot sat non seulement la Vérité Absolue, objet du sacrifice dévotionnel, mais aussi l'auteur du sacrifice, ainsi que le sacrifice proprement dit, l'austérité et la charité qui, en accord avec l'Absolu, visent le plaisir de la Personne Suprême.**

Les mots *praśaste karmaṇi* (devoirs prescrits) indiquent qu'il existe de nombreuses prescriptions dans les Écritures védiques consistant en des rites purificatoires qui commencent dès la conception de l'enfant et se poursuivent jusqu'au terme de l'existence. Ces rites purificatoires sont exécutés pour que l'être vivant obtienne la libération ultime. Et lors de leur exécution, il est recommandé de faire vibrer les sons *oṁ tat sat*.

Quant aux mots *sad-bhāve* et *sādhu-bhāve,* ils désignent le niveau absolu. On appelle *sattva* les actions accomplies dans la conscience de Kṛṣṇa et *sādhu* celui qui comprend parfaitement la nature de ces actes. Le *Śrīmad-Bhāgavatam* (3.25.25) enseigne que l'on ne peut appréhender clairement les sujets spirituels qu'en la compagnie des dévots. Les mots utilisés sont *satāṁ prasaṅgāt.* Le savoir transcendantal ne peut s'acquérir qu'auprès de personnes spirituellement élevées. Lorsqu'un maître initie un disciple ou lui remet le cordon sacré, il fait résonner les sons *oṁ tat sat.* De même, dans tout *yajña,* l'objet est l'Absolu, *oṁ tat sat.*

On désigne par *tad-arthīyam* tout service offert à ce qui représente l'Absolu, comme le fait de participer aux activités du temple (cuisine ou autre) et à la diffusion des gloires du Seigneur. Ces mots suprêmes, *oṁ tat sat,* servent à parfaire tout acte et confèrent la plénitude à toute chose.

**17.28** अश्रद्धया हुतं दत्तं तपस्तप्तं कृतं च यत् ।
असदित्युच्यते पार्थ न च तत्प्रेत्य नो इह ॥२८॥

*aśraddhayā hutaṁ dattaṁ, tapas taptaṁ kṛtaṁ ca yat*
*asad ity ucyate pārtha, na ca tat pretya no iha*

*aśraddhayā :* sans foi ; *hutam :* offert en sacrifice ; *dattam :* donné ; *tapaḥ :* l'austérité ; *taptam :* exécutée ; *kṛtam :* fait ; *ca :* aussi ; *yat :* ce qui ; *asat :* faux ; *iti :* ainsi ; *ucyate :* est dit être ; *pārtha :* ô fils de Pṛthā ; *na :* jamais ; *ca :* aussi ; *tat :* cela ; *pretya :* après la mort ; *no :* non plus ; *iha :* en cette vie.

**Les sacrifices, les austérités et les actes charitables accomplis sans foi en le Suprême sont éphémères, ô fils de Pṛthā. On les dit asat, et ils sont vains, tant dans cette vie que dans la suivante.**

Qu'il s'agisse de sacrifice, d'austérité ou de charité, tout ce qui n'est pas accompli dans un but spirituel s'avère tout à fait vain. C'est pourquoi notre verset déclare que ces activités sont mauvaises. Tout doit être accompli pour l'Être Suprême, dans la conscience de Kṛṣṇa. Privé d'une telle foi et de toute directive adéquate, on ne récolte jamais aucun fruit. Du reste, tous les Textes védiques conseillent d'avoir foi en l'Être Suprême. Le but ultime de tous les enseignements védiques est de nous amener à comprendre Kṛṣṇa, car nul ne peut connaître la réussite s'il n'observe ce principe. Le mieux sera donc d'agir dès le début dans la conscience de Kṛṣṇa, sous la conduite d'un maître spirituel authentique. Ainsi verra-t-on ses entreprises couronnées de succès.

Tant qu'ils sont conditionnés, les hommes ont tendance à rendre un culte aux *devas,* aux spectres ou aux Yakṣas (comme Kuvera). Le mode d'influence de la vertu est certes supérieur à celui de la passion ou de l'ignorance, mais en adoptant directement la conscience de Kṛṣṇa, on transcende les trois *guṇas*. Bien qu'il existe un processus d'élévation graduel, le mieux sera quand même, au contact de purs dévots, d'adopter directement la conscience de Kṛṣṇa. C'est ce que recommande ce chapitre. Mais pour réussir dans cette voie, il nous faudra tout d'abord trouver le maître spirituel compétent qui dirigera notre formation. Alors sera-t-il possible d'avoir foi en l'Absolu. Et lorsque, avec le temps, cette foi aura mûri, elle prendra le nom d'amour de Dieu. Cet amour est le but ultime de tous les êtres. On doit donc adopter directement la conscience de Kṛṣṇa, ce qui est le message de ce dix-septième chapitre.

*Ainsi s'achèvent les teneurs et portées de Bhaktivedanta*
*sur le dix-septième chapitre de la* Śrīmad Bhagavad-gītā
*traitant des branches de la foi.*

DIX-HUITIÈME CHAPITRE

# Conclusion, la perfection du renoncement

**18.1** अर्जुन उवाच
सन्न्यासस्य महाबाहो तत्त्वमिच्छामि वेदितुम् ।
त्यागस्य च हृषीकेश पृथक्केशिनिषूदन ॥ १ ॥

*arjuna uvāca*
*sannyāsasya mahā-bāho, tattvam icchāmi veditum*
*tyāgasya ca hṛṣīkeśa, pṛthak keśi-niṣūdana*

*arjunaḥ uvāca :* Arjuna dit ; *sannyāsasya :* de l'ordre du renoncement ; *mahā-bāho :* ô Toi aux bras puissants ; *tattvam :* la vérité ; *icchāmi :* je souhaite ; *veditum :* comprendre ; *tyāgasya :* du renoncement ; *ca :* aussi ; *hṛṣīkeśa :* ô maître des sens ; *pṛthak :* différemment ; *keśi-niṣūdana :* vainqueur du monstre Keśī.

**Arjuna dit : Ô Toi dont les bras sont puissants, ô maître des sens, vainqueur du monstre Keśī, je souhaiterais connaître le but du renoncement [tyāga] ainsi que l'objet de l'ordre du renoncement [sannyāsa].**

La *Bhagavad-gītā* s'achève en fait avec le dix-septième chapitre. Le dix-huitième constitue plutôt un résumé de tous les autres chapitres. Or, dans chacun de ces chapitres, Kṛṣṇa soulignait que le service de dévotion offert à Sa personne est le but ultime de l'existence. Le dix-huitième chapitre va reprendre ce point en attestant que le service de dévotion est la voie la plus confidentielle du savoir. Les six premiers chapitres mettaient déjà l'accent sur le service dévotionnel : *yoginām api sarveṣām...* – « De tous les *yogīs,* ou spiritualistes, celui qui, en son for intérieur, pense toujours à Moi est le plus grand. »

Les six chapitres suivants analysaient le service de dévotion pur, sa nature et ses activités propres. Enfin, les six derniers chapitres, outre le service de dévotion, décrivent le savoir, le renoncement, les actes matériels et spirituels, et concluent que tout doit être accompli en relation avec la Personne Suprême, Viṣṇu, que désignent les mots *oṁ tat sat.* S'appuyant sur les enseignements du *Vedānta-sūtra* (*Brahma-sūtra*) et des précédents *ācāryas,* la *Bhagavad-gītā* montre, dans cette troisième partie, que le service de dévotion seul constitue le but ultime de l'existence. Certains impersonnalistes pensent détenir le monopole du savoir en matière d'entendement du *Vedānta-sūtra.* Ils ignorent pourtant qu'en vérité le *Vedānta-sūtra* est destiné à permettre la compréhension du service dévotionnel au Seigneur qui, d'après le quinzième chapitre de la *Gītā,* est à la fois l'auteur et le connaissant du *Vedānta.* Tout écrit révélé, tout Véda, a pour objectif le service de dévotion. Tel est l'enseignement de la *Bhagavad-gītā.*

De même que le deuxième chapitre donne un aperçu de l'entière *Bhagavad-gītā,* le chapitre dix-huit donne un résumé de tous les préceptes énoncés. Le renoncement et l'élévation au niveau transcendantal, par-delà les trois *guṇas,* y sont décrits comme le but de l'existence. Le renoncement (*tyāga*) et l'ordre du renoncement (*sannyāsa*) sont les deux sujets de la *Bhagavad-gītā* qu'Arjuna demande au Seigneur d'éclaircir. Il s'enquiert donc du sens de ces deux termes.

Dans notre verset, les mots « Hṛṣīkeśa » et « Keśi-niṣūdana », qu'Arjuna utilise pour s'adresser au Seigneur Suprême, sont significatifs. Hṛṣīkeśa est Kṛṣṇa, le maître des sens, qui peut toujours nous aider à trouver la sérénité. Arjuna Lui demande donc de résumer tous Ses enseignements pour qu'il puisse retrouver son équilibre mental. Comme, par ailleurs, il lui reste des doutes et que le doute fait figure de démon, il désigne ici le Seigneur du nom de Keśi-nisūdana. Arjuna attend en effet du Seigneur qu'Il anéantisse le démon du doute, comme Il détruisit jadis le terrible démon Keśi.

**18.2** श्रीभगवानुवाच
काम्यानां कर्मणां न्यासं सन्न्यासं कवयो विदुः ।
सर्वकर्मफलत्यागं प्राहुस्त्यागं विचक्षणाः ॥ २ ॥

*śrī-bhagavān uvāca*
*kāmyānāṁ karmaṇāṁ nyāsaṁ, sannyāsaṁ kavayo viduḥ*
*sarva-karma-phala-tyāgaṁ, prāhus tyāgaṁ vicakṣaṇāḥ*

*śrī-bhagavān uvāca :* Dieu, la Personne Suprême, dit ; *kāmyānām :* avec le désir ; *karmaṇām :* aux activités ; *nyāsam :* le renoncement ; *sannyāsam :* l'ordre du renoncement ; *kavayaḥ :* les érudits ; *viduḥ :* savent ; *sarva :* de toutes ; *karma :* les activités ; *phala :* aux résultats ; *tyāgam :* le renoncement ; *prāhuḥ :* appellent ; *tyāgam :* renoncement ; *vicakṣaṇāḥ :* ceux qui possèdent l'expérience.

**Dieu, la Personne Suprême, dit : Les grands érudits expliquent que l'ordre du renoncement [sannyāsa] commande de rejeter les actes motivés par le désir matériel. Quant au renoncement [tyāga], disent les sages, il consiste à abandonner les fruits de ses actes.**

La *Bhagavad-gītā* nous enseigne d'abandonner l'action intéressée. Pour autant, comme on le verra dans les versets suivants, on ne doit pas renoncer à l'action qui mène au savoir spirituel supérieur. Certes, selon les bénédictions que l'on désire obtenir (avoir un digne fils, s'élever jusqu'aux planètes édéniques, etc.), les Écrits védiques prescrivent diverses méthodes de sacrifice. Mais en réalité, tout sacrifice qui vise à la satisfaction des désirs personnels doit être rejeté. Seul le sacrifice qui a pour but de purifier le cœur ou de progresser dans la science spirituelle devra être accompli.

**18.3** त्याज्यं दोषवदित्येके कर्म प्राहुर्मनीषिणः ।
यज्ञदानतपःकर्म न त्याज्यमिति चापरे ॥ ३ ॥

*tyājyaṁ doṣa-vad ity eke, karma prāhur manīṣiṇaḥ*
*yajña-dāna-tapaḥ-karma, na tyājyam iti cāpare*

*tyājyam :* doit être abandonné ; *doṣa-vat :* comme un mal ; *iti :* ainsi ; *eke :* un groupe ; *karma :* l'action ; *prāhuḥ :* disent ; *manīṣiṇaḥ :* de grands penseurs ; *yajña :* de sacrifice ; *dāna :* de charité ; *tapaḥ :* et de pénitence ; *karma :* les actes ; *na :* jamais ; *tyājyam :* ne doivent être abandonnés ; *iti :* ainsi ; *ca :* et ; *apare :* d'autres.

**Si certains sages affirment que toute action intéressée est mauvaise et doit être rejetée, d'autres soutiennent que les actes de sacrifice, de charité et de pénitence ne doivent jamais être délaissés.**

Nombre de pratiques décrites dans les Écritures védiques sont sujettes à controverse. Il est dit, par exemple, que l'on peut immoler un animal lors d'un sacrifice, quand d'aucuns soutiennent que tuer un animal est toujours un acte odieux, quelles que soient les circonstances. Les Écritures védiques recommandent, il est vrai, le sacrifice animal, mais il faut comprendre qu'en de tels sacrifices il n'y a pas véritablement mort de l'animal. Le sacrifice doit en effet lui apporter une nouvelle vie, soit une fois encore dans sa forme animale, soit directement dans une forme humaine. Il y a donc parmi les sages des opinions divergentes sur la question des sacrifices. Le Seigneur en personne va maintenant trancher entre ces divers points de vue.

18.4 निश्चयं शृणु मे तत्र त्यागे भरतसत्तम ।
त्यागो हि पुरुषव्याघ्र त्रिविधः सम्प्रकीर्तितः ॥ ४ ॥

*niścayaṁ śṛṇu me tatra, tyāge bharata-sattama*
*tyāgo hi puruṣa-vyāghra, tri-vidhaḥ samprakīrtitaḥ*

*niścayam :* la certitude; *śṛṇu :* écoute; *me :* de Moi; *tatra :* ici; *tyāge :* en matière de renoncement; *bharata-sat-tama :* ô meilleur des Bhāratas; *tyāgaḥ :* le renoncement; *hi :* certes; *puruṣa-vyāghra :* ô tigre parmi les hommes; *tri-vidhaḥ :* de trois sortes; *samprakīrtitaḥ :* est déclaré.

**Ô meilleur des Bhāratas, à présent, écoute ce que Je pense, Moi, du renoncement. Les Écritures, ô tigre parmi les hommes, en distinguent trois sortes.**

Si les avis sont partagés quant à la nature du renoncement, Kṛṣṇa, la Personne Suprême, donne dans ce verset Son jugement personnel, qui doit être tenu pour définitif. Car, en fait, les Védas ne sont-ils pas un ensemble de lois dont Il est Lui-même l'auteur? Ici, le Seigneur est présent personnellement, et Sa parole doit être considérée comme décisive. Il explique qu'il faut examiner le renoncement en fonction des *guṇas* qui conditionnent son exercice.

18.5 यज्ञदानतपःकर्म न त्याज्यं कार्यमेव तत् ।
यज्ञो दानं तपश्चैव पावनानि मनीषिणाम् ॥ ५ ॥

*yajña-dāna-tapaḥ-karma, na tyājyaṁ kāryam eva tat*
*yajño dānaṁ tapaś caiva, pāvanāni manīṣiṇām*

*yajña :* de sacrifice; *dāna :* charité; *tapaḥ :* et pénitence; *karma :* l'acte; *na :* jamais; *tyājyam :* ne doit être abandonné; *kāryam :* doit être accompli; *eva :* certes; *tat :* cela; *yajñaḥ :* le sacrifice; *dānam :* la charité; *tapaḥ :* la pénitence; *ca :* aussi; *eva :* certes; *pāvanāni :* purifiants; *manīṣiṇām :* même pour les grandes âmes.

**On ne doit nullement renoncer aux actes de sacrifice, de charité et de pénitence. Il faut les accomplir car, en vérité, sacrifice, charité et pénitence purifient même les grandes âmes.**

Les *yogīs* doivent agir dans le but d'amener la société humaine à s'élever. Il existe de nombreux rites purificatoires destinés à conduire l'homme à la vie spirituelle. La cérémonie du mariage, par exemple, qu'on nomme *vivāha-yajña,* est l'un de ces sacrements. On pourrait se demander s'il est légitime qu'un *sannyāsī,* un homme ayant embrassé l'ordre du renoncement et tranché tous les liens familiaux, encourage la cérémonie du mariage ? Le Seigneur enseigne ici qu'aucun sacrifice visant au bien de l'humanité ne doit être rejeté. Le *vivāha-yajña* ayant pour but de discipliner le mental de façon à ce qu'il trouve la paix indispensable au progrès spirituel, doit être recommandé à la majorité des hommes, et ce, même par les *sannyāsīs.* S'il est vrai que le *sannyāsī* ne doit avoir aucun lien étroit avec les femmes, en revanche, il n'est pas interdit à un jeune homme appartenant à un *āśrama* moins élevé de prendre une épouse dans le sacrement du mariage. Tous les sacrifices prescrits ont pour objectif d'atteindre le Seigneur Suprême. Aussi ne doivent-ils pas être négligés au cours des premières étapes de la vie spirituelle.

Les actes charitables visent eux aussi à la purification du cœur. Comme nous l'avons déjà vu, si la charité s'exerce à l'endroit de personnes qui en sont dignes, elle conduit à l'élévation spirituelle.

**18.6** एतान्यपि तु कर्माणि सङ्गं त्यक्त्वा फलानि च ।
कर्तव्यानीति मे पार्थ निश्चितं मतमुत्तमम् ॥ ६ ॥

*etāny api tu karmāṇi, saṅgaṁ tyaktvā phalāni ca*
*kartavyānīti me pārtha, niścitaṁ matam uttamam*

*etāni :* toutes ces ; *api :* certes ; *tu :* mais ; *karmāṇi :* activités ; *saṅgam :* au contact ; *tyaktvā :* renonçant ; *phalāni :* aux résultats ; *ca :* aussi ; *kartavyāni :* doivent être faites comme un devoir ; *iti :* telle ; *me :* Mon ; *pārtha :* ô fils de Pṛthā ; *niścitam :* définitive ; *matam :* opinion ; *uttamam :* la meilleure.

**Mais toutes ces pratiques doivent être suivies sans attachement et sans en attendre aucun fruit, simplement par sens du devoir, ô fils de Pṛthā. C'est là Ma conclusion.**

Bien que les sacrifices soient tous source de purification, on doit les accomplir sans en attendre aucun fruit. En d'autres termes, il faut abandonner tous sacrifices visant au progrès matériel, mais jamais il ne faut renoncer à ceux qui purifient l'existence et élèvent l'homme au niveau spirituel. Tout ce qui conduit à la conscience de Kṛṣṇa doit être encouragé. Le *Śrīmad-Bhāgavatam* ne dit pas autre chose quand il recommande d'accepter toute activité menant au service dévotionnel du Seigneur. Il s'agit là du plus haut critère de la religion. Un dévot du Seigneur doit en effet accepter toutes les tâches, les sacrifices ou les actes charitables susceptibles de l'aider dans son service de dévotion.

**18.7** नियतस्य तु सन्न्यासः कर्मणो नोपपद्यते ।
मोहात्तस्य परित्यागस्तामसः परिकीर्तितः ॥ ७ ॥

*niyatasya tu sannyāsaḥ, karmaṇo nopapadyate*
*mohāt tasya parityāgas, tāmasaḥ parikīrtitaḥ*

*niyatasya :* prescrites ; *tu :* mais ; *sannyāsaḥ :* le renoncement ; *karmaṇaḥ :* aux activités ; *na :* jamais ; *upapadyate :* n'est mérité ; *mohāt :* par l'illusion ; *tasya :* à celles-ci ; *parityāgaḥ :* le renoncement ; *tāmasaḥ :* dans l'ignorance ; *parikīrtitaḥ :* est déclaré.

**Jamais on ne doit renoncer aux devoirs prescrits. Le renoncement de celui qui les délaisse sous l'empire de l'illusion relève de l'ignorance.**

On doit rejeter les actes qui visent à la satisfaction matérielle, mais accomplir ceux qui élèvent au niveau spirituel, tels que préparer des mets pour le Seigneur Suprême, les Lui offrir et en accepter les reliefs. Il est dit qu'un *sannyāsī* ne doit pas cuisiner pour lui-même. Mais il est au contraire recommandé de le faire pour le Seigneur. De même, le *sannyāsī* pourra présider la cérémonie de mariage de son disciple en vue de l'aider à progresser dans la conscience de Kṛṣṇa. Celui qui rejette de telles activités montre qu'il subit l'influence de l'ignorance.

**18.8** दुःखमित्येव यत्कर्म कायक्लेशभयात्त्यजेत् ।
स कृत्वा राजसं त्यागं नैव त्यागफलं लभेत् ॥ ८ ॥

*duḥkham ity eva yat karma, kāya-kleśa-bhayāt tyajet*
*sa kṛtvā rājasaṁ tyāgaṁ, naiva tyāga-phalaṁ labhet*

*duḥkham :* malheureux ; *iti :* ainsi ; *eva :* certes ; *yat :* qui ; *karma :* le travail ; *kāya :* pour le corps ; *kleśa :* pénible ; *bhayāt :* par crainte ; *tyajet :* abandonne ; *saḥ :* il ; *kṛtvā :* après avoir fait ; *rājasam :* dans la passion ; *tyāgam :* le renoncement ; *na :* ne pas ; *eva :* certes ; *tyāga :* du renoncement ; *phalam :* les résultats ; *labhet :* obtient.

**Le renoncement de celui qui abandonne ses devoirs parce qu'il les trouve contraignants ou par crainte des désagréments qu'ils occasionnent, relève, lui, de la passion. Jamais un tel acte ne saurait conférer l'élévation qui résulte du renoncement.**

Le dévot établi dans la conscience de Kṛṣṇa ne doit pas renoncer, par exemple, à gagner de l'argent de peur d'accomplir un acte intéressé. S'il peut utiliser l'argent obtenu par son travail à servir la cause de la conscience de Kṛṣṇa, il ne doit pas se dérober. Et si, en se levant tôt le matin, il peut progresser dans la conscience de Kṛṣṇa, il ne doit pas s'y refuser non plus. Renoncer à de telles activités par crainte ou parce qu'on les juge contraignantes relève de la passion. Et le résultat des actes conditionnés par la passion s'avère toujours mauvais. Celui qui, dans cet esprit, renonce à son devoir n'obtiendra jamais les bienfaits qu'engendre le renoncement.

**18.9** कार्यमित्येव यत्कर्म नियतं क्रियतेऽर्जुन ।
सङ्गं त्यक्त्वा फलं चैव स त्यागः सात्त्विको मतः ॥९॥

*kāryam ity eva yat karma, niyataṁ kriyate 'rjuna*
*saṅgaṁ tyaktvā phalaṁ caiva, sa tyāgaḥ sāttviko mataḥ*

*kāryam :* cela doit être fait ; *iti :* ainsi ; *eva :* en effet ; *yat :* qui ; *karma :* le travail ; *niyatam :* prescrit ; *kriyate :* est accompli ; *arjuna :* ô Arjuna ; *saṅgam :* le contact ; *tyaktvā :* abandonnant ; *phalam :* le résultat ; *ca :* aussi ; *eva :* certes ; *saḥ :* ce ; *tyāgaḥ :* renoncement ; *sāttvikaḥ :* dans la vertu ; *mataḥ :* selon Mon opinion.

**Mais le renoncement de celui qui assume son devoir par simple obligation morale, sans aucun attachement pour leurs résultats et sans entretenir de contacts matériels, relève de la vertu, ô Arjuna.**

Les devoirs prescrits doivent être accomplis avec un tel état d'esprit. On doit agir sans attachement pour les résultats obtenus et ne pas s'identifier aux divers modes de l'action. L'homme conscient de Kṛṣṇa qui travaille dans une usine ne s'identifie pas au travail de l'usine, ni aux ouvriers. Il se contente de travailler pour Kṛṣṇa. Et parce qu'il abandonne à Kṛṣṇa les fruits de son labeur, il agit de façon transcendantale.

**18.10** न द्वेष्ट्यकुशलं कर्म कुशले नानुषज्जते ।
त्यागी सत्त्वसमाविष्टो मेधावी छिन्नसंशयः ॥१०॥

*na dveṣṭy akuśalaṁ karma, kuśale nānuṣajjate*
*tyāgī sattva-samāviṣṭo, medhāvī chinna-saṁśayaḥ*

*na :* jamais ; *dveṣṭi :* ne répugne ; *akuśalam :* funeste ; *karma :* à l'action ; *kuśale :* propice ; *na :* ni ; *anuṣajjate :* ne s'attache ; *tyāgī :* celui qui renonce ; *sattva :* dans la vertu ; *samāviṣṭaḥ :* absorbé ; *medhāvī :* intelligent ; *chinna :* ayant coupé ; *saṁśayaḥ :* tous doutes.

**L'homme intelligent dont le renoncement procède de la vertu, qui n'éprouve pour sa tâche ni attraction ni aversion, qu'elle soit plaisante ou déplaisante, sait pertinemment ce qu'est l'action.**

L'homme qui est conscient de Kṛṣṇa ou qui vit sous l'égide de la vertu n'éprouve aucun ressentiment à l'égard des êtres ou des choses qui peuvent le déranger. Il agit au moment et à l'endroit qui conviennent, sans se soucier des désagréments que pourrait provoquer l'accomplissement de son devoir. Comprenons qu'un homme situé à ce niveau de transcendance est doté de la plus haute intelligence et qu'en tout ce qu'il fait, il est entièrement affranchi du doute.

**18.11** न हि देहभृता शक्यं त्यक्तुं कर्माण्यशेषतः ।
यस्तु कर्मफलत्यागी स त्यागीत्यभिधीयते ॥११॥

*na hi deha-bhṛtā śakyaṁ, tyaktuṁ karmāṇy aśeṣataḥ*
*yas tu karma-phala-tyāgī, sa tyāgīty abhidhīyate*

*na :* jamais ; *hi :* certes ; *deha-bhṛtā :* pour l'être incarné ; *śakyam :* il n'est possible ; *tyaktum :* de renoncer ; *karmāṇi :* aux activités ; *aśeṣataḥ :* toutes ensemble ; *yaḥ :* quiconque ; *tu :* mais ; *karma :* du travail ; *phala :* aux résultats ; *tyāgī :* le renonçant ; *saḥ :* il ; *tyāgī :* le renonçant ; *iti :* ainsi ; *abhidhīyate :* est dit.

**Il est en effet impossible pour un être incarné d'abandonner toute activité. Aussi dira-t-on que celui qui renonce aux fruits de ses actes est le vrai renonçant.**

La *Bhagavad-gītā* enseigne qu'il est impossible de cesser d'agir. Voilà pourquoi le véritable renonçant est celui qui agit pour Kṛṣṇa, sans chercher à jouir du fruit de son labeur, celui qui offre tout à Kṛṣṇa. Le Mouvement International pour la Conscience de Kṛṣṇa compte de nombreux membres qui travaillent dans des usines, des bureaux ou autres établissements et font des dons importants aux œuvres du mouvement. Ces âmes très élevées sont en vérité des *sannyāsīs,* des renonçants. Ce verset montre clairement de quelle manière il convient de renoncer aux fruits de l'action et dans quel but on doit agir de la sorte.

**18.12** अनिष्टमिष्टं मिश्रं च त्रिविधं कर्मणः फलम् ।
भवत्यत्यागिनां प्रेत्य न तु सन्न्यासिनां क्वचित् ॥१२॥

**Conclusion, la perfection du renoncement**

*aniṣṭam iṣṭaṁ miśraṁ ca*
*tri-vidhaṁ karmaṇaḥ phalam*
*bhavaty atyāginām pretya*
*na tu sannyāsināṁ kvacit*

*aniṣṭam :* en enfer ; *iṣṭam :* menant au paradis ; *miśram :* mixte ; *ca :* et ; *tri-vidham :* de trois sortes ; *karmaṇaḥ :* de l'action ; *phalam :* le résultat ; *bhavati :* vient ; *atyāginām :* pour ceux qui ont pris l'ordre du renoncement ; *pretya :* après la mort ; *na :* non pas ; *tu :* mais ; *sannyāsinām :* pour ceux qui ont pris l'ordre du renoncement ; *kvacit :* à aucun moment.

**Les trois sortes de fruits de l'acte – désirable, indésirable et mixte – échoient après la mort à celui qui n'a pas renoncé. Le renonçant, par contre, n'aura ni à en jouir ni à en souffrir.**

L'homme conscient de Kṛṣṇa, qui agit en pleine connaissance de la relation qui l'unit au Seigneur, est à jamais libéré. Il n'aura donc ni à jouir ni à souffrir des conséquences de ses actes après la mort.

**18.13** पञ्चैतानि महाबाहो कारणानि निबोध मे ।
साङ्ख्ये कृतान्ते प्रोक्तानि सिद्धये सर्वकर्मणाम् ॥१३॥

*pañcaitāni mahā-bāho, kāraṇāni nibodha me*
*sāṅkhye kṛtānte proktāni, siddhaye sarva-karmaṇām*

*pañca :* cinq ; *etāni :* ces ; *mahā-bāho :* ô toi aux bras puissants ; *kāraṇāni :* causes ; *nibodha :* comprends seulement ; *me :* de Moi ; *sāṅkhye :* dans le *Vedānta* ; *kṛta-ante :* dans la conclusion ; *proktāni :* dites ; *siddhaye :* pour la perfection ; *sarva :* de toutes ; *karmaṇām :* les activités.

**Ô Arjuna aux bras puissants, Je vais maintenant t'instruire des cinq facteurs de l'action que décrit le Vedānta.**

On peut se demander pourquoi, si tout acte doit entraîner une conséquence, l'homme conscient de Kṛṣṇa n'a pas à jouir ou à souffrir des suites de ses actions. Pour démontrer ce point, le Seigneur Se réfère à la philosophie du *Vedānta*. Il enseigne qu'il y a cinq causes à tout acte et qu'on se doit de les connaître pour accomplir nos activités avec succès. Le *sāṅkhya* représente le tronc du savoir, et le *Vedānta* en est la plus haute partie. Tous les grands *ācāryas* – dont même Śaṅkarācārya – reconnaissent l'éminente valeur du *Vedānta-sūtra*. Un tel écrit mérite donc d'être consulté.

L'Âme Suprême est l'ultime autorité. Comme l'enseigne la *Bhagavad-gītā,* l'Âme Suprême conduit chacun à des activités spécifiques inspirées par le souvenir de ses actes passés (*sarvasya cāhaṁ hṛdi sanniviṣṭaḥ*). L'acte conscient de Kṛṣṇa accompli sous Sa direction n'entraîne aucune réaction, tant dans cette vie que dans la prochaine.

**18.14** अधिष्ठानं तथा कर्ता करणं च पृथग्विधम् ।
विविधाश्च पृथक्चेष्टा दैवं चैवात्र पञ्चमम् ॥१४॥

*adhiṣṭhānaṁ tathā kartā, karaṇaṁ ca pṛthag-vidham*
*vividhāś ca pṛthak ceṣṭā, daivaṁ caivātra pañcamam*

*adhiṣṭhānam :* le lieu ; *tathā :* aussi ; *kartā :* l'auteur de l'action ; *karaṇam :* les instruments ; *ca :* et ; *pṛthak-vidham :* de différentes sortes ; *vividhāḥ :* variés ; *ca :* et ; *pṛthak :* séparés ; *ceṣṭāḥ :* les efforts ; *daivam :* le Suprême ; *ca :* aussi ; *eva :* certes ; *atra :* ici ; *pañcamam :* le cinquième.

**Les cinq facteurs de l'action sont le lieu [le corps], l'auteur, les différents sens, l'effort sous ses divers aspects et finalement l'Âme Suprême.**

Le mot *adhiṣṭhānam* renvoie au corps. On appelle *kartā* (celui qui agit) l'âme présente dans le corps, car elle agit pour générer les fruits de l'acte. La *śruti* (*Praśna Upaniṣad* 4.9) explique que l'âme est à la fois le connaissant et l'agissant : *eṣa hi draṣṭā sraṣṭā.* Ce que corrobore le *Vedānta-sūtra* par les versets suivants : *jño 'ta eva* (2.3.18) et *kartā śāstrārthavattvāt* (2.3.33).

Les instruments de l'acte sont les sens. À travers eux, l'âme agit de diverses manières, et pour chaque acte, elle fournit un effort particulier. Mais en dernier lieu, tous ses actes dépendent de la volonté de l'Âme Suprême sise dans le cœur de chacun en tant que son ami. Le Seigneur est donc, dans l'acte, la cause suprême. Voilà pourquoi celui qui agit dans la conscience de Kṛṣṇa sous la direction de l'Âme Suprême sise en son cœur n'est lié par aucun de ses actes. L'homme fixé dans la conscience de Kṛṣṇa ne détient pas, en dernière analyse, la responsabilité de ses actes ; tout ce qu'il fait est subordonné à la Volonté Suprême, Dieu, la Personne Suprême.

**18.15** शरीरवाङ्मनोभिर्यत्कर्म प्रारभते नरः ।
न्याय्यं वा विपरीतं वा पञ्चैते तस्य हेतवः ॥१५॥

*śarīra-vāṅ-manobhir yat, karma prārabhate naraḥ*
*nyāyyaṁ vā viparītaṁ vā, pañcaite tasya hetavaḥ*

*śarīra :* par le corps ; *vāk :* la parole ; *manobhiḥ :* et le mental ; *yat :* quelque ; *karma :* action ; *prārabhate :* que commence ; *naraḥ :* une personne ; *nyāyyam :* juste ; *vā :* ou ;

*viparītam :* le contraire ; *vā :* ou ; *pañca :* cinq ; *ete :* tous ces ; *tasya :* ses ; *hetavaḥ :* causes.

**Tout acte, bon ou mauvais, que l'homme accomplit avec le corps, le mental ou la parole, procède de ces cinq facteurs.**

Attardons-nous ici sur le sens des mots « bon » et « mauvais ». L'acte bon est celui qui obéit aux directives des Écritures, et l'acte qualifié de mauvais celui qui les enfreint. Tout acte, néanmoins, nécessite les cinq facteurs précédemment énumérés pour son plein accomplissement.

**18.16** तत्रैवं सति कर्तारमात्मानं केवलं तु यः ।
पश्यत्यकृतबुद्धित्वान्न स पश्यति दुर्मतिः ॥१६॥

*tatraivaṁ sati kartāram, ātmānaṁ kevalaṁ tu yaḥ*
*paśyaty akṛta-buddhitvān, na sa paśyati durmatiḥ*

*tatra :* là ; *evam :* ainsi ; *sati :* étant ; *kartāram :* l'auteur ; *ātmānam :* lui-même ; *kevalam :* seulement ; *tu :* mais ; *yaḥ :* quiconque ; *paśyati :* voit ; *akṛta-buddhitvāt :* par manque d'intelligence ; *na :* jamais ; *saḥ :* il ; *paśyati :* ne voit ; *durmatiḥ :* insensé.

**Ainsi, celui qui, ne prenant pas en considération les cinq facteurs de l'acte, se croit le seul agissant, ne fait certes pas montre d'une grande intelligence et n'est pas en mesure de voir les choses telles qu'elles sont.**

Le sot ne peut comprendre que l'Âme Suprême, située à l'intérieur de son corps, soit son amie et qu'Elle conduise ses actes. Si les causes matérielles de l'acte sont le lieu, l'auteur, l'effort et les sens, la cause ultime en est Dieu, la Personne Suprême. Il ne faut donc pas limiter sa vision aux quatre causes matérielles, mais l'étendre également à la cause efficiente, la cause suprême. Celui qui ne voit pas le Suprême croit être lui-même la seule cause de l'acte.

**18.17** यस्य नाहङ्कृतो भावो बुद्धिर्यस्य न लिप्यते ।
हत्वापि स इमाँल्लोकान्न हन्ति न निबध्यते ॥१७॥

*yasya nāhaṅkṛto bhāvo, buddhir yasya na lipyate*
*hatvāpi sa imāl̐ lokān, na hanti na nibadhyate*

*yasya :* celui dont ; *na :* jamais ; *ahaṅkṛtaḥ :* du faux ego ; *bhāvaḥ :* la nature ; *buddhiḥ :* l'intelligence ; *yasya :* celui dont ; *na :* jamais ; *lipyate :* n'est liée ; *hatvā :* tuant ; *api :* même ; *saḥ :* il ; *imān :* en ce ; *lokān :* monde ; *na :* jamais ; *hanti :* ne tue ; *na :* jamais ; *nibadhyate :* devient enchaîné.

**Celui qui n'est pas motivé par le faux ego, dont l'intelligence ne s'abuse pas, tuât-il en ce monde, jamais ne tue. Jamais non plus ses actes ne le lient.**

Le Seigneur explique à Arjuna que son désir de ne pas combattre provient du faux ego. Arjuna se croyait le seul agissant ; il oubliait de prendre en compte l'Être Suprême qui, de l'intérieur comme de l'extérieur, sanctionne l'acte. Si l'on ignore cela, pourquoi donc agir ? Seul un homme qui sait de quelle nature sont les instruments de l'acte, lui-même étant l'agissant et le Seigneur Suprême Celui qui donne la sanction ultime, est parfait dans tout ce qu'il accomplit. Il n'est jamais la proie de l'illusion. L'action égocentrique ainsi que la responsabilité dans laquelle elle engage son auteur procèdent du faux ego, de l'impiété et du manque de conscience de Kṛṣṇa. L'être qui agit dans la conscience de Kṛṣṇa, sous la direction de l'Âme Suprême, de Dieu en personne, celui-là, tuât-il, jamais ne tue, et n'est pas non plus sujet aux réactions de son acte. Quand un soldat tue un ennemi sur ordre d'un officier supérieur, il n'est pas mis en cause. Mais s'il tue par intérêt personnel, il est jugé devant un tribunal.

**18.18** ज्ञानं ज्ञेयं परिज्ञाता त्रिविधा कर्मचोदना ।
करणं कर्म कर्तेति त्रिविधः कर्मसङ्ग्रहः ॥१८॥

*jñānaṁ jñeyaṁ parijñātā, tri-vidhā karma-codanā*
*karaṇaṁ karma karteti, tri-vidhaḥ karma-saṅgrahaḥ*

*jñānam :* la connaissance ; *jñeyam :* l'objet de la connaissance ; *parijñātā :* le connaissant ; *tri-vidhā :* de trois sortes ; *karma :* de l'action ; *codanā :* la motivation ; *karaṇam :* les sens ; *karma :* l'action ; *kartā :* l'auteur de l'action ; *iti :* ainsi ; *tri-vidhaḥ :* de trois sortes ; *karma :* de l'action ; *saṅgrahaḥ :* l'ensemble.

**La connaissance, l'objet de la connaissance et le connaissant sont les trois facteurs qui motivent l'action. Les sens, l'acte en soi et son auteur sont les trois constituants de l'action.**

Trois sortes d'éléments motivent les actes quotidiens : la connaissance, l'objet de la connaissance et le connaissant. Les instruments de l'acte, l'acte en soi et son auteur sont les éléments constituants de l'acte. Tout acte accompli par l'homme comporte ces six éléments. La force stimulante qui précède l'acte est l'inspiration. Et la solution qui se présente à l'esprit avant la réalisation de l'acte n'est autre que la forme subtile de cet acte, acte subtil qui se transforme ensuite en l'acte lui-même. Mais il faut d'abord passer par trois processus psychologiques - penser, sentir et vouloir - qui constituent ce qu'on appelle le stimulus. Notons que l'inspiration qui nous vient des Écritures est la même que celle venue du maître spirituel. Quand l'inspiration et l'auteur se trouvent réunis, l'acte lui-même s'accomplit avec le concours des sens, dont le mental est le centre. La somme de tous les constituants de l'acte est appelée la « totalité de l'action ».

**18.19** ज्ञानं कर्म च कर्ता च त्रिधैव गुणभेदतः ।
प्रोच्यते गुणसङ्ख्याने यथावच्छृणु तान्यपि ॥१९॥

*jñānaṁ karma ca kartā ca, tridhaiva guṇa-bhedataḥ*
*procyate guṇa-saṅkhyāne, yathāvac chṛṇu tāny api*

*jñānam :* de connaissance ; *karma :* d'action ; *ca :* aussi ; *kartā :* d'auteur de l'action ; *ca :* aussi ; *tridhā :* trois sortes ; *eva :* certes ; *guṇa-bhedataḥ :* selon les différents *guṇas* ; *procyate :* sont dites ; *guṇa-saṅkhyāne :* selon les différents *guṇas* ; *yathā-vat :* telles qu'elles sont ; *śṛṇu :* entends ; *tāni :* toutes ; *api :* aussi.

**Aux trois modes d'influence de la nature matérielle correspondent trois sortes de savoir, d'acte et d'auteur de l'acte. Laisse-Moi maintenant te les décrire.**

Le quatorzième chapitre a traité des trois *guṇas* de façon élaborée. Nous y avons appris que de la vertu procède l'illumination, de la passion, le matérialisme, et de l'ignorance, la paresse et l'indolence. Tous les *guṇas* enchaînent l'être à la matière ; ils ne l'en libèrent pas. Même la vertu nous conditionne. Le Seigneur a décrit dans le dix-septième chapitre les différentes formes de culte accomplies en fonction des trois *guṇas* par les différentes sortes d'hommes. Dans notre verset, Il exprime Son désir d'examiner les diverses sortes de savoir, d'acte et d'agissant, toujours en rapport avec l'influence qu'excercent sur eux les trois *guṇas*.

**18.20** सर्वभूतेषु येनैकं भावमव्ययमीक्षते ।
अविभक्तं विभक्तेषु तज्ज्ञानं विद्धि सात्त्विकम् ॥२०॥

*sarva-bhūteṣu yenaikaṁ, bhāvam avyayam īkṣate*
*avibhaktaṁ vibhakteṣu, taj jñānaṁ viddhi sāttvikam*

*sarva-bhūteṣu :* dans tous les êtres ; *yena :* par lequel ; *ekam :* une ; *bhāvam :* nature ; *avyayam :* impérissable ; *īkṣate :* on voit ; *avibhaktam :* non divisée ; *vibhakteṣu :* dans le divisé infini ; *tat :* ce ; *jñānam :* savoir ; *viddhi :* sache ; *sāttvikam :* dans la vertu.

**Comprends que le savoir par lequel on distingue une essence spirituelle unique en tous les êtres en dépit de leurs innombrables formes, est inspiré par la vertu.**

Celui qui voit une âme spirituelle en chaque être vivant - *deva,* homme, mammifère, oiseau, plante ou être aquatique - possède un savoir relevant de la vertu. Il y a une âme en chaque être, même si en raison de leurs actions passées, ils ont chacun un corps différent. Comme l'a enseigné le septième chapitre, la force vitale en chaque corps provient de l'énergie supérieure du Seigneur Suprême. Aussi, le fait de voir en chaque corps cette nature supérieure unique, cette force vitale, atteste que l'on est inspiré par la vertu. Les corps périssent, mais cette énergie vitale demeure impérissable. Parce que les formes de vie dans l'existence conditionnée sont multiples, on fait une distinction entre les êtres en fonction des corps qu'ils habitent, si bien que la force vitale semble divisée. Le savoir impersonnel exposé ici constitue l'un des aspects de la réalisation spirituelle.

**18.21** पृथक्त्वेन तु यज्ज्ञानं नानाभावान् पृथग्विधान् ।
वेत्ति सर्वेषु भूतेषु तज्ज्ञानं विद्धि राजसम् ॥२१॥

*pṛthaktvena tu yaj jñānaṁ, nānā-bhāvān pṛthag-vidhān*
*vetti sarveṣu bhūteṣu, taj jñānaṁ viddhi rājasam*

*pṛthaktvena :* à cause de la division; *tu :* mais; *yat :* par lequel; *jñānam :* le savoir; *nānā-bhāvān :* des natures multiples; *pṛthak-vidhān :* différentes; *vetti :* connaît; *sarveṣu :* en tous; *bhūteṣu :* les êtres; *tat :* ce; *jñānam :* savoir; *viddhi :* doit être connu; *rājasam :* en terme de la passion.

**Le savoir par lequel on perçoit différents types d'êtres dans différents types de corps provient, sache-le, de la passion.**

Le concept selon lequel le corps matériel est l'être vivant lui-même, selon lequel la conscience périt avec le corps, révèle un savoir ressortissant à la passion. D'après cette théorie, les corps se distingueraient les uns des autres en raison de développements différents de la conscience, et il n'existerait pas, à l'origine de cette conscience, d'âme spirituelle distincte du corps. En d'autres mots, il n'y aurait pas d'âme au-delà du corps, le corps lui-même étant l'âme. Quant à la conscience, elle serait quelque chose d'impermanent. Une autre théorie est qu'il n'existe pas d'âmes distinctes, mais une seule et unique âme, omniprésente et omnisciente, le corps n'étant que la manifestation d'une ignorance temporaire. Une autre encore soutient qu'il n'existe, au-delà du corps, ni âme ni Âme Suprême. Tous ces concepts dérivent de l'influence de la passion.

18.22 यत्तु कृत्स्नवदेकस्मिन् कार्ये सक्तमहैतुकम् ।
अतत्त्वार्थवदल्पं च तत्तामसमुदाहृतम् ॥२२॥

*yat tu kṛtsna-vad ekasmin, kārye saktam ahaitukam*
*atattvārtha-vad alpaṁ ca, tat tāmasam udāhṛtam*

*yat :* ce qui ; *tu :* mais ; *kṛtsna-vat :* comme si c'était tout ; *ekasmin :* à une ; *kārye :* action ; *saktam :* attaché ; *ahaitukam :* sans cause ; *atattva-artha-vat :* sans connaissance de la réalité ; *alpam :* très restreint ; *ca :* et ; *tat :* cela ; *tāmasam :* dans l'ignorance ; *udāhṛtam :* est dit être.

**Quant au savoir restreint par lequel, sans connaître la vérité, on s'attache à une seule forme d'action comme si elle était tout, on le dit venu des ténèbres de l'ignorance.**

Le « savoir » de l'homme ordinaire relève toujours des ténèbres de l'ignorance, puisque les êtres conditionnés naissent tous dans l'ignorance. Ses connaissances se limitent au corps car elles ne s'appuient sur aucune autorité spirituelle, aucune Écriture. L'homme du commun ne se soucie pas le moins du monde d'agir conformément aux préceptes scripturaires. Pour lui, Dieu c'est l'argent, et le savoir ce qui permet de satisfaire les demandes du corps. Un tel savoir n'aborde en rien la Vérité Absolue. Plus ou moins identique à celui de l'animal, il se rapporte aux nécessités de base : manger, dormir, s'accoupler et se défendre. D'après ce verset, il provient du *guṇa* des ténèbres, du *guṇa* de l'ignorance.

En d'autres mots, le savoir concernant l'âme spirituelle située au-delà du corps relève de la vertu. Le savoir qui, par le biais de la logique matérielle et de la spéculation intellectuelle, engendre toutes sortes de théories et de doctrines procède de la passion. Enfin, celui qui ne touche qu'au maintien du corps dans le confort dérive de l'ignorance.

18.23 नियतं सङ्गरहितमरागद्वेषतः कृतम् ।
अफलप्रेप्सुना कर्म यत्तत्सात्त्विकमुच्यते ॥२३॥

*niyataṁ saṅga-rahitam, arāga-dveṣataḥ kṛtam*
*aphala-prepsunā karma, yat tat sāttvikam ucyate*

*niyatam :* selon la règle; *saṅga-rahitam :* sans attachement; *arāga-dveṣataḥ :* sans attrait ni aversion; *kṛtam :* accomplie; *aphala-prepsunā :* par celui qui n'a pas de désir pour le résultat; *karma :* l'action; *yat :* qui; *tat :* celle-là; *sāttvikaṁ :* dans la vertu; *ucyate :* est nommée.

**Il est dit que l'acte accompli selon les règles, sans attachement, sans attrait ni aversion, et sans rien attendre en retour, procède de la vertu.**

Les devoirs réglementaires assignés par les Écritures à chacun des *varṇas* et *āśramas,* accomplis sans attachement, sans esprit de possession et donc sans attrait ni aversion, dans la conscience de Kṛṣṇa, pour satisfaire non sa propre personne mais le Suprême, relèvent de la vertu.

**18.24** यत्तु कामेप्सुना कर्म साहङ्कारेण वा पुनः ।
क्रियते बहुलायासं तद्राजसमुदाहृतम् ॥२४॥

*yat tu kāmepsunā karma, sāhaṅkāreṇa vā punaḥ*
*kriyate bahulāyāsaṁ, tad rājasam udāhṛtam*

*yat :* ce qui; *tu :* mais; *kāma-īpsunā :* par celui qui désire les résultats; *karma :* l'action; *sa-ahaṅkāreṇa :* avec le faux ego; *vā :* ou; *punaḥ :* encore; *kriyate :* est accomplie; *bahula-āyāsam :* avec grand effort; *tat :* celle-là; *rājasam :* dans la passion; *udāhṛtam :* est dite être.

**En revanche, l'acte accompli avec grand effort dans le but d'assouvir ses désirs, et que motive le faux ego, procède de la passion.**

**18.25** अनुबन्धं क्षयं हिंसामनपेक्ष्य च पौरुषम् ।
मोहादारभ्यते कर्म यत्तत्तामसमुच्यते ॥२५॥

*anubandhaṁ kṣayaṁ hiṁsām, anapekṣya ca pauruṣam*
*mohād ārabhyate karma, yat tat tāmasam ucyate*

*anubandham :* d'enchaînement futur; *kṣayam :* la destruction; *hiṁsām :* et la souffrance causée à autrui; *anapekṣya :* sans considérer les conséquences; *ca :* aussi; *pauruṣam :* sanctionnée par soi-même; *mohāt :* par illusion; *ārabhyate :* est commencée; *karma :* l'action; *yat :* qui; *tat :* celle-là; *tāmasam :* dans l'ignorance; *ucyate :* est dite être.

**Quant à l'acte accompli dans l'illusion, au mépris des injonctions scripturaires, sans considérer l'enchaînement qui en découle ni prendre en compte la violence ou la souffrance qu'il inflige à autrui, cet acte procède de l'ignorance.**

Chacun doit rendre compte de ses actes, que ce soit devant l'État ou devant les agents du Seigneur Suprême, les Yamadūtas. Les actes irresponsables sont à l'origine de nombreux maux, car ils vont à l'encontre des principes régulateurs énoncés dans les Écritures. Ils se fondent souvent sur la violence et portent préjudice aux autres êtres. Leurs auteurs n'ont d'autre guide que leur expérience personnelle. C'est ce qu'on appelle l'illusion. Tous ces actes illusoires sont le fruit de l'ignorance.

**18.26** मुक्तसङ्गोऽनहंवादी धृत्युत्साहसमन्वितः।
सिद्ध्यसिद्ध्योर्निर्विकारः कर्ता सात्त्विक उच्यते ॥२६॥

*mukta-saṅgo 'nahaṁ-vādī, dhṛty-utsāha-samanvitaḥ*
*siddhy-asiddhyor nirvikāraḥ, kartā sāttvika ucyate*

*mukta-saṅgaḥ :* dégagé de tout contact avec la nature matérielle; *anaham-vādī :* sans faux ego; *dhṛti :* avec détermination; *utsāha :* et grand enthousiasme; *samanvitaḥ :* qualifié; *siddhi :* dans la perfection; *asiddhyoḥ :* et l'échec; *nirvikāraḥ :* sans changement; *kartā :* l'auteur de l'action; *sāttvikaḥ :* dans la vertu; *ucyate :* est dit être.

**Celui qui accomplit son devoir sans être touché par les modes d'influence de la nature matérielle, qui est affranchi du faux ego, résolu, enthousiaste, égal dans le succès comme dans l'échec, vit sous l'égide de la vertu.**

L'homme conscient de Kṛṣṇa transcende toujours les trois modes d'influence de la nature. Affranchi du faux ego et de l'orgueil, il ne recherche pas le fruit des tâches qui lui sont assignées. Il n'en demeure pas moins enthousiaste dans son travail jusqu'à son achèvement. Et si, pour l'accomplir, il doit subir quelque désagrément, il n'en est pas affecté. Il est indifférent au succès comme à l'échec et demeure égal dans le bonheur ou le malheur. Une telle personne vit dans la vertu.

**18.27** रागी कर्मफलप्रेप्सुर्लुब्धो हिंसात्मकोऽशुचिः।
हर्षशोकान्वितः कर्ता राजसः परिकीर्तितः ॥२७॥

*rāgī karma-phala-prepsur, lubdho hiṁsātmako 'śuciḥ*
*harṣa-śokānvitaḥ kartā, rājasaḥ parikīrtitaḥ*

*rāgī :* très attaché; *karma-phala :* le résultat de l'action; *prepsuḥ :* désirant; *lubdhaḥ :* avide; *hiṁsā-ātmakaḥ :* toujours envieux; *aśuciḥ :* impur; *harṣa-śoka-anvitaḥ :* sujet à la joie et à la peine; *kartā :* cet auteur de l'action; *rājasaḥ :* dans la passion; *parikīrtitaḥ :* est déclaré.

**Celui qui s'attache à son labeur et aux fruits de son labeur parce qu'il désire en jouir, qui est avide, toujours envieux, impur, ballotté par les joies et les peines, vit sous l'emprise de la passion.**

Si un homme est trop attaché à une activité particulière ou au fruit de son labeur, cela signifie qu'il est trop attaché à sa condition matérielle, à son foyer, à sa femme et à ses enfants. Ce genre d'homme n'a aucun désir d'atteindre un niveau d'existence supérieur. Il a pour seule préoccupation de faire de ce monde un lieu aussi confortable que possible, matériellement parlant. Il est très avide et croit que tous les biens acquis sont permanents, qu'il ne les perdra jamais. Il jalouse autrui et il est prêt à n'importe quelle action coupable pour satisfaire ses sens. Il est impur et peu lui importe de gagner sa vie de façon honnête ou malhonnête. Il est content lorsque ses actes sont couronnés de succès, et déprimé lorsqu'ils échouent. Un tel homme vit sous l'empire de la passion.

**18.28** अयुक्तः प्राकृतः स्तब्धः शठो नैष्कृतिकोऽलसः ।
विषादी दीर्घसूत्री च कर्ता तामस उच्यते ॥२८॥

*ayuktaḥ prākṛtaḥ stabdhaḥ, śaṭho naiṣkṛtiko 'lasaḥ*
*viṣādī dīrgha-sūtrī ca, kartā tāmasa ucyate*

*ayuktaḥ :* sans référence aux préceptes scripturaires ; *prākṛtaḥ :* matérialiste ; *stabdhaḥ :* obstiné ; *śaṭhaḥ :* fourbe ; *naiṣkṛtikaḥ :* injurieux ; *alasaḥ :* paresseux ; *viṣādī :* morose ; *dīrgha-sūtrī :* remettant au lendemain ; *ca :* aussi ; *kartā :* l'auteur de l'action ; *tāmasaḥ :* dans l'ignorance ; *ucyate :* est dit être.

**L'homme qui agit toujours à l'encontre des préceptes scripturaires, qui est matérialiste, obstiné, fourbe, injurieux, paresseux, morose et remet sans cesse les choses au lendemain, on le dit être sous l'empire de l'ignorance.**

Les Écritures nous enseignent quels actes sont recommandés et quels actes sont défendus. Ceux qui négligent ces enseignements se livrent à des actions prohibées et sont généralement matérialistes. Ils agissent en fonction de l'influence qu'ils reçoivent des *guṇas* et non selon les préceptes des Écritures. Ils sont peu aimables et s'avèrent généralement fourbes et insultants. Ils sont très paresseux, et quand quelque devoir leur est assigné, ils ne l'exécutent pas comme il faudrait ou le remettent à plus tard. Ils sont toujours moroses et font traîner pendant des années ce qu'ils pourraient accomplir en une heure. On dit que ceux qui agissent ainsi sont gouvernés par l'ignorance.

18.29 बुद्धेर्भेदं धृतेश्चैव गुणतस्त्रिविधं शृणु ।
प्रोच्यमानमशेषेण पृथक्त्वेन धनञ्जय ॥२९॥

*buddher bhedaṁ dhṛteś caiva, guṇatas tri-vidhaṁ śṛṇu*
*procyamānam aśeṣeṇa, pṛthaktvena dhanañ-jaya*

*buddheḥ* : d'intelligence ; *bhedam* : les différences ; *dhṛteḥ* : de fermeté ; *ca* : aussi ; *eva* : certes ; *guṇataḥ* : par les *guṇas* ; *tri-vidham* : de trois sortes ; *śṛṇu* : écoute seulement ; *procyamānam* : telles que décrites par Moi ; *aśeṣeṇa* : en détail ; *pṛthaktvena* : différemment ; *dhanam-jaya* : ô conquérant des richesses.

**Ô conquérant des richesses, écoute-Moi te décrire en détail comment se manifestent les divers types d'intelligence et de détermination en fonction des trois modes d'influence de la nature.**

Le Seigneur a décrit jusqu'ici le savoir, l'objet du savoir et le connaissant en rapport avec les trois modes d'influence de la nature. Il va maintenant décrire de la même façon l'intelligence et la détermination de celui qui agit.

18.30 प्रवृत्तिं च निवृत्तिं च कार्याकार्ये भयाभये ।
बन्धं मोक्षं च या वेत्ति बुद्धिः सा पार्थ सात्त्विकी ॥३०॥

*pravṛttiṁ ca nivṛttiṁ ca, kāryākārye bhayābhaye*
*bandhaṁ mokṣaṁ ca yā vetti, buddhiḥ sā pārtha sāttvikī*

*pravṛttim* : faisant ; *ca* : aussi ; *nivṛttim* : ne faisant pas ; *ca* : et ; *kārya* : ce qui doit être fait ; *akārye* : et ce qui ne doit pas être fait ; *bhaya* : la crainte ; *abhaye* : et l'absence de crainte ; *bandham* : l'enchaînement ; *mokṣam* : et la libération ; *ca* : et ; *yā* : qui ; *vetti* : connaît ; *buddhiḥ* : compréhension ; *sā* : cette ; *pārtha* : ô fils de Pṛthā ; *sāttvikī* : dans la vertu.

**L'intelligence qui permet de déterminer ce qu'il convient de faire ou de ne pas faire, de discerner entre ce qui est à craindre et ce qui ne l'est pas, ce qui enchaîne et ce qui libère, cette intelligence, ô fils de Pṛthā, participe de la vertu.**

Les actes accomplis conformément aux préceptes scripturaires sont qualifiés de *pravṛttis* (dignes d'être accomplis), au contraire de ceux que proscrivent les Écritures. Celui qui ignore les instructions scripturaires se prend dans l'engrenage de l'acte et de ses effets consécutifs. L'intelligence discriminatrice participe de la vertu.

**18.31** यया धर्ममधर्मं च कार्यं चाकार्यमेव च ।
अयथावत्प्रजानाति बुद्धिः सा पार्थ राजसी ॥३१॥

*yayā dharmam adharmaṁ ca, kāryaṁ cākāryam eva ca*
*ayathāvat prajānāti, buddhiḥ sā pārtha rājasī*

*yayā :* par quoi ; *dharmam :* les principes de la religion ; *adharmam :* l'irréligion ; *ca :* et ; *kāryam :* ce qui doit être fait ; *ca :* aussi ; *akāryam :* ce qui ne doit pas être fait ; *eva :* certes ; *ca :* aussi ; *ayathā-vat :* imparfaitement ; *prajānāti :* sait ; *buddhiḥ :* intelligence ; *sā :* cette ; *pārtha :* ô fils de Pṛthā ; *rājasī :* dans la passion.

**Mais l'intelligence qui ne peut distinguer la religion de l'irréligion, ni différencier ce qu'il convient de faire ou d'éviter, cette intelligence, ô fils de Pṛthā, participe de la passion.**

**18.32** अधर्मं धर्ममिति या मन्यते तमसावृता ।
सर्वार्थान् विपरीतांश्च बुद्धिः सा पार्थ तामसी ॥३२॥

*adharmaṁ dharmam iti yā, manyate tamasāvṛtā*
*sarvārthān viparītāṁś ca, buddhiḥ sā pārtha tāmasī*

*adharmam :* l'irréligion ; *dharmam :* la religion ; *iti :* ainsi ; *yā :* qui ; *manyate :* pense ; *tamasā :* par l'illusion ; *āvṛtā :* couverte ; *sarva-arthān :* toutes choses ; *viparītān :* dans la mauvaise direction ; *ca :* aussi ; *buddhiḥ :* intelligence ; *sā :* cette ; *pārtha :* ô fils de Pṛthā ; *tāmasī :* dans l'ignorance.

**Quant à l'intelligence captive de l'illusion et des ténèbres, qui prend l'irréligion pour la religion et la religion pour l'irréligion et dirige tous ses efforts dans la mauvaise direction, cette intelligence, ô fils de Pṛthā, participe de l'ignorance.**

Les hommes dont l'intelligence est conditionnée par l'ignorance agissent toujours à l'inverse de ce qu'il faudrait. Ils acceptent les fausses religions et rejettent la véritable. Ils prennent une grande âme pour une personne ordinaire et une personne ordinaire pour une grande âme. Ils pensent que la vérité est mensonge et que le mensonge est vérité. Dans tout ce qu'ils font, ils optent toujours pour la mauvaise voie.

**18.33** धृत्या यया धारयते मनःप्राणेन्द्रियक्रियाः ।
योगेनाव्यभिचारिण्या धृतिः सा पार्थ सात्त्विकी ॥३३॥

*dhṛtyā yayā dhārayate, manaḥ-prāṇendriya-kriyāḥ*
*yogenāvyabhicāriṇyā, dhṛtiḥ sā pārtha sāttvikī*

*dhṛtyā :* la détermination; *yayā :* par laquelle; *dhārayate :* on soutient; *manaḥ :* du mental; *prāṇa :* de la vie; *indriya :* et des sens; *kriyāḥ :* les activités; *yogena :* par la pratique du yoga; *avyabhicāriṇyā :* sans aucune rupture; *dhṛtiḥ :* détermination; *sā :* cette; *pārtha :* ô fils de Pṛthā; *sāttvikī :* dans la vertu.

**La détermination que rien ne peut fléchir, que la pratique du yoga soutient avec constance, et qui ainsi gouverne les activités du mental, de la force vitale et des sens, cette détermination, ô fils de Pṛthā, relève de la vertu.**

Le yoga permet d'appréhender l'Être Suprême. Celui qui, avec détermination, reste constamment fixé sur le Suprême et concentre sur Lui son mental, sa force vitale et ses sens, suit la voie de la conscience de Kṛṣṇa. Une telle détermination relève de la vertu. Le mot *avyabhicāriṇyā* est ici lourd de sens : il indique que les hommes qui s'absorbent dans la conscience de Kṛṣṇa ne s'en laissent jamais détourner.

**18.34** यया तु धर्मकामार्थान्धृत्या धारयतेऽर्जुन ।
प्रसङ्गेन फलाकाङ्क्षी धृतिः सा पार्थ राजसी ॥३४॥

*yayā tu dharma-kāmārthān, dhṛtyā dhārayate 'rjuna*
*prasaṅgena phalākāṅkṣī, dhṛtiḥ sā pārtha rājasī*

*yayā :* par laquelle; *tu :* mais; *dharma :* la religiosité; *kāma :* le plaisir des sens; *arthān :* et la prospérité économique; *dhṛtyā :* par la détermination; *dhārayate :* on soutient; *arjuna :* ô Arjuna; *prasaṅgena :* du fait de l'attachement; *phala-ākāṅkṣī :* désirant le résultat; *dhṛtiḥ :* détermination; *sā :* cette; *pārtha :* ô fils de Pṛthā; *rājasī :* dans la passion.

**Mais la détermination qui s'attache aux résultats des activités d'ordre religieux, économique et sensoriel relève de la passion, ô Arjuna.**

Celui dont la piété ou les entreprises économiques n'ont d'autre but que les bénéfices qu'il en retirera, qui n'aspire qu'aux plaisirs des sens et consacre à ces choses sa vie, son mental et ses sens, celui-là est conditionné par la passion.

**18.35** यया स्वप्नं भयं शोकं विषादं मदमेव च ।
न विमुञ्चति दुर्मेधा धृतिः सा पार्थ तामसी ॥३५॥

*yayā svapnaṁ bhayaṁ śokaṁ, viṣādaṁ madam eva ca*
*na vimuñcati durmedhā, dhṛtiḥ sā pārtha tāmasī*

*yayā :* par laquelle ; *svapnam :* le rêve ; *bhayam :* la peur ; *śokam :* la lamentation ; *viṣādam :* la morosité ; *madam :* l'illusion ; *eva :* certes ; *ca :* aussi ; *na :* jamais ; *vimuñcati :* ne se dégage de ; *durmedhā :* sans intelligence ; *dhṛtiḥ :* détermination ; *sā :* cette ; *pārtha :* ô fils de Pṛthā ; *tāmasī :* dans l'ignorance.

**Quant à la détermination qui ne va pas au-delà du rêve, de la peur, des lamentations, de la morosité et de l'illusion, cette détermination inintelligente, ô fils de Pṛthā, relève de l'ignorance.**

On ne doit pas conclure de ce verset qu'un homme situé dans la vertu ne rêve pas. Ici le mot « rêve » indique le sommeil excessif. Car tout le monde rêve. Que l'on reçoive l'influence de la vertu, de la passion ou de l'ignorance, chacun rêve car c'est un phénomène naturel. Il s'agit ici de ceux qui ne peuvent éviter le sommeil excessif, qui ne peuvent s'empêcher de s'enorgueillir de jouir des biens de ce monde, qui rêvent toujours de dominer le monde matériel et dont la vie, le mental et les sens sont absorbés en ces choses. La détermination de telles gens est conditionnée par l'ignorance.

**18.36** सुखं त्विदानीं त्रिविधं शृणु मे भरतर्षभ ।
अभ्यासाद्रमते यत्र दुःखान्तं च निगच्छति ॥३६॥

*sukhaṁ tv idānīṁ tri-vidhaṁ, śṛṇu me bharatarṣabha*
*abhyāsād ramate yatra, duḥkhāntaṁ ca nigacchati*

*sukham :* le bonheur ; *tu :* mais ; *idānīm :* maintenant ; *tri-vidham :* de trois sortes ; *śṛṇu :* écoute ; *me :* de Moi ; *bharata-ṛṣabha :* ô meilleur des Bhāratas ; *abhyāsāt :* par la pratique ; *ramate :* dont on jouit ; *yatra :* par où ; *duḥkha :* du malheur ; *antam :* la fin ; *ca :* aussi ; *nigacchati :* on obtient.

**Maintenant, ô meilleur des Bhāratas, écoute-Moi décrire les trois sortes de bonheur dont jouit l'être conditionné, grâce auxquels il arrive parfois au terme de toute souffrance.**

L'être conditionné s'évertue sans cesse à jouir du bonheur matériel. Aussi ne fait-il que mâcher du déjà mâché. Il lui arrive pourtant parfois, alors même qu'il est plongé dans ces distractions, de rencontrer un *mahātmā* grâce auquel il pourra échapper aux rets de l'existence matérielle. En d'autres termes, l'être conditionné est toujours absorbé dans quelque plaisir matériel, mais lorsqu'au contact d'une personne spirituellement élevée il vient à comprendre que cette jouissance n'est rien d'autre que la perpétuelle répétition d'une même chose, lorsque s'éveille sa conscience véritable – la conscience de Kṛṣṇa –, il a la possibilité de rompre avec l'incessant recommencement de ce prétendu bonheur.

18.37 यत्तदग्रे विषमिव परिणामेऽमृतोपमम् ।
तत्सुखं सात्त्विकं प्रोक्तमात्मबुद्धिप्रसादजम् ॥३७॥

*yat tad agre viṣam iva, pariṇāme 'mṛtopamam*
*tat sukhaṁ sāttvikaṁ proktam, ātma-buddhi-prasāda-jam*

*yat :* qui ; *tat :* ce ; *agre :* au début ; *viṣam iva :* comme du poison ; *pariṇāme :* à la fin ; *amṛta :* nectar ; *upamam :* comparé au ; *tat :* ce ; *sukham :* bonheur ; *sāttvikam :* dans la vertu ; *proktam :* est dit ; *ātma :* dans le soi ; *buddhi :* de l'intelligence ; *prasāda-jam :* né de la satisfaction.

**Le bonheur qui au début ressemble à du poison, mais à la fin se révèle comparable au nectar et éveille à la réalisation spirituelle, émane de la vertu.**

Quiconque aspire à la réalisation spirituelle doit suivre de nombreux principes, de nombreuses règles, afin de maîtriser ses sens et de concentrer son mental sur le soi. Toutes ces pratiques sont certes difficiles à observer, amères comme le poison, mais celui qui s'y plie avec succès et atteint le niveau de la transcendance commence à goûter le vrai nectar, à jouir réellement de l'existence.

18.38 विषयेन्द्रियसंयोगाद्यत्तदग्रेऽमृतोपमम् ।
परिणामे विषमिव तत्सुखं राजसं स्मृतम् ॥३८॥

*viṣayendriya-saṁyogād, yat tad agre 'mṛtopamam*
*pariṇāme viṣam iva, tat sukhaṁ rājasaṁ smṛtam*

*viṣaya :* des objets des sens ; *indriya :* et des sens ; *saṁyogāt :* de la combinaison ; *yat :* qui ; *tat :* ce ; *agre :* au début ; *amṛta-upamam :* comme du nectar ; *pariṇāme :* à la fin ; *viṣam iva :* comme du poison ; *tat :* ce ; *sukham :* bonheur ; *rājasam :* dans la passion ; *smṛtam :* est considéré.

**Par contre, le bonheur né du contact des sens avec leurs objets, qui d'abord est pareil au nectar mais devient finalement du poison, appartient, lui, à la passion.**

Quand un jeune homme rencontre une jeune femme, ses sens l'incitent à la contempler, à la toucher, à avoir avec elle des rapports sexuels. Bien que tout cela puisse, au début, sembler fort plaisant pour les sens, après un certain laps de temps, ce plaisir se transforme en poison. Le couple se sépare ou divorce, et les jeunes gens connaissent les lamentations, le chagrin, etc. Un tel bonheur relève toujours de la passion. Le bonheur issu du contact des sens avec leurs objets est toujours en fin de compte source de tourments. L'on doit donc à tout prix l'éviter.

**18.39** यदग्रे चानुबन्धे च सुखं मोहनमात्मनः ।
निद्रालस्यप्रमादोत्थं तत्तामसमुदाहृतम् ॥३९॥

*yad agre cānubandhe ca, sukhaṁ mohanam ātmanaḥ*
*nidrālasya-pramādotthaṁ, tat tāmasam udāhṛtam*

*yat :* ce qui; *agre :* au début; *ca :* aussi; *anubandhe :* à la fin; *ca :* aussi; *sukham :* bonheur; *mohanam :* illusoire; *ātmanaḥ :* du soi; *nidrā :* le sommeil; *ālasya :* la paresse; *pramāda :* et l'illusion; *uttham :* produit par; *tat :* ce; *tāmasam :* dans l'ignorance; *udāhṛtam :* est dit être.

**Quant au bonheur aveugle à la réalisation spirituelle, qui du début à la fin n'est que chimère, et provient du sommeil, de la paresse et de l'illusion, il appartient à l'ignorance.**

Celui qui aime paresser et dormir est certes gouverné par l'ignorance, comme l'est aussi celui qui ignore totalement ce qu'il faut faire ou ne pas faire. Pour un tel être, tout n'est qu'illusion. Il n'est pour lui aucun bonheur, ni au commencement ni à la fin de sa quête du plaisir. Si celui que domine la passion peut, au début, éprouver quelque bonheur éphémère avant de connaître la détresse, celui qu'enveloppe l'ignorance ne rencontre que la douleur, du début à la fin.

**18.40** न तदस्ति पृथिव्यां वा दिवि देवेषु वा पुनः ।
सत्त्वं प्रकृतिजैर्मुक्तं यदेभिः स्यात्त्रिभिर्गुणैः ॥४०॥

*na tad asti pṛthivyāṁ vā, divi deveṣu vā punaḥ*
*sattvaṁ prakṛti-jair muktaṁ, yad ebhiḥ syāt tribhir guṇaiḥ*

*na :* ne pas; *tat :* cela; *asti :* il y a; *pṛthivyām :* sur terre; *vā :* ou; *divi :* dans le système planétaire supérieur; *deveṣu :* parmi les *devas*; *vā :* ou; *punaḥ :* encore; *sattvam :* d'existence; *prakṛti-jaiḥ :* née de la nature matérielle; *muktam :* libérée; *yat :* qui; *ebhiḥ :* de l'influence de ces; *syāt :* est; *tribhiḥ :* trois; *guṇaiḥ : guṇas.*

**Nul être, que ce soit sur terre ou parmi les devas sur les systèmes planétaires supérieurs, n'est libre de l'influence des trois guṇas issus de la nature matérielle.**

Le Seigneur explique ici que l'influence des trois *guṇas* s'étend à l'univers entier.

**18.41** ब्राह्मणक्षत्रियविशां शूद्राणां च परन्तप ।
कर्माणि प्रविभक्तानि स्वभावप्रभवैर्गुणैः ॥४१॥

*brāhmaṇa-kṣatriya-viśāṁ, śūdrāṇāṁ ca paran-tapa*
*karmāṇi pravibhaktāni, svabhāva-prabhavair guṇaiḥ*

*brāhmaṇa :* des *brāhmaṇas*; *kṣatriya :* des *kṣatriyas*; *viśām :* des *vaiśyas*; *śūdrāṇām :* des *śūdras*; *ca :* et; *param-tapa :* ô vainqueur de l'ennemi; *karmāṇi :* les activités; *pravibhaktāni :* sont divisées; *svabhāva :* leur nature propre; *prabhavaiḥ :* nés de; *guṇaiḥ :* par les *guṇas*.

**Brāhmaṇas, kṣatriyas, vaiśyas et śūdras se distinguent par les qualités propres à leur nature respective qu'ils manifestent dans leurs activités sous l'influence des trois guṇas, ô vainqueur de l'ennemi.**

**18.42** शमो दमस्तपः शौचं क्षान्तिरार्जवमेव च ।
ज्ञानं विज्ञानमास्तिक्यं ब्रह्मकर्म स्वभावजम् ॥४२॥

*śamo damas tapaḥ śaucaṁ, kṣāntir ārjavam eva ca*
*jñānaṁ vijñānam āstikyaṁ, brahma-karma svabhāva-jam*

*śamaḥ :* la sérénité; *damaḥ :* la maîtrise de soi; *tapaḥ :* l'austérité; *śaucam :* la pureté; *kṣāntiḥ :* la tolérance; *ārjavam :* l'intégrité; *eva :* certes; *ca :* et; *jñānam :* la connaissance; *vijñānam :* la sagesse; *āstikyam :* la piété; *brahma :* d'un *brāhmaṇa*; *karma :* le devoir; *svabhāva-jam :* né de sa nature propre.

**La sérénité, la maîtrise de soi, l'austérité, la pureté, la tolérance, l'intégrité, le savoir, la sagesse et la piété – telles sont les qualités naturelles que manifeste le brāhmaṇa dans l'exercice de ses activités.**

**18.43** शौर्यं तेजो धृतिर्दाक्ष्यं युद्धे चाप्यपलायनम् ।
दानमीश्वरभावश्च क्षात्रं कर्म स्वभावजम् ॥४३॥

*śauryaṁ tejo dhṛtir dākṣyaṁ, yuddhe cāpy apalāyanam*
*dānam īśvara-bhāvaś ca, kṣātraṁ karma svabhāva-jam*

*śauryam :* l'héroïsme ; *tejaḥ :* la puissance ; *dhṛtiḥ :* la détermination ; *dākṣyam :* l'ingéniosité ; *yuddhe :* au combat ; *ca :* et ; *api :* aussi ; *apalāyanam :* ne fuyant pas ; *dānam :* la générosité ; *īśvara :* de dirigeant ; *bhāvaḥ :* la nature ; *ca :* et ; *kṣātram :* d'un *kśatriya* ; *karma :* le devoir ; *svabhāva-jam :* né de sa propre nature.

**L'héroïsme, la puissance, la détermination, l'ingéniosité, la générosité, la bravoure au combat et l'art de diriger – telles sont les qualités naturelles dont sont empreintes les actions du kṣatriya.**

18.44 कृषिगोरक्ष्यवाणिज्यं वैश्यकर्म स्वभावजम् ।
परिचर्यात्मकं कर्म शूद्रस्यापि स्वभावजम् ॥४४॥

*kṛṣi-go-rakṣya-vāṇijyaṁ, vaiśya-karma svabhāva-jam*
*paricaryātmakaṁ karma, śūdrasyāpi svabhāva-jam*

*kṛṣi :* le labour ; *go :* des vaches ; *rakṣya :* la protection ; *vāṇijyam :* le commerce ; *vaiśya :* du *vaiśya* ; *karma :* le devoir ; *svabhāva-jam :* né de sa propre nature ; *paricaryā :* servir ; *ātmakam :* consistant à ; *karma :* le devoir ; *śūdrasya :* du *śūdra* ; *api :* aussi ; *svabhāva-jam :* né de sa nature propre.

**L'agriculture, la protection de la vache et le négoce, tels sont les travaux qui incombent naturellement au vaiśya. Quant au śūdra, il est dans sa nature de travailler et de servir les autres par l'exercice de son labeur.**

18.45 स्वे स्वे कर्मण्यभिरतः संसिद्धिं लभते नरः ।
स्वकर्मनिरतः सिद्धिं यथा विन्दति तच्छृणु ॥४५॥

*sve sve karmaṇy abhirataḥ, saṁsiddhiṁ labhate naraḥ*
*sva-karma-nirataḥ siddhiṁ, yathā vindati tac chṛṇu*

*sve sve :* chacun son propre ; *karmaṇi :* travail ; *abhirataḥ :* suivant ; *saṁsiddhim :* la perfection ; *labhate :* obtient ; *naraḥ :* l'homme ; *sva-karma :* à son propre devoir ; *nirataḥ :* occupé ; *siddhim :* la perfection ; *yathā :* comment ; *vindati :* atteint ; *tat :* cela ; *śṛṇu :* écoute.

**Apprends à présent comment tout homme peut devenir parfait en effectuant le travail conforme à sa nature.**

18.46 यतः प्रवृत्तिर्भूतानां येन सर्वमिदं ततम् ।
स्वकर्मणा तमभ्यर्च्य सिद्धिं विन्दति मानवः ॥४६॥

*yataḥ pravṛttir bhūtānāṁ, yena sarvam idaṁ tatam*
*sva-karmaṇā tam abhyarcya, siddhiṁ vindati mānavaḥ*

*yataḥ :* de qui ; *pravṛttiḥ :* l'émanation ; *bhūtānām :* de tous les êtres ; *yena :* par qui ; *sarvam :* tout ; *idam :* cela ; *tatam :* est pénétré ; *sva-karmaṇā :* par ses propres devoirs ; *tam :* Lui ; *abhyarcya :* en adorant ; *siddhim :* la perfection ; *vindati :* atteint ; *mānavaḥ :* l'homme.

**S'il adore le Seigneur omniprésent, origine de tous les êtres, l'homme peut atteindre la perfection en exécutant le devoir qui lui est propre.**

Tous les êtres vivants, ainsi que l'enseigne le quinzième chapitre, sont d'infimes particules faisant partie intégrante du Seigneur Suprême. Le Seigneur est donc à l'origine de tous les êtres, comme le confirme le *Vedānta-sūtra* : *janmādy asya yataḥ.* Il est la source même de la vie de chaque être. Et comme l'explique le septième chapitre de la *Bhagavad-gītā,* Il est partout présent par le biais de Ses énergies - externe et interne. On doit donc L'adorer avec l'ensemble de Ses énergies. Toutefois, les *vaiṣṇavas* L'adorent plus particulièrement avec Son énergie interne - Son énergie externe n'étant en effet, qu'un reflet dénaturé de celle-ci. L'énergie externe est une toile de fond mais le Seigneur, par Son émanation plénière, le Paramātmā, manifeste partout Son omniprésence. Il est l'Âme Suprême présente en tous lieux, en tous les *devas,* tous les hommes et tous les animaux. Chacun doit bien se rendre compte qu'en tant que partie intégrante du Seigneur Suprême, son devoir est de Le servir. Il faut Le servir avec amour et dévotion, en pleine conscience de Sa personne. C'est ce que recommande notre verset.

On doit être conscient que c'est Kṛṣṇa, Hṛṣīkeśa, le maître des sens, qui nous engage dans telle ou telle activité, et que les fruits de cette activité doivent être de nouveau investis dans l'adoration de ce même Kṛṣṇa, Dieu, la Personne Suprême. En gardant toujours cette conscience de Kṛṣṇa, on parvient par Sa grâce à tout voir avec clarté, ce qui est la perfection de l'existence. Le Seigneur affirme dans la *Bhagavad-gītā* (12.7) qu'Il veille personnellement à libérer Son dévot (*teṣām ahaṁ samuddhartā*). Telle est la plus haute perfection de l'existence, que l'on atteindra si l'on sert le Seigneur Suprême à travers son occupation, quelle qu'elle soit.

**18.47** श्रेयान् स्वधर्मो विगुणः परधर्मात्स्वनुष्ठितात् ।
स्वभावनियतं कर्म कुर्वन्नाप्नोति किल्बिषम् ॥४७॥

*śreyān sva-dharmo viguṇaḥ*
*para-dharmāt sv-anuṣṭhitāt*

*svabhāva-niyataṁ karma*
*kurvan nāpnoti kilbiṣam*

*śreyān :* mieux; *sva-dharmaḥ :* sa propre occupation; *viguṇaḥ :* imparfaitement exécutée; *para-dharmāt :* que l'occupation d'un autre; *su-anuṣṭhitāt :* parfaitement exécutée; *svabhāva-niyatam :* prescrit d'après la nature de l'être; *karma :* le travail; *kurvan :* exécutant; *na :* jamais; *āpnoti :* ne subit; *kilbiṣam :* les conséquences des péchés.

**Mieux vaut s'acquitter de son devoir propre, fût-ce de manière imparfaite, que d'accomplir, même parfaitement, celui d'un autre. Les devoirs correspondant à sa nature ne sont jamais souillés par les conséquences du péché.**

La *Bhagavad-gītā* prescrit les devoirs relatifs à chacun des *varṇas.* Comme nous l'avons vu dans les versets précédents, les devoirs du *brāhmaṇa,* du *kṣatriya,* du *vaiśya* et du *śūdra* sont déterminés par l'influence que les *guṇas* exercent sur eux. Nul ne doit imiter le devoir d'un autre. Celui qui, par nature, est attiré par le genre de travail propre au *śūdra* ne doit pas artificiellement prétendre être un *brāhmaṇa,* fût-il issu d'une famille de *brāhmaṇas.* Ainsi, chacun doit se prêter au travail correspondant à sa nature propre. Il n'y a pas de sot métier pour qui sert le Seigneur Suprême. Le devoir du *brāhmana* par exemple, relève certes de la vertu, mais si l'on n'est pas par nature situé dans la vertu, on ne doit pas imiter les occupations d'un *brāhmaṇa.* Le *kṣatriya* qui gouverne un état doit se livrer à bien des actes tenus pour abominables : il lui faut user de violence pour tuer ses ennemis, ou parfois encore mentir pour des raisons diplomatiques. Cette violence, cette duplicité, ressortissent au domaine politique; le *kṣatriya* ne doit pas pour autant délaisser son devoir, préférant remplir les fonctions du *brāhmaṇa.*

On doit agir dans le but de satisfaire le Seigneur Suprême. Arjuna est un *kṣatriya,* pourtant il hésite à livrer bataille. Or, puisqu'il doit combattre pour Kṛṣṇa, pour la Personne Suprême, il n'encourt aucune déchéance. Dans le domaine des affaires aussi, il arrive qu'un marchand doive mentir pour s'assurer un profit. Sans cela, il ne réaliserait aucun bénéfice. On entend parfois des marchands s'exclamer : « Cher client, avec vous, je ne fais aucun bénéfice! » Chacun sait, cependant, que sans faire une marge de profit, un marchand ne peut subsister, et que de tels propos sont évidemment mensongers. Le marchand ne doit cependant pas se croire tenu de quitter une profession qui l'oblige à mentir pour exercer celle du *brāhmaṇa.* Les

Écritures ne le recommandent pas. Si l'homme, par son travail, sert la Personne Suprême, peu importe qu'il soit *kṣatriya, vaiśya,* ou *śūdra.* Même les *brāhmaṇas,* qui accomplissent différentes sortes de sacrifices, doivent parfois tuer un animal au cours de certaines cérémonies. De même, un *kṣatriya* qui dans l'exécution de son devoir tue un ennemi, ne commet aucun péché. Le troisième chapitre explique clairement et en détail que tout homme doit agir pour Yajña, Viṣṇu, Dieu, la Personne Suprême. Tout acte visant la satisfaction personnelle enchaîne à la matière. Nous dirons pour conclure, que chacun doit exercer une profession correspondant au *guṇa* spécifique qui marque son existence et n'agir que pour servir la cause du Seigneur Suprême.

**18.48** सहजं कर्म कौन्तेय सदोषमपि न त्यजेत् ।
सर्वारम्भा हि दोषेण धूमेनाग्निरिवावृताः ॥४८॥

*saha-jaṁ karma kaunteya, sa-doṣam api na tyajet*
*sarvārambhā hi doṣeṇa, dhūmenāgnir ivāvṛtāḥ*

*saha-jam :* né simultanément ; *karma :* le travail ; *kaunteya :* ô fils de Kuntī ; *sa-doṣam :* avec des fautes ; *api :* bien que ; *na :* jamais ; *tyajet :* on ne doit abandonner ; *sarva-ārambhāḥ :* toute entreprise ; *hi :* certes ; *doṣeṇa :* avec des fautes ; *dhūmena :* de fumée ; *agniḥ :* le feu ; *iva :* comme ; *āvṛtāḥ :* couvert.

**Tout comme un feu est toujours couvert par de la fumée, toute entreprise est toujours ternie par quelque faute. Néanmoins, ô fils de Kuntī, nul ne doit abandonner le travail conforme à sa nature, fût-il entaché de fautes.**

Dans l'existence conditionnée, tout acte est entaché par l'influence des trois *guṇas.* Le *brāhmaṇa* lui-même doit parfois accomplir des sacrifices qui exigent l'immolation d'animaux. Pareillement, le *kṣatriya,* fût-il d'une grande piété, n'a pas d'autre choix que de combattre l'ennemi. Le *vaiśya,* le marchand, aussi pieux soit-il lui aussi, peut parfois se voir dans l'obligation, pour que son commerce survive, de cacher certains profits ou faire un peu de marché noir. Ce sont là des pratiques inévitables. De même, le *śūdra* employé par un mauvais maître devra suivre les ordres parfois condamnables de ce dernier. Cependant, malgré ces imperfections, chacun doit continuer à se plier à son devoir, car il procède de sa nature propre.

Ce verset nous offre une belle analogie. Bien que le feu soit pur en soi, il est toujours couvert de fumée. Mais la fumée ne souille pas le feu. Bien que le feu produise de la fumée, il est considéré comme le plus pur de tous les éléments. Le *kṣatriya* qui préfère abandonner ses fonctions pour adopter celles du *brāhmaṇa* n'est en rien assuré qu'elles ne lui imposeront pas également des tâches désagréables. Nous en concluons donc que nul dans l'univers matériel ne peut échapper entièrement aux souillures que lui impose la nature matérielle. L'exemple du feu et de la fumée est fort approprié pour illustrer ce point. Ainsi, lorsqu'en plein hiver on retire une pierre chaude du feu, la fumée peut bien piquer les yeux ou le nez, on est tout de même obligé, malgré ces désagréments, de continuer à faire usage du feu. Pareillement, nul ne doit délaisser son occupation naturelle sous prétexte qu'elle lui occasionne une certaine gêne. Bien plutôt doit-on rester déterminé à servir le Seigneur Suprême en persévérant dans la tâche qui nous est assignée au sein de la conscience de Kṛṣṇa. Telle est la perfection. Lorsqu'un travail particulier est accompli pour la satisfaction du Seigneur Suprême, il se trouve purifié de toutes ses imperfections. Et lorsqu'au contact du service de dévotion, les fruits de l'acte sont aussi purifiés, on développe une vision parfaite du soi, objet de la réalisation spirituelle.

**18.49** असक्तबुद्धिः सर्वत्र जितात्मा विगतस्पृहः ।
नैष्कर्म्यसिद्धिं परमां सन्न्यासेनाधिगच्छति ॥४९॥

*asakta-buddhiḥ sarvatra, jitātmā vigata-spṛhaḥ*
*naiṣkarmya-siddhiṁ paramāṁ, sannyāsenādhigacchati*

*asakta-buddhiḥ :* ayant une intelligence détachée ; *sarvatra :* partout ; *jita-ātmā :* ayant la maîtrise du mental ; *vigata-spṛhaḥ :* sans désir matériel ; *naiṣkarmya-siddhim :* la perfection de l'affranchissement des suites de l'action ; *paramām :* suprême ; *sannyāsena :* par l'ordre du renoncement ; *adhigacchati :* on atteint.

**L'homme maître de lui et détaché, qui délaisse les plaisirs matériels, peut s'émanciper totalement des suites de ses actes grâce à la pratique du renoncement.**

Le vrai renoncement consiste à toujours se considérer comme une partie intégrante du Seigneur Suprême, n'ayant à ce titre aucun droit de jouir du fruit de ses actes. N'étant nous-mêmes que d'infimes parcelles du Seigneur, c'est à Lui que doit revenir la jouissance des fruits de nos actes. C'est ce qu'on appelle la conscience de Kṛṣṇa. Celui qui agit dans la conscience de Kṛṣṇa est un vrai *sannyāsī,* un véritable renonçant. Il est satisfait, car il agit pour le Suprême. Il ne s'attache donc à rien de matériel. Il a pour habitude de ne trouver de plaisir que dans la félicité spirituelle que lui procure le service de dévotion. Le *sannyāsī* est censé être affranchi des suites de ses actes passés ; or, l'être fixé dans la conscience de Kṛṣṇa atteint tout naturellement cette perfection, sans même avoir à embrasser l'ordre du renoncement. L'état d'esprit dépeint plus haut porte le nom de *yogārūḍha,* et il constitue la perfection du yoga. Comme nous l'avons vu au troisième chapitre : *yas tv ātma-ratir eva syāt* – celui qui trouve ainsi en lui-même sa satisfaction ne redoute plus les effets consécutifs à l'acte.

**18.50** सिद्धिं प्राप्तो यथा ब्रह्म तथाप्नोति निबोध मे ।
समासेनैव कौन्तेय निष्ठा ज्ञानस्य या परा ॥५०॥

*siddhiṁ prāpto yathā brahma, tathāpnoti nibodha me*
*samāsenaiva kaunteya, niṣṭhā jñānasya yā parā*

*siddhim :* la perfection ; *prāptaḥ :* obtenant ; *yathā :* comment ; *brahma :* le Suprême ; *tathā :* ainsi ; *āpnoti :* on atteint ; *nibodha :* essaie de comprendre ; *me :* de Moi ; *samāsena :* en résumé ; *eva :* certes ; *kaunteya :* ô fils de Kuntī ; *niṣṭhā :* le stade ; *jñānasya :* de la connaissance ; *yā :* lequel ; *parā :* transcendantal.

**Ô fils de Kuntī, apprends comment celui qui est arrivé à cette perfection peut en atteindre la phase suprême, le Brahman, en laquelle réside la plus haute connaissance, en agissant comme Je vais te l'expliquer brièvement.**

Le Seigneur explique à Arjuna comment atteindre la plus haute perfection en s'acquittant simplement de son devoir, mais en le faisant pour Dieu, la Personne Suprême. On s'élèvera au stade suprême du Brahman simplement en renonçant au fruit de ses actes dans le but de satisfaire le Seigneur Suprême. Telle est la voie de la réalisation spirituelle. La vraie perfection du savoir consiste à atteindre la pure conscience de Kṛṣṇa, point qui sera développé dans les versets suivants.

**18.51–53** बुद्ध्या विशुद्धया युक्तो धृत्यात्मानं नियम्य च ।
शब्दादीन् विषयांस्त्यक्त्वा रागद्वेषौ व्युदस्य च ॥५१॥
विविक्तसेवी लघ्वाशी यतवाक्कायमानसः ।
ध्यानयोगपरो नित्यं वैराग्यं समुपाश्रितः ॥५२॥

अहङ्कारं बलं दर्पं कामं क्रोधं परिग्रहम् ।
विमुच्य निर्ममः शान्तो ब्रह्मभूयाय कल्पते ॥५३॥

*buddhyā viśuddhayā yukto*
*dhṛtyātmānaṁ niyamya ca*
*śabdādīn viṣayāṁs tyaktvā*
*rāga-dveṣau vyudasya ca*

*vivikta-sevī laghv-āśī*
*yata-vāk-kāya-mānasaḥ*
*dhyāna-yoga-paro nityaṁ*
*vairāgyaṁ samupāśritaḥ*

*ahaṅkāraṁ balaṁ darpaṁ*
*kāmaṁ krodhaṁ parigraham*
*vimucya nirmamaḥ śānto*
*brahma-bhūyāya kalpate*

*buddhyā :* par l'intelligence ; *viśuddhayā :* complètement purifié ; *yuktaḥ :* occupé ; *dhṛtyā :* par la détermination ; *ātmānam :* le soi ; *niyamya :* maîtrisant ; *ca :* aussi ; *śabda-ādīn :* tel le son ; *viṣayān :* les objets des sens ; *tyaktvā :* abandonnant ; *rāga :* l'attachement ; *dveṣau :* et l'aversion ; *vyudasya :* écartant ; *ca :* aussi ; *vivikta-sevī :* vivant en un lieu retiré ; *laghu-āśī :* mangeant peu ; *yata :* ayant discipliné ; *vāk :* la parole ; *kāya :* le corps ; *mānasaḥ :* et le mental ; *dhyāna-yoga-paraḥ :* absorbé en transe ; *nityam :* vingt-quatre heures par jour ; *vairāgyam :* dans le détachement ; *samupāśritaḥ :* ayant pris refuge ; *ahaṅkāram :* du faux ego ; *balam :* de la vaine puissance ; *darpam :* de la fatuité ; *kāmam :* de la concupiscence ; *krodham :* de la colère ; *parigraham :* et de l'acceptation des choses matérielles ; *vimucya :* étant délivré ; *nirmamaḥ :* sans esprit de possession ; *śāntaḥ :* paisible ; *brahma-bhūyāya :* pour la réalisation du soi ; *kalpate :* est qualifié.

**Purifié par l'intelligence, maîtrisant le mental avec détermination, renonçant aux objets du plaisir des sens, affranchi tant de l'attachement que de l'aversion, celui qui vit en un lieu retiré, qui mange peu et discipline son corps, son mental et ses paroles, qui toujours demeure ravi en contemplation, détaché, dénué de faux ego, de vaine puissance et de fatuité, sans convoitise et sans colère, hermétique aux choses matérielles, libre de tout esprit de possession et paisible, se trouve certes élevé au niveau de la réalisation spirituelle.**

L'être purifié par son intelligence se maintient dans la vertu. Il est dès lors capable de dominer son mental et demeure dans un état permanent de contemplation. Il est détaché des objets du plaisir des sens et libéré de l'attachement et de l'aversion. Il aime vivre en un lieu retiré, ne mange pas plus que nécessaire et maîtrise les activités du corps et du mental. Parce qu'il ne s'identifie pas au corps matériel, il est affranchi du faux ego. Il ne cherche pas non plus à rendre son corps plus fort, plus beau, par toutes sortes de moyens matériels. Il ne montre pas de fatuité car sa conception de l'existence ne repose pas sur le corps. Il est satisfait de tout ce qui lui est offert par la grâce du Seigneur et n'est jamais contrarié quand les satisfactions matérielles viennent à lui manquer. Il ne fait d'ailleurs aucun effort pour obtenir les objets de plaisir des sens. Ainsi, entièrement libéré du faux ego, il perd tout attachement pour la matière. Il a atteint le niveau de la réalisation spirituelle du Brahman (*brahma-bhūta*). L'homme affranchi de toute conception matérielle de l'existence connaît une sérénité que rien ne saurait troubler. La *Bhagavad-gītā* (2.70) l'affirme :

*āpūryamāṇam acala-pratiṣṭhaṁ, samudram āpaḥ praviśanti yadvat*
*tadvat kāmā yaṁ praviśanti sarve, sa śāntim āpnoti na kāma-kāmī*

« À l'instar de l'océan immuable qui jamais ne déborde malgré les fleuves qui s'y jettent, celui qui demeure imperturbable devant le flot incessant des désirs peut seul trouver la paix, et certes pas celui qui cherche à les combler. »

**18.54** ब्रह्मभूतः प्रसन्नात्मा न शोचति न काङ्क्षति ।
समः सर्वेषु भूतेषु मद्भक्तिं लभते पराम् ॥५४॥

*brahma-bhūtaḥ prasannātmā, na śocati na kāṅkṣati*
*samaḥ sarveṣu bhūteṣu, mad-bhaktiṁ labhate parām*

*brahma-bhūtaḥ :* ne faisant qu'un avec l'Absolu ; *prasanna-ātmā :* plein de joie ; *na :* jamais ; *śocati :* ne se lamente ; *na :* jamais ; *kāṅkṣati :* ne désire ; *samaḥ :* d'égale disposition ; *sarveṣu :* envers tous ; *bhūteṣu :* les êtres ; *mat-bhaktim :* Mon service de dévotion ; *labhate :* atteint ; *parām :* transcendantal.

**Celui qui atteint le niveau transcendantal réalise aussitôt le Brahman Suprême et ressent une joie très profonde. Il se montre égal envers tous les êtres et jamais ne s'afflige, ni n'aspire à quoi que ce soit. Il obtient dès lors de Me servir avec une dévotion pure.**

Atteindre le niveau du *brahma-bhūta,* s'identifier à l'Absolu, constitue, pour l'impersonnaliste, le but ultime. Mais du point de vue du personnaliste, du pur dévot, il faut aller encore plus loin et s'engager sur la voie du service de dévotion pur. Il faut comprendre par là que l'être qui sert purement le Seigneur Suprême, avec amour et dévotion, est déjà parvenu au niveau de la libération, c'est-à-dire qu'il a atteint le *brahma-bhūta,* l'unité avec l'Absolu. Car sans cette unité, on ne peut servir l'Absolu. Au niveau absolu, il n'existe aucune distinction entre celui qui sert et celui qui est servi. La différence existe, pourtant, dans un sens spirituel plus profond.

Celui qui dans l'existence matérielle agit pour le plaisir des sens expérimente la souffrance alors que l'être qui, sur le plan absolu, pratique le service de dévotion pur ne connaît pas cette souffrance. Le dévot conscient de Kṛṣṇa n'a aucun motif de lamentation et ne convoite rien. Parce que Dieu possède toute plénitude, l'être engagé dans Son service, dans la conscience de Kṛṣṇa, trouve à son tour la plénitude en lui-même. On pourrait le comparer à une rivière dont les eaux auraient été débarrassées de toute impureté. Parce qu'il ne pense qu'à Kṛṣṇa, le pur dévot est tout naturellement heureux. Ayant trouvé la plénitude dans le service du Seigneur, il ne s'inquiète ni des pertes ni des profits matériels. Fort du savoir que tout être vivant fait partie intégrante du Seigneur Suprême, dont il est par conséquent le serviteur éternel, il n'éprouve aucun désir de jouir de la matière. Il ne voit, ici-bas, aucun être supérieur à un autre, car supérieur et inférieur sont des concepts éphémères, et un dévot ne prend jamais en considération le va-et-vient des manifestations temporaires. Pour lui, l'or ne vaut pas plus que la pierre et le plus grand personnage de l'univers n'a pas plus d'importance que la fourmi.

Telles sont donc les caractéristiques de celui qui se trouve au niveau du *brahma-bhūta,* niveau qu'atteignent sans peine les purs dévots. À ce stade, l'idée de s'identifier au Brahman Suprême en annihilant son individualité propre paraît infernale, et l'idée de vivre sur les planètes édéniques, extravagante. Les sens sont pour leur part devenus aussi inoffensifs que les crochets brisés d'un serpent. De même qu'il n'y a pas lieu de craindre un serpent dont les crochets sont brisés, il n'y a pas lieu de craindre les sens une fois qu'ils sont maîtrisés. Pour celui que la matière a corrompu, le monde matériel est misérable, mais pour le dévot, il est aussi merveilleux que Vaikuṇṭha, le royaume spirituel. On peut atteindre ce stade par la grâce du Seigneur, Caitanya Mahāprabhu, qui en notre âge enseigna le pur service de dévotion.

**18.55** भक्त्या मामभिजानाति यावान् यश्चास्मि तत्त्वतः ।
तततो मां तत्त्वतो ज्ञात्वा विशते तदनन्तरम् ॥५५॥

*bhaktyā mām abhijānāti, yāvān yaś cāsmi tattvataḥ*
*tato māṁ tattvato jñātvā, viśate tad-anantaram*

*bhaktyā* : par le service de dévotion pur ; *mām* : Moi ; *abhijānāti* : on peut connaître ; *yāvān* : autant que ; *yaḥ ca asmi* : comme Je suis ; *tattvataḥ* : en vérité ; *tataḥ* : ensuite ; *mām* : Moi ; *tattvataḥ* : en vérité ; *jñātvā* : connaissant ; *viśate* : il entre ; *tat-anantaram* : ensuite.

**Seule la pratique du service de dévotion permet de Me connaître tel que Je suis, Dieu, la Personne Suprême. L'être qui en raison d'une telle dévotion devient pleinement conscient de Moi entre dans Mon royaume divin.**

Il n'y a que la dévotion, et non la spéculation intellectuelle, qui permette de connaître Dieu, la Personne Suprême, Kṛṣṇa, ainsi que Ses émanations plénières. Celui qui désire connaître et comprendre le Seigneur Suprême doit adopter le service de dévotion pur et l'accomplir sous la conduite d'un pur dévot. Sinon, la vérité sur la Personne Suprême lui sera toujours cachée. La *Bhagavad-gītā* (7.25) indiquait déjà que le Seigneur ne Se révèle pas à tous (*nāhaṁ prakāśaḥ sarvasya*). Ceux qui cherchent à Le connaître par la seule érudition ou la seule spéculation intellectuelle échouent. Seul l'être vraiment absorbé dans la conscience de Kṛṣṇa, dans le service de dévotion, pourra comprendre Kṛṣṇa tel qu'Il est. Les diplômes universitaires ne seront d'aucune aide en la matière.

L'être qui possède pleinement la science de Kṛṣṇa devient éligible pour entrer dans le royaume spirituel, la demeure de Kṛṣṇa. Atteindre le niveau du Brahman ne signifie pas, répétons-le, perdre son identité propre. L'existence éternelle du service de dévotion implique la présence à la fois de Dieu et de Son dévot. Cette vérité existe à jamais, même après la libération. Par libération, il faut entendre affranchissement de la conception matérielle de l'existence, car, comme dans l'existence matérielle, on retrouve dans l'existence spirituelle la distinction entre Dieu et les êtres, l'individualité de chacun, mais dans la pure conscience de Kṛṣṇa. Il ne faut pas se méprendre sur le sens du mot *viśate,* « il entre en Moi », et y voir un argument moniste selon lequel on se fond dans le Brahman impersonnel. Non. Le mot *viśate* signifie que l'on entre dans le royaume du Seigneur Suprême tout en gardant son individualité propre, pour vivre en Sa compagnie et Le servir. Un oiseau au plumage vert qui pénètre sous les vertes frondaisons d'un arbre ne cherche pas à s'identifier à l'arbre, mais à se délecter de ses fruits.

Pour justifier leur thèse, les impersonnalistes aiment à donner l'exemple du fleuve qui se jette dans l'océan. Même si se fondre ainsi dans l'océan de l'absolu apporte un certain bonheur à l'impersonnaliste, le personnaliste, lui, garde son individualité, comme un poisson dans l'eau. Quand on explore les fonds de l'océan, on y trouve d'innombrables entités vivantes. Il ne suffit pas de regarder la surface de l'océan; il faut voir les êtres aquatiques qui vivent dans ses profondeurs.

En raison de son pur service de dévotion, le dévot peut avoir connaissance des qualités et des perfections transcendantales du Seigneur Suprême. Le onzième chapitre mentionnait déjà que seul le service de dévotion permet de connaître le Seigneur. On retrouve la même idée ici : grâce au service de dévotion, on pourra connaître Dieu, la Personne Suprême, et pénétrer dans Son royaume.

Une fois atteint le niveau où l'on est libéré des concepts matériels, le niveau du *brahma-bhūta,* commence le service de dévotion, et ce, par l'écoute de ce qui a trait au Seigneur. Lorsqu'on écoute les gloires du Seigneur Suprême, on s'établit tout naturellement au niveau du *brahma-bhūta,* et l'on se guérit de la contamination matérielle - la cupidité et la convoitise des plaisirs des sens. Plus le désir et la concupiscence s'effacent du cœur du dévot, plus ce dernier s'attache au service du Seigneur - attachement qui le purifie de la souillure de la matière. Ainsi, comme le confirme le *Śrīmad-Bhāgavatam,* il lui est possible de connaître le Seigneur.

La *bhakti,* le service de dévotion, continue même après la libération. Le *Vedānta-sūtra* corrobore ce point (4.1.12) par les mots : *ā-prāyaṇāt tatrāpi hi dṛṣṭam.* Le *Śrīmad-Bhāgavatam* définit la véritable libération dévotionnelle comme étant le rétablissement de l'identité propre de l'être vivant, son retour à sa position intrinsèque. Ce concept a déjà été expliqué : chaque être vivant constituant un fragment infime, une partie intégrante du Seigneur Suprême, sa condition essentielle est de Le servir. Jamais, après la libération, ce service offert au Seigneur ne prend fin. La vraie libération consiste à se libérer de ses concepts erronés sur l'existence.

**18.56** सर्वकर्माण्यपि सदा कुर्वाणो मद्व्यपाश्रयः ।
मत्प्रसादादवाप्नोति शाश्वतं पदमव्ययम् ॥५६॥

*sarva-karmāṇy api sadā, kurvāṇo mad-vyapāśrayaḥ*
*mat-prasādād avāpnoti, śāśvataṁ padam avyayam*

*sarva* : toutes ; *karmāṇi* : activités ; *api* : bien que ; *sadā* : toujours ; *kurvāṇaḥ* : accomplissant ; *mat-vyapāśrayaḥ* : sous Ma protection ; *mat-prasādāt* : par Ma grâce ; *avāpnoti* : on atteint ; *śāśvatam* : éternelle ; *padam* : la demeure ; *avyayam* : impérissable.

**Bien qu'occupé à des activités de toutes sortes, celui qui jouit de Ma protection, Mon pur dévot, atteint par Ma grâce l'éternelle et impérissable demeure.**

Le mot *mad-vyapāśrayaḥ* signifie « sous la protection du Seigneur Suprême ». Afin de se purifier de la contamination de la matière, le pur dévot agit sous la direction du Seigneur ou de Son représentant, le maître spirituel. Il n'est pas limité par le temps. Il est occupé vingt-quatre heures sur vingt-quatre, sans aucune réserve, à suivre les directives du Seigneur Suprême. Le Seigneur témoigne une infinie bonté au dévot qui s'absorbe ainsi dans la conscience de Kṛṣṇa. En dépit de toutes les difficultés qu'il aura à traverser, celui-ci se verra finalement élevé jusqu'à la demeure transcendantale, Kṛṣṇaloka. L'entrée de cette demeure suprême, où tout est inaltérable, éternel, impérissable et omniscient, lui est assurée.

**18.57** चेतसा सर्वकर्माणि मयि सन्न्यस्य मत्परः ।
बुद्धियोगमुपाश्रित्य मच्चित्तः सततं भव ॥५७॥

*cetasā sarva-karmāṇi, mayi sannyasya mat-paraḥ*
*buddhi-yogam upāśritya, mac-cittaḥ satataṁ bhava*

*cetasā* : par l'intelligence ; *sarva-karmāṇi* : toutes sortes d'activités ; *mayi* : à Moi ; *sannyasya* : abandonnant ; *mat-paraḥ* : sous Ma protection ; *buddhi-yogam* : actions dévotionnelles ; *upāśritya* : prenant refuge en ; *mat-cittaḥ* : en pleine conscience de Moi ; *satatam* : vingt-quatre heures par jour ; *bhava* : deviens simplement.

**Dans tous tes actes, ne dépends que de Moi et place-toi constamment sous Ma protection. Dans l'exécution de ce service dévotionnel, sois toujours pleinement conscient de Moi.**

Jamais un homme qui agit dans la conscience de Kṛṣṇa ne se conduit comme s'il était le maître du monde. Il se comporte en serviteur, entièrement subordonné au Seigneur Suprême. Un serviteur ne jouit d'aucune indépendance ; il n'agit que sur l'ordre de son maître. De même, le serviteur du maître suprême n'agit qu'en Son nom et n'est touché ni par l'échec ni par la réussite de ses entreprises. Il se contente d'accomplir son devoir avec foi, conformément aux instructions du Seigneur. On pourrait objecter, néanmoins, qu'Arjuna était sous la direction personnelle de Kṛṣṇa. Mais comment se comporter lorsque le Seigneur n'est pas personnellement présent ? Il faut comprendre qu'en se conformant aux instructions données par Kṛṣṇa dans la *Bhagavad-gītā,* et en suivant Son représentant, le maître spirituel, on obtiendra les mêmes résultats que si le Seigneur était présent en personne.

Dans notre verset, il faut attacher une grande importance au mot *mat-paraḥ*. Il indique qu'il ne doit y avoir pour nous d'autre but dans la vie que d'agir au sein de la conscience de Kṛṣṇa pour satisfaire Kṛṣṇa. En agissant ainsi, on ne doit penser qu'à Kṛṣṇa. Si l'on se dit : « Kṛṣṇa m'a assigné ce devoir particulier », on pensera forcément à Kṛṣṇa. Telle est la perfection de la conscience de Kṛṣṇa. Notons, cependant, qu'il ne faut pas offrir au Seigneur Suprême les résultats d'un acte accompli au gré de sa fantaisie, sans rapport aucun avec le service de dévotion effectué dans la conscience de Kṛṣṇa. Il faut agir en accord avec les commandements de Kṛṣṇa. C'est là un point très important. L'ordre de Kṛṣṇa nous parvient à travers la succession disciplique, des lèvres d'un maître spirituel authentique. Voilà pourquoi suivre l'ordre du maître spirituel doit être tenu pour le devoir primordial de l'existence. Celui qui trouve un maître spirituel authentique et agit sous sa direction s'assure la perfection de l'existence dans la conscience de Kṛṣṇa.

**18.58** मच्चित्तः सर्वदुर्गाणि मत्प्रसादात्तरिष्यसि ।
अथ चेत्त्वमहङ्कारान्न श्रोष्यसि विनङ्क्ष्यसि ॥५८॥

*mac-cittaḥ sarva-durgāṇi, mat-prasādāt tariṣyasi*
*atha cet tvam ahaṅkārān, na śroṣyasi vinaṅkṣyasi*

*mat :* de Moi ; *cittaḥ :* étant conscient ; *sarva :* tous ; *durgāṇi :* les obstacles ; *mat-prasādāt :* par Ma grâce ; *tariṣyasi :* tu franchiras ; *atha :* mais ; *cet :* si ; *tvam :* tu ; *ahaṅkārāt :* par faux ego ; *na śroṣyasi :* n'écoutes pas ; *vinaṅkṣyasi :* tu seras perdu.

**Si tu deviens conscient de Moi, tu franchiras par Ma grâce tous les obstacles de l'existence conditionnée. Si toutefois, ne M'écoutant pas, tu n'agis pas dans une telle conscience mais sous l'empire du faux ego, tu seras perdu.**

Le dévot tout à fait fixé dans la conscience de Kṛṣṇa satisfait aux exigences quotidiennes de la vie – sans que cela lui cause de soucis exagérés. Les sots ne peuvent comprendre cette absence marquée de tout tracas. C'est qu'en fait Kṛṣṇa devient l'ami le plus intime de celui qui agit en étant conscient de Lui, et Il prend toujours grand soin de son bien-être. Kṛṣṇa Se donne à cet ami dévoué qui s'efforce à tout moment de Le satisfaire par ses actions.

Nul ne devrait donc se laisser emporter par le faux ego, par une conception matérielle de l'existence centrée sur le corps. On ne doit pas artificiellement se croire indépendant des lois de la nature matérielle ou libre d'agir à sa guise. Car tout être conditionné est soumis aux lois strictes de la matière. Cependant, aussitôt qu'il agit dans la conscience de Kṛṣṇa, il se libère des intrications propres à celle-ci. Notons ici que l'homme qui agit hors de la conscience de Kṛṣṇa se perd dans la tourmente du monde matériel, dans l'océan des morts et des renaissances. Nulle âme conditionnée ne sait en vérité ce qu'il faut faire ou ne pas faire; l'être conscient de Kṛṣṇa, par contre, a toute liberté d'action, car ses actes lui sont suggérés de l'intérieur par Kṛṣṇa et confirmés par le maître spirituel.

**18.59** यदहङ्कारमाश्रित्य न योत्स्य इति मन्यसे ।
मिथ्यैष व्यवसायस्ते प्रकृतिस्त्वां नियोक्ष्यति ॥५९॥

*yad ahaṅkāram āśritya, na yotsya iti manyase*
*mithyaiṣa vyavasāyas te, prakṛtis tvāṁ niyokṣyati*

*yat* : si; *ahaṅkāram* : dans le faux ego; *āśritya* : prenant refuge; *na yotsye* : je ne combattrai pas; *iti* : ainsi; *manyase* : tu penses; *mithyā eṣaḥ* : c'est une fausse; *vyavasāyaḥ* : détermination; *te* : ta; *prakṛtiḥ* : nature matérielle; *tvām* : toi; *niyokṣyati* : engagera.

**Si tu n'agis pas selon Mes directives, si tu refuses de livrer bataille, tu te fourvoieras. Et, de par ta nature, il te faudra quand même combattre.**

Arjuna est un guerrier, né avec une nature de *kṣatriya*. Son devoir inné consiste donc à combattre. Mais sous l'influence du faux ego, il craint qu'en tuant son précepteur, son grand-père et ses amis, il ne commette un péché dont il devra endurer les conséquences. En fait, il se croit maître de ses actes, capable de décider par lui-même de leurs résultats, bons ou mauvais. Il oublie que Dieu, la Personne Suprême, est avec lui et l'exhorte à combattre. Cet oubli est caractéristique de l'âme conditionnée. Le Seigneur Suprême indique quels sont les actes bons et mauvais, et l'être n'a qu'à suivre Ses directives - en agissant dans la conscience de Kṛṣṇa - pour atteindre la perfection de l'existence. On ne peut connaître notre destin mieux que le Seigneur. La meilleure chose à faire est donc d'agir selon Ses instructions. On ne doit jamais négliger l'instruction du Seigneur Suprême ou du maître spirituel qui Le représente. Il faut exécuter les ordres de Dieu, la Personne Suprême, sans hésiter, car cela nous protégera en toutes circonstances.

**18.60** स्वभावजेन कौन्तेय निबद्धः स्वेन कर्मणा ।
कर्तुं नेच्छसि यन्मोहात्करिष्यस्यवशोऽपि तत् ॥६०॥

*svabhāva-jena kaunteya, nibaddhaḥ svena karmaṇā*
*kartuṁ necchasi yan mohāt, kariṣyasy avaśo 'pi tat*

*svabhāva-jena :* nés de ta nature propre ; *kaunteya :* ô fils de Kuntī ; *nibaddhaḥ :* conditionné ; *svena :* par tes propres ; *karmaṇā :* actes ; *kartum :* faire ; *na :* ne pas ; *icchasi :* tu aimes ; *yat :* ce que ; *mohāt :* par illusion ; *kariṣyasi :* tu feras ; *avaśaḥ :* involontairement ; *api :* même ; *tat :* cela.

**Sous l'emprise de l'illusion, tu refuses à présent d'agir selon Mes instructions. Mais poussé par ta nature de kṣatriya, tu t'y conformeras tout de même, ô fils de Kuntī.**

Celui qui refuse d'agir sous la conduite du Seigneur Suprême se verra contraint de le faire sous l'empire des *guṇas* qui le conditionnent. Tout le monde est assujetti à une combinaison particulière de modes d'influence de la nature et se trouve forcé d'agir en conséquence. Celui, par contre, qui se plie de lui-même aux instructions du Seigneur devient glorieux.

**18.61** ईश्वरः सर्वभूतानां हृद्देशेऽर्जुन तिष्ठति ।
भ्रामयन् सर्वभूतानि यन्त्रारूढानि मायया ॥६१॥

*īśvaraḥ sarva-bhūtānāṁ, hṛd-deśe 'rjuna tiṣṭhati*
*bhrāmayan sarva-bhūtāni, yantrārūḍhāni māyayā*

*īśvaraḥ :* le Seigneur Suprême ; *sarva-bhūtānām :* de tous les êtres ; *hṛt-deśe :* dans le siège du cœur ; *arjuna :* ô Arjuna ; *tiṣṭhati :* réside ; *bhrāmayan :* faisant se déplacer ; *sarva-bhūtāni :* tous les êtres ; *yantra :* sur une machine ; *ārūḍhāni :* étant placés ; *māyayā :* sous l'influence de l'énergie matérielle.

**Le Seigneur Suprême, ô Arjuna, Se tient dans le cœur de tous les êtres, qui sont en quelque sorte placés dans une machine faite d'énergie matérielle. Ainsi dirige-t-Il leurs errances à tous.**

Arjuna n'est pas le connaissant suprême. Sa décision de combattre ou de ne pas combattre ne relève donc que de son jugement limité. Kṛṣṇa a enseigné que l'individu n'est pas suprême. Lui-même, Dieu, dans Sa forme de Paramātmā, habite le cœur de tous les êtres et les dirige. En changeant de corps, l'être distinct oublie ses actes passés, mais le Paramātmā, l'Âme Suprême, qui connaît le passé, le présent et le futur, demeure témoin de tous ses actes. Ainsi, les âmes conditionnées sont dirigées dans tous leurs actes par l'Âme Suprême et obtiennent ce qu'elles méritent. Elles sont portées par le corps, lui-même créé par l'énergie matérielle sous la direction de l'Âme Suprême. Dès que l'être est placé dans un corps, il doit agir selon le conditionnement propre à ce corps. Un homme au volant d'une voiture rapide ira certes plus vite qu'un autre pourvu d'un véhicule plus lent, même si les deux conducteurs sont de même force. Il en est de même des êtres vivants. Sous les ordres de l'Être Suprême, la nature matérielle façonne pour chaque être un corps particulier qui lui permet d'agir en conformité avec ses désirs passés.

Les êtres ne sont pas indépendants. Ils dépendent de Dieu, la Personne Suprême, car ils demeurent constamment sous Son contrôle. Il est donc du devoir de chacun de s'abandonner à Lui, ainsi que le commande le verset suivant.

**18.62** तमेव शरणं गच्छ सर्वभावेन भारत ।
तत्प्रसादात्परां शान्तिं स्थानं प्राप्स्यसि शाश्वतम् ॥६२॥

*tam eva śaraṇaṁ gaccha, sarva-bhāvena bhārata*
*tat-prasādāt parāṁ śāntiṁ, sthānaṁ prāpsyasi śāśvatam*

*tam :* à Lui; *eva :* certes; *śaraṇam gaccha :* abandonne-toi; *sarva-bhāvena :* à tous les égards; *bhārata :* ô fils de Bharata; *tat-prasādāt :* par Sa grâce; *parām :* transcendantale; *śāntim :* la paix; *sthānam :* la demeure; *prāpsyasi :* tu obtiendras; *śāśvatam :* éternelle.

**Ô descendant de Bharata, abandonne-toi entièrement à Lui. Par Sa grâce, tu connaîtras la paix absolue et atteindras l'éternelle et suprême demeure.**

Ainsi, l'être vivant doit s'abandonner à la Personne Suprême, sise dans le cœur de chacun. Non seulement cet abandon le soulagera des souffrances engendrées par l'existence matérielle, mais il atteindra Dieu, l'Être Suprême. Les Textes védiques (*Ṛg-veda* 1.22.20) décrivent le monde spirituel comme étant *tad viṣṇoḥ paramaṁ padam.* Puisque le royaume de Dieu s'étend à toute la création, tout ce qui est matériel est en réalité spirituel, mais ici les mots *paramaṁ padam* désignent spécifiquement la demeure éternelle, le monde spirituel ou Vaikuṇṭha.

Le quinzième chapitre de la *Bhagavad-gītā* enseigne : *sarvasya cāhaṁ hṛdi sanniviṣṭaḥ.* Le Seigneur est dans le cœur de chacun. Ainsi, quand il est recommandé de s'abandonner à l'Âme Suprême qui Se trouve en nous, cela signifie qu'il faut s'abandonner à la Personne Suprême, Dieu, Kṛṣṇa. Arjuna a reconnu en Kṛṣṇa le Seigneur Suprême. Déjà, dans le dixième chapitre, il voyait en Lui le *paraṁ brahma paraṁ dhāma.* Il avait réalisé que Kṛṣṇa est Dieu, la Personne Suprême, l'ultime demeure de tous les êtres, et cela non seulement sur la base de son expérience personnelle, mais aussi sur la foi des déclarations des grandes autorités en matière spirituelle que sont Nārada, Asita, Devala et Vyāsa.

**18.63** इति ते ज्ञानमाख्यातं गुह्याद्गुह्यतरं मया ।
विमृश्यैतदशेषेण यथेच्छसि तथा कुरु ॥६३॥

*iti te jñānam ākhyātaṁ, guhyād guhya-taraṁ mayā*
*vimṛśyaitad aśeṣeṇa, yathecchasi tathā kuru*

*iti :* ainsi ; *te :* à toi ; *jñānam :* la connaissance ; *ākhyātam :* décrite ; *guhyāt :* que la confidentielle ; *guhya-taram :* encore plus confidentielle ; *mayā :* par Moi ; *vimṛśya :* délibérant ; *etat :* sur ceci ; *aśeṣeṇa :* pleinement ; *yathā :* comme ; *icchasi :* il te plaît ; *tathā :* cela ; *kuru :* fais.

**Ainsi t'ai-Je dévoilé un savoir plus secret encore. Réfléchis-y mûrement, puis agis comme il te plaira.**

Le Seigneur a déjà exposé la connaissance du *brahma-bhūta* à Arjuna. Celui qui est situé au niveau du *brahma-bhūta* connaît le bonheur. Parce qu'il a reçu le savoir confidentiel, jamais il ne se lamente ou ne désire quoi que ce soit. Kṛṣṇa a également révélé la connaissance du Paramātmā, de l'Âme Suprême, qui est aussi connaissance du Brahman, mais à un degré supérieur.

Les mots *yathecchasi tathā kuru,* « agis comme il te plaira », indiquent que Dieu n'interfère pas avec le libre arbitre, même minime, de l'être vivant. Dans la *Bhagavad-gītā,* le Seigneur a montré sous tous les angles comment l'être peut améliorer ses conditions d'existence. Le meilleur conseil qu'Il a donné à Arjuna est de s'abandonner à l'Âme Suprême sise en son cœur. Un juste discernement doit nous faire accepter d'agir selon les directives de l'Âme Suprême, ce qui nous aidera à nous fixer dans la conscience de Kṛṣṇa - la plus haute perfection de la vie humaine. Arjuna a reçu directement de Dieu, la Personne Suprême, l'ordre de combattre. Or, il en va dans cet abandon à Dieu de l'intérêt de l'être distinct, et non de celui du Seigneur Lui-même. Avant de s'abandonner, chacun est libre de réfléchir autant que son intelligence le lui permet. C'est la meilleure façon d'accepter les instructions du Seigneur Suprême, qu'elles nous parviennent directement ou par l'intermédiaire du maître spirituel, représentant authentique de Kṛṣṇa.

**18.64** सर्वगुह्यतमं भूयः शृणु मे परमं वचः ।
इष्टोऽसि मे दृढमिति ततो वक्ष्यामि ते हितम् ॥६४॥

*sarva-guhyatamaṁ bhūyaḥ, śṛṇu me paramaṁ vacaḥ*
*iṣṭo 'si me dṛḍham iti, tato vakṣyāmi te hitam*

*sarva-guhya-tamam :* la plus confidentielle de toutes ; *bhūyaḥ :* encore ; *śṛṇu :* écoute simplement ; *me :* de Moi ; *paramam :* la suprême ; *vacaḥ :* instruction ; *iṣṭaḥ asi :* tu es cher ; *me :* à Moi ; *dṛḍham :* très ; *iti :* ainsi ; *tataḥ :* donc ; *vakṣyāmi :* Je parle ; *te :* pour ton ; *hitam :* bien.

**Parce que tu es Mon ami très cher, Je vais te révéler Ma suprême instruction, la plus confidentielle. Écoute Mes paroles, car Je les dis pour ton bien.**

Le Seigneur a révélé à Arjuna la connaissance intime du Brahman, puis celle plus intime encore de l'Âme Suprême sise dans le cœur de chacun. Maintenant, Il va lui révéler la part la plus secrète de ce savoir : le simple abandon à Dieu, la Personne Suprême. Au dernier verset du neuvième chapitre, Il disait : *man-manā* – « Emplis toujours de Moi tes pensées. » Il répète dans le verset qui suit la même instruction, pour bien insister sur le fait qu'il s'agit de l'essence même de la *Bhagavad-gītā*. Cette essence, l'homme ordinaire ne peut la saisir, alors que c'est chose aisée pour celui qui est très cher à Kṛṣṇa, pour le pur dévot. Cet enseignement est le plus important des enseignements dispensés dans l'ensemble des Écrits védiques. Ce que dit Kṛṣṇa ici constitue la part la plus essentielle du savoir et devrait être mis en pratique par tous les êtres, et non par Arjuna seulement.

**18.65** मन्मना भव मद्भक्तो मद्याजी मां नमस्कुरु ।
मामेवैष्यसि सत्यं ते प्रतिजाने प्रियोऽसि मे ॥६५॥

*man-manā bhava mad-bhakto*
*mad-yājī māṁ namaskuru*
*mām evaiṣyasi satyaṁ te*
*pratijāne priyo 'si me*

*mat-manāḥ :* pensant à Moi ; *bhava :* deviens seulement ; *mat-bhaktaḥ :* Mon dévot ; *mat-yājī :* Mon adorateur ; *mām :* à Moi ; *namaskuru :* offre ton hommage ; *mām :* à Moi ; *eva :* certes ; *eṣyasi :* tu viendras ; *satyam :* en vérité ; *te :* à toi ; *pratijāne :* Je promets ; *priyaḥ :* cher ; *asi :* tu es ; *me :* à Moi.

**Pense toujours à Moi, deviens Mon dévot, offre-Moi ton hommage et voue-Moi ton adoration, et tu viendras à Moi assurément. Je te le promets car tu es Mon ami très cher.**

Le point le plus confidentiel du savoir est que l'on doit devenir un pur dévot de Kṛṣṇa, toujours penser à Lui et agir pour Lui. Il ne s'agit pas de devenir un professionnel de la méditation. La vie doit être organisée de façon à ce que l'on puisse penser à Kṛṣṇa à tout moment, que les activités quotidiennes soient toujours liées à Lui. En fait, on doit façonner sa vie de manière à ce que, durant les vingt-quatre heures du jour, on ne pense qu'à Kṛṣṇa. Car le Seigneur promet à celui qui manifeste cette conscience divine qu'il retournera vivre auprès de Lui en Sa demeure et Le verra personnellement. Kṛṣṇa révèle cette partie la plus intime du savoir à Arjuna parce qu'il est Son ami très cher. Or, quiconque marchera sur les traces d'Arjuna pourra, comme lui, devenir l'ami très cher de Kṛṣṇa et atteindre une perfection comparable.

Ce verset souligne que l'on doit fixer son mental sur Kṛṣṇa – sur Sa forme tenant une flûte de Ses deux mains, sur le garçon au beau visage bleuté et aux cheveux ornés de plumes de paon. Plusieurs textes, dont la *Brahma-saṁhitā,* décrivent Kṛṣṇa en détail. On doit fixer son mental sur la forme originelle de Dieu, la forme de Kṛṣṇa, et ne pas même être attiré par les autres formes du Seigneur, comme celles de Viṣṇu, Nārāyaṇa, Rāma, Varāha, etc. Le dévot ne devrait se concentrer que sur la forme première du Seigneur, qu'Arjuna voyait devant lui.

Ainsi, fixer son mental sur la forme de Kṛṣṇa constitue la part la plus secrète du savoir, que Kṛṣṇa révèle à Arjuna parce qu'il est Son ami très cher.

**18.66** सर्वधर्मान् परित्यज्य मामेकं शरणं व्रज ।
अहं त्वां सर्वपापेभ्यो मोक्षयिष्यामि मा शुचः ॥६६॥

*sarva-dharmān parityajya, mām ekaṁ śaraṇaṁ vraja*
*ahaṁ tvāṁ sarva-pāpebhyo, mokṣayiṣyāmi mā śucaḥ*

*sarva-dharmān :* toutes les formes de pratique religieuse ; *parityajya :* abandonnant ; *mām :* à Moi ; *ekam :* seulement ; *śaraṇam :* pour t'abandonner ; *vraja :* va ; *aham :*

Je ; *tvām :* te ; *sarva :* de toutes ; *pāpebhyaḥ :* les suites des péchés ; *mokṣayiṣyāmi :* délivrerai ; *mā :* ne pas ; *śucaḥ :* t'inquiète.

**Laisse là toutes formes de pratique religieuse et abandonne-toi simplement à Moi. Je te délivrerai de toutes les suites de tes fautes. N'aie nulle crainte.**

Le Seigneur a décrit divers aspects du savoir ainsi que plusieurs pratiques religieuses : la connaissance du Brahman Suprême et de l'Âme Suprême, les différents *varṇas* et *āśramas,* le *sannyāsa,* le détachement, la maîtrise du mental et des sens, la méditation, etc. Et à présent, résumant la *Bhagavad-gītā,* Il demande à Arjuna de rejeter toutes les voies de la religion qu'Il lui a exposées précédemment pour simplement s'abandonner à Sa personne. Par cet abandon, Arjuna se verra débarrassé de toutes les réactions consécutives à ses actes coupables, car le Seigneur promet en personne de lui accorder Sa protection.

Le septième chapitre enseignait que seul celui qui s'est affranchi de toutes les conséquences de ses péchés peut entreprendre d'adorer le Seigneur, Kṛṣṇa. Ce qui pourrait nous amener à penser qu'à moins d'être libre de toutes les suites de ses fautes, il est impossible d'emprunter la voie de l'abandon au Seigneur. Pour dissiper de tels doutes, notre verset explique que même celui qui n'est pas encore affranchi de toutes les conséquences de ses péchés le sera automatiquement par le seul fait d'adopter la voie de l'abandon à Kṛṣṇa. Il n'est nullement nécessaire de fournir des efforts acharnés visant à se libérer soi-même des suites de ses actes coupables. Il faut accepter sans hésitation Kṛṣṇa comme le sauveur de tous les êtres. Avec foi et amour, il faut s'abandonner à Lui.

Le *Hari-bhakti-vilāsa* (11.676) décrit ce processus d'abandon :

*ānukūlyasya saṅkalpaḥ, prātikūlyasya varjanam*
*rakṣiṣyatīti viśvāso, goptṛtve varaṇaṁ tathā*
*ātma-nikṣepa-kārpaṇye, ṣaḍ-vidhā śaraṇāgatiḥ*

Lorsqu'on suit la voie dévotionnelle, on ne doit respecter que les principes religieux qui conduisent au service dévotionnel du Seigneur. Car même si l'homme remplit le devoir qui lui est assigné en fonction du *varṇa* ou de l'*āśrama* auquel il appartient, s'il ne devient pas conscient de Kṛṣṇa, toutes ses actions auront été vaines. Tout ce qui ne conduit pas à la perfection de la conscience de Kṛṣṇa doit être évité. On doit être intimement convaincu qu'en toutes circonstances, Kṛṣṇa nous protégera des difficultés qui se présenteront. Il ne faut donc pas se soucier de la manière dont on va pouvoir maintenir le corps en vie, car Kṛṣṇa y veille. On doit se considérer sans recours et voir que Kṛṣṇa est au fondement de son progrès dans l'existence. Car, aussitôt que l'on pratique avec sérieux le service dévotionnel, en pleine conscience de Kṛṣṇa, on se trouve purifié de toutes les souillures provenant de la nature matérielle. Il existe toute une variété de pratiques religieuses et de méthodes de purification, telles que le développement de la connaissance, le yoga de la méditation, etc., mais celui qui s'abandonne à Kṛṣṇa n'a aucun besoin d'observer tant de pratiques. Ce seul abandon lui évitera des pertes de temps, car il progressera rapidement et se verra libéré de toutes les conséquences de ses fautes.

Chacun devrait se sentir attiré par la beauté de Kṛṣṇa. On Le nomme Kṛṣṇa car Il est infiniment fascinant. Grande est la fortune de celui qui éprouve de l'attrait pour la forme magnifique, toute-puissante, de Kṛṣṇa. Parmi les différents types de spiritualistes, certains sont attachés au Brahman impersonnel, d'autres à l'Âme Suprême, etc., mais ceux qu'attire l'aspect personnel de Dieu, et par-dessus tout, ceux qui sont fascinés par la Personne Suprême dans Sa forme de Kṛṣṇa, sont certes les plus parfaits. Ainsi, le service de dévotion dans la conscience de Kṛṣṇa constitue la part la plus secrète du savoir et l'essence même de la *Bhagavad-gītā*. Bien que les *karma-yogīs,* les philosophes empiristes, les *yogīs* mystiques et les dévots soient tous des spiritualistes, le pur dévot les surpasse tous. Ici, les mots *mā śucaḥ,* « n'aie nulle crainte », sont lourds de sens. On pourrait, en effet, hésiter à rejeter toutes formes de pratique religieuse pour simplement s'abandonner à Kṛṣṇa, mais une telle crainte est sans fondement.

**18.67** इदं ते नातपस्काय नाभक्ताय कदाचन ।
न चाशुश्रूषवे वाच्यं न च मां योऽभ्यसूयति ॥६७॥

*idaṁ te nātapaskāya, nābhaktāya kadācana*
*na cāśuśrūṣave vācyaṁ, na ca māṁ yo 'bhyasūyati*

*idam :* cela ; *te :* par toi ; *na :* jamais ; *atapaskāya :* à celui qui n'est pas austère ; *na :* jamais ; *abhaktāya :* à celui qui n'est pas un dévot ; *kadācana :* à aucun moment ; *na :* jamais ; *ca :* aussi ; *aśuśrūṣave :* à celui qui n'est pas dédié au service de dévotion ; *vācyam :* ne doit être dit ; *na :* jamais ; *ca :* aussi ; *mām :* de Moi ; *yaḥ :* quiconque ; *abhyasūyati :* est envieux.

**Ce savoir secret ne doit jamais être dévoilé aux hommes qui ne sont pas austères et dévoués, qui ne se consacrent pas au service de dévotion, ou à ceux qui M'envient.**

Les hommes qui n'ont pas accompli les austérités propres aux différentes observances religieuses, qui n'ont jamais essayé de pratiquer le service de dévotion, dans la conscience de Kṛṣṇa, qui n'ont jamais servi un pur dévot, et plus spécialement les hommes qui prennent Kṛṣṇa pour un personnage historique ou jalousent Sa grandeur, ne doivent pas recevoir ce savoir confidentiel. On voit pourtant parfois des personnes démoniaques, qui envient Kṛṣṇa et Lui rendent un culte inapproprié, commenter la *Bhagavad-gītā* de manière inauthentique et dans un but lucratif. Quiconque désire vraiment connaître Kṛṣṇa doit se garder d'entendre de tels commentaires. En fait, ni la *Bhagavad-gītā,* ni Kṛṣṇa, ne peuvent être compris de ceux qui sont enclins à jouir des plaisirs matériels, ni même de ceux qui suivent les principes énoncés par les Écritures védiques, mais qui ne sont pas dévots. Quant à ceux qui se présentent comme tels mais ne font rien de conscient de Kṛṣṇa, eux non plus ne peuvent comprendre Kṛṣṇa. Nombre d'hommes envient Kṛṣṇa parce qu'Il a montré, dans la *Bhagavad-gītā,* qu'Il est l'Être Suprême, et que nul ne Lui est supérieur ou même égal. On ne doit pas dévoiler à ces hommes le savoir que contient la *Bhagavad-gītā,* car ils ne sauraient l'appréhender correctement. L'homme sans foi ne peut comprendre ni la *Bhagavad-gītā,* ni Kṛṣṇa. Si l'on n'a pas reçu la connaissance de Kṛṣṇa des lèvres de l'autorité en la matière, le pur dévot, on ne doit pas essayer de commenter la *Bhagavad-gītā*.

**18.68** य इदं परमं गुह्यं मद्भक्तेष्वभिधास्यति ।
भक्तिं मयि परां कृत्वा मामेवैष्यत्यसंशयः ॥६८॥

*ya idaṁ paramaṁ guhyaṁ, mad-bhakteṣv abhidhāsyati*
*bhaktiṁ mayi parāṁ kṛtvā, mām evaiṣyaty asaṁśayaḥ*

*yaḥ :* quiconque; *idam :* ce; *paramam :* le plus; *guhyam :* confidentiel secret; *mat :* de Moi; *bhakteṣu :* parmi les dévots; *abhidhāsyati :* explique; *bhaktim :* un service de dévotion; *mayi :* à Moi; *parām :* transcendantal; *kṛtvā :* faisant; *mām :* à Moi; *eva :* certes; *eṣyati :* vient; *asaṁśayaḥ :* sans nul doute.

**Celui qui enseigne à Mes dévots ce secret suprême obtient de Me servir avec une dévotion pure. Et à la fin, il revient infailliblement à Moi.**

Il est préférable d'étudier la *Bhagavad-gītā* entre dévots, car les non-dévots ne sont pas en mesure de la comprendre, ou de comprendre Kṛṣṇa. Ceux qui n'acceptent ni Kṛṣṇa tel qu'Il est, ni la *Bhagavad-gītā* telle qu'elle est, ne doivent pas essayer d'expliquer ce texte sacré au gré de leur fantaisie, et commettre ainsi des offenses. La *Bhagavad-gītā* ne doit être présentée qu'à ceux qui sont prêts à accepter que Kṛṣṇa est Dieu, la Personne Suprême. Elle est un sujet d'étude pour les dévots, non pour les hommes qui se livrent à la spéculation philosophique.

D'un autre côté, quiconque s'efforce sincèrement de présenter la *Bhagavad-gītā* telle qu'elle est progressera dans sa vie dévotionnelle et atteindra la dévotion pure, qui lui assurera le retour en sa demeure originelle, auprès de Dieu, la Personne Suprême.

**18.69** न च तस्मान्मनुष्येषु कश्चिन्मे प्रियकृत्तमः ।
भविता न च मे तस्मादन्यः प्रियतरो भुवि ॥६९॥

*na ca tasmān manuṣyeṣu, kaścin me priya-kṛttamaḥ*
*bhavitā na ca me tasmād, anyaḥ priya-taro bhuvi*

*na :* jamais ; *ca :* et ; *tasmāt :* que lui ; *manuṣyeṣu :* parmi les hommes ; *kaścit :* personne ; *me :* à Moi ; *priya-kṛt-tamaḥ :* plus cher ; *bhavitā :* deviendra ; *na :* ni ; *ca :* et ; *me :* à Moi ; *tasmāt :* que lui ; *anyaḥ :* un autre ; *priya-taraḥ :* plus cher ; *bhuvi :* en ce monde.

**En ce monde, aucun de Mes serviteurs ne M'est plus cher que lui, et jamais aucun ne sera plus aimé.**

**18.70** अध्येष्यते च य इमं धर्म्यं संवादमावयोः ।
ज्ञानयज्ञेन तेनाहमिष्टः स्यामिति मे मतिः ॥७०॥

*adhyeṣyate ca ya imaṁ, dharmyaṁ saṁvādam āvayoḥ*
*jñāna-yajñena tenāham, iṣṭaḥ syām iti me matiḥ*

*adhyeṣyate :* étudiera ; *ca :* aussi ; *yaḥ :* celui qui ; *imam :* cette ; *dharmyam :* sacrée ; *saṁvādam :* conversation ; *āvayoḥ :* de nous ; *jñāna :* de la connaissance ; *yajñena :* par le sacrifice ; *tena :* par lui ; *aham :* Je ; *iṣṭaḥ :* adoré ; *syām :* serais ; *iti :* ainsi ; *me :* Mon ; *matiḥ :* opinion.

**Et Je déclare que celui qui étudie notre entretien sacré M'adore par son intelligence.**

**18.71** श्रद्धावाननसूयश्च शृणुयादपि यो नरः ।
सोऽपि मुक्तः शुभाँल्लोकान् प्राप्नुयात्पुण्यकर्मणाम् ॥७१॥

*śraddhāvān anasūyaś ca, śṛṇuyād api yo naraḥ*
*so 'pi muktaḥ śubhāl̐ lokān, prāpnuyāt puṇya-karmaṇām*

*śraddhā-vān :* plein de foi; *anasūyaḥ :* non envieux; *ca :* et; *śṛṇuyāt :* entend; *api :* certes; *yaḥ :* qui; *naraḥ :* l'homme; *saḥ :* il; *api :* aussi; *muktaḥ :* étant libéré *śubhān :* propices; *lokān :* les planètes; *prāpnuyāt :* il atteint; *puṇya-karmaṇām :* des gens pieux.

**Quant à celui qui l'écoute avec foi, sans envie, il s'affranchit des suites de ses actes coupables et atteint les planètes propices où vivent les gens pieux.**

Dans le soixante-septième verset de ce chapitre, le Seigneur a spécifiquement interdit que la *Bhagavad-gītā* soit exposée à ceux qui L'envient. La *Bhagavad-gītā* est donc uniquement destinée aux dévots. Pourtant, on voit parfois ces derniers donner des conférences publiques devant une audience où l'on ne trouve évidemment pas que des dévots. Comment cela peut-il se justifier ? Notre verset indique que parmi les hommes, nombreux sont ceux qui, sans être dévots de Kṛṣṇa, n'éprouvent envers Lui aucune jalousie, et ont foi en Dieu, la Personne Suprême. S'ils entendent parler du Seigneur des lèvres d'un authentique dévot, ils se verront aussitôt affranchis de toutes les suites de leurs fautes et atteindront les planètes où vivent les hommes vertueux. Ainsi, simplement en écoutant la *Bhagavad-gītā,* même celui qui ne cherche pas à devenir un pur dévot obtient au moins le résultat qui découle des actes vertueux. Le pur dévot offre à chacun l'occasion de se libérer de toutes les conséquences de ses péchés et de devenir un dévot du Seigneur.

Les hommes libérés de toutes les répercussions de leurs actes coupables, les hommes vertueux, adoptent en général très facilement la conscience de Kṛṣṇa. Le mot *puṇya-karmaṇām* employé ici mérite qu'on s'y arrête. Il renvoie à l'exécution de grands sacrifices mentionnés dans les Écrits védiques, tel l'*aśvamedha-yajña.* Les êtres qui s'avèrent vertueux dans l'accomplissement du service de dévotion, mais ne sont pas entièrement purs, pourront atteindre l'étoile polaire, Dhruvaloka, où règne Dhruva Mahārāja, un grand dévot du Seigneur.

**18.72** कच्चिदेतच्छ्रुतं पार्थ त्वयैकाग्रेण चेतसा ।
कच्चिदज्ञानसम्मोहः प्रणष्टस्ते धनञ्जय ॥७२॥

*kaccid etac chrutaṁ pārtha, tvayaikāgreṇa cetasā*
*kaccid ajñāna-sammohaḥ, praṇaṣṭas te dhanañ-jaya*

*kaccit :* est-ce que ; *etat :* cela ; *śrutam :* entendu ; *pārtha :* ô fils de Pṛthā ; *tvayā :* par toi ; *eka-agreṇa :* avec toute l'attention ; *cetasā :* par le mental ; *kaccit :* est-ce que ; *ajñāna :* de l'ignorance ; *sammohaḥ :* l'illusion ; *praṇaṣṭaḥ :* dissipée ; *te :* de toi ; *dhanam-jaya :* ô conquérant des richesses.

**Ô fils de Pṛthā, conquérant des richesses, as-tu tout bien écouté avec attention ? Ton ignorance et tes illusions se sont-elles à présent dissipées ?**

Le Seigneur agit en tant que maître spirituel d'Arjuna. Son devoir Lui commande donc de S'enquérir si Son disciple a bien saisi tout le message de la *Bhagavad-gītā*. Le Seigneur Se tient prêt à lui expliquer de nouveau n'importe quel point énoncé, ou même, au besoin, l'entière *Bhagavad-gītā*. En fait, quiconque reçoit la *Bhagavad-gītā* des lèvres d'un maître spirituel authentique, que ce soit Kṛṣṇa en personne ou Son représentant, voit se dissiper toute son ignorance. La *Bhagavad-gītā* n'est pas un livre ordinaire, l'œuvre d'un poète ou d'un romancier : c'est Dieu, la Personne Suprême, qui l'énonce. Quiconque est assez fortuné pour en recevoir l'enseignement de la bouche de Kṛṣṇa, ou de Son représentant authentique, est assuré de se voir libéré et d'échapper ainsi aux ténèbres de l'ignorance.

**18.73** अर्जुन उवाच

नष्टो मोहः स्मृतिर्लब्धा त्वत्प्रसादान्मयाच्युत ।
स्थितोऽस्मि गतसन्देहः करिष्ये वचनं तव ॥७३॥

*arjuna uvāca*
*naṣṭo mohaḥ smṛtir labdhā, tvat-prasādān mayācyuta*
*sthito 'smi gata-sandehaḥ, kariṣye vacanaṁ tava*

*arjunaḥ uvāca :* Arjuna dit ; *naṣṭaḥ :* dissipée ; *mohaḥ :* l'illusion ; *smṛtiḥ :* la mémoire ; *labdhā :* retrouvée ; *tvat-prasādāt :* par Ta miséricorde ; *mayā :* par moi ; *acyuta :* ô infaillible Kṛṣṇa ; *sthitaḥ :* situé ; *asmi :* je suis ; *gata :* enlevés ; *sandehaḥ :* tous les doutes ; *kariṣye :* j'exécuterai ; *vacanam :* instruction ; *tava :* Ton.

**Arjuna dit : Ô cher Kṛṣṇa, Toi qui es infaillible, mon illusion s'est maintenant évanouie. J'ai, par Ta grâce, recouvré la mémoire. Me voici résolu, libéré du doute, et prêt à agir selon Ta volonté.**

Par essence, en vertu de sa condition inhérente, l'être, représenté ici par Arjuna, doit agir selon les directives du Seigneur Suprême. Il est dans sa nature de se discipliner. Caitanya Mahāprabhu enseigna que la véritable position de l'être vivant est celle de serviteur éternel de Dieu. Quand il oublie cette vérité, il se voit conditionné par la nature matérielle, alors que lorsqu'il sert Dieu, il connaît la libération, tout en demeurant serviteur. Par nature, l'être vivant est destiné à servir ; il devra donc soit servir *māyā,* l'illusion, soit Kṛṣṇa, le Seigneur. S'il sert le Seigneur, il vivra dans sa condition normale, mais s'il choisit de servir l'énergie externe, l'énergie illusoire, il demeurera captif de la matière. Lorsqu'il est sous l'emprise de l'illusion, l'être est toujours occupé à servir, mais dans le cadre du monde matériel. Bien qu'il soit enchaîné par sa concupiscence et ses désirs, il continue pourtant à se croire le maître du monde. C'est ce qu'on appelle l'illusion. Lorsque l'être est libéré, son illusion se dissipe, et il s'abandonne volontairement à l'Être Suprême pour agir selon Ses désirs. La dernière illusion, le dernier piège que *māyā* tend à l'être, consiste à lui faire croire qu'il est Dieu. L'être croit alors vraiment qu'il n'est plus une âme conditionnée, mais bien Dieu en personne. Sa sottise est si grande qu'il ne se demande pas même comment lui, qui est Dieu, a pu être sujet au doute. Une telle pensée n'effleure même pas son esprit. Aussi dit-on qu'il s'agit là du dernier piège de l'illusion. En vérité, s'affranchir de l'énergie illusoire, c'est comprendre Kṛṣṇa, Dieu, la Personne Suprême, et accepter d'agir en se conformant à Sa volonté.

Dans notre verset, le mot *mohaḥ* revêt une grande importance. Il désigne ce qui s'oppose au savoir. Le vrai savoir consiste à comprendre que tout être vivant est le serviteur éternel du Seigneur, alors que l'illusion consiste à nier sa condition originelle de serviteur et à se croire le maître du monde, tant le désir de dominer la nature matérielle est prééminent. On pourra s'affranchir de cette illusion grâce à la miséricorde du Seigneur ou de Son pur dévot ; alors, on acceptera de conformer ses actes à la conscience de Kṛṣṇa.

Agir dans la conscience de Kṛṣṇa, c'est agir selon les instructions de Kṛṣṇa. L'âme conditionnée, illusionnée par l'énergie externe, la matière, ignore que le Seigneur Suprême est le maître, qu'Il est omniscient et que tout ce qui existe Lui appartient. Le Seigneur peut accorder tout ce qu'Il désire à Ses dévots. Il est certes l'ami de tous les êtres, mais Il montre un penchant particulier pour Ses dévots. Il est le maître de la nature matérielle et de toutes les entités vivantes. C'est également Lui qui contrôle le temps éternel, Lui encore qui possède l'opulence infinie et la toute-puissance. Dieu, la Personne Suprême, peut même Se donner à Son dévot. Celui qui ne Le connaît pas vit sous l'empire de l'illusion ; il ne devient pas Son dévot mais reste le serviteur de *māyā*. Arjuna, toutefois, après avoir écouté le

Seigneur énoncer la *Bhagavad-gītā,* s'affranchit de toute illusion. Il put comprendre que Kṛṣṇa n'était pas seulement son ami, mais Dieu, la Personne Suprême. Il comprit Kṛṣṇa tel qu'Il est. Tel est le fruit que confère l'étude de la *Bhagavad-gītā*. Lorsqu'un homme possède la pleine connaissance, tout naturellement il s'abandonne à Kṛṣṇa. Lorsque Arjuna comprit que réduire la croissance inopportune de la population était le plan de Kṛṣṇa, il accepta de se conformer à Son désir en engageant le combat. Il reprit ses armes – son arc et ses flèches – pour combattre selon la volonté de Dieu.

**18.74** सञ्जय उवाच
इत्यहं वासुदेवस्य पार्थस्य च महात्मनः ।
संवादमिममश्रौषमद्भुतं रोमहर्षणम् ॥७४॥

*sañjaya uvāca*
*ity ahaṁ vāsudevasya, pārthasya ca mahātmanaḥ*
*saṁvādam imam aśrauṣam, adbhutaṁ roma-harṣaṇam*

*sañjayaḥ uvāca :* Sañjaya dit ; *iti :* ainsi ; *aham :* Je ; *vāsudevasya :* de Kṛṣṇa ; *pārthasya :* et Arjuna ; *ca :* aussi ; *mahā-ātmanaḥ :* de la grande âme ; *saṁvādam :* discussion ; *imam :* cette ; *aśrauṣam :* ai entendue ; *adbhutam :* merveilleuse ; *roma-harṣaṇam :* faisant se dresser les poils.

**Sañjaya dit : Ainsi ai-je entendu la conversation entre ces deux grandes âmes que sont Kṛṣṇa et Arjuna ; et si merveilleux est leur message que les poils se dressent sur mon corps.**

Au début de la *Bhagavad-gītā,* nous avons vu Dhṛtarāṣṭra demander à Sañjaya, son secrétaire, de lui rapporter les événements qui se déroulaient sur le champ de bataille de Kurukṣetra. La *Bhagavad-gītā* tout entière fut révélée à Sañjaya, en son cœur, par la grâce de son maître spirituel, Vyāsa. Ainsi Sañjaya put-il exposer le déroulement des événements. Le dialogue de la *Bhagavad-gītā* – dialogue entre deux grandes âmes – a ceci de merveilleux qu'il n'avait jamais eu lieu auparavant et que jamais non plus un tel échange ne se reproduira. Il est merveilleux encore parce que Dieu, la Personne Suprême, parle de Lui-même et de Ses diverses énergies à un être vivant, Arjuna, Son dévot. Si nous marchons sur les traces d'Arjuna pour comprendre Kṛṣṇa, notre vie sera heureuse et couronnée de succès. Sañjaya, réalisant cette vérité, rapporte à Dhṛtarāṣṭra la conversation. Et il en arrive à la conclusion que partout où se trouvent Kṛṣṇa et Arjuna, on trouve aussi la victoire.

**18.75** व्यासप्रसादाच्छ्रुतवानेतद्गुह्यमहं परम् ।
योगं योगेश्वरात्कृष्णात्साक्षात्कथयतः स्वयम् ॥७५॥

*vyāsa-prasādāc chrutavān, etad guhyam ahaṁ param*
*yogaṁ yogeśvarāt kṛṣṇāt, sākṣāt kathayataḥ svayam*

*vyāsa-prasādāt :* par la miséricorde de Vyāsadeva ; *śrutavān :* ai entendu ; *etat :* ce ; *guhyam :* confidentiel ; *aham :* je ; *param :* suprême ; *yogam :* yoga mystique ; *yoga-īśvarāt :* du maître du mysticisme ; *kṛṣṇāt :* de Kṛṣṇa ; *sākṣāt :* directement ; *kathayataḥ :* parlant ; *svayam :* personnellement.

**Par la grâce de Vyāsa, j'ai entendu cet entretien des plus confidentiels directement des lèvres de Kṛṣṇa, le maître du yoga mystique, qui en personne parlait à Arjuna.**

Vyāsa est le maître spirituel de Sañjaya. Ce dernier reconnaît que c'est par la grâce de son maître qu'il a pu comprendre Dieu, la Personne Suprême. La signification de ses paroles est que l'on ne doit pas chercher à appréhender Kṛṣṇa directement, mais par l'intermédiaire du maître spirituel. Le maître spirituel agit comme un intermédiaire transparent, mais l'expérience spirituelle n'en reste pas moins directe. Tel est le mystère de la filiation spirituelle. Si le maître spirituel est authentique, on pourra entendre la *Bhagavad-gītā* directement, comme Arjuna l'entendit.

Il existe dans le monde bon nombre de *yogīs* d'obédiences diverses, mais Kṛṣṇa, Lui, est le maître de tous les systèmes de yoga. L'enseignement de Kṛṣṇa est très explicitement énoncé dans la *Bhagavad-gītā* : on doit s'abandonner à Lui. Celui qui s'abandonne ainsi est le plus grand des *yogīs,* ainsi que le confirme le dernier verset du sixième chapitre (*yoginām api sarveṣām*).

Nārada est le disciple direct de Kṛṣṇa et le maître spirituel de Vyāsa. Ainsi, puisqu'il appartient à la succession disciplique issue de Kṛṣṇa, Vyāsa est un maître tout aussi authentique qu'Arjuna, et Sañjaya est son disciple direct. Par la grâce de Vyāsa, les sens de Sañjaya furent purifiés, lui permettant de voir et d'entendre Kṛṣṇa directement. Toute personne qui entend directement Kṛṣṇa sera à même de saisir le savoir secret révélé dans la *Bhagavad-gītā* tandis que celle qui ne suit pas la succession disciplique ne pourra pas comprendre Kṛṣṇa. Par conséquent, son savoir demeurera toujours imparfait, du moins en ce qui concerne la *Bhagavad-gītā*.

La *Bhagavad-gītā* analyse les différents yogas – le *karma-yoga,* le *jñāna-yoga* et le *bhakti-yoga*. Or, Kṛṣṇa en est le maître. Sachons également que non seulement Arjuna eut la grande fortune d'entendre et de comprendre Kṛṣṇa de façon directe, mais Sañjaya aussi, par la grâce de Vyāsa. Il n'existe en fait aucune différence entre le fait d'écouter la parole de Kṛṣṇa en personne et celui de l'entendre par l'intermédiaire d'un maître spirituel authentique tel que Vyāsa. Le maître spirituel représente également Vyāsadeva, et selon le système védique, les disciples célèbrent le jour anniversaire du maître spirituel par une cérémonie appelée *vyāsa-pūjā*.

**18.76** राजन् संस्मृत्य संस्मृत्य संवादमिममद्भुतम् ।
केशवार्जुनयोः पुण्यं हृष्यामि च मुहुर्मुहुः ॥७६॥

*rājan saṁsmṛtya saṁsmṛtya*
*saṁvādam imam adbhutam*
*keśavārjunayoḥ puṇyaṁ*
*hṛṣyāmi ca muhur muhuḥ*

*rājan :* ô roi ; *saṁsmṛtya :* me rappelant ; *saṁsmṛtya :* me rappelant ; *saṁvādam :* message ; *imam :* ce ; *adbhutam :* merveilleux ; *keśava :* de Kṛṣṇa ; *arjunayoḥ :* et Arjuna ; *puṇyam :* pieux ; *hṛṣyāmi :* je prends plaisir ; *ca :* aussi ; *muhuḥ muhuḥ :* de façon répétée.

**Ô roi, au souvenir réitéré de ces paroles saintes, merveilleuses, qu'échangèrent Kṛṣṇa et Arjuna, j'éprouve une immense joie, dans une exaltation de chaque instant.**

Le savoir révélé dans la *Bhagavad-gītā* est si transcendantal que quiconque se familiarise avec les propos échangés entre Kṛṣṇa et Arjuna devient vertueux et ne peut plus oublier leur conversation. Tel est le caractère transcendantal des choses spirituelles. Quiconque écoute la *Gītā* d'une source autorisée, directement de la bouche du Seigneur, obtient la pleine conscience de Kṛṣṇa. La conscience de Kṛṣṇa a pour résultat de nous éclairer toujours plus, et elle nous donne de vivre dans la joie, à chaque instant de notre existence.

**18.77** तच्च संस्मृत्य संस्मृत्य रूपमत्यद्भुतं हरेः ।
विस्मयो मे महान् राजन् हृष्यामि च पुनः पुनः ॥७७॥

*tac ca saṁsmṛtya saṁsmṛtya*
*rūpam aty-adbhutaṁ hareḥ*
*vismayo me mahān rājan*
*hṛṣyāmi ca punaḥ punaḥ*

*tat :* cela ; *ca :* aussi ; *saṁsmṛtya :* me rappelant ; *saṁsmṛtya :* me rappelant ; *rūpam :* la forme ; *ati :* grandement ; *adbhutam :* merveilleuse ; *hareḥ :* de Kṛṣṇa ; *vismayaḥ :* émerveillement ; *me :* mon ; *mahān :* grand ; *rājan :* ô roi ; *hṛṣyāmi :* je me réjouis ; *ca :* aussi ; *punaḥ punaḥ :* de façon répétée.

**Et lorsque, ô roi, la forme prodigieuse de Kṛṣṇa surgit dans ma mémoire, mon émerveillement et ma joie ne font que croître.**

Il semble bien que Sañjaya ait pu lui aussi, par la grâce de Vyāsa, voir la forme universelle du Seigneur révélée à Arjuna. Certes, il est dit que jamais auparavant Kṛṣṇa n'avait manifesté une telle forme, et que celle-ci ne fut dévoilée qu'à Arjuna, mais quelques grands dévots, dont Vyāsa, purent en cet instant la voir eux aussi. Vyāsa est l'un des grands dévots du Seigneur, et il est considéré comme un puissant *avatāra* de Kṛṣṇa. Il put donc révéler sa vision à son disciple Sañjaya, lequel, se souvenant encore et encore de la forme merveilleuse dévoilée par Kṛṣṇa à Arjuna, en ressent une joie immense, toujours accrue.

**18.78** यत्र योगेश्वरः कृष्णो यत्र पार्थो धनुर्धरः ।
तत्र श्रीर्विजयो भूतिर्ध्रुवा नीतिर्मतिर्मम ॥७८॥

*yatra yogeśvaraḥ kṛṣṇo, yatra pārtho dhanur-dharaḥ*
*tatra śrīr vijayo bhūtir, dhruvā nītir matir mama*

*yatra :* là où ; *yoga-īśvaraḥ :* le maître du yoga mystique ; *kṛṣṇaḥ :* Kṛṣṇa ; *yatra :* là où ; *pārthaḥ :* le fils de Pṛthā ; *dhanuḥ-dharaḥ :* porteur de l'arc et des flèches ; *tatra :* là ; *śrīḥ :* l'opulence ; *vijayaḥ :* la victoire ; *bhūtiḥ :* la puissance exceptionnelle ; *dhruvā :* certaine ; *nītiḥ :* la moralité ; *matiḥ mama :* est mon opinion.

**Là où sont réunis Kṛṣṇa, le maître de tous les yogīs, et Arjuna, l'archer sublime, là règnent incontestablement l'opulence, la victoire, la puissance formidable et la moralité. Telle est ma pensée.**

La *Bhagavad-gītā* commençait par une question de Dhṛtarāṣṭra. Ce dernier espérait que ses fils, avec l'assistance de grands guerriers tels que Bhīṣma, Droṇa et Karṇa, remporteraient la victoire. Il s'attendait à ce que son camp triomphe. Cependant, après lui avoir décrit la scène du champ de bataille, Sañjaya déclare au roi : « Tu espères la victoire, mais voici ma pensée : là où se trouvent Kṛṣṇa et Arjuna se trouve également la bonne fortune. » Il lui montre ainsi de façon directe qu'il ne doit pas s'attendre à obtenir la victoire. La victoire sera du côté d'Arjuna, puisque Kṛṣṇa est dans son camp. En acceptant de conduire le char d'Arjuna, Kṛṣṇa manifeste une autre de Ses opulences divines, le renoncement, qu'Il montra d'ailleurs en nombre d'occasions, Lui, le maître du renoncement.

Ce sont en fait Duryodhana et Yudhiṣṭhira qui s'opposent dans la bataille de Kurukṣetra. Arjuna ne fait que porter assistance à son frère aîné, Yudhiṣṭhira. Parce que Kṛṣṇa et lui se trouvent du côté de Yudhiṣṭhira, la victoire de ce dernier est assurée. La bataille a pour objet d'établir qui sera empereur du monde et Sañjaya prédit ici que le pouvoir passera aux mains de Yudhiṣṭhira qui, après avoir remporté la bataille, verra sa prospérité s'accroître de plus en plus. Car non seulement il est droit et pieux, mais c'est de surcroît un homme de très haute moralité. De toute sa vie il n'a proféré un seul mensonge.

Bien des hommes auxquels l'intelligence fait défaut prennent la *Bhagavad-gītā* pour une simple discussion entre deux amis sur un champ de bataille. Si tel était le cas, un tel livre ne mériterait pas le nom d'Écriture sacrée. Certains avancent que Kṛṣṇa fut immoral en poussant Arjuna à combattre, mais ici, la vérité est clairement établie : la *Bhagavad-gītā* enseigne la moralité la plus élevée. Cette moralité suprême est résumée au verset trente-quatre du neuvième chapitre : *man-manā bhava mad-bhakto.* On doit devenir un dévot de Kṛṣṇa. Et l'essence de toute religion est de s'abandonner à Lui (*sarva-dharmān parityajya māṁ ekaṁ śaraṇaṁ vraja*). La *Bhagavad-gītā* constitue donc la voie suprême de la religion et de la moralité. Toutes les autres voies purifieront celui qui les emprunte, ou le mèneront à la voie suprême de la *Bhagavad-gītā,* mais c'est en cet écrit sacré, en son enseignement ultime, qu'il pourra trouver le summum de la moralité et de la religion : s'abandonner à Kṛṣṇa. Telle est la conclusion du dix-huitième chapitre.

Par l'étude de la *Bhagavad-gītā,* nous comprenons que si la méditation et la spéculation philosophique peuvent nous conduire à réaliser notre nature spirituelle, l'abandon total à Kṛṣṇa constitue la plus haute perfection. Telle est l'essence des enseignements de la *Bhagavad-gītā*. L'observance des principes régulateurs du *varṇāśrama-dharma* et des pratiques religieuses est certes une voie confidentielle d'acquisition de la connaissance, mais la méditation et le développement de la connaissance le sont davantage encore. L'abandon à Kṛṣṇa, à travers le service de dévotion en pleine conscience de Sa personne, constitue l'enseignement le plus confidentiel de tous. Telle est la quintessence du dix-huitième chapitre.

La *Bhagavad-gītā* enseigne encore que l'ultime vérité est la Personne Suprême, Kṛṣṇa. La réalisation de la Vérité Absolue se présente, on l'a vu, sous trois aspects : le Brahman impersonnel, le Paramātma, situé dans le cœur de tous les êtres, et enfin Bhagavān, la Personne Suprême, Kṛṣṇa. Par connaissance parfaite de la Vérité Absolue, il faut entendre connaissance parfaite de Kṛṣṇa. Toutes les branches de la connaissance sont incluses dans la connaissance de Kṛṣṇa. Kṛṣṇa transcende la matière, car Il est toujours situé en Son éternelle puissance interne. Les êtres vivants forment Son énergie et se divisent en deux catégories : les uns éternellement conditionnés, les autres éternellement libérés. Ils sont innombrables et font tous partie intégrante de Kṛṣṇa. Quant à l'énergie matérielle, elle se manifeste en vingt-quatre éléments. La création matérielle, qui s'opère sous l'action du temps éternel, est créée puis dissoute par la puissance externe du Seigneur. Ces créations et dissolutions, ou manifestations et non-manifestations, se répètent dans un cycle sans fin.

La *Bhagavad-gītā* traite essentiellement de cinq sujets : le Seigneur Suprême, la nature matérielle, les êtres vivants, le temps éternel et les différents types d'actions. Les quatre derniers éléments dépendent du premier, Dieu, la Personne Suprême, Kṛṣṇa. Les différentes conceptions de la Vérité Absolue – le Brahman impersonnel, le Paramātma, ou toute autre conception spirituelle que l'on peut en avoir – sont comprises dans la Personne Suprême. Bien que la Personne Suprême, l'être vivant, la nature matérielle et le temps semblent distincts, rien ne se distingue en réalité du Suprême. Mais, simultanément, le Suprême diffère de tout. Telle est la philosophie qu'enseigna Śrī Caitanya : Dieu est inconcevablement à la fois différent et non différent de tout. Cette philosophie représente la parfaite connaissance de la Vérité Absolue.

Dans sa condition originelle, l'être distinct est pur esprit, fragment infime de l'Esprit Suprême. On pourrait comparer Kṛṣṇa au soleil et les êtres aux rayons du soleil. Ils forment l'énergie marginale, car ils peuvent être liés soit à l'énergie spirituelle soit à l'énergie matérielle. En d'autres termes, ils sont situés entre les énergies spirituelle et matérielle. Et parce qu'ils appartiennent à l'énergie supérieure, ils sont dotés d'un fragment d'indépendance. En faire bon usage, c'est pour eux se placer sous la tutelle de Kṛṣṇa pour ainsi recouvrer leur condition naturelle, au sein de la puissance de félicité du Seigneur.

*Ainsi s'achèvent les teneurs et portées de Bhaktivedanta sur le dix-huitième chapitre de la* Śrīmad Bhagavad-gītā *traitant de sa conclusion, la perfection du renoncement.*

# Appendice

# À propos de la deuxième édition

Il nous semble approprié d'éclairer le lecteur sur la nécessité de publier une deuxième édition de la *Bhagavad-gīta telle qu'elle est,* car plusieurs connaissaient bien déjà la première édition.

Bien que les deux éditions soient pratiquement semblables, les éditeurs du Bhaktivedanta Book Trust ont consulté les manuscrits de leurs archives afin de présenter une deuxième édition plus fidèle aux écrits originaux de Śrīla Prabhupāda.

C'est en 1967, deux ans après son départ de l'Inde pour l'Amérique, que Śrīla Prabhupāda termina l'écriture de *La Bhagavad-gītā telle qu'elle est.* La maison Macmillan en publia d'abord une version abrégée en 1968, puis une première édition complète en 1972.

Les premiers disciples américains qui préparaient la publication des manuscrits de Śrīla Prabhupāda rencontrèrent plusieurs difficultés. Ceux qui transcrivaient ses commentaires, enregistrés à l'époque sur un dictaphone, avaient parfois du mal à comprendre son anglais, aux accents indiens, et les versets sanskrits qu'il citait abondamment leur étaient étrangers. De leur côté, les éditeurs du sanskrit firent de leur mieux pour décrypter un manuscrit truffé d'espaces blancs et d'approximations phonétiques. Et pourtant, leur entreprise fut un succès, et la *Bhagavad-gītā telle qu'elle est* fut reconnue comme la norme, autant pour les intellectuels que pour les dévots à travers le monde.

Pour la deuxième édition toutefois, les disciples de Śrīla Prabhupāda bénéficiaient d'une expérience de quinze années de travail sur les livres de leur maître spirituel. Les éditeurs anglais avaient bien assimilé son enseignement et son langage, et les éditeurs du sanskrit étaient maintenant des érudits accomplis. Ils pouvaient désormais se frayer un chemin dans les perplexités du manuscrit en consultant les commentaires sanskrits dont Śrīla Prabhupāda lui-même s'était inspiré pour écrire la *Bhagavad-gītā telle qu'elle est.*

Le résultat est une œuvre plus riche et authentique. La traduction de chaque mot sanskrit correspond maintenant à la norme établie par Śrīla Prabhupāda dans ses autres livres, et leur confère ainsi clarté et justesse. Certaines traductions, bien que déjà acceptables, ont été revues afin de se rapprocher du texte sanskrit et des dictées initiales de Śrīla Prabhupāda. Plusieurs passages des teneurs et portées de Bhaktivedanta Swami avaient été mis de côté dans l'édition originale, mais ont maintenant retrouvé leur juste place dans le texte. Et les citations sanskrites dont la source était alors inconnue apparaissent maintenant accompagnés de leur référence complète.

Les Éditeurs

# L'auteur

Śrī Śrīmad A. C. Bhaktivedanta Swami Prabhupāda naquit à Calcutta en 1896. Il reçut de ses parents le nom de Abhay Charan, ce qui veut dire : « Celui qui, ayant pris refuge aux pieds pareils-au-lotus de Kṛṣṇa, ignore la crainte. »

En 1922, après avoir mené à bien ses études à l'Université de Calcutta et participé activement au mouvement non violent de Gandhi, il assista pour la première fois à une conférence tenue par Śrīla Bhaktisiddhānta Sarasvatī Ṭhākura, l'un des plus grands maîtres et érudits en matière de connaissance védique. Après le discours, Abhay Charan fut introduit auprès du maître qui lui demanda de faire connaître la philosophie de la *Bhagavad-gītā* en Occident. Abhay Charan ne put immédiatement satisfaire la requête de Śrīla Bhaktisiddhānta Sarasvatī. Il n'oublia jamais, cependant, cet entretien, et onze ans plus tard, il accepta officiellement ce dernier comme maître spirituel. En 1936, quelques jours avant de quitter ce monde, Śrīla Bhaktisiddhānta formula à nouveau son désir de le voir transmettre le message de la *Bhagavad-gītā* aux contrées occidentales.

Alors qu'Abhay Charan résidait encore en Inde, son maître spirituel lui apparaissait souvent en songe, renouvelant toujours la même demande. En 1959, encouragé par l'un de ses frères spirituels, il décida de prendre l'ordre du renoncement (le *sannyāsa*) ; c'est alors que lui fut attribué le nom de A.C. Bhaktivedanta Swami. Abandonnant sa vie familiale et sociale, il se retira à Vṛndāvana, lieu de l'avènement de Śrī Kṛṣṇa il y a 5 000 ans, pour y traduire en langue anglaise le *Śrīmad-Bhāgavatam,* et plusieurs autres textes sanskrits.

En 1965 il s'embarqua sur un cargo à destination des États-Unis, avec pour toute fortune 40 roupies. Seul à New-York, il se rendait chaque jour dans un parc et chantait le mantra Hare Kṛṣṇa. De nombreux jeunes furent attirés par sa personnalité ; ils chantaient avec lui les mantras védiques et assistaient régulièrement à ses cours sur le *bhakti-yoga*. Quelque temps plus tard, il ouvrit son premier temple de Kṛṣṇa dans une petite boutique désaffectée.

Bientôt, ses disciples établirent des temples à Los Angeles, San Francisco, puis Londres et Paris ; aujourd'hui, le Mouvement pour la Conscience de Kṛṣṇa, avec ses milliers de *bhaktas*, est présent en chaque grande ville de la planète, et Śrī Śrīmad A.C. Bhaktivedanta Swami Prabhupāda est devenu l'auteur de philosophie védique le plus lu et le plus apprécié dans le monde. Il a maintenant publié nombre d'ouvrages essentiels, tels que *La Bhagavad-gītā, Le Śrīmad-Bhāgavatam, Le Nectar de la dévotion, Le Livre de Kṛṣṇa* et *Le Śrī Caitanya-caritāmṛta*. Par souci de garder intact le sens premier des textes anciens, A.C. Bhaktivedanta Swami Prabhupāda donne, pour chacun de ces ouvrages, le sanskrit original, la traduction mot à mot puis la traduction littéraire ; il précise ensuite la teneur et portée à la lumière d'enseignements millénaires de maîtres appartenant à une filiation spirituelle remontant à Kṛṣṇa Lui-même (*guru-paramparā*).

Aujourd'hui, ses livres servent d'ouvrages de référence aux étudiants en philosophies orientales de la plupart des grandes universités du monde. Infatigable, Śrī Śrīmad A.C. Bhaktivedanta Swami Prabhupāda voyagea d'un bout à l'autre de la terre : il s'adressa chaque jour à un vaste auditoire et avec constance, instruisit ses disciples, transmettant son héritage spirituel, afin qu'à leur tour ils puissent offrir à tous cette sagesse védique dans sa pureté originelle.

# Glossaire

**Ācārya :** maître spirituel authentique qui enseigne par l'exemple.
**Acintya-bhedābheda-tattva :** doctrine exposée par Śrī Caitanya sur « l'inconcevable unité et différence simultanée » de Dieu et de Ses énergies.
**Agni :** *deva* du feu.
**Agnihotra-yajña :** cérémonie du feu sacrificiel accomplie selon les rituels védiques.
**Ahaṅkāra :** faux ego par lequel l'être s'identifie à son corps et à tout ce qui s'y rapporte (apparence, nationalité, race, confession).
**Ahiṁsā :** non-violence.
**Akarma** (ou *naiṣkarma*) : action non soumise à la loi du karma. (Voir **Karma**)
**Ānanda :** félicité spirituelle.
**Aparā-prakṛti :** énergie inférieure du Seigneur (matière).
**Arcanā :** processus d'adoration de la *mūrti*.
**Arcā-vigraha :** Voir **Mūrti.**
**Āśramas :** les quatre ordres de la vie spirituelle selon le système védique – *brahmacarya* (vie de célibat), *gṛhastha* (vie de famille), *vānaprastha* (vie de retraite), *sannyāsa* (vie de renoncement). (Voir **Varṇāśrama-dharma**)
**Aṣṭāṅga-yoga :** méthode de yoga comportant huit étapes : *yama* (observances), *niyama* (abstinences), *āsana* (postures classiques du yoga), *prāṇāyāma* (contrôle de la respiration), *pratyāhāra* (contrôle des sens), *dhāraṇā* (concentration), *dhyāna* (méditation) et *samādhi* (contemplation du Seigneur dans le cœur).
**Asura :** celui qui s'oppose au service dévotionnel du Seigneur (démon).
**Ātmā :** ce mot peut désigner le corps, le mental, l'intelligence ou l'Âme Suprême, mais le plus souvent il désigne l'âme

individuelle, infime parcelle d'énergie divine qui réside dans le corps de chaque être.

**Avatāra** (celui qui descend) : émanation plénière ou représentant de Dieu descendu dans l'univers matériel pour rétablir les principes de la spiritualité.

**Avidyā :** ignorance.

**Bhagavān** (Celui qui possède toutes les opulences divines) : le Seigneur Suprême qui possède toute puissance, gloire, beauté, richesse, savoir et renoncement.

**Bhakta :** dévot de Kṛṣṇa, adepte du *bhakti-yoga.*

**Bhakti :** le service de dévotion offert au Seigneur.

**Bhakti-rasāmṛta-sindhu :** ouvrage écrit en sanskrit au seizième siècle par Śrīla Rūpa Gosvāmī et traitant du service de dévotion.

**Bhakti-yoga :** relation avec le Seigneur Suprême à travers le service de dévotion.

**Bharata :** roi de l'Inde dont les Pāṇḍavas sont les descendants.

**Brahmā :** premier être créé. Il reçut de Viṣṇu le pouvoir de créer l'univers et régit le mode d'influence de la passion.

**Brahmacarya :** période de célibat et d'étude sous la tutelle d'un maître spirituel.

**Brahmajyoti :** radiance émanant de la forme transcendantale de Kṛṣṇa qui illumine le monde spirituel.

**Brahmaloka :** planète où réside Brahmā, la plus élevée de toutes les planètes de l'univers.

**Brahman :** 1) âme distincte ; 2) radiance émanant du corps absolu de Kṛṣṇa ; 3) Dieu, la Personne Suprême ; 4) le *mahat-tattva,* l'entière substance matérielle.

**Brāhmaṇa :** membre de la plus haute classe dans le système social védique.

**Brahma-saṁhitā :** texte très ancien découvert par Caitanya Mahāprabhu dans le sud de l'Inde et dans lequel Brahmā offre des prières à Kṛṣṇa.

**Buddhi-yoga :** autre nom pour *bhakti-yoga.* Il indique que ce dernier représente la meilleure utilisation de l'intelligence (*buddhi*).

**Caitanya-caritāmṛta :** œuvre de Kṛṣṇadāsa Kavirāja Gosvāmī décrivant la vie et les enseignements de Caitanya Mahāprabhu.

**Caitanya Mahāprabhu :** *avatāra* venu en Inde, il y a 500 ans, pour répandre le chant des saints noms de Dieu, le meilleur moyen de se réaliser spirituellement dans cet âge. Bien qu'Il fût en réalité le Seigneur Lui-même, Il joua le rôle d'un dévot afin de nous montrer comment raviver notre amour pour Dieu.

**Caṇḍāla :** mangeur de chien.

**Candra :** *deva* de la lune.

**Cāturmāsya :** les quatre mois de la saison des pluies en Inde durant lesquels les dévots de Kṛṣṇa accomplissent certaines austérités.

**Deva :** 1) être pieux et vertueux ; 2) habitant des planètes édéniques.

**Dharma :** 1) principes de la religion ; 2) fonction naturelle et éternelle de l'être qui consiste à servir le Seigneur avec amour et dévotion.

**Dhyāna :** méditation.

**Dvāpara-yuga :** troisième du cycle des quatre âges. (Voir **Yuga**)

**Gandharva :** *deva* chantre et musicien.

**Garbhodakaśāyī Viṣṇu :** deuxième *puruṣa-avatāra,* émanation plénière du Seigneur qui pénètre à l'intérieur de chaque univers.

**Garuḍa :** l'oiseau gigantesque qui transporte Viṣṇu.

**Goloka Vṛndāvana :** autre nom de Kṛṣṇaloka, le royaume de Dieu.

**Gosvāmī :** Voir **Svāmī.**

**Gṛhastha :** période de vie familiale et sociale en conformité avec les Écritures.

**Guṇas :** les trois modes d'influence de la nature matérielle : *sattva-guṇa* (vertu), *rajo-guṇa* (passion) et *tamo-guṇa* (ignorance).

**Guru :** maître spirituel.

**Indra :** *deva* régnant sur les planètes édéniques. Il gouverne la pluie.

**Jīva :** l'âme spirituelle individuelle.

**Jñāna :** la connaissance transcendantale.

**Jñāna-yoga :** recherche de la Vérité sur le plan philosophique.

**Jñānī :** celui qui pratique le *jñāna-yoga.*

**Kāla :** le temps.

**Kali-yuga :** âge de querelle et d'hypocrisie commencé depuis 5 000 ans et durant en tout 432 000 ans. Quatrième du cycle des quatre âges. (Voir **Yuga**)

**Kāraṇodakaśāyī Viṣṇu** (Mahā-Viṣṇu) : premier *puruṣa-avatāra,* émanation plénière du Seigneur dont émanent tous les univers.

**Karma :** loi de la nature selon laquelle toute action matérielle, bonne ou mauvaise, entraîne obligatoirement une conséquence équivalente.

**Karma-yoga :** 1) une des premières étapes du yoga. Il aide son adepte à se détacher progressivement de l'existence matérielle en lui apprenant à renoncer aux fruits de ses actes ; 2) voie de yoga par laquelle l'action et ses fruits sont dédiés au service de Dieu.

**Karmī :** celui qui, par ses actes fondés sur l'intérêt personnel, s'assujettit à la loi du karma.

**Kṛṣṇa :** nom originel de Dieu, la Personne Suprême, dans Sa forme spirituelle première ; il signifie « l'Infiniment Fascinant ».

**Kṛṣṇaloka** (Goloka Vṛndāvana) : planète spirituelle où Kṛṣṇa réside éternellement en la compagnie de Ses purs dévots.

**Kṣatriyas :** classe d'administrateurs et hommes de guerre dans le système social védique.

**Kṣīrodakaśāyī Viṣṇu :** troisième *puruṣa-avatāra,* émanation plénière du Seigneur qui pénètre dans le cœur de chaque être et à l'intérieur de chaque atome. Il est le Paramātmā, l'Âme Suprême omniprésente.

**Kurus :** les descendants de Kuru, et plus particulièrement les fils de Dhṛtarāṣṭra opposés aux Pāṇḍavas.

**Līlā :** activité (divertissement) transcendantale accomplie par le Seigneur Suprême.

**Loka :** planète.

**Mahā-mantra :** le « grand mantra » préconisé par Śrī Caitanya pour l'âge de Kali – Hare Kṛṣṇa Hare Kṛṣṇa Kṛṣṇa Kṛṣṇa Hare Hare / Hare Rāma Hare Rāma Rāma Rāma Hare Hare.

**Mahātmā** (grande âme) : celui qui comprend au plus profond de lui-même que Kṛṣṇa est tout, et qui, de ce fait, s'abandonne à Lui.

**Mahat-tattva :** l'énergie matérielle totale.

**Mantra :** vibration sonore pure qui a pour effet de libérer le mental de ses souillures et de ses tendances matérielles.

**Manu** : *deva* qui fut l'ancêtre de l'humanité. Auteur de la *Manu-saṁhitā* où se trouve consigné l'ensemble des lois nécessaires au fonctionnement harmonieux de la société.

**Māyā** (ce qui n'est pas, l'illusion) : énergie illusoire de Kṛṣṇa. Sous son influence, l'âme oublie la relation qui l'unit au Seigneur.

**Māyāvādī :** celui pour qui la Vérité Absolue est impersonnelle, c'est-à-dire dépourvue de forme, de personnalité, d'intelligence, de sens... et pour qui la perfection consiste à se fondre dans le Brahman pour ne plus faire qu'un avec lui.

**Mukti :** libération de l'existence matérielle.

**Muni :** sage.

**Mūrti :** manifestation de la forme personnelle de Dieu à travers certains matériaux déterminés. Kṛṣṇa, le créateur et maître de tous les éléments, apparaît sous cette forme pour faciliter le service de Son dévot.

**Naiṣkarma :** autre nom de l'*akarma*.

**Nārāyaṇa :** Viṣṇu ; émanation plénière de Kṛṣṇa régnant sur chacune des planètes Vaikuṇṭhas.

**Nirguṇa :** on utilise ce terme pour indiquer que Dieu n'a pas d'attributs matériels, ou que Ses attributs transcendent toute conception matérielle.

**Nirvāṇa :** libération de l'existence matérielle.

**Oṁ (Oṁkāra) :** syllabe sacrée représentant la Vérité Absolue.

**Pāṇḍavas :** les cinq fils du roi Pāṇḍu (Yudhiṣṭhira, Bhīma, Arjuna, Nakula et Sahadeva).

**Pāṇḍu :** frère de Dhṛtarāṣṭra et père des Pāṇḍavas.

**Paramātmā** (l'Âme Suprême) : émanation plénière de Kṛṣṇa qui accompagne et guide l'âme dans le corps. L'un des trois aspects de la Vérité Absolue, Il est omniprésent et Se localise dans le cœur de chaque être et dans chaque atome de la création matérielle.

**Paramparā :** succession disciplique, filiation spirituelle de maîtres qui ont transmis jusqu'à nos jours, sans l'altérer, l'enseignement originel du Seigneur.

**Prakṛti :** nature ou énergie.

**Prāṇāyāma :** contrôle de la respiration. (Voir **Aṣṭāṅga-yoga**)

**Prasāda :** miséricorde de Dieu ; nourriture offerte avec amour et dévotion à Kṛṣṇa qui la consacre et lui donne le pouvoir de purifier ceux qui la mangent.

**Pratyāhāra :** contrôle des sens. (Voir **Aṣṭāṅga-yoga**)

**Prema :** amour pur et spontané pour Dieu.

**Pṛthā :** Kuntī, épouse du roi Pāṇḍu et mère des Pāṇḍavas.

**Purāṇas :** Écrits historiques védiques au nombre de dix-huit.
**Puruṣa** (le bénéficiaire) : l'âme individuelle ou l'Âme Suprême.
**Puruṣa-avatāras :** émanations plénières de Kṛṣṇa, au nombre de trois – Kāraṇodakaśāyī Viṣṇu, Garbhodakaśāyī Viṣṇu et Kṣīrodakaśāyī Viṣṇu.

**Rajo-guṇa :** *guṇa* de la passion.
**Rāma :** 1) nom de Kṛṣṇa, la Personne Suprême, signifiant « la source de toute félicité » ; 2) l'*avatāra* Rāmacandra, exemple du parfait souverain.
**Rūpa Gosvāmī :** l'un des six grands sages de Vṛndāvana, disciple et contemporain de Śrī Caitanya. Il est l'auteur du *Bhakti-rasāmṛta-sindhu.*

**Sac-cid-ānanda :** *sat-* éternité, *cit-* connaissance, *ānanda-* félicité. Caractères propres au Seigneur Suprême et aux âmes distinctes.
**Sādhu :** saint ; personne consciente de Kṛṣṇa.
**Saguṇa** (qui possède des attributs) : on utilise ce terme pour indiquer que Dieu possède des attributs d'ordre spirituel.
**Samādhi :** extase méditative ; absorption totale dans la conscience de Dieu.
**Saṁsāra :** le cycle des morts et des renaissances dans le monde matériel.
**Sanātana-dharma :** religion éternelle – le service de dévotion.
**Śaṅkarācārya :** incarnation de Śiva venue sur terre pour enseigner l'impersonnalisme et rétablir l'autorité des Védas.
**Sāṅkhya :** 1) système philosophique fondé sur la différenciation analytique entre l'esprit et la matière ; 2) voie du service de dévotion telle que décrite par Kapila, fils de Devahūti.
**Saṅkīrtana :** chant public des saints noms du Seigneur pour le bénéfice de tous. Il confère le pur amour de Dieu et la libération de l'existence matérielle.
**Sannyāsa :** autre nom du *sannyāsī-āśrama.* Renoncement total à toute vie familiale et sociale permettant de maîtriser parfaitement les sens et le mental et de se dédier à l'enseignement de la science de la réalisation spirituelle.
**Sannyāsī :** celui qui appartient au *sannyāsī-āśrama.*
**Śāstras :** Écritures révélées ; Écritures védiques.
**Sattva-guṇa :** le *guṇa* de la vertu.
**Satya-yuga :** premier du cycle des quatre âges. (Voir **Yuga**)

**Śiva :** *deva* chargé de détruire le monde matériel à la fin de la vie de Brahmā. Il régit le mode d'influence de l'ignorance.

**Smṛti :** Écritures révélées, complément des Védas et des *Upaniṣads.*

**Soma-rasa :** breuvage céleste bu par les *devas.*

**Śravaṇam :** l'écoute des propos qui ont trait au Seigneur. L'une des formes d'adoration dans la pratique du *bhakti-yoga.*

**Śrīmad-Bhāgavatam** (*Bhāgavata Purāṇa*) : Écrit védique relatant les divertissements éternels de Kṛṣṇa et de Ses purs dévots. Il constitue le commentaire originel du *Vedānta-sūtra.*

**Śruti :** les Védas, savoir venu directement de Kṛṣṇa.

**Śūdras :** classe d'ouvriers et d'artisans dans le système social védique.

**Svāmī** (ou *gosvāmī*) : celui qui a une parfaite maîtrise de ses sens, de ses paroles et de ses pensées. S'applique habituellement au *sannyāsī,* celui qui adopte l'ordre du renoncement.

**Svargaloka :** les planètes édéniques, demeures des *devas.*

**Svarūpa :** forme spirituelle originelle ou condition intrinsèque de l'âme.

**Tamo-guṇa :** le *guṇa* de l'ignorance.

**Tretā-yuga :** deuxième du cycle des quatre âges. (Voir **Yuga**)

**Upaniṣads :** Écrits védiques ; partie philosophique des Védas.

**Vaikuṇṭhalokas :** planètes éternelles situées dans le monde spirituel.

**Vaiṣṇava :** celui qui se voue au Seigneur Suprême, Viṣṇu, ou Kṛṣṇa.

**Vaiśya :** classe d'agriculteurs et de commerçants dans le système social védique.

**Vānaprastha :** celui qui se retire de la vie de famille.

**Varṇas :** les quatre groupes sociaux selon le système védique – *brāhmaṇas, kṣatriyas, vaiśyas* et *śūdras.*

**Varṇāśrama-dharma :** institution védique respectant la division naturelle de la société en quatre *varṇas* et *āśramas.* (Voir **Varṇas** et **Āśramas**)

**Vasudeva :** père de Kṛṣṇa.

**Vāsudeva :** Kṛṣṇa, fils de Vasudeva.

**Vedānta-sūtra :** traité philosophique écrit par Vyāsadeva et constitué d'aphorismes sur la nature de la Vérité Absolue.

**Véda :** Écriture védique originelle divisée en quatre parties : le *Ṛk,* le *Yajur,* le *Sāma* et l'*Atharva.*

**Vidyā :** connaissance spirituelle.

**Vikarma :** action contraire aux règles énoncées dans les Écritures, cause de dégradation pour l'homme.
**Virāṭa-rupa :** forme universelle de Kṛṣṇa constituée de l'entière manifestation cosmique.
**Viṣṇu :** émanation plénière de Kṛṣṇa.
**Viṣṇu-tattva :** catégorie des émanations plénières de Dieu.
**Vṛndāvana :** village de l'Inde où Kṛṣṇa apparut il y a 5 000 ans pour dévoiler Ses divertissements transcendantaux en compagnie de Ses purs dévots.
**Vyāsadeva :** *avatāra* qui compila toutes les Écritures védiques.

**Yajña :** sacrifice.
**Yamarāja :** *deva* qui punit les pécheurs après la mort.
**Yoga** (union avec Dieu) : discipline spirituelle qui permet d'unir l'être distinct à l'Être Suprême.
**Yoga-māyā :** énergie spirituelle (interne) du Seigneur.
**Yuga** (âge) : Il y a quatre âges (Satya-yuga, Tretā-yuga, Dvāpara-yuga et Kali-yuga) qui se succèdent dans un cycle sans fin.

# Guide de prononciation du sanskrit

À travers les siècles, la langue sanskrite a été écrite dans toute une variété d'alphabets. Cependant, le mode d'écriture le plus largement utilisé dans l'Inde entière est le *devanāgarī,* terme qui signifie littéralement l'écriture en usage « dans les cités des *devas* ». L'alphabet *devanāgarī* consiste en quarante-huit caractères : 13 voyelles et 35 consonnes. Les grammairiens sanskritistes de l'antiquité ont agencé cet alphabet selon des principes linguistiques pragmatiques reconnus par tous les érudits occidentaux. Le système de translittération utilisé dans le présent ouvrage est conforme à celui que les linguistes ont adopté depuis les cinquante dernières années pour indiquer la prononciation des mots sanskrits.

**Les voyelles**

| | | | | | | |
|---|---|---|---|---|---|---|
| अ **a** | आ **ā** | इ **i** | ई **ī** | उ **u** | ऊ **ū** | ऋ **ṛ** |
| ॠ **ṝ** | ऌ **ḷ** | ए **e** | ऐ **ai** | ओ **o** | औ **au** | |

**Les consonnes**

| | | | | | |
|---|---|---|---|---|---|
| Gutturales : | क **ka** | ख **kha** | ग **ga** | घ **gha** | ङ **ṅa** |
| Palatales : | च **ca** | छ **cha** | ज **ja** | झ **jha** | ञ **ña** |
| Cérébrales : | ट **ṭa** | ठ **ṭha** | ड **ḍa** | ढ **ḍha** | ण **ṇa** |
| Dentales : | त **ta** | थ **tha** | द **da** | ध **dha** | न **na** |
| Labiales : | प **pa** | फ **pha** | ब **ba** | भ **bha** | म **ma** |
| Semi-voyelles : | य **ya** | र **ra** | ल **la** | व **va** | |
| Sifflantes : | श **śa** | ष **ṣa** | स **sa** | | |
| Aspirée : | ह **ha** | Anusvāra : ं **ṁ** | | Visarga : ः **ḥ** | |

## Guide de prononciation du sanskrit

Les voyelles prennent une forme différente lorsqu’elles suivent une consonne :

ा ā ि i ी ī ु u ू ū ृ ṛ ॄ ṝ े e ै ai ो o ौ au

Exemples : क ka का kā कि ki की kī कु ku कू kū

कृ kṛ कॄ kṝ कॢ kḷ के ke कै kai को ko कौ kau

Généralement, deux consonnes ou plus qui se suivent s’écrivent de façon spéciale. Exemples: क्ष kṣa त्र tra

La voyelle **a** est sous-entendue après une consonne qui n’est pas suivie de voyelle.

Le signe *virāma* (्) indique qu’il n’y a pas de voyelle finale : क्

### Les signes spéciaux

Avagraha : ऽ ’ (apostrophe)

### Les chiffres

**०-0 १-1 २-2 ३-3 ४-4 ५-5 ६-6 ७-7 ८-8 ९-9**

### Les voyelles se prononcent comme suit :

**a** — comme le **o** de r**o**be.
**ā** — comme dans p**â**tre.
**i** — comme dans p**i**c.
**ī** — comme dans cr**i**.
**u** — comme dans b**ou**le.
**ū** — comme dans l**ou**p.
**ṛ** — (r roulé) entre le **ri** de **ri**z et le **re** de **re**belle.
**ṝ** — (r roulé) entre le **ri** de **ri**z et le **re** de **re**belle.
**ḷ** — entre **lri** et **lre**.
**e** — comme dans cl**é**.
**ai** — comme dans **ai**l.
**o** — comme dans p**o**t.
**au** — par la combinaison du **a** immédiatement suivi du son **ou**.

### Les consonnes se prononcent comme suit :

**Gutturales**
(se prononcent à partir de la gorge)
**k** — comme dans **k**épi.
**kh** — comme dans **kh**ol (en aspirant le **h**).
**g** — comme dans **g**ai.

**Palatales**
(en appuyant le milieu de la langue contre la partie antérieure du palais)
**c** — comme dans **tch**èque.
**ch** — même prononciation, avec un **h** aspiré.

**gh** — comme dans **gh**etto (en aspirant le **h**).
**ṅ** — comme le **gn** de Tcha**ng.**

**j** — comme dans **dj**inn.
**jh** — même prononciation, avec un **h** aspiré.
**ñ** — comme dans Ke**ny**a.

**Cérébrales**
(en appuyant le bout de la langue contre la partie antérieure du palais)
**ṭ** — comme dans **t**ube.
**ṭh** — comme dans **th**ym (en aspirant le **h**).
**ḍ** — comme dans **d**îner.
**ḍh** — même prononciation, avec un **h** aspiré.
**ṇ** — comme dans Ar**n**old. (se préparer à prononcer le **r**, et prononcer le **n**).

**Dentales**
(en appuyant le bout de la langue contre les dents)
**t** — comme dans **t**rop.
**th** — même prononciation, avec un **h** aspiré.
**d** — comme dans **d**ivin.
**dh** — même prononciation, avec un **h** aspiré.
**n** — comme dans **n**oix.

**Labiales**
(se prononcent avec les lèvres)
**p** — comme dans **p**ain.
**ph** — même prononciation, avec un **h** aspiré.
**b** — comme dans **b**ain.
**bh** — même prononciation, avec un **h** aspiré.
**m** — comme dans **m**ère.

**Semi-voyelles**
**y** — comme dans **y**oga.
**r** — comme dans **r**ien (**r** roulé).
**l** — comme dans **l**umière.
**v** — comme dans **v**ache.

**Sifflantes**
**ś** — comme dans **sch**lamm.
**ṣ** — comme dans **ch**apeau.
**s** — comme dans **s**oleil.

**Lettre aspirée**
**h** — sont aspirés, comme dans **h**ousse.

**Anusvāra**
**ṁ** — se prononce comme dans le **on** de bon (avec l'accent du midi).

**Visarga**
**ḥ** — en fin de ligne se prononce comme un h aspiré (ex: **aḥ** = **aha** et **iḥ** = **ihi**).

## Guide de prononciation du sanskrit

Dans la langue sanskrite, il n'existe aucune syllabe tonique accentuée; le rythme y est déterminé par le flot des syllabes courtes et des syllabes longues (les syllabes longues sont soutenues deux fois plus longtemps que les courtes). La syllabe longue est celle dont la voyelle est longue **(ā, ī, ū, ṝ, e, ai, o, au)** ou dont la voyelle courte est suivie de plus d'une consonne. Les consonnes aspirées (consonnes suivies d'un **h**) sont considérées comme des consonnes simples.

# Références bibliographiques

Les explications élaborées données dans les teneurs et portées de chaque verset de la *Bhagavad-gītā telle qu'elle est* sont confirmées par des Textes védiques de tradition autorisée. En voici la liste.


*Amṛta-bindu Upaniṣad*
*Atharva Veda*
*Bhakti-rasāmṛta-sindhu*
*Brahma-saṁhitā*
*Brahma-sūtra*
*Bṛhad-āraṇyaka Upaniṣad*
*Bṛhad-viṣṇu-smṛti*
*Bṛhan-nāradīya Purāṇa*
*Caitanya-caritāmṛta*
*Chāndogya Upaniṣad*
*Garga Upaniṣad*
*Gītā-māhātmya*
*Gopāla-tāpanī Upaniṣad*
*Hari-bhakti-vilāsa*
*Kaṭha Upaniṣad*
*Kauṣītakī Upaniṣad*
*Kurma Purāṇa*
*Mādhyandi-nāyana-śruti*
*Mahābhārata*
*Mahā Upaniṣad*
*Māṇḍūkya Upaniṣad*
*Muṇḍaka Upaniṣad*
*Nārada pañcarātra*
*Nārāyaṇa Upaniṣad*
*Nārāyaṇīya*
*Nirukti* (dictionnaire)
*Nṛsiṁha Purāṇa*
*Padma Purāṇa*
*Parāśara-smṛti*
*Praśna Upaniṣad*
*Puruṣa-bodhinī Upaniṣad*
*Ṛg-veda*
*Śrī Īśopaniṣad*
*Śrīmad-Bhāgavatam*
*Stotra-ratna*
*Subala Upaniṣad*
*Śvetāśvatara Upaniṣad*
*Taittirīya Upaniṣad*
*Upadeśāmṛta*
*Varāha Purāṇa*
*Vedānta-sūtra*
*Viṣṇu Purāṇa*
*Yoga-sūtra*

# Index des versets sanskrits

Cet index donne une liste complète des premières et troisièmes lignes de chacun des versets sanskrits de la *Bhagavad-gītā*, présentés par ordre alphabétique.

# Index des versets sanskrits

# Index des versets sanskrits

# Index des versets sanskrits

# Index des versets sanskrits

# Index des versets sanskrits

# Index des versets sanskrits

# Index des citations

Cet index donne la liste des versets cités dans les commentaires de la *Bhagavad-gītā.* Les nombres en caractères gras renvoient à la première ou à la troisième ligne des versets entièrement cités, et les nombres en caractères normaux renvoient aux versets partiellement cités.

# Index des citations

# Index des citations

# Index des citations

# Index général

Les chiffres en caractères gras renvoient aux versets et les chiffres en caractères normaux renvoient aux teneurs et portées.

# Index général

# Index général

# Index général

## E

## F

## G



## H

# Index général

considéré comme un être humain ordinaire: 4.4, 4.35, 7.24, **9.11,** 9.12, 10.19, 11.52, 18.67
corps (Son) est transcendantal: 4.6, 9.11, 9.12, 9.34, 10.3, 11.43, 13.15
désire que les âmes conditionnées reviennent à Lui: 13.23, 15.15
désir (Son) est automatiquement accompli: 3.22, 9.5
diamant dans l'or: 9.29
donne la libération: 7.14, 9.22, **12.7,** 18.46, **18.56**
est adoré par tous: **11.44,** 15.15, **15.18**
est *asamaurdhva:* 10.42
est "chef de famille": 3.23
est Dieu, la Personne Suprême: Intro p.3, 2.2, 3.22, 4.3, 4.9, 4.35, 5.12, 5.17, 7.3, **7.7, 7.30, 8.8**-9, **8.22,** 9.11, **9.13,** 9.18, 10.1, **10.8, 10.12**-13, **11.18, 11.38,** 11.46, 11.54, **15.18**-19, **18.55**
est la mort: **9.19, 10.34, 11.26-30, 11.32,** 13.17
est la personne la plus âgée: 4.5, 4.6, **8.9, 11.18, 11.38**
est la source et l'anéantissement de toute chose: **7.6,** 9.6, **9.7**-8, **9.18,** 11.2
est l'autorité la plus haute: 2.1, 2.29, 4.4, 6.39, 8.1, **10.14,** 13.5, **18.4**
est le Brahman Suprême: Intro p.5, 4.9, 7.10, 8.3, **10.12**-13, **14.27**
est le but de chacun: 4.11, 9.18
est le but de la vie: 1.30, 1.31, 6.13-14, **7.18,** 7.19, 10.10, **11.55, 12.20**
est le but de tous les Védas: 3.10, 3.26, 9.20, **15.15, 15.18,** 16.24, 17.28
est le père de tous les êtres vivants: Intro p.16, 3.24, 7.10, 7.14, 9.10, 9.17, 9.18, 9.29, **10.8, 10.15, 10.39, 11.43, 14.3**-4, **15.7**
est le père de tous les sages: **10.2, 10.6**
est le tueur du démon des doutes: **1.30,** 2.1, **6.39,** 8.2, 18.1, **18.73**
est l'origine de toute chose matérielle et spirituelle: **9.19, 10.8,** 11.2, **11.43,** 14.27, **15.3-4**
est *sac-cid-ānanda:* Intro p.12-13, 2.2, 4.4, 4.5, 7.24, 7.25, 9.11, 11.54, 13.15
est toute chose: **7.12, 7.19, 11.40**
est Vāsudeva en dehors de Vṛndāvana: 10.37
établit les principes de la religion: 3.23, **4.8,** 4.16, 4.34
et Balarāma, sous une forme humaine: 9.11
éternellement jeune: 4.6, 11.46
et le nuage, comparés: 9.29
foi dans: 3.31, 6.47, 9.3, 11.54
guide la société: 3.24, **4.7**-8
imiter et suivre: 3.24
juge: 9.9
"Kṛṣṇa", définition: 3.13, 18.66
le plus pur d'entre les purs: 8.5, 9.2, **10.12**-13
maître (le) spirituel originel: 4.34, **11.43,** 11.54, 14.19
ne peut être compris à travers l'étude des Védas: 4.5, 7.24, **11.48, 11.53**
ne peut être compris par les matérialistes: 7.3, 7.15(4), **7.25,** 9.12, 10.2, 11.43
ne peut être réalisé par les sens matériels: 6.8, 7.3, 9.4, 10.2, 11.4, **13.16**
n'est pas vu comme le Suprême, par amour: 11.8, **11.41**-42
n'est réalisé qu'à travers la révélation: 7.25, 8.14, 10.11, 11.4, 11.47, 11.52, 11.54
non affecté par les modes de la nature: 7.12, **7.13, 8.9,** 13.5, **13.15, 14.19**
non différent de Son corps et de Son mental: 2.7, 3.22, 4.5, 4.6, 9.34, 11.43
omniprésent: **8.22, 9.4**-6, 9.11, **10.42, 11.38, 13.14**-16
on devrait toujours S'en souvenir et ne jamais L'oublier: 6.10
origine (l') de tous les *avatāras:* 4.5, 4.8, 8.22, 11.1, 11.46, 11.54
oublier, est la cause de notre souffrance: 2.20, 3.10, 4.35, 5.15, 5.16, 5.25, 6.32, 13.1-2, 13.23, 15.5, 15.7, 17.3, 18.59, 18.73
paroles (Ses), sont un nectar éternel: **10.18**
particulièrement bienveillant envers Ses dévots: 1.22, 4.8, **7.18,** 8.14, **9.22, 9.29, 10.11,** 11.4, 11.47, 18.46, 18.56
pas de vérité au-delà de Lui: **7.7,** 7.15(2), **8.22**
pierre (la) *vaidhūrya* : 4.5
protège Ses dévots: 4.8, 8.23, **9.13, 9.22, 18.56**-57
réalisé seulement à travers le service de dévotion: 7.24, **8.14, 8.22,** 9.4, **9.13, 9.29,** 10.2, 10.3, 10.11, 11.4, **11.54**-55, 13.16, **18.55**
refuge (Son), libération à travers: **7.14, 9.32, 15.3-4**
répand Sa *saumya-vapuḥ:* **11.50**
réservoir (un) de relations: 11.14
roi (un) et ses représentants, comparés: 9.4
Se donne à Ses dévots: 9.29, 18.58, 18.73
semble n'avoir que vingt ans: 4.6
sens (Ses), sont interchangeables: 3.15, 3.22, 9.26, 11.43, 13.15
serviteur de Ses dévots: 1.22, **9.22,** 9.29, 18.58
seuls les démons ne L'acceptent pas: 4.4
seuls les dévots Le comprennent: 10.2, **13.19**
souvenir (le) de: **8.5,** 8.7, **8.8,** 8.9, **8.14, 10.17**
*Kṣatriya(s)*
atteignent les planètes édéniques: **2.32, 2.37**
devoirs (ses): 1.31, 1.36, 2.14, 2.27, **2.31,** 2.32, 3.22, 16.1-3
n'acceptent pas l'ordre du *sannyāsa:* 2.31
nés de l'énergie de Kṛṣṇa: 10.6
protègent les citoyens de l'esclavage matériel: 4.1
qualités (ses): **18.43**
s'entraînent dans les forêts: 2.31
violence (la) est permise chez les: 3.35, 16.1-3, 16.5, 18.47
*Kṣetra*
définition: 13.1, **13.2**
éléments du: **13.6**-7
*Kṣetra-jña*
définition: Intro p.10, 13.1, **13.2**
deux sortes de: Intro p.10, 13.3, 13.5, 13.18
en relation avec le *kṣetra:* **13.21**-22, **13.27**
opposé au *kṣetra:* 13.1-2
Kṣīrodakaśāyī Viṣṇu
Paramātmā omniprésent: 7.4, 9.8
présent dans chaque atome: 7.4, 9.8
*puruṣa-avatāra:* 10.20, 10.32
Kulaśekhara Mahārāja, cité: 8.2
Kumāras (les quatre)
Kṛṣṇa est leur père: **10.6,** 10.7
noms des: 10.6
sont de grandes autorités: 4.16, 7.15
sont parvenus à la perfection: 9.2, 14.27
*Kumbhaka-yoga:* 4.29
Kurukṣetra, bataille de
combat entre Duryodhana et Yudhiṣṭhira: 18.78
Dhṛtarāṣṭra en est responsable: 1.16-18
issue (l') est déjà décidée: 1.16-18, **11.26**-27, **11.32**-34
Kṛṣṇa désirait la: 2.27, 2.38, 3.19, 5.7, **11.33**
Kṛṣṇa négocia pour éviter la: 3.20, 11.47
mort (la) de la familla d'Arjuna, ne peut être évitée: 2.27
plan de Kṛṣṇa dans la: 18.73
spirituellement personne n'est tué dans la: 5.7
*Kūṭasthaḥ:* 2.20, **6.8, 12.3, 15.16**
Kuvera: **10.23,** 17.28


## L


Lakṣmī (déesse de la fortune): 8.21
Lamentation
est un signe d'ignorance: **18.35**
jouissance (la) des sens se termine dans la: 18.38
n'est pas nécessaire: 2.1, **2.11**-13, 2.18, **2.26**-28, **2.30**
se libérer de la: **2.11, 5.20, 12.17, 18.54**
"L'homme propose, Dieu dispose": 5.15
Libération
accessible à tous: **9.32, 18.45**
avancement sur la voie qui mène à la: **4.30,** 4.36, **5.17,** 16.1-3
corps spirituel après la: 15.7
dans le corps présent: **4.20,** 5.3, 5.11, 5.13, 5.25, 6.31, 9.1, **14.20**

# Index général

# Index général

# Index général

# Index général

## Y

## Z

# Table des matières

Situation historique de la *Bhagavad-gītā* *vii*

Avant-propos *xi*

**Introduction** 1

PREMIER CHAPITRE

**Sur le champ de bataille de Kurukṣetra** 31

Alors que les deux armées vont s'affronter, Arjuna, le puissant guerrier, voit dans les deux camps ses proches, ses instructeurs et ses amis, prêts à se battre et à sacrifier leurs vies. Accablé de douleur et pris de compassion, Arjuna faiblit, devient confus et renonce à combattre.

DEUXIÈME CHAPITRE

**Aperçu de la Bhagavad-gītā** 61

Arjuna prend refuge en Śrī Kṛṣṇa et devient Son disciple. Kṛṣṇa l'instruit alors sur la différence fondamentale entre le corps matériel temporaire et l'âme spirituelle éternelle. Il explique ensuite le processus de la transmigration de l'âme, dépeint la nature du service immotivé offert au Suprême et donne les caractéristiques d'une personne réalisée spirituellement.

TROISIÈME CHAPITRE

**Le karma-yoga** 137

Dans l'univers matériel, tout être doit agir d'une façon ou d'une autre. Mais ces activités peuvent soit l'enchaîner à ce monde soit l'en libérer. En agissant pour le plaisir du Suprême, sans motivation personnelle, on peut s'affranchir de la loi du karma (action et réaction) et obtenir la connaissance transcendantale du soi et du Suprême.

DIX-HUITIÈME CHAPITRE

**Conclusion, la perfection du renoncement** 659

Kṛṣṇa donne la signification du renoncement et explique les effets des influences des *guṇas* sur la conscience et les activités de l'être humain. Il explique également la réalisation du Brahman, exalte les gloires de la *Bhagavad-gītā* et donne son ultime conclusion : la plus haute forme de religion est l'abandon inconditionnel à Kṛṣṇa. Il libère l'homme de tout péché, le conduit à l'illumination et lui permet de retourner dans le royaume éternel de Dieu.

## Appendice

À propos de la deuxième édition 719

L'auteur 721

Glossaire 723

Guide de prononciation du sanskrit 731

Références bibliographiques 735

Index des versets sanskrits 737

Index des citations 745

Index général 749

# Centres de bhakti-yoga dans les pays francophones

**Acharya-fondateur Śrī Śrīmad A.C. Bhaktivedanta Swami Prabhupāda**

Pour une liste complète de tous les centres à travers le monde visitez **centres.iskcon.org** ou **directory.krishna.com.** Pour des informations sur les horaires, festivals, cours ou conférences, adressez-vous au centre le plus près de chez vous.
Mise à jour des adresses : april 2021

✦ Centres où il y a un restaurant

**France**

**Paris** – 230 Avenue de la Division Leclerc, 95200 Sarcelles; Tél. +33 (0)1 34 45 89 12; apbyparis@gmail.com; iskcon.fr

**Luçay-le-Mâle** – La Nouvelle Mayapura, Château d'Oublaise, 36360 Luçay-le-Mâle; Tél. +33 (0)2 54 40 23 95; newmayapur.com/fr; contact@newmayapur.com

**Suisse**

**Zürich** – Krishna-Gemeinschaft Schweiz, Bergstrasse 54, 8032 Zürich; Tél. +41 (0)44 262 33 88; kgs@krishna.ch; krishna.ch

**Langenthal** – Gaura Bhaktiyoga Center, Dorfgasse 43, 4900 Langenthal; Tél. +41 (0)62 922 05 48; gaura.bhaktiyoga.center@gmx.ch; gaura-bhakti.ch

**Canada**

**Montréal** – 1626 boulevard Pie-IX, Montréal (Québec) H1V 2C5; Tél. +1 514 521 1301; iskconmontreal@gmail.com; iskconmontreal.ca

**Ottawa** ✦ 212 Somerset Street East, Ottawa (Ontario) K1N 6V4; Tél. +1 613 565 6544; ottawa.iskcon.ca

**Côte d'Ivoire**

**Abidjan** – Temple Hare Krishna, Cocody-Angre, Villa 238, Cité Blanche, Abidjan; (P.O. Box: 09 BP 715 ABJ 09); Tél. +225 05 648 329, +225 42 145 150; bhakti.carudesna.swami@gmail.com

**Belgique**

**Durbuy** ✦ ISKCON Radhadesh, Petite Somme 5, 6940 Septon–Durbuy; Tél. +32 (0)86 32 29 26; info@radhadesh.com; radhadesh.com

**La Réunion**

**Le Tampon** – Association Réunionnaise Sankirtan, 48 rue Paul Velaine, 97430 Le Tampon; Tél. +(0)262 49 76 32, +(0)692 26 52 90; iskcon.reunion@gmail.com

**Île Maurice**

**Bon Accueil** – ISKCON Vedic Farm, Hare Krishna Road, Vrindavan, Bon Accueil; Tél. +230 418 3955, +230 418 3185; sriniketandas@yahoo.com; iskconmauritius.org

**Phoenix** ✦ Sri Sri Radha Golokananda Mandir, Srila Prabhupada Street, Vacoas, Phoenix; Tél. +230 696 5804; info@iskconvedicfarm.mu; iskconmauritius.org

**République démocratique du Congo**

**Kinshasa** – Commune de Mont Ngafula Mbudi Safrica, avenue du Fleuve N° 1, Kinshasa; Tél. +243 813 680 321; bhakti.carudesna.swami@gmail.com

**Togo**

**Lomé** – Sis Face Place Bonke, dans l'allée du magasin Mousse Confort, Tokoin Hospital 01, BP 3105; Tél. +228 93 183678, +228 91 155164; iskcontogotokoin@yahoo.fr